Física Universitaria Volumen 1

Parte 1: Capítulos 1–10

AUTORES PRINCIPALES
SAMUEL J. LING, UNIVERSIDAD ESTATAL DE TRUMAN
JEFF SANNY, UNIVERSIDAD LOYOLA MARYMOUNT
WILLIAM MOEBS, ANTERIORMENTE DE LA UNIVERSIDAD LOYOLA MARYMOUNT

openstax™

ISBN: 978-1-711494-63-0

D1212492

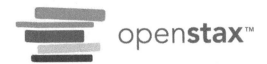

OpenStax
Rice University
6100 Main Street MS-375
Houston, Texas 77005

Para obtener más información sobre OpenStax, visite https://openstax.org.
Pueden adquirirse copias impresas individuales y pedidos al por mayor a través de nuestro sitio web.

©2021 Rice University. El contenido de los libros de texto que produce OpenStax tiene una licencia de atribución internacional de Creative Commons 4.0 (CC BY 4.0). De conformidad con esta licencia, todo usuario de este libro de texto o de su contenido debe proporcionar la atribución adecuada de la siguiente manera:

- Si redistribuye este libro de texto en formato digital (lo que incluye, entre otros, PDF y HTML), entonces debe mantener en cada página la siguiente atribució:
  "Acceso gratuito en openstax.org".
- Si redistribuye este libro de texto en formato impreso, debe incluir en cada página física la siguiente atribución:
  "Acceso gratuito en openstax.org".
- Si redistribuye parte de este libro de texto, debe mantener en cada página de formato digital (lo que incluye, entre otros, PDF y HTML) y en cada página física impresa la siguiente atribución:
  "Acceso gratuito en openstax.org."
- Si utiliza este libro de texto como referencia bibliográfica, incluya https://openstax.org/details/books/física-universitaria-volumen-1 en su cita.

Si tiene preguntas sobre esta licencia, póngase en contacto con support@openstax.org.

Marcas registradas
El nombre de OpenStax, el logotipo de OpenStax, las portadas de los libros de OpenStax, el nombre de OpenStax CNX, el logotipo de OpenStax CNX, el nombre de OpenStax Tutor, el logotipo de Openstax Tutor, el nombre de Connexions, el logotipo de Connexions, el nombre de Rice University y el logotipo de Rice University no están sujetos a la licencia y no se pueden reproducir sin el consentimiento previo y expreso por escrito de Rice University. XANEDU and the XanEdu Logo are trademarks of Xanedu Publishing, Inc. The XANEDU mark is registered in the United States, Canada, and the European Union. These trademarks may not be used without the prior and express written consent of XanEdu Publishing, Inc.

VERSIÓN DE TAPA BLANDA ISBN-13	**978-1-711494-63-0**
VERSIÓN DIGITAL ISBN-13	**978-1-951693-90-9**
AÑO DE PUBLICACIÓN ORIGINAL	**2021**

1 2 3 4 5 6 7 8 9 10 JAY 21

Printed by
XanEdu
4750 Venture Drive, Suite 400
Ann Arbor, MI 48108
800-562-2147
www.xanedu.com

OpenStax

OpenStax ofrece libros de texto gratuitos, revisados por expertos y con licencia abierta para cursos de introducción a la universidad y del programa Advanced Placement®, así como software didáctico personalizado de bajo costo que apoyan el aprendizaje de los estudiantes. Es una iniciativa de tecnología educativa sin fines de lucro con sede en Rice University (Universidad Rice), que se compromete a brindarle acceso a los estudiantes a las herramientas que necesitan para terminar sus cursos y alcanzar sus objetivos educativos.

Rice University

OpenStax, OpenStax CNX, and OpenStax Tutor son iniciativas de Rice University. Como universidad líder en investigación con un compromiso particular con la educación de pregrado, Rice University aspira a una investigación pionera, una enseñanza insuperable y contribuciones para mejorar nuestro mundo. Su objetivo es cumplir esta misión y cultivar una comunidad diversa de aprendizaje y descubrimiento que forme líderes en todo el ámbito del esfuerzo humano.

RICE

Apoyo Filantrópico

OpenStax agradece a nuestros generosos socios filantrópicos, que apoyan nuestra visión de mejorar las oportunidades educativas para todos los estudiantes.

Arnold Ventures
Chan Zuckerberg Initiative
Chegg, Inc.
Arthur and Carlyse Ciocca Charitable Foundation
Digital Promise
Ann and John Doerr
Bill & Melinda Gates Foundation
Girard Foundation
Google Inc.
The William and Flora Hewlett Foundation
The Hewlett-Packard Company
Intel Inc.
Rusty and John Jaggers
The Calvin K. Kazanjian Economics Foundation
Charles Koch Foundation
Leon Lowenstein Foundation, Inc.
The Maxfield Foundation
Burt and Deedee McMurtry
Michelson 20MM Foundation
National Science Foundation
The Open Society Foundations
Jumee Yhu and David E. Park III
Brian D. Patterson USA-International Foundation
The Bill and Stephanie Sick Fund
Steven L. Smith & Diana T. Go
Stand Together
Robin and Sandy Stuart Foundation
The Stuart Family Foundation
Tammy and Guillermo Treviño
Valhalla Charitable Foundation
White Star Education Foundation
Schmidt Futures
William Marsh Rice University

Contenido

CAPÍTULO 14

Mecánica de fluidos 697

UNIDAD 2 ONDAS Y ACÚSTICA

CAPÍTULO 15

Oscilaciones 759

CAPÍTULO 16

Ondas 805

CAPÍTULO 17

Sonido 863

PREFACIO

Bienvenido a *Física Universitaria*, un recurso de OpenStax. Este libro de texto fue escrito para aumentar el acceso de los estudiantes a material de aprendizaje de alta calidad, a la vez que se mantienen los más altos estándares de rigor académico a bajo o ningún costo.

Acerca de OpenStax

OpenStax es una organización sin ánimo de lucro con sede en la Universidad Rice. Nuestra misión es brindar a los estudiantes mayor acceso a la educación. Nuestro primer libro de texto universitario con licencia abierta se publicó en 2012. Desde entonces nuestra biblioteca se ha ampliado a más de 25 libros que consultan cientos de miles de estudiantes en todo el mundo. OpenStax Tutor, nuestra herramienta de aprendizaje personalizado de bajo costo, se utiliza en cursos universitarios de todo el país. La misión de OpenStax es posible gracias al generoso apoyo de fundaciones filantrópicas. A través de estas asociaciones y con la ayuda de recursos adicionales de bajo costo de nuestros socios de OpenStax, OpenStax rompe las barreras más comunes para el aprendizaje y otorga poder a los estudiantes e instructores para que triunfen.

Sobre los recursos de OpenStax

Personalización

Física Universitaria está autorizado conforme a la licencia Creative Commons Atribución 4.0 Internacional (CC BY 4.0), lo que significa que puede distribuir, mezclar y construir sobre el contenido, siempre y cuando proporcione la atribución a OpenStax y sus colaboradores de contenido.

Dado que nuestros libros tienen licencia abierta, usted es libre de utilizar todo el libro o de elegir las secciones que sean más relevantes para las necesidades de su curso. Puede mezclar el contenido en la asignación a sus estudiantes de ciertos capítulos y secciones en su programa de estudios en el orden que usted prefiera. Incluso puede proporcionar un enlace directo en su programa de estudios a las secciones en la vista web de su libro.

Errata

Todos los libros de texto de OpenStax se someten a un riguroso proceso de revisión. Sin embargo, al igual que cualquier libro de texto de nivel profesional, a veces se producen errores. Dado que nuestros libros se basan en la web, podemos realizar actualizaciones periódicas cuando se considere pedagógicamente necesario. Si tiene una corrección que sugerir, envíela a través del enlace de la página de su libro en OpenStax.org. Los expertos en la materia revisan todas las sugerencias de erratas. OpenStax se compromete a ser transparente en todas las actualizaciones, por lo que usted también encontrará una lista de los cambios de erratas anteriores en la página de su libro en OpenStax.org.

Formato

Puede acceder a este libro de texto de forma gratuita en vista web o en PDF a través de OpenStax.org, y por un bajo costo en versión impresa.

Acerca de *Física Universitaria*

Física Universitaria está diseñado para el curso de física de dos o tres semestres con base en cálculo. El texto ha sido desarrollado para cumplir con el alcance y la secuencia de la mayoría de los cursos universitarios de física y proporciona una base para una carrera en matemáticas, ciencias o ingeniería. El libro ofrece una importante oportunidad para que los estudiantes aprendan los conceptos básicos de la física y comprendan cómo esos conceptos se aplican a sus vidas y al mundo que los rodea.

Debido al carácter exhaustivo del material, ofrecemos el libro en tres volúmenes para mayor flexibilidad y eficacia.

Cobertura y alcance

Nuestro libro de texto de *Física Universitaria* se adhiere al alcance y la secuencia de la mayoría de los cursos de física de dos y tres semestres de todo el país. Hemos trabajado para que la física sea interesante y accesible para los estudiantes, a la vez que se mantiene el rigor matemático inherente a la asignatura. Con este objetivo en mente, el contenido de este libro de texto se ha desarrollado y organizado para proporcionar una progresión lógica desde los conceptos fundamentales hasta los más avanzados, con base en lo que los estudiantes ya han aprendido y haciendo hincapié en las conexiones entre los temas y entre la teoría y las aplicaciones.

La meta de cada sección es que los estudiantes no solo reconozcan los conceptos, sino que trabajen con estos de forma que les resulten útiles en cursos posteriores y en sus futuras carreras. La organización y las características pedagógicas se desarrollaron y examinaron con los aportes de educadores científicos dedicados al proyecto.

VOLUMEN I

Unidad 1: Mecánica

- Capítulo 1: Unidades y medidas
- Capítulo 2: Vectores
- Capítulo 3: Movimiento rectilíneo
- Capítulo 4: Movimiento en dos y tres dimensiones
- Capítulo 5: Leyes del movimiento de Newton
- Capítulo 6: Aplicaciones de las leyes de Newton
- Capítulo 7: Trabajo y energía cinética
- Capítulo 8: Energía potencial y conservación de la energía
- Capítulo 9: Momento lineal y colisiones
- Capítulo 10: Rotación de eje fijo
- Capítulo 11: Momento angular
- Capítulo 12: Equilibrio estático y elasticidad
- Capítulo 13: Gravitación
- Capítulo 14: Mecánica de fluidos

Unidad 2: Ondas y acústica

- Capítulo 15: Oscilaciones
- Capítulo 16: Ondas
- Capítulo 17: Sonido

VOLUMEN II

Unidad 1: Termodinámica

- Capítulo 1: Temperatura y calor
- Capítulo 2: La teoría cinética de los gases
- Capítulo 3: La primera ley de termodinámica
- Capítulo 4: La segunda ley de la termodinámica

Unidad 2: Electricidad y magnetismo

- Capítulo 5: Cargas y campos eléctricos
- Capítulo 6: Ley de Gauss
- Capítulo 7: Potencial eléctrico
- Capítulo 8: Capacidad
- Capítulo 9: Corriente y resistencia
- Capítulo 10: Circuitos de corriente continua
- Capítulo 11: Fuerzas y campos magnéticos
- Capítulo 12: Fuentes de campos magnéticos
- Capítulo 13: Inducción electromagnética
- Capítulo 14: Inductancia
- Capítulo 15: Circuitos de corriente alterna
- Capítulo 16: Ondas electromagnéticas

VOLUMEN III

Unidad 1: Óptica

- Capítulo 1: La naturaleza de la luz
- Capítulo 2: Óptica geométrica y formación de imágenes
- Capítulo 3: Interferencia
- Capítulo 4: Difracción

Unidad 2: Física moderna

- Capítulo 5: Relatividad
- Capítulo 6: Fotones y ondas de materia
- Capítulo 7: Mecánica cuántica
- Capítulo 8: Estructura atómica
- Capítulo 9: Física de la materia condensada
- Capítulo 10: Física nuclear
- Capítulo 11: Física de partículas y cosmología

Fundamentos pedagógicos

En *Física Universitaria* encontrará derivaciones de conceptos que presentan ideas y técnicas clásicas, así como aplicaciones y métodos modernos. La mayoría de los capítulos comienzan con observaciones o experimentos que sitúan el material en un contexto de experiencia física. Las presentaciones y explicaciones se basan en años de experiencia en el aula por parte de profesores de física de larga trayectoria, que se esfuerzan por lograr un equilibrio de claridad y rigor que ha demostrado ser exitoso con sus estudiantes. En el texto, los enlaces permiten a los estudiantes repasar el material anterior y volver al planteamiento actual para reforzar las conexiones entre los temas. Las figuras históricas y los experimentos más importantes se analizan en el texto principal (en lugar de en recuadros o barras laterales), a la vez que se mantiene el enfoque en el desarrollo de la intuición física. Las ideas clave, las definiciones y las ecuaciones se destacan en el texto y se enumeran en forma de resumen al final de cada capítulo. Los ejemplos y las imágenes que abren los capítulos suelen incluir aplicaciones contemporáneas de la vida cotidiana o de la ciencia y la ingeniería modernas con las que los estudiantes pueden relacionarse: desde los teléfonos inteligentes hasta Internet o los dispositivos GPS.

Evaluaciones que refuerzan los conceptos clave

Los **Ejemplos** que se encuentran en los capítulos siguen un formato de tres partes: de estrategia, solución e importancia, para enfatizar cómo abordar un problema, cómo trabajar con las ecuaciones y cómo comprobar y generalizar el resultado. Los ejemplos van seguidos de preguntas y respuestas de

Compruebe lo aprendido para que los estudiantes refuercen las ideas importantes de los ejemplos. Las **Estrategias de resolución de problemas** de cada capítulo desglosan los métodos para abordar diversos tipos de problemas en pasos, que los estudiantes pueden seguir para orientarse. El libro también incluye ejercicios al final de cada capítulo, para que los estudiantes practiquen lo que han aprendido.

- Las **Preguntas conceptuales** no requieren cálculos, sino que ponen a prueba el aprendizaje de los conceptos clave por parte del estudiante.
- Los **Problemas** clasificados por secciones ponen a prueba las habilidades de los estudiantes para resolver problemas y la capacidad para aplicar las ideas a situaciones prácticas.
- Los **Problemas adicionales** aplican los conocimientos de todo el capítulo, lo cual obliga a los estudiantes a identificar qué conceptos y ecuaciones son apropiados para resolver determinados problemas. Al azar, en los problemas, hay ejercicios de **Resultados poco razonables.** Allí se pide a los estudiantes que evalúen la respuesta a un problema y expliquen por qué no es razonable y cuáles de las suposiciones que se hacen serían incorrectas.
- Los **Problemas de desafío** amplían las ideas del texto a situaciones interesantes, pero difíciles.

Las respuestas a los ejercicios seleccionados están disponibles en una **Clave de respuestas** al final del libro.

Recursos adicionales

Recursos para estudiantes e instructores

Hemos recopilado guías de respuestas y soluciones para instructores y estudiantes. Los recursos para instructores requieren una cuenta de instructor verificada, que puede solicitar al iniciar sesión o crear su cuenta en OpenStax.org. Aproveche estos recursos para complementar su libro de OpenStax.

Centros comunitarios

OpenStax se asocia al Instituto para el Estudio de la Administración del Conocimiento en la Educación (Institute for the Study of Knowledge Management in Education, ISKME) para ofrecer centros comunitarios en OER Commons. Esta plataforma es para que los instructores compartan los recursos creados por la comunidad en apoyo de los libros de OpenStax, de forma gratuita. A través de nuestros centros comunitarios, los instructores pueden cargar sus propios materiales o descargar recursos para utilizarlos en sus propios cursos. Esto abarca anexos adicionales, material didáctico, multimedia y contenido relevante del curso. Animamos a los profesores a que se unan a los centros de los temas más relevantes para su docencia e investigación como una oportunidad, tanto para enriquecer sus cursos como para relacionarse con otros profesores.

Para ponerse en contacto con los centros comunitarios, visite www.oercommons.org/hubs/OpenStax (https://www.oercommons.org/hubs/OpenStax).

Recursos asociados

Los socios de OpenStax son nuestros aliados en la misión de hacer asequible y accesible el material de aprendizaje de alta calidad a los estudiantes e instructores de todo el mundo. Sus herramientas se integran perfectamente con nuestros títulos de OpenStax a un bajo costo. Para acceder a los recursos asociados a su texto, visite la página de su libro en OpenStax.org.

Sobre los autores

Autores principales

Samuel J. Ling, Universidad Estatal de Truman
El Dr. Samuel Ling ha enseñado física introductoria y avanzada durante más de 25 años en la Universidad Estatal de Truman, donde actualmente es profesor de física y jefe del departamento. El Dr. Ling tiene dos doctorados por la Universidad de Boston, uno en Química y otro en Física, y fue becario de investigación en el Instituto Indio de Ciencias de Bangalore antes de incorporarse a Truman. El Dr. Ling también es autor de *Primer Curso en Vibraciones y Ondas (A First Course in Vibrations and Waves)*, publicado por Oxford University Press. El Dr. Ling tiene vasta experiencia en investigación en el campo de la educación en física y ha publicado investigaciones sobre métodos de aprendizaje colaborativo en la enseñanza de la física. Recibió una beca Truman y una beca Jepson en reconocimiento a sus innovadores métodos de enseñanza. Las publicaciones de investigación del Dr. Ling abarcan la cosmología, la física del estado sólido y la óptica no lineal.

Jeff Sanny, Universidad Loyola Marymount
El Dr. Jeff Sanny se licenció en Física en el Colegio Universitario Harvey Mudd en 1974 y se doctoró en física del estado sólido en la Universidad de California, Los Ángeles, en 1980. Se incorporó al cuerpo docente de la Universidad Loyola Marymount en otoño de 1980. Durante su

permanencia, ha desempeñado el cargo de jefe de departamento, así como el de decano asociado. El Dr. Sanny disfruta enseñando física introductoria en particular. También le apasiona proporcionar a los estudiantes experiencia en investigación y ha dirigido durante muchos años un activo grupo de investigación en física espacial, conformado por estudiantes universitarios.

William Moebs, anteriormente de la Universidad Loyola Marymount

El Dr. William Moebs se licenció y doctoró (1959 y 1965) en la Universidad de Michigan. Después se incorporó al personal como investigador asociado durante un año, donde continuó su investigación doctoral en física de partículas. En 1966, aceptó un nombramiento en el departamento de física de Indiana Purdue Fort Wayne (IPFW), donde ejerció como jefe de departamento de 1971 a 1979. En 1979 se trasladó a la Universidad Loyola Marymount (Loyola Marymount University, LMU), donde fue jefe del departamento de física de 1979 a 1986. Se retiró de la LMU en el 2000. Ha publicado investigaciones sobre física de partículas, cinética química, división celular, física atómica y enseñanza de la física.

Autores colaboradores

Stephen D. Druger
Alice Kolakowska, Universidad de Memphis
David Anderson, Colegio Universitario Albion
Daniel Bowman, Colegio Universitario Ferrum
Dedra Demaree, Universidad de Georgetown
Edw. S. Ginsberg, Universidad de Massachusetts
Joseph Trout, Colegio Universitario Richard Stockton
Kevin Wheelock, Colegio Universitario Bellevue
David Smith, Universidad de las Islas Vírgenes
Takashi Sato, Universidad Politécnica de Kwantlen
Gerald Friedman, Colegio Universitario Comunitario Santa Fe
Lev Gasparov, Universidad del Norte de Florida
Lee LaRue, Colegio Universitario Paris Junior
Mark Lattery, Universidad de Wisconsin
Richard Ludlow, Colegio Universitario Daniel Webster
Patrick Motl, Universidad Kokomo de Indiana
Tao Pang, Universidad de Nevada, Las Vegas
Kenneth Podolak, Universidad Estatal de Plattsburgh

Revisores

Salameh Ahmad, Instituto de Tecnología Rochester, Dubai
John Aiken, Universidad de Colorado, Boulder
Raymond Benge, Colegio Universitario del condado Terrant
Gavin Buxton, Universidad Robert Morris
Erik Christensen, Colegio Universitario Estatal del Sur de Florida
Clifton Clark, Universidad Estatal Fort Hays
Nelson Coates, Academia Marítima de California
Herve Collin, Colegio Universitario Comunitario Kapi'olani
Carl Covatto, Universidad Estatal de Arizona
Alejandro Cozzani, Colegio Universitario Imperial Valley
Danielle Dalafave, Colegio Universitario de Nueva Jersey
Nicholas Darnton, Instituto de Tecnología de Georgia
Ethan Deneault, Universidad de Tampa
Kenneth DeNisco, Colegio Universitario Comunitario del Área de Harrisburg
Robert Edmonds, Colegio Universitario del condado de Tarrant
William Falls, Colegio Universitario Comunitario Erie
Stanley Forrester, Colegio Universitario Broward
Umesh Garg, Universidad de Notre Dame
Maurizio Giannotti, Universidad Barry
Bryan Gibbs, Colegio Universitario Comunitario del condado de Dallas
Lynn Gillette, Colegio Universitario Comunitario Pima, Campus Oeste
Mark Giroux, Universidad Estatal del Este de Tennessee
Matthew Griffiths, Universidad de New Haven
Alfonso Hinojosa, Universidad de Texas, Arlington
Steuard Jensen, Colegio Universitario Alma
David Kagan, Universidad de Massachusetts
Sergei Katsev, Universidad de Minnesota, Duluth
Gregory Lapicki, Universidad del Este de Carolina
Jill Leggett, Colegio Universitario Comunitario Estatal de Florida, Jacksonville
Alfredo Louro, Universidad de Calgary
James Maclaren, Universidad Tulane
Ponn Maheswaranathan, Universidad Winthrop
Seth Major, Colegio Universitario Hamilton
Oleg Maksimov, Colegio Universitario Excelsior
Aristides Marcano, Universidad Estatal de Delaware
James McDonald, Universidad de Hartford
Ralph McGrew, Colegio Universitario Comunitario SUNY–Broome
Paul Miller, Universidad del Oeste de Virginia
Tamar More, Universidad de Portland
Farzaneh Najmabadi, Universidad de Phoenix
Richard Olenick, Universidad de Dallas
Christopher Porter, Universidad Estatal de Ohio

Liza Pujji, Instituto de Tecnología Manakau
Baishali Ray, Universidad Young Harris
Andrew Robinson, Universidad Carleton
Aruvana Roy, Universidad Young Harris
Gajendra Tulsian, Colegio Universitario Estatal de Daytona
Adria Updike, Universidad Roger Williams
Clark Vangilder, Universidad de Arizona Central
Steven Wolf, Universidad Estatal de Texas
Alexander Wurm, Universidad de Western New England
Lei Zhang, Universidad Estatal Winston Salem
Ulrich Zurcher, Universidad Estatal de Cleveland.

CAPÍTULO 1
Unidades y medidas

Figura 1.1 Esta imagen podría estar mostrando cualquier cantidad de cosas. Puede ser un remolino en un tanque de agua o quizás un *collage* de pintura y cuentas brillantes hecho para la clase de arte. Sin conocer el tamaño del objeto en unidades que todos reconocemos, como los metros o las pulgadas, es difícil saber qué estamos viendo. De hecho, esta imagen muestra la galaxia Remolino (y su galaxia compañera), que tiene aproximadamente 60.000 años luz de diámetro (unos 6×10^{17} km de un lado a otro) (créditos: modificación del trabajo de S. Beckwith (Instituto de Ciencias del Telescopio Espacial [Space Telescope Science Institute, STScI]), Equipo Hubble Heritage (STScI/Asociación de Universidades para la Investigación en Astronomía [Association of Universities for Research in Astronomy, AURA]), Agencia Espacial Europea [European Space Agency, ESA] y Administración Nacional de Aeronáutica y el Espacio [National Aeronautics and Space Administration, NASA]).

ESQUEMA DEL CAPITULO

INTRODUCCIÓN Como se indica en la leyenda de la figura, la imagen que abre el capítulo es la de la galaxia Remolino, que examinamos en la primera sección de este capítulo. Las galaxias son tan inmensas como los átomos son pequeños y, sin embargo, las mismas leyes físicas describen a ambos, junto con todo el resto de la naturaleza, lo cual es una indicación de la unidad subyacente en el universo. Las leyes de la física son sorprendentemente pocas, lo que implica una simplicidad subyacente a la aparente complejidad de la naturaleza. En este texto, aprenderá sobre las leyes de la física. Las galaxias y los átomos pueden parecer muy alejados de su vida cotidiana; sin embargo, cuando empiece a explorar este amplio tema, pronto se dará cuenta de que la física desempeña un papel mucho más importante en su vida de lo que pensaba al principio, independientemente de las metas en su vida o de su elección profesional.

1.1 El alcance y la escala de la Física

OBJETIVOS DE APRENDIZAJE

Al final de esta sección, podrá:

- Describir el alcance de la física.
- Calcular el orden de magnitud de una cantidad.
- Comparar cuantitativamente longitudes, masas y tiempos medibles.
- Describir las relaciones entre modelos, teorías y leyes.

La física se dedica a la comprensión de todos los fenómenos naturales. En física, intentamos comprender los fenómenos físicos a todas las escalas, desde el mundo de las partículas subatómicas hasta el universo entero. A pesar de la amplitud de la materia, los distintos subcampos de la física comparten un núcleo común. La misma formación básica en física lo preparará para trabajar en cualquier área de la física y las áreas afines de la ciencia y la ingeniería. En esta sección, investigamos el alcance de la física, las escalas de longitud, masa y tiempo en las que se ha demostrado que las leyes de la física son aplicables, y el proceso por el que opera la ciencia en general, y la física en particular.

El alcance de la física

Vuelva a mirar la imagen con la que se inicia el capítulo. La galaxia Remolino contiene miles de millones de estrellas individuales, así como enormes nubes de gas y polvo. Su galaxia compañera también es visible a la derecha. Este par de galaxias se encuentra a una asombrosa cantidad de mil millones de billones de millas ($1{,}4 \times 10^{21}\,\text{mi}$) de nuestra propia galaxia (que se llama la *Vía Láctea*). Las estrellas y los planetas que componen la galaxia Remolino pueden parecer lo más alejado de la vida cotidiana de la mayoría de la gente, pero es un gran punto de partida para pensar en las fuerzas que mantienen unido el universo. Se cree que las fuerzas que hacen que la galaxia Remolino actúe como lo hace son las mismas a las que nos enfrentamos aquí en la Tierra, tanto si planeamos enviar un cohete al espacio como si simplemente planeamos erigir las paredes de una casa. Se cree que la gravedad que hace girar a las estrellas de la galaxia Remolino es la misma que hace que el agua fluya por las presas hidroeléctricas aquí en la Tierra. Cuando mire las estrellas, dese cuenta de que las fuerzas de ahí fuera son las mismas que las de aquí en la Tierra. A través del estudio de la física, puede obtener una mayor comprensión de la interconexión de todo lo que podemos ver y conocer en este universo.

Piense ahora en todos los dispositivos tecnológicos que utiliza habitualmente. Se nos ocurren las computadoras, los teléfonos inteligentes, los sistemas de posicionamiento global (Global Positioning System, GPS), los reproductores MP3 y la radio por satélite. Luego, piense en las tecnologías modernas y emocionantes de las que haya oído en las noticias, como los trenes que levitan sobre las vías, las "capas de invisibilidad" que curvan la luz a su alrededor y los robots microscópicos que combaten las células cancerosas de nuestro cuerpo. Todos estos avances innovadores, comunes o increíbles, se basan en los principios de la física. Además de desempeñar un papel importante en la tecnología, profesionales como ingenieros, pilotos, médicos, fisioterapeutas, electricistas y programadores informáticos aplican conceptos de física en su trabajo diario. Por ejemplo, un piloto debe entender cómo las fuerzas del viento inciden en la trayectoria de vuelo, un fisioterapeuta debe entender cómo los músculos del cuerpo experimentan las fuerzas al moverse y doblarse. Como aprenderá en este texto, los principios de la física impulsan nuevas y emocionantes tecnologías, y estos principios se aplican en una amplia gama de carreras.

El orden subyacente de la naturaleza hace que la ciencia en general, y la física en particular, sean interesantes y agradables de estudiar. Por ejemplo, ¿qué tienen en común una bolsa de patatas fritas y una batería de auto? Ambas contienen energía que se convierte en otras formas. La ley de la conservación de la energía (la energía no se crea ni se destruye solo se transforma) relaciona temas como las calorías de los alimentos, las baterías, el calor, la luz y los resortes de los relojes. Comprender esta ley facilita el aprendizaje de las distintas formas que adopta la energía y su interrelación. Temas aparentemente desvinculados se conectan a través de leyes físicas ampliamente aplicables, lo que permite una comprensión más allá de la mera memorización de listas de hechos.

La ciencia consiste en teorías y leyes que son las verdades generales de la naturaleza, así como el conjunto de conocimientos que abarcan. Los científicos intentan continuamente ampliar este conjunto de conocimientos y perfeccionar la expresión de las leyes que lo describen. La **física**, cuyo término proviene del griego *phúsis*, que significa "naturaleza", se ocupa de describir las interacciones de la energía, la materia, el espacio y el tiempo para descubrir los mecanismos fundamentales que subyacen a todo fenómeno. Esta preocupación por describir los fenómenos básicos de la naturaleza define esencialmente el *alcance de la física*.

El objetivo de la física es comprender el mundo que nos rodea al nivel más básico. Para ello, hace hincapié en el uso de un pequeño número de leyes cuantitativas, lo que sirve para otros campos que empujan los límites de rendimiento de las tecnologías existentes. Piense en un teléfono inteligente (Figura 1.2). La física describe cómo la electricidad interactúa con los distintos circuitos del aparato. Este conocimiento permite a los ingenieros seleccionar el material adecuado y la disposición de los circuitos cuando construyen un teléfono inteligente. Es necesario conocer la física subyacente a estos dispositivos para reducir su tamaño o aumentar su rapidez de procesamiento. Alternativamente, piense en un GPS. La física describe la relación entre la rapidez de un objeto, la distancia que recorre y el tiempo que tarda en recorrer esa distancia. Cuando se utiliza un GPS en un vehículo, este se basa en ecuaciones físicas para determinar el tiempo de viaje de un lugar a otro.

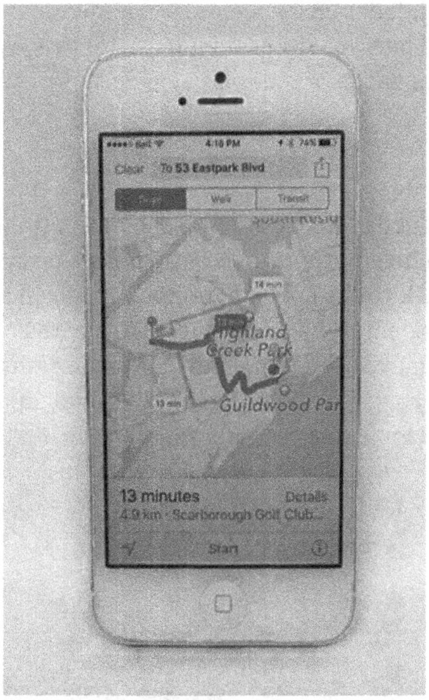

FIGURA 1.2 El iPhone de Apple es un teléfono inteligente común con función GPS. La física describe el modo en que la electricidad fluye por los circuitos de este aparato. Los ingenieros utilizan sus conocimientos de física para construir un iPhone con características que los consumidores disfrutarán. Una característica específica de un iPhone es la función GPS. El GPS utiliza ecuaciones físicas para determinar el tiempo de conducción entre dos lugares en un mapa (créditos: Jane Whitney).

El conocimiento de la física es útil tanto en situaciones cotidianas como en profesiones no científicas. Le permite entender cómo funcionan los hornos microondas, por qué no se deben introducir metales en ellos y por qué pueden afectar los marcapasos. La física le permite comprender los peligros de la radiación y evaluarlos de forma racional y más fácil. La física también explica la razón por la que el radiador de un auto negro elimina el calor en el motor, y explica por qué un techo blanco mantiene fresco el interior de una casa. Del mismo modo, el funcionamiento del sistema de encendido de un auto y la transmisión de señales eléctricas a través del sistema nervioso de nuestro organismo son mucho más fáciles de entender cuando se piensa en ellos en términos de física básica.

La física es un elemento clave de muchas disciplinas importantes y contribuye directamente a otras. La química, por ejemplo, al ocuparse de las interacciones entre átomos y moléculas, está estrechamente vinculada con la física atómica y molecular. La mayoría de las ramas de la ingeniería se ocupan de diseñar nuevas tecnologías, procesos o estructuras dentro de las limitaciones establecidas por las leyes de la física. En arquitectura, la física está en el centro de la estabilidad estructural y participa en la acústica, la calefacción, la iluminación y la refrigeración de los edificios. Algunas partes de la geología dependen en gran medida de la física, como la datación radiométrica de las rocas, el análisis de los terremotos y la transferencia de calor dentro de la Tierra. Algunas disciplinas, como la biofísica y la geofísica, son híbridos de la física y otras disciplinas.

La física tiene muchas aplicaciones en las ciencias biológicas. A nivel microscópico, ayuda a describir las propiedades de las células y sus ambientes. A nivel macroscópico, explica el calor, el trabajo y la potencia asociados al cuerpo humano y a sus diversos sistemas de órganos. La física interviene en los diagnósticos médicos, como las radiografías, las imágenes de resonancia magnética y las mediciones ultrasónicas del flujo sanguíneo. La terapia médica a veces implica directamente a la física; por ejemplo, la radioterapia oncológica utiliza radiación ionizante. La física también explica los fenómenos sensoriales, como la forma en que los instrumentos musicales producen el sonido, la forma en que el ojo detecta el color y la forma en que los rayos láser transmiten la información.

No es necesario estudiar formalmente todas las aplicaciones de la física. Lo más útil es conocer las leyes básicas de la física y desarrollar habilidades en los métodos analíticos para aplicarlas. El estudio de la física también puede mejorar su capacidad para resolver problemas. Además, la física conserva los aspectos más básicos de la ciencia, por lo que es utilizada por todas las ciencias, y su estudio facilita la comprensión de otras ciencias.

La escala de la física

De lo expuesto hasta ahora, debería quedar claro que, para alcanzar sus metas en cualquiera de los distintos campos de las ciencias naturales y la ingeniería, es necesario tener una base sólida en las leyes de la física. La razón de esto es simplemente que las leyes de la física gobiernan todo en el universo observable en todas las escalas medibles de longitud, masa y tiempo. Es fácil decirlo, pero para entender lo que realmente significa, tenemos que ser un poco más cuantitativos. Así pues, antes de analizar las distintas escalas que la física nos permite explorar, veamos primero el concepto de "orden de magnitud", que utilizamos para comprender los amplios rangos de longitud, masa y tiempo que consideramos en este texto (Figura 1.3).

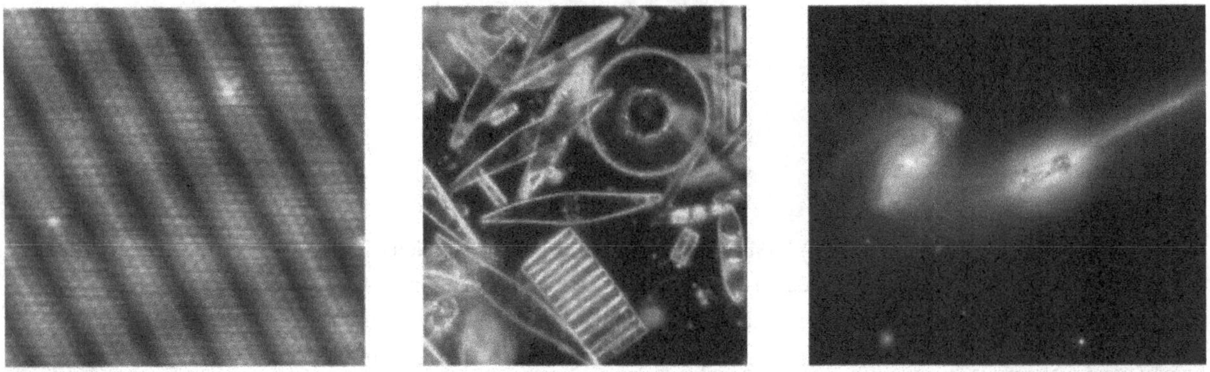

(a) (b) (c)

FIGURA 1.3 (a) Con un microscopio de efecto túnel, los científicos pueden ver cada uno de los átomos (diámetros de unos 10^{-10} m) que componen esta lámina de oro. (b) Diminutos fitoplancton nadan entre los cristales de hielo en el océano Antártico. Su longitud oscila entre unos cuantos micrómetros (1 μm es 10^{-6} m) y hasta 2 mm (1 mm es 10^{-3} m). (c) Estas dos galaxias en colisión, conocidas como NGC 4676A (derecha) y NGC 4676B (izquierda), reciben el apodo de "Los Ratones" por la cola de gas que emana de cada una. Se encuentran a 300 millones de años luz de la Tierra, en la constelación Coma Berenices. Con el tiempo, estas dos galaxias se fusionarán en una sola (créditos: a. modificación del trabajo de "Erwinrossen"/Wikimedia Commons; b. modificación del trabajo del Prof. Gordon T. Taylor, Universidad de Stony Brook, Colecciones de NOAA Corps; c. modificación del trabajo de la NASA, H. Ford (Universidad Johns Hopkins, [Johns Hopkins University, JHU]), G. Illingworth (Universidad de California, Santa Cruz [UCSC]/LO), M. Clampin (STScI), G. Hartig (STScI), el equipo científico de la Sociedad Estadounidense de Química [American Chemical Society, ACS] y la ESA).

Orden de magnitud

El **orden de magnitud** de un número es la potencia de 10 que más se aproxima a este. Así, el orden de magnitud se refiere a la escala (o tamaño) de un valor. Cada potencia de 10 representa un orden de magnitud diferente. Por ejemplo, $10^1, 10^2, 10^3$, etc., son todos órdenes de magnitud diferentes, al igual que $10^0 = 1, 10^{-1}, 10^{-2}$ y 10^{-3}. Para hallar el orden de magnitud de un número, tome el logaritmo (log) de base 10 del número y redondéelo al número entero más cercano, entonces el orden de magnitud del número es simplemente la potencia resultante de 10. Por ejemplo, el orden de magnitud de 800 es 10^3 porque $\log_{10}800 \approx 2{,}903$, que se redondea a 3. Del mismo modo, el orden de magnitud de 450 es 10^3 porque $\log_{10}450 \approx 2{,}653$, que redondea a 3 también. Así, decimos que los números 800 y 450 son del mismo orden de magnitud: 10^3. Sin embargo, el orden de magnitud de 250 es 10^2 porque $\log_{10}250 \approx 2{,}397$, que se redondea a 2.

Una forma equivalente, pero más rápida de encontrar el orden de magnitud de un número, es primero escribirlo en notación científica y luego comprobar si el primer factor es mayor o menor que $\sqrt{10} = 10^{0,5} \approx 3$. La idea es que $\sqrt{10} = 10^{0,5}$ es el punto medio entre $1 = 10^0$ y $10 = 10^1$ en una escala logarítmica de base 10. Así, si el primer factor es menor que $\sqrt{10}$, entonces, lo redondeamos a 1 y el orden de magnitud es simplemente cualquier potencia de 10 que se requiera para escribir el número en notación científica. Por otro lado, si el primer factor es mayor que $\sqrt{10}$, entonces lo redondeamos a 10 y el orden de magnitud es una potencia de 10 mayor que la potencia necesaria para escribir el número en notación científica. Por ejemplo, el número 800 puede escribirse en notación científica como 8×10^2. Porque 8 es mayor que $\sqrt{10} \approx 3$, decimos que el orden de magnitud de 800 es $10^{2+1} = 10^3$. El número 450 puede escribirse como $4{,}5 \times 10^2$, por lo que su orden de magnitud también es 10^3 porque 4,5 es mayor que 3. Sin embargo, 250 escrito en notación científica es $2{,}5 \times 10^2$ y 2,5 es menor que 3, por lo que su orden de magnitud es 10^2.

El orden de magnitud de un número está destinado a ser un cálculo aproximado de la escala (o tamaño) de su valor. Es simplemente una forma de redondear los números de forma coherente a la potencia de 10 más cercana. Esto facilita los cálculos mentales aproximados con números muy grandes y muy pequeños. Por ejemplo, el diámetro de un átomo de hidrógeno es del orden de 10^{-10} m, mientras que el diámetro del Sol es del orden de 10^9 m, por lo que se necesitaría aproximadamente $10^9/10^{-10} = 10^{19}$ átomos de hidrógeno que se extenderían a lo largo del diámetro del Sol. Esto es mucho más fácil de hacer mentalmente que usar los valores más precisos de $1{,}06 \times 10^{-10}\text{m}$ para el diámetro de un átomo de hidrógeno y $1{,}39 \times 10^9\text{m}$ para el diámetro del Sol, para encontrar que se necesitaría $1{,}31 \times 10^{19}$ átomos de hidrógeno que se extenderían a lo largo del diámetro del Sol. Además de ser más fácil, el cálculo aproximado es casi tan informativo como el cálculo preciso.

Rangos conocidos de longitud, masa y tiempo

La inmensidad del universo y la amplitud en la que se aplica la física se ilustran con la amplia gama de ejemplos de longitudes, masas y tiempos conocidos (dados como órdenes de magnitud) en la Figura 1.4. Al examinar esta tabla se dará una idea de la variedad de temas posibles en física y valores numéricos. Una buena forma de comprender la amplitud de los rangos de valores en la Figura 1.4 es intentar responder a algunas preguntas comparativas sencillas, como las siguientes:

- ¿Cuántos átomos de hidrógeno se necesitan para atravesar el diámetro del Sol?
  (Respuesta: 10^9 m/10^{-10} m =10^{19} átomos de hidrógeno)
- ¿Cuántos protones hay en una bacteria?
  (Respuesta: 10^{-15} kg/10^{-27} kg = 10^{12} protones)
- ¿Cuántas operaciones en coma flotante puede hacer una supercomputadora en 1 día?

(Respuesta: 10^5 s/10^{-17} s = 10^{22} operaciones en coma flotante)

Al estudiar la Figura 1.4, tómese un tiempo para plantear preguntas similares que le interesen y luego intente responderlas. De este modo, se puede dar vida a casi cualquier tabla de números.

Longitud en metros (m)	Masas en kilogramos (kg)	Tiempo en segundos (s)
10^{-15} m = diámetro del protón	10^{-30} kg = masa del electrón	10^{-22} s = vida media de un núcleo muy inestable
10^{-14} m = diámetro del núcleo grande	10^{-27} kg = masa del protón	10^{-17} s = tiempo para la operación de un solo punto flotante en una supercomputadora
10^{-10} m = diámetro del átomo de hidrógeno	10^{-15} kg = masa de la bacteria	10^{-15} s = tiempo para una oscilación de luz visible
10^{-7} m = diámetro del virus típico	10^{-5} kg = masa de un mosquito	10^{-13} s = tiempo para una vibración de un átomo en un sólido
10^{-2} m = ancho de la uña del dedo meñique	10^{-2} kg = masa de un colibrí	10^{-3} s = tiempo para una vibración de un átomo en un sólido
10^{0} m = altura de un niño de 4 años 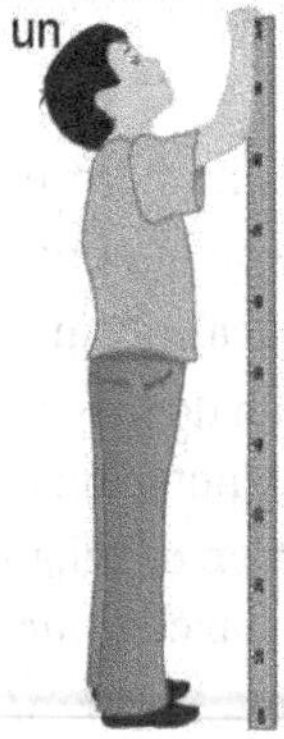	10^{0} kg = masa de un litro de agua 1 litro 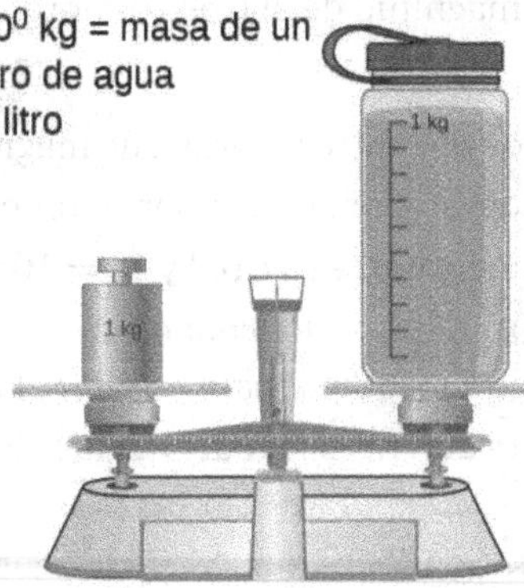	10^{0} s = tiempo para un latido 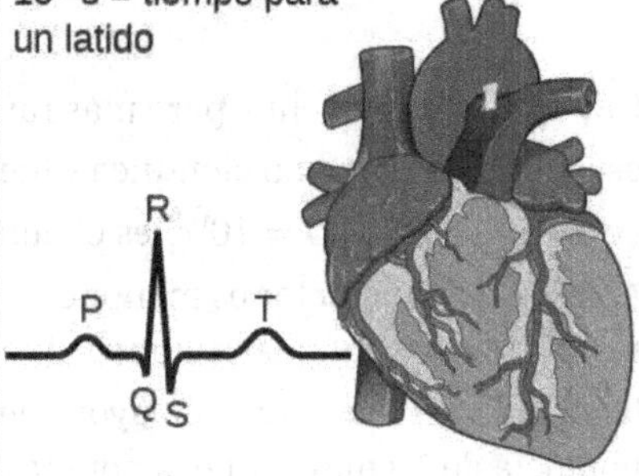
10^{2} m = longitud de un campo de fútbol	10^{2} kg = masa de una persona	10^{5} s = un día
10^{7} m = diámetro de la Tierra	10^{19} kg = masa de la atmósfera	10^{7} s = un año
10^{13} m = diámetro del sistema solar	10^{22} kg = masa de la Luna	10^{9} s = vida humana
10^{16} m = distancia que recorre la luz en un año (un año luz)	10^{25} kg = masa de la Tierra	10^{11} s = historia humana registrada
10^{21} m = diámetro de la Vía Láctea	10^{30} kg = masa del Sol	10^{17} s = edad de la Tierra
10^{26} m = distancia al borde del universo observable	10^{53} kg = límite superior de la masa del universo conocido	10^{18} s = edad del universo

FIGURA 1.4 Esta tabla muestra los órdenes de magnitud de la longitud, la masa y el tiempo.

INTERACTIVO

Visite este sitio (https://openstax.org/l/21scaleuniv) para explorar de forma interactiva la amplia gama de escalas de longitud de nuestro universo. Desplácese hacia abajo y hacia arriba en la escala para ver cientos de organismos y objetos, y haga clic en cada uno de los objetos para obtener más información.

Construir modelos

¿Cómo hemos llegado a conocer las leyes que rigen los fenómenos naturales? Lo que llamamos leyes de la naturaleza son una descripción concisa del universo que nos rodea. Son declaraciones humanas de las leyes o reglas subyacentes que siguen todos los procesos naturales. Estas leyes son intrínsecas al universo; los humanos no las crearon y no pueden cambiarlas. Solo podemos descubrirlas y comprenderlas. Su descubrimiento es un esfuerzo muy humano, con todos los elementos de misterio, imaginación, lucha, triunfo y decepción inherentes a cualquier esfuerzo creativo (Figura 1.5). El pilar del descubrimiento de las leyes naturales es la observación; los científicos deben describir el universo tal como es, no como lo imaginamos.

(a) Enrico Fermi

(b) Marie Curie

FIGURA 1.5 (a) Enrico Fermi (1901 – 1954) nació en Italia. Al aceptar el Premio Nobel en Estocolmo en 1938 por sus trabajos sobre la radioactividad artificial producida por neutrones, se llevó a su familia a los Estados Unidos en lugar de volver a su país con el gobierno de entonces. Adquirió la ciudadanía estadounidense y fue uno de los principales participantes en el Proyecto Manhattan. (b) Marie Curie (1867 – 1934) sacrificó bienes monetarios para financiar sus primeras investigaciones y afectó su salud al exponerse a la radiación. Es la única persona que ha ganado los premios Nobel de Física y Química. Una de sus hijas también ganó un Premio Nobel (créditos: a. modificación del trabajo del Departamento de Energía de los Estados Unidos).

Un **modelo** es una representación de algo que a menudo es demasiado difícil (o imposible) de mostrar directamente. Aunque un modelo esté justificado por las pruebas experimentales, solo es preciso para describir ciertos aspectos de un sistema físico. Un ejemplo es el modelo de Bohr de los átomos de un solo electrón, en el que el electrón se imagina orbitando el núcleo, de forma análoga a como los planetas orbitan el Sol (Figura 1.6). No podemos observar las órbitas de los electrones directamente, pero la imagen mental sirve para explicar algunas de las observaciones que podemos hacer, como la emisión de luz de los gases calientes (espectros atómicos). Sin embargo, otras observaciones muestran que la imagen del modelo de Bohr no es realmente el aspecto de los átomos. El modelo es "erróneo", pero sigue siendo útil para algunos fines. Los físicos utilizan los modelos para diversos fines. Por ejemplo, los modelos permiten a los físicos analizar un escenario y realizar un cálculo, o bien pueden utilizarse para representar una situación en forma de simulación informática. Sin embargo, en última instancia, los resultados de estos cálculos y simulaciones deben comprobarse por otros medios, es decir, por la observación y la experimentación.

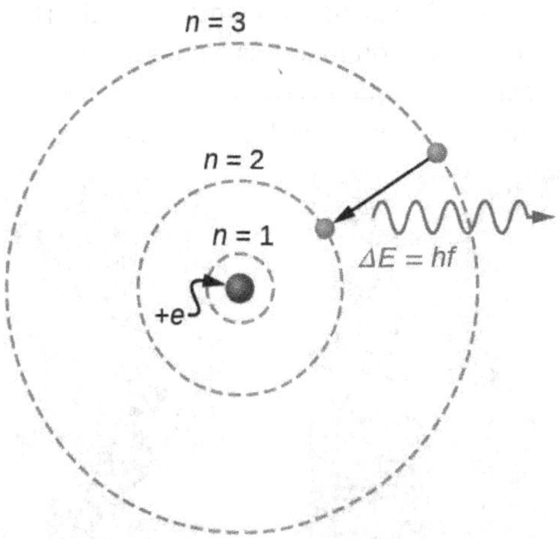

FIGURA 1.6 ¿Qué es un modelo? El modelo de Bohr de un átomo de un solo electrón muestra al electrón que orbita alrededor del núcleo en una de varias órbitas circulares posibles. Como todos los modelos, capta algunos aspectos del sistema físico, pero no todos.

La palabra *teoría* tiene un significado diferente para los científicos que el que suele tener en la conversación cotidiana. En particular, para un científico, una teoría no es lo mismo que una "conjetura" o una "idea" o incluso una "hipótesis". La frase "es solo una teoría" podría carecer de sentido y ser una tontería para los científicos, porque la ciencia se basa en la noción de teorías. Para un científico, una **teoría** es una explicación comprobable de los patrones de la naturaleza apoyada en pruebas científicas y verificada en múltiples ocasiones por varios grupos de investigadores. Algunas teorías incluyen modelos que permiten visualizar los fenómenos, mientras que otras no. La teoría de la gravedad de Newton, por ejemplo, no requiere ningún modelo o imagen mental, porque podemos observar los objetos directamente con nuestros propios sentidos. La teoría cinética de los gases, en cambio, es un modelo en el que se considera que un gas está compuesto por átomos y moléculas. Los átomos y las moléculas son demasiado pequeños para ser observados directamente con nuestros sentidos, por lo que los imaginamos mentalmente para entender lo que los instrumentos nos dicen sobre el comportamiento de los gases. Aunque los modelos solo pretenden describir con precisión ciertos aspectos de un sistema físico, una teoría debe describir todos los aspectos de cualquier sistema que entre en su ámbito de aplicación. En particular, cualquier consecuencia comprobable de una teoría debería verificarse experimentalmente. Si un experimento demuestra que una consecuencia de una teoría es falsa, entonces la teoría se descarta o se modifica convenientemente (por ejemplo, limitando su ámbito de aplicación).

Una **ley** utiliza un lenguaje conciso para describir un patrón generalizado en la naturaleza apoyado por pruebas científicas y experimentos repetidos. A menudo, una ley puede expresarse en forma de una única ecuación matemática. Las leyes y las teorías son similares en el sentido de que ambas son afirmaciones científicas que resultan de una hipótesis probada y están respaldadas por pruebas científicas. Sin embargo, la designación de *ley* suele reservarse para un enunciado conciso y muy general que describe fenómenos de la naturaleza, como la ley de que la energía se conserva durante cualquier proceso, o la segunda ley del movimiento de Newton, que relaciona la fuerza (F), la masa (m) y la aceleración (a) mediante la sencilla ecuación $\boldsymbol{F} = ma$. Una teoría, en cambio, es una declaración menos concisa del comportamiento observado. Por ejemplo, la teoría de la evolución y la teoría de la relatividad no pueden expresarse de forma suficientemente concisa para ser consideradas leyes. La mayor diferencia entre una ley y una teoría es que una teoría es mucho más compleja y dinámica. Una ley describe una sola acción, mientras que una teoría explica todo un grupo de fenómenos relacionados. Los enunciados de aplicación menos amplia suelen llamarse principios (como el principio de Pascal, que solo se aplica a los fluidos), se hace poca distinción entre leyes y principios.

Los modelos, las teorías y las leyes que elaboramos implican a veces la existencia de objetos o fenómenos que aún no se han observado. Estas predicciones son triunfos notables y tributos al poder de la ciencia. Es el orden subyacente en el universo lo que permite a los científicos hacer predicciones tan espectaculares. Sin embargo, si la experimentación no verifica nuestras predicciones, entonces la teoría o ley es errónea, por muy elegante o conveniente que sea. Las leyes nunca pueden conocerse con absoluta certeza porque es imposible realizar todos los experimentos imaginables para confirmar una ley para todos los escenarios posibles. Los físicos parten de la premisa de que todas las leyes y teorías científicas son válidas hasta que se observa un contraejemplo. Si un experimento de buena calidad y verificable contradice una ley o teoría bien establecida, entonces la ley o teoría debe modificarse o descartarse por completo.

El estudio de la ciencia en general, y de la física en particular, es una aventura muy parecida a la exploración de un océano inexplorado. Se hacen descubrimientos, se formulan modelos, teorías y leyes, y la belleza del universo físico se hace más sublime por los conocimientos adquiridos.

1.2 Unidades y estándares

OBJETIVOS DE APRENDIZAJE

Al final de esta sección, podrá:

- Describir cómo se definen las unidades básicas del Sistema Internacional (SI).
- Describir cómo se crean las unidades derivadas a partir de las unidades base.
- Expresar cantidades dadas en unidades del SI con prefijos métricos.

Como hemos visto anteriormente, la gama de objetos y fenómenos que estudia la física es inmensa. Desde la vida increíblemente corta de un núcleo hasta la edad de la Tierra, desde los minúsculos tamaños de las partículas subnucleares hasta la enorme distancia de los extremos del universo conocido, desde la fuerza ejercida por una pulga que salta hasta la fuerza entre la Tierra y el Sol, hay suficientes factores de 10 para desafiar la imaginación incluso del científico más experimentado. Dar valores numéricos a las cantidades físicas y ecuaciones a los principios físicos nos permite comprender la naturaleza de una manera mucho más profunda que las descripciones cualitativas por sí solas. Para comprender esta amplia gama, también debemos disponer de unidades adaptadas para expresarlas. Descubriremos que, incluso en la discusión potencialmente mundana de los metros, los kilogramos y los segundos, aparece una profunda simplicidad de la naturaleza: todas las cantidades físicas pueden expresarse como combinaciones de solo siete cantidades físicas básicas.

Definimos la **cantidad física** bien sea al especificar cómo se mide o al indicar cómo se calcula a partir de otras mediciones. Por ejemplo, podemos definir la distancia y el tiempo al especificar los métodos para medirlos, como el uso de un metro y de un cronómetro. Entonces, podríamos definir la *rapidez media* al expresar que se calcula como la distancia total recorrida, dividida entre el tiempo de viaje.

Las medidas de las magnitudes físicas se expresan en términos de **unidades**, que son valores estandarizados. Por ejemplo, la duración de una carrera, que es una cantidad física, puede expresarse en unidades de metros (para los velocistas) o de kilómetros (para los fondistas). Sin unidades estandarizadas, sería extremadamente difícil para los científicos expresar y comparar de forma significativa los valores medidos (Figura 1.7).

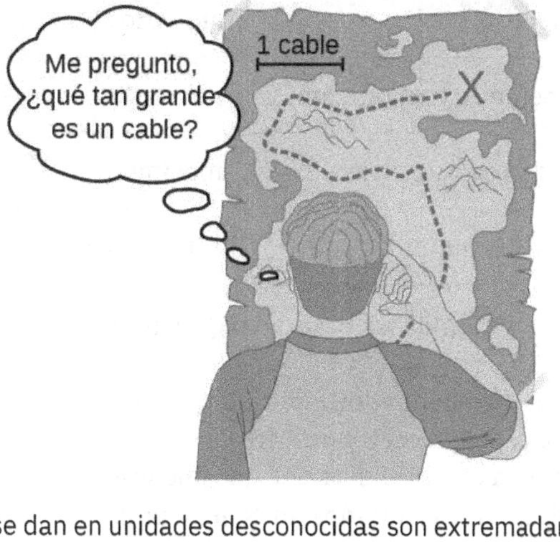

FIGURA 1.7 Las distancias que se dan en unidades desconocidas son extremadamente inútiles, lo cual es exasperante.

En el mundo se utilizan dos grandes sistemas de unidades: **unidades del SI** (por el *Système International d'Unités* del francés), también conocido como *sistema métrico internacional*, y **unidades inglesas** (también conocidas como *sistema tradicional* o *imperial*). Las unidades inglesas se utilizaban históricamente en las naciones que gobernaba el Imperio británico y siguen siendo muy utilizadas en los Estados Unidos. Las unidades inglesas también pueden denominarse sistema *pie, libra, segundo* (foot-pound-second, fps), en contraposición al sistema *centímetro, gramo, segundo* (centimeter, gram, second, cgs). También puede encontrar el término *unidades SAE*, que recibe su nombre de la Sociedad de Ingenieros de Automoción (Society of Automotive Engineers, SAE). Los productos como los elementos de fijación y las herramientas de automoción (por ejemplo, las llaves) que se miden en pulgadas y no en unidades métricas se denominan *elementos de fijación SAE* o *llaves SAE*.

Prácticamente todos los países del mundo (excepto los Estados Unidos) utilizan ahora las unidades del SI como estándar. El sistema métrico también es el sistema estándar acordado por los científicos y los matemáticos.

Unidades del SI: unidades básicas y derivadas

En cualquier sistema, las unidades de algunas cantidades físicas deben definirse mediante un proceso de medición. Se denominan **cantidades base** de ese sistema y sus unidades son las **unidades base** del sistema. Todas las demás cantidades físicas pueden expresarse entonces como combinaciones algebraicas de las cantidades base. Luego, cada una de estas cantidades físicas se conoce como **cantidad derivada**, y cada unidad se denomina **unidad derivada**. La elección de las cantidades base es un tanto arbitraria, siempre y cuando sean independientes entre sí y todas las demás cantidades puedan derivarse de ellas. Por lo general, la meta es elegir como cantidades base las cantidades físicas que puedan medirse con gran precisión. La razón es sencilla. Dado que las unidades derivadas pueden expresarse como combinaciones algebraicas de las unidades base, solo pueden ser tan exactas y precisas como las unidades base de las que se derivan.

Con base en estas consideraciones, la Organización Internacional de Estándares recomienda el empleo de siete cantidades base, que forman el Sistema Internacional de Cantidades (International System of Quantities, ISQ). Estas son las cantidades base que se utilizan para definir las unidades base del SI. La Tabla 1.1 enumera estas siete cantidades base del ISQ y las correspondientes unidades base del SI.

Cantidad base del ISQ	Unidad base del SI
Longitud	metro (m)
Masa	kilogramo (kg)
Tiempo	segundo (s)
Corriente eléctrica	amperios (A)
Temperatura termodinámica	kelvin (K)
Cantidad de sustancia	mol (mol)
Intensidad luminosa	candela (cd)

TABLA 1.1 Cantidades base del ISQ y sus unidades del SI

Probablemente ya conozca algunas cantidades derivadas que pueden formarse a partir de las cantidades base en la Tabla 1.1. Por ejemplo, el concepto geométrico de área se calcula siempre como el producto de dos longitudes. Por lo tanto, el área es una cantidad derivada que puede expresarse en términos de unidades de base del SI mediante el empleo de metros cuadrados ($m \times m = m^2$). Del mismo modo, el volumen es una cantidad derivada que puede expresarse en metros cúbicos (m^3). La rapidez es la longitud por el tiempo; así que en términos de unidades base del SI, podríamos medirla en metros por segundo (m/s). La densidad volumen-masa (o simplemente densidad) es la masa por volumen, que se expresa en términos de unidades básicas del SI, como kilogramos por metro cúbico (kg/m^3). Los ángulos también pueden considerarse cantidades derivadas porque pueden definirse como el cociente de la longitud de arco subtendida por dos radios de un círculo al radio del círculo. Así se define el radián. Dependiendo de su formación y sus intereses, podrá llegar a otras cantidades derivadas, como la tasa de flujo de masa (kg/s) o la tasa de flujo volumétrico (m^3/s) de un fluido, la carga eléctrica $(\mathrm{A} \cdot \mathrm{s})$, densidad de flujo de masa $[\mathrm{kg}/(\mathrm{m}^2 \cdot \mathrm{s})]$, y así sucesivamente. Veremos muchos más ejemplos a lo largo de este texto. Por ahora, la cuestión es que toda cantidad física puede derivarse de las siete cantidades base en la Tabla 1.1, y las unidades de toda cantidad física pueden derivarse de las siete unidades base del SI.

En la mayoría de los casos, utilizamos unidades del SI en este texto. Varias unidades que no son del SI se utilizan en unas cuantas aplicaciones en las que son muy comunes, como la medición de la temperatura en grados Celsius (°C), la medición del volumen de los fluidos en litros (L), y la medición de las energías de las partículas elementales en electronvoltios (eV). Siempre que se habla de unidades que no son del SI, se vinculan a las unidades del SI mediante conversiones. Por ejemplo, 1 L es 10^{-3} m^3.

INTERACTIVO

Consulte una fuente completa de información sobre las unidades del SI (https://openstax.org/l/21SIUnits) en la Referencia sobre Constantes, Unidades e Incertidumbre del Instituto Nacional de Estándares y Tecnología (National Institute of Standards and Technology, NIST).

Unidades de tiempo, longitud y masa: el segundo, el metro y el kilogramo

Los primeros capítulos de este libro de texto se refieren a la mecánica, los fluidos y las ondas. En estos temas, todas las cantidades físicas pertinentes pueden expresarse en términos de las unidades base de longitud, masa y tiempo. Por lo tanto, ahora pasamos a explorar estas tres unidades base; dejaremos el análisis de las otras hasta que sean necesarias más adelante.

El segundo

La unidad de tiempo del SI, el **segundo** (abreviado s), tiene una larga historia. Durante muchos años se definió como 1/86.400 de un día solar medio. De más reciente data, se adoptó un nuevo estándar para ganar mayor exactitud y definir el segundo en términos de un fenómeno físico no variable o constante (porque el día solar se alarga como resultado de la desaceleración paulatina de la rotación de la Tierra). Los átomos de cesio pueden hacerse vibrar de forma muy constante, y estas vibraciones pueden observarse y contarse fácilmente. En 1967 se redefinió el segundo como el tiempo necesario para que se produzcan 9.192.631.770 de estas vibraciones (Figura 1.8). Tenga en cuenta que esto puede parecer más precisión de la que necesitaría, pero no lo es. Los GPS se basan en la precisión de los relojes atómicos para poder darle indicaciones giro a giro en la superficie de la Tierra, lejos de los satélites que transmiten su ubicación.

FIGURA 1.8 Un reloj atómico como este utiliza las vibraciones de los átomos de cesio para mantener el tiempo

con una precisión superior a un microsegundo por año. La unidad de tiempo fundamental, el segundo, se basa en estos relojes. Esta imagen se ve desde lo alto de una fuente atómica de casi 30 pies de altura (créditos: Steve Jurvetson).

El metro

La unidad del SI para la longitud es el **metro** (abreviado m); su definición también ha cambiado con el tiempo para mayor precisión. El metro se definió por primera vez en 1791 como 1/10.000.000 de la distancia del ecuador al Polo Norte. Esta medida se mejoró en 1889 al redefinir el metro como la distancia entre dos líneas grabadas en una barra de platino-iridio que se conserva cerca de París. En 1960, ya era posible definir el metro con mayor precisión en términos de longitud de onda de la luz, por lo que se redefinió como 1.650.763,73 longitudes de onda de la luz naranja emitida por los átomos de criptón. En 1983, el metro recibió su definición actual (en parte para mayor exactitud) como la distancia que recorre la luz en el vacío en 1/299.792.458 de segundo (Figura 1.9). Este cambio se produjo tras conocer que la velocidad de la luz es exactamente 299.792.458 m/s. La longitud del metro cambiará si algún día se mide la velocidad de la luz con mayor exactitud.

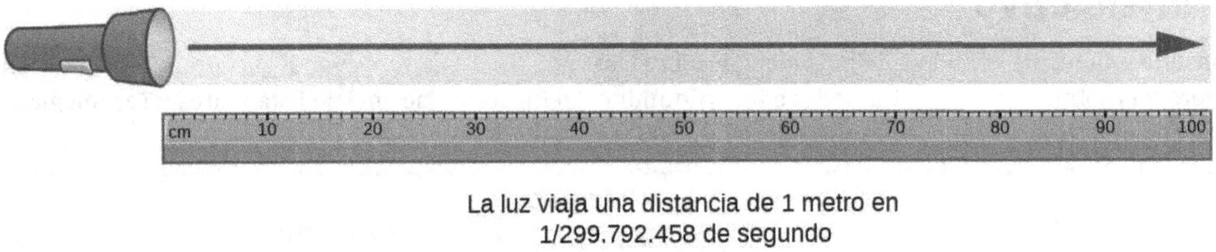

FIGURA 1.9 El metro se define como la distancia que recorre la luz en 1/299.792.458 de segundo en el vacío. La distancia recorrida es la rapidez multiplicada por el tiempo.

El kilo

La unidad del SI para la masa es el **kilogramo** (abreviado kg); desde 1795 hasta 2018 se definió como la masa de un cilindro de platino-iridio conservado con el antiguo patrón de metros en la Oficina Internacional de Pesas y Medidas, cerca de París. Sin embargo, este cilindro ha perdido aproximadamente 50 microgramos desde su creación. Como este es el estándar, esto ha cambiado la forma de definir un kilogramo. Por ello, en mayo de 2019 se adoptó una nueva definición basada en la constante de Planck y otras constantes cuyo valor nunca cambiará. Estudiaremos la constante de Planck en la mecánica cuántica, que es un área de la física que describe cómo funcionan las piezas más pequeñas del universo. El kilogramo se mide en una balanza Kibble (vea la Figura 1.10). Cuando se coloca un peso en una balanza Kibble, se produce una corriente eléctrica proporcional a la constante de Planck. Dado que la constante de Planck está definida, las medidas exactas de la corriente en la balanza definen el kilogramo.

FIGURA 1.10 Redefinición de la unidad de masa del SI. La balanza Kibble del Instituto Nacional de Estándares y Tecnología de los EE. UU. es una máquina que equilibra el peso de una masa de prueba con la corriente eléctrica resultante necesaria para una fuerza que la equilibre.

Prefijos métricos

Las unidades del SI forman parte del **sistema métrico**, que es conveniente para los cálculos científicos y de ingeniería porque las unidades se clasifican por factores de 10. En la Tabla 1.2 se enumeran los prefijos y símbolos métricos utilizados que denotan diversos factores de 10 en las unidades del SI. Por ejemplo, un centímetro es la centésima parte de un metro (en símbolos, 1 cm = 10^{-2} m) y un kilómetro son mil metros (1 km = 10^3 m). Del mismo modo, un megagramo es un millón de gramos (1 Mg = 10^6 g), un nanosegundo es la milmillonésima parte de un segundo (1 ns = 10^{-9} s) y un terámetro es un billón de metros (1 Tm = 10^{12} m).

Prefijo	Símbolo	Significado	Prefijo	Símbolo	Significado
yotta-	Y	10^{24}	yocto-	y	10^{-24}
zetta-	Z	10^{21}	zepto-	z	10^{-21}
exa-	E	10^{18}	atto-	a	10^{-18}
peta-	P	10^{15}	femto-	f	10^{-15}
tera-	T	10^{12}	pico-	p	10^{-12}
giga-	G	10^{9}	nano-	n	10^{-9}
mega-	M	10^{6}	micro-	μ	10^{-6}
kilo-	k	10^{3}	mili-	m	10^{-3}
hecto-	h	10^{2}	centi-	c	10^{-2}

Prefijo	Símbolo	Significado	Prefijo	Símbolo	Significado
deca-	da	10^1	deci-	d	10^{-1}

TABLA 1.2 Prefijos métricos para potencias de 10 y sus símbolos

La única regla al utilizar prefijos métricos es que no se pueden "duplicar". Por ejemplo, si se tienen medidas en petámetros (1 Pm = 10^{15} m), no es propio hablar de megagigámetros, aunque $10^6 \times 10^9 = 10^{15}$. En la práctica, el único momento en que esto se vuelve un poco confuso es cuando se habla de masas. Como hemos visto, la unidad de masa básica del SI es el kilogramo (kg), pero hay que aplicar prefijos métricos al gramo (g), porque no se nos permite "duplicar" los prefijos. Así, mil kilogramos (10^3 kg) se escriben como un megagramo (1 Mg) ya que

$$10^3\text{kg} = 10^3 \times 10^3\text{g} = 10^6\text{g} = 1\text{ Mg}.$$

Por cierto, 10^3 kg también recibe el nombre de *tonelada métrica*, abreviada t. Se trata de una de las unidades ajenas al sistema SI que se consideran aceptables para su uso con las unidades del SI.

Como veremos en el siguiente apartado, los sistemas métricos tienen la ventaja de que las conversiones de unidades solo implican potencias de 10. Hay 100 cm en 1 m, 1000 m en 1 km, etc. En los sistemas no métricos, como el sistema inglés de unidades, las relaciones no son tan sencillas: hay 12 pulgadas (in) en 1 pie, 5280 pies en 1 milla, etc.

Otra ventaja de los sistemas métricos es que la misma unidad puede utilizarse en rangos de valores muy amplios, simplemente al escalarla con un prefijo métrico adecuado. El prefijo se elige por el orden de magnitud de las cantidades físicas que se encuentran habitualmente en la tarea en cuestión. Por ejemplo, las distancias en metros son adecuadas en la construcción, mientras que las distancias en kilómetros son apropiadas para el transporte aéreo, y los nanómetros son convenientes en el diseño óptico. Con el sistema métrico no es necesario inventar unidades para aplicaciones concretas. En su lugar, replanteamos las unidades con las que ya estamos familiarizados.

EJEMPLO 1.1

Uso de prefijos métricos

Replantee la masa $1{,}93 \times 10^{13}\text{kg}$ mediante el empleo de un prefijo métrico tal que el valor numérico resultante sea mayor que uno, pero menor que 1000.

Estrategia

Dado que no se nos permite "duplicar" los prefijos, primero tenemos que replantear la masa en gramos al sustituir el símbolo del prefijo k por un factor de 10^3 (vea la Tabla 1.2). A continuación, debemos ver cuáles dos prefijos en la Tabla 1.2 se acercan más a la potencia resultante de 10 cuando el número se escribe en notación científica. Utilizamos cualquiera de estos dos prefijos que nos dé un número entre uno y 1000.

Solución

Al sustituir la k del kilogramo por un factor de 10^3, encontramos que

$$1{,}93 \times 10^{13}\text{kg} = 1{,}93 \times 10^{13} \times 10^3\text{g} = 1{,}93 \times 10^{16}\text{g}.$$

En la Tabla 1.2, vemos que 10^{16} está entre "peta" (10^{15}) y "exa" (10^{18}). Si utilizamos el prefijo "peta", encontramos que $1{,}93 \times 10^{16}\text{g} = 1{,}93 \times 10^1\text{Pg}$, dado que $16 = 1 + 15$. Alternativamente, si utilizamos el prefijo "exa" encontramos que $1{,}93 \times 10^{16}\text{g} = 1{,}93 \times 10^{-2}\text{Eg}$, dado que $16 = -2 + 18$. Dado que el problema pide el valor numérico entre uno y 1000, utilizamos el prefijo "peta" y la respuesta es 19,3 petagramos (Pg).

Importancia

Es fácil cometer errores aritméticos tontos al pasar de un prefijo a otro, por lo que siempre es buena idea comprobar que nuestra respuesta final coincide con el número con el que empezamos. Una forma fácil de hacerlo es poner los dos números en notación científica y contar las potencias de 10, incluidas las ocultas en los prefijos. Si no nos equivocamos, las potencias de 10 deberían coincidir. En este problema, comenzamos con $1,93 \times 10^{13}$ kg, por lo que tenemos 13 + 3 = 16 potencias de 10. Nuestra respuesta final en notación científica es $1,93 \times 10^{1}$ Pg, por lo que tenemos 1 + 15 = 16 potencias de 10. Así que, todo está bien.

Si esta masa surgió de un cálculo, también querríamos comprobar si una masa tan grande tiene algún sentido en el contexto del problema. Para esto, la Figura 1.4 podría servir.

COMPRUEBE LO APRENDIDO 1.1

Replantee $4,79 \times 10^{5}$ kg utilizando un prefijo métrico tal que el número resultante sea mayor que uno, pero menor que 1000.

1.3 Conversión de unidades

OBJETIVOS DE APRENDIZAJE

Al final de esta sección, podrá:

- Utilizar los factores de conversión para expresar el valor de una cantidad dada en diferentes unidades.

A menudo es necesario convertir de una unidad a otra. Por ejemplo, si está leyendo un libro de cocina europeo, es posible que algunas cantidades estén expresadas en unidades de litros y tenga que convertirlas a tazas. Alternativamente, quizá esté leyendo las indicaciones para ir a pie de un lugar a otro y le interese saber cuántas millas va a recorrer. En este caso, es posible que tenga que convertir las unidades de pies o metros a millas.

Veamos un ejemplo sencillo de cómo convertir unidades. Supongamos que queremos convertir 80 metros (m) en kilómetros (km). Lo primero que hay que hacer es enumerar las unidades que tenemos y las unidades a las que queremos convertir. En este caso, tenemos unidades en *metros* y queremos convertir a *kilómetros*. A continuación, tenemos que determinar un factor de conversión que relacione los metros con los kilómetros. Un **factor de conversión** es una relación que expresa cuántas cantidades de una unidad son iguales a otra unidad. Por ejemplo, hay 12 pulgadas (in) en 1 pie, 1609 m en 1 milla (mi), 100 centímetros (cm) en 1 m, 60 segundos (s) en 1 minuto (min), etc. Consulte el Apéndice B para obtener una lista más completa de los factores de conversión. En este caso, sabemos que hay 1000 m en 1 km. Ahora podemos configurar nuestra conversión de unidades. Escribimos las unidades que tenemos y luego las multiplicamos por el factor de conversión para que se anulen, como se indica:

$$80\,\cancel{\text{m}} \times \frac{1\,\text{km}}{1.000\,\cancel{\text{m}}} = 0{,}080\,\text{km}.$$

Observe que la unidad de metro no deseada se anula, lo que deja solamente la unidad de kilómetro deseada. Puede utilizar este método para convertir entre cualquier tipo de unidad. Ahora, la conversión de 80 m a kilómetros es simplemente el uso de un prefijo métrico, como vimos en la sección anterior, por lo que podemos obtener la misma respuesta con la misma facilidad al observar que

$$80\,\text{m} = 8{,}0 \times 10^{1}\,\text{m} = 8{,}0 \times 10^{-2}\,\text{km} = 0{,}080\,\text{km},$$

ya que "kilo" significa 10^{3} (vea la Tabla 1.2) y $1 = -2 + 3$. Sin embargo, el uso de factores de conversión es útil cuando se convierte entre unidades que no son métricas o cuando se convierte entre unidades derivadas, como ilustran los siguientes ejemplos.

EJEMPLO 1.2

Conversión de unidades no métricas a métricas

La distancia de la universidad a casa es de 10 mi y normalmente tarda 20 minutos en conducir esta distancia. Calcule la rapidez media en metros por segundo (m/s). (*Nota:* La rapidez media es la distancia recorrida, dividida entre el tiempo de viaje).

Estrategia

Primero, calculamos la rapidez media con las unidades dadas, luego podemos obtener la rapidez media en las unidades deseadas, al elegir los factores de conversión correctos y multiplicar por estos. Los factores de conversión correctos son los que anulan las unidades no deseadas y dejan en su lugar las unidades deseadas. En este caso, queremos convertir millas a metros, por lo que necesitamos saber que hay 1609 m en 1 mi. También queremos convertir minutos a segundos, por lo que utilizamos la conversión de 60 s en 1 min.

Solución

1. Calcule la rapidez media. La rapidez media es la distancia recorrida, dividida entre el tiempo de viaje. (Por el momento, tome esta definición como un hecho. La rapidez media y otros conceptos de movimiento se tratan en capítulos posteriores). En forma de ecuación,
$$\text{Rapidez media} = \frac{\text{Distancia}}{\text{Tiempo}}.$$
2. Sustituya los valores dados para la distancia y el tiempo:
$$\text{Rapidez media} = \frac{10\text{ mi}}{20\text{ min}} = 0{,}50\,\frac{\text{mi}}{\text{min}}.$$
3. Convierta las millas por minuto en metros por segundo al multiplicar por el factor de conversión que anula las millas y deja los metros, y también por el factor de conversión que anula los minutos y deja los segundos:
$$0{,}50\,\frac{\cancel{\text{milla}}}{\cancel{\text{min}}} \times \frac{1.609\text{ m}}{1\,\cancel{\text{milla}}} \times \frac{1\,\cancel{\text{min}}}{60\text{ s}} = \frac{(0{,}50)(1.609)}{60}\text{ m/s} = 13\text{ m/s}.$$

Importancia

Compruebe la respuesta de las siguientes maneras:

1. Asegúrese de que las unidades en la conversión de unidades se anulen correctamente. Si el factor de conversión de unidades se ha escrito al revés, las unidades no se anulan correctamente en la ecuación. Vemos que la "milla" en el numerador en 0,50 mi/min anula la "milla" en el denominador en el primer factor de conversión. Además, el "min" del denominador en 0,50 mi/min anula el "min" del numerador en el segundo factor de conversión.
2. Compruebe que las unidades de la respuesta final son las deseadas. El problema nos pedía resolver la rapidez media en unidades de metros por segundo y, tras las anulaciones, las únicas unidades que quedan son un metro (m) en el numerador y un segundo (s) en el denominador, por lo que efectivamente hemos obtenido estas unidades.

COMPRUEBE LO APRENDIDO 1.2

La luz viaja alrededor de 9 petámetros (Pm) en un año. Dado que un año es aproximadamente 3×10^7 s, ¿cuál es la velocidad de la luz en metros por segundo?

EJEMPLO 1.3

Conversión entre unidades métricas

La densidad del hierro es 7,86 g/cm^3 en condiciones normales. Convierta esto a kg/m^3.

Estrategia

Necesitamos convertir los gramos en kilogramos y los centímetros cúbicos en metros cúbicos. Los factores de conversión que necesitamos son $1\ kg = 10^3 g$ y $1\ cm = 10^{-2} m$. Sin embargo, estamos tratando con centímetros cúbicos ($cm^3 = cm \times cm \times cm$), por lo que tenemos que utilizar el segundo factor de conversión tres veces (es decir, tenemos que elevarlo al cubo). La idea sigue siendo multiplicar por los factores de conversión de forma que se anulen las unidades que queremos eliminar y se introduzcan las que queremos mantener.

Solución

$$7{,}86 \frac{\cancel{g}}{\cancel{cm}^3} \times \frac{kg}{10^3 \cancel{g}} \times \left(\frac{\cancel{cm}}{10^{-2} m}\right)^3 = \frac{7{,}86}{(10^3)(10^{-6})} kg/m^3 = 7{,}86 \times 10^3\ kg/m^3$$

Importancia

Recuerde que siempre es importante comprobar la respuesta.

1. Asegúrese de anular correctamente las unidades en la conversión de unidades. Vemos que el gramo ("g") en el numerador en 7,86 g/cm^3 anula el "g" en el denominador en el primer factor de conversión. Además, los tres factores de "cm" en el denominador en 7,86 g/cm^3 se anulan con los tres factores de "cm" en el numerador que obtenemos al elevar al cubo el segundo factor de conversión.
2. Compruebe que las unidades de la respuesta final son las deseadas. El problema nos pedía la conversión a kilogramos por metro cúbico. Tras las anulaciones que acabamos de describir, vemos que las únicas unidades que nos quedan son "kg" en el numerador y tres factores de "m" en el denominador (es decir, un factor de "m" al cubo, o "m^3"). Por lo tanto, las unidades de la respuesta final son correctas.

COMPRUEBE LO APRENDIDO 1.3

Sabemos por la Figura 1.4 que el diámetro de la Tierra es del orden de 10^7 m, por lo que el orden de magnitud de su área de superficie es de $10^{14}\ m^2$. ¿Cuánto es eso en kilómetros cuadrados (es decir, km^2)? (Intente hacerlo tanto al convertir 10^7 m a km y luego elevar al cuadrado como al convertir $10^{14}\ m^2$ directamente a kilómetros cuadrados. Debería obtener la misma respuesta en ambos casos).

Puede que las conversiones de unidades no parezcan muy interesantes, pero no hacerlas quizá resulte costoso. Un ejemplo famoso de esta situación se vio con el *orbitador climático de Marte*. Esta sonda fue lanzada por la NASA el 11 de diciembre de 1998. El 23 de septiembre de 1999, mientras intentaba guiar la sonda hacia su órbita prevista alrededor de Marte, la NASA perdió el contacto con la sonda. Las investigaciones posteriores demostraron que un programa informático denominado SM_FORCES (o "small forces" [pequeñas fuerzas]) registraba los datos de rendimiento de los propulsores en las unidades inglesas de libra-segundo (lb-s). Sin embargo, otros programas informáticos que utilizaban estos valores para las correcciones de rumbo esperaban que se registraran en las unidades del sistema internacional de newton-segundos (N-s), tal y como dictaban los protocolos de la interfaz del software. A causa de este error, la sonda siguió una trayectoria muy distinta a la que la NASA pensaba que estaba siguiendo, lo que probablemente hizo que la sonda se quemara en la atmósfera de Marte o saliera disparada al espacio. Esta falta de atención a las conversiones de unidades costó cientos de millones de dólares, por no mencionar todo el tiempo invertido por los científicos e ingenieros que trabajaron en el proyecto.

COMPRUEBE LO APRENDIDO 1.4

Dado que 1 lb (libra) equivale a 4,45 newton (N), ¿los números emitidos por SM_FORCES eran demasiado grandes o demasiado pequeños?

1.4 Análisis dimensional

OBJETIVOS DE APRENDIZAJE

Al final de esta sección, podrá:

- Hallar las dimensiones de una expresión matemática que implique cantidades físicas.
- Determinar si una ecuación que involucre cantidades físicas es dimensionalmente coherente.

La **dimensión** de cualquier cantidad física expresa su dependencia de las cantidades base como un producto de símbolos (o potencias de símbolos) que representan las cantidades base. La Tabla 1.3 enumera las cantidades base y los símbolos utilizados para su dimensión. Por ejemplo, se dice que una medida de longitud tiene la dimensión L o L^1, una medida de masa tiene la dimensión M o M^1, y una medida de tiempo tiene la dimensión T o T^1. Al igual que las unidades, las dimensiones obedecen a las reglas de álgebra. Así pues, el área es el producto de dos longitudes y, por tanto, tiene la dimensión L^2, o sea, la longitud al cuadrado. Del mismo modo, el volumen es el producto de tres longitudes y tiene la dimensión L^3, o longitud al cubo. La rapidez tiene una dimensión de longitud en el tiempo, L/T o LT^{-1}. La densidad volumétrica de la masa tiene la dimensión M/L^3 o ML^{-3}, o masa sobre longitud al cubo. En general, la dimensión de cualquier cantidad física puede escribirse como $\mathrm{L}^a\mathrm{M}^b\mathrm{T}^c\mathrm{I}^d\Theta^e\mathrm{N}^f\mathrm{J}^g$ para algunas potencias a, b, c, d, e, f, y g. Podemos escribir las dimensiones de una longitud en esta forma con $a = 1$ y las seis potencias restantes, todas iguales a cero: $\mathrm{L}^1 = \mathrm{L}^1\mathrm{M}^0\mathrm{T}^0\mathrm{I}^0\Theta^0\mathrm{N}^0\mathrm{J}^0$. Cualquier cantidad con una dimensión que pueda escribirse de forma que las siete potencias sean cero (es decir, su dimensión es $\mathrm{L}^0\mathrm{M}^0\mathrm{T}^0\mathrm{I}^0\Theta^0\mathrm{N}^0\mathrm{J}^0$) se denomina **adimensional** (o a veces "de dimensión 1", porque cualquier cosa elevada a la potencia cero es uno). Los físicos suelen llamar a las cantidades adimensionales *números puros.*

Cantidad base	Símbolo de la dimensión
Longitud	L
Masa	M
Tiempo	T
Corriente	I
Temperatura termodinámica	Θ
Cantidad de sustancia	N
Intensidad luminosa	J

TABLA 1.3 Cantidades base y sus dimensiones

Los físicos suelen utilizar corchetes alrededor del símbolo de una cantidad física para representar las dimensiones de dicha magnitud. Por ejemplo, si r es el radio de un cilindro y h es su altura, entonces escribimos $[r] = \mathrm{L}$ y $[h] = \mathrm{L}$ para indicar que las dimensiones del radio y de la altura son las de la longitud, o L. Del mismo modo, si utilizamos el símbolo A para el área de la superficie de un cilindro y V para su volumen, entonces$[A] = \mathrm{L}^2$ y $[V] = \mathrm{L}^3$. Si utilizamos el símbolo m para la masa del cilindro y ρ para la densidad del material del que está hecho el cilindro, entonces $[m] = \mathrm{M}$ y $[\rho] = \mathrm{ML}^{-3}$.

La importancia del concepto de dimensión surge del hecho de que cualquier ecuación matemática que relacione cantidades físicas debe ser **dimensionalmente coherente**, lo que significa que la ecuación debe obedecer las siguientes reglas:

- Todos los términos de una expresión deben tener las mismas dimensiones; no tiene sentido sumar o restar cantidades de distinta dimensión (piense en el viejo dicho: "No se pueden sumar manzanas y naranjas"). En particular, las expresiones de cada lado de la igualdad en una ecuación deben tener las mismas dimensiones.
- Los argumentos de cualquiera de las funciones matemáticas estándar como las funciones trigonométricas (como el seno y el coseno), los logaritmos o las funciones exponenciales que aparecen en la ecuación deben ser adimensionales. Estas funciones requieren números puros como entradas y dan números puros como salidas.

Si se viola alguna de estas reglas, una ecuación no es dimensionalmente coherente y no puede ser un enunciado correcto de la ley física. Este simple hecho sirve para comprobar si hay errores tipográficos o de álgebra, recordar las distintas leyes de la física e incluso sugerir la forma que podrían adoptar las nuevas leyes de la física. Este último uso de las dimensiones no se contempla en este texto, pero es algo que sin duda aprenderá más adelante en su carrera académica.

EJEMPLO 1.4

Usar las dimensiones para recordar una ecuación

Supongamos que necesitamos la fórmula del área de un círculo para algún cálculo. Al igual que muchas personas que aprendieron geometría hace demasiado tiempo como para recordarlo con certeza, hay dos expresiones que nos vienen a la mente cuando pensamos en círculos: πr^2 y $2\pi r$. Una expresión es la circunferencia de un círculo de radio r y la otra es su área. Pero ¿cuál es cuál?

Estrategia

Una estrategia natural es buscarla, pero puede llevar tiempo encontrar información de una fuente fiable. Además, aunque creamos que la fuente es fiable, no debemos confiar en todo lo que leemos. Es bueno tener una forma de comprobarlo dos veces con solo pensarlo. Además, es posible que nos encontremos en una situación en la que no podamos consultar estos aspectos (por ejemplo, durante un examen). Por lo tanto, la estrategia es encontrar las dimensiones de ambas expresiones por el hecho de que dichas dimensiones siguen las reglas de álgebra. Si una de las expresiones no tiene las mismas dimensiones que el área, entonces no puede ser la ecuación correcta para el área de un círculo.

Solución

Sabemos que la dimensión del área es L^2. Ahora, la dimensión de la expresión πr^2 es

$$[\pi r^2] = [\pi] \cdot [r]^2 = 1 \cdot L^2 = L^2,$$

ya que la constante π es un número puro y el radio r es una longitud. Por lo tanto, πr^2 tiene la dimensión de área. Del mismo modo, la dimensión de la expresión $2\pi r$ es

$$[2\pi r] = [2] \cdot [\pi] \cdot [r] = 1 \cdot 1 \cdot L = L,$$

ya que las constantes 2 y π son adimensionales y el radio r es una longitud. Vemos que $2\pi r$ tiene la dimensión de la longitud, lo que significa que no puede ser un área.

Descartamos $2\pi r$ porque no es dimensionalmente coherente con ser un área. Vemos que πr^2 es dimensionalmente coherente con ser un área, así que si tenemos que elegir entre estas dos expresiones, πr^2 es la que hay que elegir.

Importancia

Esto puede parecer un ejemplo tonto, pero las ideas son muy generales. Siempre que conozcamos las dimensiones de cada una de las magnitudes físicas que aparecen en una ecuación, podremos comprobar si la ecuación es dimensionalmente coherente. Por otro lado, al saber que las ecuaciones verdaderas son dimensionalmente coherentes, podemos hacer coincidir las expresiones de nuestra memoria imperfecta con las cantidades para las que podrían ser expresiones. Hacer esto no nos ayudará a recordar los factores adimensionales que aparecen en las ecuaciones (por ejemplo, si accidentalmente hubiera confundido las dos expresiones del ejemplo en $2\pi r^2$, entonces el análisis dimensional no ayuda), aunque sí nos permite recordar la forma básica correcta de las ecuaciones.

COMPRUEBE LO APRENDIDO 1.5

Supongamos que queremos la fórmula del volumen de una esfera. Las dos expresiones que suelen mencionarse en los análisis elementales de las esferas son $4\pi r^2$ y $4\pi r^3/3$. Una es el volumen de una esfera de radio *r* y la otra es su superficie. ¿Cuál es el volumen?

EJEMPLO 1.5

Comprobación de la coherencia dimensional de las ecuaciones

Considere las cantidades físicas $s, v, a,$ y t con dimensiones $[s] = \mathrm{L}$, $[v] = \mathrm{LT}^{-1}$, $[a] = \mathrm{LT}^{-2}$, y $[t] = \mathrm{T}$. Determine si cada una de las siguientes ecuaciones es dimensionalmente coherente: (a) $s = vt + 0{,}5at^2$; (b) $s = vt^2 + 0{,}5at$; y (c) $v = \mathrm{sen}(at^2/s)$.

Estrategia

Según la definición de coherencia dimensional, tenemos que comprobar que cada término de una ecuación dada tiene las mismas dimensiones que los demás términos de esa ecuación y que los argumentos de cualquier función matemática estándar son adimensionales.

Solución

a. No hay funciones trigonométricas, logarítmicas ni exponenciales de las que preocuparse en esta ecuación, por lo que solo tenemos que fijarnos en las dimensiones de cada término que aparece en la ecuación. Hay tres términos, uno en la expresión de la izquierda y dos en la expresión de la derecha, así que los examinaremos uno por uno:

$$[s] = \mathrm{L}$$
$$[vt] = [v] \cdot [t] = \mathrm{LT}^{-1} \cdot \mathrm{T} = \mathrm{LT}^0 = \mathrm{L}$$
$$[0{,}5at^2] = [a] \cdot [t]^2 = \mathrm{LT}^{-2} \cdot \mathrm{T}^2 = \mathrm{LT}^0 = \mathrm{L}.$$

Los tres términos tienen la misma dimensión, por lo que esta ecuación es dimensionalmente coherente.

b. De nuevo, no hay funciones trigonométricas, exponenciales ni logarítmicas, por lo que solo tenemos que mirar las dimensiones de cada uno de los tres términos que aparecen en la ecuación:

$$[s] = \mathrm{L}$$
$$[vt^2] = [v] \cdot [t]^2 = \mathrm{LT}^{-1} \cdot \mathrm{T}^2 = \mathrm{LT}$$
$$[at] = [a] \cdot [t] = \mathrm{LT}^{-2} \cdot \mathrm{T} = \mathrm{LT}^{-1}.$$

Ninguno de los tres términos tiene la misma dimensión que otro, así que esto es lo incompatible con la coherencia dimensional. El término técnico para una ecuación como esta es *sin sentido*.

c. Esta ecuación contiene una función trigonométrica, por lo que primero debemos comprobar que el argumento de la función seno es adimensional:

$$\left[\frac{at^2}{s}\right] = \frac{[a]\cdot[t]^2}{[s]} = \frac{\mathrm{LT}^{-2}\cdot\mathrm{T}^2}{\mathrm{L}} = \frac{\mathrm{L}}{\mathrm{L}} = 1.$$

El argumento es adimensional. Hasta ahora, todo va bien. Ahora tenemos que comprobar las dimensiones de cada uno de los dos términos (es decir, la expresión de la izquierda y la de la derecha) de la ecuación:

$$[v] = \mathrm{LT}^{-1}$$
$$\left[\mathrm{sen}\left(\frac{at^2}{s}\right)\right] = 1.$$

Los dos términos tienen dimensiones diferentes, es decir, la ecuación no es dimensionalmente coherente. Esta ecuación es otro ejemplo de "sin sentido".

Importancia

Si confiamos en las personas, este tipo de comprobaciones dimensionales pueden parecer innecesarias. Sin embargo, tranquilo, cualquier libro de texto sobre una materia cuantitativa como la física (incluido este) contiene casi con toda seguridad algunas ecuaciones con errores tipográficos. La comprobación rutinaria de las ecuaciones mediante el análisis dimensional nos ahorra la vergüenza de utilizar una ecuación incorrecta. Además, comprobar las dimensiones de una ecuación que obtenemos a través de la manipulación algebraica es una buena manera de asegurarnos de que no nos hemos equivocado (o de detectar un error, si lo hemos hecho).

COMPRUEBE LO APRENDIDO 1.6

¿La ecuación $v = at$ es dimensionalmente coherente?

Otro punto que hay que mencionar es el efecto de las operaciones de cálculo sobre las dimensiones. Hemos visto que las dimensiones obedecen a las reglas de álgebra, al igual que las unidades, pero ¿qué ocurre cuando tomamos la derivada de una cantidad física con respecto a otra o integramos una cantidad física sobre otra? La derivada de una función no es más que la pendiente de la recta tangente a su gráfico y las pendientes son proporciones, por lo que, para las cantidades físicas v y t, tenemos que la dimensión de la derivada de v respecto a t no es más que la proporción de la dimensión de v sobre la de t:

$$\left[\frac{dv}{dt}\right] = \frac{[v]}{[t]}.$$

Del mismo modo, dado que las integrales son solo sumas de productos, la dimensión de la integral de v con respecto a t es simplemente la dimensión de v por la dimensión de t:

$$\left[\int v dt\right] = [v] \cdot [t].$$

Por el mismo razonamiento, las reglas análogas son válidas para las unidades de las cantidades físicas derivadas de otras cantidades por integración o diferenciación.

1.5 Estimaciones y cálculos de Fermi

OBJETIVOS DE APRENDIZAJE

Al final de esta sección, podrá:

- Estimar los valores de las cantidades físicas.

En muchas ocasiones, los físicos, otros científicos e ingenieros necesitan hacer *estimaciones* de una cantidad determinada. Otros términos que se emplean a veces son *estimaciones a partir de conjeturas, aproximaciones de orden de magnitud, cálculos de servilleta* o *cálculos de Fermi*. (El físico Enrico Fermi, mencionado anteriormente, era famoso por su capacidad para estimar diversos tipos de datos con una precisión sorprendente). ¿Cabrá ese equipo en la parte trasera del auto o tendremos que alquilar un camión? ¿Cuánto tiempo durará esta descarga? ¿Qué tanta corriente habrá en este circuito cuando se encienda? ¿Cuántas casas podría alimentar realmente una central eléctrica propuesta si se construye? Tenga en cuenta que estimar no significa adivinar un número o una fórmula al azar. Mejor dicho, la **estimación** significa utilizar la experiencia previa y el razonamiento físico sólido para llegar a una idea aproximada del valor de una cantidad. Dado que el proceso para determinar una aproximación fiable implica la identificación de principios físicos correctos y una conjetura apropiada acerca de las variables pertinentes, la estimación es muy útil para desarrollar la intuición física. Las estimaciones también nos permiten realizar "comprobaciones de cordura" en los cálculos o las propuestas políticas, ya que nos ayudan a descartar determinados escenarios o cifras poco realistas. Nos permiten desafiar a los demás (y a nosotros mismos) en nuestros esfuerzos por aprender verdades sobre el mundo.

Muchas estimaciones se basan en fórmulas en las que las cantidades de entrada solo se conocen con una precisión limitada. A medida que desarrolle sus habilidades para resolver problemas de física (que se aplican a una amplia variedad de campos), también desarrollará sus habilidades para estimar. Estas habilidades se desarrollan pensando de forma más cuantitativa y estando dispuesto a asumir riesgos. Como con cualquier habilidad, la experiencia ayuda. También ayuda la familiaridad con las dimensiones (vea la Tabla 1.3) y las unidades (vea la Tabla 1.1 y la Tabla 1.2), así como las escalas de las cantidades base (vea la Figura 1.4).

Para progresar en la estimación, es necesario tener algunas ideas definidas sobre cómo pueden estar relacionadas las variables. Las siguientes estrategias sirven para practicar el arte de la estimación:

- *Obtener grandes longitudes a partir de longitudes más pequeñas.* Al estimar las longitudes, recuerde que cualquier cosa puede ser una regla. Así, imagine que divide una cosa grande en cosas más pequeñas, estime la longitud de una de las cosas más pequeñas y multiplique para obtener la longitud de la cosa grande. Por ejemplo, para estimar la altura de un edificio, primero cuente cuántos pisos tiene. Luego, estime el tamaño de un solo piso; imagine cuántas personas tendrían que subirse a los hombros de otras para alcanzar el techo. Por último, estime la altura de una persona. El producto de estas tres estimaciones es su estimación de la altura del edificio. Resulta útil haber memorizado algunas escalas pertinentes de longitud para el tipo de problemas que estará resolviendo. Por ejemplo, conocer algunas de las escalas de longitud en la Figura 1.4 sería práctico. A veces también ayuda hacer esto a la inversa, es decir, para estimar la longitud de una cosa pequeña, imagine un montón de ellas formando una cosa más grande. Por ejemplo, para estimar el grosor de una hoja de papel, calcule el grosor de una pila de papel y luego divídala entre el número de páginas de la pila. Estas mismas estrategias de dividir las cosas grandes en cosas más pequeñas o de sumar las cosas más pequeñas para dar una cosa más grande pueden utilizarse a veces para estimar otras cantidades físicas, como las masas y los tiempos.
- *Obtener áreas y volúmenes a partir de longitudes.* Cuando se trate de un área o un volumen de un objeto complejo, introduzca un modelo sencillo del objeto, como una esfera o una caja. A continuación, estime primero las dimensiones lineales (como el radio de la esfera o la longitud, ancho y altura de la caja) y utilice sus estimaciones para obtener el volumen o el área a partir de fórmulas geométricas estándar. Si tiene una estimación del área o del volumen de un objeto, también puede hacer lo contrario, es decir, utilizar fórmulas geométricas estándar para obtener una estimación de sus dimensiones lineales.
- *Obtener masas a partir de volúmenes y densidades.* Al estimar las masas de los objetos, serviría primero estimar su volumen y luego estimar su masa a partir de una estimación aproximada de su densidad media (recordemos que la densidad tiene la dimensión de la masa sobre longitud al cubo, por lo que la masa es densidad por volumen). Para ello, conviene recordar que la densidad del aire es de aproximadamente 1 kg/m^3, la del agua es de 10^3 kg/m^3 y los sólidos más densos de la vida cotidiana alcanzan un máximo de 10^4 kg/m^3. Preguntarse si un objeto flota o se hunde en el aire o en el agua le da una estimación aproximada de su densidad. También se puede hacer a la inversa; si tiene una estimación de la masa de un objeto y su densidad, puede utilizar esto para obtener una estimación de su volumen.
- *Si todo lo demás falla, limítelo.* En cuanto a las cantidades físicas para las que no tiene mucha intuición, a veces lo mejor que puede hacer es pensar algo así: debe ser más grande que esto y más pequeño que aquello. Por ejemplo, supongamos que hay que calcular la masa de un alce. Tal vez tenga mucha experiencia con los alces y conozca de memoria su masa media. Si es así, genial. Pero para la mayoría de la gente, lo mejor que pueden hacer es pensar algo así: debe ser mayor que una persona (del orden de 10^2 kg) y menor que un auto (del orden de 10^3 kg). Si necesita un solo número para un cálculo posterior, puede tomar la media geométrica del límite superior y del inferior, es decir, los multiplica y luego saca la raíz cuadrada. Para el ejemplo de la masa del alce, esto sería
$$\left(10^2 \times 10^3\right)^{0,5} = 10^{2,5} = 10^{0,5} \times 10^2 \approx 3 \times 10^2 \text{kg}.$$
Cuanto más estrechos sean los límites, mejor. Además, no hay reglas inquebrantables cuando se trata de la estimación. Si cree que el valor de la cantidad puede estar más cerca del límite superior que del inferior, puede aumentar su estimación de la media geométrica en un orden o dos de magnitud.
- *Una cifra significativa está bien.* No es necesario ir más allá de una cifra significativa (significant figure, sig. fig.) cuando se hacen cálculos para obtener una estimación. En la mayoría de los casos, el orden de magnitud es suficiente. La meta es solo obtener una cifra aproximada, así que mantenga la aritmética lo

más sencilla posible.

- *Pregúntese: ¿tiene esto algún sentido?* Por último, compruebe si su respuesta es razonable. ¿Cómo se compara con los valores de otras cantidades con las mismas dimensiones que ya conoce o que puede buscar fácilmente? Si obtiene alguna respuesta descabellada (por ejemplo, si estima que la masa del océano Atlántico es mayor que la masa de la Tierra, o que algún lapso es mayor que la edad del universo), compruebe primero si sus unidades son correctas. A continuación, compruebe si hay errores aritméticos. Luego, replantee la lógica que ha utilizado para llegar a su respuesta. Si todo está bien, es posible que acabe por demostrar que alguna nueva idea ingeniosa es realmente falsa.

EJEMPLO 1.6

Masa de los océanos de la Tierra

Estime la masa total de los océanos de la Tierra.

Estrategia

Sabemos que la densidad del agua es de unos 10^3 kg/m^3, así que partimos del consejo de "obtener masas a partir de densidades y volúmenes". Por lo tanto, necesitamos estimar el volumen de los océanos del planeta. Siguiendo el consejo de "obtener áreas y volúmenes a partir de las longitudes", podemos estimar el volumen de los océanos como área de superficie por profundidad media, o $V = AD$. Conocemos el diámetro de la Tierra por la Figura 1.4 y sabemos que la mayor parte de la superficie terrestre está cubierta de agua, por lo que podemos estimar que la superficie de los océanos es aproximadamente igual a la superficie del planeta. Siguiendo el consejo de "obtener áreas y volúmenes a partir de longitudes" de nuevo, podemos aproximar la Tierra como una esfera y utilizar la fórmula del área de superficie de una esfera de diámetro *d*, es decir, $A = \pi d^2$, para estimar el área de superficie de los océanos. Ahora solo tenemos que calcular la profundidad media de los océanos. Para ello, utilizamos el consejo: "Si todo lo demás falla, limítelo". Resulta que sabemos que los puntos más profundos del océano están en torno a los 10 km y que no es raro que el océano tenga más de 1 km de profundidad, así que tomamos la profundidad media alrededor de $(10^3 \times 10^4)^{0{,}5} \approx 3 \times 10^3\,\text{m}$. Ahora solo hay que unirlo todo, atendiendo al consejo de que "una 'cifra significativa' está bien".

Solución

Estimamos que la superficie de la Tierra (y por lo tanto la superficie de los océanos de la Tierra) es aproximadamente

$$A = \pi d^2 = \pi(10^7\,\text{m})^2 \approx 3 \times 10^{14}\,\text{m}^2.$$

A continuación, con nuestra estimación de profundidad media de $D = 3 \times 10^3\,\text{m}$, que se obtuvo por limitación, estimamos que el volumen de los océanos de la Tierra es

$$V = AD = (3 \times 10^{14}\,\text{m}^2)(3 \times 10^3\,\text{m}) = 9 \times 10^{17}\,\text{m}^3.$$

Por último, estimamos que la masa de los océanos del mundo es

$$M = \rho V = (10^3\,\text{kg/m}^3)(9 \times 10^{17}\,\text{m}^3) = 9 \times 10^{20}\,\text{kg}.$$

Así, estimamos que el orden de magnitud de la masa de los océanos del planeta es de 10^{21} kg.

Importancia

Para verificar nuestra respuesta de la mejor manera posible, primero tenemos que responder la pregunta: ¿tiene esto algún sentido? En la Figura 1.4, vemos que la masa de la atmósfera terrestre es del orden de 10^{19} kg y la masa de la Tierra es del orden de 10^{25} kg. Resulta tranquilizador que nuestra estimación de 10^{21} kg para la masa de los océanos de la Tierra se sitúe entre estos dos valores. Así que, sí, parece tener sentido. Resulta que hicimos una búsqueda en la web de "masa de los océanos" y los primeros resultados decían todos $1{,}4 \times 10^{21}\,\text{kg}$, que es el mismo orden de magnitud que nuestra estimación. Ahora, en lugar de tener que confiar ciegamente en quién publicó por primera vez esa cifra en un sitio web (al fin y al cabo, la mayoría de los demás sitios probablemente se limitaron a copiarla), podemos tener un poco más de confianza en dicha cifra.

COMPRUEBE LO APRENDIDO 1.7

La Figura 1.4 dice que la masa de la atmósfera es de 10^{19} kg. Suponiendo que la densidad de la atmósfera es de 1 kg/m^3, estime la altura de la atmósfera terrestre. ¿Cree que su respuesta es una subestimación o una sobreestimación? Explique por qué.

¿Cuántos afinadores de piano hay en Nueva York? ¿Cuántas hojas tiene ese árbol? Si está estudiando la fotosíntesis o está pensando en escribir una aplicación para teléfonos inteligentes destinada a los afinadores de pianos, las respuestas a estas preguntas pueden ser de gran interés para usted. Si no, probablemente no le importen las respuestas. Sin embargo, estos son exactamente los tipos de problemas de estimación que la gente de varias industrias tecnológicas ha estado pidiendo a los empleados potenciales para evaluar sus habilidades de razonamiento cuantitativo. Si la construcción de la intuición física y la evaluación de las afirmaciones cuantitativas no parecen razones suficientes para que practique los problemas de estimación, ¿qué le parece el hecho de que ser bueno en ellos podría conseguirle un trabajo bien remunerado?

INTERACTIVO

Para practicar la estimación de longitudes, áreas y volúmenes relativos, consulte esta simulación de PhET (https://openstax.org/l/21lengthgame), titulada "Estimación".

1.6 Cifras significativas

OBJETIVOS DE APRENDIZAJE

Al final de esta sección, podrá:

- Determinar el número correcto de cifras significativas para el resultado de un cálculo.
- Describir la relación entre los conceptos de exactitud, precisión, incertidumbre y discrepancia.
- Calcular el porcentaje de incertidumbre de una medición, dado su valor y su incertidumbre.
- Determinar la incertidumbre del resultado de un cálculo en el que intervienen cantidades con incertidumbres dadas.

La Figura 1.11 muestra dos instrumentos utilizados para medir la masa de un objeto. La báscula digital ha sustituido en su mayor parte a la báscula de doble plato en los laboratorios de física, ya que proporciona mediciones más exactas y precisas. Pero, ¿qué entendemos exactamente por *exacto* y *preciso*? ¿No son lo mismo? En esta sección examinamos en detalle el proceso de realización y notificación de una medición.

(a) (b)

FIGURA 1.11 (a) Se utiliza una balanza mecánica de doble plato para comparar diferentes masas. Normalmente se coloca un objeto de masa desconocida en un plato y objetos de masa conocida en el otro plato. Cuando la barra que une los dos platos es horizontal, entonces las masas en ambos platos son iguales. Las "masas conocidas" suelen ser cilindros metálicos de masa estándar, como 1 g, 10 g y 100 g. (b) Muchas básculas mecánicas, como las de doble plato, han sido sustituidas por balanzas digitales, que miden la masa de un objeto con mayor precisión. La báscula mecánica puede leer solamente la masa de un objeto hasta la décima de gramo más cercana. Sin embargo, muchas básculas digitales pueden medir la masa de un objeto hasta la milésima de gramo más cercana (créditos: a. modificación del trabajo de Serge Melki; b. modificación del trabajo de Karel Jakubec).

Exactitud y precisión de una medida

La ciencia se basa en la observación y la experimentación, es decir, en las mediciones. La **exactitud** es la proximidad de una medición al valor de referencia aceptado para esa medición. Por ejemplo, digamos que queremos medir la longitud de un papel de impresora estándar. El embalaje en el que compramos el papel indica que tiene una longitud de 11,0 in. A continuación, medimos la longitud del papel tres veces y obtenemos las siguientes medidas: 11,1 in, 11,2 in y 10,9 in. Estas mediciones son bastante exactas porque se acercan mucho al valor de referencia de 11,0 in. Por el contrario, si hubiéramos obtenido una medida de 12 in, nuestra medición no sería muy exacta. Observe que el concepto de exactitud requiere que se dé un valor de referencia aceptado.

La **precisión** de las mediciones se refiere a la concordancia entre mediciones repetidas e independientes (que se repiten en las mismas condiciones). Consideremos el ejemplo de las medidas del papel. La precisión de las mediciones se refiere a la dispersión de los valores medidos. Una forma de analizar la precisión de las mediciones es determinar el rango, o la diferencia, entre los valores medidos más bajos y los más altos. En este caso, el valor más bajo fue de 10,9 in y el más alto de 11,2 in. Así, los valores medidos se desviaron entre sí, como máximo, en 0,3 in. Estas mediciones eran relativamente precisas porque no variaban demasiado en valor. Sin embargo, si los valores medidos hubieran sido 10,9 in, 11,1 in y 11,9 in, las mediciones no serían muy precisas porque habría una variación significativa de una medición a otra. Observe que el concepto de precisión depende únicamente de las mediciones reales adquiridas y no depende de un valor de referencia aceptado.

Las mediciones del ejemplo del papel son exactas y precisas, pero en algunos casos, las mediciones son exactas, pero no precisas, o son precisas, pero no exactas. Consideremos un ejemplo de un GPS que intenta localizar la posición de un restaurante en una ciudad. Piense en la ubicación del restaurante como si existiera en el centro de una diana y piense en cada intento del GPS por localizar el restaurante como un punto negro. En la Figura 1.12(a), vemos que las mediciones del GPS están muy separadas entre sí, pero todas están relativamente cerca de la ubicación real del restaurante en el centro del objetivo. Esto indica un sistema de medición de baja precisión y alta exactitud. Sin embargo, en la Figura 1.12(b), las mediciones del GPS se concentran bastante cerca unas de otras, pero están lejos de la ubicación del objetivo. Esto indica un sistema de medición de alta precisión y baja exactitud.

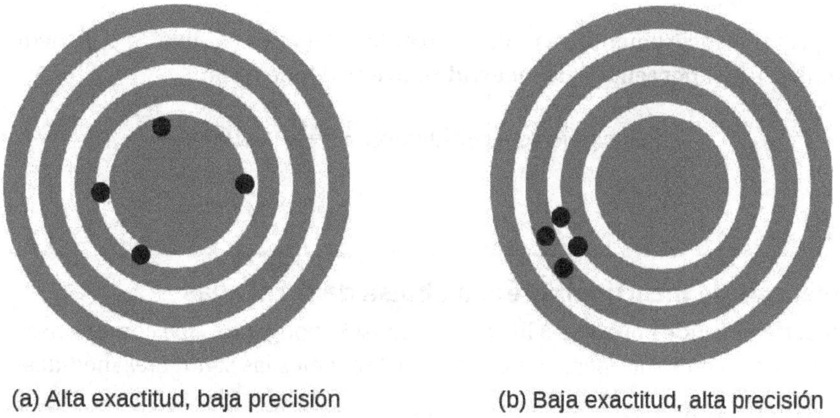

FIGURA 1.12 Un GPS intenta localizar un restaurante en el centro de la diana. Los puntos negros representan cada uno de los intentos por localizar el restaurante. (a) Los puntos están bastante separados entre sí, lo que indica una baja precisión, pero están bastante cerca de la ubicación real del restaurante, lo que indica una alta exactitud. (b) Los puntos están concentrados bastante cerca entre sí, lo que indica una alta precisión, pero están bastante lejos de la ubicación real del restaurante, lo que indica una baja exactitud (créditos a y b: modificación de obras de "DarkEvil"/Wikimedia Commons).

Exactitud, precisión, incertidumbre y discrepancia

La precisión de un sistema de medición se relaciona con la **incertidumbre** en las mediciones, mientras que la exactitud se relaciona con la **discrepancia** con respecto al valor de referencia aceptado. La incertidumbre es una medida cuantitativa de la desviación de los valores medidos. Hay muchos métodos diferentes para calcular la incertidumbre, cada uno de los cuales es apropiado para diferentes situaciones. Algunos ejemplos son tomar el rango (es decir, el mayor menos el menor) o encontrar la desviación estándar de las medidas. La discrepancia (o "error de medición") es la diferencia entre el valor medido y un determinado valor estándar o previsto. Si las mediciones no son muy precisas, la incertidumbre de los valores es alta. Si las mediciones no son muy exactas, la discrepancia de los valores es alta.

Recordemos nuestro ejemplo de la medición de la longitud del papel; obtuvimos mediciones de 11,1, 11,2 y 10,9 pulgadas, y el valor aceptado fue de 11,0 pulgadas. Podríamos promediar las tres mediciones para concluir que nuestro mejor cálculo es de 11,1 pulgadas; en este caso, nuestra discrepancia es de 11,1 - 11,0 = 0,1 pulgadas, lo que proporciona una medida cuantitativa de la exactitud. Podríamos calcular la incertidumbre de nuestra mejor estimación con la mitad del rango de nuestros valores medidos: 0,15 pulgadas. Entonces diríamos que la longitud del papel es de 11,1 pulgadas más o menos 0,15 pulgadas. La incertidumbre en una medición, A, que se indica como δA (leer como "delta A"), por lo que el resultado de la medición se registraría como $A \pm \delta A$. Volviendo a nuestro ejemplo del papel, la longitud medida del papel podría expresarse como 11,1 ± 0,15 pulgadas. Dado que la discrepancia de 0,1 pulgadas es menor que la incertidumbre de 0,15 pulgadas, podríamos decir que el valor medido coincide con el valor de referencia aceptado dentro de la incertidumbre experimental.

Algunos factores que contribuyen a la incertidumbre en una medición son los siguientes:

- Limitaciones del dispositivo de medición.
- La habilidad de la persona que realiza la medición.
- Irregularidades en el objeto que se mide.
- Cualquier otro factor que afecte el resultado (depende mucho de la situación).

En nuestro ejemplo, los factores que contribuyen a la incertidumbre podrían ser que la división más pequeña de la regla sea de 1/16 pulgadas, que la persona que utiliza la regla tenga problemas de visión, que la regla esté desgastada en un extremo o que un lado del papel sea ligeramente más largo que el otro. En cualquier caso, deberá calcularse la incertidumbre de una medición para cuantificar su precisión. Si se conoce un valor de referencia, tiene sentido calcular también la discrepancia para cuantificar su exactitud.

Porcentaje de incertidumbre

Otro método de expresar la incertidumbre es como porcentaje del valor medido. Si una medición A se expresa con una incertidumbre δA, el **porcentaje de incertidumbre** se define como

$$\text{Porcentaje de incertidumbre} = \frac{\delta A}{A} \times 100\%.$$

EJEMPLO 1.7

Calcular el porcentaje de incertidumbre: una bolsa de manzanas

Una tienda de comestibles vende bolsas de 5 lb de manzanas. Supongamos que compramos cuatro bolsas durante el transcurso de un mes y las pesamos cada vez. Obtenemos las siguientes medidas:

- Peso de la semana 1: 4,8 lb
- Peso de la semana 2: 5,3 lb
- Peso de la semana 3: 4,9 lb
- Peso de la semana 4: 5,4 lb

A continuación, determinamos que el peso medio de la bolsa de 5 libras de manzanas es de 5,1 ± 0,3 lb al utilizar la mitad del rango. ¿Cuál es el porcentaje de incertidumbre del peso de la bolsa?

Estrategia

En primer lugar, observe que el valor promedio del peso de la bolsa, A, es de 5,1 lb. La incertidumbre en este valor, δA, es 0,3 lb. Podemos utilizar la siguiente ecuación para determinar el porcentaje de incertidumbre del peso:

$$\text{Porcentaje de incertidumbre} = \frac{\delta A}{A} \times 100\%. \quad 1.1$$

Solución

Sustituya los valores en la ecuación:

$$\text{Porcentaje de incertidumbre} = \frac{\delta A}{A} \times 100\% = \frac{0{,}3\ \text{lb}}{5{,}1\ \text{lb}} \times 100\% = 5{,}9\% \approx 6\%.$$

Importancia

Podemos concluir que el peso promedio de una bolsa de manzanas de esta tienda es de 5,1 libras ± 6 %. Observe que el porcentaje de incertidumbre es adimensional porque las unidades de peso en $\delta A = 0{,}2$ lb anularon las de $A = 5{,}1$ lb cuando tomamos la proporción.

COMPRUEBE LO APRENDIDO 1.8

Un entrenador de atletismo de preparatoria acaba de comprar un nuevo cronómetro. El manual del cronómetro indica que tiene una incertidumbre de ±0,05 s. Los corredores del equipo del entrenador de atletismo realizan regularmente carreras de 100 metros en 11,49 s a 15,01 s. En el último encuentro de atletismo de la escuela, el primer clasificado llegó a 12,04 s y el segundo a 12,07 s. ¿Acaso servirá el nuevo cronómetro del entrenador para cronometrar al equipo de corredores? ¿Por qué sí por qué no?

Incertidumbre en los cálculos

La incertidumbre existe en cualquier cosa calculada a partir de cantidades medidas. Por ejemplo, el área de un suelo calculada a partir de las mediciones de su longitud y anchura tiene una incertidumbre porque la longitud y la anchura tienen incertidumbres. ¿Cuán grande es la incertidumbre en algo que se calcula por multiplicación o división? Si las mediciones que entran en el cálculo tienen poca incertidumbre (unos cuantos porcentajes o menos), se puede utilizar el **método de suma de porcentajes** para la multiplicación o la división. Este método establece que *el porcentaje de incertidumbre de una cantidad calculada por multiplicación o división es la suma de las incertidumbres porcentuales de los elementos utilizados para realizar el cálculo.* Por ejemplo, si un suelo tiene una longitud de 4,00 m y una anchura de 3,00 m, con incertidumbre del 2 % y el 1 %, respectivamente, entonces el área del suelo es de 12,0 m^2 y tiene una incertidumbre del 3 %. (Expresado en forma de área es de 0,36 m^2 [$12{,}0\ \text{m}^2 \times 0{,}03$], que redondeamos a 0,4 m^2 ya que el área del suelo viene dada a una décima de metro cuadrado).

Precisión de las herramientas de medición y cifras significativas

Un factor importante en la precisión de las mediciones es la precisión de la herramienta de medición. En general, una herramienta de medición precisa es aquella que mide valores en incrementos muy pequeños. Por ejemplo, una regla estándar mide la longitud con una precisión de un milímetro, mientras que un calibre mide la longitud con una precisión de 0,01 mm. El calibre es una herramienta de medición más precisa porque mide diferencias de longitud extremadamente pequeñas. Cuanto más precisa sea la herramienta de medición, más precisas serán las medidas.

Cuando expresamos valores medidos, solo podemos enumerar tantos dígitos como hayamos medido inicialmente con nuestra herramienta de medición. Por ejemplo, si utilizamos una regla estándar para medir la longitud de un palo, podemos medirla como 36,7 cm. No podemos expresar este valor como 36,71 cm porque nuestra herramienta de medición no es lo suficientemente precisa para medir una centésima de centímetro. Hay que tener en cuenta que el último dígito de un valor medido ha sido estimado de alguna manera por la persona que realiza la medición. Por ejemplo, la persona que mide la longitud de un palo con una regla se da cuenta de que la longitud del palo parece estar entre 36,6 cm y 36,7 cm, y debe estimar el valor del último dígito. Utilizando el método de las **cifras significativas**, por regla, *el último dígito anotado en una medición es el primer dígito con cierta incertidumbre.* Para determinar el número de dígitos significativos de un valor, comience con el primer valor medido a la izquierda y cuente el número de dígitos hasta el último dígito escrito a la derecha. Por ejemplo, el valor medido 36,7 cm tiene tres dígitos, o tres cifras significativas. Las cifras significativas indican la precisión de la herramienta de medición utilizada para medir un valor.

Ceros

En el recuento de cifras significativas se tienen en cuenta especialmente los ceros. Los ceros de 0,053 no son significativos, porque son marcadores de posición que localizan el punto decimal. Hay dos cifras significativas en 0,053. Los ceros de 10,053 no son marcadores de posición; son significativos. Este número tiene cinco cifras significativas. Los ceros de 1300 pueden ser significativos o no, dependiendo del estilo de escritura de los números. Pueden significar que se conoce el número hasta el último dígito o pueden ser marcadores de posición. Así que 1300 puede tener dos, tres o cuatro cifras significativas. Para evitar esta ambigüedad, debemos escribir 1300 en notación científica como $1{,}3 \times 10^3$, $1{,}30 \times 10^3$, o $1{,}300 \times 10^3$, dependiendo de si tiene dos, tres o cuatro cifras significativas. *Los ceros son significativos, excepto cuando sirven solo como marcadores de posición.*

Cifras significativas en los cálculos

Cuando se combinan mediciones con diferentes grados de precisión, *el número de dígitos significativos en la respuesta final no puede ser mayor que el número de dígitos significativos en el valor medido menos preciso.* Hay dos reglas diferentes, una para la multiplicación y la división y otra para la suma y la resta.

1. *Para la multiplicación y la división, el resultado debería tener el mismo número de cifras significativas que la cantidad con el menor número de cifras significativas que entra en el cálculo.* Por ejemplo, el área de un círculo puede calcularse a partir de su radio mediante $A = \pi r^2$. Veamos cuántas cifras significativas tiene el área si el radio tiene solo dos, es decir, $r = 1{,}2$ m. Utilizando una calculadora con una salida de ocho dígitos, calcularíamos

$$A = \pi r^2 = (3{,}1415927\ldots) \times (1{,}2\,\mathrm{m})^2 = 4{,}5238934\,\mathrm{m}^2.$$

   No obstante, dado que el radio tiene solamente dos cifras significativas, limita la cantidad calculada a dos cifras significativas, o sea

$$A = 4{,}5\,\mathrm{m}^2,$$

   aunque π es apropiado hasta al menos ocho dígitos.

2. *En las sumas y restas, la respuesta no puede contener más decimales que la medida menos precisa.* Supongamos que compramos 7,56 kg de papas en una tienda de comestibles, pesados con una báscula con precisión de 0,01 kg, y luego dejamos 6,052 kg de papas en su laboratorio, pesados con una báscula con precisión de 0,001 kg. Luego, vamos a casa y añadimos 13,7 kg de papas, pesados con una báscula de baño con precisión de 0,1 kg. ¿Cuántos kilogramos de papas tenemos ahora y cuántas cifras significativas corresponden a la respuesta? La masa se encuentra por simple suma y resta:

$$\begin{array}{r} 7{,}56\,\mathrm{kg} \\ -6{,}052\,\mathrm{kg} \end{array}$$

$$\frac{+13{,}7\,\mathrm{kg}}{15{,}208\,\mathrm{kg}} = 15{,}2\,\mathrm{kg}.$$

   A continuación, identificamos la medida menos precisa: 13,7 kg. Esta medida se expresa con 0,1 decimales, por lo que nuestra respuesta final también debe expresarse con 0,1 decimales. Por lo tanto, la respuesta se redondea a la décima, lo que nos da 15,2 kg.

Cifras significativas en este texto

En este texto, se supone que la mayoría de los números tienen tres cifras significativas. Además, en todos los ejemplos trabajados se utilizan números de cifras significativas coherentes. Una respuesta dada a tres dígitos se basa en una entrada apropiada de al menos tres dígitos, por ejemplo. Si la entrada tiene menos cifras significativas, la respuesta también tendrá menos cifras significativas. También se procura que el número de cifras significativas sea razonable para la situación planteada. En algunos temas, sobre todo en óptica, se necesitan números más precisos y utilizamos más de tres cifras significativas. Por último, si un número es *exacto*, como el dos de la fórmula de la circunferencia de un círculo, $C = 2\pi r$, no afecta el número de cifras significativas de un cálculo. Asimismo, los factores de conversión como 100 cm/1 m se consideran exactos y no afectan el número de cifras significativas de un cálculo.

1.7 Resolver problemas de física

OBJETIVOS DE APRENDIZAJE

Al final de esta sección, podrá:

- Describir el proceso de desarrollo de una estrategia de resolución de problemas.
- Explicar cómo encontrar la solución numérica de un problema.
- Resumir el proceso para evaluar la importancia de la solución numérica de un problema.

FIGURA 1.13 Las habilidades de resolución de problemas son esenciales para su éxito en física (créditos: "scui3asteveo"/Flickr).

Las habilidades de resolución de problemas son claramente esenciales para el éxito en un curso cuantitativo de física. Lo que es más importante, la capacidad de aplicar amplios principios físicos, normalmente representados por ecuaciones, a situaciones concretas es una forma muy poderosa de conocimiento. Es mucho más potente que memorizar una lista de hechos. La capacidad de análisis y de resolución de problemas puede aplicarse a nuevas situaciones, mientras que una lista de hechos no puede ser lo suficientemente larga como para contener todas las circunstancias posibles. Esta capacidad de análisis es útil tanto para resolver los problemas de este texto como para aplicar la física en la vida cotidiana.

Como probablemente sepa, se necesita cierta dosis de creatividad y perspicacia para resolver los problemas. Ningún procedimiento rígido funciona siempre. La creatividad y la perspicacia crecen con la experiencia. Con la práctica, los fundamentos de la resolución de problemas se vuelven casi automáticos. Una forma de practicar es resolver los ejemplos del texto mientras se lee. Otra es trabajar tantos problemas de final de sección como sea posible, empezando por los más fáciles para ganar confianza y luego progresando hacia los más difíciles. Después de involucrarse en la física, la verá a su alrededor, y podrá empezar a aplicarla a situaciones que encuentre fuera del aula, tal y como se hace en muchas de las aplicaciones de este texto.

Aunque no existe un método sencillo paso a paso que funcione para todos los problemas, el siguiente proceso de tres etapas facilita la resolución de problemas y le da más sentido. Las tres etapas son estrategia, solución e importancia. Este proceso se utiliza en ejemplos a lo largo del libro. A continuación, examinaremos cada una de las etapas del proceso.

Estrategia

La estrategia es la etapa inicial de la resolución de un problema. La idea es averiguar exactamente cuál es el problema y luego desarrollar una estrategia para resolverlo. Algunos consejos generales para esta etapa son los siguientes:

- *Examine la situación para determinar qué principios físicos están implicados.* A menudo ayuda *dibujar un simple esquema* al principio. Generalmente, hay que decidir qué dirección es positiva y anotarla en el esquema. Cuando se han identificado los principios físicos, es mucho más fácil encontrar y aplicar las ecuaciones que los representan. Aunque encontrar la ecuación correcta es esencial, hay que tener en cuenta que las ecuaciones representan principios físicos, leyes de la naturaleza y relaciones entre cantidades físicas. Sin una comprensión conceptual de un problema, una solución numérica no tiene sentido.
- *Haga una lista de lo que se da o puede deducirse del problema tal y como está planteado (identifique los "valores conocidos").* Muchos problemas se plantean de forma muy sucinta y requieren cierta inspección para determinar lo que se conoce. Dibujar un esquema también sirve en este punto. Identificar formalmente los valores conocidos es de especial importancia en la aplicación de la física a situaciones del mundo real. Por ejemplo, la palabra *detenido* significa que la velocidad es cero en ese instante. Además, a menudo podemos tomar el tiempo y la posición iniciales como cero mediante la elección adecuada del sistema de coordenadas.
- *Identificar exactamente lo que hay que determinar en el problema (identificar las incógnitas).* Especialmente en los problemas complejos, no siempre es obvio lo que hay que encontrar o en qué secuencia. Hacer una lista sirve para identificar las incógnitas.
- *Determine qué principios físicos le sirven para resolver el problema.* Dado que los principios físicos tienden a expresarse en forma de ecuaciones matemáticas, una lista de valores conocidos e incógnitas serviría en este caso. Lo más fácil es encontrar ecuaciones que contengan solo una incógnita, es decir, que se conozcan todas las demás variables, para poder resolver la incógnita fácilmente. Si la ecuación contiene más de una incógnita, se necesitan más ecuaciones para resolver el problema. En algunos problemas, hay que determinar varias incógnitas para llegar a la más necesaria. En este tipo de problemas es especialmente importante tener en cuenta los principios físicos para no extraviarse en un mar de ecuaciones. Es posible que tenga que utilizar dos (o más) ecuaciones diferentes para obtener la respuesta final.

Solución

La etapa de la solución es cuando se hacen los cálculos. *Sustituya los valores conocidos (junto con sus unidades) en la ecuación correspondiente y obtenga soluciones numéricas completas con unidades.* Es decir, efectuar el álgebra, el cálculo, la geometría o la aritmética necesarios para encontrar la incógnita a partir de los valores conocidos, y llevar las unidades a través de los cálculos. Este paso es claramente importante porque produce la respuesta numérica, junto con sus unidades. Sin embargo, hay que tener en cuenta que esta etapa es solo un tercio del proceso general de resolución de problemas.

Importancia

Después de haber hecho los cálculos en la fase de resolución del problema, es tentador pensar que ya ha terminado. Pero recuerde siempre que la física no es matemática. Mejor dicho, con la física utilizamos las matemáticas para entender la naturaleza. Por lo tanto, después de obtener una respuesta numérica, siempre hay que evaluar su significado:

- *Compruebe sus unidades.* Si las unidades de la respuesta son incorrectas, entonces se ha cometido un error y debe volver a los pasos anteriores para encontrarlo. Una forma de encontrar el error es comprobar la coherencia dimensional de todas las ecuaciones que ha derivado. Sin embargo, se advierte que las unidades correctas no garantizan que la parte numérica de la respuesta sea también correcta.

- *Compruebe si la respuesta es razonable. ¿Tiene sentido?* Este paso es extremadamente importante: la meta de la física es describir la naturaleza con precisión. Para determinar si la respuesta es razonable, compruebe tanto su magnitud como su signo, además de sus unidades. La magnitud debería ser coherente con una estimación aproximada de lo que debería ser. También debería compararse razonablemente con las magnitudes de otras cantidades del mismo tipo. El signo indica la dirección y debería ser coherente con sus expectativas. Su discernimiento mejorará a medida que resuelva más problemas de física, y le será posible discernir mejor sobre si la respuesta a un problema describe adecuadamente la naturaleza. Este paso devuelve el problema a su significado conceptual. Si es capaz de discernir si la respuesta es razonable, tiene un conocimiento más profundo de la física que el de ser capaz de resolver un problema de forma mecánica.
- *Compruebe si la respuesta le dice algo interesante. ¿Qué significa?* Esta es la otra cara de la pregunta: ¿Tiene sentido? En última instancia, la física consiste en comprender la naturaleza, y resolvemos problemas de física para aprender algo sobre el funcionamiento de la naturaleza. Por lo tanto, suponiendo que la respuesta tenga sentido, siempre debe tomarse un momento para ver si le dice algo sobre el mundo que le resulte interesante. Aunque la respuesta a este problema en particular no le interese mucho, ¿qué hay del método que utilizó para resolverlo? ¿Podría adaptarse el método para responder a una pregunta que sí le parezca interesante? En muchos sentidos, en la respuesta a preguntas como estas es donde la ciencia progresa.

Revisión Del Capítulo

Términos Clave

adimensional cantidad con una dimensión de $L^0M^0T^0I^0\Theta^0N^0J^0 = 1$; también llamada cantidad de dimensión 1 o número puro

cantidad base cantidad física elegida por convención y por consideraciones prácticas, de manera que todas las demás cantidades físicas puedan expresarse como combinaciones algebraicas de estas

cantidad derivada cantidad física definida mediante combinaciones algebraicas de cantidades base

cantidad física característica o propiedad de un objeto que puede medirse o calcularse a partir de otras mediciones

cifras significativas se utilizan para expresar la precisión de una herramienta de medición utilizada para medir un valor

dimensión expresión de la dependencia de una cantidad física de las cantidades base como producto de potencias de símbolos que representan las cantidades base; en general, la dimensión de una cantidad tiene la forma $L^aM^bT^cI^d\Theta^eN^fJ^g$ para algunas potencias a, b, c, d, e, f y g.

dimensionalmente coherente ecuación en la que cada término tiene las mismas dimensiones y los argumentos de las funciones matemáticas que aparecen en la ecuación son adimensionales

discrepancia la diferencia entre el valor medido y un determinado valor estándar o esperado

estimación utilizar la experiencia previa y el razonamiento físico sólido para llegar a una idea aproximada del valor de una cantidad; a veces se denomina "aproximación del orden de magnitud", "estimación a partir de conjetura", "cálculo de servilleta" o "cálculo de Fermi"

exactitud el grado de concordancia de un valor medido con un valor de referencia aceptado para esa medición

factor de conversión la proporción que expresa cuántas cantidades de una unidad son iguales a otra unidad

física ciencia que se ocupa de describir las interacciones de la energía, la materia, el espacio y el tiempo; se interesa especialmente por los mecanismos fundamentales que subyacen a cada fenómeno

incertidumbre medida cuantitativa de la desviación de los valores medidos

kilogramo unidad del SI para la masa, abreviada kg

ley descripción, mediante un lenguaje conciso o una fórmula matemática, de un patrón generalizado en la naturaleza apoyado por pruebas científicas y experimentos repetidos

método de suma de porcentajes el porcentaje de incertidumbre de una cantidad calculada por multiplicación o división es la suma de los porcentajes de incertidumbre de los elementos utilizados para realizar el cálculo

metro unidad del SI para la longitud, abreviada m

modelo representación de algo a menudo demasiado difícil (o imposible) de mostrar directamente

orden de magnitud el tamaño de una cantidad en relación con una potencia de 10

porcentaje de incertidumbre la proporción entre la incertidumbre de una medición y el valor medido, expresada en porcentaje

precisión el grado de concordancia de las mediciones repetidas

segundo unidad del SI para el tiempo, abreviado s

sistema métrico sistema en el que los valores se pueden calcular en factores de 10

teoría explicación comprobable de los patrones de la naturaleza, apoyada por pruebas científicas y verificada en múltiples ocasiones por varios grupos de investigadores

unidad base estándar para expresar la medida de una cantidad base dentro de un sistema particular de unidades; definido por un procedimiento particular, que se utiliza para medir la cantidad base correspondiente

unidades estándares utilizados para expresar y comparar mediciones

unidades del SI el sistema internacional de unidades que los científicos de la mayoría de los países han acordado utilizar; incluye unidades como el metro, el litro y el gramo

unidades derivadas unidades que pueden calcularse mediante combinaciones algebraicas de las unidades fundamentales

unidades inglesas sistema de medida utilizado en los Estados Unidos; incluye unidades de medida como pies, galones y libras

Ecuaciones Clave

Porcentaje de incertidumbre	$\text{Porcentaje de incertidumbre} = \frac{\delta A}{A} \times 100\%$

Resumen

1.1 El alcance y la escala de la Física

- La física trata de encontrar las leyes simples que describen todos los fenómenos naturales.
- La física opera en una amplia gama de escalas de longitud, masa y tiempo. Los científicos utilizan el concepto de orden de magnitud de un número para rastrear qué fenómenos ocurren en qué escalas. También utilizan órdenes de magnitud para comparar las distintas escalas.
- Los científicos intentan describir el mundo mediante la formulación de modelos, teorías y leyes.

1.2 Unidades y estándares

- Los sistemas de unidades se construyen a partir de un número reducido de unidades base, que se definen mediante mediciones exactas y precisas de cantidades base elegidas convencionalmente. Las demás unidades se derivan como combinaciones algebraicas de las unidades base.
- Dos sistemas de uso frecuente son las unidades inglesas y las unidades del SI. Todos los científicos y la mayoría del resto de personas del mundo utilizan el SI, mientras que los no científicos de los Estados Unidos todavía tienden a utilizar las unidades inglesas.
- Las unidades básicas del SI de longitud, masa y tiempo son el metro (m), el kilogramo (kg) y el segundo (s), respectivamente.
- Las unidades del SI son un sistema métrico de unidades, lo que significa que los valores pueden calcularse por factores de 10. Los prefijos métricos pueden utilizarse con las unidades métricas para escalar las unidades base a tamaños apropiados para casi cualquier aplicación.

1.3 Conversión de unidades

- Para convertir una cantidad de una unidad a otra, multiplique por los factores de conversión de forma que anule las unidades de las que quiere deshacerse e introduzca las unidades con las que quiere acabar.
- Tenga cuidado con las áreas y los volúmenes. Las unidades obedecen a las reglas de álgebra, motivo por el cual, por ejemplo, si una unidad se eleva al cuadrado, necesitamos dos factores para anularla.

1.4 Análisis dimensional

- La dimensión de una cantidad física no es más que la expresión de las magnitudes de base de las que se deriva.
- Todas las ecuaciones que expresen leyes o principios físicos deberán ser dimensionalmente coherentes. Este hecho puede utilizarse como ayuda para recordar las leyes físicas, como forma de comprobar si son posibles las relaciones entre cantidades físicas que se afirman, e incluso para derivar nuevas leyes físicas.

1.5 Estimaciones y cálculos de Fermi

- Una estimación es una conjetura aproximada del valor de una cantidad física basada en la experiencia previa y en un razonamiento físico sólido. Algunas estrategias que pueden ayudar a la hora de hacer una estimación son las siguientes:
  - Obtener grandes longitudes a partir de longitudes más pequeñas.
  - Obtener áreas y volúmenes a partir de longitudes.
  - Obtener masas a partir de volúmenes y densidades.
  - Si todo lo demás falla, limítelo.
  - Una “cifra significativa" está bien.
  - Pregúntese: ¿tiene esto algún sentido?

1.6 Cifras significativas

- La exactitud de un valor medido se refiere a la proximidad de una medición a un valor de referencia aceptado. La discrepancia en una medición es la cantidad en la que el resultado de la medición difiere de este valor.
- La precisión de los valores medidos se refiere a la concordancia entre las mediciones repetidas. La incertidumbre de una medición es una cuantificación de esto.
- La precisión de una herramienta de medición se relaciona con el tamaño de sus incrementos de

medición. Cuanto más pequeño sea el incremento de medición, más precisa será la herramienta.
- Las cifras significativas expresan la precisión de una herramienta de medición.
- Al multiplicar o dividir valores medidos, la respuesta final puede contener únicamente tantas cifras significativas como el valor con el menor número de cifras significativas.
- Al sumar o restar valores medidos, la respuesta final no puede contener más decimales que el valor menos preciso.

1.7 Resolver problemas de física

Las tres etapas del proceso de resolución de problemas de física que se utilizan en este libro son las siguientes:

- *Estrategia*: determine qué principios físicos están implicados y desarrolle una estrategia para utilizarlos para resolver el problema.
- *Solución*: haga los cálculos necesarios para obtener una solución numérica completa con unidades.
- *Importancia*: compruebe que la solución tiene sentido (unidades correctas, magnitud y signo razonables) y evalúe su importancia.

Preguntas Conceptuales

1.1 El alcance y la escala de la Física

1. ¿Qué es la física?

2. Algunos han descrito la física como la "búsqueda de la simplicidad". Explique por qué esta podría ser una descripción apropiada.

3. Si dos teorías diferentes describen igual de bien las observaciones experimentales, ¿puede decirse que una es más válida que la otra (suponiendo que ambas utilicen reglas lógicas aceptadas)?

4. ¿Qué determina la validez de una teoría?

5. Para que una medición u observación sea creíble, deben cumplirse ciertos criterios. ¿Los criterios serán necesariamente tan estrictos para un resultado esperado como para un resultado inesperado?

6. ¿Puede limitarse la validez de un modelo o debe ser universalmente válido? ¿Cómo se compara esto con la validez requerida de una teoría o una ley?

1.2 Unidades y estándares

7. Identifique algunas ventajas de las unidades métricas.

8. ¿Cuáles son las unidades base del SI de longitud, masa y tiempo?

9. ¿Cuál es la diferencia entre una unidad base y una unidad derivada? b) ¿Cuál es la diferencia entre una cantidad base y una cantidad derivada? c) ¿Cuál es la diferencia entre una cantidad base y una unidad base?

10. Para cada uno de los siguientes escenarios, consulte la Figura 1.4 y la Tabla 1.2 para determinar qué prefijo métrico del metro es el más apropiado para cada uno de los siguientes escenarios. (a) Quiere tabular la distancia media al Sol para cada planeta del sistema solar. (b) Quiere comparar los tamaños de algunos virus comunes para diseñar un filtro mecánico capaz de bloquear los patógenos. (c) Quiere enumerar los diámetros de todos los elementos de la tabla periódica. (d) Quiere enumerar las distancias a todas las estrellas que han recibido ahora alguna emisión de radio enviada desde la Tierra hace 10 años.

1.6 Cifras significativas

11. (a) ¿Cuál es la relación entre la precisión y la incertidumbre de una medición? (b) ¿Cuál es la relación entre la exactitud y la discrepancia de una medición?

1.7 Resolver problemas de física

12. ¿Qué información necesita para elegir qué ecuación o ecuaciones utilizar para resolver un problema?

13. ¿Qué hay que hacer después de obtener una respuesta numérica al resolver un problema?

Problemas

1.1 El alcance y la escala de la Física

14. Halle el orden de magnitud de las siguientes cantidades físicas: (a) La masa de la atmósfera de la Tierra: $5{,}1 \times 10^{18}$kg; (b) La masa de la atmósfera de la Luna: 25.000 kg; (c) La masa de la hidrosfera de la Tierra: $1{,}4 \times 10^{21}$kg; (d) La masa de la Tierra: $5{,}97 \times 10^{24}$kg; (e) La masa de la Luna: $7,34 \times 10^{22}$ kg; (f) La distancia entre la Tierra y la Luna (eje semimayor): $3,84 \times 10^{8}$ m; (g) La distancia media entre la Tierra y el Sol: $1,5 \times 10^{11}$ m; (h) El radio ecuatorial de la Tierra: $6,38 \times 10^{6}$ m; (i) La masa de un electrón: $9,11 \times 10^{-31}$ kg; (j) La masa de un protón: $1,67 \times 10^{-27}$ kg; (k) La masa del Sol: $1,99 \times 10^{30}$ kg.

15. Utilice los órdenes de magnitud que ha encontrado en el problema anterior para responder las siguientes preguntas con una precisión de un orden de magnitud. (a) ¿Cuántos electrones harían falta para igualar la masa de un protón? (b) ¿Cuántos planetas Tierra harían falta para igualar la masa del Sol? (c) ¿Cuántas distancias de la Tierra a la Luna harían falta para cubrir la distancia de la Tierra al Sol? (d) ¿Cuántas atmósferas de la Luna harían falta para igualar la masa de la atmósfera de la Tierra? (e) ¿Cuántas lunas harían falta para igualar la masa de la Tierra? (f) ¿Cuántos protones harían falta para igualar la masa del Sol?

Para el resto de las preguntas, debe utilizar la Figura 1.4 para obtener los órdenes de magnitud necesarios de longitudes, masas y tiempos.

16. ¿Aproximadamente cuántos latidos se tienen en la vida?

17. Una generación es aproximadamente un tercio de la vida. ¿Cuántas generaciones han pasado aproximadamente desde el año 0?

18. ¿Aproximadamente cuánto tiempo más que la vida media de un núcleo atómico extremadamente inestable es la vida de un ser humano?

19. Calcule el número aproximado de átomos de una bacteria. Supongamos que la masa media de un átomo en la bacteria es 10 veces la masa de un protón.

20. (a) Calcule el número de células de un colibrí, suponiendo que la masa de una célula media es 10 veces la masa de una bacteria. (b) Haciendo la misma suposición, ¿cuántas células hay en un ser humano?

21. Suponiendo que un impulso nervioso debe terminar antes de que comience otro, ¿cuál es la velocidad máxima de disparo de un nervio en impulsos por segundo?

22. Aproximadamente, ¿cuántas operaciones en coma flotante puede realizar una supercomputadora al año?

23. Aproximadamente, ¿cuántas operaciones en coma flotante puede realizar una supercomputadora en la vida de un ser humano?

1.2 Unidades y estándares

24. Los siguientes tiempos se indican con prefijos métricos sobre la unidad de tiempo base del SI: el segundo. Reescríbalos en notación científica sin el prefijo. Por ejemplo, 47 terasegundos (Ts) se reescribiría como $4,7 \times 10^{13}$ s. (a) 980 petasegundos (Ps); (b) 980 femtosegundos (fs); (c) 17 nanosegundos (ns); (d) 577 μs.

25. Los siguientes tiempos se indican en segundos. Utilice los prefijos métricos para reescribirlos de manera que el valor numérico sea mayor que uno, pero menor que 1000. Por ejemplo, $7,9 \times 10^{-2}$ s podría escribirse como 7,9 centisegundos (cs) o 79 milisegundos (ms). (a) $9,57 \times 10^{5}$ s; (b) 0,045 s; (c) $5,5 \times 10^{-7}$ s; (d) $3,16 \times 10^{7}$ s.

26. Las siguientes longitudes se indican con prefijos métricos sobre la unidad de longitud base del SI: el metro. Reescríbalos en notación científica sin el prefijo. Por ejemplo, 4,2 petámetros (Pm) se reescribiría como $4,2 \times 10^{15}$ m. (a) 89 terámetros (Tm); (b) 89 picómetros (pm); (c) 711 milímetros (mm); (d) 0,45 μm.

27. Las siguientes longitudes se indican en metros. Utilice los prefijos métricos para reescribirlas de manera que el valor numérico sea mayor que uno, pero menor que 1000. Por ejemplo, $7,9 \times 10^{-2}$ m podría escribirse como 7,9 centímetros (cm) o 79 mm. (a) $7,59 \times 10^{7}$ m; (b) 0,0074 m; (c) $8,8 \times 10^{-11}$ m; (d) $1,63 \times 10^{13}$ m.

28. Las siguientes masas se escriben con prefijos métricos en gramos. Reescríbalas en notación científica en términos de la unidad de masa base del SI: el kilogramo. Por ejemplo, 40 megagramos (Mg) se escribiría como 4×10^{4} kg. (a) 23 miligramos (mg); (b) 320 teragramos (Tg); (c) 42 nanogramos (ng); (d) 7 g; (e) 9 petagramos (Pg).

29. Las siguientes masas se indican en kilogramos. Utilice los prefijos métricos del gramo para reescribirlas de manera que el valor numérico sea mayor que uno, pero menor que 1000. Por ejemplo, 7×10^{-4} kg podría escribirse como 70 centigramos (cg) o 700 mg. (a) $3,8 \times 10^{-5}$ kg; (b) $2,3 \times 10^{17}$ kg; (c) $2,4 \times 10^{-11}$ kg; (d) 8×10^{15} kg; (e) $4,2 \times 10^{-3}$ kg.

1.3 Conversión de unidades

30. El volumen de la Tierra es del orden de 10^{21} m^3. (a) ¿Cuánto es esto en kilómetros cúbicos (km^3)? (b) ¿Cuánto es en millas cúbicas (mi^3)? (c) ¿Cuánto es en centímetros cúbicos (cm^3)?

31. El límite de velocidad en algunas autopistas interestatales es de aproximadamente 100 km/h. (a) ¿Cuánto es esto en metros por segundo? (b) ¿Cuántas millas por hora es esto?

32. Un auto viaja a una rapidez de 33 m/s. (a) ¿Cuál es su rapidez en kilómetros por hora? (b) ¿Está superando el límite de velocidad de 90 km/h?

33. En las unidades del SI, los valores de rapidez se miden en metros por segundo (m/s). Sin embargo, dependiendo de dónde viva usted, probablemente se sienta más cómodo pensando en rapidez en términos de kilómetros por hora (km/h) o millas por hora (mi/h). En este problema, verá que 1 m/s es aproximadamente 4 km/h o 2 mi/h, lo cual sirve para afinar su intuición física. Más concretamente, demuestre que (a) $1{,}0\ \text{m/s} = 3{,}6\ \text{km/h}$ y (b) $1{,}0\ \text{m/s} = 2{,}2\ \text{mi/h}$.

34. El fútbol americano se juega en un campo de 100 yardas de largo, excluyendo las zonas de anotación. ¿Qué longitud tiene el campo en metros? (Supongamos que 1 m = 3,281 pies)

35. Los campos de fútbol varían en tamaño. Un campo grande de fútbol tiene 115 m de largo y 85,0 m de ancho. ¿Cuál es su área en pies cuadrados? (Supongamos que 1 m = 3,281 pies)

36. ¿Cuál es la estatura en metros de una persona que mide 6 pies y 1,0 pulgadas?

37. El Monte Everest, con 29.028 pies, es la montaña más alta de la Tierra. ¿Cuál es su altura en kilómetros? (Supongamos que 1 m = 3,281 pies)

38. La velocidad del sonido se mide en 342 m/s en un día determinado. ¿Cuál es esta medida en kilómetros por hora?

39. Las placas tectónicas son grandes segmentos de la corteza terrestre que se desplazan lentamente. Supongamos que una de estas placas tiene una rapidez media de 4,0 cm/año. (a) ¿Qué distancia recorre en 1,0 s a esta rapidez? (b) ¿Cuál es su rapidez en kilómetros por millón de años (Million Years, My)?

40. La distancia media entre la Tierra y el Sol es $1{,}5 \times 10^{11}\,\text{m}$. (a) Calcule la rapidez media de la Tierra en su órbita (que se supone que es circular) en metros por segundo. (b) ¿Cuál es esta rapidez en kilómetros por hora?

41. La densidad de la materia nuclear es de unos 10^{18} kg/m^3. Dado que 1 mL es igual en volumen a cm^3, ¿cuál es la densidad de la materia nuclear en megagramos por microlitro (es decir, $\text{Mg}/\mu\text{L}$)?

42. La densidad del aluminio es de 2,7 g/cm^3. ¿Cuál es la densidad en kilogramos por metro cúbico?

43. Una unidad de masa que más se utiliza en el sistema inglés es la libra-masa, abreviada lbm, donde 1 lbm = 0,454 kg. ¿Cuál es la densidad del agua en libras-masa por pie cúbico?

44. Un furlong son 220 yardas (yd). Una quincena son 2 semanas. Convierta una rapidez de un furlong por quincena en milímetros por segundo.

45. Se necesitan 2π radianes (rad) para dar la vuelta a un círculo, que es lo mismo que 360°. ¿Cuántos radianes hay en 1°?

46. La luz recorre una distancia de aproximadamente $3 \times 10^8\,\text{m/s}$. Un minuto-luz es la distancia que recorre la luz en 1 minuto. Si el Sol está a $1{,}5 \times 10^{11}\,\text{m}$ de la Tierra, ¿a qué distancia está en minutos-luz?

47. Un nanosegundo de luz es la distancia que recorre la luz en 1 nanosegundo (ns). Convierta 1 pie a nanosegundos de luz.

48. Un electrón tiene una masa de $9{,}11 \times 10^{-31}\,\text{kg}$. Un protón tiene una masa de $1{,}67 \times 10^{-27}\,\text{kg}$. ¿Cuál es la masa de un protón en masas de electrones?

49. Una onza líquida (fluid ounce, fl-oz) equivale a unos 30 mL. ¿Cuál es el volumen de una lata de refresco de 12 fl-oz en metros cúbicos?

1.4 Análisis dimensional

50. Un estudiante intenta recordar algunas fórmulas de geometría. En consecuencia, supongamos que A es área, V es volumen, y todas las demás variables son longitudes. Determine qué fórmulas son dimensionalmente coherentes. (a) $V = \pi r^2 h$; (b) $A = 2\pi r^2 + 2\pi r h$; (c) $V = 0{,}5bh$; (d) $V = \pi d^2$; (e) $V = \pi d^3/6$.

51. Considere las cantidades físicas s, v, a y t con dimensiones $[s] = \text{L}$, $[v] = \text{LT}^{-1}$, $[a] = \text{LT}^{-2}$, y $[t] = \text{T}$. Determine si cada una de las siguientes ecuaciones es dimensionalmente coherente. (a) $v^2 = 2as$; (b) $s = vt^2 + 0{,}5at^2$; (c) $v = s/t$; (d) $a = v/t$.

52. Considere las cantidades físicas m, s, v, a, y t con dimensiones $[m]$ = M, $[s]$ = L, $[v]$ = LT^{-1}, $[a]$ = LT^{-2}, y $[t]$ = T. Suponiendo que cada una de las siguientes ecuaciones es dimensionalmente coherente, halle la dimensión de la cantidad en el lado izquierdo de la ecuación: (a) $F = ma$; (b) $K = 0{,}5mv^2$; (c) $p = mv$; (d) $W = mas$; (e) $L = mvr$.

53. Supongamos que la cantidad *s* es la longitud y la cantidad *t* el tiempo. Supongamos que las cantidades *v* y *a* están definidas por $v = ds/dt$ y $a = dv/dt$. (a) ¿Cuál es la dimensión de *v*? (b) ¿Cuál es la dimensión de la cantidad *a*? ¿Cuáles son las dimensiones de (c) $\int vdt$, (d) $\int adt$, y (e) da/dt?

54. Supongamos que $[V] = L^3$, $[\rho] = ML^{-3}$, y $[t] = T$. (a) ¿Cuál es la dimensión de $\int \rho dV$? (b) ¿Cuál es la dimensión de dV/dt? (c) ¿Cuál es la dimensión de $\rho(dV/dt)$?

55. La fórmula de la longitud de arco señala que la longitud *s* de arco subtendido por el ángulo θ en un círculo de radio *r* viene dada por la ecuación $s = r\theta$. ¿Cuáles son las dimensiones de (a) *s*, (b) *r*, y (c) θ?

1.5 Estimaciones y cálculos de Fermi

56. Suponiendo que el cuerpo humano está formado principalmente por agua, estime el volumen de una persona.

57. Suponiendo que el cuerpo humano está formado principalmente por agua, estime el número de moléculas que contiene. (Tenga en cuenta que el agua tiene una masa molecular de 18 g/mol y que hay aproximadamente 10^{24} átomos en un mol).

58. Estime la masa del aire en un aula.

59. Estime el número de moléculas que componen la Tierra, suponiendo una masa molecular media de 30 g/mol. (Tenga en cuenta que están en el orden de 10^{24} objetos por mol).

60. Estime el área de superficie de una persona.

61. Aproximadamente, ¿cuántos sistemas solares harían falta para embaldosar el disco de la Vía Láctea?

62. (a) Estime la densidad de la Luna. (b) Estime el diámetro de la Luna. (c) Dado que la Luna subtiende en un ángulo de aproximadamente medio grado en el cielo, estime su distancia a la Tierra.

63. La densidad media del Sol es del orden de 10^3 kg/m^3. (a) Estime el diámetro del Sol. (b) Dado que el Sol subtiende en un ángulo de aproximadamente medio grado en el cielo, estime su distancia a la Tierra.

64. Estime la masa de un virus.

65. Una operación en coma flotante es una única operación aritmética como la suma, la resta, la multiplicación o la división. (a) Estime el número máximo de operaciones en coma flotante que un ser humano podría realizar en toda su vida. (b) ¿Cuánto tiempo tardaría una supercomputadora en realizar esa cantidad de operaciones en coma flotante?

1.6 Cifras significativas

66. Considere la ecuación 4000/400 = 10,0. Suponiendo que el número de cifras significativas de la respuesta es correcto, ¿qué puede decir sobre el número de cifras significativas de 4000 y 400?

67. Supongamos que la báscula de baño indica que su masa es de 65 kg con una incertidumbre del 3 %. ¿Cuál es la incertidumbre de su masa (en kilogramos)?

68. Una cinta métrica de buena calidad puede tener un error de 0,50 cm en una distancia de 20 m. ¿Cuál es su porcentaje de incertidumbre?

69. La frecuencia del pulso de un bebé se mide en 130 ± 5 latidos/min. ¿Cuál es el porcentaje de incertidumbre en esta medición?

70. (a) Supongamos que una persona tiene una frecuencia cardíaca media de 72,0 latidos/min. ¿Cuántos latidos tiene en 2,0 años? (b) ¿En 2,00 años? (c) ¿En 2.000 años?

71. Una lata contiene 375 mL de refresco. ¿Cuánto queda después de extraer 308 mL?

72. Indique cuántas cifras significativas son adecuadas en los resultados de los siguientes cálculos: (a) $(106{,}7)(98{,}2)/(46{,}210)(1{,}01)$; (b) $(18{,}7)^2$; (c) $\left(1{,}60 \times 10^{-19}\right)(3.712)$

73. (a) ¿Cuántas cifras significativas tienen los números 99 y 100.? (b) Si la incertidumbre de cada número es 1, ¿cuál es el porcentaje de incertidumbre de cada uno? (c) ¿Cuál es una forma más significativa de expresar la exactitud de estos dos números: las cifras significativas o los porcentajes de incertidumbre?

74. (a) Si su velocímetro tiene una incertidumbre de 2,0 km/h a una rapidez de 90 km/h, ¿cuál es el porcentaje de incertidumbre? (b) Si tiene el mismo porcentaje de incertidumbre cuando marca 60 km/h, ¿cuál es el rango de los valores de rapidez al que podría ir?

75. (a) La presión arterial de una persona se mide como 120 ± 2 mm Hg. ¿Cuál es su porcentaje de incertidumbre? (b) Suponiendo el mismo porcentaje de incertidumbre, ¿cuál es la incertidumbre en una medición de la presión arterial de 80 mm Hg?

76. Una persona mide su frecuencia cardíaca contando el número de latidos en 30 s. Si se cuentan 40 ± 1 latidos en 30,0 ± 0,5 s, ¿cuál es la frecuencia cardíaca y su incertidumbre en latidos por minuto?

77. ¿Cuál es el área de un círculo de 3,102 cm de diámetro?

78. Determine el número de cifras significativas de las siguientes medidas: (a) 0,0009, (b) 15.450,0, (c) 6×10^3, (d) 87,990 y (e) 30,42.

79. Realice los siguientes cálculos y exprese su respuesta con el número correcto de dígitos significativos. (a) Una mujer tiene dos bolsas que pesan 13,5 lb y una bolsa con un peso de 10,2 lb. ¿Cuál es el peso total de las bolsas? (b) La fuerza *F* sobre un objeto es igual a su masa *m* multiplicada por su aceleración *a*. Si un vagón de mercancía con una masa de 55 kg acelera a una tasa de 0,0255 m/s^2, ¿cuál es la fuerza sobre el vagón? (La unidad de fuerza se llama *newton* y se expresa con el símbolo N).

Problemas Adicionales

80. Consideremos la ecuación $y = mt + b$, donde la dimensión de *y* es la longitud y la dimensión de *t* es el tiempo, y *m* y *b* son constantes. ¿Cuáles son las dimensiones y unidades del SI de (a) *m* y (b) *b*?

81. Considere la ecuación $s = s_0 + v_0t + a_0t^2/2 + j_0t^3/6 + S_0t^4/24 + ct^5/120$, donde *s* es longitud y *t* es tiempo. ¿Cuáles son las dimensiones y las unidades del SI de (a) s_0, (b) v_0, (c) a_0, (d) j_0, (e) S_0, y (f) *c*?

82. (a) El velocímetro de un auto tiene una incertidumbre del 5 %. ¿Cuál es el rango de rapidez posible cuando marca 90 km/h? (b) Convierta este rango a millas por hora. Tenga en cuenta que 1 km = 0,6214 mi.

83. Un corredor de maratón completa un recorrido de 42,188 km en 2 h, 30 min y 12 s. Hay una incertidumbre de 25 m en la distancia recorrida y una incertidumbre de 1 s en el tiempo transcurrido. (a) Calcule el porcentaje de incertidumbre en la distancia. (b) Calcule el porcentaje de incertidumbre en el tiempo transcurrido. (c) ¿Cuál es la rapidez media en metros por segundo? (d) ¿Cuál es la incertidumbre en la rapidez media?

84. Los lados de una pequeña caja rectangular se miden como 1,80 ± 0,1 cm, 2,05 ± 0,02 cm y 3,1 ± 0,1 cm de longitud. Calcule su volumen e incertidumbre en centímetros cúbicos.

85. Cuando no se usaba el sistema métrico decimal en el Reino Unido, se utilizaba una unidad de masa llamada libra-masa (lbm), donde 1 lbm = 0,4539 kg. (a) Si hay una incertidumbre de 0,0001 kg en la unidad libra-masa, ¿cuál es su porcentaje de incertidumbre? (b) Con base en esa incertidumbre porcentual, ¿qué masa en libra-masa tiene una incertidumbre de 1 kg cuando se convierte a kilogramos?

86. La longitud y la anchura de una habitación rectangular se miden como 3,955 ± 0,005 m y 3,050 ± 0,005 m. Calcule el área de la habitación y su incertidumbre en metros cuadrados.

87. Un motor de automóvil mueve un pistón de sección circular de 7,500 ± 0,002 cm de diámetro una distancia de 3,250 ± 0,001 cm para comprimir el gas en el cilindro. (a) ¿En qué cantidad disminuye el volumen del gas en centímetros cúbicos? (b) Halle la incertidumbre en este volumen.

Problemas De Desafío

88. La primera bomba atómica se detonó el 16 de julio de 1945 en el sitio de pruebas de Trinity, a unas 200 mi al sur de Los Álamos. En 1947, el gobierno estadounidense desclasificó un rollo de película de la explosión. A partir del mismo, el físico británico G. I. Taylor pudo determinar la tasa a la que crecía el radio de la bola de fuego de la explosión. Gracias al análisis dimensional, pudo deducir la cantidad de energía liberada en la explosión, que era un secreto muy bien guardado en aquella época. Por ello, Taylor no publicó sus resultados sino hasta 1950. Este problema le reta a recrear este famoso cálculo. (a) Con su aguda perspicacia desarrollada a partir de años de experiencia, Taylor decidió que el radio *r* de la bola de fuego debía depender solo del tiempo transcurrido desde la explosión, *t*, de la densidad del aire, *ρ*, y de la energía de la explosión inicial, *E*. Así, conjeturó que $r = kE^a\rho^bt^c$ para alguna constante adimensional *k* y algunos exponentes desconocidos *a*, *b* y *c*. Dado que [E] = ML^2T^{-2}, determine los valores de los exponentes necesarios para que esta ecuación sea dimensionalmente coherente. (*Pista*: Observe que la ecuación implica que $k = rE^{-a}\rho^{-b}t^{-c}$ y que $[k] = 1$). (b) Tras analizar los datos de los explosivos convencionales de alta energía, Taylor encontró que la fórmula que derivó parecía ser válida siempre que la constante k tuviera el valor de 1,03. A partir del rollo de película, pudo determinar muchos valores de r y los correspondientes valores de t. Por ejemplo, descubrió que tras 25,0 ms, la bola de fuego tenía un radio de 130,0 m. Utilice estos valores, junto con una densidad media del aire de 1,25 kg/m^3, para calcular la liberación de energía inicial de la detonación de Trinity en julios (J). (*Pista*: Para obtener la energía en julios, hay que comprobar que todos los números que se sustituyen se expresen en términos de unidades básicas del SI). (c) La energía liberada en las grandes explosiones se cita a menudo en unidades de "toneladas de TNT" (abreviado "t TNT"), donde 1 t TNT es aproximadamente 4,2 gigajulios (GJ). Convierta su respuesta de (b) a kilotones de TNT (es decir, kt TNT). Compare su respuesta con el cálculo rápido de 10 kt de TNT, que realizó el físico Enrico Fermi poco después de presenciar la explosión desde una distancia supuestamente segura. (Según se dice, Fermi realizó su cálculo dejando caer algunos trozos de papel triturados justo antes de que los restos de la onda expansiva le golpearan y miró para ver hasta dónde la onda los arrastraba).

89. El propósito de este problema es demostrar que todo el concepto de coherencia dimensional se resume con el viejo dicho "no se pueden sumar manzanas y naranjas". Si ha estudiado las expansiones de las series de potencias en un curso de cálculo, sabe que las funciones matemáticas estándar, como las funciones trigonométricas, los logaritmos y las funciones exponenciales, pueden expresarse como sumas infinitas de la forma

$$\sum_{n=0}^{\infty} a_n x^n = a_0 + a_1 x + a_2 x^2 + a_3 x^3 + \cdots,$$

donde a_n son constantes adimensionales para todo $n = 0, 1, 2, \cdots$ y x es el argumento de la función. (Si aún no ha estudiado las series de potencias en cálculo, confíe en nosotros). Utilice este hecho para explicar por qué el requisito de que todos los términos de una ecuación tengan las mismas dimensiones es suficiente como definición de coherencia dimensional. Es decir, en realidad implica que los argumentos de las funciones matemáticas estándar deben ser adimensionales, por lo que no es realmente necesario hacer de esta última condición un requisito aparte de la definición de coherencia dimensional, como hemos hecho en esta sección.

CAPÍTULO 2
Vectores

Figura 2.1 El poste indicador da información sobre las distancias y direcciones a las ciudades o a otros lugares en relación con la ubicación del poste. La distancia es una cantidad escalar. Para llegar a la ciudad no basta con conocer la distancia, sino que también hay que saber la dirección desde el poste indicador hasta la ciudad. La dirección, junto con la distancia, es una cantidad vectorial comúnmente llamada vector de desplazamiento. Por lo tanto, el poste indicador da información sobre los vectores de desplazamiento desde el poste hasta las ciudades (créditos: modificación de la obra de "studio tdes"/Flickr, thedailyenglishshow.com).

ESQUEMA DEL CAPITULO

2.1 Escalares y vectores
2.2 Sistemas de coordenadas y componentes de un vector
2.3 Álgebra de vectores
2.4 Productos de los vectores

INTRODUCCIÓN Los vectores son esenciales para la física y la ingeniería. Muchas magnitudes físicas fundamentales son vectores, como el desplazamiento, la velocidad, la fuerza y los campos vectoriales eléctricos y magnéticos. Los productos escalares de los vectores definen otras magnitudes físicas escalares fundamentales, como la energía. Los productos vectoriales de los vectores definen otras magnitudes físicas vectoriales fundamentales, como el torque y el momento angular. En otras palabras, los vectores son un componente de la física del mismo modo que las frases son un componente de la literatura.

En la física introductoria, los vectores son cantidades euclidianas, que tienen representaciones geométricas como flechas en una dimensión (en una línea), en dos dimensiones (en un plano) o en tres dimensiones (en el espacio). Se pueden sumar, restar o multiplicar. En este capítulo, exploramos elementos del álgebra vectorial para aplicaciones en mecánica y en electricidad y magnetismo. Las operaciones vectoriales también tienen numerosas generalizaciones en otras ramas de la física.

2.1 Escalares y vectores

OBJETIVOS DE APRENDIZAJE

Al final de esta sección, podrá:

- Describir la diferencia entre cantidades vectoriales y escalares.
- Identificar la magnitud y la dirección de un vector.
- Explicar el efecto de multiplicar una cantidad vectorial por un escalar.
- Describir cómo se suman o restan cantidades vectoriales unidimensionales.
- Explicar la construcción geométrica para la suma o la resta de vectores en un plano.
- Distinguir entre una ecuación vectorial y una ecuación escalar.

Muchas magnitudes físicas conocidas pueden especificarse completamente con un solo número y la unidad apropiada. Por ejemplo, "un periodo de clase dura 50 min" o "el tanque de gasolina de mi auto tiene capacidad de 65 L" o "la distancia entre dos postes es de 100 m". La cantidad física que puede especificarse completamente de esta manera se denomina **cantidad escalar**. Escalar es sinónimo de "número". El tiempo, la masa, la distancia, la longitud, el volumen, la temperatura y la energía son ejemplos de cantidades **escalares**.

Las cantidades escalares que tienen las mismas unidades físicas pueden sumarse o restarse según las reglas habituales del álgebra de los números. Por ejemplo, una clase que termina 10 min antes de los 50 min dura $50 \text{ min} - 10 \text{ min} = 40 \text{ min}$. Del mismo modo, una porción de 60 calorías (cal) de maíz seguida de una porción de 200 calorías de donas da $60 \text{ cal} + 200 \text{ cal} = 260 \text{ cal}$ de energía. Cuando multiplicamos una cantidad escalar por un número, obtenemos la misma cantidad escalar, pero con un valor mayor (o menor). Por ejemplo, si el desayuno de ayer tenía 200 cal de energía y el de hoy tiene cuatro veces más energía que ayer, entonces el desayuno de hoy tiene $4(200 \text{ cal}) = 800 \text{ cal}$ de energía. Dos cantidades escalares también pueden multiplicarse o dividirse entre sí para formar una cantidad escalar derivada. Por ejemplo, si un tren recorre una distancia de 100 km en 1,0 h, su rapidez es de 100,0 km/1,0 h = 27,8 m/s, donde la rapidez es una cantidad escalar derivada que se obtiene al dividir la distancia entre el tiempo.

Sin embargo, muchas cantidades físicas no pueden describirse completamente con un solo número de unidades físicas. Por ejemplo, cuando los guardacostas estadounidenses envían un barco o un helicóptero para una misión de rescate, el equipo de rescate debe conocer, no solo la distancia a la que se encuentra la señal de socorro, sino también la dirección de la que procede esta para poder llegar a su origen lo antes posible. Las cantidades físicas que se especifican completamente con un número de unidades (magnitud) y una dirección se llaman **cantidades vectoriales**. Algunos ejemplos de cantidades vectoriales son el desplazamiento, la velocidad, la posición, la fuerza y el torque. En el lenguaje matemático, las cantidades físicas vectoriales se representan mediante objetos matemáticos, denominados **vectores** (Figura 2.2). Podemos sumar o restar dos vectores, y podemos multiplicar un vector por un escalar o por otro vector, pero no podemos dividir por un vector. La operación de división por un vector no está definida.

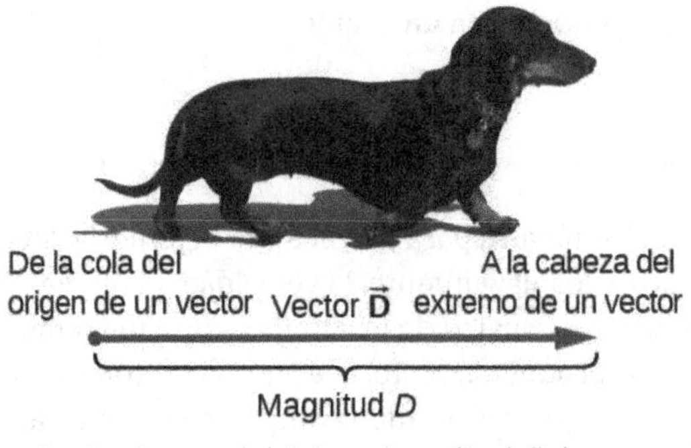

FIGURA 2.2 Dibujamos un vector desde el punto inicial u origen ("cola" de un vector) hasta el punto extremo o terminal ("cabeza" de un vector), marcado por una punta de flecha. La magnitud es la longitud de un vector y es siempre una cantidad escalar positiva (créditos de la foto: modificación del trabajo de Cate Sevilla).

Examinemos el álgebra vectorial con un método gráfico para conocer los términos básicos y desarrollar una comprensión cualitativa. En la práctica, sin embargo, cuando se trata de resolver problemas de física, utilizamos métodos analíticos, que veremos en la siguiente sección. Los métodos analíticos son más sencillos desde el punto de vista computacional y más precisos que los métodos gráficos. A partir de ahora, para distinguir entre una cantidad vectorial y una escalar, adoptamos la convención común de que una letra en negritas con una flecha encima denota un vector, y una letra sin flecha denota un escalar. Por ejemplo, una distancia de 2,0 km, que es una cantidad escalar, se denota por $d = 2{,}0$ km, mientras que un desplazamiento de 2,0 km en alguna dirección, que es una cantidad vectorial, se denota por $\vec{\mathbf{d}}$.

Supongamos que le dice a un amigo con el que está de acampada que ha descubierto un estupendo agujero para pescar a 6 km de su carpa. Es poco probable que su amigo encuentre el agujero con facilidad, a menos que también le comunique la dirección en la que se encuentre con respecto a su campamento. Puede decir, por ejemplo, "camine unos 6 km al noreste de mi carpa". El concepto clave aquí es que hay que dar no uno, sino *dos* datos: la distancia o magnitud (6 km) *y* la dirección (noreste).

Desplazamiento es un término general que se utiliza para describir un *cambio de posición*, por ejemplo, durante un viaje desde la carpa hasta el agujero de pesca. El desplazamiento es un ejemplo de cantidad vectorial. Si se camina desde la carpa (lugar *A*) hasta el agujero (lugar *B*), como se muestra en la Figura 2.3, el vector $\vec{\mathbf{D}}$, que representa su **desplazamiento**, se dibuja como la flecha que se origina en el punto *A* y termina en el punto *B*. La punta de la flecha marca el final del vector. La dirección del vector de desplazamiento $\vec{\mathbf{D}}$ es la dirección de la flecha. La longitud de la flecha representa la **magnitud** *D* del vector $\vec{\mathbf{D}}$. Aquí, $D = 6$ km. Como la magnitud de un vector es su longitud, que es un número positivo, la magnitud también se indica al colocar la notación de valor absoluto alrededor del símbolo que denota el vector; por lo tanto, podemos escribir de forma equivalente que $D \equiv |\vec{\mathbf{D}}|$. Para resolver un problema vectorial gráficamente, necesitamos dibujar el vector $\vec{\mathbf{D}}$ a escala. Por ejemplo, si suponemos que 1 unidad de distancia (1 km) está representada en el dibujo por un segmento de línea de longitud $u = 2$ cm, entonces el desplazamiento total en este ejemplo está representado por un vector de longitud $d = 6u = 6(2\text{ cm}) = 12\text{ cm}$, como se muestra en la Figura 2.4. Observe que aquí, para evitar confusiones, utilizamos $D = 6\text{ km}$ para denotar la magnitud del desplazamiento real y $d = 12$ cm para denotar la longitud de su representación en el dibujo.

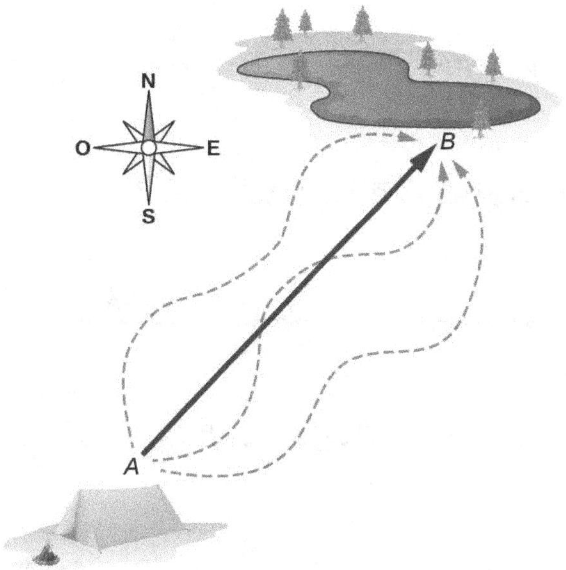

FIGURA 2.3 El vector de desplazamiento desde el punto *A* (la posición inicial en el campamento) hasta el punto *B* (la posición final en el agujero de pesca) se indica con una flecha con origen en el punto *A* y final en el punto *B*. El desplazamiento es el mismo para cualquiera de los caminos reales (curvas discontinuas) que se pueden tomar entre los puntos *A* y *B*.

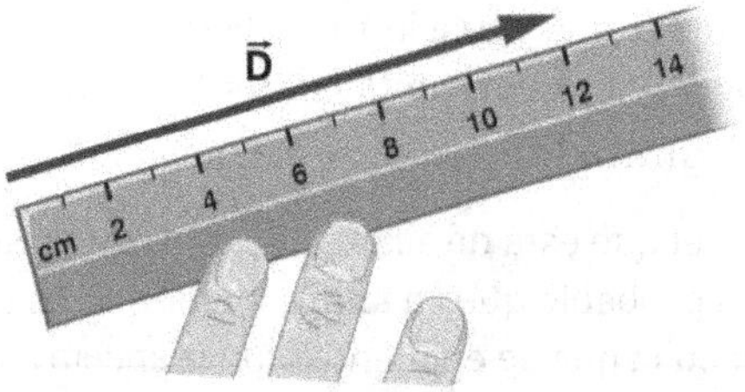

FIGURA 2.4 Un desplazamiento $\vec{\mathbf{D}}$ de magnitud 6 km se dibuja a escala como un vector de longitud 12 cm cuando la longitud de 2 cm representa 1 unidad de desplazamiento (que en este caso es 1 km).

Supongamos que su amigo camina desde el campamento en *A* hasta el estanque de pesca en *B* y luego regresa: desde el estanque de pesca en *B* hasta el campamento en *A*. La magnitud del vector de desplazamiento $\vec{\mathbf{D}}_{AB}$ de *A* a *B* es igual a la magnitud del vector de desplazamiento $\vec{\mathbf{D}}_{BA}$ de *B* a *A* (es igual a 6 km en ambos casos), por lo que podemos escribir $D_{AB} = D_{BA}$. Sin embargo, el vector $\vec{\mathbf{D}}_{AB}$ *no* es igual al vector $\vec{\mathbf{D}}_{BA}$ porque estos dos vectores tienen direcciones diferentes: $\vec{\mathbf{D}}_{AB} \neq \vec{\mathbf{D}}_{BA}$. En la Figura 2.3, el vector $\vec{\mathbf{D}}_{BA}$ se representaría mediante un vector con origen en el punto *B* y final en el punto *A*, lo cual indica que el vector $\vec{\mathbf{D}}_{BA}$ apunta al suroeste, que es exactamente 180° opuesto a la dirección del vector $\vec{\mathbf{D}}_{AB}$. Diremos que el vector $\vec{\mathbf{D}}_{BA}$ es **antiparalelo** al vector $\vec{\mathbf{D}}_{AB}$ y escribimos $\vec{\mathbf{D}}_{AB} = -\vec{\mathbf{D}}_{BA}$, donde el signo menos indica la dirección antiparalela.

Se dice que dos vectores que tienen direcciones idénticas son **vectores paralelos**, es decir, que son *paralelos* entre sí. Dos vectores paralelos $\vec{\mathbf{A}}$ y $\vec{\mathbf{B}}$ son iguales, indicado por $\vec{\mathbf{A}} = \vec{\mathbf{B}}$, si y solo si tienen magnitudes iguales $|\vec{\mathbf{A}}| = |\vec{\mathbf{B}}|$. Se dice que dos vectores con direcciones perpendiculares entre sí son **vectores ortogonales**. Estas relaciones entre vectores se ilustran en la Figura 2.5.

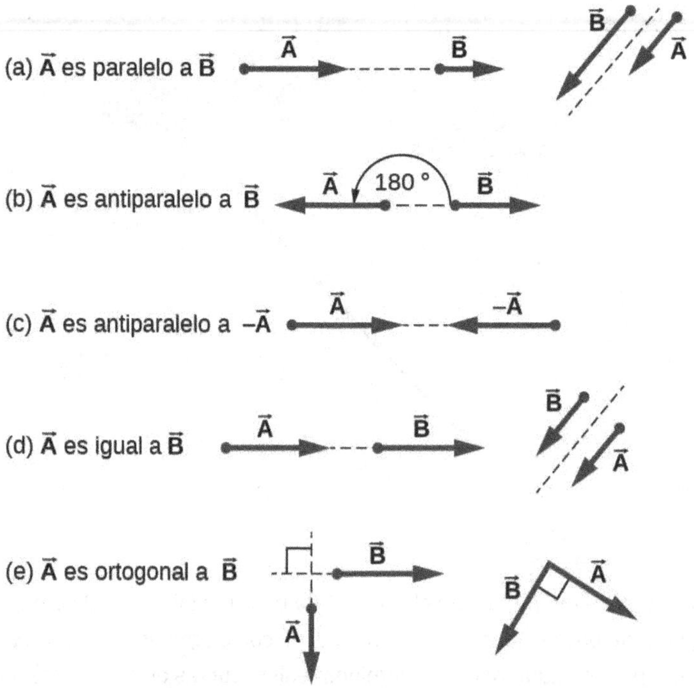

FIGURA 2.5 Diversas relaciones entre dos vectores $\vec{\mathbf{A}}$ y $\vec{\mathbf{B}}$. (a) $\vec{\mathbf{A}} \neq \vec{\mathbf{B}}$ porque $A \neq B$. (b) $\vec{\mathbf{A}} \neq \vec{\mathbf{B}}$ porque no son paralelos y $A \neq B$. (c) $\vec{\mathbf{A}} \neq -\vec{\mathbf{A}}$ porque tienen direcciones diferentes (aunque $|\vec{\mathbf{A}}| = |-\vec{\mathbf{A}}| = A$). (d) $\vec{\mathbf{A}} = \vec{\mathbf{B}}$ porque son paralelos *y* tienen magnitud idéntica *A* = *B*. (e) $\vec{\mathbf{A}} \neq \vec{\mathbf{B}}$ porque tienen direcciones diferentes (no son paralelos); aquí, sus direcciones difieren en 90°, lo que significa que son ortogonales.

COMPRUEBE LO APRENDIDO 2.1

Dos lanchas a motor llamadas *Alice* y *Bob* se desplazan por un lago. Dada la información sobre sus vectores de velocidad en cada una de las siguientes situaciones, indique si sus vectores de velocidad son iguales o no. (a) *Alice* se desplaza hacia el norte a 6 nudos y *Bob* se desplaza hacia el oeste a 6 nudos. (b) *Alice* se desplaza hacia el oeste a 6 nudos y *Bob* se desplaza hacia el oeste a 3 nudos. (c) *Alice* se desplaza hacia el noreste a 6 nudos y *Bob* se desplaza hacia el sur a 3 nudos. (d) *Alice* se desplaza hacia el noreste a 6 nudos y *Bob* se desplaza hacia el suroeste a 6 nudos. (e) *Alice* se desplaza hacia el noreste a 2 nudos y *Bob* se acerca a la costa hacia el noreste a 2 nudos.

Álgebra de vectores en una dimensión

Los vectores pueden multiplicarse por escalares, sumarse a otros vectores o restarse de otros. Podemos ilustrar estos conceptos vectoriales con un ejemplo de excursión de pesca, que se ve en la Figura 2.6.

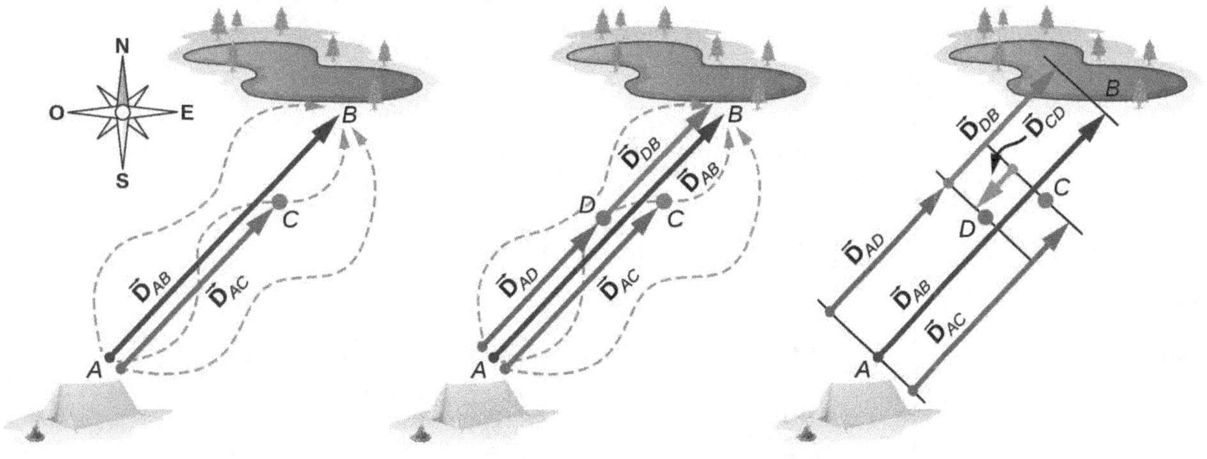

FIGURA 2.6 Vectores de desplazamiento para una excursión de pesca. (a) Parada para descansar en el punto *C* mientras se camina desde el campamento (punto *A*) hasta el estanque (punto *B*). (b) Regreso para recoger la caja de anzuelos que se cayó (punto *D*). (c) Finaliza en el estanque de pesca.

Supongamos que su amigo parte del punto *A* (el campamento) y camina en dirección al punto *B* (el estanque de pesca), pero, por el camino, se detiene a descansar en algún punto *C* situado a tres cuartas partes de la distancia entre *A* y *B*, partiendo del punto *A* (Figura 2.6(a)). ¿Cuál es su vector de desplazamiento $\vec{\mathbf{D}}_{AC}$ cuando llega al punto *C*? Sabemos que si camina hasta *B*, su vector de desplazamiento con respecto a *A* es $\vec{\mathbf{D}}_{AB}$, que tiene una magnitud $D_{AB} = 6\,\mathbf{km}$ y una dirección al noreste. Si camina solo una fracción de 0,75 de la distancia total, y mantiene la dirección noreste, en el punto *C* debe estar a $0{,}75D_{AB} = 4{,}5\,\mathbf{km}$ lejos del campamento en *A*. Así, su vector de desplazamiento en el punto de reposo *C* tiene magnitud $D_{AC} = 4{,}5\,\text{km} = 0{,}75D_{AB}$ y es paralelo al vector de desplazamiento $\vec{\mathbf{D}}_{AB}$. Todo esto se puede resumir en la siguiente **ecuación vectorial**:

$$\vec{\mathbf{D}}_{AC} = 0{,}75\vec{\mathbf{D}}_{AB}.$$

En una ecuación vectorial, ambos lados de la ecuación son vectores. La ecuación anterior es un ejemplo de vector multiplicado por un escalar positivo (número) $\alpha = 0{,}75$. El resultado, $\vec{\mathbf{D}}_{AC}$, de tal multiplicación es un nuevo vector con una dirección paralela a la dirección del vector original $\vec{\mathbf{D}}_{AB}$.

En general, cuando un vector $\vec{\mathbf{A}}$ se multiplica por un escalar *positivo* α, el resultado es un nuevo vector $\vec{\mathbf{B}}$ que es *paralelo* a $\vec{\mathbf{A}}$:

$$\vec{\mathbf{B}} = \alpha\vec{\mathbf{A}}. \tag{2.1}$$

La magnitud $\left|\vec{\mathbf{B}}\right|$ de este nuevo vector se obtiene al multiplicar la magnitud $\left|\vec{\mathbf{A}}\right|$ del vector original, expresada por la **ecuación escalar**:

$$B = |\alpha| A. \tag{2.2}$$

En una ecuación escalar, ambos lados de la ecuación son números. La Ecuación 2.2 es una ecuación escalar porque las magnitudes de los vectores son cantidades escalares (y números positivos). Si el escalar α es *negativo* en la ecuación vectorial de la Ecuación 2.1, entonces la magnitud $\left|\vec{\mathbf{B}}\right|$ del nuevo vector sigue siendo dada por la Ecuación 2.2, pero la dirección del nuevo vector $\vec{\mathbf{B}}$ es *antiparalela* a la dirección de $\vec{\mathbf{A}}$. Estos principios se ilustran en la Figura 2.7(a) con dos ejemplos en los que la longitud del vector $\vec{\mathbf{A}}$ es de 1,5 unidades. Cuando $\alpha = 2$, el nuevo vector $\vec{\mathbf{B}} = 2\vec{\mathbf{A}}$ tiene longitud $B = 2A = 3{,}0$ **unidades** (el doble de largo que el vector original) y es paralelo al vector original. Cuando $\alpha = -2$, el nuevo vector $\vec{\mathbf{C}} = -2\vec{\mathbf{A}}$ tiene longitud $C = |-2|A = 3{,}0$ **unidades** (dos veces más largo que el vector original) y es antiparalelo al vector original.

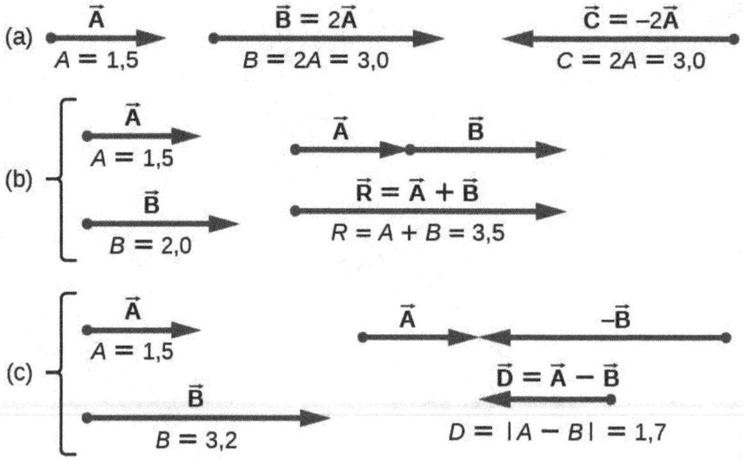

FIGURA 2.7 Álgebra de vectores en una dimensión. (a) Multiplicación por un escalar. (b) Suma de dos vectores ($\vec{\mathbf{R}}$ se llama la *resultante* de los vectores $\vec{\mathbf{A}}$ y $\vec{\mathbf{B}}$). (c) Sustracción de dos vectores ($\vec{\mathbf{D}}$ es la diferencia de vectores $\vec{\mathbf{A}}$ y $\vec{\mathbf{B}}$).

Supongamos ahora que su compañero de pesca parte del punto *A* (el campamento), y camina en dirección al punto *B* (el agujero de pesca), pero se da cuenta de que ha perdido su caja de anzuelos cuando se ha parado a descansar en el punto *C* (situado a tres cuartas partes de la distancia entre *A* y *B*, al partir del punto *A*). Entonces, da la vuelta y vuelve sobre sus pasos en dirección al campamento y encuentra la caja tirada en el camino en un punto *D* a solo 1,2 km del punto *C* (vea la Figura 2.6(b)). ¿Cuál es su vector de desplazamiento $\vec{\mathbf{D}}_{AD}$ cuando encuentra la caja en el punto *D*? ¿Cuál es su vector de desplazamiento $\vec{\mathbf{D}}_{DB}$ desde el punto *D* hasta el agujero? Ya hemos establecido que en el punto de reposo *C* su vector de desplazamiento es $\vec{\mathbf{D}}_{AC} = 0{,}75\vec{\mathbf{D}}_{AB}$. Partiendo del punto *C*, camina hacia el suroeste (hacia el campamento), lo que significa que su nuevo vector de desplazamiento $\vec{\mathbf{D}}_{CD}$ del punto *C* al punto *D* es antiparalelo a $\vec{\mathbf{D}}_{AB}$. Su magnitud $\left|\vec{\mathbf{D}}_{CD}\right|$ es $D_{CD} = 1{,}2\,\text{km} = 0{,}2D_{AB}$, por lo que su segundo vector de desplazamiento es $\vec{\mathbf{D}}_{CD} = -0{,}2\vec{\mathbf{D}}_{AB}$. Su desplazamiento total $\vec{\mathbf{D}}_{AD}$ con respecto al campamento es la **suma vectorial** de los dos vectores de desplazamiento: vector $\vec{\mathbf{D}}_{AC}$ (desde el campamento hasta el punto de descanso) y el vector $\vec{\mathbf{D}}_{CD}$ (desde el punto de descanso hasta el punto donde encuentra su caja):

$$\vec{\mathbf{D}}_{AD} = \vec{\mathbf{D}}_{AC} + \vec{\mathbf{D}}_{CD}. \tag{2.3}$$

La suma vectorial de dos (o más) vectores se denomina **vector resultante** o, para abreviar, la *resultante*. Cuando se conocen los vectores del lado derecho de la Ecuación 2.3, podemos encontrar la resultante $\vec{\mathbf{D}}_{AD}$ de la siguiente forma:

$$\vec{\mathbf{D}}_{AD} = \vec{\mathbf{D}}_{AC} + \vec{\mathbf{D}}_{CD} = 0{,}75\vec{\mathbf{D}}_{AB} - 0{,}2\,\vec{\mathbf{D}}_{AB} = (0{,}75 - 0{,}2)\vec{\mathbf{D}}_{AB} = 0{,}55\vec{\mathbf{D}}_{AB}. \tag{2.4}$$

Cuando su amigo llega finalmente al estanque en *B*, su vector de desplazamiento $\vec{\mathbf{D}}_{AB}$ desde el punto *A* es la suma vectorial de su vector de desplazamiento $\vec{\mathbf{D}}_{AD}$ del punto *A* al punto *D* y su vector de desplazamiento $\vec{\mathbf{D}}_{DB}$ desde el punto *D* hasta el agujero de pesca: $\vec{\mathbf{D}}_{AB} = \vec{\mathbf{D}}_{AD} + \vec{\mathbf{D}}_{DB}$ (vea la Figura 2.6(c)). Esto significa que su vector de desplazamiento $\vec{\mathbf{D}}_{DB}$ es la **diferencia de dos vectores**:

$$\vec{\mathbf{D}}_{DB} = \vec{\mathbf{D}}_{AB} - \vec{\mathbf{D}}_{AD} = \vec{\mathbf{D}}_{AB} + (-\vec{\mathbf{D}}_{AD}). \tag{2.5}$$

Observe que una diferencia de dos vectores no es más que la suma vectorial de dos vectores porque el segundo término de la Ecuación 2.5 es el vector $-\vec{\mathbf{D}}_{AD}$ (que es antiparalelo a $\vec{\mathbf{D}}_{AD}$). Cuando sustituimos la Ecuación 2.4 en la Ecuación 2.5, obtenemos el segundo vector de desplazamiento:

$$\vec{\mathbf{D}}_{DB} = \vec{\mathbf{D}}_{AB} - \vec{\mathbf{D}}_{AD} = \vec{\mathbf{D}}_{AB} - 0{,}55\vec{\mathbf{D}}_{AB} = (1{,}0 - 0{,}55)\vec{\mathbf{D}}_{AB} = 0{,}45\vec{\mathbf{D}}_{AB}. \tag{2.6}$$

Este resultado significa que su amigo caminó $D_{DB} = 0{,}45D_{AB} = 0{,}45(6{,}0\,\text{km}) = 2{,}7\,\text{km}$ desde el punto donde encuentra su caja de anzuelos hasta el agujero de pesca.

Cuando los vectores $\vec{\mathbf{A}}$ y $\vec{\mathbf{B}}$ se encuentran a lo largo de una línea (es decir, en una dimensión), como en el ejemplo del campamento, su resultante $\vec{\mathbf{R}} = \vec{\mathbf{A}} + \vec{\mathbf{B}}$ y su diferencia $\vec{\mathbf{D}} = \vec{\mathbf{A}} - \vec{\mathbf{B}}$ ambas se encuentran en la misma dirección. Podemos ilustrar la suma o la resta de vectores dibujando los vectores correspondientes a escala en una dimensión, como se muestra en la Figura 2.7.

Para ilustrar la resultante cuando $\vec{\mathbf{A}}$ y $\vec{\mathbf{B}}$ son dos vectores paralelos, los dibujamos a lo largo de una línea al colocar el origen de un vector en el extremo del otro vector en forma de cabeza a cola (vea la Figura 2.7(b)). La magnitud de esta resultante es la suma de sus magnitudes: $R = A + B$. La dirección de la resultante es paralela a ambos vectores. Cuando el vector $\vec{\mathbf{A}}$ es antiparalelo al vector $\vec{\mathbf{B}}$, los dibujamos a lo largo de una línea, ya sea de cabeza a cabeza (Figura 2.7(c)) o de cola a cola. La magnitud de la diferencia de vectores, entonces, es el *valor absoluto* $D = |A - B|$ de la diferencia de sus magnitudes. La dirección de la diferencia de vectores $\vec{\mathbf{D}}$ es paralela a la dirección del vector más largo.

En general, en una dimensión, así como en dimensiones superiores, como en un plano o en el espacio, podemos sumar cualquier número de vectores y podemos hacerlo en cualquier orden porque la suma de vectores es **conmutativa**,

$$\vec{\mathbf{A}} + \vec{\mathbf{B}} = \vec{\mathbf{B}} + \vec{\mathbf{A}}, \tag{2.7}$$

y **asociativa**,

$$(\vec{\mathbf{A}} + \vec{\mathbf{B}}) + \vec{\mathbf{C}} = \vec{\mathbf{A}} + (\vec{\mathbf{B}} + \vec{\mathbf{C}}). \tag{2.8}$$

Además, la multiplicación por un escalar es **distributiva**:

$$\alpha_1\vec{\mathbf{A}} + \alpha_2\vec{\mathbf{A}} = (\alpha_1 + \alpha_2)\vec{\mathbf{A}}. \tag{2.9}$$

Utilizamos la propiedad distributiva en la Ecuación 2.4 y la Ecuación 2.6.

Al sumar muchos vectores en una dimensión, es conveniente utilizar el concepto de **vector unitario**. Un vector unitario, que se denota con un símbolo de letra con acento circunflejo, como $\hat{\mathbf{u}}$, tiene una magnitud de uno y no tiene ninguna unidad física de modo que $|\hat{\mathbf{u}}| \equiv u = 1$. La única función de un vector unitario es especificar la dirección. Por ejemplo, en lugar de decir que el vector $\vec{\mathbf{D}}_{AB}$ tiene una magnitud de 6,0 km y una dirección de noreste, podemos introducir un vector unitario $\hat{\mathbf{u}}$ que apunta al noreste y decir de forma resumida que $\vec{\mathbf{D}}_{AB} = (6{,}0\,\text{km})\hat{\mathbf{u}}$. Entonces la dirección suroeste viene dada simplemente por el vector unitario $-\hat{\mathbf{u}}$. De este modo, el desplazamiento de 6,0 km en dirección suroeste se expresa mediante el vector

$$\vec{\mathbf{D}}_{BA} = (-6{,}0\ \text{km})\hat{\mathbf{u}}.$$

EJEMPLO 2.1

Una mariquita caminante

Una larga regla para medir se apoya en la pared de un laboratorio de física con su extremo de 200 cm en el suelo. Una mariquita se posa en la marca de 100 cm y se arrastra aleatoriamente por la regla. Primero camina 15 cm hacia el suelo, luego camina 56 cm hacia la pared, y después vuelve a caminar 3 cm hacia el suelo. A continuación, tras una breve parada, continúa 25 cm hacia el suelo y luego, de nuevo, se arrastra 19 cm hacia la pared antes de detenerse por completo (Figura 2.8). Halle el vector de su desplazamiento total y su posición final de reposo en la regla.

Estrategia

Si elegimos la dirección a lo largo de la regla hacia el suelo como la dirección del vector unitario $\hat{\mathbf{u}}$, entonces la dirección hacia el suelo es $+\hat{\mathbf{u}}$ y la dirección hacia la pared es $-\hat{\mathbf{u}}$. La mariquita realiza un total de cinco desplazamientos:

$$\vec{\mathbf{D}}_1 = (15\ \text{cm})(+\hat{\mathbf{u}}),$$
$$\vec{\mathbf{D}}_2 = (56\ \text{cm})(-\hat{\mathbf{u}}),$$
$$\vec{\mathbf{D}}_3 = (3\ \text{cm})(+\hat{\mathbf{u}}),$$
$$\vec{\mathbf{D}}_4 = (25\ \text{cm})(+\hat{\mathbf{u}}),\ \text{y}$$
$$\vec{\mathbf{D}}_5 = (19\ \text{cm})(-\hat{\mathbf{u}}).$$

El desplazamiento total $\vec{\mathbf{D}}$ es la resultante de todos sus vectores de desplazamiento.

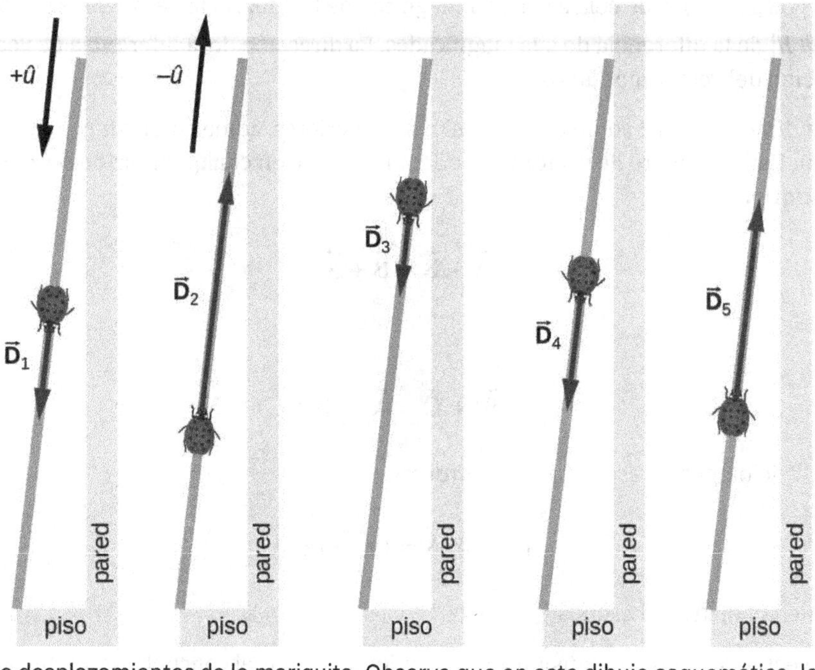

FIGURA 2.8 Cinco desplazamientos de la mariquita. Observe que en este dibujo esquemático, las magnitudes de los desplazamientos no están dibujadas a escala (créditos de "mariquita": modificación de la obra de "Persian Poet Gal"/Wikimedia Commons).

Solución

La resultante de todos los vectores de desplazamiento es

$$\begin{aligned}\vec{\mathbf{D}} &= \vec{\mathbf{D}}_1 + \vec{\mathbf{D}}_2 + \vec{\mathbf{D}}_3 + \vec{\mathbf{D}}_4 + \vec{\mathbf{D}}_5 \\ &= (15\,\text{cm})(+\hat{\mathbf{u}}) + (56\,\text{cm})(-\hat{\mathbf{u}}) + (3\,\text{cm})(+\hat{\mathbf{u}}) + (25\,\text{cm})(+\hat{\mathbf{u}}) + (19\,\text{cm})(-\hat{\mathbf{u}}) \\ &= (15 - 56 + 3 + 25 - 19)\text{cm}\hat{\mathbf{u}} \\ &= -32\,\text{cm}\hat{\mathbf{u}}.\end{aligned}$$

En este cálculo, utilizamos la ley distributiva dada por la Ecuación 2.9. El resultado es que el vector de desplazamiento total apunta lejos de la marca de 100 cm (lugar de aterrizaje inicial) hacia el extremo de la regla para medir que toca la pared. El extremo que toca la pared está marcado 0 cm, por lo que la posición final de la mariquita está en la marca (100 - 32)cm = 68 cm.

COMPRUEBE LO APRENDIDO 2.2

Un buceador de cuevas entra en un largo túnel submarino. Cuando su desplazamiento con respecto al punto de entrada es de 20 m, se le cae accidentalmente la cámara, pero no se da cuenta de que no la tiene hasta que se adentra unos 6 m en el túnel. Vuelve a nadar 10 m pero no encuentra la cámara, así que decide terminar la inmersión. ¿A qué distancia está del punto de entrada? Tomando la dirección positiva de salida del túnel, ¿cuál es su vector de desplazamiento con respecto al punto de entrada?

Álgebra de vectores en dos dimensiones

Cuando los vectores se encuentran en un plano, es decir, cuando están en dos dimensiones, pueden multiplicarse por escalares, sumarse a otros vectores o restarse de otros de acuerdo con las leyes generales expresadas por la Ecuación 2.1, la Ecuación 2.2, la Ecuación 2.7 y la Ecuación 2.8. Sin embargo, la regla de adición de dos vectores en un plano se complica más que la regla de adición de vectores en una dimensión. Tenemos que utilizar las leyes de la geometría para construir vectores resultantes, seguidos de la trigonometría para encontrar las magnitudes y direcciones de los vectores. Este enfoque geométrico se utiliza habitualmente en la navegación (Figura 2.9). En este apartado, necesitamos tener a mano dos reglas, una escuadra, un transportador, un lápiz y una goma de borrar para dibujar vectores a escala mediante construcciones geométricas.

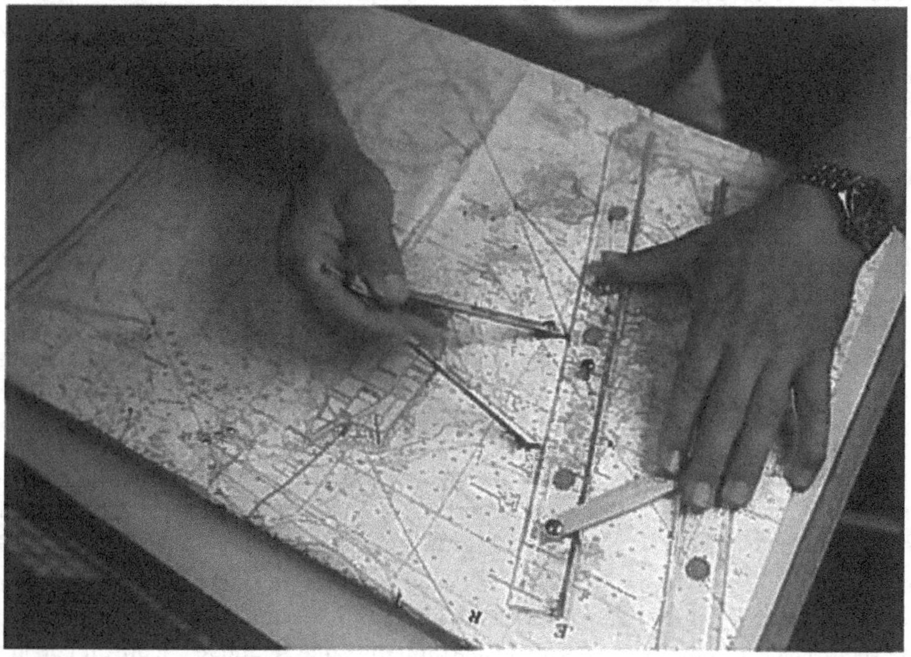

FIGURA 2.9 En la navegación, las leyes de la geometría se utilizan para dibujar los desplazamientos resultantes en los mapas náuticos.

Para una construcción geométrica de la suma de dos vectores en un plano, seguimos **la regla del**

paralelogramo. Supongamos que dos vectores $\vec{\mathbf{A}}$ y $\vec{\mathbf{B}}$ están en las posiciones arbitrarias indicadas en la Figura 2.10. Traslade cualquiera de ellos en paralelo al inicio del otro vector, de forma que, luego de la traslación, ambos vectores tengan su origen en el mismo punto. Ahora, al final del vector $\vec{\mathbf{A}}$ dibujamos una línea paralela al vector $\vec{\mathbf{B}}$ y al final del vector $\vec{\mathbf{B}}$ dibujamos una línea paralela al vector $\vec{\mathbf{A}}$ (las líneas discontinuas en la Figura 2.10). De este modo, obtenemos un paralelogramo. Desde el origen de los dos vectores dibujamos una diagonal que es la resultante $\vec{\mathbf{R}}$ de los dos vectores: $\vec{\mathbf{R}} = \vec{\mathbf{A}} + \vec{\mathbf{B}}$ (Figura 2.10(a)). La otra diagonal de este paralelogramo es la diferencia de los dos vectores $\vec{\mathbf{D}} = \vec{\mathbf{A}} - \vec{\mathbf{B}}$, como se muestra en la Figura 2.10(b). Observe que el final de la diferencia de vectores se sitúa al final del vector $\vec{\mathbf{A}}$.

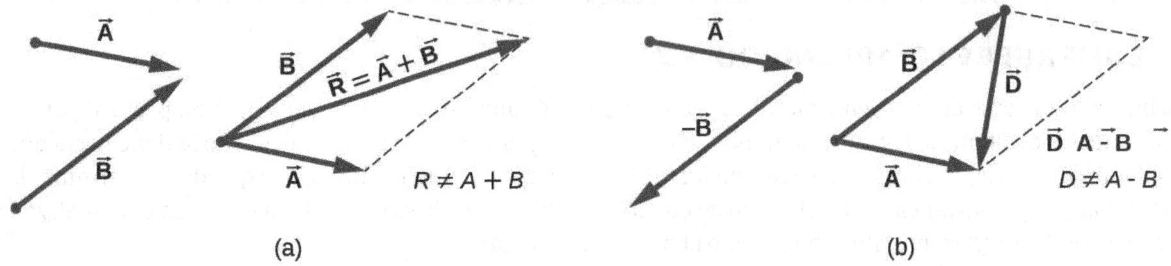

FIGURA 2.10 La regla del paralelogramo para la suma de dos vectores. Realice la traslación paralela de cada vector a un punto en el que coincidan sus orígenes (marcados por el punto) y construya un paralelogramo con dos lados sobre los vectores y los otros dos lados (indicados con líneas discontinuas) paralelos a los vectores. (a) Dibuje el vector resultante $\vec{\mathbf{R}}$ a lo largo de la diagonal del paralelogramo, desde el punto común hasta la esquina opuesta. La longitud *R* del vector resultante *no* es igual a la suma de las magnitudes de los dos vectores. (b) Dibuje la diferencia de vectores $\vec{\mathbf{D}} = \vec{\mathbf{A}} - \vec{\mathbf{B}}$ a lo largo de la diagonal que conecta los extremos de los vectores. Sitúe el origen del vector $\vec{\mathbf{D}}$ al final del vector $\vec{\mathbf{B}}$ y el final (cabeza de flecha) del vector $\vec{\mathbf{D}}$ al final del vector $\vec{\mathbf{A}}$. La longitud *D* de la diferencia de vectores *no* es igual a la diferencia de magnitudes de los dos vectores.

De la regla del paralelogramo se deduce que ni la magnitud del vector resultante ni la magnitud de la diferencia de vectores pueden expresarse como una simple suma o diferencia de las magnitudes *A* y *B*, porque la longitud de una diagonal no puede expresarse como una simple suma de las longitudes de los lados. Cuando se utiliza una construcción geométrica para encontrar las magnitudes $|\vec{\mathbf{R}}|$ y $|\vec{\mathbf{D}}|$, tenemos que utilizar las leyes de la trigonometría para los triángulos, lo que puede llevar a un álgebra complicada. Hay dos maneras de evitar esta complejidad algebraica. Una forma es utilizar el método de los componentes, que examinamos en la siguiente sección. La otra forma es dibujar los vectores a escala, como se hace en la navegación, y leer las longitudes y ángulos aproximados de los vectores (direcciones) a partir de los gráficos. En esta sección examinamos el segundo enfoque.

Si necesitamos sumar tres o más vectores, repetimos la regla del paralelogramo para los pares de vectores hasta encontrar la resultante de todas las resultantes. Para tres vectores, por ejemplo, primero encontramos la resultante del vector 1 y el vector 2, y luego encontramos la resultante de esta resultante y el vector 3. El orden en el que seleccionemos los pares de vectores no importa porque la operación de suma de vectores es conmutativa y asociativa (vea la Ecuación 2.7 y la Ecuación 2.8). Antes de enunciar una regla general que derive de las aplicaciones repetidas de la regla del paralelogramo, veamos el siguiente ejemplo.

Suponga que planea un viaje de vacaciones en Florida. Saliendo de Tallahassee, la capital del estado, planea visitar a su tío Joe en Jacksonville, ver a su primo Vinny en Daytona Beach, realizar una parada para divertirse un poco en Orlando, ver un espectáculo de circo en Tampa y visitar la Universidad de Florida en Gainesville. Su ruta se puede representar por cinco vectores de desplazamiento $\vec{\mathbf{A}}$, $\vec{\mathbf{B}}$, $\vec{\mathbf{C}}$, $\vec{\mathbf{D}}$ y $\vec{\mathbf{E}}$, que se indican con los vectores rojos en la Figura 2.11. ¿Cuál es su desplazamiento total al llegar a Gainesville? El desplazamiento total es la suma vectorial de los cinco vectores de desplazamiento, que se puede encontrar con la regla del paralelogramo cuatro veces. Alternativamente, recordemos que el vector de desplazamiento tiene su comienzo en la posición inicial (Tallahassee) y su final en la posición final (Gainesville), por lo que el vector de desplazamiento total puede dibujarse directamente como una flecha que conecta Tallahassee con Gainesville (vea el vector verde en la Figura 2.11). Cuando usamos la regla del paralelogramo cuatro veces, la resultante $\vec{\mathbf{R}}$ que obtenemos es exactamente este vector verde que conecta Tallahassee con Gainesville: $\vec{\mathbf{R}} = \vec{\mathbf{A}} + \vec{\mathbf{B}} + \vec{\mathbf{C}} + \vec{\mathbf{D}} + \vec{\mathbf{E}}$.

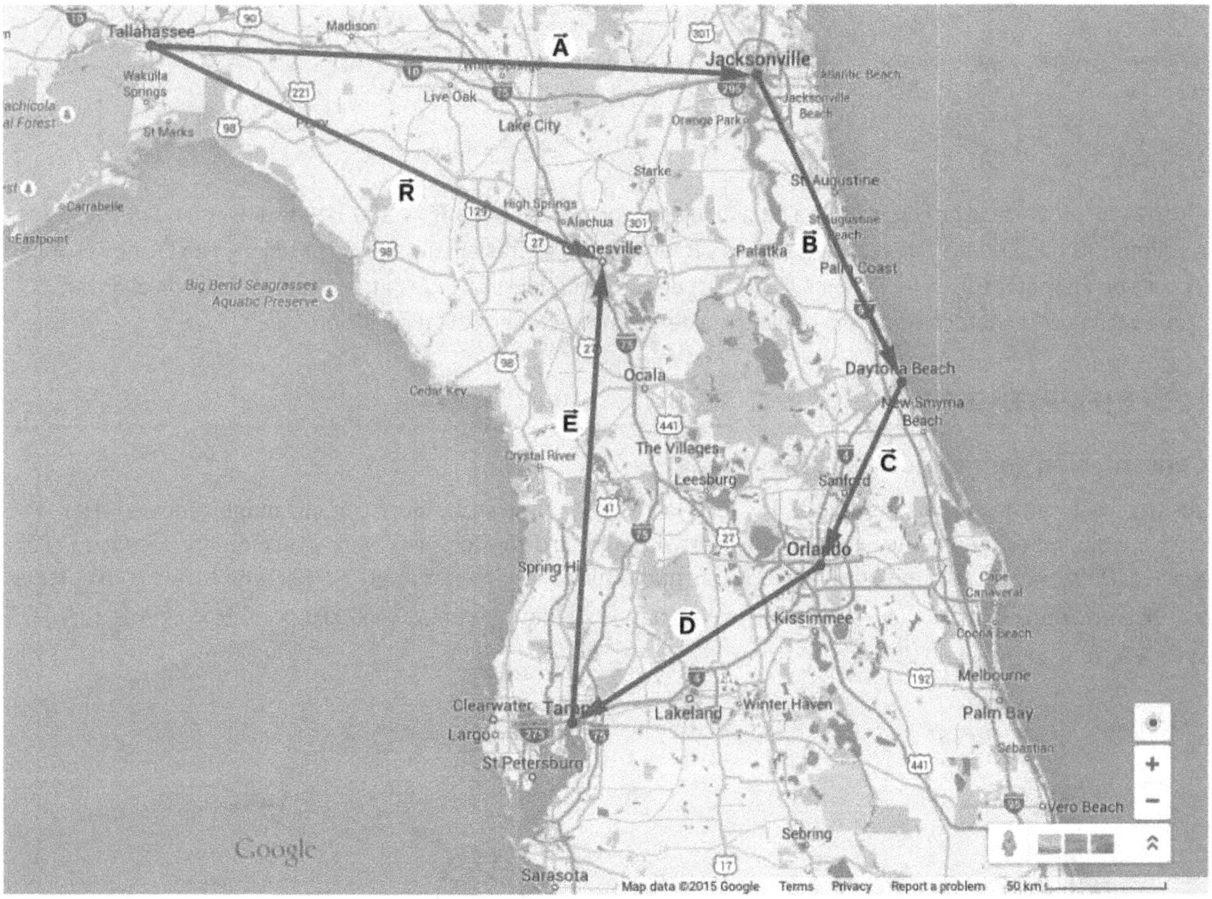

FIGURA 2.11 Cuando utilizamos la regla del paralelogramo cuatro veces, obtenemos el vector resultante $\vec{\mathbf{R}} = \vec{\mathbf{A}} + \vec{\mathbf{B}} + \vec{\mathbf{C}} + \vec{\mathbf{D}} + \vec{\mathbf{E}}$, que es el vector verde que conecta Tallahassee con Gainesville.

El dibujo del vector resultante de muchos vectores puede generalizarse con la siguiente **construcción geométrica de cola a cabeza**. Supongamos que queremos dibujar el vector resultante $\vec{\mathbf{R}}$ de cuatro vectores $\vec{\mathbf{A}}$, $\vec{\mathbf{B}}$, $\vec{\mathbf{C}}$ y $\vec{\mathbf{D}}$ (Figura 2.12(a)). Seleccionamos cualquiera de los vectores como primer vector y hacemos una traslación paralela de un segundo vector a una posición en la que el origen ("cola") del segundo vector coincide con el final ("cabeza") del primer vector. Luego, seleccionamos un tercer vector y realizamos una traslación paralela del tercer vector a una posición en la que el origen del tercer vector coincida con el final del segundo vector. Repetimos este procedimiento hasta que todos los vectores estén en una disposición de cabeza a cola como la que se muestra en la Figura 2.12. Dibujamos el vector resultante $\vec{\mathbf{R}}$ conectando el origen ("cola") del primer vector con el final ("cabeza") del último vector. El final del vector resultante está en el final del último vector. Como la suma de vectores es asociativa y conmutativa, obtenemos el mismo vector resultante, independientemente del vector que elijamos como primero, segundo, tercero o cuarto en esta construcción.

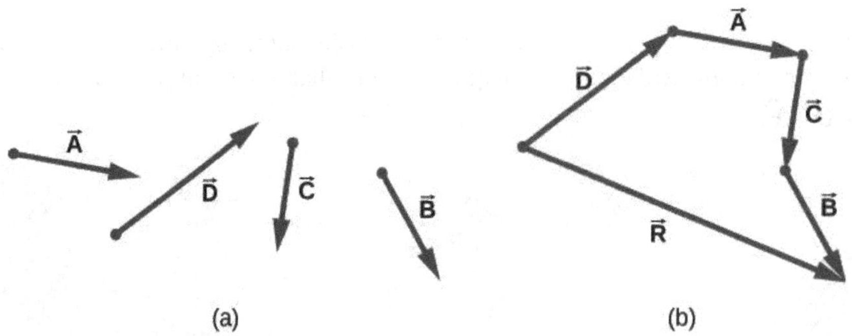

FIGURA 2.12 Método de cola a cabeza para dibujar el vector resultante $\vec{\mathbf{R}} = \vec{\mathbf{A}} + \vec{\mathbf{B}} + \vec{\mathbf{C}} + \vec{\mathbf{D}}$. (a) Cuatro vectores de diferentes magnitudes y direcciones. (b) Los vectores de (a) se trasladan a nuevas posiciones en las que el origen ("cola") de un vector está en el extremo ("cabeza") de otro vector. El vector resultante se dibuja desde el origen ("cola") del primer vector hasta el final ("cabeza") del último vector en esta disposición.

EJEMPLO 2.2

Construcción geométrica de la resultante

Los tres vectores de desplazamiento $\vec{\mathbf{A}}$, $\vec{\mathbf{B}}$ y $\vec{\mathbf{C}}$ en la Figura 2.13 se especifican por sus magnitudes $A = 10{,}0$, $B = 7{,}0$ y $C = 8{,}0$, respectivamente, y por sus respectivos ángulos direccionales con la dirección horizontal $\alpha = 35°$, $\beta = -110°$ y $\gamma = 30°$. Las unidades físicas de las magnitudes son los centímetros. Elija una escala conveniente y utilice una regla y un transportador para encontrar las siguientes sumas vectoriales: (a) $\vec{\mathbf{R}} = \vec{\mathbf{A}} + \vec{\mathbf{B}}$, (b) $\vec{\mathbf{D}} = \vec{\mathbf{A}} - \vec{\mathbf{B}}$, y (c) $\vec{\mathbf{S}} = \vec{\mathbf{A}} - 3\vec{\mathbf{B}} + \vec{\mathbf{C}}$.

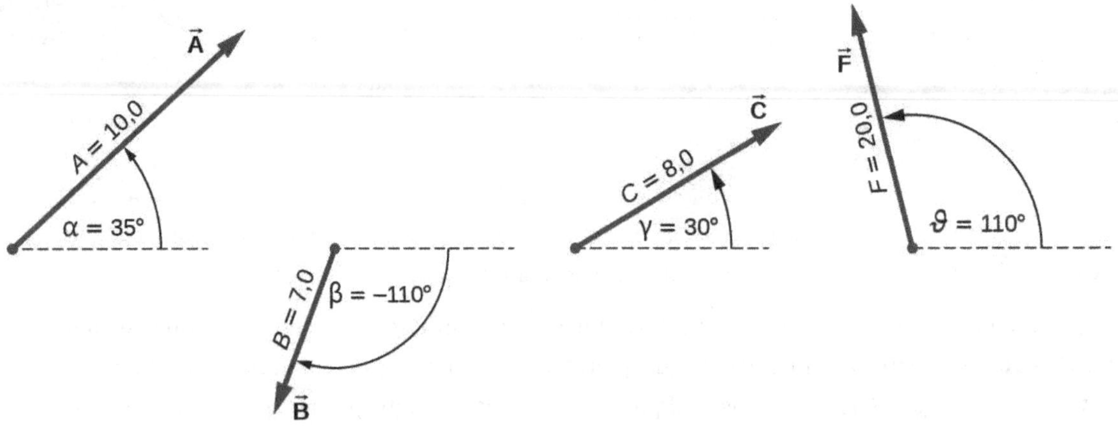

FIGURA 2.13 Vectores utilizados en el Ejemplo 2.2 y en el apartado Compruebe lo aprendido, que aparece a continuación.

Estrategia

En la construcción geométrica, encontrar un vector significa encontrar su magnitud y su ángulo direccional con la dirección horizontal. La estrategia consiste en dibujar a escala los vectores que aparecen en el lado derecho de la ecuación y construir el vector resultante. Luego, utilice una regla y un transportador para leer la magnitud de la resultante y el ángulo direccional. Para las partes (a) y (b) utilizamos la regla del paralelogramo. Para (c) utilizamos el método de cola a cabeza.

Solución

Para las partes (a) y (b), unimos el origen del vector $\vec{\mathbf{B}}$ al origen del vector $\vec{\mathbf{A}}$, como se muestra en la Figura 2.14, y construimos un paralelogramo. La diagonal más corta de este paralelogramo es la suma $\vec{\mathbf{A}} + \vec{\mathbf{B}}$. La mayor de las diagonales es la diferencia $\vec{\mathbf{A}} - \vec{\mathbf{B}}$. Utilizamos una regla para medir las longitudes de las diagonales y un transportador para medir los ángulos con la horizontal. Para la resultante $\vec{\mathbf{R}}$, obtenemos $R =$

5,8 cm y $\theta_R \approx 0°$. Para la diferencia $\vec{\mathbf{D}}$, obtenemos $D = 16{,}2$ cm y $\theta_D = 49{,}3°$, que se muestran en la Figura 2.14.

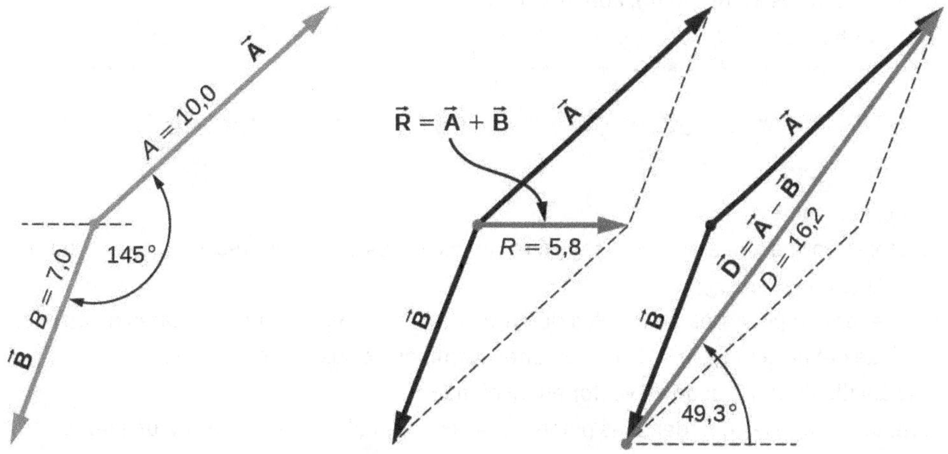

FIGURA 2.14 Utilizamos la regla del paralelogramo para resolver (a) (encontrar la resultante, en rojo) y (b) (encontrar la diferencia, en azul).

Para (c), podemos empezar con el vector $-3\vec{\mathbf{B}}$ y dibujar los vectores restantes de cola a cabeza como se muestra en la Figura 2.15. En la suma de vectores, el orden en el que dibujamos los vectores no es importante, pero dibujar los vectores a escala sí es muy importante. A continuación, dibujamos el vector $\vec{\mathbf{S}}$ desde el origen del primer vector hasta el final del último vector y colocamos la punta de la flecha al final de $\vec{\mathbf{S}}$. Utilizamos una regla para medir la longitud de $\vec{\mathbf{S}}$, y encontramos que su magnitud es
$S = 36{,}9$ cm. Usamos un transportador y encontramos que su ángulo direccional es $\theta_S = 52{,}9°$. Esta solución se muestra en la Figura 2.15.

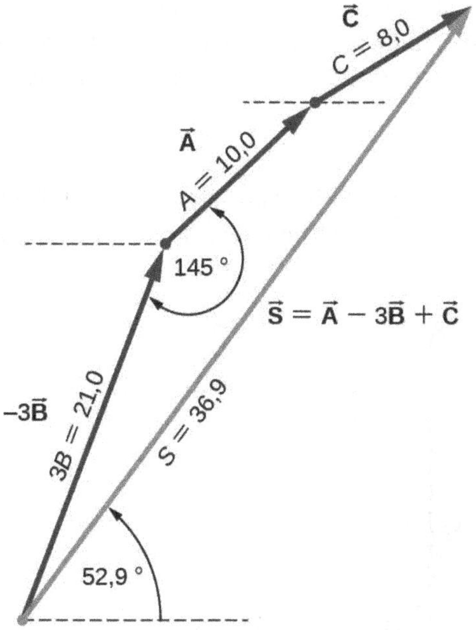

FIGURA 2.15 Utilizando el método de cola a cabeza para resolver (c) (encontrar el vector $\vec{\mathbf{S}}$, en verde).

COMPRUEBE LO APRENDIDO 2.3

Utilizando los tres vectores de desplazamiento $\vec{\mathbf{A}}$, $\vec{\mathbf{B}}$ y $\vec{\mathbf{F}}$ en la Figura 2.13, elija una escala conveniente y utilice una regla y un transportador para encontrar el vector $\vec{\mathbf{G}}$ dado por la ecuación vectorial $\vec{\mathbf{G}} = \vec{\mathbf{A}} + 2\vec{\mathbf{B}} - \vec{\mathbf{F}}$.

INTERACTIVO

Observe la suma de vectores en un plano; consulte esta calculadora de vectores (https://openstax.org/l/21compveccalc) y esta simulación de Phet (https://openstax.org/l/21phetvecaddsim_es).

2.2 Sistemas de coordenadas y componentes de un vector

OBJETIVOS DE APRENDIZAJE

Al final de esta sección, podrá:

- Describir vectores en dos y tres dimensiones en términos de sus componentes, mediante el empleo de vectores unitarios a lo largo de los ejes.
- Distinguir entre los componentes vectoriales de un vector y los componentes escalares de un vector.
- Explicar cómo se define la magnitud de un vector en términos de sus componentes.
- Identificar el ángulo direccional de un vector en un plano.
- Explicar la relación entre las coordenadas polares y las coordenadas cartesianas en un plano.

Los vectores suelen describirse en términos de sus componentes en un sistema de coordenadas. Incluso en la vida cotidiana invocamos de forma natural el concepto de proyecciones ortogonales en un sistema de coordenadas rectangulares. Por ejemplo, si pregunta a alguien cómo llegar a un lugar determinado, es más probable que le digan que vaya 40 km al este y 30 km al norte que 50 km en la dirección 37° al norte del este.

En un sistema de coordenadas *xy* rectangular (cartesiano) en un plano, un punto en un plano se describe por un par de coordenadas (la *x*, la *y*). De forma similar, un vector $\vec{\mathbf{A}}$ en un plano se describe mediante un par de sus coordenadas *vectoriales*. La coordenada *x* del vector $\vec{\mathbf{A}}$ se llama su componente *x* y la coordenada *y* del vector $\vec{\mathbf{A}}$ se llama su componente *y*. El componente *x* del vector es un vector denotado por $\vec{\mathbf{A}}_x$. El componente *y* del vector es un vector denotado por $\vec{\mathbf{A}}_y$. En el sistema cartesiano, los **componentes vectoriales** *x* y *y* de un vector son las proyecciones ortogonales de este vector sobre los ejes de la *x* y la *y*, respectivamente. De este modo, siguiendo la regla del paralelogramo para la suma de vectores, cada vector en un plano cartesiano puede expresarse como la suma vectorial de sus componentes vectoriales:

$$\vec{\mathbf{A}} = \vec{\mathbf{A}}_x + \vec{\mathbf{A}}_y. \qquad 2.10$$

Como se ilustra en la Figura 2.16, el vector $\vec{\mathbf{A}}$ es la diagonal del rectángulo donde el componente *x* $\vec{\mathbf{A}}_x$ es el lado paralelo al eje de la *x* y el componente *y* $\vec{\mathbf{A}}_y$ es el lado paralelo al eje de la *y*. El componente vectorial $\vec{\mathbf{A}}_x$ es ortogonal al componente vectorial $\vec{\mathbf{A}}_y$.

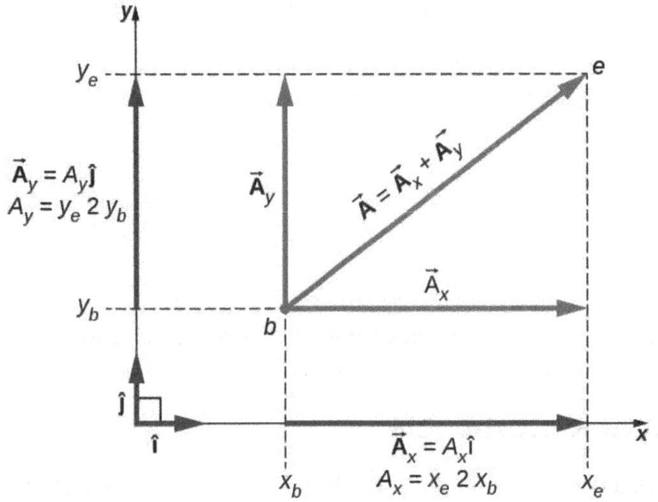

FIGURA 2.16 Vector $\vec{\mathbf{A}}$ en un plano en el sistema de coordenadas cartesianas es la suma vectorial de sus componentes vectoriales *x* y *y*. El componente vectorial *x* $\vec{\mathbf{A}}_x$ es la proyección ortogonal del vector $\vec{\mathbf{A}}$ en el eje de la

x. El componente vectorial $y \vec{\mathbf{A}}_y$ es la proyección ortogonal del vector $\vec{\mathbf{A}}$ en el eje de la y. Las cifras A_x y A_y que multiplican los vectores unitarios son los componentes escalares del vector.

Es habitual denotar la dirección positiva en el eje de la x por el vector unitario $\hat{\mathbf{i}}$ y la dirección positiva en el eje de la y por el vector unitario $\hat{\mathbf{j}}$. **Los vectores unitarios de los ejes,** $\hat{\mathbf{i}}$ y $\hat{\mathbf{j}}$, definen dos direcciones ortogonales en el plano. Como se muestra en la Figura 2.16, los componentes x y y de un vector pueden escribirse ahora en términos de los vectores unitarios de los ejes:

$$\begin{cases} \vec{\mathbf{A}}_x = A_x\hat{\mathbf{i}} \\ \vec{\mathbf{A}}_y = A_y\hat{\mathbf{j}}. \end{cases} \qquad 2.11$$

Los vectores $\vec{\mathbf{A}}_x$ y $\vec{\mathbf{A}}_y$ definidos por la Ecuación 2.11 son los *componentes vectoriales* del vector $\vec{\mathbf{A}}$. Las cifras A_x y A_y que definen los componentes vectoriales en la Ecuación 2.11 son los **componentes escalares** del vector $\vec{\mathbf{A}}$. Combinando la Ecuación 2.10 con la Ecuación 2.11, obtenemos **la forma en componentes de un vector**:

$$\vec{\mathbf{A}} = A_x\hat{\mathbf{i}} + A_y\hat{\mathbf{j}}. \qquad 2.12$$

Si conocemos las coordenadas $b(x_b, y_b)$ del punto de origen de un vector (donde b significa "comienzo") y las coordenadas $e(x_e, y_e)$ del punto final de un vector (donde e significa "final"), podemos obtener los componentes escalares de un vector simplemente al restar las coordenadas del punto de origen de las coordenadas del punto final:

$$\begin{cases} A_x = x_e - x_b \\ A_y = y_e - y_b. \end{cases} \qquad 2.13$$

EJEMPLO 2.3

Desplazamiento de un puntero de ratón

Un puntero de ratón en el monitor de una computadora en su posición inicial está en el punto (6,0 cm, 1,6 cm) con respecto a la esquina inferior izquierda. Si mueve el puntero a un icono situado en el punto (2,0 cm, 4,5 cm), ¿cuál es el vector de desplazamiento del puntero?

Estrategia

El origen del sistema de coordenadas xy es la esquina inferior izquierda del monitor de la computadora. Por lo tanto, el vector unitario $\hat{\mathbf{i}}$ en el eje de la x apunta horizontalmente a la derecha y el vector unitario $\hat{\mathbf{j}}$ en el eje de la y apunta verticalmente hacia arriba. El origen del vector de desplazamiento está situado en el punto b (6,0, 1,6) y el final del vector de desplazamiento está situado en el punto e (2,0, 4,5). Sustituya las coordenadas de estos puntos en la Ecuación 2.13 para encontrar los componentes escalares D_x y D_y del vector de desplazamiento $\vec{\mathbf{D}}$. Por último, sustituya las coordenadas en la Ecuación 2.12 para escribir el vector de desplazamiento en forma de componente vectorial.

Solución

Identificamos $x_b = 6{,}0$, $x_e = 2{,}0$, $y_b = 1{,}6$ y $y_e = 4{,}5$, donde la unidad física es 1 cm. Los componentes escalares x y y del vector de desplazamiento son

$$\begin{aligned} D_x &= x_e - x_b = (2{,}0 - 6{,}0)\text{cm} = -4{,}0\,\text{cm}, \\ D_y &= y_e - y_b = (4{,}5 - 1{,}6)\text{cm} = +2{,}9\,\text{cm}. \end{aligned}$$

La forma de componente vectorial del vector de desplazamiento es

$$\vec{\mathbf{D}} = D_x\hat{\mathbf{i}} + D_y\hat{\mathbf{j}} = (-4{,}0\,\text{cm})\hat{\mathbf{i}} + (2{,}9\,\text{cm})\hat{\mathbf{j}} = (-4{,}0\hat{\mathbf{i}} + 2{,}9\hat{\mathbf{j}})\text{cm}. \qquad 2.14$$

Esta solución se muestra en la Figura 2.17.

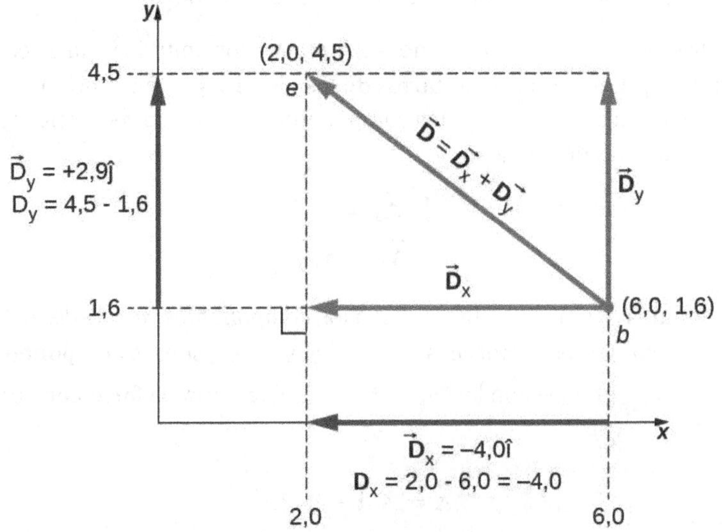

FIGURA 2.17 El gráfico del vector de desplazamiento. El vector apunta desde el punto de origen en *b* hasta el punto final en *e*.

Importancia

Observe que la unidad física (aquí, 1 cm) puede colocarse con cada componente inmediatamente antes del vector unitario o globalmente para ambos componentes, como en la Ecuación 2.14. A menudo, esta última forma es más conveniente porque es más sencilla.

El componente *x* del vector $\vec{\mathbf{D}}_x = -4{,}0\hat{\mathbf{i}} = 4{,}0(-\hat{\mathbf{i}})$ del vector de desplazamiento tiene la magnitud $\left|\vec{\mathbf{D}}_x\right| = \left|-4{,}0\right|\left|\hat{\mathbf{i}}\right| = 4{,}0$ porque la magnitud del vector unitario es $\left|\hat{\mathbf{i}}\right| = 1$. Observe también que la dirección del componente *x* es $-\hat{\mathbf{i}}$, que es antiparalela a la dirección del eje de la *x* +; por lo tanto, el componente *x* del vector $\vec{\mathbf{D}}_x$ apunta a la izquierda, como se muestra en la Figura 2.17. El componente escalar *x* del vector $\vec{\mathbf{D}}$ es $D_x = -4{,}0$.

Del mismo modo, el componente *y* del vector $\vec{\mathbf{D}}_y = +2{,}9\hat{\mathbf{j}}$ del vector de desplazamiento tiene una magnitud $\left|\vec{\mathbf{D}}_y\right| = \left|2{,}9\right|\left|\hat{\mathbf{j}}\right| = 2{,}9$ porque la magnitud del vector unitario es $\left|\hat{\mathbf{j}}\right| = 1$. La dirección del componente *y* es $+\hat{\mathbf{j}}$, que es paralela a la dirección del eje de la +*y*. Por lo tanto, el componente *y* del vector $\vec{\mathbf{D}}_y$ apunta hacia arriba, como se ve en la Figura 2.17. El componente escalar *y* del vector $\vec{\mathbf{D}}$ es $D_y = +2{,}9$. El vector de desplazamiento $\vec{\mathbf{D}}$ es la resultante de sus dos componentes *vectoriales*.

La forma de componente vectorial del vector de desplazamiento en la Ecuación 2.14 nos indica que el puntero del ratón se ha movido en el monitor 4,0 cm hacia la izquierda y 2,9 cm hacia arriba desde su posición inicial.

COMPRUEBE LO APRENDIDO 2.4

Una mosca azul se posa en una hoja de papel cuadriculado en un punto situado a 10,0 cm a la derecha de su borde izquierdo y a 8,0 cm por encima de su borde inferior y camina lentamente hasta un punto situado a 5,0 cm del borde izquierdo y a 5,0 cm del borde inferior. Elija el sistema de coordenadas rectangulares con el origen en la esquina inferior izquierda del papel y halle el vector de desplazamiento de la mosca. Ilustre su solución con un gráfico.

Cuando conocemos las componentes escalares A_x y A_y de un vector $\vec{\mathbf{A}}$, podemos encontrar su magnitud *A* y su ángulo direccional θ_A. El **ángulo direccional**, o dirección para abreviar, es el ángulo que forma el vector con la dirección positiva en el eje de la *x*. El ángulo θ_A se mide en la *dirección contraria a las agujas del reloj* desde el eje de la $x+$ hasta el vector (Figura 2.18). Como las longitudes A, A_x y A_y forman un triángulo rectángulo, están relacionadas por el teorema de Pitágoras:

$$A^2 = A_x^2 + A_y^2 \Leftrightarrow A = \sqrt{A_x^2 + A_y^2}. \quad 2.15$$

Esta ecuación funciona incluso si los componentes escalares de un vector son negativos. El ángulo direccional θ_A de un vector se define a través de la función tangente del ángulo θ_A en el triángulo mostrado en la Figura 2.18:

$$\tan\theta = \frac{A_y}{A_x} \quad 2.16$$

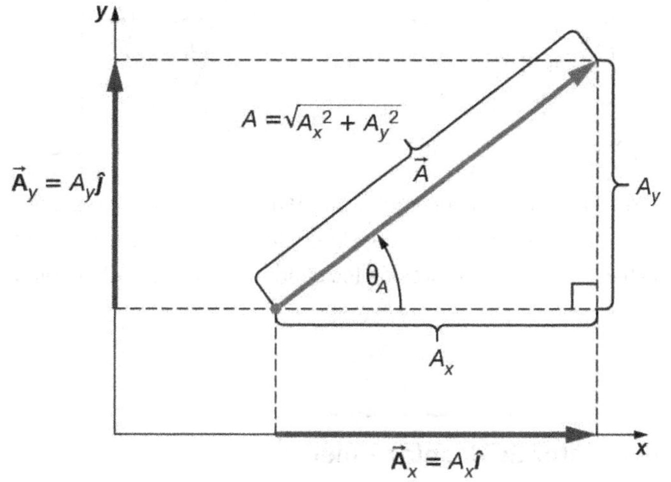

FIGURA 2.18 Cuando el vector se encuentra en el primer cuadrante o en el cuarto cuadrante, donde el componente A_x es positivo (Figura 2.19), el ángulo direccional θ_A en la (Ecuación 2.16) es idéntico al ángulo θ.

Cuando el vector se encuentra en el primer cuadrante o en el cuarto cuadrante, donde el componente A_x es positivo (Figura 2.19), el ángulo θ en la Ecuación 2.16 es idéntico al ángulo direccional θ_A. Para los vectores del cuarto cuadrante, el ángulo θ es negativo, lo que significa que para estos vectores, el ángulo direccional θ_A se mide en el *sentido de las agujas del reloj* desde el eje de la x positiva. Del mismo modo, para los vectores del segundo cuadrante, el ángulo θ es negativo. Cuando el vector se encuentra en el segundo o tercer cuadrante, donde el componente A_x es negativo, el ángulo direccional es $\theta_A = \theta + 180°$ (Figura 2.19).

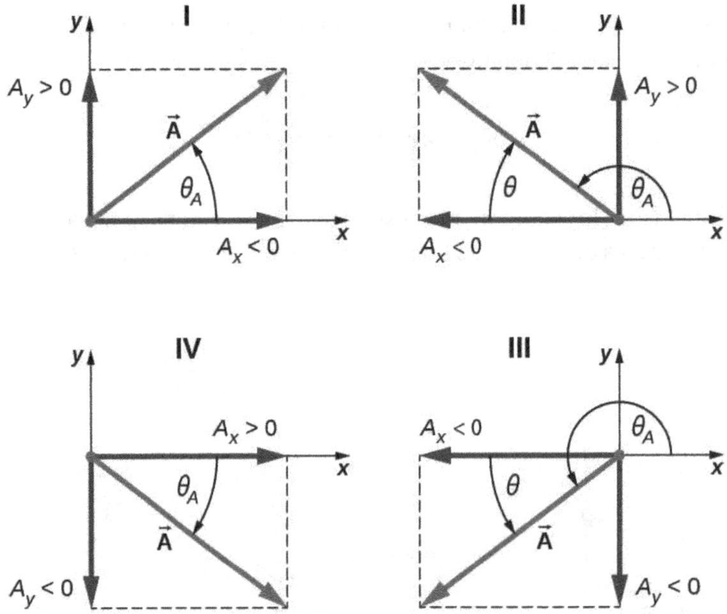

FIGURA 2.19 Los componentes escalares de un vector pueden ser positivos o negativos. Los vectores del primer cuadrante (I) tienen ambos componentes escalares positivos y los vectores del tercer cuadrante tienen ambos componentes escalares negativos. Para los vectores de los cuadrantes II y III, el ángulo direccional de un vector es $\theta_A = \theta + 180°$.

EJEMPLO 2.4

Magnitud y dirección del vector de desplazamiento

Usted mueve el puntero del ratón en la pantalla del monitor desde su posición inicial en el punto (6,0 cm, 1,6 cm) a un icono situado en el punto (2,0 cm, 4,5 cm). ¿Cuáles son la magnitud y la dirección del vector de desplazamiento del puntero?

Estrategia

En el Ejemplo 2.3, encontramos el vector de desplazamiento $\vec{\mathbf{D}}$ del puntero del ratón (vea la Ecuación 2.14). Identificamos sus componentes escalares $D_x = -4{,}0\,\text{cm}$ y $D_y = +2{,}9\,\text{cm}$ y sustituimos en la Ecuación 2.15 y la Ecuación 2.16 para encontrar la magnitud D y la dirección θ_D, respectivamente.

Solución

La magnitud del vector $\vec{\mathbf{D}}$ es

$$D = \sqrt{D_x^2 + D_y^2} = \sqrt{(-4{,}0\,\text{cm})^2 + (2{,}9\,\text{cm})^2} = \sqrt{(4{,}0)^2 + (2{,}9)^2}\,\text{cm} = 4{,}9\,\text{cm}.$$

El ángulo direccional es

$$\tan\theta = \frac{D_y}{D_x} = \frac{+2{,}9\,\text{cm}}{-4{,}0\,\text{cm}} = -0{,}725 \quad \Rightarrow \quad \theta = \tan^{-1}(-0{,}725) = -35{,}9°.$$

Vector $\vec{\mathbf{D}}$ se encuentra en el segundo cuadrante, por lo que su ángulo direccional es

$$\theta_D = \theta + 180° = -35{,}9° + 180° = 144{,}1°.$$

COMPRUEBE LO APRENDIDO 2.5

Si el vector de desplazamiento de una mosca azul que camina sobre una hoja de papel cuadriculado es $\vec{\mathbf{D}} = (-5{,}00\hat{\mathbf{i}} - 3{,}00\hat{\mathbf{j}})\text{cm}$, halle su magnitud y dirección.

En muchas aplicaciones, se conocen las magnitudes y direcciones de las cantidades vectoriales y necesitamos encontrar la resultante de muchos vectores. Por ejemplo, imagine que 400 autos circulan por el puente Golden Gate de San Francisco con un fuerte viento. Cada auto da al puente un empuje diferente en varias direcciones y nos gustaría saber cuán grande puede ser el empuje resultante. Ya hemos adquirido cierta experiencia con la construcción geométrica de sumas vectoriales. En tal sentido, sabemos que la tarea de hallar la resultante al dibujar los vectores y medir sus longitudes y ángulos puede ser intratable con bastante rapidez, lo que ocasiona grandes errores. Preocupaciones como estas no surgen cuando utilizamos métodos analíticos. El primer paso en un enfoque analítico es encontrar los componentes vectoriales cuando se conocen su dirección y la magnitud.

Volvamos al triángulo rectángulo en la Figura 2.18. El cociente del lado adyacente A_x a la hipotenusa A es la función coseno (cos) del ángulo direccional θ_A, $A_x/A = \cos\theta_A$, y el cociente del lado opuesto A_y a la hipotenusa A es la función seno (sen) de θ_A, $A_y/A = \operatorname{sen}\theta_A$. Cuando la magnitud A y la dirección θ_A son conocidas, podemos resolver estas relaciones para los componentes escalares:

$$\begin{cases} A_x = A\cos\theta_A \\ A_y = A\operatorname{sen}\theta_A \end{cases}. \qquad 2.17$$

Al calcular los componentes del vector con la Ecuación 2.17, hay que tener cuidado con el ángulo. El ángulo direccional θ_A de un vector es el ángulo medido *en sentido contrario a las agujas del reloj* desde la dirección positiva del eje de la x hasta el vector. La medición en el sentido de las agujas del reloj da un ángulo negativo.

EJEMPLO 2.5

Componentes de los vectores de desplazamiento

Un grupo de rescate de un niño desaparecido sigue a un perro de búsqueda llamado Trooper. Trooper deambula y olfatea bastante por muchos senderos diferentes. Finalmente, Trooper encuentra al niño y la historia tiene un final feliz, pero su desplazamiento en diversos tramos luce realmente complejo. En uno de los tramos camina 200,0 m hacia el sureste y luego corre hacia el norte unos 300,0 m. En el tercer tramo, examina cuidadosamente los olores durante 50,0 m en la dirección 30° al oeste del norte. En el cuarto tramo, Trooper va directamente al sur durante 80,0 m, capta un nuevo olor y gira 23° al oeste del sur durante 150,0 m. Halle los componentes escalares de los vectores de desplazamiento de Trooper y sus vectores de desplazamiento en forma de componente vectorial para cada tramo.

Estrategia

Adoptemos un sistema de coordenadas rectangular con el eje de la x positiva en la dirección del este geográfico, con la dirección de la y positiva apuntando al norte geográfico. Explícitamente, el vector unitario $\hat{\mathbf{i}}$ del eje de la x apunta al este y el vector unitario $\hat{\mathbf{j}}$ del eje de la y apunta al norte. Trooper recorre cinco tramos, por lo que hay cinco vectores de desplazamiento. Comenzamos por identificar sus magnitudes y ángulos direccionales, luego utilizamos la Ecuación 2.17 para encontrar los componentes escalares de cada desplazamiento y la Ecuación 2.12 para los vectores de desplazamiento.

Solución

En el primer tramo, la magnitud del desplazamiento es $L_1 = 200{,}0\ \text{m}$ y la dirección es sureste. Para el ángulo direccional θ_1 podemos tomar cualquiera de los dos 45° medido en el sentido de las agujas del reloj desde la dirección este o $45° + 270°$ medido en sentido contrario a las agujas del reloj desde la dirección este. Con la primera opción, $\theta_1 = -45°$. Con la segunda opción, $\theta_1 = +315°$. Podemos utilizar cualquiera de estos dos ángulos. Los componentes son

$$L_{1x} = L_1 \cos\theta_1 = (200{,}0\ \text{m})\cos 315° = 141{,}4\ \text{m},$$
$$L_{1y} = L_1 \operatorname{sen}\theta_1 = (200{,}0\ \text{m})\operatorname{sen} 315° = -141{,}4\ \text{m}.$$

El vector de desplazamiento del primer tramo es

$$\vec{\mathbf{L}}_1 = L_{1x}\hat{\mathbf{i}} + L_{1y}\hat{\mathbf{j}} = (141{,}4\hat{\mathbf{i}} - 141{,}4\hat{\mathbf{j}})\,\text{m}.$$

En el segundo tramo de las andanzas de Trooper, la magnitud del desplazamiento es $L_2 = 300{,}0$ m y la dirección es norte. El ángulo direccional es $\theta_2 = +90°$. Obtenemos los siguientes resultados:

$$\begin{aligned} L_{2x} &= L_2 \cos\theta_2 = (300{,}0\,\text{m}) \cos 90° = 0{,}0\,, \\ L_{2y} &= L_2 \operatorname{sen}\theta_2 = (300{,}0\,\text{m}) \operatorname{sen} 90° = 300{,}0\,\text{m}, \\ \vec{\mathbf{L}}_2 &= L_{2x}\hat{\mathbf{i}} + L_{2y}\hat{\mathbf{j}} = (300{,}0\,\text{m})\hat{\mathbf{j}}. \end{aligned}$$

En el tercer tramo, la magnitud del desplazamiento es $L_3 = 50{,}0$ m y la dirección es 30° al oeste del norte. El ángulo direccional medido en sentido contrario a las agujas del reloj desde la dirección este es $\theta_3 = 30° + 90° = +120°$. Esto da las siguientes respuestas:

$$\begin{aligned} L_{3x} &= L_3 \cos\theta_3 = (50{,}0\,\text{m}) \cos 120° = -25{,}0\,\text{m}, \\ L_{3y} &= L_3 \operatorname{sen}\theta_3 = (50{,}0\,\text{m}) \operatorname{sen} 120° = +43{,}3\,\text{m}, \\ \vec{\mathbf{L}}_3 &= L_{3x}\hat{\mathbf{i}} + L_{3y}\hat{\mathbf{j}} = (-25{,}0\hat{\mathbf{i}} + 43{,}3\hat{\mathbf{j}})\text{m}. \end{aligned}$$

En el cuarto tramo de la excursión, la magnitud del desplazamiento es $L_4 = 80{,}0$ m y la dirección es sur. El ángulo de dirección puede tomarse como $\theta_4 = -90°$ o $\theta_4 = +270°$. Obtenemos

$$\begin{aligned} L_{4x} &= L_4 \cos\theta_4 = (80{,}0\,\text{m}) \cos(-90°) = 0\,, \\ L_{4y} &= L_4 \operatorname{sen}\theta_4 = (80{,}0\,\text{m}) \operatorname{sen}(-90°) = -80{,}0\,\text{m}, \\ \vec{\mathbf{L}}_4 &= L_{4x}\hat{\mathbf{i}} + L_{4y}\hat{\mathbf{j}} = (-80{,}0\,\text{m})\hat{\mathbf{j}}. \end{aligned}$$

En el último tramo, la magnitud es $L_5 = 150{,}0$ m y el ángulo es $\theta_5 = -23° + 270° = +247°$ (23° al oeste del sur), lo que da

$$\begin{aligned} L_{5x} &= L_5 \cos\theta_5 = (150{,}0\,\text{m}) \cos 247° = -58{,}6\,\text{m}, \\ L_{5y} &= L_5 \operatorname{sen}\theta_5 = (150{,}0\,\text{m}) \operatorname{sen} 247° = -138{,}1\,\text{m}, \\ \vec{\mathbf{L}}_5 &= L_{5x}\hat{\mathbf{i}} + L_{5y}\hat{\mathbf{j}} = (-58{,}6\hat{\mathbf{i}} - 138{,}1\hat{\mathbf{j}})\text{m}. \end{aligned}$$

COMPRUEBE LO APRENDIDO 2.6

Si Trooper corre 20 m hacia el oeste antes de descansar, ¿cuál es su vector de desplazamiento?

Coordenadas polares

Para describir ubicaciones de puntos o vectores en un plano, necesitamos dos direcciones ortogonales. En el sistema de coordenadas cartesianas estas direcciones vienen dadas por vectores unitarios $\hat{\mathbf{i}}$ y $\hat{\mathbf{j}}$ a lo largo del eje de la *x* y del eje de la *y*, respectivamente. El sistema de coordenadas cartesianas es muy conveniente para describir los desplazamientos y las velocidades de los objetos y las fuerzas que actúan sobre ellos. Sin embargo, es engorroso cuando necesitamos describir la rotación de los objetos. Al describir la rotación, solemos trabajar en el **sistema de coordenadas polares**.

En el sistema de coordenadas polares, la ubicación del punto *P* en un plano viene dada por dos **coordenadas polares** (Figura 2.20). La primera coordenada polar es la **coordenada radial** *r*, que es la distancia del punto *P* al origen. La segunda coordenada polar es un ángulo φ que el vector radial hace con alguna dirección elegida, normalmente la dirección de la *x* positiva. En coordenadas polares, los ángulos se miden en radianes, o rads. El vector radial se fija en el origen y apunta lejos del origen hacia el punto *P*. Esta dirección radial se describe por un vector radial unitario $\hat{\mathbf{r}}$. El segundo vector unitario $\hat{\mathbf{t}}$ es un vector ortogonal a la dirección radial $\hat{\mathbf{r}}$. La dirección positiva $+\hat{\mathbf{t}}$ indica cómo el ángulo φ cambia en dirección contraria a las agujas del reloj. De este modo, un punto *P* que tiene coordenadas (*x*, *y*) en el sistema rectangular puede describirse por equivalencia en el sistema de coordenadas polares mediante las dos coordenadas polares (r, φ). La Ecuación 2.17 es válida para cualquier vector, por lo que podemos utilizarla para expresar las coordenadas de la *x* y la *y* del vector $\vec{\mathbf{r}}$.

De este modo, obtenemos la conexión entre las coordenadas polares y las coordenadas rectangulares del punto *P*:

$$\begin{cases} x = r\cos\varphi \\ y = r\,\mathrm{sen}\,\varphi \end{cases}. \qquad 2.18$$

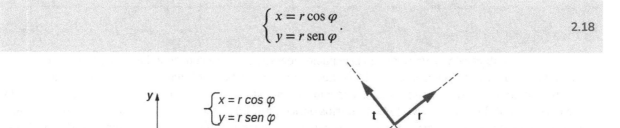

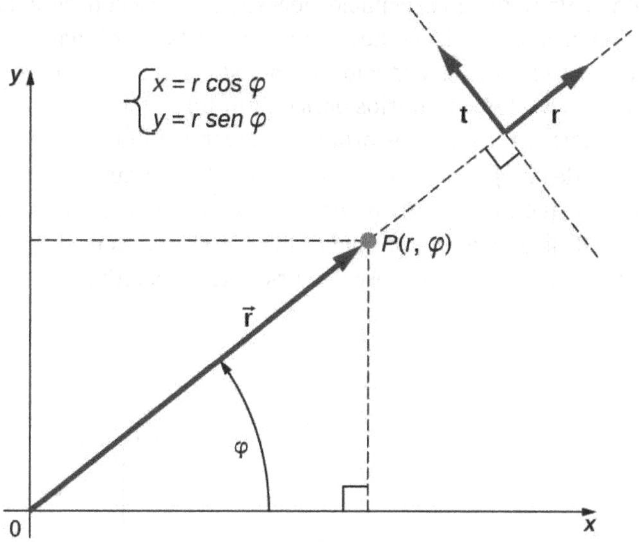

FIGURA 2.20 Utilizando coordenadas polares, el vector unitario $\hat{\mathbf{r}}$ define la dirección positiva a lo largo del radio *r* (dirección radial) y, ortogonal a él, el vector unitario $\hat{\mathbf{t}}$ define la dirección positiva de la rotación por el ángulo φ.

EJEMPLO 2.6

Coordenadas polares

Un buscador de tesoros encuentra una moneda de plata en un lugar situado a 20,0 m de un pozo seco en la dirección 20° al norte del este y encuentra una moneda de oro en un lugar a 10,0 m del pozo en la dirección 20° al norte del oeste. ¿Cuáles son las coordenadas polares y rectangulares de estos hallazgos con respecto al pozo?

Estrategia

El pozo marca el origen del sistema de coordenadas y el este es la dirección de la *x* +. Identificamos las distancias radiales de los lugares al origen, que son $r_S = 20{,}0\ \mathrm{m}$ (para la moneda de plata) y $r_G = 10{,}0\ \mathrm{m}$ (para la moneda de oro). Para encontrar las coordenadas angulares, convertimos 20° a radianes: $20° = \pi 20/180 = \pi/9$. Utilizamos la Ecuación 2.18 para encontrar las coordenadas de la *x* y la *y* de las monedas.

Solución

La coordenada angular de la moneda de plata es $\varphi_S = \pi/9$, mientras que la coordenada angular de la moneda de oro es $\varphi_G = \pi - \pi/9 = 8\pi/9$. Por lo tanto, las coordenadas polares de la moneda de plata son $(r_S, \varphi_S) = (20{,}0\ \mathrm{m}, \pi/9)$ y las de la moneda de oro son $(r_G, \varphi_G) = (10{,}0\ \mathrm{m}, 8\pi/9)$. Sustituimos estas coordenadas en la Ecuación 2.18 para obtener coordenadas rectangulares. Para la moneda de oro, las coordenadas son

$$\begin{cases} x_G = r_G\cos\varphi_G = (10{,}0\ \mathrm{m})\cos 8\pi/9 = -9{,}4\ \mathrm{m} \\ y_G = r_G\,\mathrm{sen}\,\varphi_G = (10{,}0\ \mathrm{m})\,\mathrm{sen}\,8\pi/9 = 3{,}4\ \mathrm{m} \end{cases} \Rightarrow (x_G, y_G) = (-9{,}4\ \mathrm{m}, 3{,}4\ \mathrm{m}).$$

Para la moneda de plata, las coordenadas son

$$\begin{cases} x_S = r_S \cos \varphi_S = (20{,}0\,\text{m}) \cos \pi/9 = 18{,}9\,\text{m} \\ y_S = r_S \,\text{sen}\, \varphi_S = (20{,}0\,\text{m})\, \text{sen}\, \pi/9 = 6{,}8\,\text{m} \end{cases} \Rightarrow (x_S, y_S) = (18{,}9\,\text{m}, 6{,}8\,\text{m}).$$

Vectores en tres dimensiones

Para especificar la ubicación de un punto en el espacio, necesitamos tres coordenadas (*x*, *y*, *z*), donde las coordenadas de la *x* y de la *y* especifican ubicaciones en un plano, y la coordenada de la *z* da una posición vertical por encima o por debajo del plano. El espacio tridimensional tiene tres direcciones ortogonales, por lo que no necesitamos dos, sino *tres* vectores unitarios para definir un sistema de coordenadas tridimensional. En el sistema de coordenadas cartesianas, los dos primeros vectores unitarios son el vector unitario del eje de la x $\hat{\mathbf{i}}$ y el vector unitario del eje de la y $\hat{\mathbf{j}}$. El tercer vector unitario $\hat{\mathbf{k}}$ es la dirección del eje *z* (Figura 2.21). El orden en que se marcan los ejes, que es el orden en que aparecen los tres vectores unitarios, es importante porque define la orientación del sistema de coordenadas. El orden *x*-*y*-*z*, que equivale al orden $\hat{\mathbf{i}}$ - $\hat{\mathbf{j}}$ - $\hat{\mathbf{k}}$, define el sistema de coordenadas estándar de la mano derecha (orientación positiva).

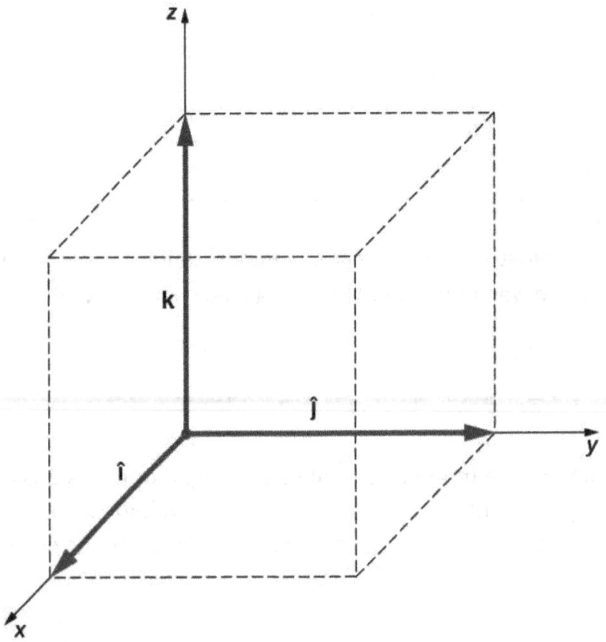

FIGURA 2.21 Tres vectores unitarios definen un sistema cartesiano en el espacio tridimensional. El orden en que aparecen estos vectores unitarios define la orientación del sistema de coordenadas. El orden mostrado aquí define la orientación de la mano derecha.

En el espacio tridimensional, el vector $\vec{\mathbf{A}}$ tiene tres componentes vectoriales: el componente x $\vec{\mathbf{A}}_x = A_x\hat{\mathbf{i}}$, que es la parte del vector $\vec{\mathbf{A}}$ a lo largo del eje de la *x*, el componente y $\vec{\mathbf{A}}_y = A_y\hat{\mathbf{j}}$, que es la parte de $\vec{\mathbf{A}}$ a lo largo del eje de la *y*, y el componente z $\vec{\mathbf{A}}_z = A_z\hat{\mathbf{k}}$, que es la parte del vector a lo largo del eje *z*. Un vector en un espacio tridimensional es la suma vectorial de sus tres componentes vectoriales (Figura 2.22):

$$\vec{\mathbf{A}} = A_x\hat{\mathbf{i}} + A_y\hat{\mathbf{j}} + A_z\hat{\mathbf{k}}. \quad 2.19$$

Si conocemos las coordenadas de su origen $b(x_b, y_b, z_b)$ y de su fin $e(x_e, y_e, z_e)$, sus componentes escalares se obtienen al tomar sus diferencias: A_x y A_y vienen dados por la Ecuación 2.13 y el componente *z* viene dado por

$$A_z = z_e - z_b. \quad 2.20$$

La magnitud *A* se obtiene al generalizar la Ecuación 2.15 a tres dimensiones:

$$A = \sqrt{A_x^2 + A_y^2 + A_z^2}. \qquad 2.21$$

Esta expresión para la magnitud del vector proviene de aplicar el teorema de Pitágoras dos veces. Como se ve en la Figura 2.22, la diagonal en el plano xy tiene una longitud $\sqrt{A_x^2 + A_y^2}$ y su potencia al cuadrado se suma al cuadrado A_z^2 para dar A^2. Observe que, cuando el componente z es cero, el vector se encuentra completamente en el plano xy y su descripción se reduce a dos dimensiones.

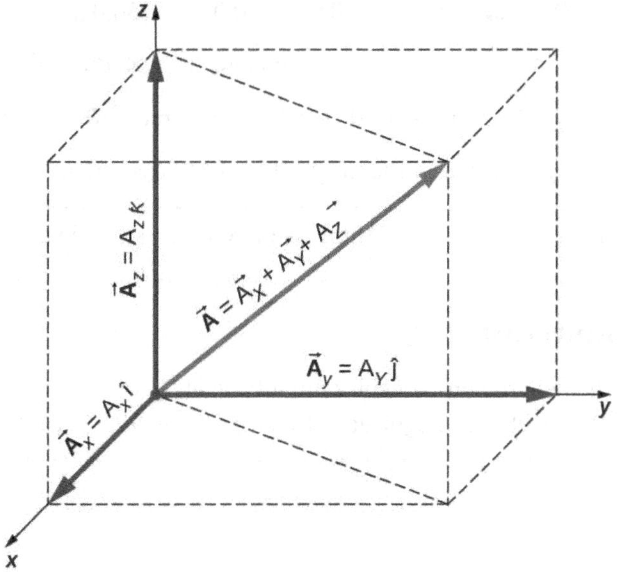

FIGURA 2.22 Un vector en un espacio tridimensional es la suma vectorial de sus tres componentes vectoriales.

EJEMPLO 2.7

Despegue de un dron

Durante un despegue del IAI Heron (Figura 2.23), su posición con respecto a una torre de control es de 100 m sobre el suelo, 300 m al este y 200 m al norte. Un minuto después, su posición es de 250 m sobre el suelo, 1200 m al este y 2100 m al norte. ¿Cuál es el vector de desplazamiento del dron con respecto a la torre de control? ¿Cuál es la magnitud de su vector de desplazamiento?

FIGURA 2.23 El dron IAI Heron en vuelo (créditos: sargento de Estado Mayor [Staff Sargeant, SSgt] Reynaldo Ramon, Fuerzas Aéreas de los EE. UU. [U.S. Air Force, USAF]).

Estrategia

Tomamos el origen del sistema de coordenadas cartesianas como la torre de control. La dirección del eje de la $x+$ viene dada por el vector unitario $\hat{\mathbf{i}}$ al este, la dirección del eje de la $y+$ viene dada por el vector unitario $\hat{\mathbf{j}}$ al norte, y la dirección del eje de la $z+$ viene dada por el vector unitario $\hat{\mathbf{k}}$, que apunta hacia arriba desde el suelo.

La primera posición del dron es el origen (o, equivalentemente, el comienzo) del vector de desplazamiento y su segunda posición es el final del vector de desplazamiento.

Solución

Identificamos $b(300{,}0\text{ m}, 200{,}0\text{ m}, 100{,}0\text{ m})$ y $e(1200\text{ m}, 2100\text{ m}, 250\text{ m})$, y utilizamos la Ecuación 2.13 y la Ecuación 2.20 para encontrar las componentes escalares del vector de desplazamiento del dron:

$$\begin{cases} D_x = x_e - x_b = 1200{,}0\text{ m} - 300{,}0\text{ m} = 900{,}0\text{ m}, \\ D_y = y_e - y_b = 2100{,}0\text{ m} - 200{,}0\text{ m} = 1.900{,}0\text{ m}, \\ D_z = z_e - z_b = 250{,}0\text{ m} - 100{,}0\text{ m} = 150{,}0\text{ m}. \end{cases}$$

Sustituimos estos componentes en la Ecuación 2.19 para encontrar el vector de desplazamiento:

$$\vec{\mathbf{D}} = D_x\hat{\mathbf{i}} + D_y\hat{\mathbf{j}} + D_z\hat{\mathbf{k}} = 900{,}0\text{ m}\hat{\mathbf{i}} + 1.900{,}0\text{ m}\hat{\mathbf{j}} + 150{,}0\text{ m}\hat{\mathbf{k}} = (0{,}90\hat{\mathbf{i}} + 1{,}90\hat{\mathbf{j}} + 0{,}15\hat{\mathbf{k}})\text{ km}.$$

Sustituimos en la Ecuación 2.21 para encontrar la magnitud del desplazamiento:

$$D = \sqrt{D_x^2 + D_y^2 + D_z^2} = \sqrt{(0{,}90\text{ km})^2 + (1{,}90\text{ km})^2 + (0{,}15\text{ km})^2} = 2{,}11\text{ km}.$$

COMPRUEBE LO APRENDIDO 2.7

Si el vector de velocidad media del dron en el desplazamiento en el Ejemplo 2.7 es $\vec{\mathbf{u}} = (15{,}0\hat{\mathbf{i}} + 31{,}7\hat{\mathbf{j}} + 2{,}5\hat{\mathbf{k}})\text{m/s}$, ¿cuál es la magnitud del vector velocidad del dron?

2.3 Álgebra de vectores

OBJETIVOS DE APRENDIZAJE

Al final de esta sección, podrá:

- Aplicar los métodos analíticos del álgebra vectorial para encontrar vectores resultantes y resolver ecuaciones vectoriales para vectores desconocidos.
- Interpretar situaciones físicas en términos de expresiones vectoriales.

Los vectores pueden sumarse y multiplicarse por escalares. La suma de vectores es asociativa (Ecuación 2.8) y conmutativa (Ecuación 2.7), y la multiplicación de vectores por una suma de escalares es distributiva (Ecuación 2.9). Además, la multiplicación escalar por una suma de vectores es distributiva:

$$\alpha(\vec{\mathbf{A}} + \vec{\mathbf{B}}) = \alpha\vec{\mathbf{A}} + \alpha\vec{\mathbf{B}}. \tag{2.22}$$

En esta ecuación, α es un número cualquiera (un escalar). Por ejemplo, un vector antiparalelo al vector $\vec{\mathbf{A}} = A_x\hat{\mathbf{i}} + A_y\hat{\mathbf{j}} + A_z\hat{\mathbf{k}}$ se puede expresar simplemente multiplicando $\vec{\mathbf{A}}$ por el escalar $\alpha = -1$:

$$-\vec{\mathbf{A}} = -A_x\hat{\mathbf{i}} - A_y\hat{\mathbf{j}} - A_z\hat{\mathbf{k}}. \tag{2.23}$$

EJEMPLO 2.8

Dirección del movimiento

En un sistema de coordenadas cartesianas donde $\hat{\mathbf{i}}$ indica el este geográfico, $\hat{\mathbf{j}}$ indica el norte geográfico, y $\hat{\mathbf{k}}$ indica la altitud sobre el nivel del mar, un convoy militar avanza su posición a través de un territorio desconocido con velocidad $\vec{\mathbf{v}} = (4{,}0\hat{\mathbf{i}} + 3{,}0\hat{\mathbf{j}} + 0{,}1\hat{\mathbf{k}})\text{km/h}$. Si el convoy tuviera que retirarse, ¿en qué dirección geográfica se movería?

Solución

El vector velocidad tiene el tercer componente $\vec{\mathbf{v}}_z = (+0{,}1\text{km/h})\hat{\mathbf{k}}$, que informa que el convoy sube a 100 m/h por un terreno montañoso. Al mismo tiempo, su velocidad es de 4,0 km/h hacia el este y 3,0 km/h hacia el norte, por lo que se desplaza sobre el terreno en dirección $\tan^{-1}(3/4) \approx 37°$ al norte del este. Si el convoy tuviera que retirarse, su nuevo vector velocidad $\vec{\mathbf{u}}$ tendría que ser antiparalelo a $\vec{\mathbf{v}}$ y ser de la forma $\vec{\mathbf{u}} = -\alpha\vec{\mathbf{v}}$, donde α es un número positivo. Así, la velocidad de retirada sería $\vec{\mathbf{u}} = \alpha(-4{,}0\hat{\mathbf{i}} - 3{,}0\hat{\mathbf{j}} - 0{,}1\hat{\mathbf{k}})\text{km/h}$. El signo negativo del tercer componente indica que el convoy estaría descendiendo. El ángulo direccional de la velocidad de retirada es $\tan^{-1}(-3\alpha/-4\alpha) \approx 37°$ al sur del oeste. Por lo tanto, el convoy se movería sobre el terreno en dirección 37° al sur del oeste mientras desciende en su camino de regreso.

La generalización del número cero al álgebra vectorial se denomina **vector nulo**, denotado por $\vec{\mathbf{0}}$. Todos los componentes del vector nulo son cero, $\vec{\mathbf{0}} = 0\hat{\mathbf{i}} + 0\hat{\mathbf{j}} + 0\hat{\mathbf{k}}$, por lo que el vector nulo no tiene longitud ni dirección.

Dos vectores $\vec{\mathbf{A}}$ y $\vec{\mathbf{B}}$ son **vectores iguales** si y solo si su diferencia es el vector nulo:

$$\vec{\mathbf{0}} = \vec{\mathbf{A}} - \vec{\mathbf{B}} = (A_x\hat{\mathbf{i}} + A_y\hat{\mathbf{j}} + A_z\hat{\mathbf{k}}) - (B_x\hat{\mathbf{i}} + B_y\hat{\mathbf{j}} + B_z\hat{\mathbf{k}}) = (A_x - B_x)\hat{\mathbf{i}} + (A_y - B_y)\hat{\mathbf{j}} + (A_z - B_z)\hat{\mathbf{k}}.$$

Esta ecuación vectorial significa que debemos tener simultáneamente $A_x - B_x = 0$, $A_y - B_y = 0$ y $A_z - B_z = 0$. De allí que podemos escribir $\vec{\mathbf{A}} = \vec{\mathbf{B}}$ si y solo si los componentes correspondientes de los vectores $\vec{\mathbf{A}}$ y $\vec{\mathbf{B}}$ son iguales:

$$\vec{\mathbf{A}} = \vec{\mathbf{B}} \Leftrightarrow \begin{cases} A_x = B_x \\ A_y = B_y \, . \\ A_z = B_z \end{cases} \tag{2.24}$$

Dos vectores son iguales cuando sus componentes escalares correspondientes son iguales.

Resolver los vectores en sus componentes escalares (es decir, encontrar sus componentes escalares) y expresarlos analíticamente en forma de componentes vectoriales (dados por la Ecuación 2.19) nos permite utilizar el álgebra vectorial para encontrar sumas o diferencias de muchos vectores *analíticamente* (es decir, sin utilizar métodos gráficos). Por ejemplo, para encontrar la resultante de dos vectores $\vec{\mathbf{A}}$ y $\vec{\mathbf{B}}$, simplemente los sumamos componente por componente, de la siguiente manera:

$$\vec{\mathbf{R}} = \vec{\mathbf{A}} + \vec{\mathbf{B}} = (A_x\hat{\mathbf{i}} + A_y\hat{\mathbf{j}} + A_z\hat{\mathbf{k}}) + (B_x\hat{\mathbf{i}} + B_y\hat{\mathbf{j}} + B_z\hat{\mathbf{k}}) = (A_x + B_x)\hat{\mathbf{i}} + (A_y + B_y)\hat{\mathbf{j}} + (A_z + B_z)\hat{\mathbf{k}}.$$

De este modo, utilizando la Ecuación 2.24, los componentes escalares del vector resultante $\vec{\mathbf{R}} = R_x\hat{\mathbf{i}} + R_y\hat{\mathbf{j}} + R_z\hat{\mathbf{k}}$ son las sumas de los correspondientes componentes escalares de los vectores $\vec{\mathbf{A}}$ y $\vec{\mathbf{B}}$:

$$\begin{cases} R_x = A_x + B_x, \\ R_y = A_y + B_y, \\ R_z = A_z + B_z. \end{cases}$$

Se pueden utilizar métodos analíticos para encontrar los componentes de una resultante de muchos vectores. Por ejemplo, si tenemos que sumar N vectores $\vec{\mathbf{F}}_1, \vec{\mathbf{F}}_2, \vec{\mathbf{F}}_3, \ldots, \vec{\mathbf{F}}_N$, donde cada vector es $\vec{\mathbf{F}}_k = F_{kx}\hat{\mathbf{i}} + F_{ky}\hat{\mathbf{j}} + F_{kz}\hat{\mathbf{k}}$, el vector resultante $\vec{\mathbf{F}}_R$ es

$$\begin{aligned} \vec{\mathbf{F}}_R = \vec{\mathbf{F}}_1 + \vec{\mathbf{F}}_2 + \vec{\mathbf{F}}_3 + \ldots + \vec{\mathbf{F}}_N &= \sum_{k=1}^{N} \vec{\mathbf{F}}_k = \sum_{k=1}^{N} \left(F_{kx}\hat{\mathbf{i}} + F_{ky}\hat{\mathbf{j}} + F_{kz}\hat{\mathbf{k}}\right) \\ &= \left(\sum_{k=1}^{N} F_{kx}\right)\hat{\mathbf{i}} + \left(\sum_{k=1}^{N} F_{ky}\right)\hat{\mathbf{j}} + \left(\sum_{k=1}^{N} F_{kz}\right)\hat{\mathbf{k}}. \end{aligned}$$

Por lo tanto, los componentes escalares del vector resultante son

$$\begin{cases} F_{Rx} = \sum_{k=1}^{N} F_{kx} = F_{1x} + F_{2x} + \ldots + F_{Nx} \\ F_{Ry} = \sum_{k=1}^{N} F_{ky} = F_{1y} + F_{2y} + \ldots + F_{Ny} \\ F_{Rz} = \sum_{k=1}^{N} F_{kz} = F_{1z} + F_{2z} + \ldots + F_{Nz}. \end{cases} \quad 2.25$$

Una vez hallados los componentes escalares, podemos escribir la resultante en forma de componente vectorial:

$$\vec{\mathbf{F}}_R = F_{Rx}\hat{\mathbf{i}} + F_{Ry}\hat{\mathbf{j}} + F_{Rz}\hat{\mathbf{k}}.$$

Los métodos analíticos para hallar la resultante y, en general, para resolver ecuaciones vectoriales son muy importantes en física porque muchas cantidades físicas son vectores. Por ejemplo, utilizamos este método en cinemática para encontrar vectores de desplazamiento resultantes y vectores de velocidad resultantes, en mecánica para encontrar vectores de fuerza resultantes y las resultantes de muchas cantidades vectoriales derivadas, y en electricidad y magnetismo para encontrar campos vectoriales eléctricos o magnéticos resultantes.

EJEMPLO 2.9

Cálculo analítico de una resultante

Tres vectores de desplazamiento $\vec{\mathbf{A}}$, $\vec{\mathbf{B}}$ y $\vec{\mathbf{C}}$ en un plano (Figura 2.13) se especifican por sus magnitudes A = 10,0, B = 7,0 y C = 8,0, respectivamente, y por sus respectivos ángulos direccionales con la horizontal $\alpha = 35°$, $\beta = -110°$ y $\gamma = 30°$. Las unidades físicas de las magnitudes son los centímetros. Resuelva los vectores a sus componentes escalares y halle las siguientes sumas vectoriales: (a) $\vec{\mathbf{R}} = \vec{\mathbf{A}} + \vec{\mathbf{B}} + \vec{\mathbf{C}}$, (b) $\vec{\mathbf{D}} = \vec{\mathbf{A}} - \vec{\mathbf{B}}$, y (c) $\vec{\mathbf{S}} = \vec{\mathbf{A}} - 3\vec{\mathbf{B}} + \vec{\mathbf{C}}$.

Estrategia

En primer lugar, utilizamos la Ecuación 2.17 para encontrar los componentes escalares de cada vector y luego expresamos cada vector en su forma de componente vectorial dada por la Ecuación 2.12. Luego, utilizamos los métodos analíticos del álgebra vectorial para encontrar las resultantes.

Solución

Resolvemos los vectores dados a sus componentes escalares:

$$\begin{cases} A_x = A\cos\alpha = (10{,}0\,\text{cm})\cos 35° = 8{,}19\,\text{cm} \\ A_y = A\,\text{sen}\,\alpha = (10{,}0\,\text{cm})\,\text{sen}\,35° = 5{,}73\,\text{cm} \end{cases}$$
$$\begin{cases} B_x = B\cos\beta = (7{,}0\,\text{cm})\cos(-110°) = -2{,}39\,\text{cm} \\ B_y = B\,\text{sen}\,\beta = (7{,}0\,\text{cm})\,\text{sen}\,(-110°) = -6{,}58\,\text{cm} \end{cases}.$$
$$\begin{cases} C_x = C\cos\gamma = (8{,}0\,\text{cm})\cos 30° = 6{,}93\,\text{cm} \\ C_y = C\,\text{sen}\,\gamma = (8{,}0\,\text{cm})\,\text{sen}\,30° = 4{,}00\,\text{cm} \end{cases}$$

Para (a) podemos sustituir directamente en la Ecuación 2.25 para encontrar los componentes escalares de la resultante:

$$\begin{cases} R_x = A_x + B_x + C_x = 8{,}19\,\text{cm} - 2{,}39\,\text{cm} + 6{,}93\,\text{cm} = 12{,}73\,\text{cm} \\ R_y = A_y + B_y + C_y = 5{,}73\,\text{cm} - 6{,}58\,\text{cm} + 4{,}00\,\text{cm} = 3{,}15\,\text{cm} \end{cases}.$$

Por lo tanto, el vector resultante es $\vec{\mathbf{R}} = R_x\hat{\mathbf{i}} + R_y\hat{\mathbf{j}} = (12{,}7\hat{\mathbf{i}} + 3{,}1\hat{\mathbf{j}})$cm.

Para (b), podemos escribir la diferencia de vectores como

$$\vec{\mathbf{D}} = \vec{\mathbf{A}} - \vec{\mathbf{B}} = (A_x\hat{\mathbf{i}} + A_y\hat{\mathbf{j}}) - (B_x\hat{\mathbf{i}} + B_y\hat{\mathbf{j}}) = (A_x - B_x)\hat{\mathbf{i}} + (A_y - B_y)\hat{\mathbf{j}}.$$

Luego, los componentes escalares de la diferencia vectorial son

$$\begin{cases} D_x = A_x - B_x = 8{,}19\text{ cm} - (-2{,}39\text{ cm}) = 10{,}58\text{ cm} \\ D_y = A_y - B_y = 5{,}73\text{ cm} - (-6{,}58\text{ cm}) = 12{,}31\text{ cm} \end{cases}.$$

Por lo tanto, el vector de diferencia es $\vec{\mathbf{D}} = D_x\hat{\mathbf{i}} + D_y\hat{\mathbf{j}} = (10{,}6\hat{\mathbf{i}} + 12{,}3\hat{\mathbf{j}})$cm.

Para (c), podemos escribir el vector $\vec{\mathbf{S}}$ en la siguiente forma explícita:

$$\begin{aligned} \vec{\mathbf{S}} &= \vec{\mathbf{A}} - 3\vec{\mathbf{B}} + \vec{\mathbf{C}} = (A_x\hat{\mathbf{i}} + A_y\hat{\mathbf{j}}) - 3(B_x\hat{\mathbf{i}} + B_y\hat{\mathbf{j}}) + (C_x\hat{\mathbf{i}} + C_y\hat{\mathbf{j}}) \\ &= (A_x - 3B_x + C_x)\hat{\mathbf{i}} + (A_y - 3B_y + C_y)\hat{\mathbf{j}}. \end{aligned}$$

Luego, los componentes escalares de $\vec{\mathbf{S}}$ son

$$\begin{cases} S_x = A_x - 3B_x + C_x = 8{,}19\text{ cm} - 3(-2{,}39\text{ cm}) + 6{,}93\text{ cm} = 22{,}29\text{ cm} \\ S_y = A_y - 3B_y + C_y = 5{,}73\text{ cm} - 3(-6{,}58\text{ cm}) + 4{,}00\text{ cm} = 29{,}47\text{ cm} \end{cases}.$$

El vector es $\vec{\mathbf{S}} = S_x\hat{\mathbf{i}} + S_y\hat{\mathbf{j}} = (22{,}3\hat{\mathbf{i}} + 29{,}5\hat{\mathbf{j}})$cm.

Importancia

Una vez hallados los componentes del vector, podemos ilustrar los vectores mediante un gráfico o podemos calcular las magnitudes y los ángulos direccionales, como se muestra en la Figura 2.24. Los resultados de las magnitudes en (b) y (c) pueden compararse con los resultados de los mismos problemas obtenidos con el método gráfico, mostrados en la Figura 2.14 y la Figura 2.15. Observe que el método analítico produce resultados exactos y su exactitud no está limitada por la resolución de una regla o un transportador, como ocurría con el método gráfico utilizado en el Ejemplo 2.2 para hallar esta misma resultante.

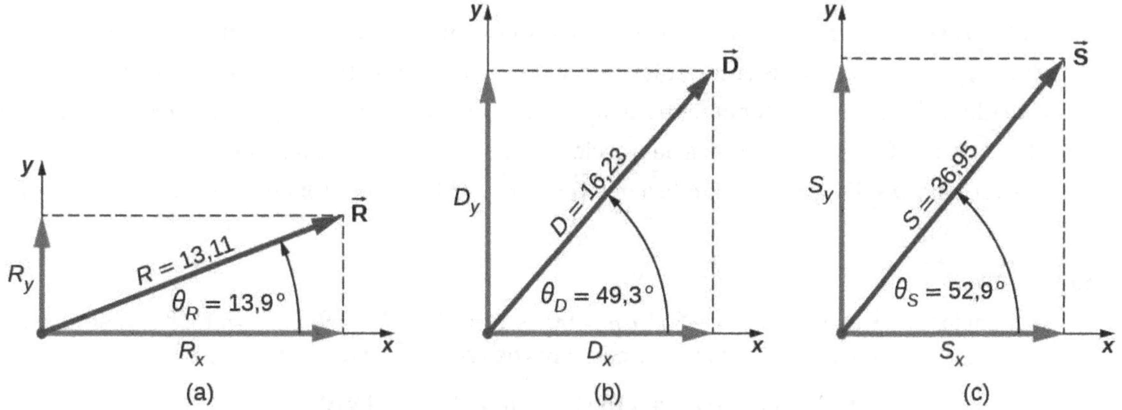

FIGURA 2.24 Ilustración gráfica de las soluciones obtenidas analíticamente en el Ejemplo 2.9.

COMPRUEBE LO APRENDIDO 2.8

Tres vectores de desplazamiento $\vec{\mathbf{A}}$, $\vec{\mathbf{B}}$ y $\vec{\mathbf{F}}$ (Figura 2.13) se especifican por sus magnitudes A = 10,00, B = 7,00 y F = 20,00, respectivamente, y por sus respectivos ángulos direccionales con la horizontal $\alpha = 35°$, $\beta = -110°$ y $\varphi = 110°$. Las unidades físicas de las magnitudes son los centímetros. Utilice el método analítico para encontrar el vector $\vec{\mathbf{G}} = \vec{\mathbf{A}} + 2\vec{\mathbf{B}} - \vec{\mathbf{F}}$. Compruebe que G = 28,15 cm y que $\theta_G = -68{,}65°$.

EJEMPLO 2.10

El juego de tira y afloja

Cuatro perros llamados Astro, Balto, Clifford y Dug juegan al tira y afloja con un juguete (Figura 2.25). Astro hala el juguete en dirección $\alpha = 55°$ al sur del este, Balto hala en dirección $\beta = 60°$ al este del norte, y Clifford hala en dirección $\gamma = 55°$ al oeste del norte. Astro hala fuertemente con 160,0 unidades de fuerza (N), que abreviamos como $A = 160{,}0$ N. Balto hala aún más fuerte que Astro con una fuerza de magnitud $B = 200{,}0$ N, y Clifford hala con una fuerza de magnitud $C = 140{,}0$ N. Cuando Dug hala del juguete de forma que su fuerza equilibra la resultante de las otras tres fuerzas, el juguete no se mueve en ninguna dirección. ¿Con qué fuerza y en qué dirección debe halar Dug el juguete para que esto ocurra?

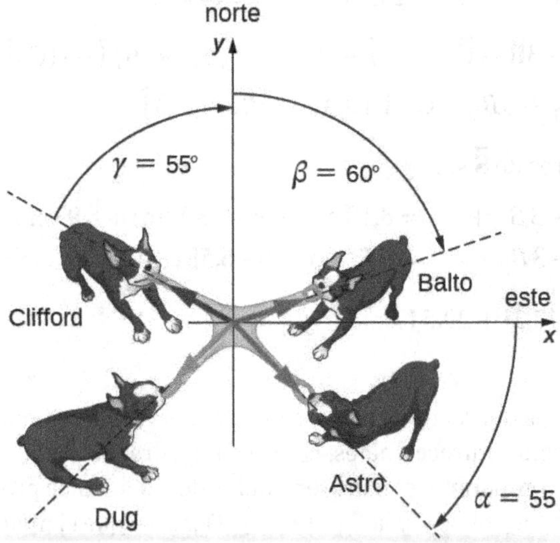

FIGURA 2.25 Cuatro perros juegan al tira y afloja con un juguete.

Estrategia

Suponemos que el este es la dirección del eje de la x positiva y el norte es la dirección del eje de la y positiva. Como en el Ejemplo 2.9, tenemos que resolver las tres fuerzas dadas, $\vec{\mathbf{A}}$ (el tirón de Astro), $\vec{\mathbf{B}}$ (el tirón de Balto), y $\vec{\mathbf{C}}$ (el tirón de Clifford), en sus componentes escalares y luego encontrar los componentes escalares del vector resultante $\vec{\mathbf{R}} = \vec{\mathbf{A}} + \vec{\mathbf{B}} + \vec{\mathbf{C}}$. Cuando la fuerza de tracción $\vec{\mathbf{D}}$ de Dug equilibra esta resultante, la suma de $\vec{\mathbf{D}}$ y $\vec{\mathbf{R}}$ debe dar el vector nulo $\vec{\mathbf{D}} + \vec{\mathbf{R}} = \vec{\mathbf{0}}$. Esto significa que $\vec{\mathbf{D}} = -\vec{\mathbf{R}}$, por lo que el tirón de Dug debe ser antiparalelo a $\vec{\mathbf{R}}$.

Solución

Los ángulos direccionales son $\theta_A = -\alpha = -55°$, $\theta_B = 90° - \beta = 30°$ y $\theta_C = 90° + \gamma = 145°$, y sustituyéndolos en la Ecuación 2.17 se obtienen los componentes escalares de las tres fuerzas dadas:

$$\begin{cases} A_x = A\cos\theta_A = (160{,}0\,\text{N})\cos(-55°) = +91{,}8\,\text{N} \\ A_y = A\,\text{sen}\,\theta_A = (160{,}0\,\text{N})\,\text{sen}\,(-55°) = -131{,}1\,\text{N} \end{cases}$$

$$\begin{cases} B_x = B\cos\theta_B = (200{,}0\,\text{N})\cos 30° = +173{,}2\,\text{N} \\ B_y = B\,\text{sen}\,\theta_B = (200{,}0\,\text{N})\,\text{sen}\,30° = +100{,}0\,\text{N} \end{cases}$$

$$\begin{cases} C_x = C\cos\theta_C = (140{,}0\,\text{N})\cos 145° = -114{,}7\,\text{N} \\ C_y = C\,\text{sen}\,\theta_C = (140{,}0\,\text{N})\,\text{sen}\,145° = +80{,}3\,\text{N} \end{cases}$$

Ahora calculamos los componentes escalares del vector resultante $\vec{\mathbf{R}} = \vec{\mathbf{A}} + \vec{\mathbf{B}} + \vec{\mathbf{C}}$:

$$\begin{cases} R_x = A_x + B_x + C_x = +91{,}8\,\text{N} + 173{,}2\,\text{N} - 114{,}7\,\text{N} = +150{,}3\,\text{N} \\ R_y = A_y + B_y + C_y = -131{,}1\,\text{N} + 100{,}0\,\text{N} + 80{,}3\,\text{N} = +49{,}2\,\text{N} \end{cases}.$$

El vector antiparalelo a la resultante $\vec{\mathbf{R}}$ es

$$\vec{\mathbf{D}} = -\vec{\mathbf{R}} = -R_x\hat{\mathbf{i}} - R_y\hat{\mathbf{j}} = (-150{,}3\hat{\mathbf{i}} - 49{,}2\hat{\mathbf{j}})\,\text{N}.$$

La magnitud de la fuerza de tracción de Dug es

$$D = \sqrt{D_x^2 + D_y^2} = \sqrt{(-150{,}3)^2 + (-49{,}2)^2}\,\text{N} = 158{,}1\,\text{N}.$$

La dirección de la fuerza de tracción de Dug es

$$\theta = \tan^{-1}\left(\frac{D_y}{D_x}\right) = \tan^{-1}\left(\frac{-49{,}2\,\text{N}}{-150{,}3\,\text{N}}\right) = \tan^{-1}\left(\frac{49{,}2}{150{,}3}\right) = 18{,}1°.$$

Dug hala en la dirección 18,1° al sur del oeste porque ambos componentes son negativos, lo que significa que el vector de tracción se encuentra en el tercer cuadrante (Figura 2.19).

COMPRUEBE LO APRENDIDO 2.9

Supongamos que Balto en el Ejemplo 2.10 abandona el juego para atender asuntos más importantes, pero Astro, Clifford y Dug siguen jugando. El tirón de Astro y Clifford sobre el juguete no cambia, pero Dug corre y muerde el juguete en otro lugar. ¿Con qué fuerza y en qué dirección debe Dug halar ahora del juguete para equilibrar los tirones combinados de Clifford y Astro? Ilustre esta situación dibujando un diagrama vectorial que indique todas las fuerzas implicadas.

EJEMPLO 2.11

Álgebra vectorial

Halle la magnitud del vector $\vec{\mathbf{C}}$ que satisface la ecuación $2\vec{\mathbf{A}} - 6\vec{\mathbf{B}} + 3\vec{\mathbf{C}} = 2\hat{\mathbf{j}}$, donde $\vec{\mathbf{A}} = \hat{\mathbf{i}} - 2\hat{\mathbf{k}}$ y $\vec{\mathbf{B}} = -\hat{\mathbf{j}} + \hat{\mathbf{k}}/2$.

Estrategia

Primero resolvemos la ecuación dada para el vector desconocido $\vec{\mathbf{C}}$. Luego sustituimos $\vec{\mathbf{A}}$ y $\vec{\mathbf{B}}$; agrupamos los términos a lo largo de cada una de las tres direcciones $\hat{\mathbf{i}}$, $\hat{\mathbf{j}}$ y $\hat{\mathbf{k}}$; e identificamos los componentes escalares C_x, C_y y C_z. Finalmente, sustituimos en la Ecuación 2.21 para encontrar la magnitud C.

Solución

$$\begin{aligned}
2\vec{\mathbf{A}} - 6\vec{\mathbf{B}} + 3\vec{\mathbf{C}} &= 2\hat{\mathbf{j}} \\
3\vec{\mathbf{C}} &= 2\hat{\mathbf{j}} - 2\vec{\mathbf{A}} + 6\vec{\mathbf{B}} \\
\vec{\mathbf{C}} &= \tfrac{2}{3}\hat{\mathbf{j}} - \tfrac{2}{3}\vec{\mathbf{A}} + 2\vec{\mathbf{B}} \\
&= \tfrac{2}{3}\hat{\mathbf{j}} - \tfrac{2}{3}(\hat{\mathbf{i}} - 2\hat{\mathbf{k}}) + 2\left(-\hat{\mathbf{j}} + \tfrac{\hat{\mathbf{k}}}{2}\right) = \tfrac{2}{3}\hat{\mathbf{j}} - \tfrac{2}{3}\hat{\mathbf{i}} + \tfrac{4}{3}\hat{\mathbf{k}} - 2\hat{\mathbf{j}} + \hat{\mathbf{k}} \\
&= -\tfrac{2}{3}\hat{\mathbf{i}} + \left(\tfrac{2}{3} - 2\right)\hat{\mathbf{j}} + \left(\tfrac{4}{3} + 1\right)\hat{\mathbf{k}} \\
&= -\tfrac{2}{3}\hat{\mathbf{i}} - \tfrac{4}{3}\hat{\mathbf{j}} + \tfrac{7}{3}\hat{\mathbf{k}}.
\end{aligned}$$

Los componentes son $C_x = -2/3$, $C_y = -4/3$ y $C_z = 7/3$, y al sustituir en la Ecuación 2.21 obtenemos

$$C = \sqrt{C_x^2 + C_y^2 + C_z^2} = \sqrt{(-2/3)^2 + (-4/3)^2 + (7/3)^2} = \sqrt{23/3}.$$

EJEMPLO 2.12

Desplazamiento de un esquiador

Partiendo de un albergue de esquí, un esquiador de fondo recorre 5,0 km hacia el norte, luego 3,0 km hacia el oeste y finalmente 4,0 km hacia el suroeste antes de tomar un descanso. Halle su vector de desplazamiento total con respecto al albergue cuando está en el punto de descanso. ¿A qué distancia y en qué dirección debe esquiar desde el punto de descanso para volver directamente al albergue?

Estrategia

Suponemos un sistema de coordenadas rectangular con el origen en el albergue de esquí y con el vector unitario $\hat{\mathbf{i}}$ que apunta al este y el vector unitario $\hat{\mathbf{j}}$ que apunta al norte. Hay tres desplazamientos: $\vec{\mathbf{D}}_1$, $\vec{\mathbf{D}}_2$ y $\vec{\mathbf{D}}_3$. Identificamos sus magnitudes como $D_1 = 5{,}0\,\text{km}$, $D_2 = 3{,}0\,\text{km}$ y $D_3 = 4{,}0\,\text{km}$. Identificamos que sus direcciones son los ángulos $\theta_1 = 90°$, $\theta_2 = 180°$ y $\theta_3 = 180° + 45° = 225°$. Resolvemos cada vector de desplazamiento en sus componentes escalares y los sustituimos en la Ecuación 2.25 para obtener los componentes escalares del desplazamiento resultante $\vec{\mathbf{D}}$ desde el albergue hasta el punto de descanso. En el camino de regreso desde el punto de descanso hasta el albergue, el desplazamiento es $\vec{\mathbf{B}} = -\vec{\mathbf{D}}$. Por último, encontramos la magnitud y la dirección de $\vec{\mathbf{B}}$.

Solución

Las componentes escalares de los vectores de desplazamiento son

$$\begin{cases} D_{1x} = D_1 \cos\theta_1 = (5{,}0\,\text{km})\cos 90° = 0 \\ D_{1y} = D_1 \operatorname{sen}\theta_1 = (5{,}0\,\text{km})\operatorname{sen} 90° = 5{,}0\,\text{km} \end{cases}$$

$$\begin{cases} D_{2x} = D_2 \cos\theta_2 = (3{,}0\,\text{km})\cos 180° = -3{,}0\,\text{km} \\ D_{2y} = D_2 \operatorname{sen}\theta_2 = (3{,}0\,\text{km})\operatorname{sen} 180° = 0 \end{cases}.$$

$$\begin{cases} D_{3x} = D_3 \cos\theta_3 = (4{,}0\,\text{km})\cos 225° = -2{,}8\,\text{km} \\ D_{3y} = D_3 \operatorname{sen}\theta_3 = (4{,}0\,\text{km})\operatorname{sen} 225° = -2{,}8\,\text{km} \end{cases}$$

Los componentes escalares del vector de desplazamiento neto son

$$\begin{cases} D_x = D_{1x} + D_{2x} + D_{3x} = (0 - 3{,}0 - 2{,}8)\text{km} = -5{,}8\,\text{km} \\ D_y = D_{1y} + D_{2y} + D_{3y} = (5{,}0 + 0 - 2{,}8)\text{km} = +2{,}2\,\text{km} \end{cases}.$$

Por lo tanto, el vector de desplazamiento neto del esquiador es $\vec{\mathbf{D}} = D_x\hat{\mathbf{i}} + D_y\hat{\mathbf{j}} = (-5{,}8\hat{\mathbf{i}} + 2{,}2\hat{\mathbf{j}})\text{km}$. En el camino de regreso al albergue, su desplazamiento es $\vec{\mathbf{B}} = -\vec{\mathbf{D}} = -(-5{,}8\hat{\mathbf{i}} + 2{,}2\hat{\mathbf{j}})\text{km} = (5{,}8\hat{\mathbf{i}} - 2{,}2\hat{\mathbf{j}})\text{km}$. Su magnitud es $B = \sqrt{B_x^2 + B_y^2} = \sqrt{(5{,}8)^2 + (-2{,}2)^2}\,\text{km} = 6{,}2\,\text{km}$ y su ángulo direccional es $\theta = \tan^{-1}(-2{,}2/5{,}8) = -20{,}8°$. Por lo tanto, para volver al albergue, deberá recorrer 6,2 km en una dirección de 21° al sur del este.

Importancia

Observe que no se necesita ninguna figura para resolver este problema por el método analítico. Las figuras son necesarias cuando se utiliza un método gráfico; sin embargo, podemos comprobar si nuestra solución tiene sentido haciendo un esquema, lo cual es un paso final útil para resolver cualquier problema vectorial.

EJEMPLO 2.13

Desplazamiento de un corredor

Un corredor sube un tramo de 200 escalones idénticos hasta la cima de una colina y luego corre a lo largo de la cima de la colina 50,0 m antes de detenerse en un bebedero (Figura 2.26). Su vector de desplazamiento desde el punto A en la parte inferior de los escalones hasta el punto B en el bebedero es $\vec{\mathbf{D}}_{AB} = (-90{,}0\hat{\mathbf{i}} + 30{,}0\hat{\mathbf{j}})\text{m}$.

¿Cuál es la altura y el ancho de cada escalón en el tramo? ¿Cuál es la distancia real que recorre el corredor? Si hace un circuito y vuelve al punto A, ¿cuál es su vector de desplazamiento neto?

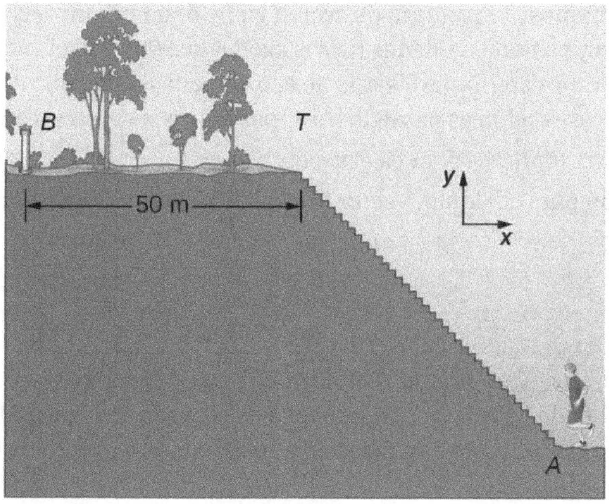

FIGURA 2.26 Un corredor sube un tramo de escaleras.

Estrategia

El vector de desplazamiento $\vec{\mathbf{D}}_{AB}$ es la suma vectorial del vector de desplazamiento del corredor $\vec{\mathbf{D}}_{AT}$ a lo largo de la escalera (desde el punto A en la parte inferior de la escalera hasta el punto T en la parte superior de la misma) y su vector de desplazamiento $\vec{\mathbf{D}}_{TB}$ en la cima de la colina (desde el punto A en la cima de las escaleras hasta el bebedero en el punto T). Debemos encontrar los componentes horizontales y verticales de $\vec{\mathbf{D}}_{AT}$. Si cada escalón tiene un ancho w y una altura h, el componente horizontal de $\vec{\mathbf{D}}_{AT}$ deberá tener una longitud de 200 w y el componente vertical deberá tener una longitud de 200 h. La distancia real que recorre el corredor es la suma de la distancia que recorre por las escaleras y la distancia de 50,0 m que recorre en la cima de la colina.

Solución

En el sistema de coordenadas indicado en la Figura 2.26, el vector de desplazamiento del corredor en la cima de la colina es $\vec{\mathbf{D}}_{TB} = (-50{,}0\text{ m})\hat{\mathbf{i}}$. Su vector de desplazamiento neto es

$$\vec{\mathbf{D}}_{AB} = \vec{\mathbf{D}}_{AT} + \vec{\mathbf{D}}_{TB}.$$

Por lo tanto, su vector de desplazamiento $\vec{\mathbf{D}}_{TB}$ a lo largo de las escaleras es

$$\begin{aligned}\vec{\mathbf{D}}_{AT} &= \vec{\mathbf{D}}_{AB} - \vec{\mathbf{D}}_{TB} = (-90{,}0\hat{\mathbf{i}} + 30{,}0\hat{\mathbf{j}})\text{m} - (-50{,}0\text{ m})\hat{\mathbf{i}} = [(-90{,}0 + 50{,}0)\hat{\mathbf{i}} + 30{,}0\hat{\mathbf{j}})]\text{m} \\ &= (-40{,}0\hat{\mathbf{i}} + 30{,}0\hat{\mathbf{j}})\text{m}.\end{aligned}$$

Sus componentes escalares son $D_{ATx} = -40{,}0\text{ m}$ y $D_{ATy} = 30{,}0\text{ m}$. Por lo tanto, debemos tener

$$200w = |-40{,}0|\text{m y } 200h = 30{,}0\text{ m}.$$

De allí que el ancho del escalón es w = 40,0 m/200 = 0,2 m = 20 cm, y la altura del escalón sea h = 30,0 m/200 = 0,15 m = 15 cm. La distancia que recorre el corredor por las escaleras es

$$D_{AT} = \sqrt{D_{ATx}^2 + D_{ATy}^2} = \sqrt{(-40{,}0)^2 + (30{,}0)^2}\text{ m} = 50{,}0\text{ m}.$$

Así, la distancia real que recorre es $D_{AT} + D_{TB} = 50{,}0\text{ m} + 50{,}0\text{ m} = 100{,}0\text{ m}$. Cuando hace un circuito y vuelve desde el bebedero a su posición inicial en el punto A, la distancia total que recorre es el doble de esta distancia, es decir, 200,0 m. Sin embargo, su vector de desplazamiento neto es cero, porque cuando su posición final es la misma que su posición inicial, los componentes escalares de su vector de desplazamiento neto son cero (Ecuación 2.13).

En muchas situaciones físicas, a menudo necesitamos conocer la dirección de un vector. Por ejemplo, quizá queramos conocer la dirección de un vector de campo magnético en algún punto o la dirección del movimiento de un objeto. Ya hemos dicho que la dirección viene dada por un vector unitario, que es una entidad adimensional, es decir, no tiene unidades físicas asociadas. Cuando el vector en cuestión se encuentra a lo largo de uno de los ejes en un sistema cartesiano de coordenadas, la respuesta es sencilla, porque entonces su vector unitario de dirección es paralelo o antiparalelo a la dirección del vector unitario de un eje. Por ejemplo, la dirección del vector $\vec{\mathbf{d}} = -5\ \mathrm{m}\hat{\mathbf{i}}$ es el vector unitario $\hat{\mathbf{d}} = -\hat{\mathbf{i}}$. La regla general para encontrar el vector unitario $\widehat{\mathbf{V}}$ de dirección para cualquier vector $\vec{\mathbf{V}}$ es dividirlo entre su magnitud V:

$$\widehat{\mathbf{V}} = \frac{\vec{\mathbf{V}}}{V}. \qquad 2.26$$

Vemos en esta expresión que, efectivamente, el vector unitario de dirección es adimensional porque el numerador y el denominador en la Ecuación 2.26 tienen la misma unidad física. De este modo, la Ecuación 2.26 nos permite expresar el vector unitario de dirección en términos de vectores unitarios de los ejes. El siguiente ejemplo ilustra este principio.

EJEMPLO 2.14

El vector unitario de dirección

Si el vector de velocidad del convoy militar en el Ejemplo 2.8 es $\vec{\mathbf{v}} = (4{,}000\hat{\mathbf{i}} + 3{,}000\hat{\mathbf{j}} + 0{,}100\hat{\mathbf{k}})\mathrm{km/h}$, ¿cuál es el vector unitario de su dirección de movimiento?

Estrategia

El vector unitario de la dirección de movimiento del convoy es el vector unitario $\hat{\mathbf{v}}$ que es paralelo al vector de velocidad. El vector unitario se obtiene al dividir un vector entre su magnitud, de acuerdo con la Ecuación 2.26.

Solución

La magnitud del vector $\vec{\mathbf{v}}$ es

$$v = \sqrt{v_x^2 + v_y^2 + v_z^2} = \sqrt{4{,}000^2 + 3{,}000^2 + 0{,}100^2}\mathrm{km/h} = 5{,}001\mathrm{km/h}.$$

Para obtener el vector unitario $\hat{\mathbf{v}}$, dividimos $\vec{\mathbf{v}}$ entre su magnitud:

$$\begin{aligned}\hat{\mathbf{v}} &= \frac{\vec{\mathbf{v}}}{v} = \frac{(4{,}000\hat{\mathbf{i}}+3{,}000\hat{\mathbf{j}}+0{,}100\hat{\mathbf{k}})\mathrm{km/h}}{5{,}001\mathrm{km/h}} \\ &= \frac{(4{,}000\hat{\mathbf{i}}+3{,}000\hat{\mathbf{j}}+0{,}100\hat{\mathbf{k}})}{5{,}001} \\ &= \frac{4{,}000}{5{,}001}\hat{\mathbf{i}} + \frac{3{,}000}{5{,}001}\hat{\mathbf{j}} + \frac{0{,}100}{5{,}001}\hat{\mathbf{k}} \\ &= (79{,}98\hat{\mathbf{i}} + 59{,}99\hat{\mathbf{j}} + 2{,}00\hat{\mathbf{k}}) \times 10^{-2}.\end{aligned}$$

Importancia

Tenga en cuenta que, cuando utilice el método analítico con una calculadora, es aconsejable realizar sus cálculos con al menos tres decimales y luego redondear la respuesta final al número requerido de cifras significativas, que es la forma en que realizamos los cálculos en este ejemplo. Si redondea su respuesta parcial demasiado pronto, se arriesga a que su respuesta final tenga un gran error numérico y esté muy lejos de la respuesta exacta o de un valor medido en un experimento.

COMPRUEBE LO APRENDIDO 2.10

Verifique que el vector $\hat{\mathbf{v}}$ obtenido en el Ejemplo 2.14 es efectivamente un vector unitario calculando su magnitud. Si el convoy del Ejemplo 2.8 se desplazara por una llanura desértica (es decir, si el tercer componente de su velocidad fuera cero), ¿cuál es el vector unitario de su dirección de movimiento? ¿Qué dirección geográfica representa?

2.4 Productos de los vectores

OBJETIVOS DE APRENDIZAJE

Al final de esta sección, podrá:

- Explicar la diferencia entre el producto escalar y el producto vectorial de dos vectores.
- Determinar el producto escalar de dos vectores.
- Determinar el producto vectorial de dos vectores.
- Describir cómo se utilizan los productos de vectores en física.

Un vector puede multiplicarse por otro vector pero no puede dividirse entre otro vector. Hay dos tipos de productos de vectores que se utilizan ampliamente en la física y la ingeniería. Un tipo de multiplicación es la *multiplicación escalar de dos vectores.* El producto escalar de dos vectores da como resultado un número (un escalar), como su nombre lo indica. Los productos escalares se utilizan para definir las relaciones de trabajo y energía. Por ejemplo, el trabajo que una fuerza (un vector) realiza sobre un objeto y provoca su desplazamiento (un vector) se define como un producto escalar del vector de fuerza por el vector de desplazamiento. Otro tipo de multiplicación muy diferente es la *multiplicación vectorial de vectores.* El producto vectorial de dos vectores da como resultado un vector, como su nombre lo indica. Los productos vectoriales se utilizan para definir otras cantidades vectoriales derivadas. Por ejemplo, al describir las rotaciones, una cantidad vectorial llamada *torque* se define como un producto vectorial de una fuerza aplicada (un vector) y su distancia desde el pivote a la fuerza (un vector). Es importante distinguir entre estos dos tipos de multiplicaciones vectoriales porque el producto escalar es una cantidad escalar y el producto vectorial es una cantidad vectorial.

El producto escalar de dos vectores (el producto punto)

La multiplicación escalar de dos vectores da como resultado un producto escalar.

Producto escalar (producto punto)

El **producto escalar** $\vec{\mathbf{A}} \cdot \vec{\mathbf{B}}$ de dos vectores $\vec{\mathbf{A}}$ y $\vec{\mathbf{B}}$ es un número definido por la ecuación

$$\vec{\mathbf{A}} \cdot \vec{\mathbf{B}} = AB\cos\varphi, \tag{2.27}$$

donde φ es el ángulo entre los vectores (mostrado en la Figura 2.27). El producto escalar también se denomina **producto punto** por la notación de punto que lo indica.

En la definición del producto punto, la dirección del ángulo φ no importa, y φ se puede medir desde cualquiera de los dos vectores hacia el otro porque $\cos\varphi = \cos(-\varphi) = \cos(2\pi - \varphi)$. El producto punto es un número negativo cuando $90° < \varphi \leq 180°$ y es un número positivo cuando $0° \leq \varphi < 90°$. Además, el producto punto de dos vectores paralelos es $\vec{\mathbf{A}} \cdot \vec{\mathbf{B}} = AB\cos 0° = AB$, y el producto punto de dos vectores antiparalelos es $\vec{\mathbf{A}} \cdot \vec{\mathbf{B}} = AB\cos 180° = -AB$. El producto escalar de dos *vectores ortogonales* es igual a cero: $\vec{\mathbf{A}} \cdot \vec{\mathbf{B}} = AB\cos 90° = 0$. El producto escalar de un vector consigo mismo es el cuadrado de su magnitud:

$$\vec{\mathbf{A}}^2 \equiv \vec{\mathbf{A}} \cdot \vec{\mathbf{A}} = AA\cos 0° = A^2. \tag{2.28}$$

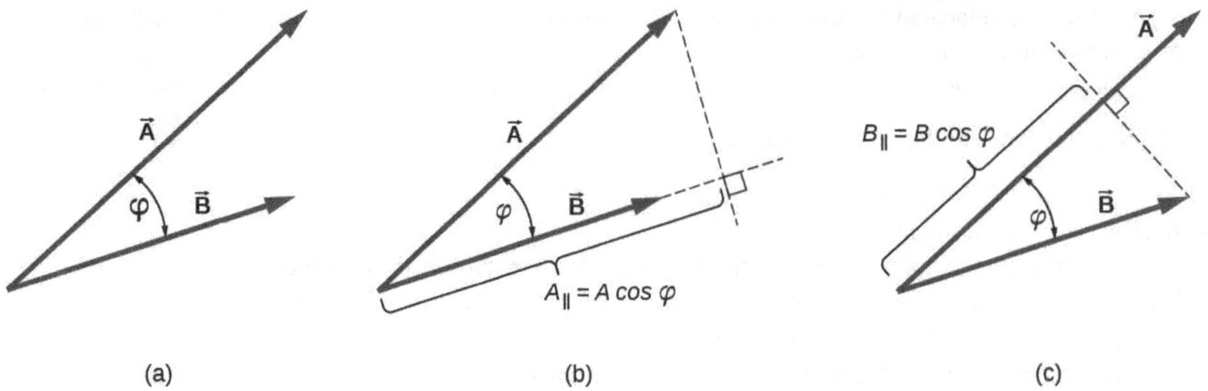

FIGURA 2.27 El producto escalar de dos vectores. (a) El ángulo entre los dos vectores. (b) La proyección ortogonal $A_{\perp}$ del vector $\vec{\mathbf{A}}$ en la dirección del vector $\vec{\mathbf{B}}$. (c) La proyección ortogonal $B_{\perp}$ del vector $\vec{\mathbf{B}}$ en la dirección del vector $\vec{\mathbf{A}}$.

EJEMPLO 2.15

El producto escalar

Para los vectores mostrados en la Figura 2.13, halle el producto escalar $\vec{\mathbf{A}} \cdot \vec{\mathbf{F}}$.

Estrategia

A partir de la Figura 2.13, la magnitud de los vectores $\vec{\mathbf{A}}$ y $\vec{\mathbf{F}}$ son $A = 10{,}0$ y $F = 20{,}0$. El ángulo θ, entre ellos, es la diferencia: $\theta = \varphi - \alpha = 110° - 35° = 75°$. Sustituyendo estos valores en la Ecuación 2.27 obtenemos el producto escalar.

Solución

Un cálculo sencillo nos da

$$\vec{\mathbf{A}} \cdot \vec{\mathbf{F}} = AF \cos \theta = (10{,}0)(20{,}0) \cos 75° = 51{,}76.$$

COMPRUEBE LO APRENDIDO 2.11

Para los vectores dados en la Figura 2.13, halle el producto escalar $\vec{\mathbf{A}} \cdot \vec{\mathbf{B}}$ y $\vec{\mathbf{F}} \cdot \vec{\mathbf{C}}$.

En el sistema de coordenadas cartesianas, los productos escalares del vector unitario de un eje con otros vectores unitarios de ejes siempre son iguales a cero porque estos vectores unitarios son ortogonales:

$$\begin{aligned} \hat{\mathbf{i}} \cdot \hat{\mathbf{j}} &= |\hat{\mathbf{i}}||\hat{\mathbf{j}}| \cos 90° = (1)(1)(0) = 0, \\ \hat{\mathbf{i}} \cdot \hat{\mathbf{k}} &= |\hat{\mathbf{i}}||\hat{\mathbf{k}}| \cos 90° = (1)(1)(0) = 0, \\ \hat{\mathbf{k}} \cdot \hat{\mathbf{j}} &= |\hat{\mathbf{k}}||\hat{\mathbf{j}}| \cos 90° = (1)(1)(0) = 0. \end{aligned} \tag{2.29}$$

En estas ecuaciones, utilizamos el hecho de que la magnitud de todos los vectores unitarios es uno: $|\hat{\mathbf{i}}| = |\hat{\mathbf{j}}| = |\hat{\mathbf{k}}| = 1$. Para los vectores unitarios de los ejes, la Ecuación 2.28 da las siguientes identidades:

$$\hat{\mathbf{i}} \cdot \hat{\mathbf{i}} = i^2 = \hat{\mathbf{j}} \cdot \hat{\mathbf{j}} = j^2 = \hat{\mathbf{k}} \cdot \hat{\mathbf{k}} = k^2 = 1. \tag{2.30}$$

El producto escalar $\vec{\mathbf{A}} \cdot \vec{\mathbf{B}}$ también puede interpretarse como el producto de B con la proyección $A_{\parallel}$ del vector $\vec{\mathbf{A}}$ en la dirección del vector $\vec{\mathbf{B}}$ (Figura 2.27(b)) o el producto de A con la proyección $B_{\parallel}$ del vector $\vec{\mathbf{B}}$ en la dirección del vector $\vec{\mathbf{A}}$ (Figura 2.27(c)):

$$\begin{aligned}\vec{\mathbf{A}} \cdot \vec{\mathbf{B}} &= AB\cos\varphi \\ &= B(A\cos\varphi) = BA_{\parallel} \\ &= A(B\cos\varphi) = AB_{\parallel}.\end{aligned}$$

Por ejemplo, en el sistema de coordenadas rectangulares en un plano, el componente escalar *x* de un vector es su producto punto con el vector unitario $\hat{\mathbf{i}}$, y el componente escalar *y* de un vector es su producto punto con el vector unitario $\hat{\mathbf{j}}$:

$$\begin{cases}\vec{\mathbf{A}} \cdot \hat{\mathbf{i}} = \left|\vec{\mathbf{A}}\right|\left|\hat{\mathbf{i}}\right| \cos\theta_A = A\cos\theta_A = A_x \\ \vec{\mathbf{A}} \cdot \hat{\mathbf{j}} = \left|\vec{\mathbf{A}}\right|\left|\hat{\mathbf{j}}\right| \cos(90° - \theta_A) = A\operatorname{sen}\theta_A = A_y\end{cases}.$$

La multiplicación escalar de vectores es conmutativa,

$$\vec{\mathbf{A}} \cdot \vec{\mathbf{B}} = \vec{\mathbf{B}} \cdot \vec{\mathbf{A}}, \qquad 2.31$$

y obedece a la ley distributiva:

$$\vec{\mathbf{A}} \cdot (\vec{\mathbf{B}} + \vec{\mathbf{C}}) = \vec{\mathbf{A}} \cdot \vec{\mathbf{B}} + \vec{\mathbf{A}} \cdot \vec{\mathbf{C}}. \qquad 2.32$$

Podemos utilizar las leyes conmutativa y distributiva para derivar varias relaciones para los vectores, como expresar el producto punto de dos vectores en términos de sus componentes escalares.

COMPRUEBE LO APRENDIDO 2.12

Para el vector $\vec{\mathbf{A}} = A_x\hat{\mathbf{i}} + A_y\hat{\mathbf{j}} + A_z\hat{\mathbf{k}}$ en un sistema de coordenadas rectangulares, utilice la Ecuación 2.29 hasta Ecuación 2.32 para demostrar que $\vec{\mathbf{A}} \cdot \hat{\mathbf{i}} = A_x$ $\vec{\mathbf{A}} \cdot \hat{\mathbf{j}} = A_y$ y $\vec{\mathbf{A}} \cdot \hat{\mathbf{k}} = A_z$.

Cuando los vectores en la Ecuación 2.27 se dan en sus formas de componentes vectoriales,

$$\vec{\mathbf{A}} = A_x\hat{\mathbf{i}} + A_y\hat{\mathbf{j}} + A_z\hat{\mathbf{k}} \text{ y } \vec{\mathbf{B}} = B_x\hat{\mathbf{i}} + B_y\hat{\mathbf{j}} + B_z\hat{\mathbf{k}},$$

podemos calcular su producto escalar de la siguiente manera:

$$\begin{aligned}\vec{\mathbf{A}} \cdot \vec{\mathbf{B}} &= (A_x\hat{\mathbf{i}} + A_y\hat{\mathbf{j}} + A_z\hat{\mathbf{k}}) \cdot (B_x\hat{\mathbf{i}} + B_y\hat{\mathbf{j}} + B_z\hat{\mathbf{k}}) \\ &= A_xB_x\hat{\mathbf{i}} \cdot \hat{\mathbf{i}} + A_xB_y\hat{\mathbf{i}} \cdot \hat{\mathbf{j}} + A_xB_z\hat{\mathbf{i}} \cdot \hat{\mathbf{k}} \\ &\quad + A_yB_x\hat{\mathbf{j}} \cdot \hat{\mathbf{i}} + A_yB_y\hat{\mathbf{j}} \cdot \hat{\mathbf{j}} + A_yB_z\hat{\mathbf{j}} \cdot \hat{\mathbf{k}} \\ &\quad + A_zB_x\hat{\mathbf{k}} \cdot \hat{\mathbf{i}} + A_zB_y\hat{\mathbf{k}} \cdot \hat{\mathbf{j}} + A_zB_z\hat{\mathbf{k}} \cdot \hat{\mathbf{k}}.\end{aligned}$$

Como los productos escalares de dos vectores unitarios diferentes de los ejes dan cero, y los productos escalares de los vectores unitarios con ellos mismos dan uno (vea la Ecuación 2.29 y la Ecuación 2.30), solo hay tres términos que no son cero en esta expresión. Por lo tanto, el producto escalar se simplifica a

$$\vec{\mathbf{A}} \cdot \vec{\mathbf{B}} = A_xB_x + A_yB_y + A_zB_z. \qquad 2.33$$

Podemos utilizar la Ecuación 2.33 para el producto escalar en términos de componentes escalares de vectores para encontrar el ángulo entre dos vectores. Si dividimos la Ecuación 2.27 entre *AB*, obtenemos la ecuación para $\cos\varphi$, en la que sustituimos la Ecuación 2.33:

$$\cos\varphi = \frac{\vec{\mathbf{A}} \cdot \vec{\mathbf{B}}}{AB} = \frac{A_xB_x + A_yB_y + A_zB_z}{AB}. \qquad 2.34$$

El ángulo φ entre los vectores $\vec{\mathbf{A}}$ y $\vec{\mathbf{B}}$ se obtiene tomando el coseno inverso de la expresión en la Ecuación 2.34.

EJEMPLO 2.16

Ángulo entre dos fuerzas

Tres perros halan de un palo en diferentes direcciones, como se muestra en la Figura 2.28. El primer perro hala con fuerza $\vec{\mathbf{F}}_1 = (10{,}0\hat{\mathbf{i}} - 20{,}4\hat{\mathbf{j}} + 2{,}0\hat{\mathbf{k}})\text{N}$, el segundo perro hala con fuerza $\vec{\mathbf{F}}_2 = (-15{,}0\hat{\mathbf{i}} - 6{,}2\hat{\mathbf{k}})\text{N}$, y el tercer perro hala con fuerza $\vec{\mathbf{F}}_3 = (5{,}0\hat{\mathbf{i}} + 12{,}5\hat{\mathbf{j}})\text{N}$. ¿Cuál es el ángulo entre las fuerzas $\vec{\mathbf{F}}_1$ y $\vec{\mathbf{F}}_2$?

FIGURA 2.28 Tres perros juegan con un palo.

Estrategia

Los componentes del vector de fuerza $\vec{\mathbf{F}}_1$ son $F_{1x} = 10{,}0\,\text{N}$, $F_{1y} = -20{,}4\,\text{N}$ y $F_{1z} = 2{,}0\,\text{N}$, mientras que los del vector de fuerza $\vec{\mathbf{F}}_2$ son $F_{2x} = -15{,}0\,\text{N}$, $F_{2y} = 0{,}0\,\text{N}$ y $F_{2z} = -6{,}2\,\text{N}$. Calculando el producto escalar de estos vectores y sus magnitudes, y sustituyendo en la Ecuación 2.34 se obtiene el ángulo de interés.

Solución

Las magnitudes de las fuerzas $\vec{\mathbf{F}}_1$ y $\vec{\mathbf{F}}_2$ son

$$F_1 = \sqrt{F_{1x}^2 + F_{1y}^2 + F_{1z}^2} = \sqrt{10{,}0^2 + 20{,}4^2 + 2{,}0^2}\,\text{N} = 22{,}8\,\text{N}$$

y

$$F_2 = \sqrt{F_{2x}^2 + F_{2y}^2 + F_{2z}^2} = \sqrt{15{,}0^2 + 6{,}2^2}\,\text{N} = 16{,}2\,\text{N}.$$

Sustituyendo los componentes escalares en la Ecuación 2.33 produce el producto escalar

$$\begin{aligned}\vec{\mathbf{F}}_1 \cdot \vec{\mathbf{F}}_2 &= F_{1x}F_{2x} + F_{1y}F_{2y} + F_{1z}F_{2z} \\ &= (10{,}0\,\text{N})(-15{,}0\,\text{N}) + (-20{,}4\,\text{N})(0{,}0\,\text{N}) + (2{,}0\,\text{N})(-6{,}2\,\text{N}) \\ &= -162{,}4\,\text{N}^2.\end{aligned}$$

Finalmente, sustituyendo todo en la Ecuación 2.34 se obtiene el ángulo

$$\cos\varphi = \frac{\vec{\mathbf{F}}_1 \cdot \vec{\mathbf{F}}_2}{F_1 F_2} = \frac{-162{,}4\text{N}^2}{(22{,}8\,\text{N})(16{,}2\,\text{N})} = -0{,}439 \Rightarrow \varphi = \cos^{-1}(-0{,}439) = 116{,}0°.$$

Importancia

Observe que, cuando los vectores se dan en términos de los vectores unitarios de los ejes, podemos encontrar el ángulo entre ellos sin conocer los detalles de las direcciones geográficas que representan los vectores unitarios. En este caso, por ejemplo, la dirección de la $x+$ puede ser hacia el este y la dirección de la $+y$ puede ser hacia el norte. Sin embargo, el ángulo entre las fuerzas en el problema es el mismo si la dirección de la $x+$

está al oeste y la dirección de la $+y$ está al sur.

COMPRUEBE LO APRENDIDO 2.13

Halle el ángulo entre las fuerzas $\vec{\mathbf{F}}_1$ y $\vec{\mathbf{F}}_3$ en el Ejemplo 2.16.

EJEMPLO 2.17

El trabajo de una fuerza

Cuando la fuerza $\vec{\mathbf{F}}$ hala de un objeto y cuando provoca su desplazamiento $\vec{\mathbf{D}}$, decimos que la fuerza realiza un trabajo. La cantidad de trabajo que realiza la fuerza es el producto escalar $\vec{\mathbf{F}} \cdot \vec{\mathbf{D}}$. Si el palo en el Ejemplo 2.16 se mueve momentáneamente y se desplaza por el vector $\vec{\mathbf{D}} = (-7{,}9\hat{\mathbf{j}} - 4{,}2\hat{\mathbf{k}})$ cm, ¿cuánto trabajo hace el tercer perro en el Ejemplo 2.16?

Estrategia

Calculamos el producto escalar del vector de desplazamiento $\vec{\mathbf{D}}$ con el vector de fuerza $\vec{\mathbf{F}}_3 = (5{,}0\hat{\mathbf{i}} + 12{,}5\hat{\mathbf{j}})$N, que es el tirón del tercer perro. Utilicemos W_3 para denotar el trabajo realizado por la fuerza $\vec{\mathbf{F}}_3$ en el desplazamiento $\vec{\mathbf{D}}$.

Solución

El cálculo del trabajo es la aplicación directa del producto punto:

$$\begin{aligned} W_3 &= \vec{\mathbf{F}}_3 \cdot \vec{\mathbf{D}} = F_{3x}D_x + F_{3y}D_y + F_{3z}D_z \\ &= (5{,}0\,\text{N})(0{,}0\,\text{cm}) + (12{,}5\,\text{N})(-7{,}9\,\text{cm}) + (0{,}0\,\text{N})(-4{,}2\,\text{cm}) \\ &= -98{,}7\,\text{N} \cdot \text{cm}. \end{aligned}$$

Importancia

La unidad de trabajo del SI se denomina julio (J), donde 1 J = 1 N · m. La unidad cm · N puede escribirse como $10^{-2}\text{m} \cdot \text{N} = 10^{-2}\text{J}$, por lo que la respuesta puede expresarse como $W_3 = -0{,}9875\,\text{J} \approx -1{,}0\,\text{J}$.

COMPRUEBE LO APRENDIDO 2.14

¿Cuánto trabajo realizan el primer perro y el segundo en el Ejemplo 2.16 sobre el desplazamiento en el Ejemplo 2.17?

El producto vectorial de dos vectores (el producto cruz)

La multiplicación de dos vectores da como resultado un producto vectorial.

Producto vectorial (producto cruz)

El **producto vectorial** de dos vectores $\vec{\mathbf{A}}$ y $\vec{\mathbf{B}}$ se denota por $\vec{\mathbf{A}} \times \vec{\mathbf{B}}$ y suele denominarse **producto cruz**. El producto vectorial es un vector que tiene su dirección perpendicular a ambos vectores $\vec{\mathbf{A}}$ y $\vec{\mathbf{B}}$. En otras palabras, el vector $\vec{\mathbf{A}} \times \vec{\mathbf{B}}$ es perpendicular al plano que contiene los vectores $\vec{\mathbf{A}}$ y $\vec{\mathbf{B}}$, como se muestra en la Figura 2.29. La magnitud del producto vectorial se define como

$$\left|\vec{\mathbf{A}} \times \vec{\mathbf{B}}\right| = AB \operatorname{sen} \varphi, \qquad 2.35$$

donde el ángulo φ, entre los dos vectores, se mide desde el vector $\vec{\mathbf{A}}$ (primer vector del producto) al vector

$\vec{\mathbf{B}}$ (segundo vector del producto), como se indica en la Figura 2.29, y está entre 0° y 180°.

Según la Ecuación 2.35, el producto vectorial es igual a cero para pares de vectores que son paralelos ($\varphi = 0°$) o antiparalelos ($\varphi = 180°$) porque sen 0° = sen 180° = 0.

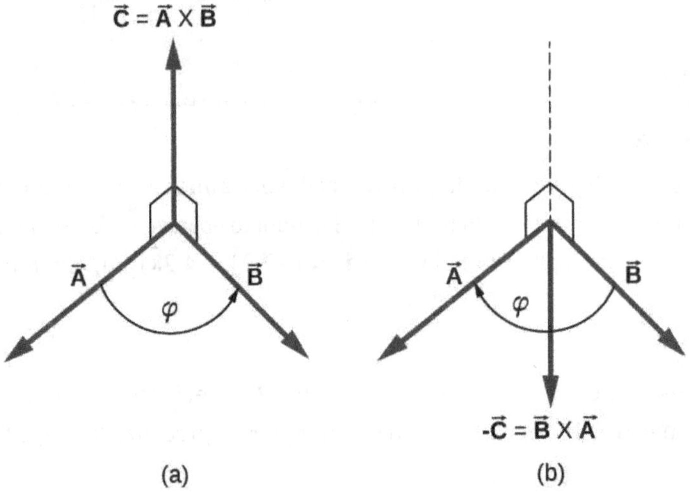

FIGURA 2.29 El producto vectorial de dos vectores se dibuja en un espacio tridimensional. (a) El producto vectorial $\vec{\mathbf{A}} \times \vec{\mathbf{B}}$ es un vector perpendicular al plano que contiene los vectores $\vec{\mathbf{A}}$ y $\vec{\mathbf{B}}$. Los pequeños cuadrados dibujados en perspectiva marcan los ángulos rectos entre $\vec{\mathbf{A}}$ y $\vec{\mathbf{C}}$, y entre $\vec{\mathbf{B}}$ y $\vec{\mathbf{C}}$ de modo que si $\vec{\mathbf{A}}$ y $\vec{\mathbf{B}}$ están acostados en el suelo, el vector $\vec{\mathbf{C}}$ apunta verticalmente hacia arriba. (b) El producto vectorial $\vec{\mathbf{B}} \times \vec{\mathbf{A}}$ es un vector antiparalelo al vector $\vec{\mathbf{A}} \times \vec{\mathbf{B}}$.

En la línea perpendicular al plano que contiene los vectores $\vec{\mathbf{A}}$ y $\vec{\mathbf{B}}$ hay dos direcciones alternativas: hacia arriba o hacia abajo, como se muestra en la Figura 2.29, y la dirección del producto vectorial puede ser cualquiera de ellas. En la orientación estándar de la mano derecha, donde el ángulo entre los vectores se mide en sentido contrario a las agujas del reloj desde el primer vector, el vector $\vec{\mathbf{A}} \times \vec{\mathbf{B}}$ apunta *hacia arriba*, como se ve en la Figura 2.29(a). Si invertimos el orden de la multiplicación, de modo que ahora $\vec{\mathbf{B}}$ es lo primero en el producto, entonces el vector $\vec{\mathbf{B}} \times \vec{\mathbf{A}}$ debe apuntar *hacia abajo*, como se ve en la Figura 2.29(b). Esto significa que los vectores $\vec{\mathbf{A}} \times \vec{\mathbf{B}}$ y $\vec{\mathbf{B}} \times \vec{\mathbf{A}}$ son *antiparalelos* entre sí y que la multiplicación de vectores *no* es conmutativa, sino *anticonmutativa*. La **anticonmutatividad** significa que el producto vectorial invierte el signo cuando se invierte el orden de la multiplicación:

$$\vec{\mathbf{A}} \times \vec{\mathbf{B}} = -\vec{\mathbf{B}} \times \vec{\mathbf{A}}. \qquad 2.36$$

La **regla de la mano derecha** es un mnemotécnico común que sirve para determinar la dirección del producto vectorial. Como se muestra en la Figura 2.30, un sacacorchos se coloca en una dirección perpendicular al plano que contiene los vectores $\vec{\mathbf{A}}$ y $\vec{\mathbf{B}}$, y su mango se gira en la dirección del primer al segundo vector del producto. La dirección del producto cruz se da por la progresión del sacacorchos.

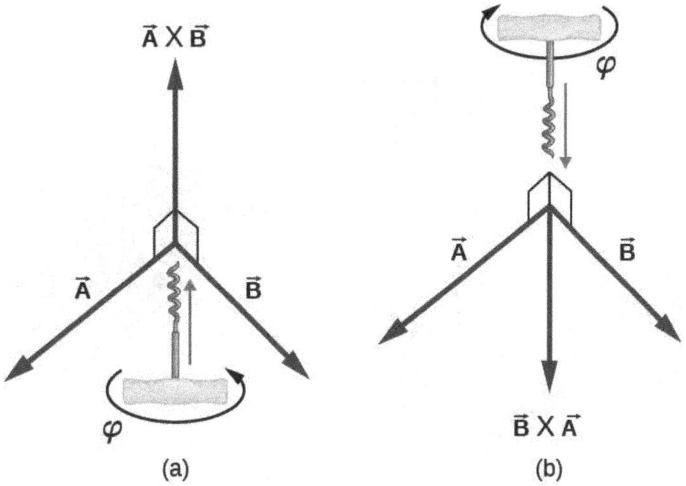

FIGURA 2.30 La regla de la mano derecha sirve para determinar la dirección del producto cruz $\vec{\mathbf{A}} \times \vec{\mathbf{B}}$. Coloque un sacacorchos en la dirección perpendicular al plano que contiene los vectores $\vec{\mathbf{A}}$ y $\vec{\mathbf{B}}$, y gírelo en la dirección del primer al segundo vector del producto. La dirección del producto cruz se da por la progresión del sacacorchos. (a) El movimiento hacia arriba significa que el vector del producto cruz apunta hacia arriba. (b) El movimiento hacia abajo significa que el vector del producto cruz apunta hacia abajo.

EJEMPLO 2.18

El torque de una fuerza

La ventaja mecánica que proporciona una herramienta familiar llamada *llave inglesa* (Figura 2.31) depende de la magnitud F de la fuerza aplicada, de su dirección con respecto al mango de la llave y de la distancia a la que se aplica esta fuerza. La distancia R desde la tuerca hasta el punto donde el vector de fuerza $\vec{\mathbf{F}}$ se une está representado por el vector radial $\vec{\mathbf{R}}$. La cantidad física vectorial que hace girar la tuerca se denomina *torque* (denotado por $\vec{\tau}$), y es el producto vectorial de la distancia entre el pivote a la fuerza con la fuerza: $\vec{\tau} = \vec{\mathbf{R}} \times \vec{\mathbf{F}}$.

Para aflojar una tuerca oxidada, se aplica una fuerza de 20,00 N al mango de la llave en ángulo $\varphi = 40°$ y a una distancia de 0,25 m de la tuerca, como se muestra en la Figura 2.31(a). Calcule la magnitud y la dirección del torque aplicado a la tuerca. ¿Cuál sería la magnitud y la dirección del torque si la fuerza se aplicara con un ángulo $\varphi = 45°$, como se muestra en la Figura 2.31(b)? ¿Para qué valor del ángulo φ el torque tiene la mayor magnitud?

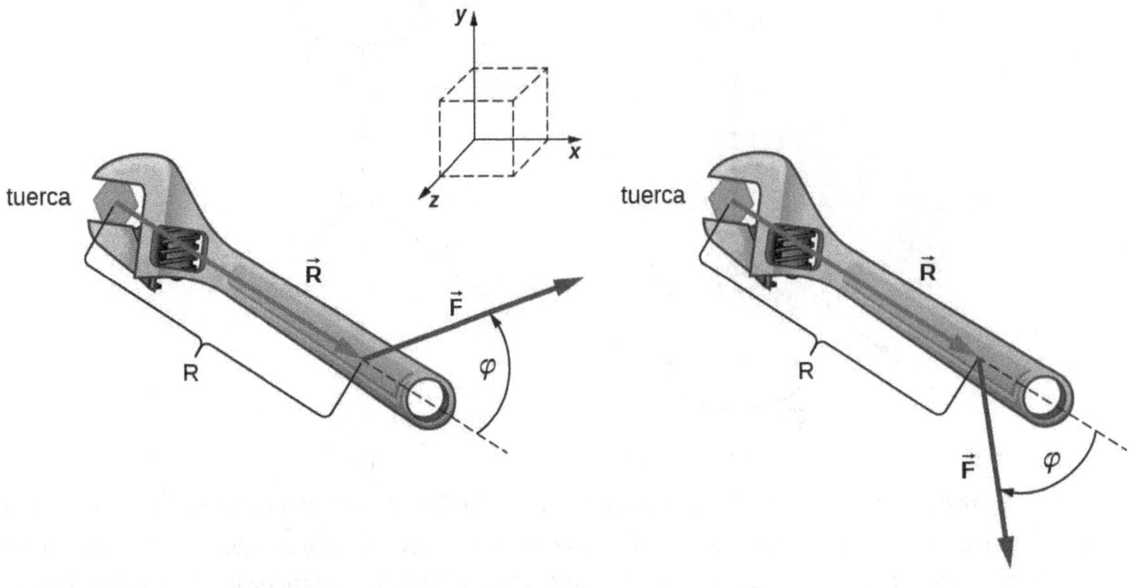

FIGURA 2.31 Una llave proporciona agarre y ventaja mecánica al aplicar el torque para girar una tuerca. (a) Gire en sentido contrario a las agujas del reloj para aflojar la tuerca. (b) Gire en sentido de las agujas del reloj para apretar la tuerca.

Estrategia

Adoptamos el marco de referencia mostrado en la Figura 2.31, donde los vectores $\vec{\mathbf{R}}$ y $\vec{\mathbf{F}}$ se encuentran en el plano *xy* y el origen está en la posición de la tuerca. La dirección radial a lo largo del vector $\vec{\mathbf{R}}$ (apuntando lejos del origen) es la dirección de referencia para medir el ángulo φ porque $\vec{\mathbf{R}}$ es el primer vector del producto vectorial $\vec{\tau} = \vec{\mathbf{R}} \times \vec{\mathbf{F}}$. El vector $\vec{\tau}$ debe estar a lo largo del eje de la *z* porque este es el eje perpendicular al plano *xy*, donde ambos $\vec{\mathbf{R}}$ y $\vec{\mathbf{F}}$ están. Para calcular la magnitud de τ, utilizamos la Ecuación 2.35. Para encontrar la dirección de $\vec{\tau}$, utilizamos la regla de la mano derecha (Figura 2.30).

Solución

Para la situación de (a), la regla del sacacorchos nos da la dirección de $\vec{\mathbf{R}} \times \vec{\mathbf{F}}$ en la dirección positiva del eje *z*. Físicamente, significa que el vector de torque $\vec{\tau}$ apunta fuera de la página, perpendicular al mango de la llave. Identificamos $F = 20{,}00$ N y $R = 0{,}25$ m, y calculamos la magnitud utilizando la Ecuación 2.35:

$$\tau = \left|\vec{\mathbf{R}} \times \vec{\mathbf{F}}\right| = RF \operatorname{sen} \varphi = (0{,}25\text{ m})(20{,}00\text{ N}) \operatorname{sen} 40° = 3{,}21\text{ N} \cdot \text{m}.$$

Para la situación en (b), la regla del sacacorchos da la dirección de $\vec{\mathbf{R}} \times \vec{\mathbf{F}}$ en la dirección negativa del eje *z*. Físicamente, significa que el vector $\vec{\tau}$ apunta a la página, perpendicular al mango de la llave. La magnitud de este torque es

$$\tau = \left|\vec{\mathbf{R}} \times \vec{\mathbf{F}}\right| = RF \operatorname{sen} \varphi = (0{,}25\text{ m})(20{,}00\text{ N}) \operatorname{sen} 45° = 3{,}53\text{ N} \cdot \text{m}.$$

El torque tiene el mayor valor cuando el $\operatorname{sen} \varphi = 1$, lo que se produce cuando $\varphi = 90°$. Físicamente, significa que la llave inglesa es más eficaz, es decir, nos proporciona la mejor ventaja mecánica, cuando aplicamos la fuerza perpendicular al mango de la llave. Para la situación de este ejemplo, este valor óptimo de torque es $\tau_{\text{óptimo}} = RF = (0{,}25\text{ m})(20{,}00\text{ N}) = 5{,}00\text{ N} \cdot \text{m}$.

Importancia

Cuando resolvemos problemas de mecánica, a menudo no necesitamos utilizar la regla del sacacorchos en absoluto, como veremos ahora en la siguiente solución equivalente. Observe que una vez que hemos identificado ese vector $\vec{\mathbf{R}} \times \vec{\mathbf{F}}$ que se encuentra a lo largo del eje *z*, podemos escribir este vector en términos del vector unitario $\hat{\mathbf{k}}$ del eje z:

$$\vec{\mathbf{R}} \times \vec{\mathbf{F}} = RF \operatorname{sen} \varphi \hat{\mathbf{k}}.$$

En esta ecuación, el número que multiplica $\hat{\mathbf{k}}$ es el componente escalar z del vector $\vec{\mathbf{R}} \times \vec{\mathbf{F}}$. En el cálculo de este componente, hay que tener en cuenta que el ángulo φ se mide *en sentido contrario a las agujas del reloj* desde $\vec{\mathbf{R}}$ (primer vector) al $\vec{\mathbf{F}}$ (segundo vector). Siguiendo este principio para los ángulos, obtenemos $RF \operatorname{sen}(+40°) = +3{,}2\ \text{N} \cdot \text{m}$ para la situación en (a), y obtenemos $RF \operatorname{sen}(-45°) = -3{,}5\ \text{N} \cdot \text{m}$ para la situación en (b). En este último caso, el ángulo es negativo porque el gráfico en la Figura 2.31 indica que el ángulo se mide en el sentido de las agujas del reloj; pero, el mismo resultado se obtiene cuando este ángulo se mide en sentido contrario a las agujas del reloj porque $+(360° - 45°) = +315°$ y $\operatorname{sen}(+315°) = \operatorname{sen}(-45°)$. De este modo, obtenemos la solución sin referencia a la regla del sacacorchos. Para la situación en (a), la solución es $\vec{\mathbf{R}} \times \vec{\mathbf{F}} = +3{,}2\ \text{N} \cdot \text{m}\hat{\mathbf{k}}$; para la situación en (b), la solución es $\vec{\mathbf{R}} \times \vec{\mathbf{F}} = -3{,}5\ \text{N} \cdot \text{m}\hat{\mathbf{k}}$.

COMPRUEBE LO APRENDIDO 2.15

Para los vectores dados en la Figura 2.13, halle el producto vectorial $\vec{\mathbf{A}} \times \vec{\mathbf{B}}$ y $\vec{\mathbf{C}} \times \vec{\mathbf{F}}$.

Al igual que el producto punto (Ecuación 2.32), el producto cruz tiene la siguiente propiedad distributiva:

$$\vec{\mathbf{A}} \times (\vec{\mathbf{B}} + \vec{\mathbf{C}}) = \vec{\mathbf{A}} \times \vec{\mathbf{B}} + \vec{\mathbf{A}} \times \vec{\mathbf{C}}. \tag{2.37}$$

La propiedad distributiva se aplica frecuentemente cuando los vectores se expresan en sus formas componentes, en términos de vectores unitarios de ejes cartesianos.

Cuando aplicamos la definición del producto cruz, la Ecuación 2.35, a los vectores unitarios $\hat{\mathbf{i}}$, $\hat{\mathbf{j}}$ y $\hat{\mathbf{k}}$ que definen las direcciones de la x, la y y la z positivas en el espacio, encontramos que

$$\hat{\mathbf{i}} \times \hat{\mathbf{i}} = \hat{\mathbf{j}} \times \hat{\mathbf{j}} = \hat{\mathbf{k}} \times \hat{\mathbf{k}} = 0. \tag{2.38}$$

Todos los demás productos cruz de estos tres vectores unitarios deben ser vectores de magnitud unitaria porque $\hat{\mathbf{i}}$, $\hat{\mathbf{j}}$ y $\hat{\mathbf{k}}$ son ortogonales. Por ejemplo, para el par $\hat{\mathbf{i}}$ y $\hat{\mathbf{j}}$, la magnitud es $\left|\hat{\mathbf{i}} \times \hat{\mathbf{j}}\right| = ij \operatorname{sen} 90° = (1)(1)(1) = 1$. La dirección del producto vectorial $\hat{\mathbf{i}} \times \hat{\mathbf{j}}$ debe ser ortogonal al plano xy, lo que significa que debe estar a lo largo del eje de la z. Los únicos vectores unitarios a lo largo del eje z son $-\hat{\mathbf{k}}$ o $+\hat{\mathbf{k}}$. Por la regla del sacacorchos, la dirección del vector $\hat{\mathbf{i}} \times \hat{\mathbf{j}}$ debe ser paralela al eje z positivo. Por lo tanto, el resultado de la multiplicación $\hat{\mathbf{i}} \times \hat{\mathbf{j}}$ es idéntico a $+\hat{\mathbf{k}}$. Podemos repetir un razonamiento similar para los pares restantes de vectores unitarios. Los resultados de estas multiplicaciones son

$$\begin{cases} \hat{\mathbf{i}} \times \hat{\mathbf{j}} = +\hat{\mathbf{k}}, \\ \hat{\mathbf{j}} \times \hat{\mathbf{k}} = +\hat{\mathbf{i}}, \\ \hat{\mathbf{k}} \times \hat{\mathbf{i}} = +\hat{\mathbf{j}}. \end{cases} \tag{2.39}$$

Observe que en la Ecuación 2.39, los tres vectores unitarios $\hat{\mathbf{i}}$, $\hat{\mathbf{j}}$ y $\hat{\mathbf{k}}$ aparecen en el *orden cíclico* que se muestra en el diagrama de la Figura 2.32(a). El orden cíclico significa que en la fórmula del producto, $\hat{\mathbf{i}}$ le sigue $\hat{\mathbf{k}}$ y viene antes de $\hat{\mathbf{j}}$, o $\hat{\mathbf{k}}$ le sigue $\hat{\mathbf{j}}$ y viene antes de $\hat{\mathbf{i}}$, o $\hat{\mathbf{j}}$ le sigue $\hat{\mathbf{i}}$ y viene antes de $\hat{\mathbf{k}}$. El producto cruz de dos vectores unitarios diferentes siempre es un tercer vector unitario. Cuando dos vectores unitarios en el producto cruz aparecen en el orden cíclico, el resultado de dicha multiplicación es el vector unitario restante, como se ilustra en la Figura 2.32(b). Cuando los vectores unitarios en el producto cruz aparecen en un orden diferente, el resultado es un vector unitario antiparalelo al vector unitario restante (es decir, el resultado es con el signo menos, como muestran los ejemplos de la Figura 2.32(c) y la Figura 2.32(d). En la práctica, cuando la tarea es encontrar productos cruz de vectores que están dados en forma de componentes vectoriales, esta regla para la multiplicación cruzada de vectores unitarios es muy útil.

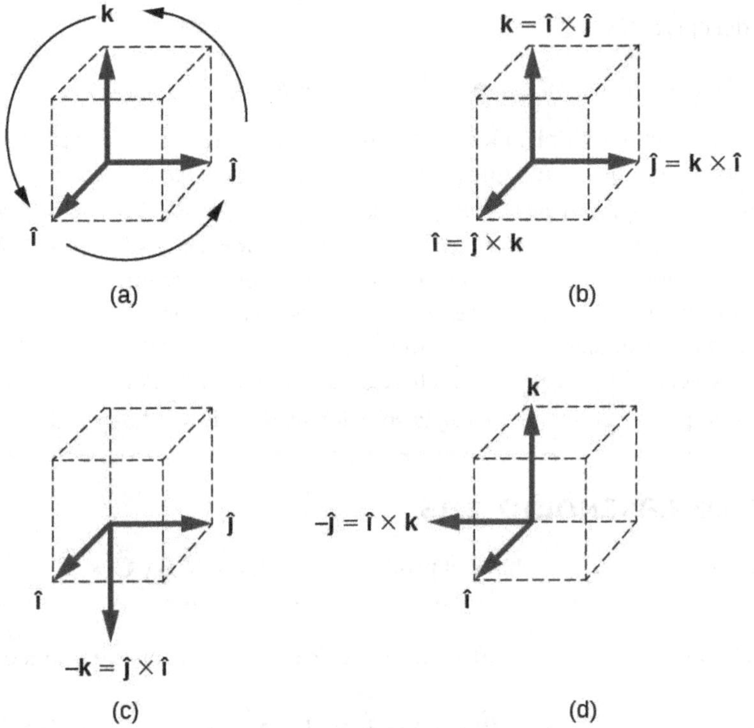

FIGURA 2.32 (a) El diagrama del orden cíclico de los vectores unitarios de los ejes. (b) Los únicos productos cruz donde los vectores unitarios aparecen en el orden cíclico. Estos productos tienen el signo positivo. (c, d) Dos ejemplos de productos cruz donde los vectores unitarios no aparecen en el orden cíclico. Estos productos tienen el signo negativo.

Supongamos que queremos encontrar el producto cruz $\vec{\mathbf{A}} \times \vec{\mathbf{B}}$ para los vectores $\vec{\mathbf{A}} = A_x\hat{\mathbf{i}} + A_y\hat{\mathbf{j}} + A_z\hat{\mathbf{k}}$ y $\vec{\mathbf{B}} = B_x\hat{\mathbf{i}} + B_y\hat{\mathbf{j}} + B_z\hat{\mathbf{k}}$. Podemos utilizar la propiedad distributiva (Ecuación 2.37), la anticonmutatividad (Ecuación 2.36), y los resultados en la Ecuación 2.38 y la Ecuación 2.39 para vectores unitarios para realizar la siguiente operación de álgebra:

$$\begin{aligned}
\vec{\mathbf{A}} \times \vec{\mathbf{B}} &= (A_x\hat{\mathbf{i}} + A_y\hat{\mathbf{j}} + A_z\hat{\mathbf{k}}) \times (B_x\hat{\mathbf{i}} + B_y\hat{\mathbf{j}} + B_z\hat{\mathbf{k}}) \\
&= A_x\hat{\mathbf{i}} \times (B_x\hat{\mathbf{i}} + B_y\hat{\mathbf{j}} + B_z\hat{\mathbf{k}}) + A_y\hat{\mathbf{j}} \times (B_x\hat{\mathbf{i}} + B_y\hat{\mathbf{j}} + B_z\hat{\mathbf{k}}) + A_z\hat{\mathbf{k}} \times (B_x\hat{\mathbf{i}} + B_y\hat{\mathbf{j}} + B_z\hat{\mathbf{k}}) \\
&= \quad A_xB_x\hat{\mathbf{i}} \times \hat{\mathbf{i}} + A_xB_y\hat{\mathbf{i}} \times \hat{\mathbf{j}} + A_xB_z\hat{\mathbf{i}} \times \hat{\mathbf{k}} \\
&\quad + A_yB_x\hat{\mathbf{j}} \times \hat{\mathbf{i}} + A_yB_y\hat{\mathbf{j}} \times \hat{\mathbf{j}} + A_yB_z\hat{\mathbf{j}} \times \hat{\mathbf{k}} \\
&\quad + A_zB_x\hat{\mathbf{k}} \times \hat{\mathbf{i}} + A_zB_y\hat{\mathbf{k}} \times \hat{\mathbf{j}} + A_zB_z\hat{\mathbf{k}} \times \hat{\mathbf{k}} \\
&= \quad A_xB_x(0) + A_xB_y(+\hat{\mathbf{k}}) + A_xB_z(-\hat{\mathbf{j}}) \\
&\quad + A_yB_x(-\hat{\mathbf{k}}) + A_yB_y(0) + A_yB_z(+\hat{\mathbf{i}}) \\
&\quad + A_zB_x(+\hat{\mathbf{j}}) + A_zB_y(-\hat{\mathbf{i}}) + A_zB_z(0).
\end{aligned}$$

Cuando se realicen operaciones algebraicas que impliquen el producto cruz, hay que tener mucho cuidado en mantener el orden correcto de la multiplicación, ya que el producto cruz es anticonmutativo. Los dos últimos pasos que nos quedan por hacer para completar nuestra tarea son, primero, agrupar los términos que contienen un vector unitario común y, segundo, factorizar. De esta manera obtenemos la siguiente expresión muy útil para el cálculo del producto cruz:

$$\vec{\mathbf{C}} = \vec{\mathbf{A}} \times \vec{\mathbf{B}} = (A_yB_z - A_zB_y)\hat{\mathbf{i}} + (A_zB_x - A_xB_z)\hat{\mathbf{j}} + (A_xB_y - A_yB_x)\hat{\mathbf{k}}. \qquad 2.40$$

En esta expresión, los componentes escalares del vector del producto cruz son

$$\begin{cases} C_x = A_y B_z - A_z B_y, \\ C_y = A_z B_x - A_x B_z, \\ C_z = A_x B_y - A_y B_x. \end{cases} \quad 2.41$$

Al momento de encontrar el producto cruz, en la práctica, podemos utilizar tanto la Ecuación 2.35 como la Ecuación 2.40, dependiendo de cuál de ellas nos parezca menos compleja computacionalmente. Ambas conducen al mismo resultado final. Una forma de asegurarse de que el resultado final es correcto es utilizar ambas.

EJEMPLO 2.19

Una partícula en un campo magnético

Al moverse en un campo magnético, algunas partículas pueden experimentar una fuerza magnética. Sin entrar en detalles, el estudio detallado de los fenómenos magnéticos se aborda en capítulos posteriores, reconozcamos que el campo magnético $\vec{\mathbf{B}}$ es un vector, la fuerza magnética $\vec{\mathbf{F}}$ es un vector, y la velocidad $\vec{\mathbf{u}}$ de la partícula es un vector. El vector de fuerza magnética es proporcional al producto vectorial del vector de velocidad por el vector de campo magnético, que expresamos como $\vec{\mathbf{F}} = \zeta\vec{\mathbf{u}} \times \vec{\mathbf{B}}$. En esta ecuación, una constante ζ se encarga de la coherencia en unidades físicas, por lo que podemos omitir las unidades físicas en los vectores $\vec{\mathbf{u}}$ y $\vec{\mathbf{B}}$. En este ejemplo, vamos a suponer que la constante ζ es positiva.

Una partícula que se mueve en el espacio con un vector de velocidad $\vec{\mathbf{u}} = -5{,}0\hat{\mathbf{i}} - 2{,}0\hat{\mathbf{j}} + 3{,}5\hat{\mathbf{k}}$ entra en una región con un campo magnético y experimenta una fuerza magnética. Halle la fuerza magnética $\vec{\mathbf{F}}$ sobre esta partícula en el punto de entrada a la región donde el vector de campo magnético es (a) $\vec{\mathbf{B}} = 7{,}2\hat{\mathbf{i}} - \hat{\mathbf{j}} - 2{,}4\hat{\mathbf{k}}$ y (b) $\vec{\mathbf{B}} = 4{,}5\hat{\mathbf{k}}$. En cada caso, halle la magnitud F de la fuerza magnética y el ángulo θ que el vector de fuerza $\vec{\mathbf{F}}$ hace con el vector de campo magnético dado $\vec{\mathbf{B}}$.

Estrategia

Primero, queremos encontrar el producto vectorial $\vec{\mathbf{u}} \times \vec{\mathbf{B}}$, porque entonces podemos determinar la fuerza magnética utilizando $\vec{\mathbf{F}} = \zeta\vec{\mathbf{u}} \times \vec{\mathbf{B}}$. La magnitud F puede hallarse mediante el uso de componentes, $F = \sqrt{F_x^2 + F_y^2 + F_z^2}$, o calculando la magnitud $\left|\vec{\mathbf{u}} \times \vec{\mathbf{B}}\right|$ utilizando directamente la Ecuación 2.35. En este último enfoque, tendríamos que encontrar el ángulo entre los vectores $\vec{\mathbf{u}}$ y $\vec{\mathbf{B}}$. Cuando tenemos $\vec{\mathbf{F}}$, el método general para encontrar el ángulo direccional θ implica el cálculo del producto escalar $\vec{\mathbf{F}} \cdot \vec{\mathbf{B}}$ y la sustitución en la Ecuación 2.34. Para calcular el producto vectorial podemos utilizar la Ecuación 2.40 o calcular el producto directamente, lo que sea más sencillo.

Solución

Los componentes del vector velocidad son $u_x = -5{,}0$, $u_y = -2{,}0$ y $u_z = 3{,}5$.

(a) Los componentes del vector de campo magnético son $B_x = 7{,}2$, $B_y = -1{,}0$ y $B_z = -2{,}4$. Sustituyéndolos en la Ecuación 2.41 se obtienen los componentes escalares del vector $\vec{\mathbf{F}} = \zeta\vec{\mathbf{u}} \times \vec{\mathbf{B}}$:

$$\begin{cases} F_x = \zeta(u_y B_z - u_z B_y) = \zeta[(-2{,}0)(-2{,}4) - (3{,}5)(-1{,}0)] = 8{,}3\zeta \\ F_y = \zeta(u_z B_x - u_x B_z) = \zeta[(3{,}5)(7{,}2) - (-5{,}0)(-2{,}4)] = 13{,}2\zeta \\ F_z = \zeta(u_x B_y - u_y B_x) = \zeta[(-5{,}0)(-1{,}0) - (-2{,}0)(7{,}2)] = 19{,}4\zeta \end{cases}.$$

Por lo tanto, la fuerza magnética es $\vec{\mathbf{F}} = \zeta(8{,}3\hat{\mathbf{i}} + 13{,}2\hat{\mathbf{j}} + 19{,}4\hat{\mathbf{k}})$ y su magnitud es

$$F = \sqrt{F_x^2 + F_y^2 + F_z^2} = \zeta\sqrt{(8{,}3)^2 + (13{,}2)^2 + (19{,}4)^2} = 24{,}9\zeta.$$

Para calcular el ángulo θ, tendríamos que encontrar la magnitud del vector de campo magnético,

$$B = \sqrt{B_x^2 + B_y^2 + B_z^2} = \sqrt{(7,2)^2 + (-1,0)^2 + (-2,4)^2} = 7,6,$$

y el producto escalar $\vec{\mathbf{F}} \cdot \vec{\mathbf{B}}$:

$$\vec{\mathbf{F}} \cdot \vec{\mathbf{B}} = F_x B_x + F_y B_y + F_z B_z = (8,3\zeta)(7,2) + (13,2\zeta)(-1,0) + (19,4\zeta)(-2,4) = 0.$$

Ahora, sustituyendo en la Ecuación 2.34 obtenemos el ángulo θ:

$$\cos\theta = \frac{\vec{\mathbf{F}} \cdot \vec{\mathbf{B}}}{FB} = \frac{0}{(18,2\zeta)(7,6)} = 0 \Rightarrow \theta = 90°.$$

Por lo tanto, el vector de fuerza magnética es perpendicular al vector de campo magnético. (Podríamos haber ahorrado algo de tiempo si hubiéramos calculado antes el producto escalar).

(b) Dado que el vector $\vec{\mathbf{B}} = 4,5\hat{\mathbf{k}}$ tiene un solo componente, podemos realizar la operación de álgebra rápidamente y encontrar el producto vectorial directamente:

$$\begin{aligned}\vec{\mathbf{F}} &= \zeta\vec{\mathbf{u}} \times \vec{\mathbf{B}} = \zeta(-5,0\hat{\mathbf{i}} - 2,0\hat{\mathbf{j}} + 3,5\hat{\mathbf{k}}) \times (4,5\hat{\mathbf{k}}) \\ &= \zeta[(-5,0)(4,5)\hat{\mathbf{i}} \times \hat{\mathbf{k}} + (-2,0)(4,5)\hat{\mathbf{j}} \times \hat{\mathbf{k}} + (3,5)(4,5)\hat{\mathbf{k}} \times \hat{\mathbf{k}}] \\ &= \zeta[-22,5(-\hat{\mathbf{j}}) - 9,0(+\hat{\mathbf{i}}) + 0] = \zeta(-9,0\hat{\mathbf{i}} + 22,5\hat{\mathbf{j}}).\end{aligned}$$

La magnitud de la fuerza magnética es

$$F = \sqrt{F_x^2 + F_y^2 + F_z^2} = \zeta\sqrt{(-9,0)^2 + (22,5)^2 + (0,0)^2} = 24,2\zeta.$$

Dado que el producto escalar es

$$\vec{\mathbf{F}} \cdot \vec{\mathbf{B}} = F_x B_x + F_y B_y + F_z B_z = (-9,0\zeta)(0) + (22,5\zeta)(0) + (0)(4,5) = 0,$$

el vector de fuerza magnética $\vec{\mathbf{F}}$ es perpendicular al vector de campo magnético $\vec{\mathbf{B}}$.

Importancia

Incluso sin calcular el producto escalar, podemos predecir que el vector de fuerza magnética debe ser siempre perpendicular al vector de campo magnético debido a la forma en que se construye este vector. En concreto, el vector de fuerza magnética es el producto vectorial $\vec{\mathbf{F}} = \zeta\vec{\mathbf{u}} \times \vec{\mathbf{B}}$ y, por la definición del producto vectorial (vea la Figura 2.29), el vector $\vec{\mathbf{F}}$ debe ser perpendicular a ambos vectores $\vec{\mathbf{u}}$ y $\vec{\mathbf{B}}$.

COMPRUEBE LO APRENDIDO 2.16

Dados dos vectores $\vec{\mathbf{A}} = -\hat{\mathbf{i}} + \hat{\mathbf{j}}$ y $\vec{\mathbf{B}} = 3\hat{\mathbf{i}} - \hat{\mathbf{j}}$, halle: (a) $\vec{\mathbf{A}} \times \vec{\mathbf{B}}$, (b) $|\vec{\mathbf{A}} \times \vec{\mathbf{B}}|$, (c) el ángulo entre $\vec{\mathbf{A}}$ y $\vec{\mathbf{B}}$, y (d) el ángulo entre $\vec{\mathbf{A}} \times \vec{\mathbf{B}}$ y el vector $\vec{\mathbf{C}} = \hat{\mathbf{i}} + \hat{\mathbf{k}}$.

Para concluir esta sección, queremos destacar que el "producto punto" y el "producto cruz" son objetos matemáticos totalmente diferentes que tienen significados distintos. El producto punto es un escalar; el producto cruz es un vector. En capítulos posteriores se utilizan indistintamente los términos *producto punto* y *producto escalar*. Asimismo, los términos *producto cruz* y *producto vectorial* se utilizan indistintamente.

Revisión Del Capítulo

Términos Clave

ángulo direccional en un plano, un ángulo entre la dirección positiva del eje de la x y el vector, medido en sentido contrario a las agujas del reloj desde el eje hasta el vector

anticonmutatividad el cambio en el orden de la operación introduce el signo menos

asociativa los términos pueden agruparse de cualquier manera

cantidad escalar cantidad que puede especificarse completamente por un solo número con una unidad física apropiada

cantidad vectorial cantidad física descrita por un vector matemático, es decir, donde se especifica tanto su magnitud como su dirección; sinónimo de vector en física

componente escalar un número que multiplica un vector unitario en un componente vectorial de un vector

componentes vectoriales componentes ortogonales de un vector; un vector es la suma vectorial de sus componentes vectoriales

conmutativa las operaciones pueden realizarse en cualquier orden

construcción geométrica de cola a cabeza construcción geométrica para dibujar el vector resultante de muchos vectores

coordenada radial distancia al origen en un sistema de coordenadas polares

coordenadas polares una coordenada radial y un ángulo

desplazamiento cambio de posición

diferencia de dos vectores suma vectorial del primer vector con el vector antiparalelo al segundo

distributiva la multiplicación se puede distribuir entre los términos de la suma

ecuación escalar ecuación en la que los lados izquierdo y derecho son números

ecuación vectorial ecuación en la que los lados izquierdo y derecho son vectores

escalar un número, sinónimo de cantidad escalar en física

forma en componentes de un vector un vector escrito como la suma vectorial de sus componentes en términos de vectores unitarios

magnitud longitud de un vector

producto cruz el resultado de la multiplicación vectorial de vectores es un vector llamado producto cruz; también llamado producto vectorial

producto escalar el resultado de la multiplicación escalar de dos vectores es un escalar llamado producto escalar; también llamado producto punto

producto punto el resultado de la multiplicación escalar de dos vectores es un escalar llamado producto punto; también llamado producto escalar

producto vectorial el resultado de la multiplicación vectorial de vectores es un vector llamado producto vectorial; también llamado producto cruz

regla de la mano derecha una regla utilizada para determinar la dirección del producto vectorial

regla del paralelogramo construcción geométrica de la suma vectorial en un plano

sistema de coordenadas polares un sistema de coordenadas ortogonales en el que la ubicación en un plano viene dada por coordenadas polares

suma vectorial resultante de la combinación de dos (o más) vectores

vector objeto matemático con magnitud y dirección

vector nulo un vector con todos sus componentes iguales a cero

vector resultante suma vectorial de dos (o más) vectores

vector unitario vector de una magnitud unitaria que especifica la dirección; no tiene unidad física

vectores antiparalelos dos vectores con direcciones que difieren en $180°$

vectores iguales dos vectores son iguales si y solo si todos sus componentes correspondientes son iguales; alternativamente, dos vectores paralelos de magnitudes iguales

vectores ortogonales dos vectores con direcciones que difieren exactamente en $90°$, sinónimo de vectores perpendiculares

vectores paralelos dos vectores con ángulos direccionales exactamente iguales

vectores unitarios de los ejes vectores unitarios que definen direcciones ortogonales en un plano o en el espacio

Ecuaciones Clave

Multiplicación por un escalar (ecuación vectorial)	$\vec{\mathbf{B}} = \alpha\vec{\mathbf{A}}$
Multiplicación por un escalar (ecuación escalar para las magnitudes)	$B = \lvert\alpha\rvert A$
Resultante de dos vectores	$\vec{\mathbf{D}}_{AD} = \vec{\mathbf{D}}_{AC} + \vec{\mathbf{D}}_{CD}$
Ley conmutativa	$\vec{\mathbf{A}} + \vec{\mathbf{B}} = \vec{\mathbf{B}} + \vec{\mathbf{A}}$
Ley asociativa	$(\vec{\mathbf{A}} + \vec{\mathbf{B}}) + \vec{\mathbf{C}} = \vec{\mathbf{A}} + (\vec{\mathbf{B}} + \vec{\mathbf{C}})$
Ley distributiva	$\alpha_1\vec{\mathbf{A}} + \alpha_2\vec{\mathbf{A}} = (\alpha_1 + \alpha_2)\vec{\mathbf{A}}$
La forma en componentes de un vector en dos dimensiones	$\vec{\mathbf{A}} = A_x\hat{\mathbf{i}} + A_y\hat{\mathbf{j}}$
Componentes escalares de un vector en dos dimensiones	$\begin{cases} A_x = x_e - x_b \\ A_y = y_e - y_b \end{cases}$
Magnitud de un vector en un plano	$A = \sqrt{A_x^2 + A_y^2}$
El ángulo direccional de un vector en un plano	$\theta_A = \tan^{-1}\left(\frac{A_y}{A_x}\right)$
Componentes escalares de un vector en un plano	$\begin{cases} A_x = A\cos\theta_A \\ A_y = A\,\text{sen}\,\theta_A \end{cases}$
Coordenadas polares en un plano	$\begin{cases} x = r\cos\varphi \\ y = r\,\text{sen}\,\varphi \end{cases}$
La forma en componentes de un vector en tres dimensiones	$\vec{\mathbf{A}} = A_x\hat{\mathbf{i}} + A_y\hat{\mathbf{j}} + A_z\hat{\mathbf{k}}$
El componente escalar z de un vector en tres dimensiones	$A_z = z_e - z_b$
Magnitud de un vector en tres dimensiones	$A = \sqrt{A_x^2 + A_y^2 + A_z^2}$
Propiedad distributiva	$\alpha(\vec{\mathbf{A}} + \vec{\mathbf{B}}) = \alpha\vec{\mathbf{A}} + \alpha\vec{\mathbf{B}}$
Vector antiparalelo a $\vec{\mathbf{A}}$	$-\vec{\mathbf{A}} = -A_x\hat{\mathbf{i}} - A_y\hat{\mathbf{j}} - A_z\hat{\mathbf{k}}$

Vectores iguales	$\vec{\mathbf{A}} = \vec{\mathbf{B}} \Leftrightarrow \begin{cases} A_x = B_x \\ A_y = B_y \\ A_z = B_z \end{cases}$
Componentes de la resultante de N vectores	$\begin{cases} F_{Rx} = \sum_{k=1}^{N} F_{kx} = F_{1x} + F_{2x} + \ldots + F_{Nx} \\ F_{Ry} = \sum_{k=1}^{N} F_{ky} = F_{1y} + F_{2y} + \ldots + F_{Ny} \\ F_{Rz} = \sum_{k=1}^{N} F_{kz} = F_{1z} + F_{2z} + \ldots + F_{Nz} \end{cases}$
Vector unitario general	$\widehat{\mathbf{V}} = \frac{\vec{\mathbf{V}}}{V}$
Definición del producto escalar	$\vec{\mathbf{A}} \cdot \vec{\mathbf{B}} = AB \cos \varphi$
Propiedad conmutativa del producto escalar	$\vec{\mathbf{A}} \cdot \vec{\mathbf{B}} = \vec{\mathbf{B}} \cdot \vec{\mathbf{A}}$
Propiedad distributiva del producto escalar	$\vec{\mathbf{A}} \cdot (\vec{\mathbf{B}} + \vec{\mathbf{C}}) = \vec{\mathbf{A}} \cdot \vec{\mathbf{B}} + \vec{\mathbf{A}} \cdot \vec{\mathbf{C}}$
Producto escalar en términos de componentes escalares de vectores	$\vec{\mathbf{A}} \cdot \vec{\mathbf{B}} = A_x B_x + A_y B_y + A_z B_z$
Coseno del ángulo entre dos vectores	$\cos \varphi = \frac{\vec{\mathbf{A}} \cdot \vec{\mathbf{B}}}{AB}$
Productos punto de vectores unitarios	$\hat{\mathbf{i}} \cdot \hat{\mathbf{j}} = \hat{\mathbf{j}} \cdot \hat{\mathbf{k}} = \hat{\mathbf{k}} \cdot \hat{\mathbf{i}} = 0$
Magnitud del producto vectorial (definición)	$\left\vert \vec{\mathbf{A}} \times \vec{\mathbf{B}} \right\vert = AB \operatorname{sen} \varphi$
Anticonmutatividad del producto vectorial	$\vec{\mathbf{A}} \times \vec{\mathbf{B}} = -\vec{\mathbf{B}} \times \vec{\mathbf{A}}$
Propiedad distributiva del producto vectorial	$\vec{\mathbf{A}} \times (\vec{\mathbf{B}} + \vec{\mathbf{C}}) = \vec{\mathbf{A}} \times \vec{\mathbf{B}} + \vec{\mathbf{A}} \times \vec{\mathbf{C}}$
Productos cruz de vectores unitarios	$\begin{cases} \hat{\mathbf{i}} \times \hat{\mathbf{j}} = +\hat{\mathbf{k}}, \\ \hat{\mathbf{j}} \times \hat{\mathbf{k}} = +\hat{\mathbf{i}}, \\ \hat{\mathbf{k}} \times \hat{\mathbf{i}} = +\hat{\mathbf{j}}. \end{cases}$

El producto cruz en términos de componentes escalares de vectores	$\vec{\mathbf{A}} \times \vec{\mathbf{B}} = (A_y B_z - A_z B_y)\hat{\mathbf{i}} + (A_z B_x - A_x B_z)\hat{\mathbf{j}} + (A_x B_y - A_y B_x)\hat{\mathbf{k}}$

Resumen

2.1 Escalares y vectores

- La cantidad vectorial es cualquier cantidad que tiene magnitud y dirección, como el desplazamiento o la velocidad. Las cantidades vectoriales se representan mediante objetos matemáticos llamados vectores.
- Geométricamente, los vectores se representan mediante flechas, con el extremo marcado por una punta de flecha. La longitud del vector es su magnitud, que es un escalar positivo. En un plano, la dirección de un vector viene dada por el ángulo que forma el vector con una dirección de referencia, a menudo un ángulo con la horizontal. El ángulo direccional de un vector es un escalar.
- Dos vectores son iguales si y solo si tienen las mismas magnitudes y direcciones. Los vectores paralelos tienen los mismos ángulos direccionales, aunque pueden tener diferentes magnitudes. Los vectores antiparalelos tienen ángulos direccionales que difieren en $180°$. Los vectores ortogonales tienen ángulos direccionales que difieren en $90°$.
- Cuando un vector se multiplica por un escalar, el resultado es otro vector de longitud diferente a la del vector original. La multiplicación por un escalar positivo no cambia la dirección original; solo afecta la magnitud. La multiplicación por un escalar negativo invierte el sentido original. El vector resultante es antiparalelo al vector original. La multiplicación por un escalar es distributiva. Los vectores pueden dividirse entre escalares distintos a cero, pero no pueden dividirse entre vectores.
- Dos o más vectores pueden sumarse para formar otro vector. La suma vectorial se denomina vector resultante. Podemos sumar vectores a vectores o escalares a escalares, pero no podemos sumar escalares a vectores. La suma de vectores es conmutativa y asociativa.
- Para construir geométricamente un vector resultante de dos vectores en un plano, utilizamos la regla del paralelogramo. Para construir geométricamente un vector resultante de muchos vectores en un plano, utilizamos el método de la cola a la cabeza.

2.2 Sistemas de coordenadas y componentes de un vector

- Los vectores se describen en términos de sus componentes en un sistema de coordenadas. En dos dimensiones (en un plano), los vectores tienen dos componentes. En tres dimensiones (en el espacio), los vectores tienen tres componentes.
- Un componente vectorial de un vector es su parte en la dirección de un eje. El componente vectorial es el producto del vector unitario de un eje por su componente escalar a lo largo de dicho eje. Un vector es la resultante de sus componentes vectoriales.
- Las componentes escalares de un vector son diferencias de coordenadas, donde las coordenadas del origen se restan de las coordenadas del punto final de un vector. En un sistema rectangular, la magnitud de un vector es la raíz cuadrada de la suma de los cuadrados de sus componentes.
- En un plano, la dirección de un vector viene dada por el ángulo que tiene el vector con el eje de la x positiva. Este ángulo direccional se mide en sentido contrario a las agujas del reloj. El componente escalar x de un vector puede expresarse como el producto de su magnitud por el coseno de su ángulo direccional, y el componente escalar y puede expresarse como el producto de su magnitud por el seno de su ángulo de dirección.
- En un plano, hay dos sistemas de coordenadas equivalentes. El sistema de coordenadas cartesianas está definido por vectores unitarios $\hat{\mathbf{i}}$ y $\hat{\mathbf{j}}$ a lo largo del eje de la x y del eje de la y, respectivamente. El sistema de coordenadas polares está definido por el vector unitario radial $\hat{\mathbf{r}}$, que da la dirección desde el origen, y un vector unitario $\hat{\mathbf{t}}$, que es perpendicular (ortogonal) a la dirección radial.

2.3 Álgebra de vectores

- Los métodos analíticos del álgebra vectorial nos permiten encontrar las resultantes de las sumas o diferencias de vectores sin tener que dibujarlas. Los métodos analíticos de suma de vectores son exactos, al contrario que los métodos gráficos, que son aproximados.

- Los métodos analíticos del álgebra vectorial se utilizan habitualmente en mecánica, electricidad y magnetismo. Son importantes herramientas matemáticas de la física.

2.4 Productos de los vectores

- Hay dos tipos de multiplicación para los vectores. Un tipo de multiplicación es el producto escalar, también conocido como producto punto. El otro tipo de multiplicación es el producto vectorial, también conocido como producto cruz. El producto escalar de vectores es un número (escalar). El producto vectorial de vectores es un vector.
- Ambos tipos de multiplicación tienen la propiedad distributiva, pero solo el producto escalar tiene la propiedad conmutativa. El producto vectorial tiene la anticonmutatividad, lo que significa que, cuando cambiamos el orden en que se multiplican dos vectores, el resultado adquiere un signo menos.
- El producto escalar de dos vectores se obtiene multiplicando sus magnitudes por el coseno del ángulo entre ellos. El producto escalar de vectores ortogonales es igual a cero; el producto escalar de vectores antiparalelos es negativo.
- El producto vectorial de dos vectores es un vector perpendicular a ambos. Su magnitud se obtiene multiplicando sus magnitudes por el seno del ángulo entre ellas. La dirección del producto vectorial se puede determinar mediante la regla de la mano derecha. El producto vectorial de dos vectores paralelos o antiparalelos es igual a cero. La magnitud del producto vectorial es mayor para los vectores ortogonales.
- El producto escalar de vectores se utiliza para encontrar ángulos entre vectores y en las definiciones de magnitudes físicas escalares derivadas, como el trabajo o la energía.
- El producto cruz de vectores se utiliza en las definiciones de cantidades físicas vectoriales derivadas, como el torque o la fuerza magnética, y en la descripción de rotaciones.

Preguntas Conceptuales

2.1 Escalares y vectores

1. El pronóstico meteorológico indica que la temperatura será $-5\ °C$ al día siguiente. ¿Es la temperatura un vector o una cantidad escalar? Explique.
2. ¿Cuál de los siguientes es un vector: la altura de una persona, la altitud del monte Everest, la velocidad de una mosca, la edad de la Tierra, el punto de ebullición del agua, el costo de un libro, la población de la Tierra o la aceleración de la gravedad?
3. Dé un ejemplo concreto de un vector; indique su magnitud, unidades y dirección.
4. ¿Qué tienen en común los vectores y los escalares? ¿En qué se diferencian?
5. Supongamos que suma dos vectores $\vec{\mathbf{A}}$ y $\vec{\mathbf{B}}$. ¿Qué dirección relativa entre ellos produce la resultante de mayor magnitud? ¿Cuál es la magnitud máxima? ¿Qué dirección relativa entre ellos produce la resultante de menor magnitud? ¿Cuál es la magnitud mínima?
6. ¿Es posible sumar una cantidad escalar a una cantidad vectorial?
7. ¿Es posible que dos vectores de distinta magnitud sumen cero? ¿Es posible que tres vectores de diferentes magnitudes sumen cero? Explique.
8. ¿El cuentakilómetros de un automóvil indica una cantidad escalar o vectorial?
9. Cuando un corredor de 10.000 metros que compite en una pista de 400 metros cruza la línea de meta, ¿cuál es el desplazamiento neto del corredor? ¿Este desplazamiento puede ser cero? Explique.
10. Un vector tiene magnitud cero. ¿Es necesario especificar su dirección? Explique.
11. ¿Puede la magnitud de un vector ser negativa?
12. ¿Puede la magnitud del desplazamiento de una partícula ser mayor que la distancia recorrida?
13. Si dos vectores son iguales, ¿qué puede decir de sus componentes? ¿Qué puede decir sobre sus magnitudes? ¿Qué puede decir de sus direcciones?
14. Si tres vectores suman cero, ¿qué condición geométrica cumplen?

2.2 Sistemas de coordenadas y componentes de un vector

15. Dé un ejemplo de un vector distinto de cero que tenga un componente de cero.
16. Explique por qué un vector no puede tener un componente mayor que su propia magnitud.
17. Si dos vectores son iguales, ¿qué puede decir de sus componentes?

18. Si los vectores $\vec{\mathbf{A}}$ y $\vec{\mathbf{B}}$ son ortogonales, ¿cuál es el componente de $\vec{\mathbf{B}}$ a lo largo de la dirección de $\vec{\mathbf{A}}$? ¿Cuál es el componente de $\vec{\mathbf{A}}$ a lo largo de la dirección de $\vec{\mathbf{B}}$?

19. Si uno de los dos componentes de un vector es distinto de cero, ¿puede ser cero la magnitud del otro componente de este vector?

20. Si dos vectores tienen la misma magnitud, ¿sus componentes tienen que ser iguales?

2.4 Productos de los vectores

21. ¿Cuál es el error en las siguientes expresiones? ¿Cómo puede corregirlas? (a) $C = \vec{\mathbf{A}}\vec{\mathbf{B}}$, (b) $\vec{\mathbf{C}} = \vec{\mathbf{A}}\vec{\mathbf{B}}$, (c) $C = \vec{\mathbf{A}} \times \vec{\mathbf{B}}$, (d) $C = A\vec{\mathbf{B}}$, (e) $C + 2\vec{\mathbf{A}} = B$, (f) $\vec{\mathbf{C}} = A \times \vec{\mathbf{B}}$, (g) $\vec{\mathbf{A}} \cdot \vec{\mathbf{B}} = \vec{\mathbf{A}} \times \vec{\mathbf{B}}$, (h) $\vec{\mathbf{C}} = 2\vec{\mathbf{A}} \cdot \vec{\mathbf{B}}$, (i) $C = \vec{\mathbf{A}}/\vec{\mathbf{B}}$, y (j) $C = \vec{\mathbf{A}}/B$.

22. Si el producto cruz de dos vectores es igual a cero, ¿qué se puede decir de sus direcciones?

23. Si el producto punto de dos vectores es igual a cero, ¿qué se puede decir de sus direcciones?

24. ¿Cuál es el producto punto de un vector con el producto cruz que este vector tiene con otro vector?

Problemas

2.1 Escalares y vectores

25. Un buceador realiza un lento descenso a las profundidades del océano. Su posición vertical con respecto a un barco en la superficie cambia varias veces. Hace la primera parada a 9,0 m del barco, pero tiene un problema para igualar la presión, por lo que asciende 3,0 m y luego sigue descendiendo otros 12,0 m hasta la segunda parada. Desde allí, asciende 4 m y luego desciende 18,0 m, vuelve a ascender 7 m y desciende de nuevo 24,0 m, donde hace una parada, a la espera de su compañero. Asumiendo la dirección positiva arriba hacia la superficie, exprese su vector de desplazamiento vertical neto en términos del vector unitario. ¿Cuál es su distancia al barco?

26. En un juego de tira y afloja en un campus, 15 estudiantes halan de una cuerda por ambos extremos en un esfuerzo por desplazar el nudo central hacia un lado u otro. Dos estudiantes halan con una fuerza de 196 N cada uno hacia la derecha, cuatro halan con una fuerza de 98 N cada uno hacia la izquierda, cinco halan con una fuerza de 62 N cada uno hacia la izquierda, tres halan con una fuerza de 150 N cada uno hacia la derecha y un estudiante hala con una fuerza de 250 N hacia la izquierda. Suponiendo la dirección positiva hacia la derecha, exprese la tracción neta sobre el nudo en términos del vector unitario. ¿Qué tamaño tiene la tracción neta en el nudo? ¿En qué dirección?

27. Supongamos que camina 18,0 m en línea recta hacia el oeste y luego 25,0 m en línea recta hacia el norte. ¿A qué distancia se encuentra de su punto de partida y cuál es la dirección de la brújula de una línea que conecta su punto de partida con su posición final? Utilice un método gráfico.

28. Para los vectores dados en la siguiente figura, utilice un método gráfico para encontrar las siguientes resultantes: (a) $\vec{\mathbf{A}} + \vec{\mathbf{B}}$, (b) $\vec{\mathbf{C}} + \vec{\mathbf{B}}$, (c) $\vec{\mathbf{D}} + \vec{\mathbf{F}}$, (d) $\vec{\mathbf{A}} - \vec{\mathbf{B}}$, (e) $\vec{\mathbf{D}} - \vec{\mathbf{F}}$, (f) $\vec{\mathbf{A}} + 2\vec{\mathbf{F}}$, (g)$\vec{\mathbf{C}} - 2\vec{\mathbf{D}} + 3\vec{\mathbf{F}}$; y (h) $\vec{\mathbf{A}} - 4\vec{\mathbf{D}} + 2\vec{\mathbf{F}}$.

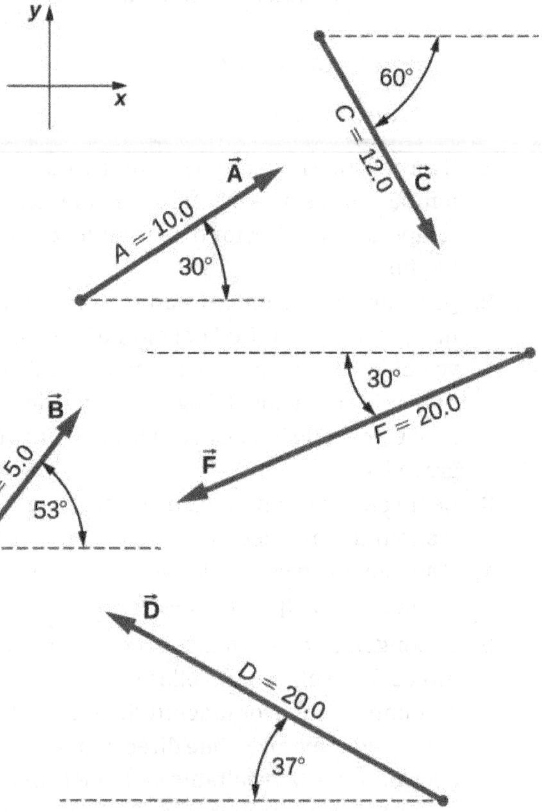

29. Un repartidor parte de la oficina de correos, conduce 40 km hacia el norte, luego 20 km hacia el oeste, después 60 km hacia el noreste y finalmente 50 km hacia el norte para realizar una parada y almorzar. Utilice un método gráfico para encontrar su vector de desplazamiento neto.

30. Un perro aventurero se aleja de su casa, corre tres cuadras hacia el este, dos hacia el norte, una hacia el este, una hacia el norte y dos hacia el oeste. Suponiendo que cada cuadra es de unos 100 m, ¿a qué distancia de casa y en qué dirección está el perro? Utilice un método gráfico.

31. En un intento por escapar de una isla desierta, un náufrago construye una balsa y zarpa al mar. El viento cambia mucho durante el día y lo arrastra en las siguientes direcciones: 2,50 km y 45,0° al norte del oeste, luego 4,70 km y 60,0° al sur del este, luego 1,30 km y 25,0° al sur del oeste, luego 5,10 km en línea recta hacia el este, luego 1,70 km y 5,00° al este del norte, luego 7,20 km y 55,0° al sur del oeste, y finalmente 2,80 km y 10,0° al norte del este. Utilice un método gráfico para encontrar la posición final del náufrago con respecto a la isla.

32. Una avioneta vuela 40,0 km en dirección de 60° al norte del este y luego vuela 30,0 km en dirección de 15° al norte del este. Utilice un método gráfico para encontrar la distancia total que recorre la avioneta desde el punto de partida y la dirección del recorrido hasta la posición final.

33. Un trampero recorre una distancia en línea recta de 5,0 km desde su cabaña hasta el lago, como se muestra en la siguiente figura. Utilice un método gráfico (la regla del paralelogramo) para determinar el desplazamiento del trampero directamente hacia el este y el desplazamiento directamente hacia el norte que suman su vector de desplazamiento resultante. Si el trampero caminara solo en dirección este y norte, en zigzag hasta el lago, ¿cuántos kilómetros tendría que recorrer para llegar al lago?

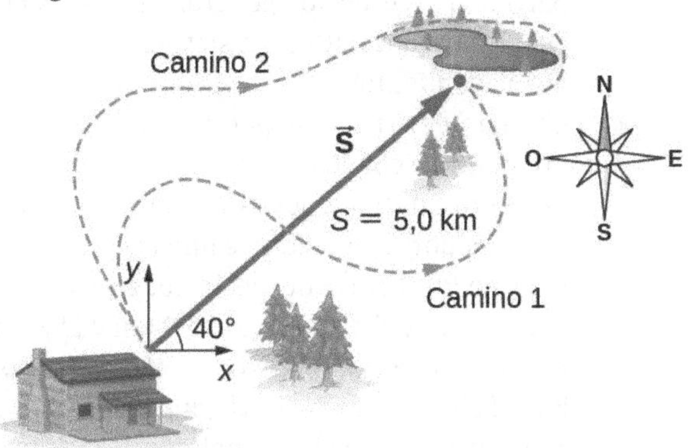

34. Una topógrafa mide la distancia a través de un río que fluye en línea recta hacia el norte por el siguiente método. Partiendo directamente de un árbol en la orilla opuesta, la topógrafa camina 100 m a lo largo del río para establecer un punto de partida. Entonces mira hacia el árbol y lee que el ángulo desde el punto de partida hasta el árbol es 35°. ¿Cuál es el ancho del río?

35. Un peatón camina 6,0 km hacia el este y luego 13,0 km hacia el norte. Utilice un método gráfico para encontrar el desplazamiento resultante del peatón y la dirección geográfica.

36. Las magnitudes de dos vectores de desplazamiento son $A = 20$ m y $B = 6$ m. ¿Cuáles son los valores mayores y menores de la magnitud de la resultante $\vec{\mathbf{R}} = \vec{\mathbf{A}} + \vec{\mathbf{B}}$?

2.2 Sistemas de coordenadas y componentes de un vector

37. Suponiendo que el eje de la $x+$ es horizontal y apunta a la derecha, resuelva los vectores dados en la siguiente figura a sus componentes escalares y expréselos en forma de componentes vectoriales.

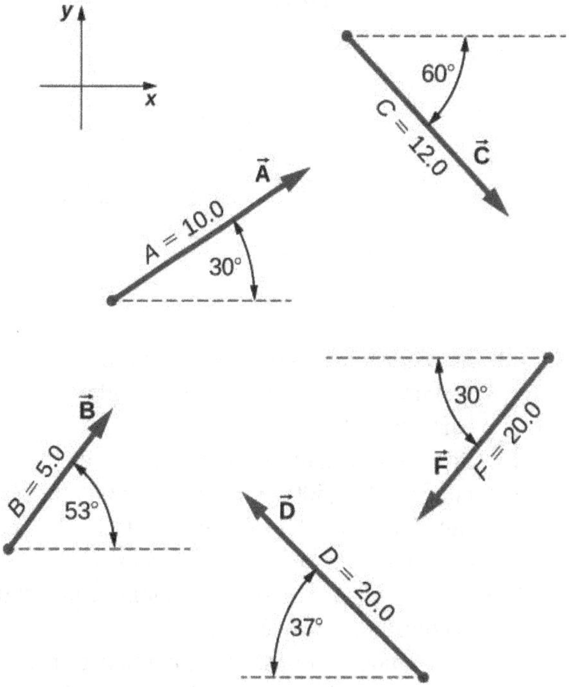

38. Supongamos que camina 18,0 m en línea recta hacia el oeste y luego 25,0 m en línea recta hacia el norte. ¿A qué distancia se encuentra de su punto de partida? ¿Cuál es su vector de desplazamiento? ¿Cuál es la dirección de su desplazamiento? Supongamos que el eje de la x + está al este.

39. Conduce 7,50 km en línea recta en una dirección de 15° al este del norte. (a) Calcule las distancias que tendría que recorrer en línea recta hacia el este y luego en línea recta hacia el norte para llegar al mismo punto. (b) Demuestre que sigue llegando al mismo punto si los tramos este y norte se invierten de orden. Supongamos que el eje de la x + está al este.

40. Un trineo es arrastrado por dos caballos en un terreno llano. La fuerza neta sobre el trineo puede expresarse en el sistema de coordenadas cartesianas como el vector $\vec{\mathbf{F}} = (-2980{,}0\hat{\mathbf{i}} + 8200{,}0\hat{\mathbf{j}})\text{N}$, donde $\hat{\mathbf{i}}$ y $\hat{\mathbf{j}}$ indican direcciones hacia el este y el norte, respectivamente. Halle la magnitud y la dirección de la tracción.

41. Una trampera recorre una distancia en línea recta de 5,0 km desde su cabaña hasta el lago, como se muestra en la siguiente figura. Determine las componentes este y norte de su vector de desplazamiento. ¿Cuántos kilómetros más tendría que caminar si recorriera por los componentes de los desplazamientos? ¿Cuál es su vector de desplazamiento?

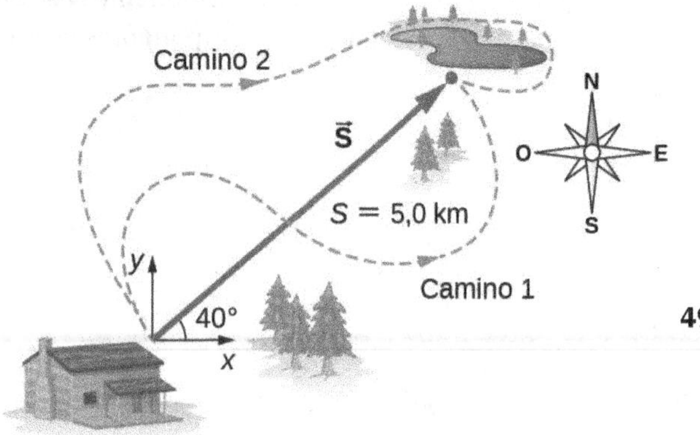

42. Las coordenadas polares de un punto son $4\pi/3$ y 5,50 m. ¿Cuáles son sus coordenadas cartesianas?

43. Dos puntos en un plano tienen coordenadas polares $P_1\,(2{,}500\text{ m}, \pi/6)$ y $P_2(3{,}800\text{ m}, 2\pi/3)$. Determine sus coordenadas cartesianas y la distancia entre estas en el sistema de coordenadas cartesianas. Redondee la distancia al centímetro más cercano.

44. Un camaleón reposa tranquilamente en el mosquitero de una veranda, esperando que pase un insecto. Supongamos que el origen de un sistema de coordenadas cartesianas está en la esquina inferior izquierda de la veranda y la dirección horizontal hacia la derecha es la dirección de la x +. Si sus coordenadas son (2,000 m, 1,000 m), (a) ¿a qué distancia está de la esquina del biombo? (b) ¿Cuál es su ubicación en coordenadas polares?

45. Dos puntos del plano cartesiano son A (2,00 m, -4,00 m) y B (-3,00 m, 3,00 m). Calcule la distancia entre ellos y sus coordenadas polares.

46. Una mosca entra por una ventana abierta y recorre la habitación. En un sistema de coordenadas cartesianas con tres ejes a lo largo de tres bordes de la habitación, la mosca cambia su posición del punto b (4,0 m, 1,5 m, 2,5 m) al punto e (1,0 m, 4,5 m, 0,5 m). Halle los componentes escalares del vector de desplazamiento de la mosca y exprese su vector de desplazamiento en forma de componente vectorial. ¿Cuál es su magnitud?

2.3 Álgebra de vectores

47. Para los vectores $\vec{\mathbf{B}} = -\hat{\mathbf{i}} - 4\hat{\mathbf{j}}$ y $\vec{\mathbf{A}} = -3\hat{\mathbf{i}} - 2\hat{\mathbf{j}}$, calcule (a) $\vec{\mathbf{A}} + \vec{\mathbf{B}}$ y su magnitud y ángulo direccional, y (b) $\vec{\mathbf{A}} - \vec{\mathbf{B}}$ y su magnitud y ángulo direccional.

48. Una partícula sufre tres desplazamientos consecutivos dados por los vectores $\vec{\mathbf{D}}_1 = (3{,}0\hat{\mathbf{i}} - 4{,}0\hat{\mathbf{j}} - 2{,}0\hat{\mathbf{k}})\text{mm}$, $\vec{\mathbf{D}}_2 = (1{,}0\hat{\mathbf{i}} - 7{,}0\hat{\mathbf{j}} + 4{,}0\hat{\mathbf{k}})\text{mm}$ y $\vec{\mathbf{D}}_3 = (-7{,}0\hat{\mathbf{i}} + 4{,}0\hat{\mathbf{j}} + 1{,}0\hat{\mathbf{k}})\text{mm}$. (a) Halle el vector de desplazamiento resultante de la partícula. (b) ¿Cuál es la magnitud del desplazamiento resultante? (c) Si todos los desplazamientos fueran a lo largo de una línea, ¿qué distancia recorrería la partícula?

49. Dados dos vectores de desplazamiento $\vec{\mathbf{A}} = (3{,}00\hat{\mathbf{i}} - 4{,}00\hat{\mathbf{j}} + 4{,}00\hat{\mathbf{k}})\text{m}$ y $\vec{\mathbf{B}} = (2{,}00\hat{\mathbf{i}} + 3{,}00\hat{\mathbf{j}} - 7{,}00\hat{\mathbf{k}})\text{m}$, halle los desplazamientos y sus magnitudes para (a) $\vec{\mathbf{C}} = \vec{\mathbf{A}} + \vec{\mathbf{B}}$ y (b) $\vec{\mathbf{D}} = 2\vec{\mathbf{A}} - \vec{\mathbf{B}}$.

50. Una avioneta vuela 40,0 km en una dirección de 60° al norte del este y luego vuela 30,0 km en una dirección de 15° al norte del este. Utilice el método analítico para encontrar la distancia total que recorre la avioneta desde el punto de partida, y la dirección geográfica de su vector de desplazamiento. ¿Cuál es su vector de desplazamiento?

51. En un intento por escapar de una isla desierta, un náufrago construye una balsa y zarpa al mar. El viento cambia mucho durante el día y lo arrastra por las siguientes líneas rectas: 2,50 km y 45,0° al norte del oeste, luego 4,70 km y 60,0° al sur del este, luego 1,30 km y 25,0° al sur del oeste, luego 5,10 km hacia el este, luego 1,70 km y 5,00° al este del norte, luego 7,20 km y 55,0° al sur del oeste, y finalmente 2,80 km y 10,0° al norte del este. Utilice el método analítico para encontrar el vector resultante de todos sus vectores de desplazamiento. ¿Cuál es su magnitud y dirección?

52. Suponiendo que el eje de la x + es horizontal hacia la derecha para los vectores dados en la siguiente figura, utilice el método analítico para encontrar las siguientes resultantes: (a) $\vec{\mathbf{A}} + \vec{\mathbf{B}}$, (b) $\vec{\mathbf{C}} + \vec{\mathbf{B}}$, (c) $\vec{\mathbf{D}} + \vec{\mathbf{F}}$, (d) $\vec{\mathbf{A}} - \vec{\mathbf{B}}$, (e) $\vec{\mathbf{D}} - \vec{\mathbf{F}}$, (f) $\vec{\mathbf{A}} + 2\vec{\mathbf{F}}$, (g) $\vec{\mathbf{C}} - 2\vec{\mathbf{D}} + 3\vec{\mathbf{F}}$, y (h) $\vec{\mathbf{A}} - 4\vec{\mathbf{D}} + 2\vec{\mathbf{F}}$.

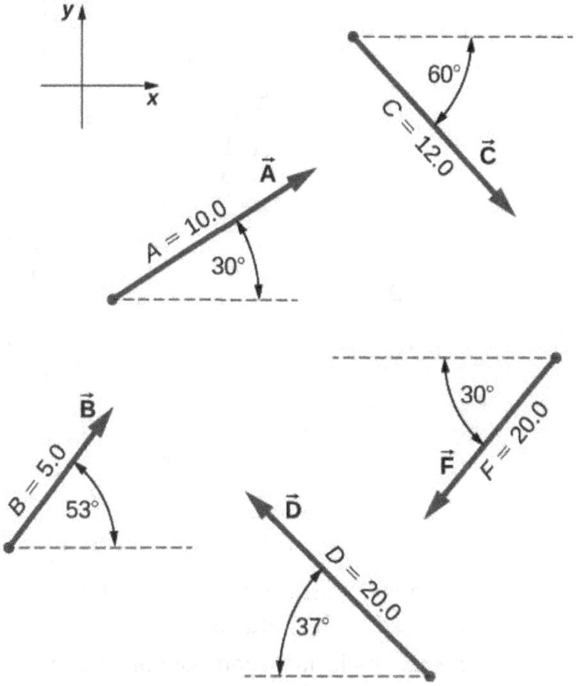

FIGURA 2.33

53. Dados los vectores de la figura anterior, halle el vector $\vec{\mathbf{R}}$ que resuelve las ecuaciones (a) $\vec{\mathbf{D}} + \vec{\mathbf{R}} = \vec{\mathbf{F}}$ y (b) $\vec{\mathbf{C}} - 2\vec{\mathbf{D}} + 5\vec{\mathbf{R}} = 3\vec{\mathbf{F}}$. Supongamos que el eje de la $x+$ es horizontal hacia la derecha.

54. Un repartidor parte de la oficina de correos, conduce 40 km hacia el norte, luego 20 km hacia el oeste, después 60 km hacia el noreste y finalmente 50 km hacia el norte para realizar una parada y almorzar. Utilice el método analítico para determinar lo siguiente: (a) Halle su vector de desplazamiento neto. (b) ¿A qué distancia está el restaurante de la oficina de correos? (c) Si vuelve directamente del restaurante a la oficina de correos, ¿cuál es su vector de desplazamiento en el viaje de regreso? (d) ¿Cuál es el rumbo de su brújula en el viaje de regreso? Supongamos que el eje de la $x+$ está al este.

55. Un perro aventurero se aleja de su casa, corre tres cuadras hacia el este, dos hacia el norte y una hacia el este, una hacia el norte y dos hacia el oeste. Suponiendo que cada cuadra tiene una longitud de unos 100 m, utilice el método analítico para encontrar el vector de desplazamiento neto del perro, su magnitud y su dirección. Supongamos que el eje de la $x+$ está al este. ¿Cómo se vería afectada su respuesta si cada cuadra tuviera unos 100 m?

56. Si $\vec{\mathbf{D}} = (6{,}00\hat{\mathbf{i}} - 8{,}00\hat{\mathbf{j}})\text{m}$, $\vec{\mathbf{B}} = (-8{,}00\hat{\mathbf{i}} + 3{,}00\hat{\mathbf{j}})\text{m}$ y $\vec{\mathbf{A}} = (26{,}0\hat{\mathbf{i}} + 19{,}0\hat{\mathbf{j}})\text{m}$, halle las incógnitas en las constantes a y b tales que $a\vec{\mathbf{D}} + b\vec{\mathbf{B}} + \vec{\mathbf{A}} = \vec{\mathbf{0}}$.

57. Dado el vector de desplazamiento $\vec{\mathbf{D}} = (3\hat{\mathbf{i}} - 4\hat{\mathbf{j}})\text{m}$, encontrar el vector de desplazamiento $\vec{\mathbf{R}}$ para que $\vec{\mathbf{D}} + \vec{\mathbf{R}} = -4D\hat{\mathbf{j}}$.

58. Halle el vector unitario de dirección para las siguientes cantidades vectoriales: (a) fuerza $\vec{\mathbf{F}} = (3{,}0\hat{\mathbf{i}} - 2{,}0\hat{\mathbf{j}})\text{N}$, (b) desplazamiento $\vec{\mathbf{D}} = (-3{,}0\hat{\mathbf{i}} - 4{,}0\hat{\mathbf{j}})\text{m}$, y (c) velocidad $\vec{\mathbf{v}} = (-5{,}00\hat{\mathbf{i}} + 4{,}00\hat{\mathbf{j}})\text{m/s}$.

59. En un punto del espacio, la dirección del vector de campo eléctrico viene dada en el sistema cartesiano por el vector unitario $\hat{\mathbf{E}} = 1/\sqrt{5}\hat{\mathbf{i}} - 2/\sqrt{5}\hat{\mathbf{j}}$. Si la magnitud del vector de campo eléctrico es $E = 400{,}0$ V/m, ¿cuáles son los componentes escalares E_x, E_y y E_z del vector de campo eléctrico $\vec{\mathrm{E}}$ en este punto? Cuál es el ángulo direccional θ_E del vector de campo eléctrico en este punto?

60. Los dos remolcadores que se muestran en la siguiente figura halan una barcaza. Un remolcador hala la barcaza con una fuerza de magnitud de 4.000 unidades de fuerza a 15° por encima de la línea AB (ver la figura) y el otro remolcador, con una fuerza de magnitud de 5.000 unidades de fuerza a 12° por debajo de la línea AB. Resuelva las fuerzas de tracción a sus componentes escalares y halle los componentes de la fuerza resultante que hala la barcaza. ¿Cuál es la magnitud de la tracción resultante? ¿Cuál es su dirección con respecto a la línea AB?

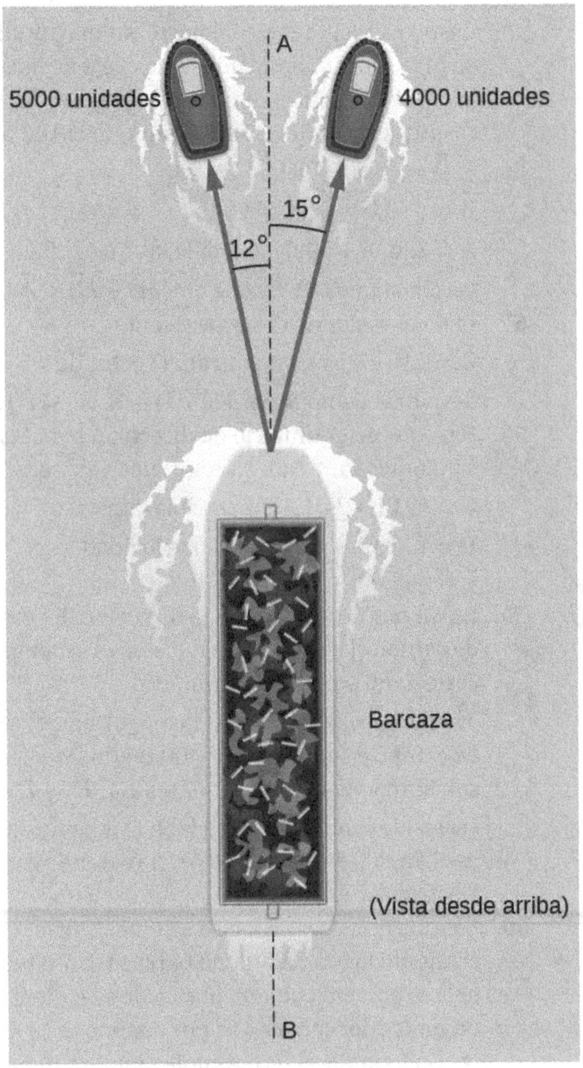

FIGURA 2.34

61. En la torre de control de un aeropuerto regional, un controlador aéreo supervisa dos aviones mientras sus posiciones cambian con respecto a la torre de control. Un avión es un Boeing 747 de carga y el otro es un Douglas DC-3. El Boeing se encuentra a una altitud de 2.500 m, sube a 10° sobre la horizontal, y se mueve 30° al norte del oeste. El DC-3 está a una altitud de 3.000 m, sube a 5° sobre la horizontal, y vuela directamente hacia el oeste. (a) Halle los vectores de posición de los aviones con respecto a la torre de control. (b) ¿Cuál es la distancia entre los aviones en el momento en que el controlador aéreo toma nota de sus posiciones?

2.4 Productos de los vectores

62. Suponiendo que el eje de la $x+$ es horizontal hacia la derecha para los vectores de la siguiente figura, halle los siguientes productos escalares: (a) $\vec{\mathbf{A}} \cdot \vec{\mathbf{C}}$, (b) $\vec{\mathbf{A}} \cdot \vec{\mathbf{F}}$, (c) $\vec{\mathbf{D}} \cdot \vec{\mathbf{C}}$, (d) $\vec{\mathbf{A}} \cdot (\vec{\mathbf{F}} + 2\vec{\mathbf{C}})$, (e) $\hat{\mathbf{i}} \cdot \vec{\mathbf{B}}$, (f) $\hat{\mathbf{j}} \cdot \vec{\mathbf{B}}$, (g) $(3\hat{\mathbf{i}} - \hat{\mathbf{j}}) \cdot \vec{\mathbf{B}}$, y (h) $\widehat{\mathbf{B}} \cdot \vec{\mathbf{B}}$.

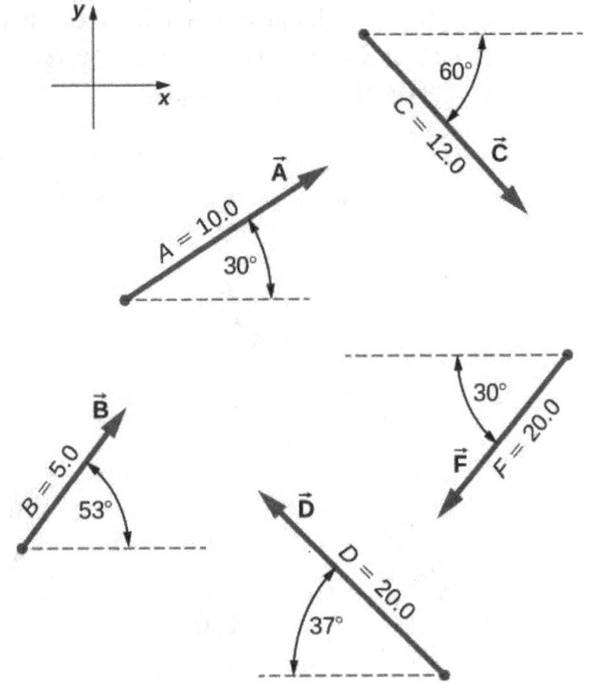

63. Suponiendo que el eje de la $x+$ es horizontal hacia la derecha para los vectores de la figura anterior, halle: (a) el componente del vector $\vec{\mathbf{A}}$ junto al vector $\vec{\mathbf{C}}$, (b) el componente del vector $\vec{\mathbf{C}}$ junto al vector $\vec{\mathbf{A}}$, (c) el componente del vector $\hat{\mathbf{i}}$ junto al vector $\vec{\mathbf{F}}$, y (d) el componente del vector $\vec{\mathbf{F}}$ junto al vector $\hat{\mathbf{i}}$.

64. Halle el ángulo entre vectores para (a) $\vec{\mathbf{D}} = (-3{,}0\hat{\mathbf{i}} - 4{,}0\hat{\mathbf{j}})\text{m}$ y $\vec{\mathbf{A}} = (-3{,}0\hat{\mathbf{i}} + 4{,}0\hat{\mathbf{j}})\text{m}$ y (b) $\vec{\mathbf{D}} = (2{,}0\hat{\mathbf{i}} - 4{,}0\hat{\mathbf{j}} + \hat{\mathbf{k}})\text{m}$ y $\vec{\mathbf{B}} = (-2{,}0\hat{\mathbf{i}} + 3{,}0\hat{\mathbf{j}} + 2{,}0\hat{\mathbf{k}})\text{m}$.

65. Halle los ángulos que el vector $\vec{\mathbf{D}} = (2{,}0\hat{\mathbf{i}} - 4{,}0\hat{\mathbf{j}} + \hat{\mathbf{k}})\text{m}$ hace con los ejes de la *x*, la *y* y la *z*.

66. Demuestre que el vector de fuerza $\vec{\mathbf{D}} = (2{,}0\hat{\mathbf{i}} - 4{,}0\hat{\mathbf{j}} + \hat{\mathbf{k}})\text{N}$ es ortogonal al vector de fuerza $\vec{\mathbf{G}} = (3{,}0\hat{\mathbf{i}} + 4{,}0\hat{\mathbf{j}} + 10{,}0\hat{\mathbf{k}})\text{N}$.

67. Suponiendo que el eje de la $x+$ es horizontal hacia la derecha para los vectores de la figura anterior, halle los siguientes productos vectoriales: (a) $\vec{\mathbf{A}} \times \vec{\mathbf{C}}$, (b) $\vec{\mathbf{A}} \times \vec{\mathbf{F}}$, (c) $\vec{\mathbf{D}} \times \vec{\mathbf{C}}$, (d) $\vec{\mathbf{A}} \times (\vec{\mathbf{F}} + 2\vec{\mathbf{C}})$, (e) $\hat{\mathbf{i}} \times \vec{\mathbf{B}}$, (f) $\hat{\mathbf{j}} \times \vec{\mathbf{B}}$, (g) $(3\hat{\mathbf{i}} - \hat{\mathbf{j}}) \times \vec{\mathbf{B}}$, y (h) $\widehat{\mathbf{B}} \times \vec{\mathbf{B}}$.

68. Halle el producto cruz $\vec{\mathbf{A}} \times \vec{\mathbf{C}}$ para (a) $\vec{\mathbf{A}} = 2{,}0\hat{\mathbf{i}} - 4{,}0\hat{\mathbf{j}} + \hat{\mathbf{k}}$ y $\vec{\mathbf{C}} = 3{,}0\hat{\mathbf{i}} + 4{,}0\hat{\mathbf{j}} + 10{,}0\hat{\mathbf{k}}$, (b) $\vec{\mathbf{A}} = 3{,}0\hat{\mathbf{i}} + 4{,}0\hat{\mathbf{j}} + 10{,}0\hat{\mathbf{k}}$ y $\vec{\mathbf{C}} = 2{,}0\hat{\mathbf{i}} - 4{,}0\hat{\mathbf{j}} + \hat{\mathbf{k}}$, (c) $\vec{\mathbf{A}} = -3{,}0\hat{\mathbf{i}} - 4{,}0\hat{\mathbf{j}}$ y

$\vec{\mathbf{C}} = -3{,}0\hat{\mathbf{i}} + 4{,}0\hat{\mathbf{j}}$, y (d)
$\vec{\mathbf{C}} = -2{,}0\hat{\mathbf{i}} + 3{,}0\hat{\mathbf{j}} + 2{,}0\hat{\mathbf{k}}$ y $\vec{\mathbf{A}} = -9{,}0\hat{\mathbf{j}}$.

69. Para los vectores de la figura anterior, halle: (a) $(\vec{\mathbf{A}} \times \vec{\mathbf{F}}) \cdot \vec{\mathbf{D}}$, (b) $(\vec{\mathbf{A}} \times \vec{\mathbf{F}}) \cdot (\vec{\mathbf{D}} \times \vec{\mathbf{B}})$, y (c) $(\vec{\mathbf{A}} \cdot \vec{\mathbf{F}})(\vec{\mathbf{D}} \times \vec{\mathbf{B}})$.

70. (a) Si $\vec{\mathbf{A}} \times \vec{\mathbf{F}} = \vec{\mathbf{B}} \times \vec{\mathbf{F}}$, ¿podemos concluir que $\vec{\mathbf{A}} = \vec{\mathbf{B}}$? (b) Si $\vec{\mathbf{A}} \cdot \vec{\mathbf{F}} = \vec{\mathbf{B}} \cdot \vec{\mathbf{F}}$, ¿podemos concluir que $\vec{\mathbf{A}} = \vec{\mathbf{B}}$? (c) Si $F\vec{\mathbf{A}} = \vec{\mathbf{B}}F$, ¿podemos concluir que $\vec{\mathbf{A}} = \vec{\mathbf{B}}$? ¿Por qué sí por qué no?

Problemas Adicionales

71. Usted vuela 32,0 km en línea recta en el aire quieto en la dirección 35,0° al sur del oeste. (a) Calcule las distancias que tendría que volar hacia el sur y luego hacia el oeste para llegar al mismo punto. (b) Calcule las distancias que tendría que volar primero en una dirección de 45,0° al sur del oeste y luego en dirección de 45,0° al oeste del norte. Observe que se trata de los componentes del desplazamiento a lo largo de un conjunto diferente de ejes, es decir, el que rota a 45° con respecto a los ejes en (a).
72. Las coordenadas rectangulares de un punto vienen dadas por $(2, y)$ y sus coordenadas polares por $(r, \pi/6)$. Halle y y r.
73. Si las coordenadas polares de un punto son (r, φ) y sus coordenadas rectangulares son (x, y), determine las coordenadas polares de los siguientes puntos: (a) $(-x, y)$, (b) $(-2x, -2y)$, y (c) $(3x, -3y)$.
74. Los vectores $\vec{\mathbf{A}}$ y $\vec{\mathbf{B}}$ tienen magnitudes idénticas de 5,0 unidades. Halle el ángulo entre ellos si $\vec{\mathbf{A}} + \vec{\mathbf{B}} = 5\sqrt{2}\hat{\mathbf{j}}$.
75. Partiendo de la isla de Moi, en un archipiélago desconocido, un barco pesquero realiza un viaje de ida y vuelta con dos paradas en las islas de Noi y Poi. Navega desde Moi durante 4,76 millas náuticas (nautical mile, nmi) en una dirección de 37° al norte del este a Noi. Desde Noi, navega a 69° al oeste del norte hasta Poi. En su regreso desde Poi, navega a 28° al este del sur. ¿Qué distancia navega el barco entre Noi y Poi? ¿Qué distancia navega entre Moi y Poi? Exprese su respuesta tanto en millas náuticas como en kilómetros. Nota: 1 nmi = 1852 m.
76. Un controlador aéreo observa dos señales de dos aviones en el monitor del radar. Un avión se encuentra a 800 m de altura y a una distancia horizontal de 19,2 km de la torre en una dirección de 25° al sur del oeste. El segundo avión está a 1.100 m de altura y su distancia horizontal es de 17,6 km y 20° al sur del oeste. ¿Cuál es la distancia entre estos aviones?
77. Demuestre que cuando $\vec{\mathbf{A}} + \vec{\mathbf{B}} = \vec{\mathbf{C}}$, luego $C^2 = A^2 + B^2 + 2AB\cos\varphi$, donde φ es el ángulo entre los vectores $\vec{\mathbf{A}}$ y $\vec{\mathbf{B}}$.
78. Cuatro vectores de fuerza tienen cada uno la misma magnitud f. ¿Cuál es la mayor magnitud que puede tener el vector de fuerza resultante cuando se suman estas fuerzas? ¿Cuál es la menor magnitud de la resultante? Haga un gráfico de ambas situaciones.
79. Un patinador se desliza por un recorrido circular de radio 5,00 m en la dirección de las agujas del reloj. Cuando da la vuelta a la mitad del círculo, partiendo del punto oeste, halle: (a) la magnitud de su vector de desplazamiento y (b) la distancia que realmente ha patinado. (c) ¿Cuál es la magnitud de su vector de desplazamiento cuando da la vuelta completa al círculo y vuelve al punto oeste?
80. Un perro rebelde pasea sujetado a una correa por su dueño. En un momento dado, el perro encuentra un olor interesante en algún punto del terreno y quiere explorarlo en detalle, pero el dueño se impacienta y hala de la correa con fuerza $\vec{\mathbf{F}} = (98{,}0\hat{\mathbf{i}} + 132{,}0\hat{\mathbf{j}} + 32{,}0\hat{\mathbf{k}})$N a lo largo de la correa. (a) ¿Cuál es la magnitud de la fuerza de tracción? (b) ¿Qué ángulo forma la correa con la vertical?
81. Si el vector de velocidad de un oso polar es $\vec{\mathbf{u}} = (-18{,}0\hat{\mathbf{i}} - 13{,}0\hat{\mathbf{j}})$km/h, ¿a qué velocidad y en qué dirección geográfica se dirige? Aquí, $\hat{\mathbf{i}}$ y $\hat{\mathbf{j}}$ son direcciones hacia el este y el norte geográficos, respectivamente.
82. Halle los componentes escalares de los vectores tridimensionales $\vec{\mathbf{G}}$ y $\vec{\mathbf{H}}$ en la siguiente figura y escriba los vectores en forma de componentes vectoriales en términos de los vectores unitarios de los ejes.

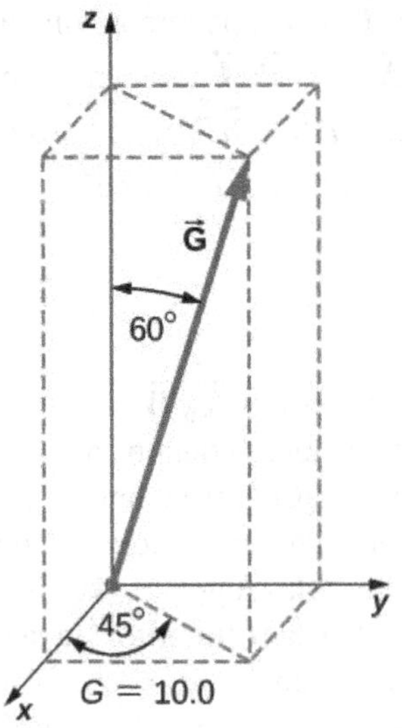

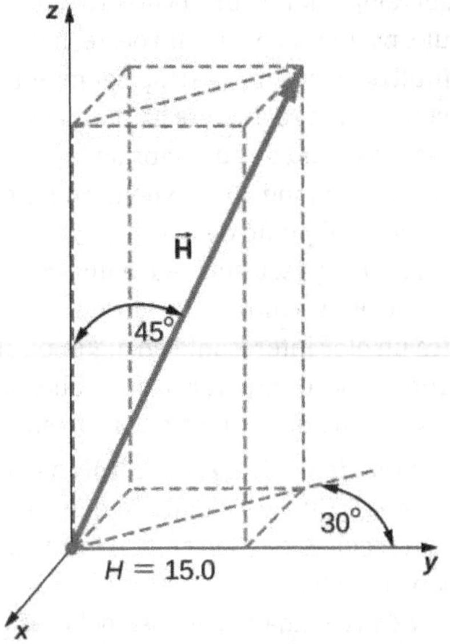

83. Una buceadora explora un arrecife poco profundo en la costa de Belice. Inicialmente nada 90,0 m hacia el norte, hace un giro hacia el este y continúa durante 200,0 m, luego sigue a un gran mero durante 80,0 m en la dirección de 30° al norte del este. Mientras tanto, una corriente local la desplaza 150,0 m hacia el sur. Suponiendo que la corriente ya no está presente, ¿en qué dirección y a qué distancia debería nadar ahora para volver al punto de partida?

84. Un vector de fuerza $\vec{\mathbf{A}}$ tiene componentes *x* y *y*, respectivamente, de -8,80 unidades de fuerza y 15,00 unidades de fuerza. Los componentes *x* y *y* del vector de fuerza $\vec{\mathbf{B}}$ son, respectivamente, 13,20 unidades de fuerza y -6,60 unidades de fuerza. Halle los componentes del vector de fuerza $\vec{\mathbf{C}}$ que satisfacen la ecuación vectorial $\vec{\mathbf{A}} - \vec{\mathbf{B}} + 3\vec{\mathbf{C}} = 0$.

85. Los vectores $\vec{\mathbf{A}}$ y $\vec{\mathbf{B}}$ son dos vectores ortogonales en el plano *xy* y tienen magnitudes idénticas. Si $\vec{\mathbf{A}} = 3{,}0\hat{\mathbf{i}} + 4{,}0\hat{\mathbf{j}}$, halle $\vec{\mathbf{B}}$.

86. Para los vectores tridimensionales de la siguiente figura, halle: (a) $\vec{\mathbf{G}} \times \vec{\mathbf{H}}$, (b) $\left|\vec{\mathbf{G}} \times \vec{\mathbf{H}}\right|$, y (c) $\vec{\mathbf{G}} \cdot \vec{\mathbf{H}}$.

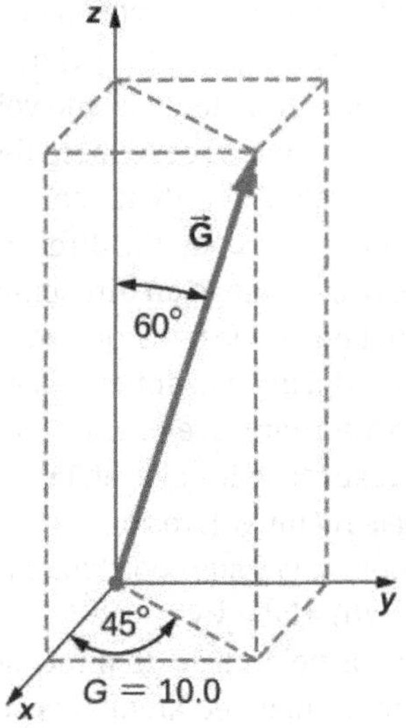

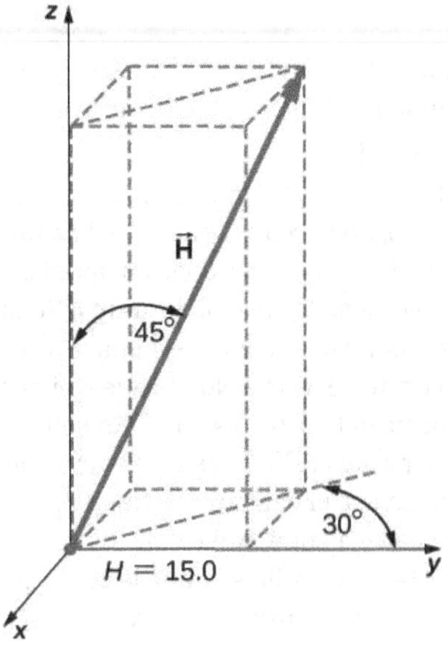

87. Demuestre que $(\vec{\mathbf{B}} \times \vec{\mathbf{C}}) \cdot \vec{\mathbf{A}}$ es el volumen del paralelepípedo, cuyas aristas están formadas por los tres vectores de la siguiente figura.

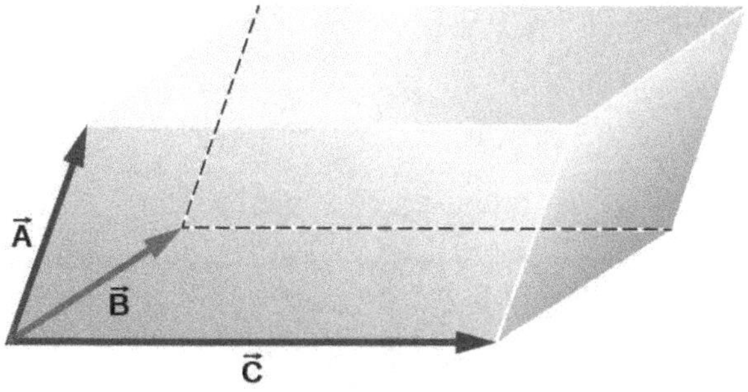

Problemas De Desafío

88. El vector $\vec{\mathbf{B}}$ tiene una longitud de 5,0 cm y un vector $\vec{\mathbf{A}}$ tiene una longitud de 4,0 cm. Calcule el ángulo entre estos dos vectores cuando $\left|\vec{\mathbf{A}} + \vec{\mathbf{B}}\right| = 3{,}0\text{ cm}$ y $\left|\vec{\mathbf{A}} - \vec{\mathbf{B}}\right| = 3{,}0\text{ cm}$.

89. ¿Cuál es el componente del vector de fuerza $\vec{\mathbf{G}} = (3{,}0\hat{\mathbf{i}} + 4{,}0\hat{\mathbf{j}} + 10{,}0\hat{\mathbf{k}})\text{N}$ junto al vector de fuerza $\vec{\mathbf{H}} = (1{,}0\hat{\mathbf{i}} + 4{,}0\hat{\mathbf{j}})\text{N}$?

90. La siguiente figura muestra un triángulo formado por los tres vectores $\vec{\mathbf{A}}$, $\vec{\mathbf{B}}$ y $\vec{\mathbf{C}}$. Si el vector $\vec{\mathbf{C}}'$ se dibuja entre los puntos medios de los vectores $\vec{\mathbf{A}}$ y $\vec{\mathbf{B}}$, demuestre que $\vec{\mathbf{C}}' = \vec{\mathbf{C}}/2$.

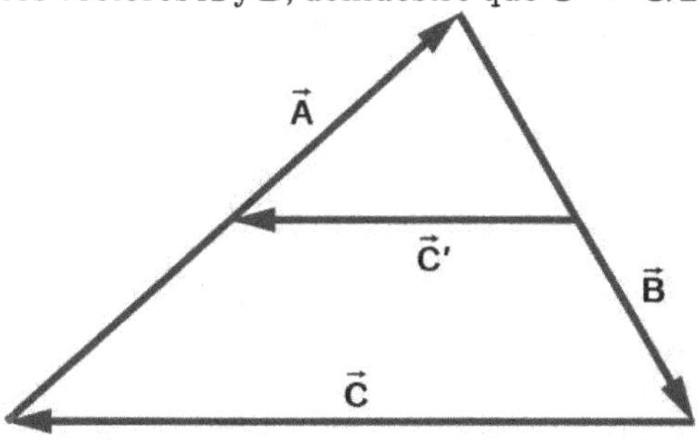

91. Las distancias entre los puntos de un plano no cambian cuando se rota un sistema de coordenadas. En otras palabras, la magnitud de un vector es *invariante* bajo rotaciones del sistema de coordenadas. Supongamos que un sistema de coordenadas S rota alrededor de su origen por un ángulo φ para convertirse en un nuevo sistema de coordenadas S', como se muestra en la siguiente figura. Un punto en un plano tiene coordenadas (x, y) en S y coordenadas (x', y') en S'.

(a) Demuestre que, durante la transformación de rotación, las coordenadas en S' se expresan en términos de las coordenadas en S mediante las siguientes relaciones:

$$\begin{cases} x' = x\cos\varphi + y\,\text{sen}\,\varphi \\ y' = -x\,\text{sen}\,\varphi + y\cos\varphi \end{cases}.$$

(b) Demuestre que la distancia del punto P al origen es invariante bajo rotaciones del sistema de coordenadas. Aquí, tiene que mostrar que

$$\sqrt{x^2 + y^2} = \sqrt{x'^2 + y'^2}.$$

(c) Demuestre que la distancia entre los puntos P y Q es invariante bajo rotaciones del sistema de coordenadas. Aquí, tiene que mostrar que

$$\sqrt{\left(x_P - x_Q\right)^2 + \left(y_P - y_Q\right)^2} = \sqrt{\left(x'_P - x'_Q\right)^2 + \left(y'_P - y'_Q\right)^2}.$$

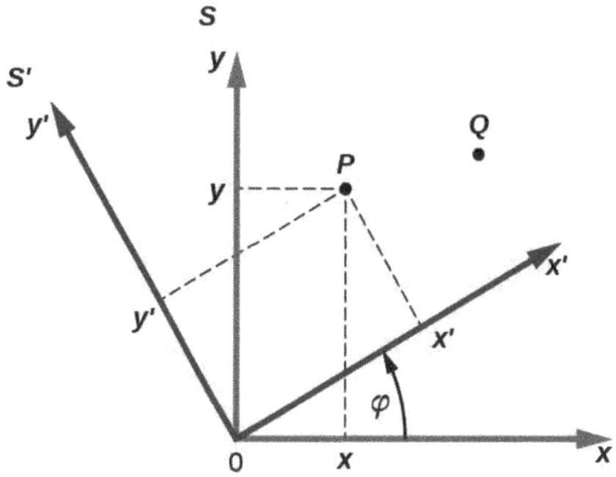

CAPÍTULO 3
Movimiento rectilíneo

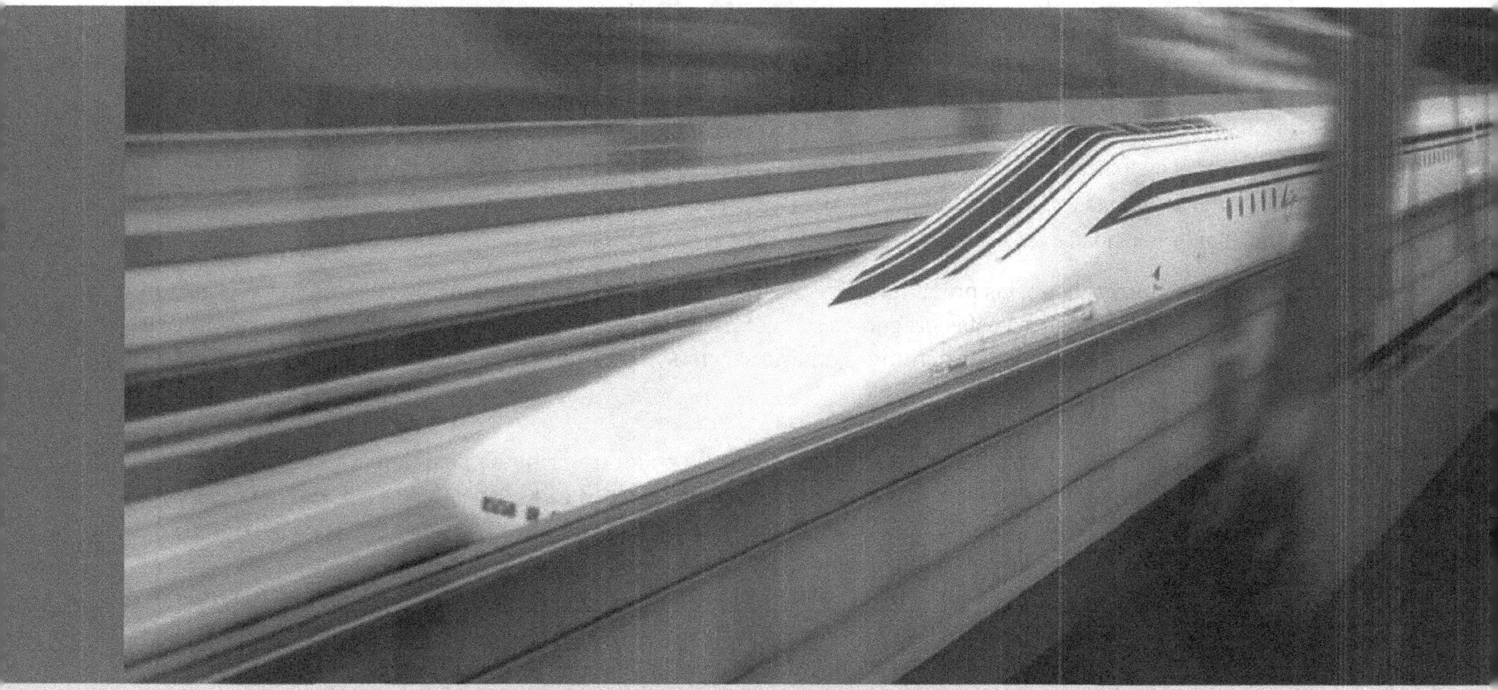

Figura 3.1 Un tren de levitación magnética (Magnetic Levitation, maglev) de la serie L0 de JR Central realiza una prueba en la pista de pruebas de Yamanashi. El movimiento del tren de maglev puede describirse mediante la cinemática, que es el tema de este capítulo (créditos: modificación del trabajo de "Maryland GovPics"/Flickr).

ESQUEMA DEL CAPITULO

INTRODUCCIÓN Nuestro universo está lleno de objetos en movimiento. Desde las estrellas, los planetas y las galaxias, el movimiento de las personas y de los animales, hasta la escala microscópica de los átomos y las moléculas, todo en nuestro universo está en movimiento. Podemos describir el movimiento con la ayuda de las dos disciplinas de la cinemática y la dinámica. Estudiamos la dinámica, que se ocupa de las causas del movimiento, en las Leyes del movimiento de Newton. Sin embargo, hay mucho que aprender sobre el movimiento sin referirse a lo que lo causa, y esto es el estudio de la cinemática. La cinemática consiste en describir el movimiento mediante propiedades como la posición, el tiempo, la velocidad y la aceleración.

El tratamiento completo de la **cinemática** considera el movimiento en dos y tres dimensiones. Por ahora, hablamos del movimiento en una dimensión, lo que nos proporciona las herramientas necesarias para estudiar el movimiento multidimensional. Un buen ejemplo de un objeto que experimenta un movimiento unidimensional es el tren de maglev (levitación magnética), representado al principio de este capítulo. Cuando viaja, por ejemplo, de Tokio a Kioto, se encuentra en diferentes posiciones a lo largo de la vía en varios momentos de su viaje; por ende, tiene desplazamientos o cambios de posición. También tiene una variedad de velocidades a lo largo de su trayectoria y sufre aceleraciones (cambios de velocidad). Con los conocimientos aprendidos en este capítulo podemos calcular estas cantidades y la velocidad media. Todas estas magnitudes pueden describirse mediante la cinemática, sin conocer la masa del tren ni las fuerzas que intervienen.

3.1 Posición, desplazamiento y velocidad media

OBJETIVOS DE APRENDIZAJE

Al final de esta sección, podrá:

- Definir la posición, el desplazamiento y la distancia recorrida.
- Calcular el desplazamiento total dada la posición en función del tiempo.
- Determinar la distancia total recorrida.
- Calcular la velocidad media dado el desplazamiento y el tiempo transcurrido.

Cuando está en movimiento, las preguntas básicas que debe hacerse son: ¿dónde está? ¿A dónde va? ¿Qué tan rápido llega? Las respuestas a estas preguntas requieren que especifique su posición, su desplazamiento y su velocidad media, los términos que definimos en esta sección.

Posición

Para describir el movimiento de un objeto, primero hay que poder describir su **posición** (x): *dónde se encuentra en un momento determinado*. Más concretamente, necesitamos especificar su posición respecto a un marco de referencia conveniente. Un marco de referencia es un conjunto arbitrario de ejes a partir del cual se describen la posición y el movimiento de un objeto. La Tierra se utiliza a menudo como marco de referencia, y con frecuencia describimos la posición de un objeto en relación con los objetos estacionarios de la Tierra. Por ejemplo, el lanzamiento de un cohete podría describirse en términos de la posición del cohete con respecto a la Tierra en su conjunto, mientras que la posición de una ciclista podría describirse en términos de dónde se encuentra en relación con los edificios por los que pasa en la Figura 3.2. En otros casos, utilizamos marcos de referencia que no son estacionarios, sino que están en movimiento respecto a la Tierra. Para describir la posición de una persona en un avión, por ejemplo, utilizamos el avión, no la Tierra, como marco de referencia. Para describir la posición de un objeto que experimenta un movimiento unidimensional, solemos utilizar la variable x. Más adelante en el capítulo, durante el análisis de la caída libre, utilizamos la variable y.

FIGURA 3.2 Estos ciclistas en Vietnam pueden describirse por sus posiciones con respecto a los edificios o al canal. Sus movimientos pueden describirse mediante sus cambios de posición, o desplazamientos, en un marco de referencia (créditos: modificación de un trabajo de Suzan Black).

Desplazamiento

Si un objeto se mueve con respecto a un marco de referencia, por ejemplo, si una profesora se desplaza hacia la derecha con respecto a una pizarra como en la Figura 3.3, la posición del objeto cambia. Este cambio de posición se denomina **desplazamiento**. La palabra *desplazamiento* implica que un objeto se ha movido o ha sido desplazado. Si bien la posición es el valor numérico de la x a lo largo de una línea recta en la que puede estar situado un objeto, el desplazamiento da el *cambio* de posición a lo largo de esta línea. Dado que el desplazamiento indica la dirección, es un vector y puede ser positivo o negativo, dependiendo de la elección de la dirección positiva. Además, en un análisis de movimiento puede haber muchos desplazamientos. Si la derecha es positiva y un objeto se desplaza 2 m a la derecha y luego 4 m a la izquierda, los desplazamientos individuales son 2 m y −4 m, respectivamente.

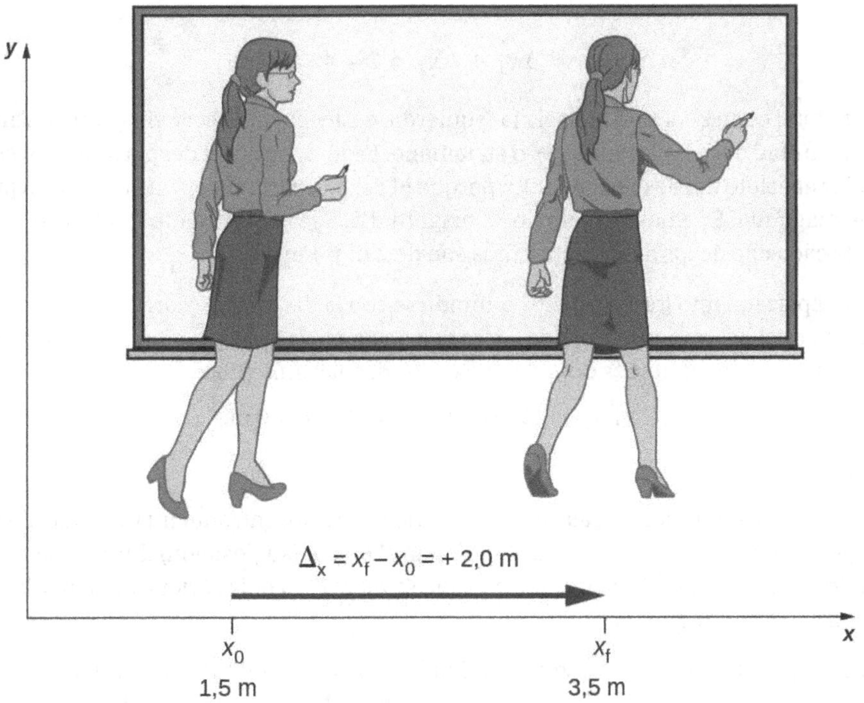

FIGURA 3.3 La profesora se pasea a la izquierda y a la derecha mientras da una conferencia. Su posición respecto a la Tierra viene dada por la x. El desplazamiento de +2,0 m de la profesora con respecto a la Tierra está representado por una flecha que apunta a la derecha.

Desplazamiento

Desplazamiento Δx es el cambio de posición de un objeto:

$$\Delta x = x_f - x_0, \quad 3.1$$

donde Δx es el desplazamiento, x_f es la posición final, y x_0 es la posición inicial.

Utilizamos la letra griega mayúscula delta (Δ) con el significado de "cambio en" cualquier cantidad que le siga; así, Δx significa *cambio de posición* (posición final menos posición inicial). Siempre resolvemos el desplazamiento restando la posición inicial x_0 de la posición final x_f. Hay que tener en cuenta que la unidad del SI para el desplazamiento es el metro, pero a veces utilizamos kilómetros u otras unidades de longitud. Asimismo, que cuando en un problema se utilicen unidades distintas a los metros, es posible que tenga que convertirlas a metros para completar el cálculo (vea el Apéndice B).

Los objetos en movimiento también pueden tener una serie de desplazamientos. En el ejemplo anterior de la profesora que se paseaba, los desplazamientos individuales son de 2 m y −4 m, lo que supone un desplazamiento total de -2 m. Definimos el **desplazamiento total** Δx_{Total}, como *la suma de los desplazamientos individuales*, y lo expresamos matemáticamente con la ecuación

$$\Delta x_{Total} = \sum \Delta x_i, \quad 3.2$$

donde Δx_i son cada uno de los desplazamientos. En el ejemplo anterior,

$$\Delta x_1 = x_1 - x_0 = 2 - 0 = 2\,\text{m}.$$

De la misma manera,

$$\Delta x_2 = x_2 - x_1 = -2 - (2) = -4\,\text{m}$$

Por lo tanto,

$$\Delta x_{\text{Total}} = \Delta x_1 + \Delta x_2 = 2 - 4 = -2\,\text{m} \quad .$$

El desplazamiento total es de 2 - 4 = -2 m hacia la izquierda, es decir, en dirección negativa. También es útil para calcular la magnitud del desplazamiento, o su tamaño. La magnitud del desplazamiento siempre es positiva. Es el valor absoluto del desplazamiento, porque el desplazamiento es un vector y no puede tener un valor negativo de magnitud. En nuestro ejemplo, la magnitud del desplazamiento total es de 2 m, mientras que las magnitudes de cada uno de los desplazamientos son de 2 m y 4 m.

La magnitud del desplazamiento total no debe confundirse con la distancia recorrida. La distancia recorrida x_{Total}, es la longitud total del camino recorrido entre dos posiciones. En el problema anterior, la **distancia recorrida** es la suma de las magnitudes de cada uno de los desplazamientos:

$$x_{\text{Total}} = |\Delta x_1| + |\Delta x_2| = 2 + 4 = 6\,\text{m}.$$

Velocidad media

Para calcular las demás magnitudes físicas de la cinemática debemos introducir la variable de tiempo. La variable de tiempo nos permite no solo indicar dónde está el objeto (su posición) durante su movimiento, sino también a qué velocidad se mueve. La velocidad a la que se mueve un objeto viene dada por la tasa en la que cambia la posición con el tiempo.

Para cada posición x_i, asignamos un tiempo determinado t_i. Si los detalles del movimiento en cada instante no son importantes, la tasa suele expresarse como la **velocidad media** $\bar{v}$. Esta cantidad vectorial es simplemente el desplazamiento total entre dos puntos, dividido entre el tiempo que tarda en viajar entre ellos. El tiempo que tarda en viajar entre dos puntos se denomina **tiempo transcurrido** Δt.

Velocidad media

Si x_1 y x_2 son las posiciones de un objeto en los tiempos t_1 y t_2, respectivamente, entonces

$$\text{Velocidad media} = \bar{v} = \frac{\text{Desplazamiento entre dos puntos}}{\text{Tiempo transcurrido entre dos puntos}} \qquad 3.3$$

$$\bar{v} = \frac{\Delta x}{\Delta t} = \frac{x_2 - x_1}{t_2 - t_1}.$$

Es importante señalar que la velocidad media es un vector y puede ser negativa, dependiendo de las posiciones x_1 y x_2.

EJEMPLO 3.1

Entrega de volantes

Jill sale de su casa para entregar volantes para su venta de garaje; viaja hacia el este a lo largo de la calle bordeada de casas. A 0,5 km y 9 minutos después se queda sin volantes y tiene que volver sobre sus pasos hasta su casa para conseguir más. Esto le toma 9 minutos más. Tras recoger más volantes, vuelve a emprender el mismo camino al continuar por donde lo dejó, y termina a 1,0 km de su casa. En esta tercera etapa de su viaje tarda 15 minutos. En ese momento regresa hacia su casa, en dirección al oeste. Después de 1,75 km y 25 minutos se detiene a descansar.

a. ¿Cuál es el desplazamiento total de Jill hasta el punto en que se detiene a descansar?
b. ¿Cuál es la magnitud del desplazamiento final?
c. ¿Cuál es la velocidad media durante todo su viaje?
d. ¿Cuál es la distancia total recorrida?
e. Haga un gráfico de la posición en función del tiempo.

Se muestra un esquema de los movimientos de Jill en la Figura 3.4.

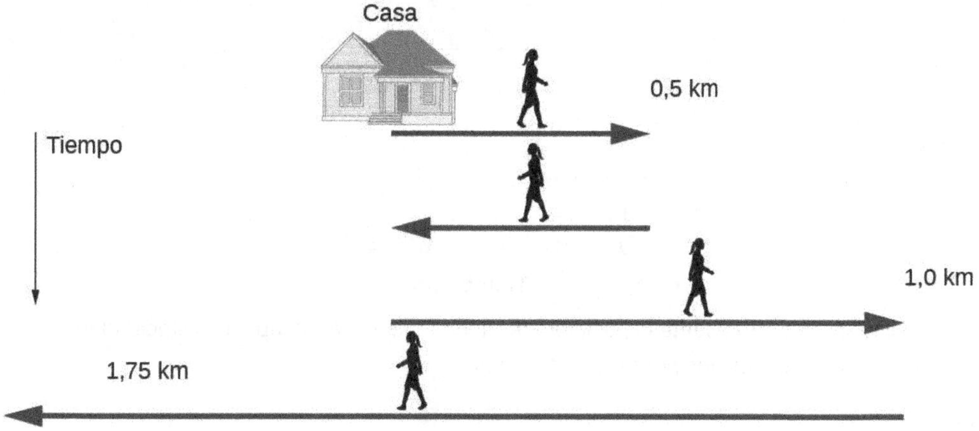

FIGURA 3.4 Línea del tiempo de los movimientos de Jill.

Estrategia

El problema contiene datos sobre los distintos tramos del viaje de Jill, por lo que valdría la pena hacer una tabla con las cantidades físicas. En el enunciado del problema se nos da la posición y el tiempo para poder calcular los desplazamientos y el tiempo transcurrido. Consideramos que el este es la dirección positiva. A partir de esta información podemos encontrar el desplazamiento total y la velocidad media. La casa de Jill es el punto de partida x_0. En la siguiente tabla se indican la hora y la posición de Jill en las dos primeras columnas, y los desplazamientos se calculan en la tercera columna.

Tiempo t_i (min)	Posición x_i (km)	Desplazamiento Δx_i (km)
$t_0 = 0$	$x_0 = 0$	$\Delta x_0 = 0$
$t_1 = 9$	$x_1 = 0{,}5$	$\Delta x_1 = x_1 - x_0 = 0{,}5$
$t_2 = 18$	$x_2 = 0$	$\Delta x_2 = x_2 - x_1 = -0{,}5$
$t_3 = 33$	$x_3 = 1{,}0$	$\Delta x_3 = x_3 - x_2 = 1{,}0$
$t_4 = 58$	$x_4 = -0{,}75$	$\Delta x_4 = x_4 - x_3 = -1{,}75$

Solución

a. De la tabla anterior, el desplazamiento total es

$$\sum \Delta x_i = 0{,}5 - 0{,}5 + 1{,}0 - 1{,}75 \text{ km} = -0{,}75 \text{ km}.$$

b. La magnitud del desplazamiento total es $|-0{,}75|$ km = 0,75 km.

c. $\text{Velocidad media} = \frac{\text{Desplazamiento total}}{\text{Tiempo transcurrido}} = \bar{v} = \frac{-0{,}75 \text{ km}}{58 \text{ min}} = -0{,}013 \text{ km/min}$

d. La distancia total recorrida (suma de las magnitudes de cada uno de los desplazamientos) es $x_{\text{Total}} = \sum |\Delta x_i| = 0{,}5 + 0{,}5 + 1{,}0 + 1{,}75 \text{ km} = 3{,}75 \text{ km}.$

e. Podemos graficar la posición de Jill en función del tiempo como una herramienta útil para ver el movimiento; el gráfico se muestra en la Figura 3.5.

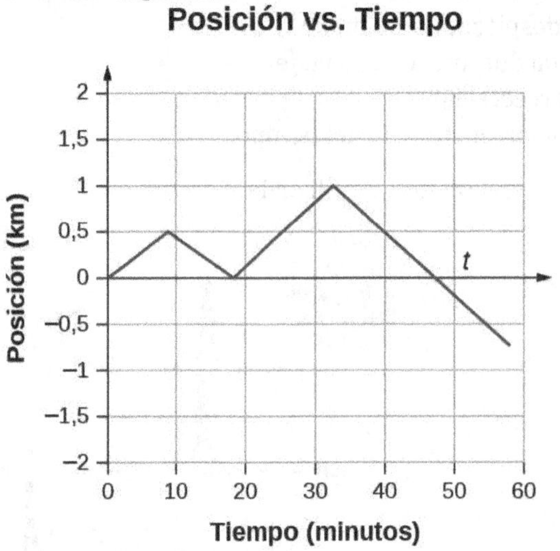

FIGURA 3.5 Este gráfico representa la posición de Jill en función del tiempo. La velocidad media es la pendiente de una línea que une los puntos inicial y final.

Importancia

El desplazamiento total de Jill es de -0,75 km, lo que significa que al final de su viaje termina 0,75 km al oeste de su casa. La velocidad media significa que si alguien caminara hacia el oeste a 0,013 km/min comenzando a la misma hora que Jill salió de su casa, ambos llegarían al punto de parada final al mismo tiempo. Hay que tener en cuenta que si Jill terminara su viaje en su casa, su desplazamiento total sería cero, así como su velocidad media. La distancia total recorrida durante los 58 minutos de tiempo transcurrido de su viaje es de 3,75 km.

COMPRUEBE LO APRENDIDO 3.1

Un ciclista recorre 3 km hacia el oeste y luego da la vuelta y recorre 2 km hacia el este. (a) ¿Cuál es su desplazamiento? (b) ¿Cuál es la distancia recorrida? (c) ¿Cuál es la magnitud de su desplazamiento?

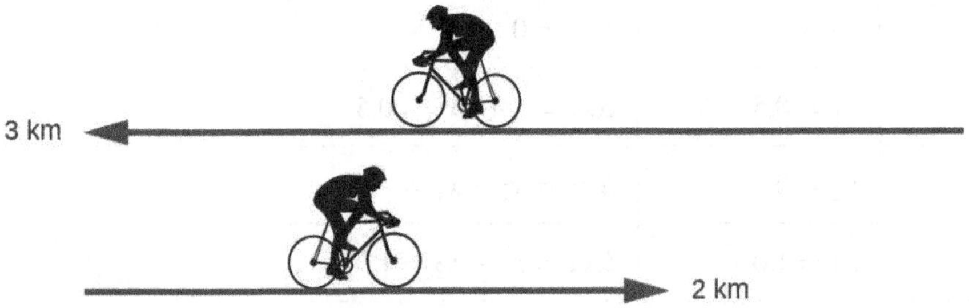

3.2 Velocidad y rapidez instantáneas

OBJETIVOS DE APRENDIZAJE

Al final de esta sección, podrá:

- Explicar la diferencia entre velocidad media y velocidad instantánea.
- Señalar la diferencia entre velocidad y rapidez.
- Calcular la velocidad instantánea dada la ecuación matemática de la velocidad.
- Calcular la rapidez dada la velocidad instantánea.

Ahora hemos visto cómo calcular la velocidad media entre dos posiciones. Sin embargo, dado que los objetos en el mundo real se mueven continuamente a través del espacio y el tiempo, nos gustaría encontrar la velocidad de un objeto en cualquier punto. Podemos encontrar la velocidad del objeto en cualquier punto de su trayectoria mediante algunos principios fundamentales del cálculo. Esta sección nos permite comprender mejor la física del movimiento y nos servirá en capítulos posteriores.

Velocidad instantánea

La cantidad que nos indica qué tan rápido se mueve un objeto en cualquier punto de su trayectoria es la **velocidad instantánea**, normalmente llamada simplemente *velocidad*. Es la velocidad media entre dos puntos de la trayectoria en el límite en que el tiempo (y, por ende, el desplazamiento) entre ambos puntos se aproxima a cero. Para ilustrar esta idea matemáticamente, necesitamos expresar la posición de la x como una función continua de t denotada por $x(t)$. La expresión para la velocidad media entre dos puntos con esta notación es $\bar{v} = \frac{x(t_2)-x(t_1)}{t_2-t_1}$. Para encontrar la velocidad instantánea en cualquier posición, suponemos que $t_1 = t$ y $t_2 = t + \Delta t$. Tras incorporar estas expresiones en la ecuación de la velocidad media y tomar el límite como $\Delta t \to 0$, encontramos la expresión para la velocidad instantánea:

$$v(t) = \lim_{\Delta t \to 0} \frac{x(t + \Delta t) - x(t)}{\Delta t} = \frac{dx(t)}{dt}.$$

Velocidad instantánea

La velocidad instantánea de un objeto es el límite de la velocidad media a medida que el tiempo transcurrido se acerca a cero, o la derivada de x con respecto a t:

$$v(t) = \frac{d}{dt}x(t). \qquad 3.4$$

Al igual que la velocidad media, la velocidad instantánea es un vector con dimensión de longitud por tiempo. La velocidad instantánea en un momento determinado t_0 es la tasa de cambio de la función de posición, que es la pendiente de la función de posición $x(t)$ en t_0. La Figura 3.6 muestra cómo la velocidad media $\bar{v} = \frac{\Delta x}{\Delta t}$ entre dos tiempos se aproxima a la velocidad instantánea en t_0. La velocidad instantánea se muestra en el tiempo t_0, que resulta estar en el máximo de la función de posición. La pendiente del gráfico de posición es cero en este punto; por ende, la velocidad instantánea es cero. Para otros tiempos, t_1, t_2, y así sucesivamente, la velocidad instantánea no es cero porque la pendiente del gráfico de posición sería positiva o negativa. Si la función de posición tuviera un mínimo, la pendiente del gráfico de posición también sería cero, lo que daría una velocidad instantánea de cero también allí. Así, los ceros de la función de velocidad dan el mínimo y el máximo de la función de posición.

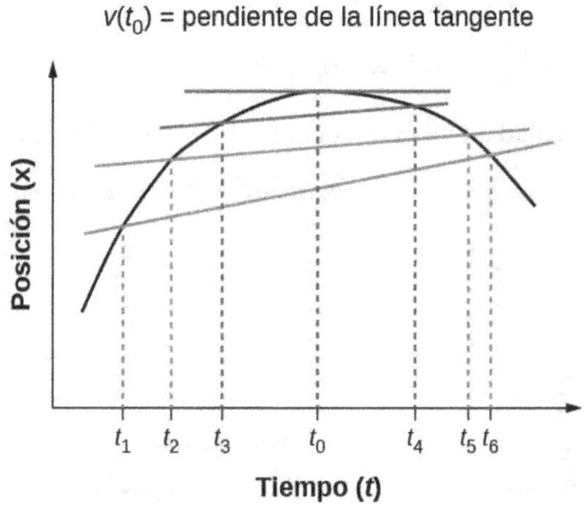

FIGURA 3.6 En un gráfico de posición en función del tiempo, la velocidad instantánea es la pendiente de la línea tangente en un punto determinado. Las velocidades medias $\bar{v} = \frac{\Delta x}{\Delta t} = \frac{x_f - x_i}{t_f - t_i}$ entre tiempos $\Delta t = t_6 - t_1, \Delta t = t_5 - t_2$, y $\Delta t = t_4 - t_3$ se muestran. Cuando $\Delta t \to 0$, la velocidad media se aproxima a la velocidad instantánea en $t = t_0$.

EJEMPLO 3.2

Encontrar la velocidad a partir de un gráfico de posición en función del tiempo

Dado el gráfico de posición en función del tiempo de la Figura 3.7, halle el gráfico de velocidad en función del tiempo.

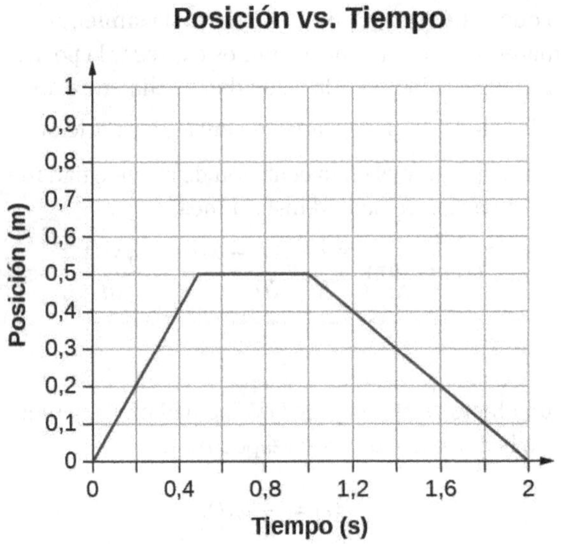

FIGURA 3.7 El objeto comienza en la dirección positiva, se detiene brevemente y luego invierte la dirección, para dirigirse de nuevo hacia el origen. Observe que el objeto llega al reposo instantáneamente, lo que requeriría una fuerza infinita. Así, el gráfico es una aproximación al movimiento en el mundo real. (El concepto de fuerza se trata en las Leyes de movimiento de Newton).

Estrategia

El gráfico contiene tres líneas rectas durante tres intervalos. Encontramos la velocidad durante cada intervalo al tomar la pendiente de la línea con la cuadrícula.

Solución

Intervalo de 0 s a 0,5 s: $\bar{v} = \frac{\Delta x}{\Delta t} = \frac{0{,}5\text{ m}-0{,}0\text{ m}}{0{,}5\text{ s}-0{,}0\text{ s}} = 1{,}0\text{ m/s}$

Intervalo de 0,5 s a 1,0 s: $\bar{v} = \frac{\Delta x}{\Delta t} = \frac{0{,}5\text{ m}-0{,}5\text{ m}}{1{,}0\text{ s}-0{,}5\text{ s}} = 0{,}0\text{ m/s}$

Intervalo de 1,0 s a 2,0 s: $\bar{v} = \frac{\Delta x}{\Delta t} = \frac{0{,}0\text{ m}-0{,}5\text{ m}}{2{,}0\text{ s}-1{,}0\text{ s}} = -0{,}5\text{ m/s}$

El gráfico de estos valores de velocidad en función del tiempo se muestra en la Figura 3.8.

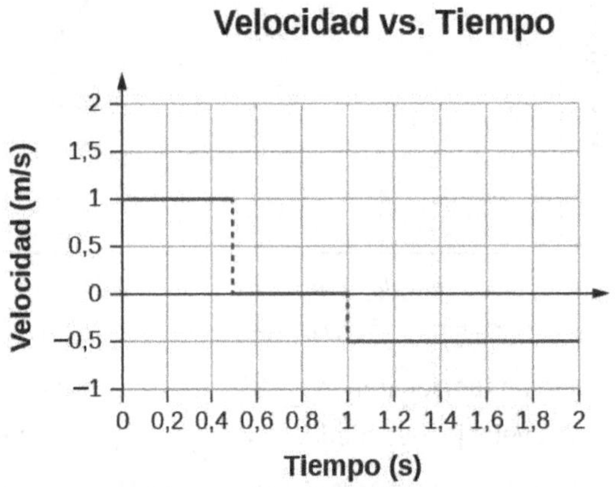

FIGURA 3.8 La velocidad es positiva durante la primera parte del recorrido, cero cuando el objeto se detiene y

negativa cuando el objeto invierte su dirección.

Importancia

Durante el intervalo de 0 s a 0,5 s, la posición del objeto se aleja del origen y la curva de la posición en función del tiempo tiene una pendiente positiva. En cualquier punto de la curva durante este intervalo, podemos encontrar la velocidad instantánea al tomar su pendiente, que es de +1 m/s, como se muestra en la Figura 3.8. En el intervalo posterior, de 0,5 s a 1,0 s, la posición no cambia y vemos que la pendiente es cero. De 1,0 s a 2,0 s, el objeto retrocede hacia el origen y la pendiente es de -0,5 m/s. El objeto ha invertido su dirección y tiene una velocidad negativa.

Rapidez

En el lenguaje cotidiano, la mayoría de la gente utiliza indistintamente los términos *rapidez* y *velocidad*. Sin embargo, en física no tienen el mismo significado y son conceptos distintos. Una diferencia importante es que la rapidez no tiene dirección; es decir, la rapidez es un escalar.

Podemos calcular la **rapidez media** al hallar la distancia total recorrida dividida entre el tiempo transcurrido:

$$\text{Rapidez media} = \bar{s} = \frac{\text{Distancia total}}{\text{Tiempo transcurrido}}. \tag{3.5}$$

La rapidez media no es necesariamente la misma que la magnitud de la velocidad media, que se encuentra al dividir la magnitud del desplazamiento total entre el tiempo transcurrido. Por ejemplo, si un viaje comienza y termina en el mismo lugar, el desplazamiento total es cero y, por tanto, la velocidad media es cero. Sin embargo, la rapidez media no es cero, porque la distancia total recorrida es mayor que cero. Si hacemos un viaje por carretera de 300 km y tenemos que llegar a nuestro destino a una hora determinada, entonces nos interesaría conocer nuestra rapidez media.

Sin embargo, podemos calcular la **rapidez instantánea** a partir de la magnitud de la velocidad instantánea:

$$\text{Rapidez instantánea} = |v(t)|\,. \tag{3.6}$$

Si una partícula se mueve a lo largo del eje de la *x* a +7,0 m/s y otra partícula se mueve a lo largo del mismo eje a -7,0 m/s, tienen velocidades diferentes, pero ambas tienen la misma rapidez de 7,0 m/s. En la siguiente tabla se muestran algunos valores de rapidez típicos.

Rapidez	m/s	mi/h
Deriva continental	10^{-7}	2×10^{-7}
Caminata rápida	1,7	3,9
Ciclista	4,4	10
Corredor de velocidad	12,2	27
Límite de velocidad en zonas rurales	24,6	56
Récord oficial de velocidad en tierra	341,1	763
Velocidad del sonido a nivel del mar	343	768
Transbordador espacial en reentrada	7.800	17.500

Rapidez	m/s	mi/h
Velocidad de escape de la Tierra*	11.200	25.000
Rapidez orbital de la Tierra alrededor del Sol	29.783	66.623
Velocidad de la luz en el vacío	299.792.458	670.616.629

TABLA 3.1 Rapidez de diversos objetos *La velocidad de escape es la velocidad a la que debe lanzarse un objeto para que supere la gravedad terrestre y no sea arrastrado hacia la Tierra.

Calcular la velocidad instantánea

Al calcular la velocidad instantánea, necesitamos especificar la forma explícita de la función de posición $x(t)$. Si cada término de la ecuación $x(t)$ tiene la forma de At^n donde A es una constante y n es un número entero, esto se puede diferenciar con la regla de la potencia para que sea:

$$\frac{d(At^n)}{dt} = Ant^{n-1}. \qquad 3.7$$

Observe que, si hay más términos que se suman, esta regla de la potencia de la diferenciación puede hacerse varias veces y la solución es la suma de esos términos. El siguiente ejemplo ilustra el empleo de la Ecuación 3.7.

EJEMPLO 3.3

Velocidad instantánea en función de la velocidad media

La posición de una partícula viene dada por $x(t) = 3{,}0t + 0{,}5t^3$ m.

a. Utilizando la Ecuación 3.4 y la Ecuación 3.7, halle la velocidad instantánea en $t = 2{,}0$ s.
b. Calcule la velocidad media entre 1,0 s y 3,0 s.

Estrategia

La Ecuación 3.4 da la velocidad instantánea de la partícula como la derivada de la función de posición. Al observar la forma de la función de posición dada, vemos que es un polinomio en *t*. Por lo tanto, podemos utilizar la Ecuación 3.7, la regla de la potencia del cálculo, para encontrar la solución. Utilizamos la Ecuación 3.6 para calcular la velocidad media de la partícula.

Solución

a. $v(t) = \frac{dx(t)}{dt} = 3{,}0 + 1{,}5t^2$ m/s.
Sustituyendo $t = 2{,}0$ s en esta ecuación se obtiene $v(2{,}0\text{ s}) = [3{,}0 + 1{,}5(2{,}0)^2]$ m/s $= 9{,}0$ m/s.
b. Para determinar la velocidad media de la partícula entre 1,0 s y 3,0 s, calculamos los valores de la $x(1{,}0\text{ s})$ y la $x(3{,}0\text{ s})$:

$$x(1{,}0\text{ s}) = \left[(3{,}0)(1{,}0) + 0{,}5(1{,}0)^3\right]\text{ m} = 3{,}5\text{ m}$$

$$x(3{,}0\text{ s}) = \left[(3{,}0)(3{,}0) + 0{,}5(3{,}0)^3\right]\text{ m} = 22{,}5\text{ m}.$$

Entonces la velocidad media es

$$\bar{v} = \frac{x(3{,}0\text{ s}) - x(1{,}0\text{ s})}{t(3{,}0\text{ s}) - t(1{,}0\text{ s})} = \frac{22{,}5 - 3{,}5\text{ m}}{3{,}0 - 1{,}0\text{ s}} = 9{,}5\text{ m/s}.$$

Importancia

En el límite de que el intervalo utilizado para calcular $\bar{v}$ llega a cero, el valor obtenido para $\bar{v}$ converge al valor de v.

EJEMPLO 3.4

Velocidad instantánea en función de la rapidez

Consideremos el movimiento de una partícula en la que la posición es $x(t) = 3{,}0t - 3t^2$ m.

a. ¿Cuál es la velocidad instantánea en $t = 0{,}25$ s, $t = 0{,}50$ s y $t = 1{,}0$ s?
b. ¿Cuál es la rapidez de la partícula en esos momentos?

Estrategia

La velocidad instantánea es la derivada de la función de posición y la rapidez es la magnitud de la velocidad instantánea. Utilizamos la Ecuación 3.4 y la Ecuación 3.7 para resolver la velocidad instantánea.

Solución

a. $v(t) = \frac{dx(t)}{dt} = 3{,}0 - 6{,}0t \text{ m/s } v(0{,}25 \text{ s}) = 1{,}50 \text{ m/s}, \ v(0{,}5 \text{ s}) = 0 \text{ m/s}, \ v(1{,}0 \text{ s}) = -3{,}0 \text{ m/s}$
b. $\text{Rapidez} = |v(t)| = 1{,}50 \text{ m/s}, 0{,}0 \text{ m/s}, \text{y } 3{,}0 \text{ m/s}$

Importancia

La velocidad de la partícula nos brinda información sobre la dirección, lo cual indica que la partícula se mueve hacia la izquierda (oeste) o hacia la derecha (este). La rapidez da la magnitud de la velocidad. Al graficar la posición, la velocidad y la rapidez como funciones del tiempo, podemos entender estos conceptos visualmente en la Figura 3.9. En (a), el gráfico muestra que la partícula se mueve en dirección positiva hasta $t = 0{,}5$ s, cuando invierte su dirección. La inversión de la dirección también puede verse en (b) a los 0,5 s, donde la velocidad es cero y luego se vuelve negativa. A 1,0 s vuelve al origen donde comenzó. La velocidad de la partícula a 1,0 s en (b) es negativa, porque está viajando en la dirección negativa. Sin embargo, en (c), su rapidez es positiva y permanece así durante todo el recorrido. También podemos interpretar la velocidad como la pendiente del gráfico de posición en función del tiempo. La pendiente de la $x(t)$ es decreciente hacia cero, para convertirse en cero a los 0,5 s y pasar a ser cada vez más negativa a partir de ese momento. Este análisis de comparación de los gráficos de posición, velocidad y rapidez sirve para detectar errores en los cálculos. Los gráficos deben ser coherentes entre sí y contribuir a interpretar los cálculos.

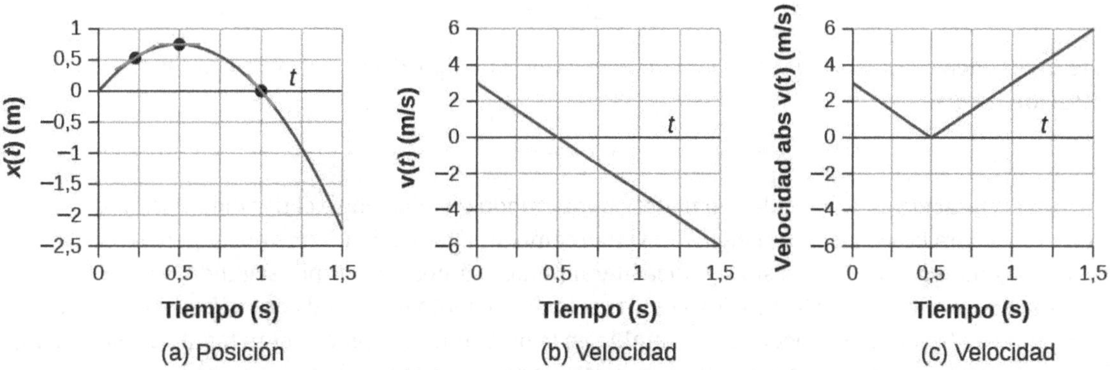

FIGURA 3.9 (a) Posición: $x(t)$ en función del tiempo. (b) Velocidad: $v(t)$ en función del tiempo. La pendiente del gráfico de posición es la velocidad. La comparación aproximada de las pendientes de las líneas tangentes en (a) a 0,25 s, 0,5 s y 1,0 s con los valores de la velocidad en los tiempos correspondientes indica que son los mismos valores. (c) Rapidez: $|v(t)|$ en función del tiempo. La rapidez es siempre un número positivo.

COMPRUEBE LO APRENDIDO 3.2

La posición de un objeto como función del tiempo es $x(t) = -3t^2$ m. (a) ¿Cuál es la velocidad del objeto como función del tiempo? (b) ¿La velocidad es siempre positiva? (c) ¿Cuáles son la velocidad y la rapidez en $t = 1{,}0$ s?

3.3 Aceleración media e instantánea

OBJETIVOS DE APRENDIZAJE

Al final de esta sección, podrá:

- Calcular la aceleración media entre dos puntos en el tiempo.
- Calcular la aceleración instantánea dada la forma funcional de la velocidad.
- Explicar la naturaleza vectorial de la aceleración y la velocidad instantáneas.
- Explicar la diferencia entre aceleración media y aceleración instantánea.
- Hallar la aceleración instantánea en un momento determinado en un gráfico de la velocidad en función del tiempo.

La importancia de comprender la aceleración abarca tanto nuestra experiencia cotidiana como los vastos alcances del espacio exterior y el diminuto mundo de la física subatómica. En la conversación cotidiana, *acelerar* significa aumentar la rapidez, pisar el pedal del freno disminuye la velocidad del vehículo. Estamos familiarizados con la aceleración de nuestro auto, por ejemplo. Cuanto mayor sea la aceleración, mayor será el cambio de velocidad en un momento determinado. La aceleración está muy presente en la física experimental. En los experimentos con aceleradores de partículas lineales, por ejemplo, las partículas subatómicas se aceleran a velocidades muy altas en experimentos de colisión, que nos brindan información sobre la estructura del mundo subatómico, así como sobre el origen del universo. En el espacio, los rayos cósmicos son partículas subatómicas que se han acelerado hasta alcanzar energías muy elevadas en las supernovas (estrellas masivas que explotan) y los núcleos galácticos activos. Es importante entender los procesos que aceleran los rayos cósmicos, ya que estos rayos contienen una radiación muy penetrante que puede dañar los componentes electrónicos de las naves espaciales, por ejemplo.

Aceleración media

La definición formal de aceleración concuerda con estas nociones que acabamos de describir, pero es más inclusiva.

Aceleración media

La aceleración media es la tasa a la que cambia la velocidad:

$$\bar{a} = \frac{\Delta v}{\Delta t} = \frac{v_f - v_0}{t_f - t_0}, \qquad (3.8)$$

donde $\bar{a}$ es la **aceleración media**, *v* es la velocidad y *t* es el tiempo. (La barra sobre la *a* significa aceleración *media*).

Dado que la aceleración es la velocidad en metros por segundo dividida entre el tiempo en segundos, las unidades del SI para la aceleración suelen abreviarse como m/s^2, es decir, metros por segundo al cuadrado o metros por segundo por segundo. Esto significa literalmente cuántos metros por segundo cambia la velocidad cada segundo. Recordemos que la velocidad es un vector, tiene tanto magnitud como dirección, lo que significa que un cambio en la velocidad puede ser un cambio en la magnitud (o rapidez), pero también puede ser un cambio en la dirección. Por ejemplo, si una corredora que se desplaza a 10 km/h hacia el este se detiene lentamente, invierte la dirección y continúa su carrera a 10 km/h hacia el oeste, su velocidad cambia como resultado del cambio de dirección, aunque la *magnitud* de la velocidad es la misma en ambas direcciones. Por lo tanto, la aceleración se produce cuando la velocidad cambia de magnitud (un aumento o disminución de la rapidez) o de dirección, o ambas cosas.

La aceleración como vector

La aceleración es un vector en la misma dirección que el *cambio* de velocidad, Δv. Dado que la velocidad es un vector, puede cambiar de magnitud o de dirección, o ambas. La aceleración es, por lo tanto, un cambio de rapidez o de dirección, o ambos.

Tenga en cuenta que, aunque la aceleración se produzca en la dirección del cambio de velocidad, no siempre se produce en la dirección del movimiento. Cuando un objeto se ralentiza, su aceleración es opuesta a la dirección de su movimiento. Aunque esto se denomina comúnmente *desaceleración* como en la Figura 3.10, decimos que el tren acelera en una dirección opuesta a su dirección de movimiento.

FIGURA 3.10 Un tren subterráneo en Sao Paulo, Brasil, desacelera al llegar a una estación. Acelera en una dirección opuesta a la de su movimiento (créditos: modificación del trabajo de Yusuke Kawasaki).

El término *desaceleración* puede causar confusión en nuestro análisis porque no es un vector y no apunta a una dirección específica con respecto a un sistema de coordenadas, motivo por el cual no lo utilizamos. La aceleración es un vector, por lo que debemos elegir el signo apropiado en nuestro sistema de coordenadas elegido. En el caso del tren en la Figura 3.10, la aceleración es *en sentido negativo en el sistema de coordenadas elegido*, por lo que decimos que el tren sufre una aceleración negativa.

Si un objeto en movimiento tiene una velocidad en la dirección positiva con respecto a un origen elegido y adquiere una aceleración negativa constante, el objeto acaba por detenerse e invertir su dirección. Si esperamos lo suficiente, el objeto pasa por el origen, y va en dirección contraria. Esto se ilustra en la Figura 3.11.

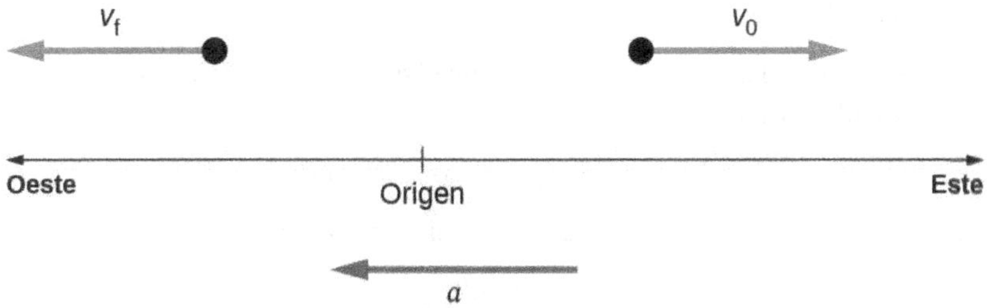

FIGURA 3.11 Un objeto en movimiento con un vector de velocidad hacia el este bajo una aceleración negativa se detiene e invierte su dirección. Pasa por el origen, y va en dirección contraria, después de un tiempo suficiente.

EJEMPLO 3.5

Calcular la aceleración media: un caballo de carreras sale de la compuerta

Un caballo de carreras al salir de la compuerta acelera desde el reposo hasta una velocidad de 15,0 m/s hacia el oeste en 1,80 s. ¿Cuál es su aceleración media?

FIGURA 3.12 Caballos de carreras que aceleran al salir de la compuerta (créditos: modificación de la obra de Jon Sullivan).

Estrategia

Primero, dibujamos un esquema y asignamos un sistema de coordenadas al problema como en la Figura 3.13. Este es un problema sencillo, pero siempre ayuda visualizarlo. Observe que asignamos el este como positivo y el oeste como negativo. Por lo tanto, en este caso, tenemos una velocidad negativa.

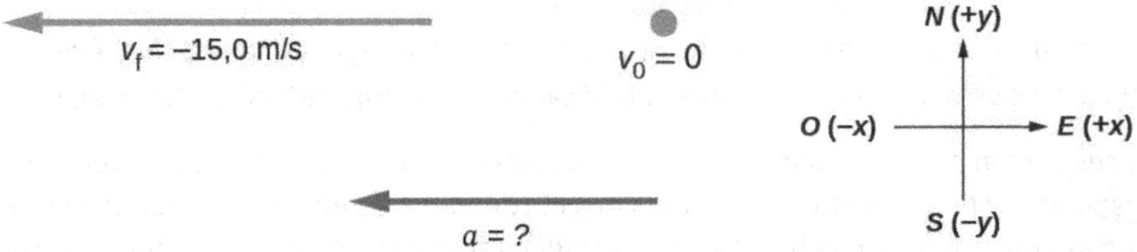

FIGURA 3.13 Identifique el sistema de coordenadas, la información dada y lo que quiere determinar.

Podemos resolver este problema identificando Δv y Δt a partir de la información dada, y luego calcular la aceleración media directamente a partir de la ecuación $\bar{a} = \frac{\Delta v}{\Delta t} = \frac{v_f - v_0}{t_f - t_0}$.

Solución

En primer lugar, identifique los valores conocidos: $v_0 = 0, v_f = -15{,}0\text{ m/s}$ (el signo negativo indica la dirección hacia el oeste), $\Delta t = 1{,}80$ s.

En segundo lugar, calcule el cambio de velocidad. Dado que el caballo pasa de cero a -15,0 m/s, su cambio de velocidad es igual a su velocidad final:

$$\Delta v = v_f - v_0 = v_f = -15{,}0\text{ m/s}.$$

Por último, sustituya los valores conocidos (Δv y Δt) y resuelva la incógnita $\bar{a}$:

$$\bar{a} = \frac{\Delta v}{\Delta t} = \frac{-15{,}0\text{ m/s}}{1{,}80\text{ s}} = -8{,}33\text{m/s}^2.$$

Importancia

El signo negativo indica que la aceleración es hacia el oeste. Una aceleración de 8,33 m/s^2 hacia el oeste significa que el caballo aumenta su velocidad en 8,33 m/s hacia el oeste cada segundo; es decir, 8,33 metros por segundo por segundo, que escribimos como 8,33 m/s^2. Se trata realmente de una aceleración media, porque el paseo no es suave. Más adelante veremos que una aceleración de esta magnitud requeriría que el jinete se aferrara con una fuerza casi igual a su peso.

COMPRUEBE LO APRENDIDO 3.3

Los protones en una aceleración lineal se aceleran desde el reposo hasta $2{,}0 \times 10^7$ m/s en 10^{-4} s. ¿Cuál es la aceleración media de los protones?

Aceleración instantánea

La aceleración instantánea *a*, o *aceleración en un instante específico*, se obtiene con el mismo proceso que se mencionó para la velocidad instantánea. Es decir, calculamos la aceleración media entre dos puntos de tiempo separados por Δt y suponemos que Δt se acerca a cero. El resultado es la derivada de la función de velocidad *v*(*t*), que es la **aceleración instantánea** y se expresa matemáticamente como

$$a(t) = \frac{d}{dt}v(t). \tag{3.9}$$

Así, al igual que la velocidad es la derivada de la función de posición, la aceleración instantánea es la derivada de la función de velocidad. Podemos mostrarlo gráficamente de la misma manera que la velocidad instantánea. En la Figura 3.14, la aceleración instantánea en el tiempo t_0 es la pendiente de la línea tangente a al gráfico de velocidad en función del tiempo en el tiempo t_0. Vemos que la aceleración media $\bar{a} = \frac{\Delta v}{\Delta t}$ se acerca a la aceleración instantánea como Δt se acerca a cero. También en la parte (a) de la figura, vemos que la velocidad tiene un máximo cuando su pendiente es cero. Este tiempo corresponde al cero de la función de aceleración. En la parte (b), se muestra la aceleración instantánea en la velocidad mínima, que también es cero, ya que la pendiente de la curva también es cero. Así, para una función de velocidad dada, los ceros de la función de aceleración dan el mínimo o el máximo de la velocidad.

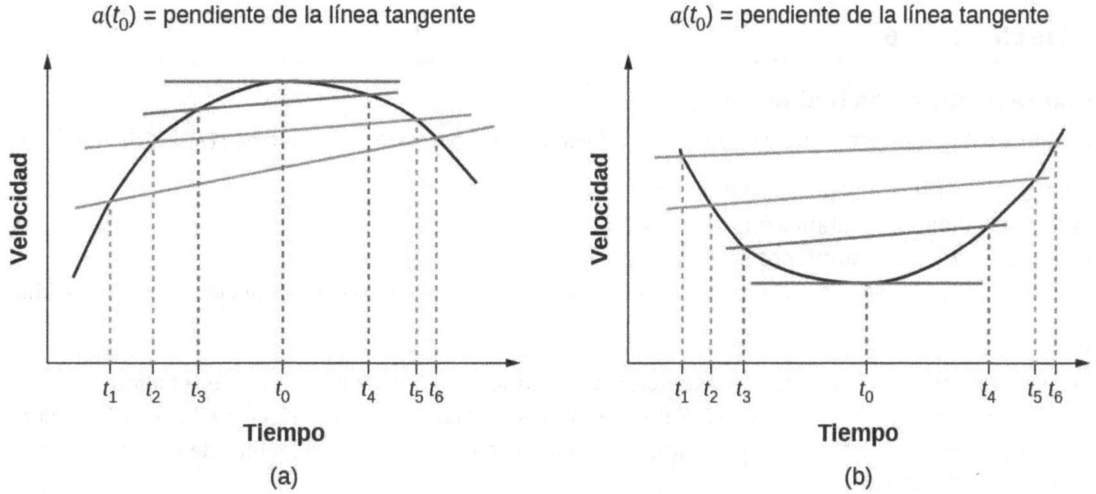

FIGURA 3.14 En un gráfico de velocidad en función del tiempo, la aceleración instantánea es la pendiente de la línea tangente. (a) Se muestra la aceleración media $\bar{a} = \frac{\Delta v}{\Delta t} = \frac{v_f - v_i}{t_f - t_i}$ entre los tiempos $\Delta t = t_6 - t_1, \Delta t = t_5 - t_2$ y $\Delta t = t_4 - t_3$. Cuando $\Delta t \to 0$, la aceleración media se aproxima a la aceleración instantánea en el tiempo t_0. En la vista (a), se muestra la aceleración instantánea para el punto de la curva de velocidad en la velocidad máxima. En este punto, la aceleración instantánea es la pendiente de la línea tangente, que es cero. En cualquier otro momento, la pendiente de la línea tangente, y, por tanto, la aceleración instantánea, no sería cero. (b) Igual que en (a), pero se muestra para la aceleración instantánea en la velocidad mínima.

Para ilustrar este concepto, veamos dos ejemplos. En primer lugar, se muestra un ejemplo sencillo con la Figura 3.9(b), el gráfico de velocidad en función del tiempo del Ejemplo 3.4, para encontrar la aceleración gráficamente. Este gráfico se representa en la Figura 3.15(a), que es una línea recta. El gráfico correspondiente de la aceleración en función del tiempo se encuentra a partir de la pendiente de la velocidad y se muestra en la Figura 3.15(b). En este ejemplo, la función de velocidad es una línea recta con una pendiente constante, por lo que la aceleración es una constante. En el siguiente ejemplo, la función de velocidad tiene una dependencia funcional más complicada al tiempo.

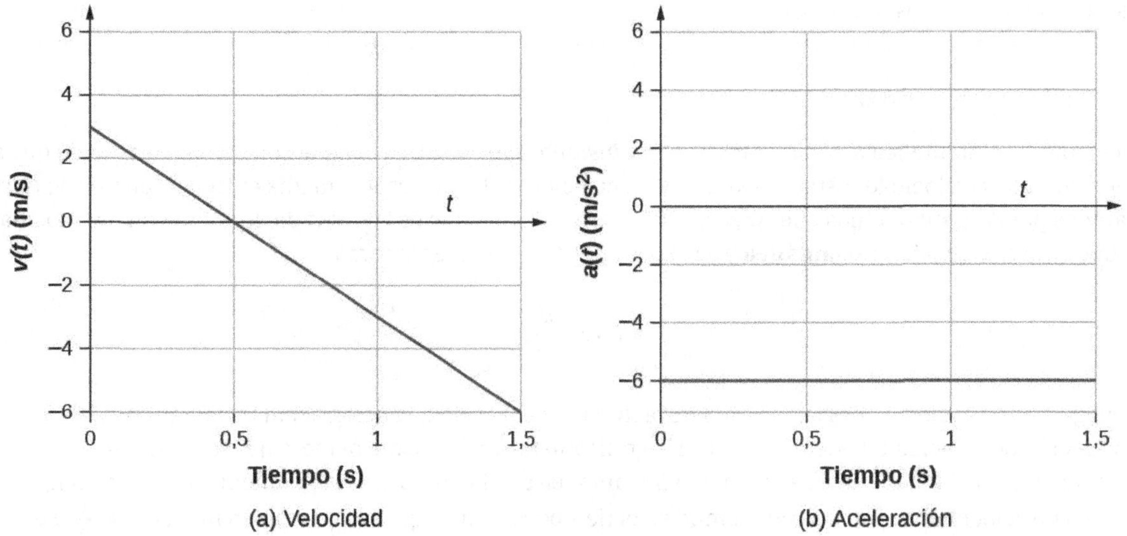

FIGURA 3.15 (a, b) El gráfico de velocidad en función del tiempo es lineal y tiene una pendiente negativa constante (a) que es igual a la aceleración, mostrada en (b).

Si conocemos la forma funcional de la velocidad, $v(t)$, podemos calcular la aceleración instantánea $a(t)$ en cualquier punto temporal del movimiento utilizando la Ecuación 3.9.

EJEMPLO 3.6

Calcular la aceleración instantánea

Una partícula está en movimiento y se acelera. La forma funcional de la velocidad es $v(t) = 20t - 5t^2$ m/s.

a. Halle la forma funcional de la aceleración.
b. Halle la velocidad instantánea en $t = 1, 2, 3$ y 5 s.
c. Halle la aceleración instantánea en $t = 1, 2, 3$ y 5 s.
d. Interprete los resultados de (c) en términos de las direcciones de los vectores aceleración y velocidad.

Estrategia

Encontramos la forma funcional de la aceleración al tomar la derivada de la función de velocidad. A continuación, calculamos los valores de la velocidad y la aceleración instantáneas a partir de las funciones dadas para cada una de ellas. Para la parte (d), tenemos que comparar las direcciones de la velocidad y la aceleración en cada momento.

Solución

a. $a(t) = \frac{dv(t)}{dt} = 20 - 10t \text{ m/s}^2$
b. $v(1\text{ s}) = 15 \text{ m/s}, v(2\text{ s}) = 20 \text{ m/s}, v(3\text{ s}) = 15 \text{ m/s}, v(5\text{ s}) = -25 \text{ m/s}$
c. $a(1\text{ s}) = 10 \text{ m/s}^2, a(2\text{ s}) = 0 \text{ m/s}^2, a(3\text{ s}) = -10 \text{ m/s}^2, a(5\text{ s}) = -30 \text{ m/s}^2$
d. En $t = 1$ s, la velocidad $v(1\text{ s}) = 15 \text{ m/s}$ es positiva y la aceleración también, de allí que, tanto la velocidad como la aceleración están en la misma dirección. La partícula se mueve más rápido.

En $t = 2$ s, la velocidad ha aumentado a$v(2\text{ s}) = 20 \text{ m/s}$, donde es su máximo, lo que corresponde al momento en que la aceleración es cero. Vemos que la velocidad máxima se produce cuando la pendiente de la función de velocidad es cero, que es justo el cero de la función de aceleración.

En $t = 3$ s, la velocidad es $v(3\text{ s}) = 15 \text{ m/s}$ y la aceleración es negativa. Se ha reducido la velocidad de la partícula y el vector de aceleración es negativo. La partícula se ralentiza.

En $t = 5$ s, la velocidad es $v(5\text{ s}) = -25 \text{ m/s}$ y la aceleración es cada vez más negativa. Entre los tiempos $t = 3$ s y $t = 5$ s la velocidad de la partícula ha disminuido a cero y luego se ha vuelto negativa, lo que invierte su dirección. La partícula vuelve a acelerar, pero en sentido contrario.

Podemos ver estos resultados gráficamente en la Figura 3.16.

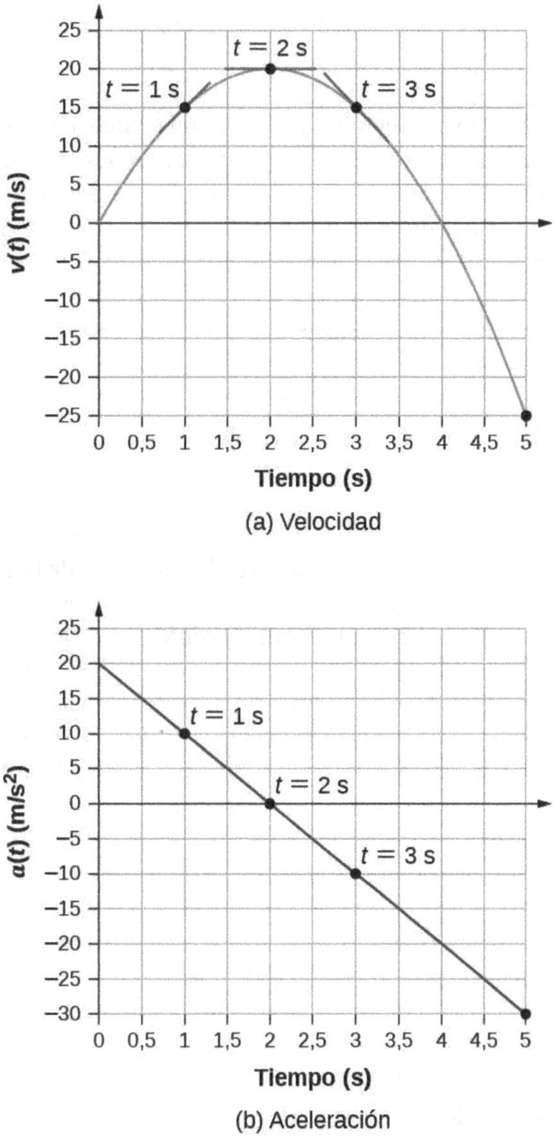

FIGURA 3.16 (a) Velocidad en función del tiempo. Las líneas tangentes se indican en los tiempos 1, 2 y 3 s. Las pendientes de las líneas tangentes son las aceleraciones. En $t = 3$ s, la velocidad es positiva. En $t = 5$ s, la velocidad es negativa, lo que indica que la dirección de la partícula se ha invertido. (b) Aceleración en función del tiempo. Comparando los valores de las aceleraciones dadas por los puntos negros con las correspondientes pendientes de las líneas tangentes (pendientes de las líneas que pasan por los puntos negros) en (a), vemos que son idénticas.

Importancia

Al hacer un análisis tanto numérico como gráfico de la velocidad y la aceleración de la partícula, podemos aprender mucho sobre su movimiento. El análisis numérico complementa el análisis gráfico para ofrecer una visión total del movimiento. El cero de la función de aceleración corresponde al máximo de la velocidad en este ejemplo. También en este ejemplo, la aceleración aumenta cuando es positiva y en la misma dirección que la velocidad. A medida que la aceleración se inclina a cero, hasta el punto de ser negativa, la velocidad alcanza un máximo, tras el cual comienza a disminuir. Si esperamos lo suficiente, la velocidad también se vuelve negativa, lo que indica inversión de la dirección. Un ejemplo del mundo real de este tipo de movimiento es un auto con una velocidad en aumento, hasta llegar a un máximo, tras lo cual empieza a desacelerar, se detiene y luego invierte la dirección.

COMPRUEBE LO APRENDIDO 3.4

Un avión aterriza en una pista rumbo al este. Describa su aceleración.

Cómo sentir la aceleración

Probablemente esté acostumbrado a experimentar la aceleración cuando entra en un elevador o pisa el acelerador de su auto. Sin embargo, la aceleración se produce en muchos otros objetos de nuestro universo con los que no tenemos contacto directo. La Tabla 3.2 presenta la aceleración de varios objetos. Podemos ver que las aceleraciones pasan por muchos órdenes de magnitud.

Aceleración	Valor (m/s^2)
Tren de alta velocidad	0,25
Elevador	2
Guepardo	5
Objeto en caída libre, sin resistencia del aire, cerca de la superficie de la Tierra	9,8
Máximo del transbordador espacial durante el lanzamiento	29
Pico del paracaidista durante la apertura normal del paracaídas	59
Avión F16 al salir de una caída en picada	79
Eyección del asiento del avión	147
Misil Sprint	982
Pico de aceleración del trineo de cohetes más rápido	1.540
Pulga saltarina	3.200
Bola de béisbol al ser golpeada por un bate	30.000
Cierre de las mandíbulas de una hormiga de mandíbula trampa	1.000.000
Protón en el Gran Colisionador de Hadrones	$1,9 \times 10^9$

TABLA 3.2 Valores típicos de aceleración (créditos: Wikipedia: Órdenes de magnitud (aceleración))

En esta tabla, vemos que las aceleraciones típicas varían mucho con los diferentes objetos y no tienen nada que ver ni con el tamaño del objeto ni con su masa. La aceleración también puede variar mucho durante el movimiento de un objeto. Un auto de carreras tiene una gran aceleración justo después del arranque, pero luego disminuye a medida que alcanza una velocidad constante. Su aceleración media puede ser muy distinta a su aceleración instantánea en un momento determinado de su movimiento. La Figura 3.17 compara gráficamente la aceleración media con la aceleración instantánea para dos movimientos muy diferentes.

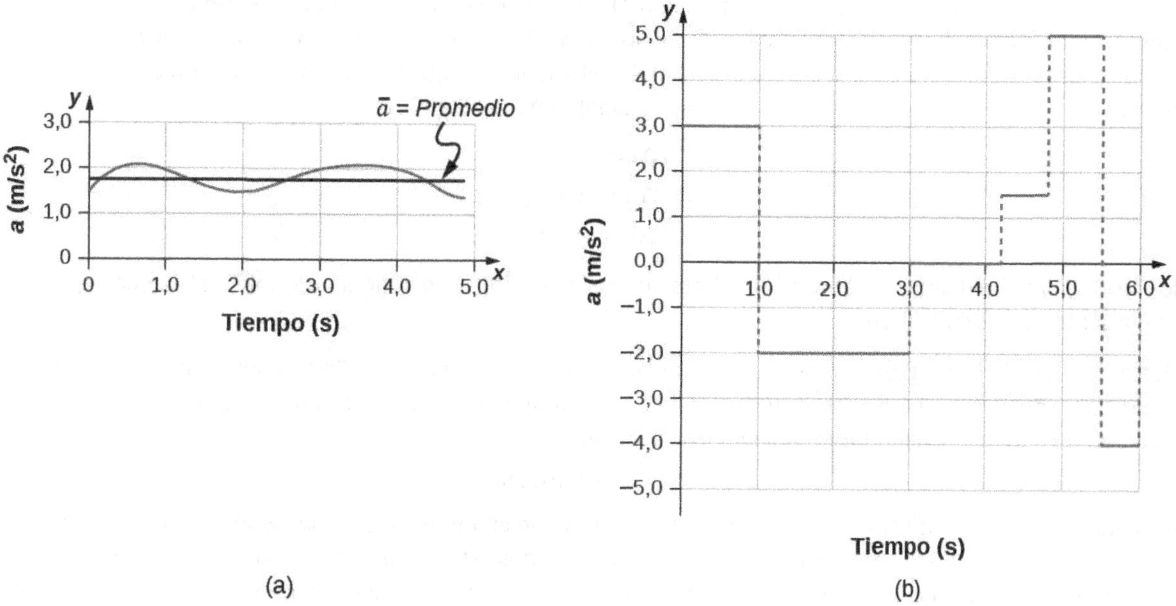

FIGURA 3.17 Gráficos de la aceleración instantánea en función del tiempo para dos movimientos unidimensionales diferentes. (a) La aceleración apenas varía y es siempre en la misma dirección, ya que es positiva. La media a lo largo del intervalo es casi igual a la aceleración en un momento dado. (b) La aceleración varía mucho, tal vez representando un paquete en la cinta transportadora de una oficina de correos que acelera hacia delante y hacia atrás, a medida que avanza. Es necesario considerar intervalos de tiempo pequeños (como de 0 a 1,0 s) con una aceleración constante o casi constante en tal situación.

INTERACTIVO

Aprenda sobre los gráficos de posición, velocidad y aceleración. Mueva al hombrecito de un lado a otro con el ratón y trace su movimiento. Establezca la posición, la velocidad o la aceleración y deje que la simulación mueva al hombre por usted. Visite este enlace (https://openstax.org/l/21movmansimul) para utilizar la simulación del hombre en movimiento.

3.4 Movimiento con aceleración constante

OBJETIVOS DE APRENDIZAJE

Al final de esta sección, podrá:

- Identificar qué ecuaciones de movimiento se van a utilizar para resolver las incógnitas.
- Utilizar las ecuaciones de movimiento apropiadas para resolver un problema de persecución de dos cuerpos.

Puede suponer que, cuanto mayor sea la aceleración de, por ejemplo, un auto que se aleja de una señal de pare, mayor será el desplazamiento del auto en un tiempo determinado. Sin embargo, no hemos desarrollado ninguna ecuación específica que relacione la aceleración y el desplazamiento. En esta sección, veremos algunas ecuaciones convenientes para las relaciones cinemáticas, empezando por las definiciones de desplazamiento, velocidad y aceleración. En primer lugar, investigamos un único objeto en movimiento, denominado movimiento de un solo cuerpo. Luego, investigamos el movimiento de dos objetos, denominado **problemas de persecución de dos cuerpos**.

Notación

En primer lugar, hagamos algunas simplificaciones en la notación. Tomar el tiempo inicial como cero, como si el tiempo se midiera con un cronómetro, es una gran simplificación. Como el tiempo transcurrido es $\Delta t = t_f - t_0$, al tomar $t_0 = 0$ significa que$\Delta t = t_f$, el tiempo final del cronómetro. Cuando el tiempo inicial se toma como cero, utilizamos el subíndice 0 para denotar los valores iniciales de posición y velocidad. Es decir, x_0 *es la posición inicial* y v_0 *es la velocidad inicial.* No ponemos subíndices en los valores finales. O sea, *t es el tiempo final, x es la posición final* y *v es la velocidad final.* Esto da una expresión más simple para el tiempo transcurrido, $\Delta t = t$. También simplifica la expresión para el desplazamiento x, que ahora es $\Delta x = x - x_0$. Además, simplifica la expresión para el cambio en la velocidad, que ahora es $\Delta v = v - v_0$. En resumen, utilizando la notación simplificada, con el tiempo inicial tomado como cero,

$$\Delta t = t$$
$$\Delta x = x - x_0$$
$$\Delta v = v - v_0,$$

donde el subíndice 0 denota un valor inicial y la ausencia de subíndice denota un valor final en cualquier movimiento que se considere.

Ahora hacemos la importante suposición de que *la aceleración es constante.* Esta suposición nos permite evitar el uso del cálculo para encontrar la aceleración instantánea. Como la aceleración es constante, las aceleraciones media e instantánea son iguales, es decir,

$$\bar{a} = a = \text{constante.}$$

Por lo tanto, podemos utilizar el símbolo *a* para la aceleración en todos los tiempos. Suponer que la aceleración es constante no limita seriamente las situaciones que podemos estudiar ni degrada la exactitud de nuestro tratamiento. Por un lado, la aceleración *es* constante en un gran número de situaciones. Además, en muchas otras situaciones podemos describir el movimiento con exactitud suponiendo una aceleración constante igual a la aceleración media de ese movimiento. Por último, para los movimientos en los que la aceleración cambia drásticamente, como un auto que acelera hasta alcanzar la velocidad máxima y luego frena hasta detenerse, el movimiento puede considerarse en partes separadas, cada una de las cuales tiene su propia aceleración constante.

Desplazamiento y posición a partir de la velocidad

Para obtener nuestras dos primeras ecuaciones, empezamos con la definición de velocidad media:

$$\bar{v} = \frac{\Delta x}{\Delta t}.$$

Sustituir la notación simplificada por Δx y Δt produce

$$\bar{v} = \frac{x - x_0}{t}.$$

Al resolver la x obtenemos

$$x = x_0 + \bar{v}t, \qquad 3.10$$

donde la velocidad media es

$$\bar{v} = \frac{v_0 + v}{2}. \qquad 3.11$$

La ecuación $\bar{v} = \frac{v_0+v}{2}$ refleja el hecho de que, cuando la aceleración es constante, $\bar{v}$ es solo el simple promedio de las velocidades inicial y final. La Figura 3.18 ilustra este concepto gráficamente. En la parte (a) de la figura, la aceleración es constante y la velocidad aumenta a una tasa constante. La velocidad media durante el intervalo de 1 hora entre 40 km/h y 80 km/h es de 60 km/h:

$$\bar{v} = \frac{v_0 + v}{2} = \frac{40\,\text{km/h} + 80\,\text{km/h}}{2} = 60\,\text{km/h}.$$

En la parte (b), la aceleración no es constante. Durante el intervalo de 1 hora, la velocidad está más cerca de 80 km/h que de 40 km/h. Por lo tanto, la velocidad media es mayor que en la parte (a).

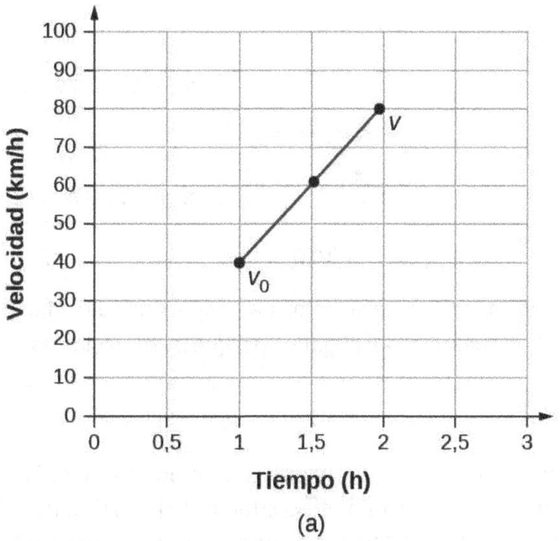

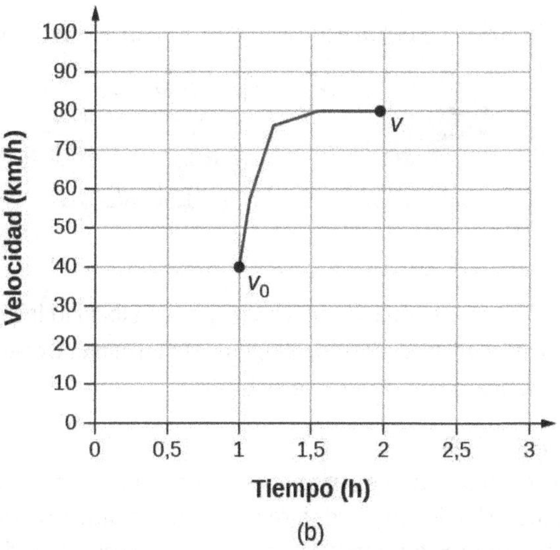

FIGURA 3.18 (a) Gráfico de velocidad en función del tiempo con aceleración constante que muestra las velocidades inicial y final v_0 y v. La velocidad media es $\frac{1}{2}(v_0 + v) = 60\,\text{km/h}$. (b) Gráfico de velocidad en función del tiempo con una aceleración que cambia con el tiempo. La velocidad media no viene dada por $\frac{1}{2}(v_0 + v)$, pero es superior a 60 km/h.

Resolución de la velocidad final a partir de la aceleración y el tiempo

Podemos derivar otra ecuación útil al manipular la definición de aceleración:

$$a = \frac{\Delta v}{\Delta t}.$$

Sustituir la notación simplificada por Δv y Δt nos da

$$a = \frac{v - v_0}{t} \quad (\text{constante } a).$$

Si se resuelve *v*, se obtiene

$$v = v_0 + at \quad (\text{constante } a). \qquad 3.12$$

EJEMPLO 3.7

Calcular la velocidad final

Un avión aterriza a una velocidad inicial de 70,0 m/s y luego desacelera a 1,50 m/s^2 durante 40,0 s. ¿Cuál es su velocidad final?

Estrategia

En primer lugar, identificamos los valores conocidos: $v_0 = 70\,\text{m/s}, a = -1{,}50\,\text{m/s}^2, t = 40\,\text{s}.$

En segundo lugar, identificamos la incógnita; en este caso, es la velocidad final v_f.

Por último, determinamos qué ecuación utilizar. Para ello, averiguamos qué ecuación cinemática nos da la incógnita en función de los valores conocidos. Calculamos la velocidad final mediante el empleo de la Ecuación 3.12, $v = v_0 + at$.

Solución

Sustituya los valores conocidos y resuelva:

$$v = v_0 + at = 70{,}0\,\text{m/s} + \left(-1{,}50\,\text{m/s}^2\right)(40{,}0\,\text{s}) = 10{,}0\,\text{m/s}.$$

La Figura 3.19 es un esquema que muestra los vectores de aceleración y velocidad.

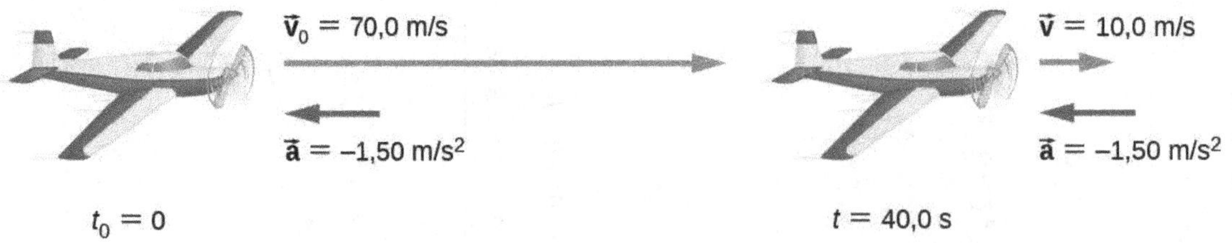

FIGURA 3.19 El avión aterriza con una velocidad inicial de 70,0 m/s y reduce su velocidad hasta una velocidad final de 10,0 m/s antes de dirigirse a la terminal. Observe que la aceleración es negativa porque su dirección es opuesta a la velocidad, que es positiva.

Importancia

La velocidad final es mucho menor que la inicial, como se desea al frenar, pero sigue siendo positiva (ver la figura). Con los motores a reacción, el empuje inverso puede mantenerse el tiempo suficiente para detener el avión y empezar a moverlo hacia atrás, lo que se indica con una velocidad final negativa, pero no es el caso aquí.

Además de ser útil en la resolución de problemas, la ecuación $v = v_0 + at$ nos permite conocer las relaciones entre la velocidad, la aceleración y el tiempo. Podemos ver, por ejemplo, que

- la velocidad final depende de la magnitud de la aceleración y de su duración;
- si la aceleración es cero, entonces la velocidad final es igual a la velocidad inicial ($v = v_0$), como era de esperar (en otras palabras, la velocidad es constante);
- si a es negativa, la velocidad final es menor que la inicial.

Todas estas observaciones se ajustan a nuestra intuición. Hay que tener en cuenta que siempre es útil examinar las ecuaciones básicas a tenor de nuestra intuición y experiencia para comprobar que efectivamente describen la naturaleza con exactitud.

Resolución de la posición final a partir de la aceleración constante

Podemos combinar las ecuaciones anteriores para encontrar una tercera ecuación que nos permita calcular la posición final de un objeto que experimenta una aceleración constante. Comenzamos con

$$v = v_0 + at.$$

Sumando v_0 a cada lado de esta ecuación y dividiendo entre 2 se obtiene

$$\frac{v_0 + v}{2} = v_0 + \frac{1}{2}at.$$

Dado que $\frac{v_0+v}{2} = \bar{v}$ para una aceleración constante, tenemos

$$\bar{v} = v_0 + \frac{1}{2}at.$$

Ahora sustituimos esta expresión por $\bar{v}$ en la ecuación del desplazamiento, $x = x_0 + \bar{v}t$, que produce

$$x = x_0 + v_0 t + \frac{1}{2}at^2 \quad (\text{constante } a). \qquad 3.13$$

EJEMPLO 3.8

Calcular el desplazamiento de un objeto en aceleración

Los dragsters pueden alcanzar una aceleración media de 26,0 m/s^2. Supongamos que un dragster acelera desde el reposo a esta tasa durante 5,56 s como en la Figura 3.20. ¿Qué distancia recorre en este tiempo?

FIGURA 3.20 El piloto de Top Fuel del ejército estadounidense, Tony "The Sarge" (el sargento) Schumacher, comienza la carrera con el calentamiento de neumáticos controlado (créditos: teniente coronel William Thurmond. Foto cortesía del Ejército de los EE. UU.).

Estrategia

En primer lugar, dibujemos un esquema como la Figura 3.21. Se nos pide que encontremos el desplazamiento, que es x si tomamos x_0 como cero. (Piense en x_0 como la línea de salida de una carrera. Puede estar en cualquier lugar, pero lo llamamos cero y medimos todas las demás posiciones en relación con él). Podemos utilizar la ecuación $x = x_0 + v_0 t + \frac{1}{2}at^2$ cuando identificamos v_0, a, y t del enunciado del problema.

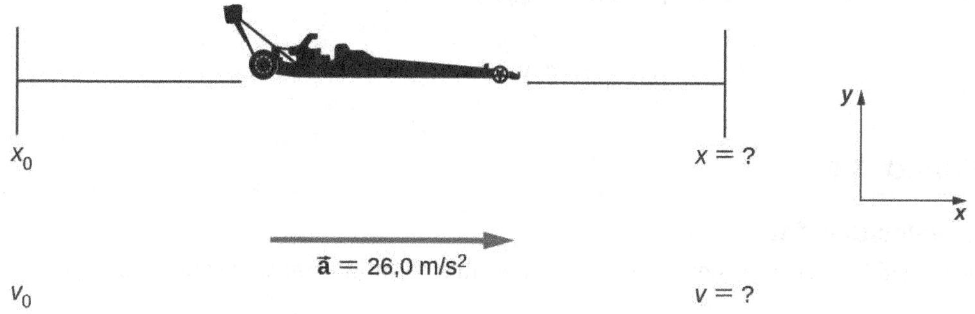

FIGURA 3.21 Esquema de un dragster en aceleración.

Solución

En primer lugar, tenemos que identificar los valores conocidos. Partir del reposo significa que $v_0 = 0$, a se da como 26,0 m/s^2 y t se da como 5,56 s.

En segundo lugar, sustituimos los valores conocidos en la ecuación para resolver la incógnita:

$$x = x_0 + v_0 t + \frac{1}{2}at^2.$$

Dado que la posición y la velocidad iniciales son ambas cero, esta ecuación se simplifica a

$$x = \frac{1}{2}at^2.$$

Al sustituir los valores identificados de a y t obtenemos

$$x = \frac{1}{2}(26,0 \text{ m/s}^2)(5,56 \text{ s})^2 = 402 \text{ m}.$$

Importancia

Si convertimos 402 m a millas, encontramos que la distancia recorrida es muy cercana a un cuarto de milla, la distancia estándar para las carreras de aceleración. Por lo tanto, nuestra respuesta es razonable. Este es un desplazamiento impresionante para cubrir en solo 5,56 s, pero los dragsters de primera categoría pueden hacer un cuarto de milla incluso en menos tiempo. Si al dragster se le diera una velocidad inicial, esto añadiría otro término a la ecuación de la distancia. Si se utiliza la misma aceleración y tiempo en la ecuación, la distancia recorrida sería mucho mayor.

¿Qué más podemos aprender examinando la ecuación $x = x_0 + v_0 t + \frac{1}{2}at^2$? Podemos ver las siguientes relaciones:

- El desplazamiento depende del cuadrado del tiempo transcurrido cuando la aceleración no es cero. En el Ejemplo 3.8, el dragster cubre solo una cuarta parte de la distancia total en la primera mitad del tiempo transcurrido.
- Si la aceleración es cero, la velocidad inicial es igual a la velocidad media ($v_0 = \bar{v}$) y $x = x_0 + v_0 t + \frac{1}{2}at^2$ se convierte en $x = x_0 + v_0 t$.

Resolución de la velocidad final a partir de la distancia y la aceleración

Se puede obtener una cuarta ecuación útil a partir de otra manipulación algebraica de las ecuaciones anteriores. Si resolvemos $v = v_0 + at$ para t, obtenemos

$$t = \frac{v - v_0}{a}.$$

Al sustituir esto y $\bar{v} = \frac{v_0+v}{2}$ en $x = x_0 + \bar{v}t$, obtenemos

$$v^2 = v_0^2 + 2a(x - x_0) \text{ (constante } a). \qquad 3.14$$

EJEMPLO 3.9

Calcular la velocidad final

Calcule la velocidad final del dragster en el Ejemplo 3.8 sin utilizar información sobre el tiempo.

Estrategia

La ecuación $v^2 = v_0^2 + 2a(x - x_0)$ es ideal para esta tarea porque relaciona las velocidades, la aceleración y el desplazamiento, y no requiere información sobre el tiempo.

Solución

En primer lugar, identificamos los valores conocidos. Sabemos que $v_0 = 0$, ya que el dragster parte del reposo. También sabemos que $x - x_0 = 402$ m (esta era la respuesta en el Ejemplo 3.8). La aceleración media viene dada por $a = 26{,}0 \text{ m/s}^2$.

En segundo lugar, sustituimos los valores conocidos en la ecuación $v^2 = v_0^2 + 2a(x - x_0)$ y resolvemos v:

$$v^2 = 0 + 2\left(26{,}0 \text{ m/s}^2\right)(402 \text{ m}).$$

Por lo tanto,

$$v^2 = 2{,}09 \times 10^4 \text{ m}^2/\text{s}^2$$

$$v = \sqrt{2{,}09 \times 10^4 \text{ m}^2/\text{s}^2} = 145 \text{ m/s}.$$

Importancia

Una velocidad de 145 m/s equivale a unos 522 km/h, o a unas 324 mi/h, pero incluso esta rapidez vertiginosa se queda corta para el récord del cuarto de milla. Además, tenga en cuenta que una raíz cuadrada tiene dos valores; tomamos el valor positivo para indicar una velocidad en la misma dirección que la aceleración.

El examen de la ecuación $v^2 = v_0^2 + 2a(x - x_0)$ aportaría más información sobre las relaciones generales entre las cantidades físicas:

- La velocidad final depende de cuán grande es la aceleración y la distancia sobre la que actúa.
- Para una aceleración fija, un auto que va el doble de rápido no se detiene simplemente en el doble de distancia. La distancia para detenerse es mayor. (Por eso tenemos zonas de velocidad reducida cerca de los colegios).

Cómo juntar las ecuaciones

En los siguientes ejemplos, seguimos explorando el movimiento unidimensional, pero en situaciones que requieren una manipulación ligeramente más algebraica. Los ejemplos también permiten conocer las técnicas de resolución de problemas. La nota que sigue se proporciona para facilitar la referencia a las ecuaciones necesarias. Tenga en cuenta que estas ecuaciones no son independientes. En muchas situaciones tenemos dos incógnitas y necesitamos dos ecuaciones del conjunto para resolver las incógnitas. Necesitamos tantas ecuaciones como incógnitas para resolver una situación determinada.

Resumen de las ecuaciones cinemáticas (constante *a*)

$$x = x_0 + \bar{v}t$$

$$\bar{v} = \frac{v_0 + v}{2}$$

$$v = v_0 + at$$

$$x = x_0 + v_0 t + \frac{1}{2}at^2$$

$$v^2 = v_0^2 + 2a(x - x_0)$$

Antes de mencionar los ejemplos, analicemos las ecuaciones con más atención para ver el comportamiento de la aceleración en valores extremos. Al reordenar la Ecuación 3.12, tenemos

$$a = \frac{v - v_0}{t}.$$

De ello se deduce que, para un tiempo finito, si la diferencia entre las velocidades inicial y final es pequeña, la aceleración es pequeña, y se aproxima a cero en el límite en que las velocidades inicial y final son iguales. Por el contrario, en el límite $t \to 0$ para una diferencia finita entre las velocidades inicial y final, la aceleración se vuelve infinita.

Del mismo modo, al reordenar la Ecuación 3.14, podemos expresar la aceleración en términos de velocidad y desplazamiento:

$$a = \frac{v^2 - v_0^2}{2(x - x_0)}.$$

Por lo tanto, para una diferencia finita entre las velocidades inicial y final la aceleración se hace infinita en el límite en que el desplazamiento se aproxima a cero. La aceleración se aproxima a cero en el límite en que la diferencia entre la velocidad inicial y final se aproxima a cero para un desplazamiento finito.

EJEMPLO 3.10

¿Hasta dónde llega un auto?

En el hormigón seco, un auto puede desacelerar a una tasa de 7,00 m/s^2, mientras que en el hormigón húmedo solo puede desacelerar a 5,00 m/s^2. Calcule las distancias necesarias para detener un auto que se desplaza a 30,0 m/s (unos 110 km/h) sobre (a) hormigón seco y (b) hormigón húmedo. (c) Repita ambos cálculos y halle el desplazamiento desde el punto en que el conductor ve que un semáforo se pone en rojo, teniendo en cuenta su tiempo de reacción de 0,500 s para poner el pie en el freno.

Estrategia

En primer lugar, tenemos que dibujar un esquema como en la Figura 3.22. Para determinar cuáles ecuaciones son las mejores para utilizar, tenemos que enumerar todos los valores conocidos e identificar exactamente lo que tenemos que resolver.

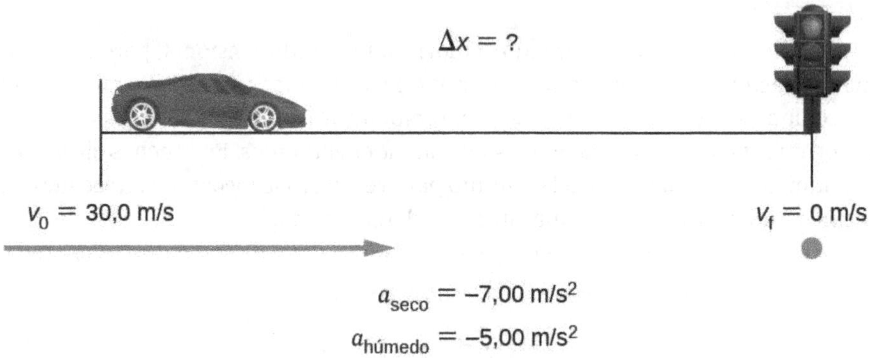

FIGURA 3.22 Esquema de ejemplo para visualizar la desaceleración y la distancia de frenado de un auto.

Solución

a. En primer lugar, tenemos que identificar los valores conocidos y lo que queremos resolver. Sabemos que v_0 = 30,0 m/s, v = 0, y a = -7,00 m/s^2 (a es negativa porque está en dirección opuesta a la velocidad). Tomamos x_0 como cero. Buscamos desplazamientos Δx, o $x - x_0$.
En segundo lugar, identificamos la ecuación que nos permitirá resolver el problema. La mejor ecuación a utilizar es

$$v^2 = v_0^2 + 2a(x - x_0).$$

Esta ecuación es la mejor porque incluye solo una incógnita, x. Conocemos los valores de todas las demás variables de esta ecuación. (Otras ecuaciones nos permitirían resolver x, pero requieren que conozcamos el tiempo de parada, t, que no conocemos. Podríamos utilizarlas, pero implicaría cálculos adicionales).
En tercer lugar, reordenamos la ecuación para resolver x:

$$x - x_0 = \frac{v^2 - v_0^2}{2a}$$

y sustituir los valores conocidos:

$$x - 0 = \frac{0^2 - (30{,}0\text{ m/s})^2}{2(-7{,}00\text{m/s}^2)}.$$

Por lo tanto,

$$x = 64{,}3\text{ m en hormigón seco.}$$

b. Esta parte puede resolverse exactamente de la misma manera que (a). La única diferencia es que la aceleración es de -5,00 m/s^2. El resultado es

$$x_{\text{húmedo}} = 90{,}0\text{ m en el hormigón húmedo.}$$

c. Cuando el conductor reacciona, la distancia de parada es la misma que en (a) y (b) para el hormigón seco y húmedo. Por lo tanto, para responder a esta pregunta, tenemos que calcular la distancia que recorre el auto durante el tiempo de reacción, y luego sumarlo al tiempo de parada. Es razonable suponer que la velocidad se mantiene constante durante el tiempo de reacción del conductor.

Para ello, una vez más, identificamos los valores conocidos y lo que queremos resolver. Sabemos que $\bar{v} = 30{,}0\,\text{m/s}$, $t_{\text{reacción}} = 0{,}500\,\text{s}$ y $a_{\text{reacción}} = 0$. Tomamos $x_{0\text{-reacción}}$ como cero. Buscamos $x_{\text{reacción}}$.

En segundo lugar, como antes, identificamos la mejor ecuación a utilizar. En este caso, $x = x_0 + \bar{v}t$ funciona bien porque la única incógnita es x, que es lo que queremos resolver.

En tercer lugar, sustituimos los valores conocidos para resolver la ecuación:

$$x = 0 + (30{,}0\,\text{m/s})(0{,}500\,\text{s}) = 15{,}0\,\text{m}.$$

Esto significa que el auto se desplaza 15,0 m mientras el conductor reacciona, lo que hace que los desplazamientos totales en los dos casos de hormigón seco y húmedo sean 15,0 m mayores que si reacciona instantáneamente.

Por último, sumamos el desplazamiento durante el tiempo de reacción al desplazamiento en el momento del frenado (Figura 3.23),

$$x_{\text{frenado}} + x_{\text{reacción}} = x_{\text{total}},$$

y encontramos que (a) es de 64,3 m + 15,0 m = 79,3 m en seco y (b) es de 90,0 m + 15,0 m = 105 m en húmedo.

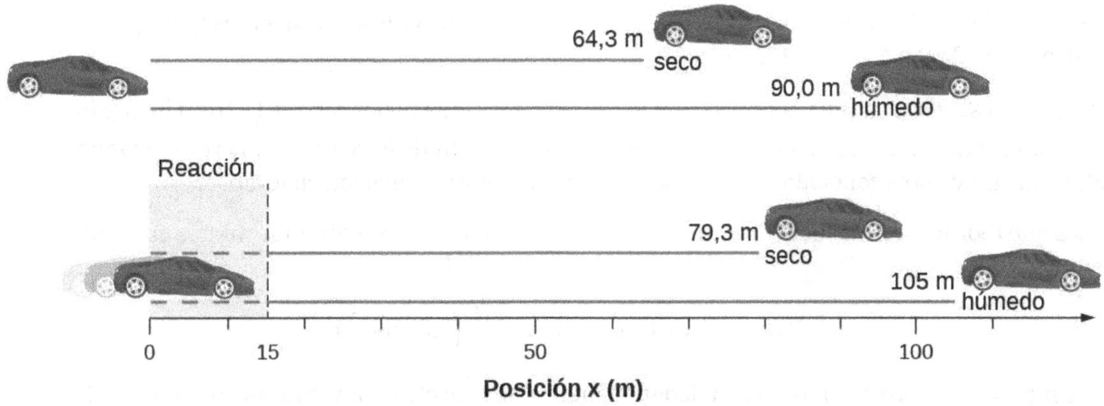

FIGURA 3.23 La distancia necesaria para detener un auto varía mucho, dependiendo de las condiciones de la carretera y del tiempo de reacción del conductor. Aquí se muestran las distancias de frenado para el pavimento seco y húmedo, tal y como se ha calculado en este ejemplo, para un auto que viaja inicialmente a 30,0 m/s. También se muestran las distancias totales recorridas desde el punto en que el conductor ve por primera vez el semáforo en rojo, suponiendo un tiempo de reacción de 0,500 s.

Importancia

Los desplazamientos encontrados en este ejemplo parecen razonables para detener un auto que se mueve rápidamente. Debería tardar más detener un auto en pavimento húmedo que en seco. Es interesante que el tiempo de reacción aumente significativamente los desplazamientos, pero lo más importante es el enfoque general de la resolución de problemas. Identificamos los valores conocidos y las cantidades a determinar, y luego encontramos una ecuación adecuada. Si hay más de una incógnita, necesitamos tantas ecuaciones independientes como incógnitas a resolver. A menudo hay más de una forma de resolver un problema. Las distintas partes de este ejemplo pueden, de hecho, resolverse por otros métodos, pero las soluciones presentadas aquí son las más breves.

EJEMPLO 3.11

Calcular el tiempo

Supongamos que un auto se incorpora al tráfico de la autopista en una rampa de 200 m de longitud. Si su velocidad inicial es de 10,0 m/s y acelera a 2,00 m/s^2, ¿cuánto tiempo tarda el auto en recorrer los 200 m de la rampa? (Esta información podría ser útil para un ingeniero de tráfico).

Estrategia

En primer lugar, trazamos un esquema como en la Figura 3.24. Se nos pide que resolvamos el tiempo *t*. Como antes, identificamos las cantidades conocidas para elegir una relación física conveniente (es decir, una ecuación con una incógnita, *t*).

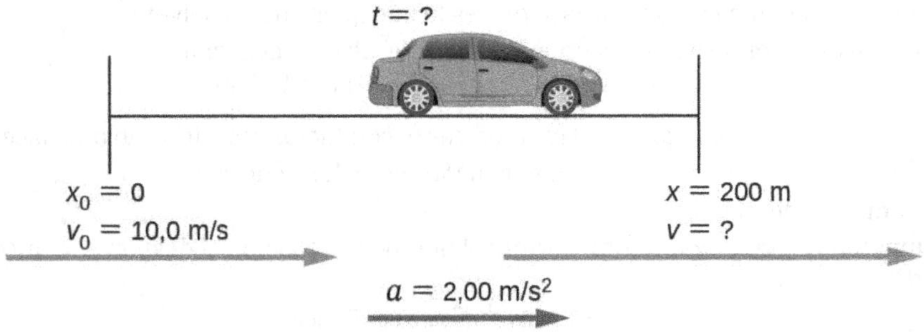

FIGURA 3.24 Esquema de un auto que acelera en una rampa de autopista.

Solución

Una vez más, identificamos los valores conocidos y lo que queremos resolver. Sabemos que $x_0 = 0$, $v_0 = 10\text{ m/s}$, $a = 2{,}00\text{ m/s}^2$, y $x = 200$ m.

Tenemos que resolver *t*. La ecuación $x = x_0 + v_0 t + \frac{1}{2}at^2$ funciona mejor porque la única incógnita en la ecuación es la variable *t*, para la que necesitamos resolver. A partir de esta idea, vemos que, cuando introducimos los valores conocidos en la ecuación, obtenemos una ecuación cuadrática.

Tenemos que reordenar la ecuación para resolver la variable *t*, y luego sustituir los valores conocidos en la ecuación:

$$200\text{ m} = 0\text{ m} + (10{,}0\text{ m/s})t + \frac{1}{2}\left(2{,}00\text{ m/s}^2\right)t^2.$$

Ahora, simplificamos la ecuación. Las unidades de metros se cancelan porque están en cada término. Podemos conseguir que las unidades de los segundos se cancelen tomando $t = t$ s, donde *t* es la magnitud del tiempo y s es la unidad. Al hacerlo, nos deja

$$200 = 10t + t^2.$$

Luego, utilizamos la fórmula cuadrática para resolver *t*,

$$t^2 + 10t - 200 = 0$$

$$t = \frac{-b \pm \sqrt{b^2 - 4ac}}{2a},$$

que arroja dos soluciones: $t = 10{,}0$ y $t = -20{,}0$. Un valor negativo para el tiempo es poco razonable, ya que significaría que el evento ocurrió 20 s antes de que comenzara el movimiento. Podemos descartar esa solución. Por lo tanto,

$$t = 10{,}0\text{ s}.$$

Importancia

Siempre que una ecuación contiene una incógnita al cuadrado, hay dos soluciones. En algunos problemas, ambas soluciones tienen sentido; en otros, solo una solución es razonable. La respuesta de 10,0 s parece razonable para una rampa de acceso a una autopista típica.

COMPRUEBE LO APRENDIDO 3.5

Un cohete acelera a una tasa de 20 m/s^2 durante el lanzamiento. ¿Cuánto tarda el cohete en alcanzar una velocidad de 400 m/s?

EJEMPLO 3.12

Aceleración de una nave espacial

Una nave espacial ha dejado la órbita de la Tierra y se dirige a la Luna. Acelera a 20 m/s^2 durante 2 min y recorre una distancia de 1.000 km. ¿Cuál es la velocidad inicial y final de la nave espacial?

Estrategia

Se nos pide que encontremos la velocidad inicial y final de la nave espacial. Observando las ecuaciones cinemáticas, vemos que una ecuación no dará la respuesta. Debemos utilizar una ecuación cinemática para resolver una de las velocidades y sustituirla en otra ecuación cinemática para obtener la segunda velocidad. Así, resolvemos simultáneamente dos de las ecuaciones cinemáticas.

Solución

Primero resolvemos v_0 utilizando $x = x_0 + v_0 t + \frac{1}{2}at^2$:

$$x - x_0 = v_0 t + \frac{1}{2}at^2$$

$$1{,}0 \times 10^6 \text{ m} = v_0(120{,}0 \text{ s}) + \frac{1}{2}(20{,}0 \text{ m/s}^2)(120{,}0 \text{ s})^2$$

$$v_0 = 7133{,}3 \text{ m/s.}$$

Luego sustituimos v_0 en $v = v_0 + at$ para resolver la velocidad final:

$$v = v_0 + at = 7133{,}3 \text{ m/s} + (20{,}0 \text{ m/s}^2)(120{,}0 \text{ s}) = 9533{,}3 \text{ m/s.}$$

Importancia

Hay seis variables de desplazamiento, tiempo, velocidad y aceleración, que describen el movimiento en una dimensión. Las condiciones iniciales de un problema determinado pueden ser muchas combinaciones de estas variables. Debido a esta diversidad, las soluciones pueden no ser tan fáciles como simples sustituciones en una de las ecuaciones. Este ejemplo ilustra que las soluciones a la cinemática requerirían la resolución de dos ecuaciones cinemáticas simultáneas.

Una vez establecidos los fundamentos de la cinemática, podemos pasar a muchos otros ejemplos y aplicaciones interesantes. En el proceso de desarrollo de la cinemática, también hemos vislumbrado un enfoque general para la resolución de problemas que produce tanto respuestas correctas como conocimientos sobre las relaciones físicas. El siguiente nivel de complejidad en nuestros problemas de cinemática implica el movimiento de dos cuerpos interrelacionados, denominados *problemas de persecución de dos cuerpos*.

Problemas de persecución de dos cuerpos

Hasta ahora hemos visto ejemplos de movimiento en los que interviene un solo cuerpo. Incluso para el problema con dos autos y las distancias de parada en carreteras húmedas y secas, dividimos este problema en dos problemas separados para encontrar las respuestas. En un **problema de persecución de dos cuerpos**, los movimientos de los objetos están acoplados, es decir, la incógnita que buscamos depende del movimiento de ambos objetos. Para resolver estos problemas escribimos las ecuaciones de movimiento de cada objeto y las resolvemos simultáneamente para encontrar la incógnita. Esto se ilustra en la Figura 3.25.

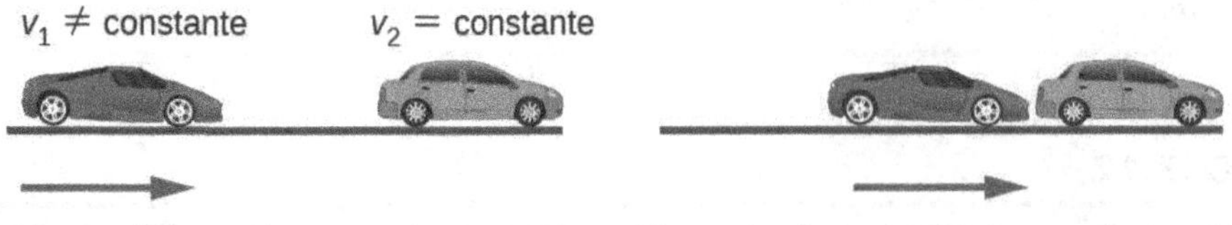
$v_1 \neq$ constante
$v_2 =$ constante
El automóvil 1 acelera hacia el automóvil 2
Más tarde, el automóvil 1 alcanza al automóvil 2

FIGURA 3.25 Un escenario de persecución de dos cuerpos donde el auto 2 tiene una velocidad constante y el auto 1 está detrás con una aceleración constante. El auto 1 alcanza al auto 2 en un momento posterior.

El tiempo y la distancia necesarios para que el auto 1 alcance al auto 2 dependen de la distancia inicial a la que se encuentra el auto 1 con respecto al auto 2, así como de las velocidades de ambos autos y de la aceleración del auto 1. Para encontrar estas incógnitas hay que resolver las ecuaciones cinemáticas que describen el movimiento de ambos autos.

Considere el siguiente ejemplo.

EJEMPLO 3.13

Un guepardo atrapa a una gacela

Un guepardo espera escondido detrás de un arbusto. El guepardo ve pasar a una gacela a 10 m/s. En el momento en que la gacela pasa por delante del guepardo, este acelera desde el reposo a 4 m/s^2 para atrapar a la gacela. (a) ¿Cuánto tarda el guepardo en atrapar a la gacela? (b) ¿Cuál es el desplazamiento de la gacela y del guepardo?

Estrategia

Para resolver este problema utilizamos el conjunto de ecuaciones de la aceleración constante. Como hay dos objetos en movimiento, tenemos ecuaciones de movimiento separadas que describen cada animal. Sin embargo, lo que une las ecuaciones es un parámetro común que tiene el mismo valor para cada animal. Si analizamos el problema en detalle, está claro que el parámetro común a cada animal es su posición x en un tiempo posterior t. Dado que ambos comienzan en $x_0 = 0$, sus desplazamientos son los mismos en un tiempo posterior t, cuando el guepardo alcanza a la gacela. Si elegimos la ecuación de movimiento que resuelve el desplazamiento para cada animal, podemos entonces establecer las ecuaciones iguales entre sí y resolver la incógnita, que es el tiempo.

Solución

a. Ecuación para la gacela: la gacela tiene una velocidad constante, que es su velocidad media, ya que no está acelerando. Por lo tanto, utilizamos la Ecuación 3.10 con $x_0 = 0$:

$$x = x_0 + \bar{v}t = \bar{v}t.$$

Ecuación para el guepardo: el guepardo acelera desde el reposo, así que usamos la Ecuación 3.13 con $x_0 = 0$ y $v_0 = 0$:

$$x = x_0 + v_0 t + \frac{1}{2}at^2 = \frac{1}{2}at^2.$$

Ahora tenemos una ecuación de movimiento para cada animal con un parámetro común, que puede eliminarse para encontrar la solución. En este caso, resolvemos t:

$$x = \bar{v}t = \frac{1}{2}at^2$$
$$t = \frac{2\bar{v}}{a}.$$

La gacela tiene una velocidad constante de 10 m/s, que es su velocidad media. La aceleración del guepardo es de 4 m/s^2. Al evaluar t, el tiempo que tarda el guepardo en alcanzar a la gacela, tenemos

$$t = \frac{2\bar{v}}{a} = \frac{2(10)}{4} = 5\,\text{s}.$$

b. Para obtener el desplazamiento, utilizamos la ecuación de movimiento del guepardo o de la gacela, ya que ambas deberían dar la misma respuesta.
Desplazamiento del guepardo:

$$x = \frac{1}{2}at^2 = \frac{1}{2}(4)(5)^2 = 50\,\text{m}.$$

Desplazamiento de la gacela:

$$x = \bar{v}t = 10(5) = 50\,\text{m}.$$

Vemos que ambos desplazamientos son iguales, como se esperaba.

Importancia

Es importante analizar el movimiento de cada objeto y utilizar las ecuaciones cinemáticas apropiadas para describir el movimiento individual. También es importante tener una buena perspectiva visual del problema de persecución de dos cuerpos para ver el parámetro común que une el movimiento de ambos objetos.

COMPRUEBE LO APRENDIDO 3.6

Una bicicleta tiene una velocidad constante de 10 m/s. Una persona parte del reposo y comienza a correr para alcanzar a la bicicleta en 30 s cuando esta se encuentra en la misma posición que la persona. ¿Cuál es la aceleración de la persona?

3.5 Caída libre

OBJETIVOS DE APRENDIZAJE

Al final de esta sección, podrá:

- Utilizar las ecuaciones cinemáticas con las variables y y g para analizar el movimiento de caída libre.
- Describir cómo cambian los valores de la posición, la velocidad y la aceleración durante una caída libre.
- Resolver la posición, la velocidad y la aceleración como funciones del tiempo cuando un objeto está en caída libre.

Una aplicación interesante de la Ecuación 3.4 a la Ecuación 3.14 es la llamada *caída libre*, que describe el movimiento de un objeto que cae en un campo gravitacional, como por ejemplo cerca de la superficie de la Tierra u otros cuerpos celestes de tamaño planetario. Supongamos que el cuerpo cae en línea recta perpendicular a la superficie, por lo que su movimiento es unidimensional. Por ejemplo, podemos calcular la profundidad de un pozo minero vertical al dejar caer una roca en él y escuchar cómo toca el fondo. Sin embargo, "caer", en el contexto de la caída libre, no implica necesariamente que el cuerpo se desplace de una altura mayor a otra menor. Si se lanza una pelota hacia arriba, las ecuaciones de la caída libre se aplican tanto a su ascenso como a su descenso.

Gravedad

El hecho más notable e inesperado sobre la caída de objetos es que si la resistencia del aire y la fricción son despreciables, entonces en un lugar determinado todos los objetos caen hacia el centro de la Tierra con la *misma aceleración constante, independientemente de su masa*. Este hecho determinado experimentalmente es inesperado porque estamos tan acostumbrados a los efectos de la resistencia del aire y la fricción que esperamos que los objetos ligeros caigan más lentamente que los pesados. Hasta que Galileo Galilei (1564-1642) demostró lo contrario, se creía que un objeto más pesado tiene una mayor aceleración en caída libre. Ahora sabemos que no es así. A falta de resistencia del aire, los objetos pesados llegan al suelo al mismo tiempo que los más ligeros cuando se dejan caer desde la misma altura como en la Figura 3.26.

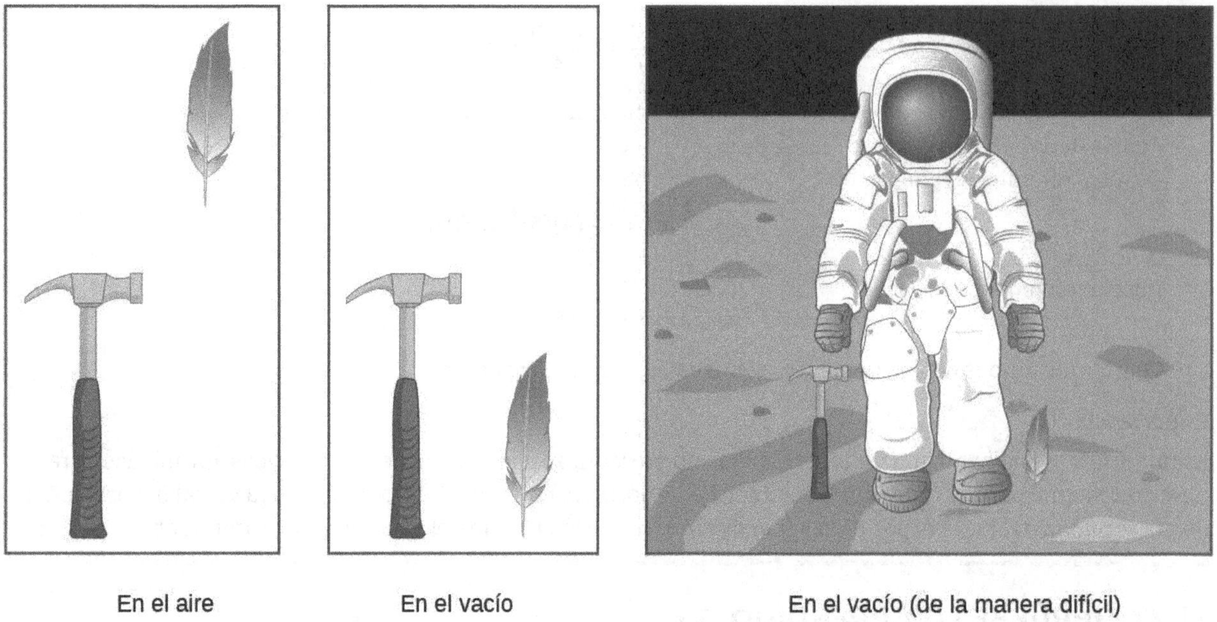

FIGURA 3.26 El martillo y la pluma caen con la misma aceleración constante si la resistencia del aire es despreciable. Se trata de una característica general de la gravedad que no es exclusiva de la Tierra, como demostró el astronauta David R. Scott en 1971 en la Luna, donde la aceleración de la gravedad es solo de 1,67 m/s^2 y no hay atmósfera.

En el mundo real, la resistencia del aire hace que un objeto más ligero caiga más lentamente que un objeto más pesado del mismo tamaño. Una pelota de tenis llega al suelo después de una pelota de béisbol lanzada al mismo tiempo. (Puede ser difícil observar la diferencia si la altura no es grande). La resistencia del aire se opone al movimiento de un objeto a través del aire, y la fricción entre los objetos, como entre la ropa y el conducto de la lavandería o entre una piedra y un estanque en el que se deja caer, también se opone al movimiento entre ellos.

Para las situaciones ideales de estos primeros capítulos, un objeto que *cae sin resistencia del aire o fricción* se define como en **caída libre**. La fuerza de la gravedad hace que los objetos caigan hacia el centro de la Tierra. La aceleración de los objetos en caída libre se denomina, por tanto, **aceleración debida a la gravedad**. La aceleración debida a la gravedad es constante, lo que significa que podemos aplicar las ecuaciones cinemáticas a cualquier objeto que caiga y en el que la resistencia del aire y la fricción sean despreciables. Esto nos abre una amplia clase de situaciones interesantes.

La aceleración debida a la gravedad es tan importante que su magnitud recibe su propio símbolo, g. Es constante en cualquier lugar de la Tierra y tiene el valor promedio

$$g = 9{,}81 \text{ m/s}^2 \text{ (o 32,2 pies/s}^2\text{)}.$$

Aunque g varía entre 9,78 m/s^2 y 9,83 m/s^2, dependiendo de la latitud, la altitud, las formaciones geológicas subyacentes y la topografía local, utilizaremos en este texto un valor medio de 9,8 m/s^2 redondeado a dos cifras significativas, a menos que se especifique lo contrario. Sin tener en cuenta estos efectos sobre el valor de g como resultado de la posición en la superficie de la Tierra, así como los efectos resultantes de la rotación de la Tierra, tomamos la dirección de la aceleración debida a la gravedad hacia abajo (hacia el centro de la Tierra). De hecho, su dirección *define* lo que llamamos vertical. Hay que tener en cuenta que el hecho de que la aceleración a en las ecuaciones cinemáticas tenga el valor $+g$ o $-g$ depende de cómo definamos nuestro sistema de coordenadas. Si definimos la dirección ascendente como positiva, entonces $a = -g = -9{,}8 \text{ m/s}^2$, y si definimos la dirección descendente como positiva, entonces $a = g = 9{,}8 \text{ m/s}^2$.

Movimiento unidimensional en función de la gravedad

La mejor manera de ver las características básicas del movimiento en el que interviene la gravedad es empezar con las situaciones más sencillas y luego progresar hacia otras más complejas. Así pues, empezamos considerando un movimiento recto hacia arriba y hacia abajo sin resistencia del aire ni fricción. Estas suposiciones significan que la velocidad (si la hay) es vertical. Si se deja caer un objeto, sabemos que la velocidad inicial es cero cuando está en caída libre. Cuando el objeto ha dejado de estar en contacto con lo que lo sostenía o lanzaba, está en caída libre. Cuando el objeto es lanzado, tiene la misma rapidez inicial en caída libre que tenía antes de ser soltado. Cuando el objeto entra en contacto con el suelo o con cualquier otro objeto, ya no está en caída libre y su aceleración de *g* ya no es válida. En estas circunstancias, el movimiento es unidimensional y tiene una aceleración constante de magnitud *g*. Representamos el desplazamiento vertical con el símbolo *y*.

Ecuaciones cinemáticas para objetos en caída libre

Suponemos aquí que la aceleración es igual a -*g* (con la dirección positiva hacia arriba).

$$v = v_0 - gt \quad 3.15$$

$$y = y_0 + v_0 t - \frac{1}{2}gt^2 \quad 3.16$$

$$v^2 = v_0^2 - 2g(y - y_0) \quad 3.17$$

ESTRATEGIA DE RESOLUCIÓN DE PROBLEMAS

Caída libre

1. Decidir el signo de la aceleración de la gravedad. En la Ecuación 3.15 a la Ecuación 3.17, la aceleración *g* es negativa, lo que dice que la dirección positiva es hacia arriba y la dirección negativa es hacia abajo. En algunos problemas, sería útil tener la aceleración *g* como positiva, lo que indica que la dirección positiva es hacia abajo.
2. Dibuje un esquema del problema. Esto permite visualizar la física involucrada.
3. Registre los valores conocidos e incógnitas de la descripción del problema. Esto permite trazar una estrategia con el fin de seleccionar las ecuaciones adecuadas para resolver el problema.
4. Decidir cuál de la Ecuación 3.15 a la Ecuación 3.17 se va a utilizar para resolver las incógnitas.

EJEMPLO 3.14

Caída libre de una pelota

La Figura 3.27 muestra las posiciones de una pelota, a intervalos de 1 s, con una velocidad inicial de 4,9 m/s hacia abajo, que se lanza desde lo alto de un edificio de 98 m. (a) ¿Cuánto tiempo transcurre antes de que la pelota llegue al suelo? (b) ¿Cuál es la velocidad cuando llega al suelo?

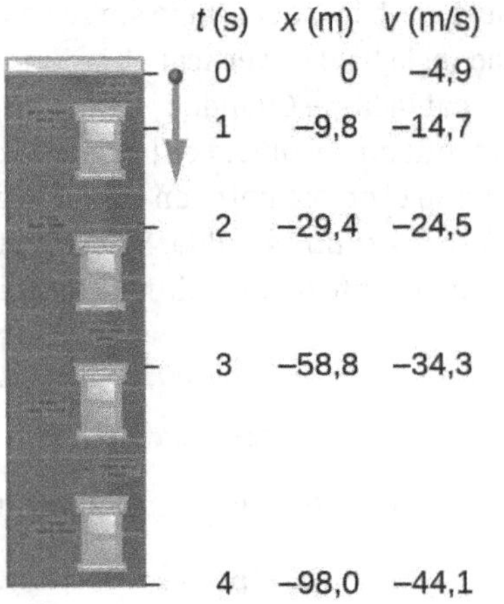

FIGURA 3.27 Las posiciones y velocidades a intervalos de 1 s de una pelota lanzada hacia abajo desde un edificio alto a 4,9 m/s.

Estrategia

Elija el origen en la parte superior del edificio con la dirección positiva hacia arriba y la dirección negativa hacia abajo. Para encontrar el tiempo en que la posición es -98 m, utilizamos la Ecuación 3.16, con $y_0 = 0, v_0 = -4{,}9\ \text{m/s}$, y $g = 9{,}8\ \text{m/s}^2$.

Solución

a. Sustituya los valores dados en la ecuación:

$$y = y_0 + v_0 t - \tfrac{1}{2} g t^2$$
$$-98{,}0\ \text{m} = 0 - (4{,}9\ \text{m/s})t - \tfrac{1}{2}(9{,}8\ \text{m/s}^2)t^2.$$

Esto se simplifica a

$$t^2 + t - 20 = 0.$$

Esta es una ecuación cuadrática con raíces $t = -5{,}0$ s y $t = 4{,}0$ s. La raíz positiva es la que nos interesa, ya que el tiempo $t = 0$ es el tiempo en que la pelota se libera en la parte superior del edificio. (El tiempo $t = -5{,}0$ s representa el hecho de que una pelota lanzada hacia arriba desde el suelo habría estado en el aire durante 5,0 s cuando pasó por la parte superior del edificio moviéndose hacia abajo a 4,9 m/s).

b. Utilizando la Ecuación 3.15, tenemos

$$v = v_0 - gt = -4{,}9\ \text{m/s} - (9{,}8\ \text{m/s}^2)(4{,}0\ \text{s}) = -44{,}1\ \text{m/s}.$$

Importancia

Para las situaciones en las que se obtienen dos raíces de una ecuación cuadrática en la variable del tiempo, debemos observar el significado físico de ambas raíces para determinar cuál es la correcta. Dado que $t = 0$ corresponde al momento en que se lanzó la pelota, la raíz negativa correspondería a un momento anterior al lanzamiento de la pelota, lo que no es físicamente significativo. Cuando la pelota toca el suelo, su velocidad no es inmediatamente cero, pero en cuanto la pelota interactúa con el suelo, su aceleración no es g y se acelera con un valor diferente en un tiempo corto hasta la velocidad cero. Este problema muestra lo importante que es establecer el sistema correcto de coordenadas y mantener los signos de g en las ecuaciones cinemáticas.

EJEMPLO 3.15

Movimiento vertical de una pelota de béisbol

Un bateador batea una pelota de béisbol directamente hacia arriba en el plato del home y la pelota es atrapada

5,0 s después de ser golpeada como en la Figura 3.28. (a) ¿Cuál es la velocidad inicial de la pelota? (b) ¿Cuál es la altura máxima que alcanza la pelota? (c) ¿Cuánto tiempo tarda en alcanzar la altura máxima? (d) ¿Cuál es la aceleración en la parte superior de su recorrido? (e) ¿Cuál es la velocidad de la pelota cuando es atrapada? Supongamos que la pelota es golpeada y atrapada en el mismo lugar.

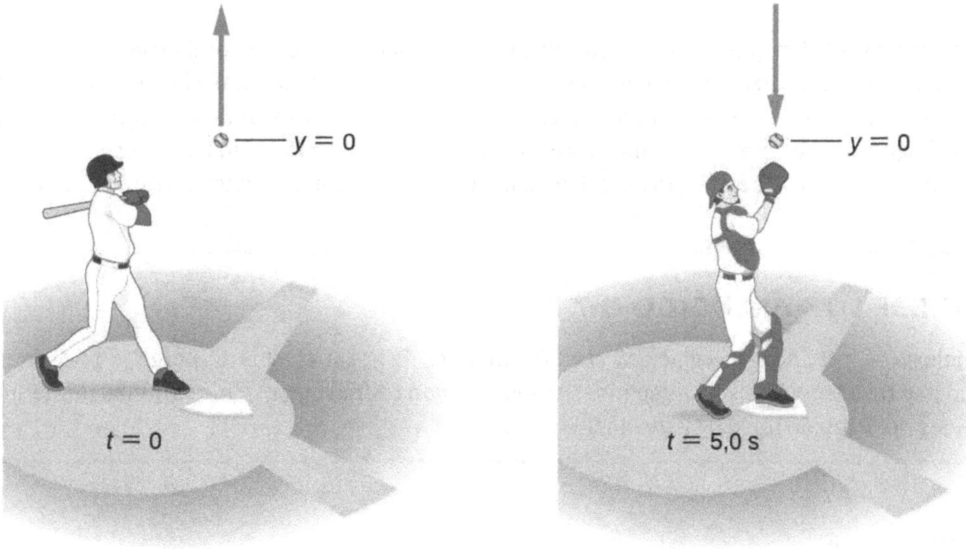

FIGURA 3.28 Una pelota de béisbol que se batea hacia arriba es atrapada por el receptor 5,0 s después.

Estrategia

Escoja un sistema de coordenadas con un eje y positivo que sea recto hacia arriba y con un origen que esté en el lugar donde se golpea y atrapa la pelota.

Solución

a. La Ecuación 3.16 nos da

$$y = y_0 + v_0 t - \frac{1}{2}gt^2$$

$$0 = 0 + v_0(5{,}0\text{ s}) - \frac{1}{2}\left(9{,}8\text{ m/s}^2\right)(5{,}0\text{ s})^2,$$

que nos da $v_0 = 24{,}5\text{ m/s}$.

b. En la altura máxima, $v = 0$. Con $v_0 = 24{,}5\text{ m/s}$, la Ecuación 3.17 nos da

$$v^2 = v_0^2 - 2\,g(y - y_0)$$

$$0 = (24{,}5\text{ m/s})^2 - 2(9{,}8\text{ m/s}^2)(y - 0)$$

o

$$y = 30{,}6\text{ m}.$$

c. Para encontrar el tiempo en que $v = 0$, utilizamos la Ecuación 3.15:

$$v = v_0 - gt$$

$$0 = 24{,}5\text{ m/s} - (9{,}8\text{ m/s}^2)t.$$

Esto nos da $t = 2{,}5$ s. Como la pelota sube durante 2,5 s, el tiempo de caída es de 2,5 s.

d. La aceleración es de 9,8 m/s^2 en todas partes, incluso cuando la velocidad es cero en la parte superior del recorrido. Aunque la velocidad es cero en la parte superior, está cambiando a una tasa de 9,8 m/s^2 hacia abajo.

e. La velocidad en $t = 5{,}0$s se puede determinar con la Ecuación 3.15:

$$\begin{aligned} v &= v_0 - gt \\ &= 24{,}5\ \text{m/s} - 9{,}8\ \text{m/s}^2(5{,}0\ \text{s}) \\ &= -24{,}5\ \text{m/s}. \end{aligned}$$

Importancia

La pelota vuelve con la rapidez que tenía cuando salió. Esta es una propiedad general de la caída libre para cualquier velocidad inicial. Utilizamos una única ecuación para ir del lanzamiento a la atrapada, y no tuvimos que dividir el movimiento entre dos segmentos, hacia arriba y hacia abajo. Estamos acostumbrados a pensar que el efecto de la gravedad es crear una caída libre hacia la Tierra. Es importante entender, como se ilustra en este ejemplo, que los objetos que se alejan de la Tierra hacia arriba también se encuentran en estado de caída libre.

COMPRUEBE LO APRENDIDO 3.7

Un trozo de hielo se desprende de un glaciar y cae 30,0 m antes de llegar al agua. Suponiendo que cae libremente (no hay resistencia del aire), ¿cuánto tiempo tarda en caer al agua? ¿Qué cantidad aumenta más rápido, la rapidez del trozo de hielo o su distancia recorrida?

EJEMPLO 3.16

Propulsor de cohete

Un pequeño cohete con un propulsor despega y se dirige hacia arriba. Cuando a una altura de 5,0 km y una velocidad de 200,0 m/s, suelta su propulsor. (a) ¿Cuál es la altura máxima que alcanza el propulsor? (b) ¿Cuál es la velocidad del propulsor a una altura de 6,0 km? Ignore la resistencia del aire.

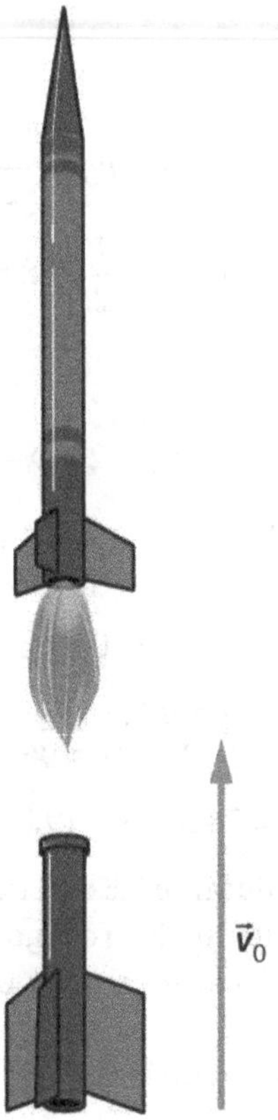

FIGURA 3.29 Un cohete libera su propulsor a una altura y velocidad determinadas. ¿A qué altura y a qué velocidad llega el propulsor?

Estrategia

Tenemos que seleccionar el sistema de coordenadas para la aceleración de la gravedad, que tomamos como negativa hacia abajo. Se nos da la velocidad inicial del propulsor y su altura. Consideramos el punto de liberación como el origen. Sabemos que la velocidad es cero en la posición máxima dentro del intervalo de aceleración; por lo tanto, la velocidad del propulsor es cero en su altura máxima, así que también podemos utilizar esta información. A partir de estas observaciones, utilizamos la Ecuación 3.17, que nos da la altura máxima del propulsor. También utilizamos la Ecuación 3.17 para dar la velocidad a 6,0 km. La velocidad inicial del propulsor es de 200,0 m/s.

Solución

a. A partir de la Ecuación 3.17, $v^2 = v_0^2 - 2g(y - y_0)$. Con $v = 0$ y $y_0 = 0$, podemos resolver y:

$$y = \frac{v_0^2}{2g} = \frac{(2{,}0 \times 10^2 \text{m/s})^2}{2(9{,}8 \text{ m/s}^2)} = 2040{,}8 \text{ m.}$$

Esta solución da la altura máxima del propulsor en nuestro sistema de coordenadas, que tiene su origen en el punto de liberación, por lo que la altura máxima del propulsor es de aproximadamente 7,0 km.

b. Una altitud de 6,0 km corresponde a $y = 1{,}0 \times 10^3$ m en el sistema de coordenadas que estamos utilizando. Las otras condiciones iniciales son $y_0 = 0$, y $v_0 = 200{,}0$ m/s.
Tenemos, a partir de la Ecuación 3.17,

$$v^2 = (200{,}0 \text{ m/s})^2 - 2(9{,}8 \text{ m/s}^2)(1{,}0 \times 10^3 \text{ m}) \Rightarrow v = \pm 142{,}8 \text{ m/s.}$$

Importancia

Tenemos una solución positiva y otra negativa en (b). Como nuestro sistema de coordenadas tiene la dirección positiva hacia arriba, los +142,8 m/s corresponden a una velocidad positiva hacia arriba a 6000 m durante el tramo ascendente de la trayectoria del propulsor. El valor v = -142,8 m/s corresponde a la velocidad a 6000 m en el tramo descendente. Este ejemplo también es importante porque un objeto recibe una velocidad inicial en el origen de nuestro sistema de coordenadas, pero el origen está a una altitud sobre la superficie de la Tierra, lo que debe tenerse en cuenta al formar la solución.

INTERACTIVO

Visite este sitio (https://openstax.org/l/21equatgraph) para aprender a graficar polinomios. La forma de la curva cambia a medida que se ajustan las constantes. Visualice las curvas de los términos individuales (por ejemplo, $y = bx$) para ver cómo se suman para generar la curva polinómica.

3.6 Calcular la velocidad y el desplazamiento a partir de la aceleración

OBJETIVOS DE APRENDIZAJE

Al final de esta sección, podrá:

- Derivar las ecuaciones cinemáticas para una aceleración constante mediante el cálculo integral.
- Utilizar la formulación integral de las ecuaciones cinemáticas en el análisis del movimiento.
- Hallar la forma funcional de la velocidad en función del tiempo dada la función de aceleración.
- Hallar la forma funcional de la posición en función del tiempo dada la función de velocidad.

En esta sección se asume que usted tiene suficiente experiencia en cálculo para estar familiarizado con la integración. En Velocidad y rapidez instantáneas y Aceleración media e instantánea introducimos las funciones cinemáticas de velocidad y aceleración con el empleo de la derivada. Al tomar la derivada de la función de posición encontramos la función de velocidad; igualmente, al tomar la derivada de la función de velocidad encontramos la función de aceleración. Mediante el cálculo integral, podemos trabajar hacia atrás y calcular la función de velocidad a partir de la función de aceleración, y la función de posición a partir de la función de velocidad.

Ecuaciones cinemáticas del cálculo integral

Empecemos con una partícula con una aceleración $a(t)$ que es una función conocida del tiempo. Dado que la derivada de tiempo de la función de velocidad es la aceleración,

$$\frac{d}{dt}v(t) = a(t),$$

podemos tomar la integral indefinida de ambos lados, al encontrar

$$\int \frac{d}{dt}v(t)dt = \int a(t)dt + C_1,$$

donde C_1 es una constante de integración. Dado que $\int \frac{d}{dt}v(t)dt = v(t)$, la velocidad viene dada por

$$v(t) = \int a(t)dt + C_1. \qquad 3.18$$

Del mismo modo, la derivada temporal de la función de posición es la función de velocidad,

$$\frac{d}{dt}x(t) = v(t).$$

Por lo tanto, podemos utilizar las mismas manipulaciones matemáticas que acabamos de emplear y encontrar

$$x(t) = \int v(t)dt + C_2, \qquad 3.19$$

donde C_2 es una segunda constante de integración.

Podemos derivar las ecuaciones cinemáticas para una aceleración constante mediante el empleo de estas integrales. Con $a(t) = a$ una constante, y al hacer la integración en la Ecuación 3.18, encontramos

$$v(t) = \int a dt + C_1 = at + C_1.$$

Si la velocidad inicial es $v(0) = v_0$, entonces

$$v_0 = 0 + C_1.$$

Luego, $C_1 = v_0$ y

$$v(t) = v_0 + at,$$

que es la Ecuación 3.12. Al sustituir esta expresión en la Ecuación 3.19 obtenemos

$$x(t) = \int (v_0 + at)dt + C_2.$$

Haciendo la integración, encontramos

$$x(t) = v_0 t + \frac{1}{2}at^2 + C_2.$$

Si $x(0) = x_0$, tenemos

$$x_0 = 0 + 0 + C_2;$$

por lo tanto, $C_2 = x_0$. Al sustituir de nuevo en la ecuación de $x(t)$, tenemos finalmente

$$x(t) = x_0 + v_0 t + \frac{1}{2}at^2,$$

que es la Ecuación 3.13.

EJEMPLO 3.17

Movimiento de una lancha a motor

Una lancha a motor viaja a una velocidad constante de 5,0 m/s cuando comienza a desacelerar para llegar al muelle. Su aceleración es $a(t) = -\frac{1}{4}t\ \text{m/s}^3$. (a) ¿Cuál es la función de velocidad de la lancha a motor? (b) ¿En qué momento la velocidad llega a cero? (c) ¿Cuál es la función de posición de la lancha a motor? (d) ¿Cuál es el desplazamiento de la lancha a motor desde que comienza a desacelerar hasta que la velocidad es cero? (e) Grafique las funciones de velocidad y posición.

Estrategia

(a) Para obtener la función de velocidad debemos integrar y utilizar las condiciones iniciales para encontrar la constante de integración. (b) Establecemos la función de velocidad igual a cero y resolvemos t. (c) De forma similar, debemos integrar para encontrar la función de posición y utilizar las condiciones iniciales para encontrar la constante de integración. (d) Como la posición inicial se toma como cero, solo tenemos que evaluar la función de posición en el momento en que la velocidad es cero.

Solución

Tomamos $t = 0$ como el tiempo en que la lancha comienza a desacelerar.

a. A partir de la forma funcional de la aceleración podemos resolver la Ecuación 3.18 para obtener $v(t)$:

$$v(t) = \int a(t)dt + C_1 = \int -\frac{1}{4}tdt + C_1 = -\frac{1}{8}t^2 + C_1.$$

En $t = 0$ tenemos $v(0) = 5{,}0\ \text{m/s} = 0 + C_1$, por lo que $C_1 = 5{,}0\ \text{m/s}$ o $v(t) = 5{,}0\ \text{m/s} - \frac{1}{8}t^2$.

b. $v(t) = 0 = 5{,}0\ \text{m/s} - \frac{1}{8}t^2\text{m/s}^3 \Rightarrow t = 6{,}3\ \text{s}$

c. Resolvemos la Ecuación 3.19:

$$x(t) = \int v(t)dt + C_2 = \int (5{,}0 - \frac{1}{8}t^2)\,dt + C_2 = 5{,}0t\ \text{m/s} - \frac{1}{24}t^3\text{m/s}^3 + C_2.$$

En $t = 0$, suponemos que $x(0) = 0 = x_0$, dado que solo nos interesa el desplazamiento a partir del momento en que la lancha comienza a desacelerar. Tenemos

$$x(0) = 0 = C_2.$$

Por lo tanto, la ecuación de la posición es

$$x(t) = 5{,}0t - \frac{1}{24}t^3.$$

d. Como la posición inicial se toma como cero, solo tenemos que evaluar la función de posición en el momento en que la velocidad es cero. Esto ocurre en $t = 6{,}3$ s. Por lo tanto, el desplazamiento es

$$x(6{,}3) = 5{,}0(6{,}3\ \text{s}) - \frac{1}{24}(6{,}3\ \text{s})^3 = 21{,}1\ \text{m}.$$

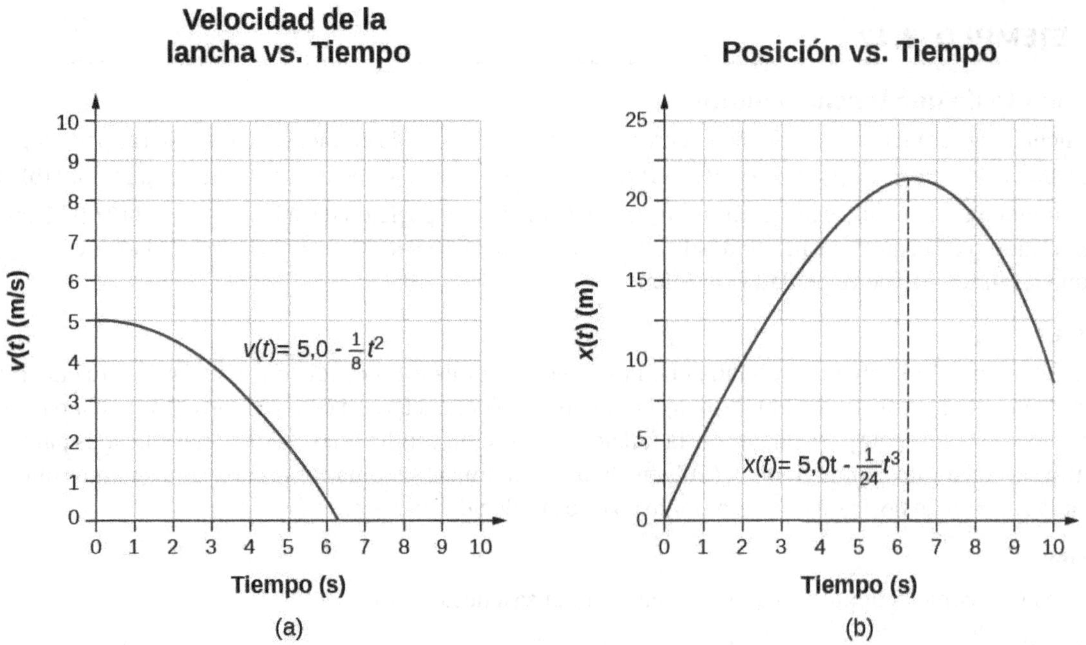

FIGURA 3.30 (a) Velocidad de la lancha a motor en función del tiempo. La lancha reduce su velocidad a cero en 6,3 s. En tiempos superiores a este, la velocidad se vuelve negativa, es decir, la lancha invierte su dirección. (b) Posición de la lancha a motor en función del tiempo. En $t = 6{,}3$ s, la velocidad es cero y la lancha se ha detenido. En momentos superiores a este, la velocidad se vuelve negativa, es decir, si la lancha sigue moviéndose con la misma aceleración, invierte la dirección y se dirige de vuelta al lugar de origen.

Importancia

La función de aceleración es lineal en el tiempo, por lo que la integración implica polinomios simples. En la Figura 3.30, vemos que si extendemos la solución más allá del punto en que la velocidad es cero, la velocidad se vuelve negativa y la lancha invierte su dirección. Esto nos dice que las soluciones pueden darnos información fuera de nuestro interés inmediato y que debemos tener cuidado al interpretarlas.

COMPRUEBE LO APRENDIDO 3.8

Una partícula parte del reposo y tiene una función de aceleración $a(t) = \left(5 - \left(10\frac{1}{s}\right)t\right)\frac{m}{s^2}$. (a) ¿Cuál es la función de velocidad? (b) ¿Cuál es la función de posición? (c) ¿Cuándo es cero la velocidad?

Revisión Del Capítulo

Términos Clave

aceleración debida a la gravedad aceleración de un objeto como resultado de la gravedad
aceleración instantánea aceleración en un momento determinado
aceleración media la tasa del cambio de la velocidad; el cambio de la velocidad en el tiempo
caída libre el estado de movimiento que resulta de la fuerza gravitatoria únicamente
cinemática la descripción del movimiento mediante propiedades como la posición, el tiempo, la velocidad y la aceleración
desplazamiento el cambio de posición de un objeto
desplazamiento total la suma de cada uno de los desplazamientos durante un tiempo determinado
distancia recorrida la longitud total del camino recorrido entre dos posiciones
posición la ubicación de un objeto en un momento determinado
problema de persecución de dos cuerpos un problema de cinemática en el que las incógnitas se calculan al resolver simultáneamente las ecuaciones cinemáticas de dos objetos en movimiento.
rapidez instantánea el valor absoluto de la velocidad instantánea
rapidez media la distancia total recorrida, dividida entre el tiempo transcurrido
tiempo transcurrido la diferencia entre el tiempo final y el tiempo inicial
velocidad instantánea la velocidad en un instante o momento específico
velocidad media el desplazamiento dividido entre el tiempo en que se produce el desplazamiento a una aceleración constante

Ecuaciones Clave

Desplazamiento	$\Delta x = x_\mathrm{f} - x_\mathrm{i}$
Desplazamiento total	$\Delta x_{\mathrm{Total}} = \sum \Delta x_\mathrm{i}$
Velocidad media (para una aceleración constante)	$\bar{v} = \frac{\Delta x}{\Delta t} = \frac{x_2 - x_1}{t_2 - t_1}$
Velocidad instantánea	$v(t) = \frac{dx(t)}{dt}$
Rapidez media	$\text{Rapidez media} = \bar{s} = \frac{\text{Distancia total}}{\text{Tiempo transcurrido}}$
Rapidez instantánea	$\text{Rapidez instantánea} = \lvert v(t) \rvert$
Aceleración media	$\bar{a} = \frac{\Delta v}{\Delta t} = \frac{v_f - v_0}{t_f - t_0}$
Aceleración instantánea	$a(t) = \frac{dv(t)}{dt}$
Posición a partir de la velocidad media	$x = x_0 + \bar{v}t$
Velocidad media	$\bar{v} = \frac{v_0 + v}{2}$
Velocidad a partir de la aceleración	$v = v_0 + at \quad (\text{constante } a)$
Posición a partir de la velocidad y la aceleración	$x = x_0 + v_0 t + \frac{1}{2}at^2 \quad (\text{constante } a)$

Velocidad a partir de la distancia	$v^2 = v_0^2 + 2a(x - x_0)$ (constante a)
Velocidad de caída libre	$v = v_0 - gt$ (positivo ascendente)
Altura de la caída libre	$y = y_0 + v_0 t - \frac{1}{2}gt^2$
Velocidad de caída libre desde la altura	$v^2 = v_0^2 - 2g(y - y_0)$
Velocidad a partir de la aceleración	$v(t) = \int a(t)dt + C_1$
Posición a partir de la velocidad	$x(t) = \int v(t)dt + C_2$

Resumen

3.1 Posición, desplazamiento y velocidad media

- La cinemática es la descripción del movimiento sin considerar sus causas. En este capítulo, se limita al movimiento ectilíneo, llamado movimiento unidimensional.
- El desplazamiento es el cambio de posición de un objeto. La unidad del SI para el desplazamiento es el metro. El desplazamiento tiene tanto dirección como magnitud.
- La distancia recorrida es la longitud total del camino recorrido entre dos posiciones.
- El tiempo se mide en términos de cambio. El tiempo entre dos puntos de posición x_1 y x_2 es $\Delta t = t_2 - t_1$. El tiempo transcurrido de un evento es $\Delta t = t_f - t_0$, donde t_f es el tiempo final y t_0 es el tiempo inicial. El tiempo inicial se toma como cero.
- La velocidad media $\bar{v}$ se define como el desplazamiento dividido entre el tiempo transcurrido. Si x_1, t_1 y x_2, t_2 son dos puntos temporales de posición, la velocidad media entre estos puntos es
$$\bar{v} = \frac{\Delta x}{\Delta t} = \frac{x_2 - x_1}{t_2 - t_1}.$$

3.2 Velocidad y rapidez instantáneas

- La velocidad instantánea es una función continua del tiempo y da la velocidad en cualquier momento durante el movimiento de una partícula. Podemos calcular la velocidad instantánea en un momento determinado al tomar la derivada de la función de posición, lo que nos da la forma funcional de la velocidad instantánea *v(t)*.
- La velocidad instantánea es un vector y puede ser negativa.
- La rapidez instantánea se encuentra al tomar el valor absoluto de la velocidad instantánea, y siempre es positiva.
- La rapidez media es la distancia total recorrida, dividida entre el tiempo transcurrido.
- La pendiente de un gráfico de posición en función del tiempo en un momento determinado da la velocidad instantánea en ese momento.

3.3 Aceleración media e instantánea

- La aceleración es la tasa en la que cambia la velocidad. La aceleración es un vector: tiene tanto una magnitud como una dirección. La unidad del SI para la aceleración es el metro por segundo al cuadrado.
- La aceleración puede causarla un cambio en la magnitud o en la dirección de la velocidad, o en ambas.
- La aceleración instantánea *a(t)* es una función continua del tiempo y produce la aceleración en cualquier momento específico durante el movimiento. Se calcula a partir de la derivada de la función de velocidad. La aceleración instantánea es la pendiente del gráfico de la velocidad en función del tiempo.
- La aceleración negativa (a veces llamada desaceleración) es la aceleración en la dirección negativa en el sistema de coordenadas elegido.

3.4 Movimiento con aceleración constante

- Al analizar el movimiento unidimensional con aceleración constante, identifique las cantidades conocidas y elija las ecuaciones

adecuadas para resolver las incógnitas. Para resolver las incógnitas se necesitan una o dos de las ecuaciones cinemáticas, dependiendo de las cantidades conocidas y desconocidas.
- Los problemas de persecución de dos cuerpos siempre requieren la resolución simultánea de dos ecuaciones para las incógnitas.

3.5 Caída libre

- Un objeto en caída libre experimenta una aceleración constante si la resistencia del aire es despreciable.
- En la Tierra, todos los objetos en caída libre tienen una aceleración *g* debida a la gravedad, cuyo promedio es $g = 9{,}81 \text{ m/s}^2$.
- Para los objetos en caída libre, la dirección ascendente se toma normalmente como positiva para el desplazamiento, la velocidad y la aceleración.

3.6 Calcular la velocidad y el desplazamiento a partir de la aceleración

- El cálculo integral nos brinda una formulación más completa de la cinemática.
- Si se conoce la aceleración $a(t)$, podemos utilizar el cálculo integral para derivar expresiones para la velocidad $v(t)$ y la posición $x(t)$.
- Si la aceleración es constante, las ecuaciones integrales se reducen a la Ecuación 3.12 y la Ecuación 3.13 para el movimiento con aceleración constante.

Preguntas Conceptuales

3.1 Posición, desplazamiento y velocidad media

1. Dé un ejemplo en el que haya distinciones claras entre la distancia recorrida, el desplazamiento y la magnitud del desplazamiento. Identifique específicamente cada cantidad en su ejemplo.
2. ¿En qué circunstancias la distancia recorrida equivale a la magnitud del desplazamiento? ¿Cuál es el único caso en el que la magnitud del desplazamiento y la distancia son exactamente iguales?
3. Las bacterias se mueven de un lado a otro utilizando sus flagelos (estructuras que parecen pequeñas colas). Se han observado valores de rapidez de hasta 50 µm/s (50×10^{-6} m/s). La distancia total recorrida por una bacteria es grande para su tamaño, mientras que su desplazamiento es pequeño. ¿Por qué?
4. Dé un ejemplo de un dispositivo utilizado para medir el tiempo e identifique qué cambio en ese dispositivo indica un cambio en el tiempo.
5. ¿El cuentakilómetros de un auto mide la distancia recorrida o el desplazamiento?
6. Durante un intervalo de tiempo determinado, la velocidad media de un objeto es cero. ¿Qué puede concluir sobre su desplazamiento en el intervalo de tiempo?

3.2 Velocidad y rapidez instantáneas

7. Existe una distinción entre la rapidez media y la magnitud de la velocidad media. Dé un ejemplo que ilustre la diferencia entre estas dos cantidades.
8. ¿El velocímetro de un auto mide la velocidad o la rapidez?
9. Si divide la distancia total recorrida en un viaje en auto (determinada por el cuentakilómetros) entre el tiempo transcurrido del recorrido, ¿está calculando la rapidez media o la magnitud de la velocidad media? ¿En qué circunstancias son iguales estas dos cantidades?
10. ¿Cómo se relacionan la velocidad instantánea y la rapidez instantánea? ¿En qué se diferencian?

3.3 Aceleración media e instantánea

11. ¿Es posible que la rapidez sea constante mientras la aceleración no sea cero?
12. ¿Es posible que la velocidad sea constante mientras la aceleración no sea cero? Explique.
13. Dé un ejemplo en el que la velocidad sea cero y la aceleración no.
14. Si un tren subterráneo se desplaza hacia la izquierda (tiene una velocidad negativa) y luego se detiene, ¿cuál es la dirección de su aceleración? ¿La aceleración es positiva o negativa?
15. Los signos más y menos se utilizan en el movimiento unidimensional para indicar la dirección. ¿Cuál es el signo de una aceleración que reduce la magnitud de una velocidad negativa? ¿De una velocidad positiva?

3.4 Movimiento con aceleración constante

16. Al analizar el movimiento de un solo objeto, ¿cuál es el número necesario de variables físicas conocidas que se necesitan para resolver las cantidades desconocidas con las ecuaciones cinemáticas?

17. Enuncie dos escenarios de la cinemática de un solo objeto donde tres cantidades conocidas requieren dos ecuaciones cinemáticas para resolver las incógnitas.

3.5 Caída libre

18. ¿Cuál es la aceleración de una roca lanzada en línea recta hacia arriba? ¿En la cima de su vuelo? ¿En el camino hacia abajo? Supongamos que no hay resistencia del aire.

19. Un objeto que es lanzado hacia arriba cae de nuevo a la Tierra. Se trata de un movimiento unidimensional. (a) ¿Cuándo su velocidad es cero? (b) ¿Cambia su velocidad de dirección? (c) ¿Tiene la aceleración el mismo signo al subir que al bajar?

20. Supongamos que se lanza una piedra casi en línea recta a un coco en una palmera y que la piedra no golpea al coco en la subida, pero sí en la bajada. Descartando la resistencia del aire y la ligera variación horizontal del movimiento para tener en cuenta el golpe y el fallo del coco, ¿cómo se compara la rapidez de la roca cuando golpea el coco en el camino hacia abajo con la que habría tenido si hubiera golpeado el coco en el camino hacia arriba? ¿Es más probable que el coco se desprenda al subir o al bajar? Explique.

21. La gravedad de una caída depende de la rapidez con la que se golpea el suelo. Siendo todos los factores menos la aceleración de la gravedad iguales, ¿cuántas veces más podría producirse una caída segura en la Luna que en la Tierra (la aceleración gravitatoria en la Luna es aproximadamente una sexta parte de la de la Tierra)?

22. ¿Cuántas veces más alto podría saltar una astronauta en la Luna que en la Tierra si su rapidez de despegue es la misma en ambos lugares (la aceleración gravitatoria en la Luna es aproximadamente una sexta parte de la de la Tierra)?

3.6 Calcular la velocidad y el desplazamiento a partir de la aceleración

23. Cuando se da la función de aceleración, ¿qué otra información se necesita para encontrar la función de velocidad y la función de posición?

Problemas

3.1 Posición, desplazamiento y velocidad media

24. Consideremos un sistema de coordenadas en el que el eje de la *x* positiva se dirige verticalmente hacia arriba. ¿Cuáles son las posiciones de una partícula (a) 5,0 m directamente por encima del origen y (b) 2,0 m por debajo del origen?

25. Un auto se encuentra a 2,0 km al oeste de un semáforo en $t = 0$ y 5,0 km al este del semáforo en $t = 6{,}0$ min. Supongamos que el origen del sistema de coordenadas es el semáforo y la dirección de la *x* positiva es hacia el este. (a) ¿Cuáles son los vectores de posición del auto en estos dos momentos? (b) ¿Cuál es el desplazamiento del auto entre 0 min y 6,0 min?

26. El tren maglev de Shanghái conecta Longyang Road con el aeropuerto internacional de Pudong, a una distancia de 30 km. El trayecto dura un promedio de 8 minutos. ¿Cuál es la velocidad media del tren maglev?

27. La posición de una partícula que se mueve a lo largo del eje de la *x* viene dada por $x(t) = 4{,}0 - 2{,}0t$ m. (a) ¿En qué momento la partícula cruza el origen? (b) ¿Cuál es el desplazamiento de la partícula entre $t = 3{,}0$ s y $t = 6{,}0$ s?

28. Un ciclista recorre 8,0 km hacia el este durante 20 minutos, luego gira y se dirige al oeste durante 8 minutos y 3,2 km. Finalmente, recorre 16 km hacia el este, lo que le lleva 40 minutos. (a) ¿Cuál es el desplazamiento final del ciclista? (b) ¿Cuál es su velocidad media?

29. El 15 de febrero de 2013, un meteorito superbólido (más brillante que el Sol) entró en la atmósfera terrestre sobre Cheliábinsk (Rusia) y estalló a 23,5 km de altura. Los testigos pudieron sentir el intenso calor de la bola de fuego, y la onda expansiva de la explosión hizo volar las ventanas de los edificios. La onda expansiva tardó aproximadamente 2 minutos y 30 segundos en alcanzar el nivel del suelo. La onda expansiva se desplazó a 10° sobre el horizonte. a) ¿Cuál fue la velocidad media de la onda expansiva? b) Compárela con la velocidad del sonido, que es de 343 m/s a nivel del mar.

3.2 Velocidad y rapidez instantáneas

30. Una marmota corre 20 m hacia la derecha en 5 s, luego gira y corre 10 m hacia la izquierda en 3 s. (a) ¿Cuál es la velocidad media de la marmota? (b) ¿Cuál es su rapidez media?

31. Trace un esquema del gráfico de velocidad en función del tiempo a partir del siguiente gráfico de posición en función del tiempo.

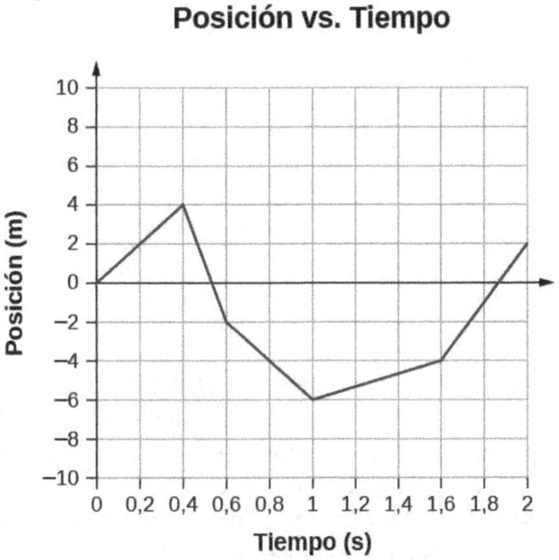

32. Trace un esquema del gráfico de velocidad en función del tiempo a partir del siguiente gráfico de posición en función del tiempo.

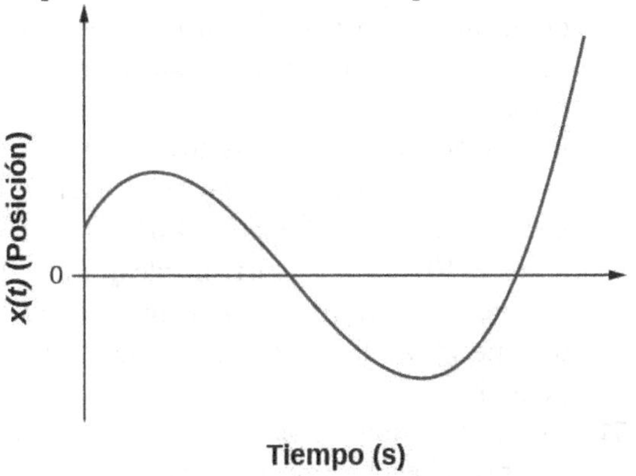

33. Dado el siguiente gráfico de velocidad en función del tiempo, haga un esquema del gráfico de posición en función del tiempo.

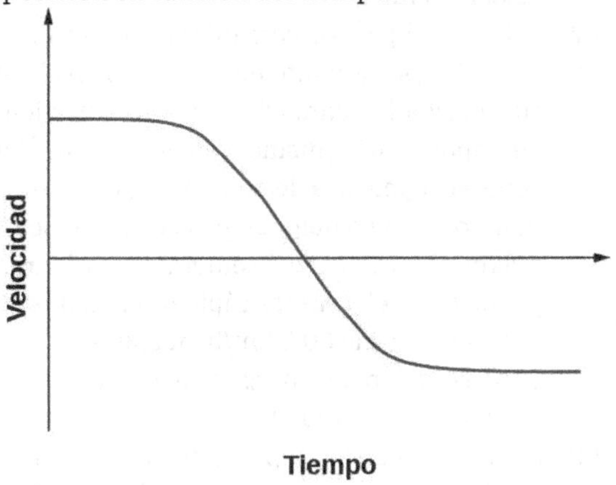

34. Un objeto tiene una función de posición $x(t) = 5t$ m. (a) ¿Cuál es la velocidad en función del tiempo? (b) Grafique la función de posición y la función de velocidad.

35. Una partícula se mueve a lo largo del eje de la x según $x(t) = 10t - 2t^2$ m. (a) ¿Cuál es la velocidad instantánea en $t = 2$ s y $t = 3$ s? (b) ¿Cuál es la rapidez instantánea en esos momentos? (c) ¿Cuál es la velocidad media entre $t = 2$ s y $t = 3$ s?

36. **Resultados poco razonables.** Una partícula se mueve a lo largo del eje de la x según $x(t) = 3t^3 + 5t$. ¿En qué momento la velocidad de la partícula es igual a cero? ¿Esto es razonable?

3.3 Aceleración media e instantánea

37. Un guepardo puede acelerar desde el reposo hasta una rapidez de 30,0 m/s en 7,00 s. ¿Cuál es su aceleración?

38. El Dr. John Paul Stapp fue un oficial de las Fuerzas Aéreas de los EE. UU. que estudió los efectos de la aceleración extrema en el cuerpo humano. El 10 de diciembre de 1954, Stapp se montó en un trineo cohete, aceleró desde el reposo hasta una velocidad máxima de 282 m/s (1.015 km/h) en 5,00 s y regresó al reposo de forma brusca en solo 1,40 s. Calcule su (a) aceleración en su dirección de movimiento y (b) aceleración opuesta a su dirección de movimiento. Exprese cada una en múltiplos de g (9,80 m/s^2) tomando su relación con la aceleración de la gravedad.

39. Haga un esquema del gráfico de la aceleración en función del tiempo a partir del siguiente gráfico de velocidad en función del tiempo.

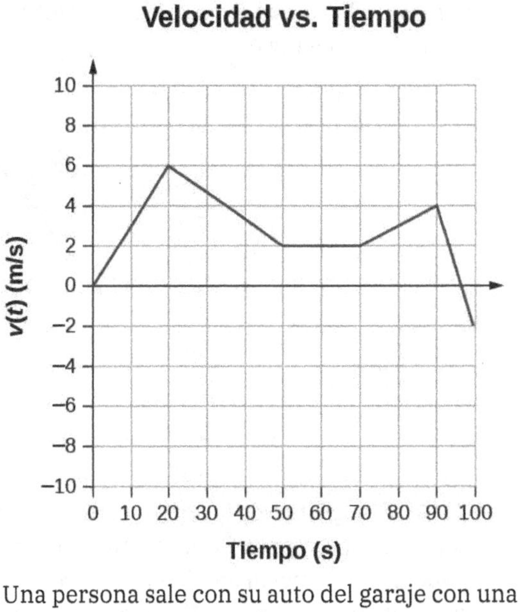

40. Una persona sale con su auto del garaje con una aceleración de 1,40 m/s^2. (a) ¿Cuánto tarda en alcanzar una rapidez de 2,00 m/s? (b) Si frena hasta detenerse en 0,800 s, ¿cuál es su aceleración?

41. Supongamos que un misil balístico intercontinental pasa del reposo a una rapidez suborbital de 6,50 km/s en 60,0 s (la rapidez y el tiempo reales son clasificados). ¿Cuál es su aceleración media en metros por segundo y en múltiplos de g (9,80 m/s^2)?

42. Un avión, que parte del reposo, se desplaza por la pista con aceleración constante durante 18 s y luego despega a una rapidez de 60 m/s. ¿Cuál es la aceleración media del avión?

3.4 Movimiento con aceleración constante

43. Una partícula se mueve en línea recta a una velocidad constante de 30 m/s. ¿Cuál es su desplazamiento entre t = 0 y t = 5,0 s?

44. Una partícula se mueve en línea recta con una velocidad inicial de 0 m/s y una aceleración constante de 30 m/s^2. Si $x = 0$ en $t = 0$, ¿cuál es la posición de la partícula en t = 5 s?

45. Una partícula se mueve en línea recta con una velocidad inicial de 30 m/s y una aceleración constante de 30 m/s^2. (a) ¿Cuál es su desplazamiento en t = 5 s? (b) ¿Cuál es su velocidad en ese mismo momento?

46. (a) Haga un esquema del gráfico de la velocidad en función del tiempo correspondiente al gráfico del desplazamiento en función del tiempo que se da en la siguiente figura. (b) Identifique el tiempo o los tiempos (t_a, t_b, t_c, etc.) en los que la velocidad instantánea tiene el mayor valor positivo. (c) ¿En qué tiempos es cero? (d) ¿En qué tiempos es negativa?

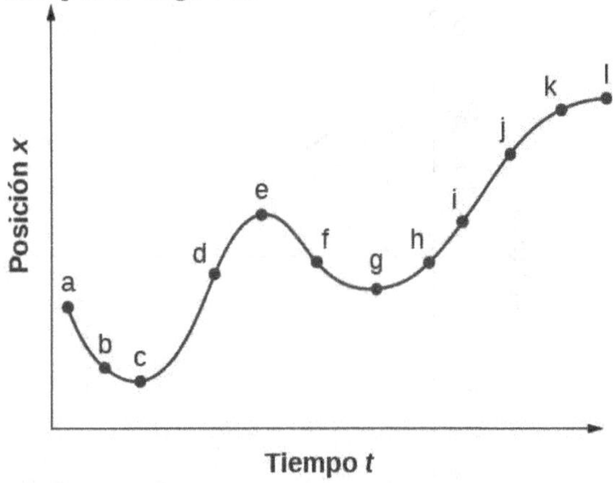

47. (a) Haga un gráfico de la aceleración en función del tiempo correspondiente al gráfico de la velocidad en función del tiempo que se da en la siguiente figura. (b) Identifique el tiempo o los tiempos (t_a, t_b, t_c, etc.) en los que la aceleración tiene el mayor valor positivo. (c) ¿En qué tiempos es cero? (d) ¿En qué tiempos es negativa?

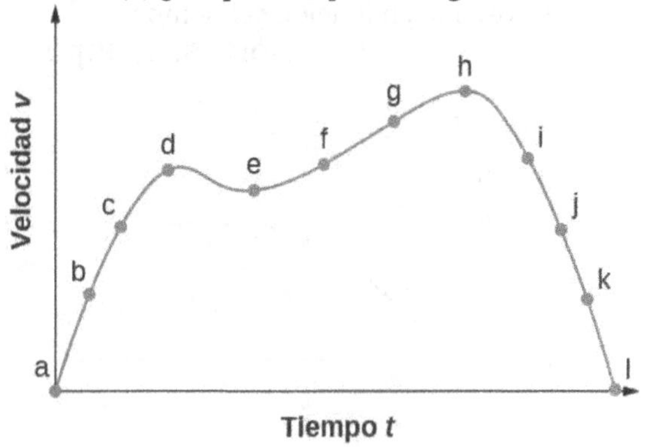

48. Una partícula tiene una aceleración constante de 6,0 m/s^2. (a) Si su velocidad inicial es de 2,0 m/s, ¿en qué tiempo su desplazamiento es de 5,0 m? (b) ¿Cuál es su velocidad en ese tiempo?

49. En t = 10 s, una partícula se mueve de izquierda a derecha con una rapidez de 5,0 m/s. En t = 20 s, la partícula se mueve de derecha a izquierda con una rapidez de 8,0 m/s. Suponiendo que la aceleración de la partícula sea constante, determine (a) su aceleración, (b) su velocidad inicial y (c) el instante en que su velocidad es cero.

50. Una pelota bien lanzada se atrapa con un guante bien acolchado. Si la aceleración de la pelota es $2{,}10 \times 10^4$ m/s^2, y 1,85 ms ($1 \text{ ms} = 10^{-3}$ s) transcurre desde que la pelota toca por primera vez el guante hasta que se detiene, ¿cuál es la velocidad inicial de la pelota?

51. Una bala en una pistola se acelera desde la recámara hasta el final del cañón a una tasa media de $6{,}20 \times 10^5$ m/s^2 en $8{,}10 \times 10^{-4}$ s. ¿Cuál es su velocidad de salida (es decir, su velocidad final)?

52. a) Un tren ligero de cercanías acelera a una tasa de 1,35 m/s^2. ¿Cuánto tiempo tarda en alcanzar su velocidad máxima de 80,0 km/h, partiendo del reposo? b) El mismo tren desacelera, por lo general, a una tasa de 1,65 m/s^2. ¿Cuánto tiempo tarda en detenerse desde su velocidad máxima? (c) En caso de emergencias, el tren puede desacelerar más rápidamente, hasta detenerse desde 80,0 km/h en 8,30 s. ¿Cuál es su aceleración de emergencia en metros por segundo al cuadrado?

53. Al entrar en una autopista, un auto acelera desde el reposo a una tasa de 2,40 m/s^2 durante 12,0 s. (a) Trace un esquema de la situación. (b) Enumere los valores conocidos de este problema. (c) ¿Qué distancia recorre el auto en esos 12,0 s? Para resolver esta parte, primero identifique la incógnita y luego indique cómo ha elegido la ecuación adecuada para resolverla. Después de elegir la ecuación, muestre sus pasos para resolver la incógnita, compruebe sus unidades y discuta si la respuesta es razonable. (d) ¿Cuál es la velocidad final del auto? Resuelva esta incógnita de la misma manera que en (c), mostrando todos los pasos explícitamente.

54. **Resultados poco razonables.** Al final de una carrera, una corredora desacelera desde una velocidad de 9,00 m/s a una tasa de 2,00 m/s^2. (a) ¿Qué distancia recorre en los siguientes 5,00 s? (b) ¿Cuál es su velocidad final? (c) Evalúe el resultado. ¿Tiene sentido?

55. La sangre se acelera desde el reposo hasta 30,0 cm/s en una distancia de 1,80 cm por el ventrículo izquierdo del corazón. (a) Trace un esquema de la situación. (b) Enumere los valores conocidos de este problema. (c) ¿Cuánto tiempo tarda la aceleración? Para resolver esta parte, primero identifique la incógnita y luego explique cómo eligió la ecuación apropiada para resolverla. Después de elegir la ecuación, muestre sus pasos para resolver la incógnita, mediante la comprobación de sus unidades. (d) ¿Es razonable la respuesta cuando se compara con el tiempo de un latido?

56. Durante un tiro de golpe, un jugador de hockey acelera el disco desde una velocidad de 8,00 m/s hasta 40,0 m/s en la misma dirección. Si este tiro necesita $3{,}33 \times 10^{-2}$ s, ¿cuál es la distancia sobre la que acelera el disco?

57. Una potente motocicleta puede acelerar desde el reposo hasta 26,8 m/s (100 km/h) en solo 3,90 s. (a) ¿Cuál es su aceleración media? (b) Suponiendo una aceleración constante, ¿qué distancia recorre en ese tiempo?

58. Los trenes de carga solo pueden producir una aceleración relativamente pequeña. (a) ¿Cuál es la velocidad final de un tren de carga que acelera a una tasa de $0{,}0500\ \text{m/s}^2$ durante 8,00 min, que parte de una velocidad inicial de 4,00 m/s? (b) Si el tren puede frenar a una tasa de $0{,}550\ \text{m/s}^2$, ¿cuánto tiempo tardará en detenerse a partir de esta velocidad? (c) ¿Qué distancia recorrerá en cada caso?

59. Un proyectil de fuegos artificiales acelera desde el reposo hasta una velocidad de 65,0 m/s en una distancia de 0,250 m. (a) Calcule la aceleración. (b) ¿Cuánto tiempo duró la aceleración?

60. Un cisne en un lago se eleva y bate las alas, y corre sobre el agua. (a) Si el cisne debe alcanzar una velocidad de 6,00 m/s para despegar y acelera desde el reposo a una tasa media de $0{,}35\ \text{m/s}^2$, ¿qué distancia recorrerá antes de volar? b) ¿Cuánto tiempo tarda?

61. El cerebro de un pájaro carpintero está especialmente protegido de las grandes aceleraciones gracias a algunas uniones tendinosas en el interior del cráneo. Mientras picotea en un árbol, la cabeza del pájaro carpintero se detiene desde una velocidad inicial de 0,600 m/s en una distancia de solo 2,00 mm. (a) Calcule la aceleración en metros por segundo al cuadrado y en múltiplos de g, donde $g = 9{,}80$ m/s^2. (b) Calcule el tiempo de parada. (c) Los tendones que protegen el cerebro se estiran, lo que hace que su distancia de parada sea de 4,50 mm (mayor que la de la cabeza y, por tanto, menor que la aceleración del cerebro). ¿Cuál es la aceleración del cerebro, expresada en múltiplos de g?

62. Un incauto jugador de fútbol choca con un poste de portería acolchado mientras corre a una velocidad de 7,50 m/s y se detiene por completo tras comprimir el acolchado y su cuerpo 0,350 m. (a) ¿Cuál es su aceleración? (b) ¿Cuánto dura la colisión?

63. Lanzan un paquete de ayuda desde un avión de carga y aterriza en el bosque. Si suponemos que la rapidez del paquete de ayuda en el impacto es de 54 m/s (123 mph), ¿cuál es su aceleración? Supongamos que los árboles y la nieve lo detienen a una distancia de 3,0 m.

64. Un tren expreso pasa por una estación. Entra con una velocidad inicial de 22,0 m/s y desacelera a una tasa de $0{,}150\ \text{m/s}^2$ a medida que pasa. La estación mide 210,0 m de longitud. (a) ¿A qué velocidad va cuando la parte delantera del tren sale de la estación? (b) ¿A cuánto tiempo está la parte delantera del tren en la estación? (c) Si el tren mide 130 m de longitud, ¿cuál es la velocidad del extremo del tren al salir? (d) ¿Cuándo sale el extremo del tren de la estación?

65. **Resultados poco razonables.** Los dragsters pueden alcanzar una rapidez máxima de 145,0 m/s en solo 4,45 s. (a) Calcule la aceleración media de este dragster. (b) Calcule la velocidad final de este dragster partiendo del reposo y acelerando a la tasa encontrada en (a) durante 402,0 m (un cuarto de milla) sin utilizar ninguna información sobre el tiempo. (c) ¿Por qué la velocidad final es mayor que la utilizada para encontrar la aceleración media? (*Pista*: Considere si la suposición de aceleración constante es válida para un dragster. En caso contrario, explique si la aceleración sería mayor al principio o al final de la carrera y qué efecto tendría eso en la velocidad final).

3.5 Caída libre

66. Calcule el desplazamiento y la velocidad en los tiempos de (a) 0,500 s, (b) 1,00 s, (c) 1,50 s y (d) 2,00 s para una pelota lanzada en línea recta con una velocidad inicial de 15,0 m/s. Tome el punto de liberación como $y_0 = 0$.

67. Calcule el desplazamiento y la velocidad en los tiempos de (a) 0,500 s, (b) 1,00 s, (c) 1,50 s, (d) 2,00 s y (e) 2,50 s para una roca lanzada en línea recta con una velocidad inicial de 14,0 m/s desde el puente Verrazano Narrows en la ciudad de Nueva York. La calzada de este puente está a 70,0 m por encima del agua.

68. Un árbitro de baloncesto lanza el balón hacia arriba para dar el aviso de inicio. ¿A qué velocidad debe saltar un jugador de baloncesto para elevarse 1,25 m sobre el suelo en un intento por atrapar el balón?

69. Un helicóptero de rescate sobrevuela sobre una persona cuya embarcación se ha hundido. Uno de los socorristas lanza un salvavidas directamente hacia la víctima, a una velocidad inicial de 1,40 m/s y observa que tarda 1,8 s en llegar al agua. (a) Enumere los valores conocidos de este problema. (b) ¿A qué altura sobre el agua se soltó el salvavidas? Hay que tener en cuenta que la corriente descendente del helicóptero reduce los efectos de la resistencia del aire en la caída del salvavidas, por lo que una aceleración igual a la de la gravedad es razonable.

70. **Resultados poco razonables.** Un delfín en un espectáculo acuático salta en línea recta fuera del agua a una velocidad de 15,0 m/s. (a) Enumere los valores conocidos de este problema. (b) ¿A qué altura se eleva su cuerpo por encima del agua? Para resolver esta parte, primero hay que observar que la velocidad final ya es un valor conocido, e identificar su valor. Luego, identifique la incógnita y comente cómo ha elegido la ecuación adecuada para resolverla. Después de elegir la ecuación, muestre sus pasos para resolver la incógnita, compruebe las unidades y analice si la respuesta es razonable. (c) ¿Cuánto tiempo está el delfín en el aire? Descarte cualquier efecto derivado de su tamaño u orientación.

71. Una clavadista salta directamente desde un trampolín, esquiva el trampolín en la bajada y cae con los pies por delante en una piscina. Comienza con una velocidad de 4,00 m/s y su punto de despegue está a 1,80 m por encima de la piscina. (a) ¿Cuál es su punto más alto por encima del trampolín? (b) ¿Cuánto tiempo están sus pies en el aire? (c) ¿Cuál es su velocidad cuando sus pies tocan el agua?

72. (a) Calcule la altura de un acantilado si una roca tarda 2,35 s en llegar al suelo cuando es lanzada directamente desde el acantilado, a una velocidad inicial de 8,00 m/s. (b) ¿Cuánto tiempo tardaría en llegar al suelo si se lanza directamente hacia abajo con la misma rapidez?

73. Un lanzador de bala, muy fuerte, pero inepto, lanza la bala en vertical con una velocidad inicial de 11,0 m/s. ¿De cuánto tiempo dispone para apartarse si el lanzamiento se liberó a una altura de 2,20 m y él mide 1,80 m?

74. Lanza una pelota hacia arriba con una velocidad inicial de 15,0 m/s. Pasa por una rama de árbol en el camino a una altura de 7,0 m. ¿Cuánto tiempo adicional transcurre antes de que la pelota pase por la rama del árbol en el camino de vuelta?

75. Un canguro puede saltar sobre un objeto de 2,50 m de altura. (a) Considerando solo su movimiento vertical, calcule su rapidez vertical cuando abandona el suelo. (b) ¿Cuánto tiempo está en el aire?

76. De pie en la base de uno de los acantilados del monte Arapiles en Victoria, Australia, un excursionista oye cómo se desprende una roca desde una altura de 105,0 m. No puede ver la roca de inmediato, pero luego sí, 1,50 s después. (a) ¿A qué distancia por encima del excursionista está la roca cuando la oye? (b) ¿Cuánto tiempo tiene para moverse antes de que la roca le golpee la cabeza?

77. Hay un acantilado de 250 metros de altura en Half Dome, en el Parque Nacional de Yosemite, en California. Supongamos que una roca se desprende de la cima de este acantilado. (a) ¿A qué velocidad irá cuando choque contra el suelo? (b) Suponiendo un tiempo de reacción de 0,300 s, ¿cuánto tiempo tendrá un turista que se encuentre en la parte inferior para apartarse tras oír el ruido de la roca al desprenderse (sin tener en cuenta la altura del turista, que de todas formas sería despreciable si lo golpea)? La velocidad del sonido es de 335,0 m/s en este día.

3.6 Calcular la velocidad y el desplazamiento a partir de la aceleración

78. La aceleración de una partícula varía con el tiempo según la ecuación $a(t) = pt^2 - qt^3$. Inicialmente, la velocidad y la posición son cero. (a) ¿Cuál es la velocidad en función del tiempo? (b) ¿Cuál es la posición en función del tiempo?

79. Entre $t = 0$ y $t = t_0$, un cohete se mueve en línea recta hacia arriba con una aceleración dada por $a(t) = A - Bt^{1/2}$, donde A y B son constantes. (a) Si x está en metros y t en segundos, ¿cuáles son las unidades de A y B? (b) Si el cohete parte del reposo, ¿cómo varía la velocidad entre $t = 0$ y $t = t_0$? (c) Si su posición inicial es cero, ¿cuál es la posición del cohete en función del tiempo durante este mismo intervalo de tiempo?

80. La velocidad de una partícula que se mueve a lo largo del eje x varía con el tiempo según $v(t) = A + Bt^{-1}$, donde $A = 2$ m/s, $B = 0,25$ m, y $1,0\text{ s} \leq t \leq 8,0\text{ s}$. Determine la aceleración y la posición de la partícula en $t = 2,0$ s y $t = 5,0$ s. Supongamos que $x(t = 1\text{ s}) = 0$.

81. Una partícula en reposo sale del origen con su velocidad que se incrementa con el tiempo según $v(t) = 3,2t$ m/s. A los 5,0 s, la velocidad de la partícula empieza a disminuir según [16,0 - 1,5(t - 5,0)] m/s. Esta disminución continúa hasta $t = 11,0$ s, después de lo cual la velocidad de la partícula permanece constante en 7,0 m/s. (a) ¿Cuál es la aceleración de la partícula en función del tiempo? (b) ¿Cuál es la posición de la partícula en $t = 2,0$ s, $t = 7,0$ s y $t = 12,0$ s?

Problemas Adicionales

82. El jugador de béisbol profesional Nolan Ryan podía lanzar la pelota aproximadamente a 160,0 km/h. A esa velocidad media, ¿cuánto tarda la pelota que lanzó Ryan en llegar al plato de home, que está a 18,4 m del montículo del lanzador? Compárelo con el tiempo promedio de reacción de un ser humano ante un estímulo visual, que es de 0,25 s.

83. Un avión sale de Chicago y realiza el trayecto de 3.000 km hasta Los Ángeles en 5,0 h. Un segundo avión sale de Chicago media hora más tarde y llega a Los Ángeles a la misma hora. Compare la velocidad media de los dos aviones. Ignore la curvatura de la Tierra y la diferencia de altitud entre las dos ciudades.

84. **Resultados poco razonables.** Un ciclista recorre 16,0 km al este, luego 8,0 km al oeste, después 8,0 km al este, luego 32,0 km al oeste y finalmente 11,2 km al este. Si su velocidad media es de 24 km/h, ¿cuánto tiempo tardó en realizar el viaje? ¿Es un tiempo razonable?

85. Un objeto tiene una aceleración de $+1,2\text{ cm/s}^2$. En $t = 4,0$ s, su velocidad es $-3,4$ cm/s. Determine las velocidades del objeto en $t = 1,0$ s y $t = 6,0$ s.

86. Una partícula se mueve a lo largo del eje x según la ecuación $x(t) = 2,0 - 4,0t^2$ m. ¿Cuáles son la velocidad y la aceleración en $t = 2,0$ s y $t = 5,0$ s?

87. Una partícula que se mueve con aceleración constante tiene velocidades de 2,0 m/s en $t = 2,0$ s y $-7,6$ m/s en $t = 5,2$ s. ¿Cuál es la aceleración de la partícula?

88. Un tren asciende por una pendiente pronunciada a velocidad constante (ver la siguiente figura) cuando su furgón de cola se suelta y empieza a rodar libremente por la vía. Después de 5,0 s, el furgón de cola se encuentra a 30 m por detrás del tren. ¿Cuál es la aceleración del furgón de cola?

89. Un electrón se mueve en línea recta, a una velocidad de $4,0 \times 10^5$ m/s. Entra en una región de 5,0 cm de longitud, donde sufre una aceleración de $6,0 \times 10^{12}\text{ m/s}^2$ a lo largo de la misma línea recta. a) ¿Cuál es la velocidad del electrón cuando sale de esta región? b) ¿Cuánto tiempo tarda el electrón en atravesar la región?

90. Una conductora de ambulancia lleva a un paciente al hospital. Mientras viaja a 72 km/h, se da cuenta de que el semáforo de los próximos cruces se ha puesto en ámbar. Para llegar a la intersección antes de que el semáforo se ponga en rojo, debe recorrer 50 m en 2,0 s. (a) ¿Qué aceleración mínima debe tener la ambulancia para llegar a la intersección antes de que el semáforo se ponga en rojo? (b) ¿Cuál es la rapidez de la ambulancia cuando llega a la intersección?

91. Una motocicleta que desacelera uniformemente recorre 2,0 km sucesivos en 80 s y 120 s, respectivamente. Calcule (a) la aceleración de la motocicleta y (b) su velocidad al principio y al final del recorrido de 2 km.

92. Una ciclista viaja del punto A al punto B en 10 min. Durante los primeros 2,0 min de su viaje, mantiene una aceleración uniforme de $0{,}090\ \text{m/s}^2$. A continuación, se desplaza a velocidad constante durante los siguientes 5,0 min. Después, desacelera a una tasa constante, de modo que se detiene en el punto B 3,0 min más tarde. (a) Haga un esquema del gráfico de velocidad en función del tiempo para el viaje. (b) ¿Cuál es la aceleración durante los últimos 3 min? (c) ¿Qué distancia recorre la ciclista?

93. Dos trenes se desplazan a 30 m/s en direcciones opuestas en la misma vía. Los ingenieros ven simultáneamente que están en curso de colisión y aplican los frenos cuando están a 1000 m de distancia. Suponiendo que ambos trenes tienen la misma aceleración, ¿cuál debe ser esta aceleración para que los trenes se detengan justo antes de colisionar?

94. Un camión de 10,0 m de longitud, que se desplaza a una velocidad constante de 97,0 km/h, adelanta a un auto de 3,0 m de longitud, que se desplaza a una velocidad constante de 80,0 km/h. ¿Cuánto tiempo transcurre entre el momento en que la parte delantera del camión está a la par de la parte trasera del auto y el momento en que la parte trasera del camión está a la par de la parte delantera del auto?

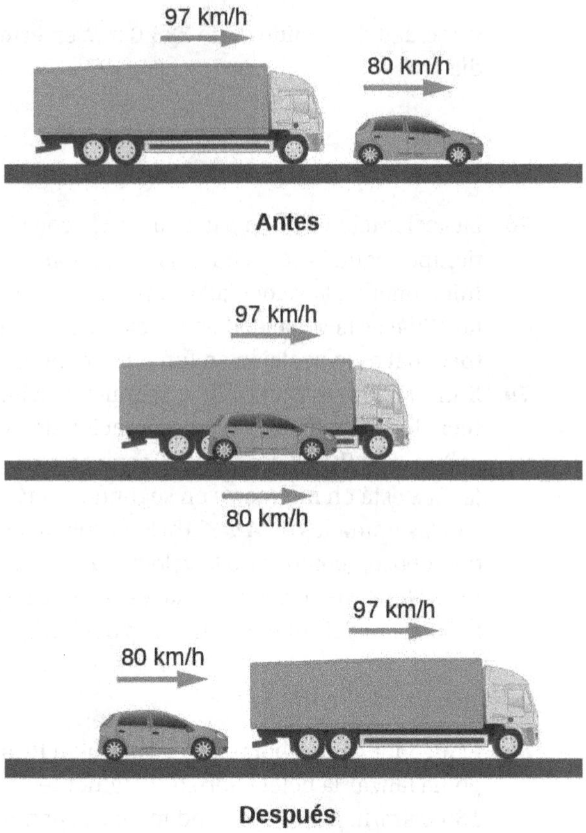

95. Un auto de policía espera escondido un poco fuera de la carretera. El auto de policía detecta a un auto que circula a gran velocidad, a 40 m/s. En el momento en que el auto que va a gran velocidad pasa por delante del auto de policía, este acelera desde el reposo a $4\ \text{m/s}^2$ para alcanzar al auto que va a gran velocidad. ¿Cuánto tiempo tarda el auto de policía en alcanzar al auto que va a gran velocidad?

96. Pablo corre en una media maratón a una velocidad de 3 m/s. Otro corredor, Jacob, está 50 metros detrás de Pablo, a la misma velocidad. Jacob comienza a acelerar a $0{,}05\ \text{m/s}^2$. (a) ¿Cuánto tiempo tarda Jacob en alcanzar a Pablo? (b) ¿Cuál es la distancia recorrida por Jacob? (c) ¿Cuál es la velocidad final de Jacob?

97. **Resultados poco razonables.** Una corredora se acerca a la línea de meta y se encuentra a 75 m; su rapidez en esta posición es de 8 m/s. En este punto decelera a $0{,}5\ \text{m/s}^2$. ¿Cuánto tarda en cruzar la línea de meta a 75 m de distancia? ¿Esto es razonable?

98. Un avión acelera a $5{,}0\ \text{m/s}^2$ durante 30,0 s. Durante este tiempo, cubre una distancia de 10,0 km. ¿Cuáles son las velocidades inicial y final del avión?

99. Compare la distancia recorrida por un objeto que experimenta un cambio de velocidad que es el doble de su velocidad inicial con un objeto que cambia su velocidad cuatro veces su velocidad inicial durante el mismo tiempo. Las aceleraciones de ambos objetos son constantes.

100. Un objeto se mueve hacia el este a una velocidad constante y se encuentra en la posición x_0 en tiempo $t_0 = 0$. (a) ¿Qué aceleración debe tener el objeto para que su desplazamiento total sea cero en un tiempo t posterior? (b) ¿Cuál es la interpretación física de la solución en el caso de $t \to \infty$?

101. Se lanza una pelota directamente hacia arriba. Pasa por una ventana de 2,00 m de altura a 7,50 m del suelo en su camino hacia arriba y tarda 1,30 s en pasar por la ventana. ¿Cuál era la velocidad inicial de la pelota?

102. Se deja caer una moneda desde un globo aerostático, que está a 300 m del suelo y que se eleva a 10,0 m/s hacia arriba. Para la moneda, halle: (a) la altura máxima alcanzada, (b) su posición y velocidad 4,00 s después de soltarla, y (c) el tiempo antes de que toque el suelo.

103. Una pelota de tenis se deja caer sobre un suelo duro desde una altura de 1,50 m y rebota hasta una altura de 1,10 m. (a) Calcule su velocidad justo antes de que golpee el suelo. (b) Calcule su velocidad justo después de que abandone el suelo al volver a subir. (c) Calcule su aceleración durante el contacto con el suelo si ese contacto dura 3,50 ms $(3{,}50 \times 10^{-3}$ s) (d) ¿Cuánto se comprimió la pelota durante su colisión con el suelo, suponiendo que el suelo es absolutamente rígido?

104. **Resultados poco razonables**. Una gota de lluvia cae desde una nube a 100 m de altura. Ignore la resistencia del aire. ¿Cuál es la rapidez de la gota de lluvia cuando toca el suelo? ¿Es una cifra razonable?

105. Compare el tiempo en el aire de un jugador de baloncesto que salta 1,0 m en vertical desde el suelo con el de un jugador que salta 0,3 m en vertical.

106. Supongamos que una persona tarda 0,5 s en reaccionar y mover la mano para coger un objeto que se le ha caído. (a) ¿A qué distancia cae el objeto en la Tierra, donde $g = 9{,}8\ \text{m/s}^2$? (b) ¿A qué distancia cae el objeto en la Luna, donde la aceleración debida a la gravedad es 1/6 de la de la Tierra?

107. Un globo aerostático se eleva desde el nivel del suelo a una velocidad constante de 3,0 m/s. Un minuto después del despegue, un saco de arena cae accidentalmente desde el globo. Calcule (a) el tiempo que tarda el saco de arena en llegar al suelo y (b) la velocidad del saco de arena cuando toca el suelo.

108. (a) En los Juegos Olímpicos de Pekín 2008, el jamaicano Usain Bolt estableció el récord mundial de la carrera de 100 m. Bolt cruzó la línea de meta con un tiempo de 9,69 segundos. Si suponemos que Bolt aceleró durante 3,00 s para alcanzar su rapidez máxima, y mantuvo esa rapidez durante el resto de la carrera, calcule su rapidez máxima y su aceleración. (b) Durante los mismos Juegos Olímpicos, Bolt también estableció el récord mundial en la carrera de 200 m con un tiempo de 19,30 s. Utilizando los mismos supuestos que para la carrera de 100 m, ¿cuál fue su rapidez máxima en esta carrera?

109. Un objeto se deja caer desde una altura de 75,0 m sobre el nivel del suelo. (a) Determine la distancia recorrida durante el primer segundo. (b) Determine la velocidad final con la que el objeto golpea el suelo. (c) Determine la distancia recorrida durante el último segundo de movimiento antes de golpear el suelo.

110. Una bola de acero se deja caer sobre un suelo duro desde una altura de 1,50 m y rebota hasta una altura de 1,45 m. (a) Calcule su velocidad justo antes de golpear el suelo. (b) Calcule su velocidad justo después de abandonar el suelo al volver a subir. (c) Calcule su aceleración durante el contacto con el suelo si ese contacto dura 0,0800 ms $(8{,}00 \times 10^{-5}$ s) (d) ¿Cuánto se comprimió la pelota durante su colisión con el suelo, suponiendo que el suelo sea absolutamente rígido?

111. Se deja caer un objeto desde el tejado de un edificio de altura h. Durante el último segundo de su descenso, desciende a una distancia de $h/3$. Calcule la altura del edificio.

Problemas De Desafío

112. En una carrera de 100 metros, la ganadora es cronometrada en 11,2 s. El tiempo de la segunda clasificada es de 11,6 s. ¿A qué distancia se encuentra la segunda clasificada de la ganadora cuando cruza la línea de meta? Supongamos que la velocidad de cada corredora es constante durante toda la carrera.

113. La posición de una partícula que se mueve a lo largo del eje de la *x* varía con el tiempo según $x(t) = 5{,}0t^2 - 4{,}0t^3$ m. Calcule (a) la velocidad y la aceleración de la partícula como funciones del tiempo, (b) la velocidad y la aceleración en $t = 2{,}0$ s, (c) el tiempo en que la posición es un máximo, (d) el tiempo en que la velocidad es cero, y (e) la posición máxima.

114. Una ciclista esprinta al final de una carrera para conseguir la victoria. Tiene una velocidad inicial de 11,5 m/s y acelera a una tasa de 0,500 m/s^2 durante 7,00 s. (a) ¿Cuál es su velocidad final? (b) La ciclista continúa con esta velocidad hasta la meta. Si está a 300 m de la meta cuando empieza a acelerar, ¿cuánto tiempo ha ahorrado? c) El segundo clasificado llevaba 5,00 m de ventaja cuando la ganadora empezó a acelerar, pero él no pudo hacerlo y recorrió a 11,8 m/s hasta la meta. ¿Cuál fue la diferencia de tiempo de llegada en segundos entre la ganadora y el subcampeón? ¿A qué distancia estaba el subcampeón cuando la ganadora cruzó la línea de meta?

115. En 1967, el neozelandés Burt Munro estableció el récord mundial para una motocicleta Indian, en el Salar Bonneville de Utah, de 295,38 km/h. El recorrido de ida era de 8,00 km de largo. Las tasas de aceleración suelen describirse por el tiempo que se tarda en alcanzar los 96,0 km/h desde el reposo. Si este tiempo fue de 4,00 s y Burt aceleró a ese ritmo hasta alcanzar su rapidez máxima, ¿cuánto tiempo tardó Burt en completar el recorrido?

CAPÍTULO 4
Movimiento en dos y tres dimensiones

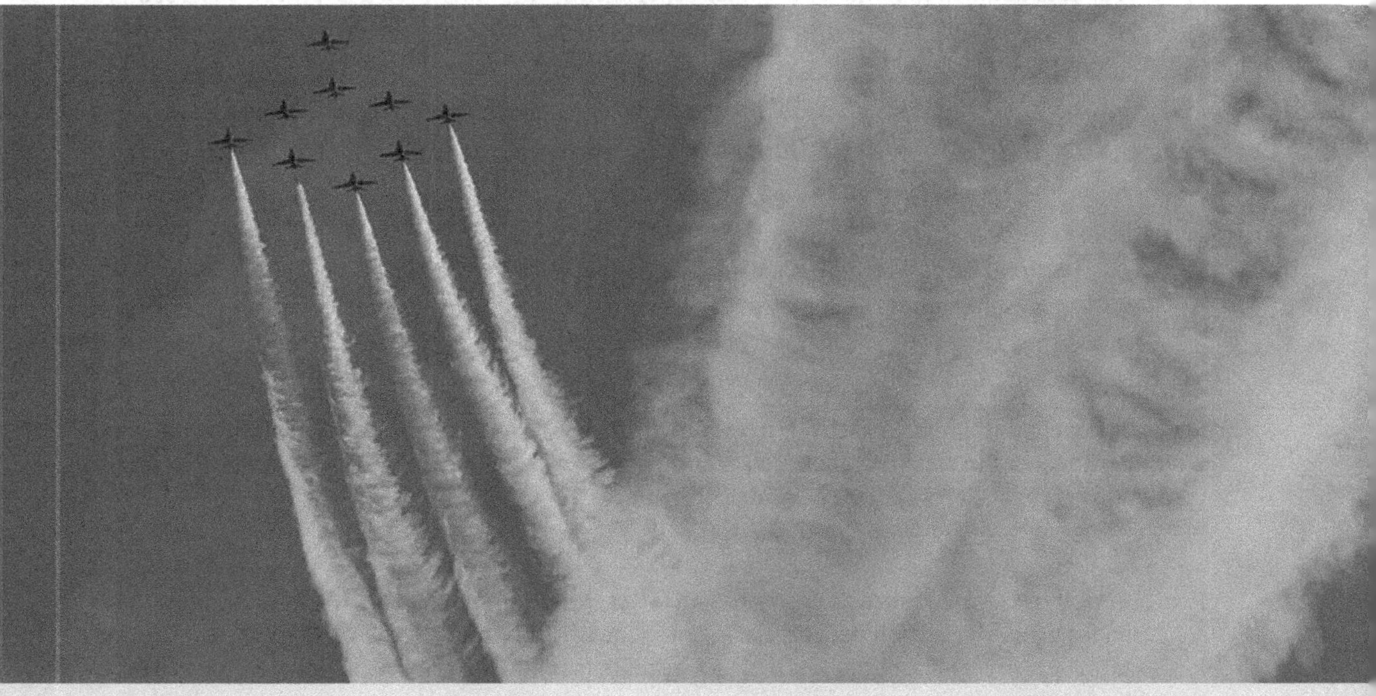

Figura 4.1 Los Red Arrows son el equipo de acrobacias aéreas de la Fuerza Aérea Real británica. Con sede en Lincolnshire, Inglaterra, realizan espectáculos de vuelo de precisión a altas velocidades, lo que requiere una medición precisa de la posición, la velocidad y la aceleración en tres dimensiones (créditos: modificación del trabajo de Phil Long).

ESQUEMA DEL CAPITULO

INTRODUCCIÓN Para dar una descripción completa de la cinemática, debemos explorar el movimiento en dos y tres dimensiones. Al fin y al cabo, la mayoría de los objetos de nuestro universo no se mueven en línea recta, sino que siguen trayectorias curvas. Desde los balones de fútbol pateados, las trayectorias de vuelo de los pájaros y los movimientos orbitales de los cuerpos celestes, hasta el flujo de plasma sanguíneo en las venas, la mayoría de los movimientos siguen trayectorias curvas.

Afortunadamente, el tratamiento del movimiento en una dimensión en el capítulo anterior nos ha dado una base sobre la que construir, ya que los conceptos de posición, desplazamiento, velocidad y aceleración definidos en una dimensión pueden ampliarse a dos y tres dimensiones. Pensemos en los Red Arrows, también conocidos como el equipo acrobático de la Real Fuerza Aérea del Reino Unido. Cada jet sigue una trayectoria curva única en el espacio aéreo tridimensional, además de tener una velocidad y una aceleración únicas. Así, para describir el movimiento de cualquiera de los jets con precisión, debemos asignar a cada jet un único vector de posición en tres dimensiones, así como un único vector de velocidad y aceleración. Podemos aplicar las mismas ecuaciones básicas para el desplazamiento, la velocidad y la aceleración, que derivamos en Movimiento en línea recta para describir el movimiento de los jets en dos y tres dimensiones. Esta vez, con algunas modificaciones, en particular, la inclusión de vectores.

En este capítulo también exploramos dos tipos especiales de movimiento en dos dimensiones: el movimiento de proyectil y el movimiento circular. Por último, concluimos con un análisis sobre el movimiento relativo. En la imagen que abre el capítulo, cada jet tiene un movimiento relativo con respecto a cualquier otro jet del grupo o a los espectadores del espectáculo aéreo en tierra.

4.1 Vectores de desplazamiento y velocidad

OBJETIVOS DE APRENDIZAJE

Al final de esta sección, podrá:

- Calcular vectores de posición en un problema de desplazamiento multidimensional.
- Resolver el desplazamiento en dos o tres dimensiones.
- Calcular el vector velocidad dado el vector de posición en función del tiempo.
- Calcular la velocidad media en varias dimensiones.

El desplazamiento y la velocidad en dos o tres dimensiones son extensiones directas de las definiciones unidimensionales. Sin embargo, ahora son cantidades vectoriales, por lo que los cálculos con ellas tienen que seguir las reglas del álgebra vectorial, no del álgebra escalar.

Vector de desplazamiento

Para describir el movimiento en dos y tres dimensiones, primero debemos establecer un sistema de coordenadas y una convención para los ejes. Generalmente utilizamos las coordenadas de la x, la y y la z para localizar una partícula en el punto $P(x, y, z)$ en tres dimensiones. Si la partícula se mueve, las variables de la x, la y y la z son funciones del tiempo (t):

$$x = x(t) \quad y = y(t) \quad z = z(t). \tag{4.1}$$

El **vector de posición** desde el origen del sistema de coordenadas hasta el punto P es $\vec{\mathbf{r}}(t)$. En notación vectorial unitaria, presentada en Sistemas de coordenadas y componentes de un vector, $\vec{\mathbf{r}}(t)$ es

$$\vec{\mathbf{r}}(t) = x(t)\hat{\mathbf{i}} + y(t)\hat{\mathbf{j}} + z(t)\hat{\mathbf{k}}. \tag{4.2}$$

La Figura 4.2 muestra el sistema de coordenadas y el vector hacia el punto P, donde una partícula podría estar situada en un tiempo t determinado. Observe la orientación de los ejes de la x, la y y la z. Esta orientación se denomina sistema de coordenadas de la mano derecha (Sistemas de coordenadas y componentes de un vector) y se utiliza a lo largo del capítulo.

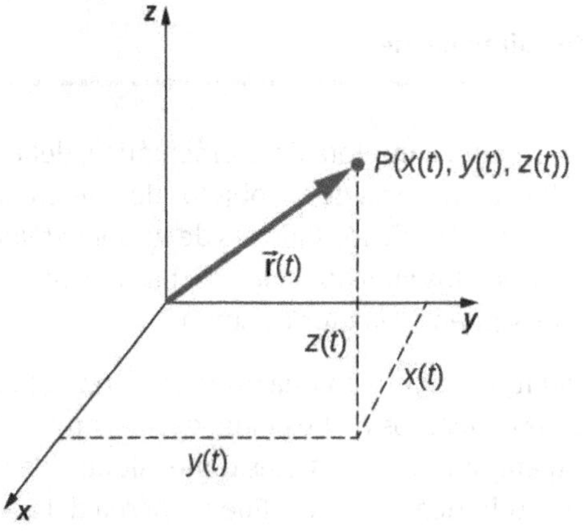

FIGURA 4.2 Un sistema de coordenadas tridimensional con una partícula en la posición $P(x(t), y(t), z(t))$.

Con nuestra definición de la posición de una partícula en el espacio tridimensional, podemos formular el desplazamiento tridimensional. La Figura 4.3 muestra una partícula en el tiempo t_1 situada en P_1 con vector de posición $\vec{\mathbf{r}}(t_1)$. En un tiempo posterior t_2, la partícula se encuentra en P_2 con vector de posición $\vec{\mathbf{r}}(t_2)$. El

vector de desplazamiento $\Delta\vec{\mathbf{r}}$ se encuentra restando $\vec{\mathbf{r}}(t_1)$ de $\vec{\mathbf{r}}(t_2)$:

$$\Delta\vec{\mathbf{r}} = \vec{\mathbf{r}}(t_2) - \vec{\mathbf{r}}(t_1). \tag{4.3}$$

La adición de vectores se trata en Vectores. Observe que es la misma operación que hicimos en una dimensión, pero ahora los vectores están en un espacio tridimensional.

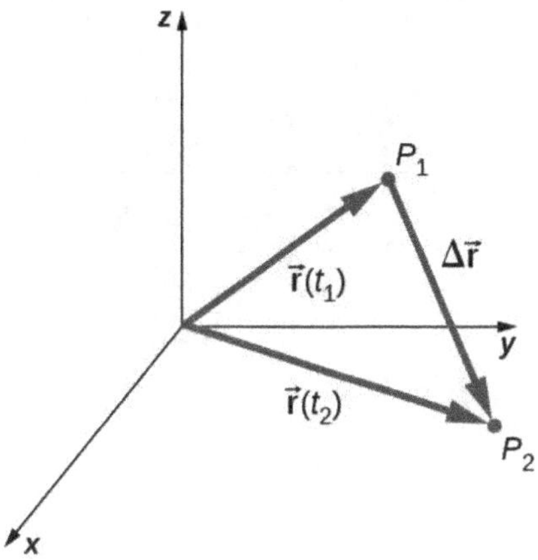

FIGURA 4.3 El desplazamiento $\Delta\vec{\mathbf{r}} = \vec{\mathbf{r}}(t_2) - \vec{\mathbf{r}}(t_1)$ es el vector desde P_1 hasta P_2.

Los siguientes ejemplos ilustran el concepto de desplazamiento en múltiples dimensiones.

EJEMPLO 4.1

Satélite de órbita polar

Un satélite se encuentra en una órbita polar circular alrededor de la Tierra a una altitud de 400 km, lo que significa que pasa directamente por encima de los polos norte y sur. ¿Cuál es la magnitud y la dirección del vector de desplazamiento desde que está directamente sobre el Polo Norte hasta que está a −45° de latitud?

Estrategia

Hacemos un dibujo del problema para visualizar la solución gráficamente. Esto nos permitirá entender el desplazamiento. A continuación, utilizamos los vectores unitarios para resolver el desplazamiento.

Solución

La Figura 4.4 muestra la superficie de la Tierra y un círculo que representa la órbita del satélite. Aunque los satélites se mueven en el espacio tridimensional, siguen trayectorias de elipses, que pueden graficarse en dos dimensiones. Los vectores de posición se dibujan desde el centro de la Tierra, que tomamos como origen del sistema de coordenadas, con el eje de la y como norte y el eje de la x como este. El vector entre ellos es el desplazamiento del satélite. Tomamos el radio de la Tierra como 6370 km, por lo que la longitud de cada vector de posición es de 6770 km.

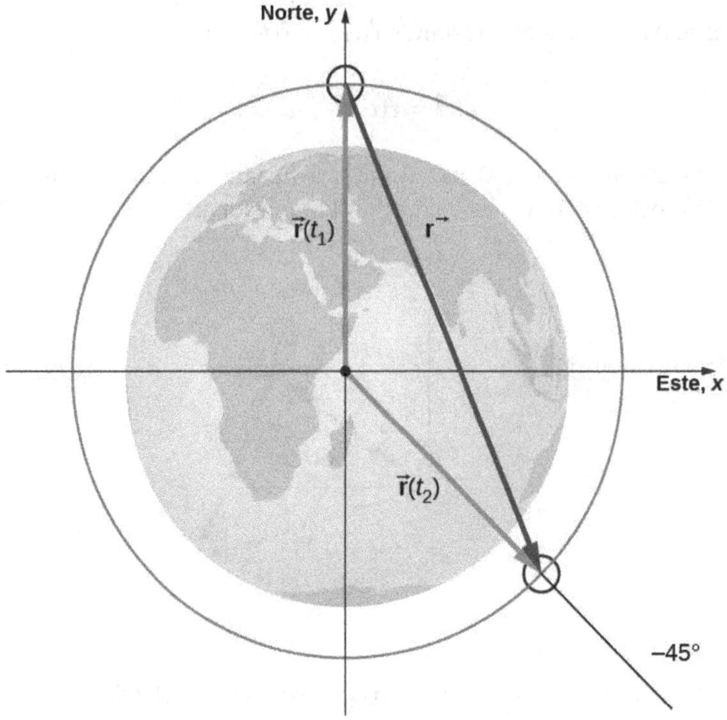

FIGURA 4.4 Se dibujan dos vectores de posición desde el centro de la Tierra, que es el origen del sistema de coordenadas, con el eje de la *y* como norte y el eje de la *x* como este. El vector entre ellos es el desplazamiento del satélite.

En notación vectorial unitaria, los vectores de posición son

$$\vec{\mathbf{r}}(t_1) = 6770.\ \text{km}\hat{\mathbf{j}}$$
$$\vec{\mathbf{r}}(t_2) = 6770.\ \text{km}\,(\cos(-45°))\hat{\mathbf{i}} + 6770.\ \text{km}\,(\text{sen}(-45°))\hat{\mathbf{j}}.$$

Al evaluar el seno y el coseno, tenemos

$$\begin{aligned}\vec{\mathbf{r}}(t_1) &= 6770.\hat{\mathbf{j}} \\ \vec{\mathbf{r}}(t_2) &= 4.787\hat{\mathbf{i}} - 4.787\hat{\mathbf{j}}.\end{aligned}$$

Ahora podemos encontrar $\Delta\vec{\mathbf{r}}$, el desplazamiento del satélite:

$$\Delta\vec{\mathbf{r}} = \vec{\mathbf{r}}(t_2) - \vec{\mathbf{r}}(t_1) = 4.787\hat{\mathbf{i}} - 11.557\hat{\mathbf{j}}.$$

La magnitud del desplazamiento es $|\Delta\vec{\mathbf{r}}| = \sqrt{(4.787)^2 + (-11.557)^2} = 12.509\ \text{km}$. El ángulo que forma el desplazamiento con el eje de la *x* es $\theta = \tan^{-1}\left(\frac{-11.557}{4.787}\right) = -67{,}5°$.

Importancia

El trazado del desplazamiento brinda información y significado a la solución del vector unitario del problema. Al trazar el desplazamiento, debemos incluir sus componentes, así como su magnitud y el ángulo que forma con un eje elegido, en este caso, el eje de la *x* (Figura 4.5).

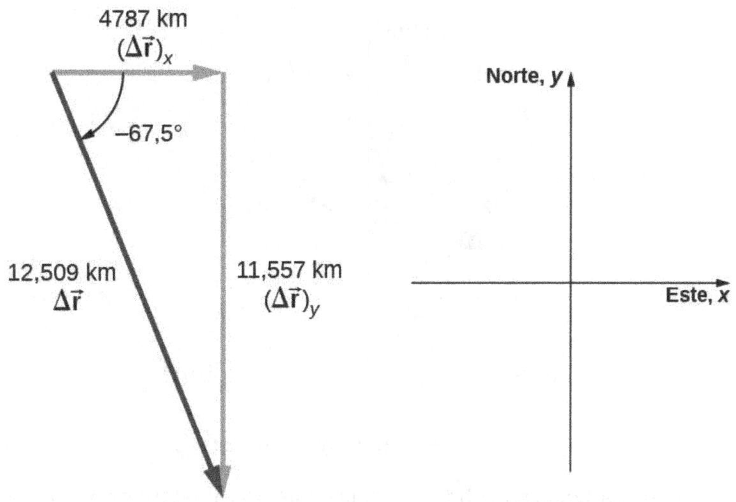

FIGURA 4.5 Vector de desplazamiento con componentes, ángulo y magnitud.

Observe que, en este ejemplo, el satélite tomó una trayectoria curva a lo largo de su órbita circular para llegar desde su posición inicial hasta su posición final. También podría haber viajado 4.787 km al este y luego 11.557 km al sur para llegar al mismo lugar. Ambas trayectorias son más largas que la longitud del vector de desplazamiento. De hecho, el vector de desplazamiento da el trayecto más corto entre dos puntos en una, dos o tres dimensiones.

Muchas aplicaciones en física pueden tener una serie de desplazamientos, como se ha comentado en el capítulo anterior. El desplazamiento total es la suma de los desplazamientos individuales, solo que esta vez hay que tener cuidado, porque estamos sumando vectores. Ilustramos este concepto con un ejemplo de movimiento browniano.

EJEMPLO 4.2

Movimiento browniano

El movimiento browniano es un movimiento aleatorio y caótico de las partículas suspendidas en un fluido, resultante de las colisiones con las moléculas del mismo. Este movimiento es tridimensional. Los desplazamientos en orden numérico de una partícula que experimenta un movimiento browniano podrían tener el siguiente aspecto, en micrómetros (Figura 4.6):

$$\begin{aligned}
\Delta\vec{\mathbf{r}}_1 &= 2{,}0\hat{\mathbf{i}} + \hat{\mathbf{j}} + 3{,}0\hat{\mathbf{k}} \\
\Delta\vec{\mathbf{r}}_2 &= -\hat{\mathbf{i}} + 3{,}0\hat{\mathbf{k}} \\
\Delta\vec{\mathbf{r}}_3 &= 4{,}0\hat{\mathbf{i}} - 2{,}0\hat{\mathbf{j}} + \hat{\mathbf{k}} \\
\Delta\vec{\mathbf{r}}_4 &= -3{,}0\hat{\mathbf{i}} + \hat{\mathbf{j}} + 2{,}0\hat{\mathbf{k}}.
\end{aligned}$$

¿Cuál es el desplazamiento total de la partícula desde el origen?

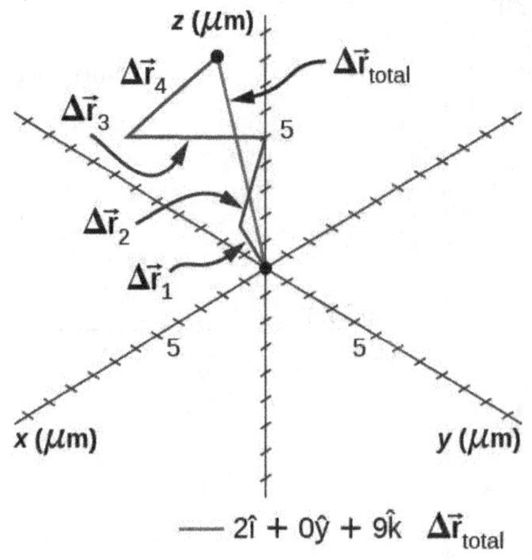

FIGURA 4.6 Trayectoria de una partícula sometida a desplazamientos aleatorios de movimiento browniano. El desplazamiento total se muestra en rojo.

Solución

Formamos la suma de los desplazamientos y los sumamos como vectores:

$$\begin{aligned}\Delta\vec{\mathbf{r}}_{\text{Total}} &= \sum \Delta\vec{\mathbf{r}}_i = \Delta\vec{\mathbf{r}}_1 + \Delta\vec{\mathbf{r}}_2 + \Delta\vec{\mathbf{r}}_3 + \Delta\vec{\mathbf{r}}_4 \\ &= (2{,}0 - 1{,}0 + 4{,}0 - 3{,}0)\hat{\mathbf{i}} + (1{,}0 + 0 - 2{,}0 + 1{,}0)\hat{\mathbf{j}} + (3{,}0 + 3{,}0 + 1{,}0 + 2{,}0)\hat{\mathbf{k}} \\ &= 2{,}0\hat{\mathbf{i}} + 0\hat{\mathbf{j}} + 9{,}0\hat{\mathbf{k}}\,\mu\text{m}.\end{aligned}$$

Para completar la solución, expresamos el desplazamiento como magnitud y dirección,

$$|\Delta\vec{\mathbf{r}}_{\text{Total}}| = \sqrt{2{,}0^2 + 0^2 + 9{,}0^2} = 9{,}2\ \mu\text{m}, \quad \theta = \tan^{-1}\left(\frac{9}{2}\right) = 77°,$$

con respecto al eje de la x en el plano xz.

Importancia

En la figura podemos ver que la magnitud del desplazamiento total es menor que la suma de la magnitud de cada uno de los desplazamientos.

Vector de velocidad

En el capítulo anterior encontramos la velocidad instantánea calculando la derivada de la función de posición con respecto al tiempo. Podemos hacer la misma operación en dos y tres dimensiones, pero utilizamos vectores. El **vector de velocidad** instantánea ahora es

$$\vec{\mathbf{v}}(t) = \lim_{\Delta t \to 0} \frac{\vec{\mathbf{r}}(t + \Delta t) - \vec{\mathbf{r}}(t)}{\Delta t} = \frac{d\vec{\mathbf{r}}}{dt}. \qquad 4.4$$

Veamos gráficamente la orientación relativa del vector de posición y del vector de velocidad. En la Figura 4.7 mostramos los vectores $\vec{\mathbf{r}}(t)$ y $\vec{\mathbf{r}}(t + \Delta t)$, que dan la posición de una partícula que se mueve a lo largo de una trayectoria representada por la línea gris. Cuando Δt llega a cero, el vector de velocidad, dado por la Ecuación 4.4, se vuelve tangente a la trayectoria de la partícula en el tiempo t.

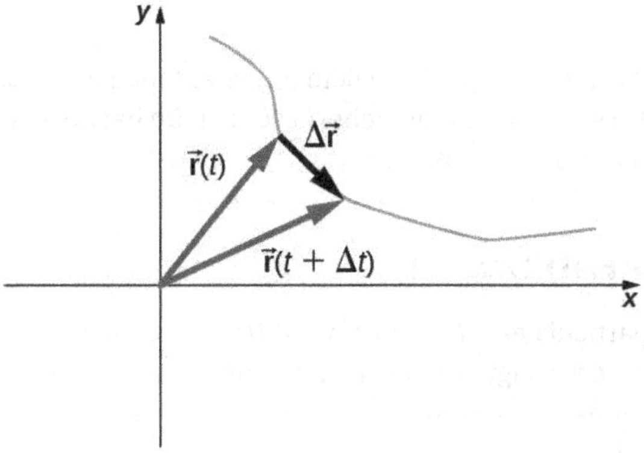

FIGURA 4.7 Una partícula se mueve a lo largo de una trayectoria dada por la línea gris. En el límite cuando Δt se acerca a cero, el vector velocidad se vuelve tangente a la trayectoria de la partícula.

La Ecuación 4.4 también puede escribirse en términos de los componentes de $\vec{v}(t)$. Dado que

$$\vec{r}(t) = x(t)\hat{i} + y(t)\hat{j} + z(t)\hat{k},$$

podemos escribir

$$\vec{v}(t) = v_x(t)\hat{i} + v_y(t)\hat{j} + v_z(t)\hat{k} \tag{4.5}$$

donde

$$v_x(t) = \frac{dx(t)}{dt}, \quad v_y(t) = \frac{dy(t)}{dt}, \quad v_z(t) = \frac{dz(t)}{dt}. \tag{4.6}$$

Si solo interesa la velocidad media, tenemos el equivalente vectorial de la velocidad media unidimensional para dos y tres dimensiones:

$$\vec{v}_{avg} = \frac{\vec{r}(t_2) - \vec{r}(t_1)}{t_2 - t_1}. \tag{4.7}$$

EJEMPLO 4.3

Calcular el vector de velocidad

La función de posición de una partícula es $\vec{r}(t) = 2{,}0t^2\hat{i} + (2{,}0 + 3{,}0t)\hat{j} + 5{,}0t\hat{k}$m. (a) ¿Cuál es la velocidad instantánea y la rapidez en $t = 2{,}0$ s? (b) ¿Cuál es la velocidad media entre 1,0 s y 3,0 s?

Solución

Utilizando la Ecuación 4.5 y la Ecuación 4.6, y tomando la derivada de la función de posición con respecto al tiempo, encontramos

(a) $v(t) = \frac{d\mathbf{r}(t)}{dt} = 4{,}0t\hat{i} + 3{,}0\hat{j} + 5{,}0\hat{k}$m/s

$\vec{v}(2{,}0s) = 8{,}0\hat{i} + 3{,}0\hat{j} + 5{,}0\hat{k}$m/s

Rapidez $|\vec{v}(2{,}0\text{ s})| = \sqrt{8^2 + 3^2 + 5^2} = 9{,}9$ m/s.

(b) De la Ecuación 4.7,

$$\vec{v}_{avg} = \frac{\vec{r}(t_2)-\vec{r}(t_1)}{t_2-t_1} = \frac{\vec{r}(3{,}0\text{ s})-\vec{r}(1{,}0\text{ s})}{3{,}0\text{ s}-1{,}0\text{ s}} = \frac{(18\hat{i}+11\hat{j}+15\hat{k})\text{ m}-(2\hat{i}+5\hat{j}+5\hat{k})\text{ m}}{2{,}0\text{ s}}$$

$$= \frac{(16\hat{i}+6\hat{j}+10\hat{k})\text{ m}}{2{,}0\text{ s}} = 8{,}0\hat{i} + 3{,}0\hat{j} + 5{,}0\hat{k}\text{m/s}.$$

Importancia

Vemos que la velocidad media es la misma que la velocidad instantánea en $t = 2{,}0$ s, como resultado de que la función de velocidad es lineal. En general, esto no debería ser así. De hecho, la mayoría de las veces, las velocidades instantáneas y medias no son las mismas.

COMPRUEBE LO APRENDIDO 4.1

La función de posición de una partícula es $\vec{\mathbf{r}}(t) = 3{,}0t^3\hat{\mathbf{i}} + 4{,}0\hat{\mathbf{j}}$. (a) ¿Cuál es la velocidad instantánea en $t = 3$ s? (b) ¿Es la velocidad media entre 2 s y 4 s igual a la velocidad instantánea en $t = 3$ s?

La independencia de los movimientos perpendiculares

Cuando observamos las ecuaciones tridimensionales de posición y velocidad escritas en notación vectorial unitaria, la Ecuación 4.2 y la Ecuación 4.5, vemos que los componentes de estas ecuaciones son funciones separadas y únicas del tiempo que no dependen unas de otras. El movimiento a lo largo de la dirección de la x no tiene parte de su movimiento a lo largo de las direcciones de la y y la z, y de forma similar para los otros dos ejes de coordenadas. Por lo tanto, el movimiento de un objeto en dos o tres dimensiones puede dividirse en movimientos separados e independientes a lo largo de los ejes perpendiculares del sistema de coordenadas en el que se produce el movimiento.

Para ilustrar este concepto con respecto al desplazamiento, considere a una mujer que camina del punto *A* al punto *B* en una ciudad conformada por cuadras. La mujer que toma el trayecto de *A* a *B* puede caminar hacia el este durante tantas cuadras y luego hacia el norte (dos direcciones perpendiculares) durante otra serie de cuadras para llegar a *B*. La distancia que camina hacia el este solo se ve afectada por su movimiento hacia el este. Del mismo modo, la distancia que recorre hacia el norte solo se ve afectada por su movimiento hacia el norte.

Independencia del movimiento

En la descripción cinemática del movimiento, podemos tratar por separado los componentes horizontal y vertical del movimiento. En muchos casos, el movimiento en la dirección horizontal no afecta al movimiento en la dirección vertical, y viceversa.

Un ejemplo que ilustra la independencia de los movimientos verticales y horizontales viene dado por dos pelotas de béisbol. Una pelota de béisbol se deja caer del reposo. En el mismo instante, se lanza otra horizontalmente desde la misma altura y sigue una trayectoria curva. Un estroboscopio capta las posiciones de las pelotas a intervalos de tiempo fijos mientras caen (Figura 4.8).

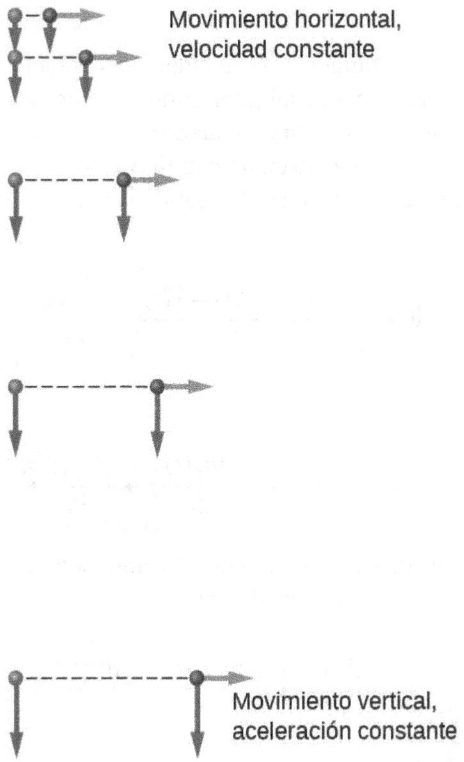

FIGURA 4.8 Un diagrama de los movimientos de dos pelotas idénticas: una cae desde el reposo y la otra tiene una velocidad inicial horizontal. Cada posición posterior es un intervalo de tiempo igual. Las flechas representan las velocidades horizontal y vertical en cada posición. La pelota de la derecha tiene una velocidad horizontal inicial mientras que la de la izquierda no tiene velocidad horizontal. A pesar de la diferencia de velocidades horizontales, las velocidades y posiciones verticales son idénticas para ambas pelotas, lo que demuestra que los movimientos verticales y horizontales son independientes.

Es notable que, para cada destello del estroboscopio, las posiciones verticales de las dos pelotas son las mismas. Esta similitud implica que el movimiento vertical es independiente de si la pelota se mueve horizontalmente. (Suponiendo que no hay resistencia del aire, el movimiento vertical de un objeto que cae está influenciado solo por la gravedad, no por ninguna fuerza horizontal). Un examen minucioso de la pelota lanzada horizontalmente muestra que recorre la misma distancia horizontal entre los destellos. Esto se debe a que no hay fuerzas adicionales sobre la pelota en la dirección horizontal después de su lanzamiento. Este resultado significa que la velocidad horizontal es constante y no se ve afectada ni por el movimiento vertical ni por la gravedad (que es vertical). Tenga en cuenta que este caso solo es válido para condiciones ideales. En el mundo real, la resistencia del aire afecta a la rapidez de las pelotas en ambas direcciones.

La trayectoria curva bidimensional de la pelota lanzada horizontalmente se compone de dos movimientos unidimensionales independientes (horizontal y vertical). La clave para analizar este movimiento, llamado *movimiento de proyectil*, es resolverlo en movimientos a lo largo de direcciones perpendiculares. Resolver el movimiento bidimensional en componentes perpendiculares es posible porque los componentes son independientes.

4.2 Vector de aceleración

OBJETIVOS DE APRENDIZAJE

Al final de esta sección, podrá:

- Calcular el vector de aceleración dada la función velocidad en notación vectorial unitaria.
- Describir el movimiento de una partícula con una aceleración constante en tres dimensiones.
- Utilizar las ecuaciones de movimiento unidimensional a lo largo de ejes perpendiculares para resolver un problema en dos o tres dimensiones con una aceleración constante.
- Expresar la aceleración en notación vectorial unitaria.

Aceleración instantánea

Además de obtener los vectores de desplazamiento y velocidad de un objeto en movimiento, a menudo queremos conocer su **vector de aceleración** en cualquier punto del tiempo a lo largo de su trayectoria. Este vector de aceleración es la aceleración instantánea y se puede obtener a partir de la derivada con respecto al tiempo de la función velocidad, como hemos visto en un capítulo anterior. La única diferencia en dos o tres dimensiones es que ahora son cantidades vectoriales. Tomando la derivada con respecto al tiempo $\vec{\mathbf{v}}(t)$, encontramos

$$\vec{\mathbf{a}}(t) = \lim_{t \to 0} \frac{\vec{\mathbf{v}}(t + \Delta t) - \vec{\mathbf{v}}(t)}{\Delta t} = \frac{d\vec{\mathbf{v}}(t)}{dt}. \qquad 4.8$$

La aceleración en términos de componentes es

$$\vec{\mathbf{a}}(t) = \frac{dv_x(t)}{dt}\hat{\mathbf{i}} + \frac{dv_y(t)}{dt}\hat{\mathbf{j}} + \frac{dv_z(t)}{dt}\hat{\mathbf{k}}. \qquad 4.9$$

Además, como la velocidad es la derivada de la función de posición, podemos escribir la aceleración en términos de la segunda derivada de la función de posición:

$$\vec{\mathbf{a}}(t) = \frac{d^2x(t)}{dt^2}\hat{\mathbf{i}} + \frac{d^2y(t)}{dt^2}\hat{\mathbf{j}} + \frac{d^2z(t)}{dt^2}\hat{\mathbf{k}}. \qquad 4.10$$

EJEMPLO 4.4

Encontrar un vector de aceleración

Una partícula tiene una velocidad de $\vec{\mathbf{v}}(t) = 5{,}0t\hat{\mathbf{i}} + t^2\hat{\mathbf{j}} - 2{,}0t^3\hat{\mathbf{k}}\text{m/s}$. (a) ¿Cuál es la función de aceleración? (b) ¿Cuál es el vector de aceleración en $t = 2{,}0$ s? Halle su magnitud y dirección.

Solución

(a) Tomamos la primera derivada con respecto al tiempo de la función de velocidad para encontrar la aceleración. La derivada se toma componente por componente:

$$\vec{\mathbf{a}}(t) = 5{,}0\hat{\mathbf{i}} + 2{,}0t\hat{\mathbf{j}} - 6{,}0t^2\hat{\mathbf{k}}\text{m/s}^2.$$

(b) Evaluar $\vec{\mathbf{a}}(2{,}0\text{ s}) = 5{,}0\hat{\mathbf{i}} + 4{,}0\hat{\mathbf{j}} - 24{,}0\hat{\mathbf{k}}\text{m/s}^2$ nos da la dirección en notación vectorial unitaria. La magnitud de la aceleración es $|\vec{\mathbf{a}}(2{,}0\text{ s})| = \sqrt{5{,}0^2 + 4{,}0^2 + (-24{,}0)^2} = 24{,}8\text{ m/s}^2$.

Importancia

En este ejemplo encontramos que la aceleración tiene una dependencia del tiempo y es cambiante a lo largo del movimiento. Consideremos una función de velocidad diferente para la partícula.

EJEMPLO 4.5

Encontrar la aceleración de una partícula

Una partícula tiene una función de posición $\vec{\mathbf{r}}(t) = (10t - t^2)\hat{\mathbf{i}} + 5t\hat{\mathbf{j}} + 5t\ \ \hat{\mathbf{k}}\text{m}$. (a) ¿Cuál es la velocidad? (b) ¿Cuál es la aceleración? (c) Describa el movimiento desde $t = 0$ s.

Estrategia

Podemos entender el problema al observar la función de posición. Es lineal en *y* y *z*; por ende, sabemos que la aceleración en estas direcciones es cero cuando tomamos la segunda derivada. Además, observe que la posición en la dirección de la *x* es cero para $t = 0$ s y $t = 10$ s.

Solución

(a) Tomando la derivada con respecto al tiempo de la función de posición, encontramos

$$\vec{\mathbf{v}}(t) = (10 - 2t)\hat{\mathbf{i}} + 5\hat{\mathbf{j}} + 5\hat{\mathbf{k}} \text{ m/s}.$$

La función de velocidad es lineal en el tiempo en la dirección de la *x* y es constante en las direcciones de la *y* y la *z*.

(b) Tomando la derivada de la función de velocidad, encontramos

$$\vec{\mathbf{a}}(t) = -2\hat{\mathbf{i}} \text{ m/s}^2.$$

El vector de aceleración es una constante en la dirección de la *x* negativa.

(c) La trayectoria de la partícula puede verse en la Figura 4.9. Veamos primero las direcciones *y* y *z*. La posición de la partícula aumenta constantemente en función del tiempo, a una velocidad constante en estas direcciones. Sin embargo, en la dirección de la *x*, la partícula sigue una trayectoria en la *x* positiva hasta $t = 5$ s, cuando invierte la dirección. Lo sabemos al observar la función de velocidad, que se vuelve cero en este momento y negativa a partir de entonces. También lo sabemos porque la aceleración es negativa y constante, es decir, la partícula desacelera o acelera en sentido negativo. La posición de la partícula alcanza los 25 m, donde entonces invierte la dirección y comienza a acelerar en la dirección de la *x* negativa. La posición llega a cero en $t = 10$ s.

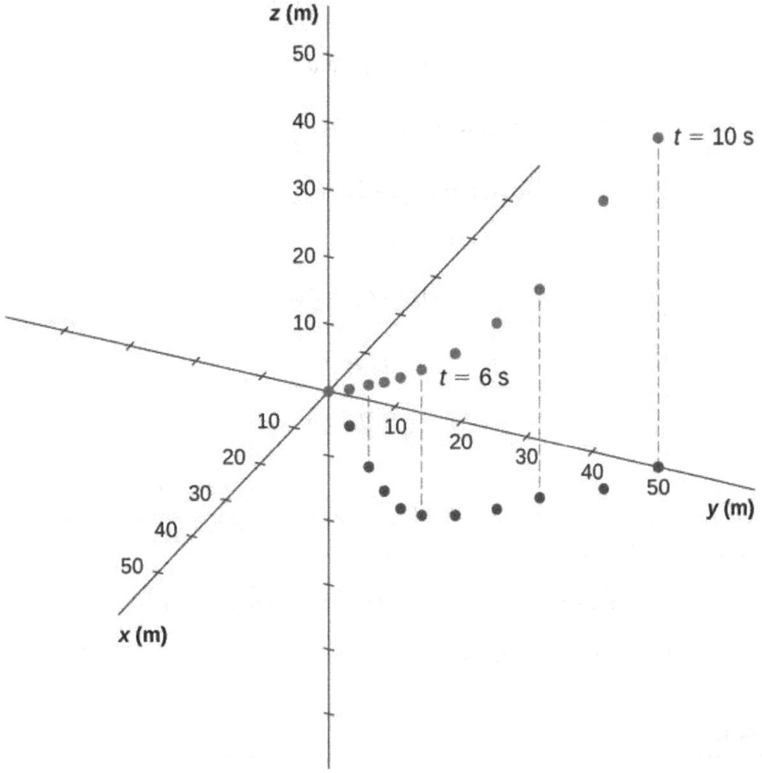

FIGURA 4.9 La partícula comienza en el punto $(x, y, z) = (0, 0, 0)$ con el vector de posición $\vec{\mathbf{r}} = 0$. Se muestra la proyección de la trayectoria sobre el plano *xy*. Los valores de la *y* y la *z* aumentan linealmente en función del tiempo, mientras que la *x* tiene un punto de inflexión en $t = 5$ s y 25 m, cuando invierte su dirección. En este punto, el componente *x* de la velocidad se vuelve negativo. En $t = 10$ s, la partícula vuelve a estar a 0 m en la dirección *x*.

Importancia

Al graficar la trayectoria de la partícula, podemos entender mejor su movimiento, dado por los resultados numéricos de las ecuaciones cinemáticas.

COMPRUEBE LO APRENDIDO 4.2

Supongamos que la función de aceleración tiene la forma $\vec{\mathbf{a}}(t) = a\hat{\mathbf{i}} + b\hat{\mathbf{j}} + c\hat{\mathbf{k}}\text{m/s}^2$, donde *a*, *b* y *c* son constantes. ¿Qué se puede decir de la forma funcional de la función de velocidad?

Aceleración constante

El movimiento multidimensional con aceleración constante puede tratarse de la misma manera que se mostró en el capítulo anterior para el movimiento unidimensional. Anteriormente demostramos que el movimiento tridimensional es equivalente a tres movimientos unidimensionales, cada uno a lo largo de un eje perpendicular a los otros. Para desarrollar las ecuaciones pertinentes en cada dirección, consideremos el problema bidimensional de una partícula que se mueve en el plano *xy* con aceleración constante; se ignora por el momento el componente *z*. El vector de aceleración es

$$\vec{\mathbf{a}} = a_{0x}\hat{\mathbf{i}} + a_{0y}\hat{\mathbf{j}}.$$

Cada componente del movimiento tiene un conjunto separado de ecuaciones semejantes a la Ecuación 3.10-Ecuación 3.14 del capítulo anterior sobre el movimiento unidimensional. Solo mostramos las ecuaciones de posición y velocidad en las direcciones de la *x* y la *y*. Se podría escribir un conjunto similar de ecuaciones cinemáticas para el movimiento en la dirección *z*:

$$x(t) = x_0 + (v_x)_{\text{avg}}t \tag{4.11}$$

$$v_x(t) = v_{0x} + a_x t \tag{4.12}$$

$$x(t) = x_0 + v_{0x}t + \frac{1}{2}a_x t^2 \tag{4.13}$$

$$v_x^2(t) = v_{0x}^2 + 2a_x(x - x_0) \tag{4.14}$$

$$y(t) = y_0 + (v_y)_{\text{avg}}t \tag{4.15}$$

$$v_y(t) = v_{0y} + a_y t \tag{4.16}$$

$$y(t) = y_0 + v_{0y}t + \frac{1}{2}a_y t^2 \tag{4.17}$$

$$v_y^2(t) = v_{0y}^2 + 2a_y(y - y_0). \tag{4.18}$$

Aquí el subíndice 0 denota la posición o velocidad inicial. La Ecuación 4.11 a la Ecuación 4.18 puede sustituirse en la Ecuación 4.2 y la Ecuación 4.5 sin el componente *z* para obtener el vector de posición y el vector de velocidad en función del tiempo en dos dimensiones:

$$\vec{\mathbf{r}}(t) = x(t)\hat{\mathbf{i}} + y(t)\hat{\mathbf{j}} \text{ y } \vec{\mathbf{v}}(t) = v_x(t)\hat{\mathbf{i}} + v_y(t)\hat{\mathbf{j}}.$$

El siguiente ejemplo ilustra un uso práctico de las ecuaciones cinemáticas en dos dimensiones.

EJEMPLO 4.6

Una esquiadora

La Figura 4.10 muestra a una esquiadora moviéndose con una aceleración de 2,1 m/s^2 por una pendiente de 15° en $t = 0$. Con el origen del sistema de coordenadas en la parte delantera del albergue, su posición y velocidad iniciales son

$$\vec{\mathbf{r}}(0) = (75{,}0\hat{\mathbf{i}} - 50{,}0\hat{\mathbf{j}})\text{ m}$$

y

$$\vec{\mathbf{v}}(0) = (4{,}1\hat{\mathbf{i}} - 1{,}1\hat{\mathbf{j}})\text{ m/s}.$$

(a) ¿Cuáles son los componentes *x* y *y* de la posición y velocidad de la esquiadora en función del tiempo? (b)

¿Cuáles son su posición y velocidad en $t = 10{,}0$ s?

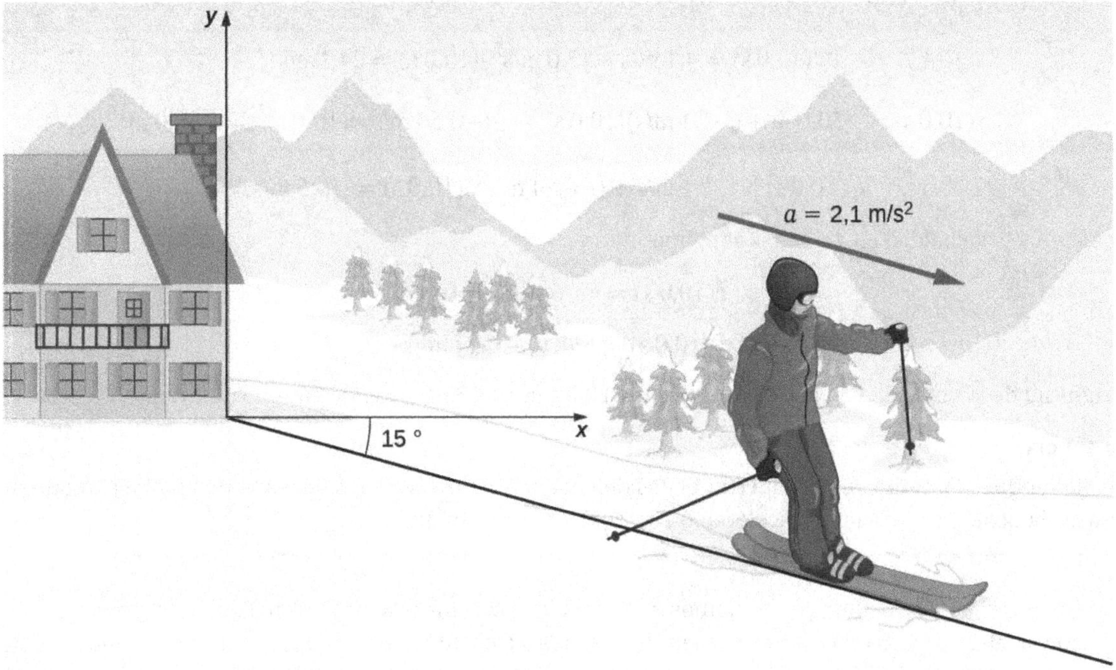

FIGURA 4.10 Una esquiadora tiene una aceleración de $2{,}1\ \text{m/s}^2$ por una pendiente de 15°. El origen del sistema de coordenadas está en el albergue de esquí.

Estrategia

Dado que estamos evaluando los componentes de las ecuaciones de movimiento en las direcciones *x* y *y*, necesitamos encontrar los componentes de la aceleración y ponerlos en las ecuaciones cinemáticas. Los componentes de la aceleración se encuentran en referencia al sistema de coordenadas en la Figura 4.10. Entonces, al agregar los componentes de la posición y la velocidad iniciales en las ecuaciones de movimiento, podemos resolver su posición y velocidad en un tiempo *t* posterior.

Solución

(a) El origen del sistema de coordenadas se encuentra en la cima de la colina con el eje de la *y* verticalmente hacia arriba y el eje de la *x* horizontal. Al observar la trayectoria de la esquiadora, el componente *x* de la aceleración es positivo y el componente *y* es negativo. Dado que el ángulo es 15° por la pendiente, encontramos

$$a_x = (2{,}1\ \text{m/s}^2)\cos(15°) = 2{,}0\ \text{m/s}^2$$

$$a_y = (-2{,}1\ \text{m/s}^2)\ \text{sen}\ 15° = -0{,}54\ \text{m/s}^2.$$

Al agregar la posición y la velocidad iniciales en la Ecuación 4.12 y la Ecuación 4.13 para *x*, tenemos

$$x(t) = 75{,}0\ \text{m} + (4{,}1\ \text{m/s})t + \frac{1}{2}(2{,}0\ \text{m/s}^2)t^2$$

$$v_x(t) = 4{,}1\ \text{m/s} + (2{,}0\ \text{m/s}^2)t.$$

Para *y*, tenemos

$$y(t) = -50{,}0\ \text{m} + (-1{,}1\ \text{m/s})t + \frac{1}{2}(-0{,}54\ \text{m/s}^2)t^2$$

$$v_y(t) = -1{,}1\ \text{m/s} + (-0{,}54\ \text{m/s}^2)t.$$

(b) Ahora que tenemos las ecuaciones de movimiento para *x* y *y* en función del tiempo, podemos evaluarlas en $t = 10{,}0$ s:

$$x(10{,}0\,\text{s}) = 75{,}0\,\text{m} + (4{,}1\,\text{m/s}^2)(10{,}0\,\text{s}) + \frac{1}{2}(2{,}0\,\text{m/s}^2)(10{,}0\,\text{s})^2 = 216{,}0\,\text{m}$$

$$v_x(10{,}0\,\text{s}) = 4{,}1\,\text{m/s} + (2{,}0\,\text{m/s}^2)(10{,}0\,\text{s}) = 24{,}1\text{m/s}$$

$$y(10{,}0\,\text{s}) = -50{,}0\,\text{m} + (-1{,}1\,\text{m/s})(10{,}0\,\text{s}) + \frac{1}{2}(-0{,}54\,\text{m/s}^2)(10{,}0\,\text{s})^2 = -88{,}0\,\text{m}$$

$$v_y(10{,}0\,\text{s}) = -1{,}1\,\text{m/s} + (-0{,}54\,\text{m/s}^2)(10{,}0\,\text{s}) = -6{,}5\,\text{m/s}.$$

La posición y la velocidad en $t = 10{,}0$ s son, finalmente,

$$\vec{\mathbf{r}}(10{,}0\,\text{s}) = (216{,}0\hat{\mathbf{i}} - 88{,}0\hat{\mathbf{j}})\,\text{m}$$

$$\vec{\mathbf{v}}(10{,}0\,\text{s}) = (24{,}1\hat{\mathbf{i}} - 6{,}5\hat{\mathbf{j}})\text{m/s}.$$

La magnitud de la velocidad de la esquiadora a los 10,0 s es de 25 m/s, lo que supone 60 mi/h.

Importancia

Es útil saber que, dadas las condiciones iniciales de posición, velocidad y aceleración de un objeto, podemos encontrar la posición, velocidad y aceleración en cualquier otro momento.

Con la Ecuación 4.8 y la Ecuación 4.10 hemos completado el conjunto de expresiones para la posición, velocidad y aceleración de un objeto que se mueve en dos o tres dimensiones. Si las trayectorias de los objetos se parecen a las "flechas rojas" de la imagen que abre el capítulo, las expresiones para la posición, la velocidad y la aceleración pueden ser bastante complicadas. En las siguientes secciones examinaremos dos casos especiales de movimiento en dos y tres dimensiones, mediante el análisis del movimiento de proyectil y del movimiento circular.

INTERACTIVO

En esta página web de la Universidad de Colorado Boulder (https://openstax.org/l/21phetmotladyb_es), puede explorar la posición, velocidad y aceleración de una mariquita con una simulación interactiva, que le permite cambiar estos parámetros.

4.3 Movimiento de proyectil

OBJETIVOS DE APRENDIZAJE

Al final de esta sección, podrá:

- Utilizar el movimiento unidimensional en direcciones perpendiculares para analizar el movimiento de proyectil.
- Calcular el alcance, el tiempo de vuelo y la altura máxima de un proyectil que se lanza e impacta en una superficie plana y horizontal.
- Encontrar el tiempo de vuelo y la velocidad de impacto de un proyectil que aterriza a una altura diferente a la del lanzamiento.
- Calcular la trayectoria de un proyectil.

El **movimiento de proyectil** es el movimiento de un objeto lanzado o proyectado al aire, sujeto únicamente a la aceleración como resultado de la gravedad. Las aplicaciones del movimiento de proyectil en física e ingeniería son numerosas. Algunos ejemplos son los meteoritos al entrar en la atmósfera terrestre, los fuegos artificiales y el movimiento de cualquier pelota en los deportes. Dichos objetos se denominan *proyectiles* y su recorrido se denomina **trayectoria**. El movimiento de los objetos que caen, tal y como se explica en Movimiento rectilíneo, es un tipo simple de movimiento de proyectil unidimensional en el que no hay movimiento horizontal. En esta sección, consideramos el movimiento bidimensional de proyectil, y nuestro tratamiento descarta los efectos de la resistencia del aire.

El hecho más importante que hay que recordar aquí es que *los movimientos a lo largo de los ejes perpendiculares son independientes* y, por tanto, pueden analizarse por separado. Ya hablamos de este hecho en Vectores de desplazamiento y velocidad, donde vimos que los movimientos verticales y horizontales son independientes. La clave para analizar el movimiento bidimensional de proyectil es dividirlo en dos movimientos: uno a lo largo del eje horizontal y otro a lo largo del vertical. (Esta elección de ejes es la más sensata porque la aceleración resultante de la gravedad es vertical; por lo tanto, no hay aceleración a lo largo del eje horizontal cuando la resistencia del aire es despreciable). Como es habitual, llamamos al eje horizontal eje de la *x* y al eje vertical eje de la *y*. No es necesario que utilicemos esta elección de ejes; simplemente es conveniente en el caso de la aceleración gravitatoria. En otros casos podemos elegir un conjunto diferente de ejes. La Figura 4.11 ilustra la notación para el desplazamiento, donde definimos $\vec{\mathbf{s}}$ como el desplazamiento total, y $\vec{\mathbf{x}}$ y $\vec{\mathbf{y}}$ son sus vectores componentes a lo largo de los ejes horizontal y vertical, respectivamente. Las magnitudes de estos vectores son *s*, *x* y *y*.

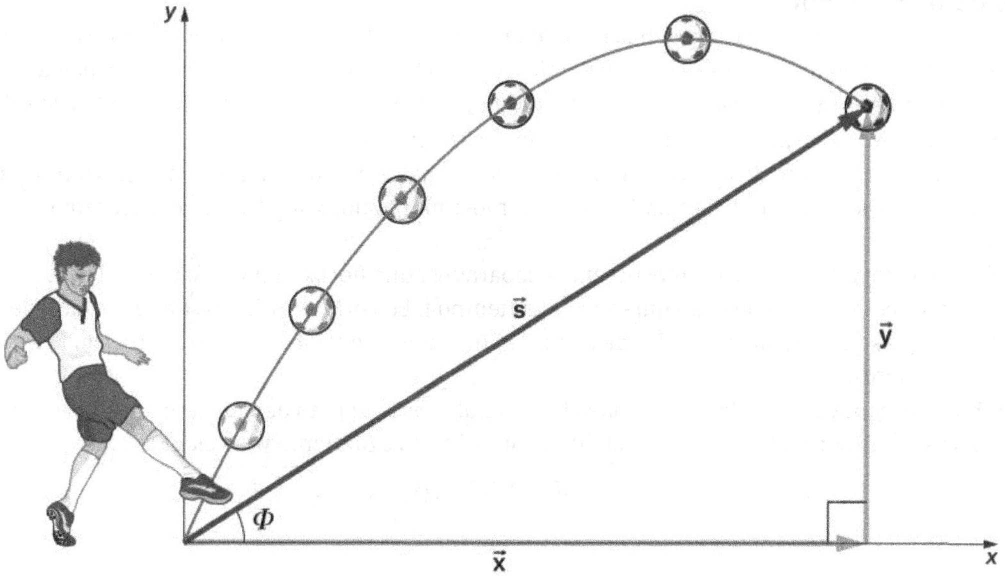

FIGURA 4.11 El desplazamiento total *s* de un balón de fútbol en un punto de su recorrido. El vector $\vec{\mathbf{s}}$ tiene componentes $\vec{\mathbf{x}}$ y $\vec{\mathbf{y}}$ a lo largo de los ejes horizontal y vertical. Su magnitud es *s* y forma un ángulo *Φ* con la horizontal.

Para describir completamente el movimiento de proyectil, debemos incluir la velocidad y la aceleración, así como el desplazamiento. Debemos encontrar sus componentes a lo largo de los ejes de la *x* y la *y*. Supongamos que todas las fuerzas, excepto la gravedad (como la resistencia del aire y la fricción, por ejemplo), son despreciables. Definiendo que la dirección positiva es hacia arriba, los componentes de la aceleración son entonces muy simples:

$$a_y = -g = -9{,}8 \text{ m/s}^2 \ \ (-32 \text{ pies/s}^2).$$

Dado que la gravedad es vertical, $a_x = 0$. Si $a_x = 0$, esto significa que la velocidad inicial en la dirección *x* es igual a la velocidad final en la dirección *x*, o $v_x = v_{0x}$. Con estas condiciones sobre la aceleración y la velocidad, podemos escribir la cinemática de la Ecuación 4.11 a la Ecuación 4.18 para el movimiento en un campo gravitacional uniforme, incluso el resto de las ecuaciones cinemáticas para una aceleración constante de Movimiento con aceleración constante. Las ecuaciones cinemáticas del movimiento en un campo gravitacional uniforme se convierten en ecuaciones cinemáticas con $a_y = -g, \ \ a_x = 0$:

Movimiento horizontal

$$v_{0x} = v_x, \ x = x_0 + v_x t \tag{4.19}$$

Movimiento vertical

$$y = y_0 + \frac{1}{2}(v_{0y} + v_y)t \tag{4.20}$$

$$v_y = v_{0y} - gt \tag{4.21}$$

$$y = y_0 + v_{0y}t - \frac{1}{2}gt^2 \quad 4.22$$

$$v_y^2 = v_{0y}^2 - 2g(y - y_0) \quad 4.23$$

Utilizando este conjunto de ecuaciones, podemos analizar el movimiento de proyectil, teniendo en cuenta algunos puntos importantes.

ESTRATEGIA DE RESOLUCIÓN DE PROBLEMAS

Movimiento de proyectil

1. Resuelva el movimiento en componentes horizontales y verticales a lo largo de los ejes de la x y la y. Las magnitudes de los componentes del desplazamiento $\vec{s}$ a lo largo de estos ejes son x y y. Las magnitudes de los componentes de la velocidad $\vec{v}$ son $v_x = v\cos\theta$ y $v_y = v\,\text{sen}\,\theta$, donde v es la magnitud de la velocidad y θ es su dirección con respecto a la horizontal, como se muestra en la Figura 4.12.
2. Trate el movimiento como dos movimientos unidimensionales independientes: uno horizontal y otro vertical. Utilice las ecuaciones cinemáticas para el movimiento horizontal y vertical presentadas anteriormente.
3. Resuelva las incógnitas en los dos movimientos separados: uno horizontal y otro vertical. Observe que la única variable común entre los movimientos es el tiempo t. Los procedimientos de resolución de problemas aquí son los mismos que los de la cinemática unidimensional y se ilustran en los siguientes ejemplos resueltos.
4. Recombine las cantidades en las direcciones horizontal y vertical para encontrar el desplazamiento total $\vec{s}$ y la velocidad $\vec{v}$. Resuelva la magnitud y la dirección del desplazamiento y la velocidad mediante

$$s = \sqrt{x^2 + y^2}, \quad \Phi = \tan^{-1}(y/x), \quad v = \sqrt{v_x^2 + v_y^2},$$

donde Φ es la dirección del desplazamiento $\vec{s}$.

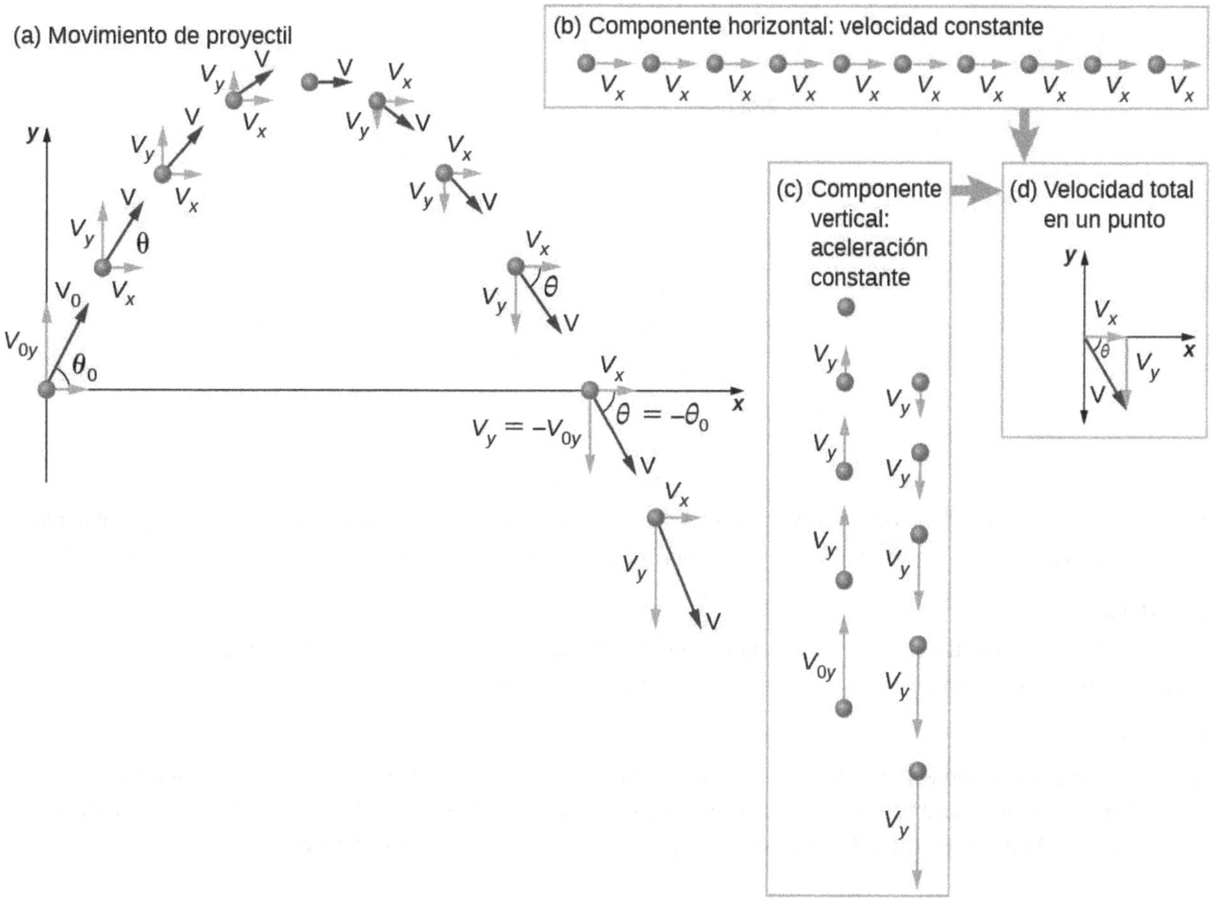

FIGURA 4.12 (a) Analizamos el movimiento bidimensional de proyectil al dividirlo en dos movimientos unidimensionales independientes a lo largo de los ejes vertical y horizontal. (b) El movimiento horizontal es simple, porque $a_x = 0$ y v_x es una constante. (c) La velocidad en la dirección vertical comienza a disminuir a medida que el objeto se eleva. En su punto más alto, la velocidad vertical es cero. A medida que el objeto vuelve a caer hacia la Tierra, la velocidad vertical aumenta de nuevo en magnitud, pero apunta en la dirección opuesta a la velocidad vertical inicial. (d) Los movimientos x y y se recombinan para obtener la velocidad total en cualquier punto en la trayectoria.

EJEMPLO 4.7

Un proyectil de fuegos artificiales estalla alto y lejos

Durante un espectáculo de fuegos artificiales, se lanza un proyectil al aire con una rapidez inicial de 70,0 m/s con un ángulo de $75{,}0°$ por encima de la horizontal, como se ilustra en la Figura 4.13. La mecha está programada para que el proyectil se encienda justo cuando alcance su punto más alto sobre el suelo. (a) Calcule la altura a la que explota el proyectil. (b) ¿Cuánto tiempo transcurre entre el lanzamiento del proyectil y la explosión? (c) ¿Cuál es el desplazamiento horizontal del proyectil cuando estalla? (d) ¿Cuál es el desplazamiento total desde el punto de lanzamiento hasta el punto más alto?

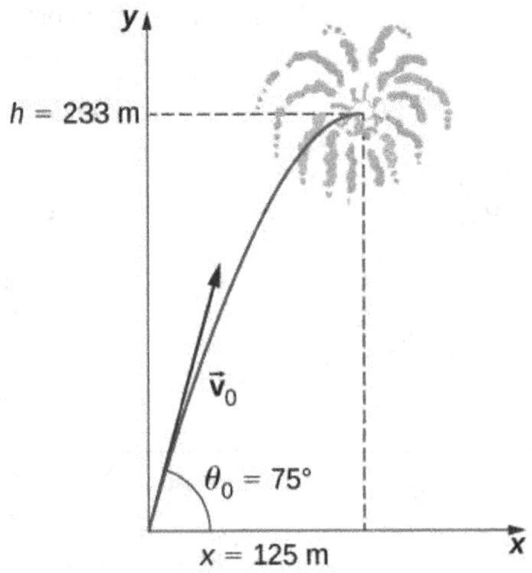

FIGURA 4.13 La trayectoria de un proyectil de fuegos artificiales. La mecha se ajusta para que el proyectil explote en el punto más alto de su trayectoria, que se encuentra a una altura de 233 m y a 125 m de distancia horizontal.

Estrategia

El movimiento puede dividirse en movimientos horizontales y verticales en los que $a_x = 0$ y $a_y = -g$. Podemos entonces definir x_0 y y_0 como cero y resolver las cantidades deseadas.

Solución

(a) Por "altura" se entiende la altitud o posición vertical *y* sobre el punto de partida. El punto más alto de cualquier trayectoria, llamado *vértice*, se alcanza cuando $v_y = 0$. Como conocemos las velocidades inicial y final, así como la posición inicial, utilizamos la siguiente ecuación para encontrar *y*:

$$v_y^2 = v_{0y}^2 - 2g(y - y_0).$$

Dado que y_0 y v_y son ambos cero, la ecuación se simplifica a

$$0 = v_{0y}^2 - 2gy.$$

Al resolver *y* obtenemos

$$y = \frac{v_{0y}^2}{2g}.$$

Ahora debemos encontrar v_{0y}, el componente de la velocidad inicial en la dirección *y*. Está dado por $v_{0y} = v_0 \text{sen}\theta_0$, donde v_0 es la velocidad inicial de 70,0 m/s y $\theta_0 = 75°$ es el ángulo inicial. Por lo tanto,

$$v_{0y} = v_0 \text{sen}\,\theta = (70{,}0\text{ m/s})\text{sen}\,75° = 67{,}6\text{ m/s}$$

y la *y* es

$$y = \frac{(67{,}6\text{ m/s})^2}{2(9{,}80\text{ m/s}^2)}.$$

Por lo tanto, tenemos

$$y = 233\text{ m}.$$

Observe que, al ser positivo hacia arriba, la velocidad vertical inicial es positiva, al igual que la altura máxima, pero la aceleración resultante de la gravedad es negativa. Observe también que la altura máxima depende únicamente del componente vertical de la velocidad inicial, de modo que cualquier proyectil con un componente vertical inicial de velocidad de 67,6 m/s alcanza una altura máxima de 233 m (descartando la resistencia del aire). Las cifras de este ejemplo son razonables para los grandes espectáculos pirotécnicos, cuyos proyectiles alcanzan esas alturas antes de estallar. En la práctica, la resistencia del aire no es completamente despreciable, por lo que la velocidad inicial tendría que ser algo mayor que la dada para alcanzar la misma altura.

(b) Como en muchos problemas de física, hay más de una forma de resolver el tiempo en que el proyectil alcanza su punto más alto. En este caso, el método más sencillo consiste en utilizar $v_y = v_{0y} - gt$. Dado que $v_y = 0$ en el vértice, esta ecuación se reduce simplemente a

$$0 = v_{0y} - gt$$

o

$$t = \frac{v_{0y}}{g} = \frac{67{,}6\,\text{m/s}}{9{,}80\,\text{m/s}^2} = 6{,}90\text{s}.$$

Este tiempo también es razonable para los grandes fuegos artificiales. Si puede ver el lanzamiento de los fuegos artificiales, observe que transcurren varios segundos antes de que el proyectil estalle. Otra forma de encontrar el tiempo es utilizar$y = y_0 + \frac{1}{2}(v_{0y} + v_y)t$. Esto se deja como un ejercicio para completar.

(c) Porque la resistencia del aire es despreciable, $a_x = 0$ y la velocidad horizontal es constante, como se ha comentado anteriormente. El desplazamiento horizontal es la velocidad horizontal multiplicada por el tiempo, tal y como viene dada por $x = x_0 + v_x t$, donde x_0 es igual a cero. Por lo tanto,

$$x = v_x t,$$

donde v_x es el componente x de la velocidad, que viene dada por

$$v_x = v_0 \cos\theta = (70{,}0\,\text{m/s})\cos 75° = 18{,}1\,\text{m/s}.$$

El tiempo t para ambos movimientos es el mismo, por lo que x es

$$x = (18{,}1\,\text{m/s})6{,}90\,\text{s} = 125\,\text{m}.$$

El movimiento horizontal es una velocidad constante a falta de resistencia del aire. El desplazamiento horizontal encontrado aquí serviría para evitar que los fragmentos de fuegos artificiales caigan sobre los espectadores. Cuando el proyectil estalla, la resistencia del aire tiene un efecto importante, y muchos fragmentos caen justo por debajo.

(d) Se acaban de calcular los componentes horizontales y verticales del desplazamiento, por lo que lo único que le falta aquí es encontrar la magnitud y la dirección del desplazamiento en el punto más alto:

$$\vec{\mathbf{s}} = 125\hat{\mathbf{i}} + 233\hat{\mathbf{j}}$$

$$|\vec{\mathbf{s}}| = \sqrt{125^2 + 233^2} = 264\,\text{m}$$

$$\Phi = \tan^{-1}\left(\frac{233}{125}\right) = 61{,}8°.$$

Observe que el ángulo del vector de desplazamiento es menor que el ángulo inicial de lanzamiento. Para ver el porqué de esto, revise la Figura 4.11, que muestra la curvatura de la trayectoria hacia el nivel del suelo.

Al resolver el Ejemplo 4.7(a), la expresión que encontramos para y es válida para cualquier movimiento de proyectil cuando la resistencia del aire es despreciable. Llame a la altura máxima $y = h$. Luego,

$$h = \frac{v_{0y}^2}{2g}.$$

Esta ecuación define la *altura máxima de un proyectil por encima de su posición de lanzamiento* y depende únicamente del componente vertical de la velocidad inicial.

COMPRUEBE LO APRENDIDO 4.3

Una roca es lanzada horizontalmente desde un acantilado de 100,0 m de altura con una velocidad de 15,0 m/s.

(a) Defina el origen del sistema de coordenadas. (b) ¿Qué ecuación describe el movimiento horizontal? (c) ¿Qué ecuaciones describen el movimiento vertical? (d) ¿Cuál es la velocidad de la roca en el punto de impacto?

EJEMPLO 4.8

Calcular el movimiento de proyectil: tenista

Un tenista gana un partido en el estadio Arthur Ashe y golpea una pelota hacia las gradas a 30 m/s y a un ángulo de 45° sobre la horizontal (Figura 4.14). En su descenso, un espectador atrapa la pelota a 10 m por encima del punto en el que fue golpeada. (a) Calcule el tiempo que tarda la pelota de tenis en llegar al espectador. (b) ¿Cuál es la magnitud y la dirección de la velocidad de la pelota en el momento del impacto?

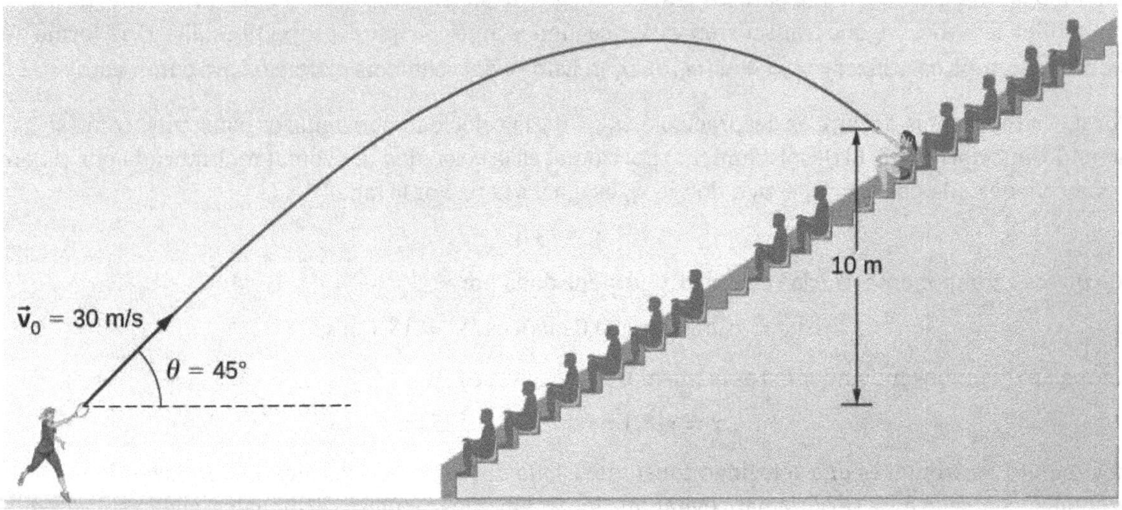

FIGURA 4.14 La trayectoria de una pelota de tenis golpeada hacia las gradas.

Estrategia

De nuevo, la resolución de este movimiento bidimensional en dos movimientos unidimensionales independientes nos permite resolver las cantidades deseadas. El tiempo que un proyectil está en el aire se rige únicamente por su movimiento vertical. Por lo tanto, primero resolvemos t. Mientras la pelota sube y baja verticalmente, el movimiento horizontal continúa a velocidad constante. En este ejemplo se pide la velocidad final. Por lo tanto, recombinamos los resultados verticales y horizontales para obtener $\vec{v}$ en el tiempo final t, determinado en la primera parte del ejemplo.

Solución

(a) Mientras la pelota está en el aire, se eleva y luego cae hasta una posición final 10,0 m más alta que su altitud inicial. Podemos encontrar el tiempo para esto usando la Ecuación 4.22:

$$y = y_0 + v_{0y}t - \frac{1}{2}gt^2.$$

Si tomamos la posición inicial y_0 como cero, entonces la posición final es $y = 10$ m. La velocidad vertical inicial es el componente vertical de la velocidad inicial:

$$v_{0y} = v_0 \operatorname{sen}\theta_0 = (30{,}0\ \text{m/s})\operatorname{sen} 45° = 21{,}2\ \text{m/s}.$$

Sustituyendo en la Ecuación 4.22 para y obtenemos

$$10{,}0\ \text{m} = (21{,}2\ \text{m/s})t - (4{,}90\ \text{m/s}^2)t^2.$$

Reordenando los términos obtenemos una ecuación cuadrática en t:

$$(4{,}90\ \text{m/s}^2)t^2 - (21{,}2\ \text{m/s})t + 10{,}0\ \text{m} = 0.$$

El uso de la fórmula cuadrática produce $t = 3{,}79$ s y $t = 0{,}54$ s. Dado que la pelota se encuentra a una altura de 10 m en dos tiempos de su trayectoria, una vez al subir y otra al bajar, tomamos la solución más larga para el tiempo que tarda la pelota en llegar al espectador:

$$t = 3{,}79 \text{ s}.$$

El tiempo de movimiento de proyectil está determinado completamente por el movimiento vertical. Por lo tanto, cualquier proyectil que tenga una velocidad vertical inicial de 21,2 m/s y aterrice 10,0 m por debajo de su altitud inicial pasa 3,79 s en el aire.

(b) Podemos encontrar las velocidades horizontales y verticales finales v_x y v_y con el resultado de (a). Luego, podemos combinarlos para encontrar la magnitud del vector de velocidad total $\vec{\mathbf{v}}$ y el ángulo θ que hace con la horizontal. Dado que v_x es constante, podemos resolverla en cualquier posición horizontal. Elegimos el punto de partida porque conocemos tanto la velocidad inicial como el ángulo inicial. Por lo tanto,

$$v_x = v_0 \cos\theta_0 = (30 \text{ m/s})\cos 45° = 21{,}2 \text{ m/s}.$$

La velocidad vertical final viene dada por la Ecuación 4.21:

$$v_y = v_{0y} - gt.$$

Dado que v_{0y} se encontró en la parte (a) como 21,2 m/s, tenemos

$$v_y = 21{,}2 \text{ m/s} - 9{,}8 \text{ m/s}^2(3{,}79 \text{ s}) = -15{,}9 \text{ m/s}.$$

La magnitud de la velocidad final $\vec{\mathbf{v}}$ es

$$v = \sqrt{v_x^2 + v_y^2} = \sqrt{(21{,}2 \text{ m/s})^2 + (-\ 150{,}9 \text{ m/s})^2} = 26{,}5 \text{ m/s}.$$

La dirección θ_v se encuentra con la tangente inversa:

$$\theta_v = \tan^{-1}\left(\frac{v_y}{v_x}\right) = \tan^{-1}\left(\frac{-15{,}9}{21{,}2}\right) = 36{,}9°.$$

Importancia

(a) Como se mencionó anteriormente, el movimiento vertical determina completamente el tiempo del movimiento de proyectil. Por lo tanto, cualquier proyectil que tenga una velocidad vertical inicial de 21,2 m/s y aterrice 10,0 m por encima de su altitud inicial pasa 3,79 s en el aire. (b) El ángulo negativo significa que la velocidad está 36,9° por debajo de la horizontal en el punto de impacto. Este resultado es coherente con el hecho de que la pelota impacta en un punto al otro lado del vértice de la trayectoria y, por lo tanto, tiene un componente *y* negativo de velocidad. La magnitud de la velocidad es menor que la magnitud de la velocidad inicial prevista, ya que impacta a 10,0 m por encima de la elevación de lanzamiento.

Tiempo de vuelo, trayectoria y alcance

Son interesantes el tiempo de vuelo, la trayectoria y el alcance de un proyectil lanzado sobre una superficie horizontal plana y que impacta en la misma superficie. En este caso, las ecuaciones cinemáticas dan expresiones útiles para estas cantidades, que se derivan en las siguientes secciones.

Tiempo de vuelo

Podemos resolver el tiempo de vuelo de un proyectil que se lanza e impacta en una superficie plana horizontal al realizar algunas manipulaciones de las ecuaciones cinemáticas. Observamos que la posición y el desplazamiento en *y* deben ser cero en el lanzamiento y en el impacto en una superficie plana. Así, suponemos el desplazamiento en *y* igual a cero y encontramos

$$y - y_0 = v_{0y}t - \frac{1}{2}gt^2 = (v_0 \operatorname{sen}\theta_0)t - \frac{1}{2}gt^2 = 0.$$

Factorizando, tenemos

$$t\left(v_0 \text{sen}\theta_0 - \frac{gt}{2}\right) = 0.$$

Al resolver *t* obtenemos

$$T_{\text{tof}} = \frac{2(v_0 \text{sen}\theta_0)}{g}. \quad 4.24$$

Este es el **tiempo de vuelo** para un proyectil tanto lanzado como impactado en una superficie horizontal plana. La Ecuación 4.24 no se aplica cuando el proyectil aterriza a una elevación diferente de la que fue lanzado, como vimos en el Ejemplo 4.8 del tenista que golpeó la pelota hacia las gradas. La otra solución, $t = 0$, corresponde al momento del lanzamiento. El tiempo de vuelo es linealmente proporcional a la velocidad inicial en la dirección *y* e inversamente proporcional a *g*. Por lo tanto, en la Luna, donde la gravedad es una sexta parte de la de la Tierra, un proyectil lanzado con la misma velocidad que en la Tierra estaría en el aire seis veces más tiempo.

Trayectoria

La trayectoria de un proyectil se puede encontrar al eliminar la variable de tiempo *t* de las ecuaciones cinemáticas para un *t* arbitrario y al resolver para *y*(*x*). Tomamos $x_0 = y_0 = 0$ por lo que el proyectil se lanza desde el origen. La ecuación cinemática para *x* da

$$x = v_{0x}t \Rightarrow t = \frac{x}{v_{0x}} = \frac{x}{v_0 \cos\theta_0}.$$

Sustituyendo la expresión de *t* en la ecuación de la posición $y = (v_0 \text{sen}\theta_0)t - \frac{1}{2}gt^2$ nos da

$$y = (v_0 \text{sen}\,\theta_0)\left(\frac{x}{v_0 \cos\theta_0}\right) - \frac{1}{2}g\left(\frac{x}{v_0 \cos\theta_0}\right)^2.$$

Reordenando los términos, tenemos

$$y = (\tan\theta_0)x - \left[\frac{g}{2(v_0 \cos\theta_0)^2}\right]x^2. \quad 4.25$$

Esta ecuación de trayectoria es de la forma $y = ax + bx^2$, que es una ecuación de una parábola con coeficientes

$$a = \tan\theta_0, \quad b = -\frac{g}{2(v_0 \cos\theta_0)^2}.$$

Alcance

A partir de la ecuación de la trayectoria también podemos encontrar el **alcance**, o la distancia horizontal recorrida por el proyectil. Factorizando la Ecuación 4.25, tenemos

$$y = x\left[\tan\theta_0 - \frac{g}{2(v_0 \cos\theta_0)^2}x\right].$$

La posición de la *y* es cero tanto para el punto de lanzamiento como para el punto de impacto, ya que de nuevo estamos considerando solo una superficie horizontal plana. Suponiendo que $y = 0$ en esta ecuación se obtienen las soluciones $x = 0$, correspondiente al punto de lanzamiento, y

$$x = \frac{2v_0^2 \text{sen}\,\theta_0 \cos\theta_0}{g},$$

correspondiente al punto de impacto. Utilizando la identidad trigonométrica $2\text{sen}\,\theta\cos\theta = \text{sen}2\theta$ y asumiendo $x = R$ para el alcance, encontramos

$$R = \frac{v_0^2 \text{sen} 2\theta_0}{g}. \quad 4.26$$

Observe especialmente que la Ecuación 4.26 solo es válida para el lanzamiento y el impacto sobre una superficie horizontal. Vemos que el alcance es directamente proporcional al cuadrado de la rapidez inicial v_0 y $\text{sen}2\theta_0$, y es inversamente proporcional a la aceleración de la gravedad. Así, en la Luna, el alcance sería seis veces mayor que en la Tierra para la misma velocidad inicial. Además, vemos en el factor $\text{sen}2\theta_0$ que el alcance es máximo en $45°$. Estos resultados se muestran en la Figura 4.15. En (a) vemos que cuanto mayor es la velocidad inicial, mayor es el alcance. En (b), vemos que el alcance es máximo en $45°$. Esto es cierto solo para las condiciones en la que se descarta la resistencia del aire. Si se tiene en cuenta la resistencia del aire, el ángulo máximo es algo menor. Es interesante que se encuentre el mismo alcance para dos ángulos de lanzamiento iniciales que suman $90°$. El proyectil lanzado con el ángulo menor tiene un vértice más bajo que el ángulo mayor, pero ambos tienen el mismo alcance.

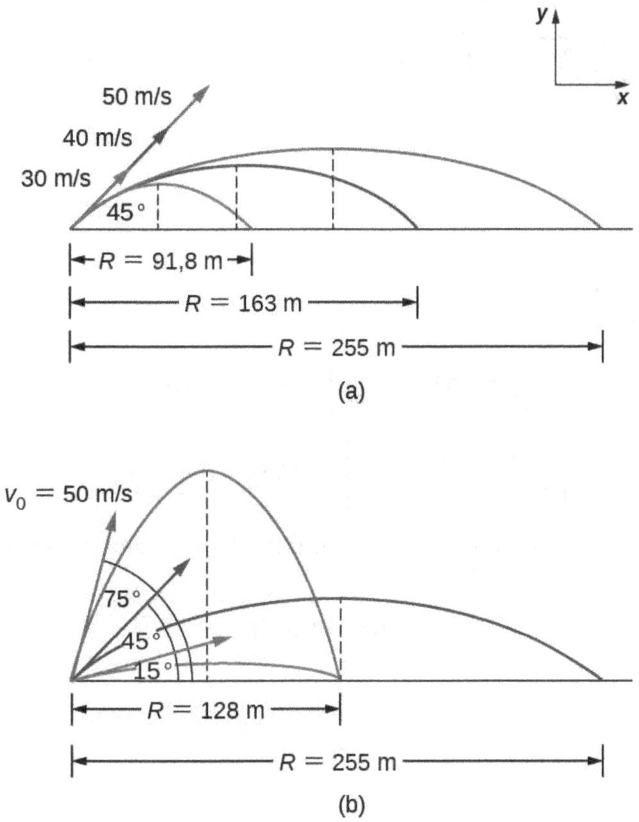

FIGURA 4.15 Trayectorias de proyectiles en terreno llano. (a) Cuanto mayor sea la rapidez inicial v_0, mayor será el alcance para un ángulo inicial dado. (b) El efecto del ángulo inicial θ_0 sobre el alcance de un proyectil con una rapidez inicial determinada. Observe que el alcance es el mismo para los ángulos iniciales de $15°$ y $75°$, aunque las alturas máximas de esas trayectorias son diferentes.

EJEMPLO 4.9

Comparación de tiros de golf

Un golfista se encuentra en dos situaciones diferentes en distintos hoyos. En el segundo hoyo está a 120 m del *green* y quiere golpear la pelota 90 m y dejarla correr hacia el *green*. Angula el tiro bajo al suelo a $30°$ de la horizontal para que la pelota ruede después del impacto. En el cuarto hoyo está a 90 m del *green* y quiere dejar caer la bola con un mínimo de rodadura después del impacto. Aquí, angula el tiro a $70°$ de la horizontal para minimizar la rodadura tras el impacto. Ambos tiros los golpean e impactan en una superficie plana.

(a) ¿Cuál es la rapidez inicial de la bola en el segundo hoyo?

(b) ¿Cuál es la rapidez inicial de la bola en el cuarto hoyo?

(c) Escriba la ecuación de la trayectoria para ambos casos.

(d) Grafique las trayectorias.

Estrategia

Vemos que la ecuación de alcance tiene la rapidez y el ángulo iniciales, por lo que podemos resolver la rapidez inicial tanto para (a) como para (b). Cuando tenemos la rapidez inicial, podemos utilizar este valor para escribir la ecuación de la trayectoria.

Solución

(a) $R = \frac{v_0^2 \operatorname{sen} 2\theta_0}{g} \Rightarrow v_0 = \sqrt{\frac{Rg}{\operatorname{sen} 2\theta_0}} = \sqrt{\frac{90{,}0 \text{ m}(9{,}8 \text{ m/s}^2)}{\operatorname{sen}(2(30°))}} = 31{,}9 \text{ m/s}$

(b) $R = \frac{v_0^2 \operatorname{sen} 2\theta_0}{g} \Rightarrow v_0 = \sqrt{\frac{Rg}{\operatorname{sen} 2\theta_0}} = \sqrt{\frac{90{,}0 \text{ m}(9{,}8 \text{ m/s}^2)}{\operatorname{sen}(2(70°))}} = 37{,}0 \text{ m/s}$

(c)

$$y = x\left[\tan\theta_0 - \frac{g}{2(v_0\cos\theta_0)^2}x\right]$$

$$\text{Segundo hoyo: } y = x\left[\tan 30° - \frac{9{,}8 \text{ m/s}^2}{2[(31{,}9 \text{ m/s})(\cos 30°)]^2}x\right] = 0{,}58x - 0{,}0064x^2$$

$$\text{Cuarto hoyo: } y = x\left[\tan 70° - \frac{9{,}8 \text{ m/s}^2}{2[(37{,}0 \text{ m/s})(\cos 70°)]^2}x\right] = 2{,}75x - 0{,}0306x^2$$

(d) Utilizando una calculadora gráfica, podemos comparar las dos trayectorias, que se muestran en la Figura 4.16.

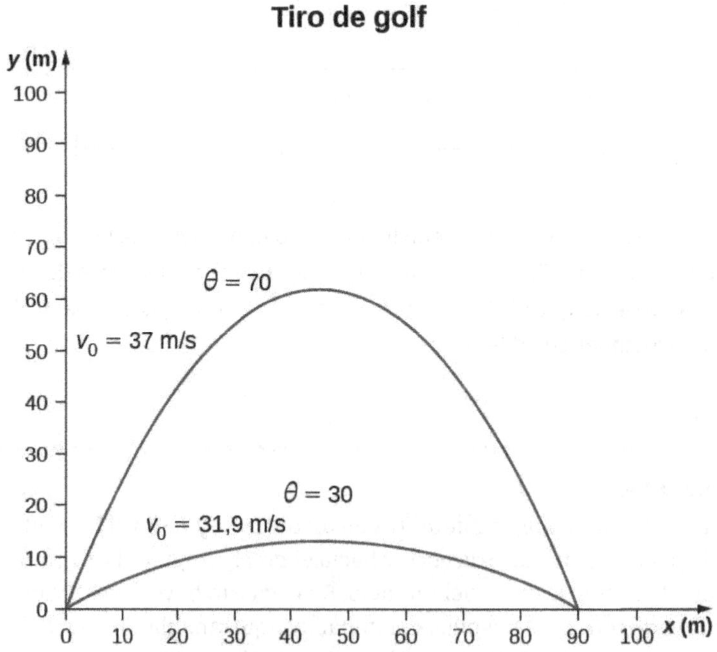

FIGURA 4.16 Dos trayectorias de una pelota de golf con un alcance de 90 m. Los puntos de impacto de ambos

están al mismo nivel que el punto de lanzamiento.

Importancia

La rapidez inicial para el tiro a $70°$ es mayor que la rapidez inicial del tiro a $30°$. Observe en la Figura 4.16 que dos proyectiles lanzados a la misma rapidez, pero con ángulos diferentes, tienen el mismo alcance si los ángulos de lanzamiento suman $90°$. Los ángulos de lanzamiento en este ejemplo se suman para dar un número mayor que $90°$. Por lo tanto, el tiro a $70°$ tiene que tener una mayor rapidez de lanzamiento para alcanzar los 90 m, de lo contrario aterrizaría a una distancia menor.

COMPRUEBE LO APRENDIDO 4.4

Si los dos tiros de golf que aparecen en el Ejemplo 4.9 se lanzan a la misma rapidez, ¿qué tiro tendría mayor alcance?

Cuando hablamos del alcance de un proyectil en terreno llano, suponemos que R es muy pequeño comparado con la circunferencia de la Tierra. Sin embargo, si el alcance es grande, la Tierra se curva por debajo del proyectil y la aceleración resultante de la gravedad cambia de dirección a lo largo del recorrido. El alcance es mayor que el predicho por la ecuación de alcance dada anteriormente porque el proyectil tiene más distancia para caer que la que tendría en terreno llano, como se muestra en la Figura 4.17, que se basa en un dibujo de las *leyes* de Newton. Si la rapidez inicial es lo suficientemente grande, el proyectil entra en órbita. La superficie de la Tierra desciende 5 m cada 8000 m. En 1 s un objeto cae 5 m sin resistencia del aire. Por lo tanto, si a un objeto se le da una velocidad horizontal de 8000 m/s (o 18.000 mi/h) cerca de la superficie de la Tierra, entrará en órbita alrededor del planeta porque la superficie se aleja continuamente del objeto. Esta es aproximadamente la rapidez del transbordador espacial en una órbita terrestre baja cuando estaba operativo, o de cualquier satélite en una órbita terrestre baja. Estos y otros aspectos del movimiento orbital, como la rotación de la Tierra, se tratan con mayor profundidad en Gravitación.

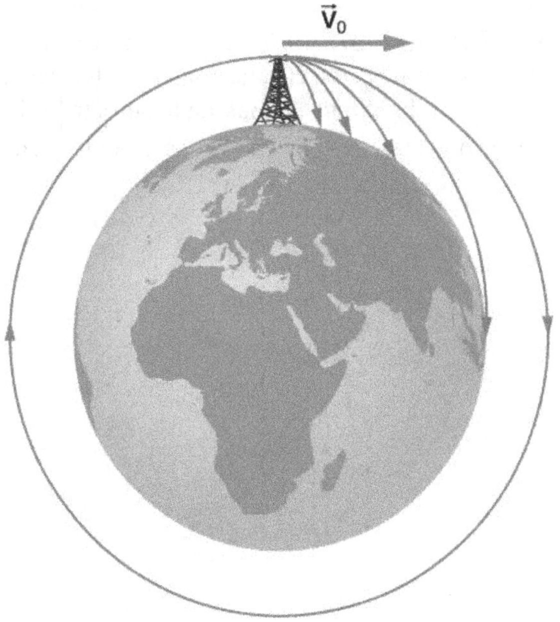

FIGURA 4.17 Proyectil a satélite. En cada uno de los casos mostrados aquí, se lanza un proyectil desde una torre muy alta para evitar la resistencia del aire. Al aumentar la rapidez inicial, el alcance aumenta y se hace más largo de lo que sería en terreno llano porque la Tierra se curva bajo su recorrido. Con una rapidez de 8000 m/s, se alcanza la órbita.

INTERACTIVO

En Exploraciones de PhET: Movimiento de proyectil (https://openstax.org/l/21phetpromot_es), aprenda sobre el movimiento de proyectil en términos del ángulo de lanzamiento y la velocidad inicial.

4.4 Movimiento circular uniforme

OBJETIVOS DE APRENDIZAJE

Al final de esta sección, podrá:

- Resolver la aceleración centrípeta de un objeto que se mueve en una trayectoria circular.
- Utilizar las ecuaciones del movimiento circular para encontrar la posición, la velocidad y la aceleración de una partícula que ejecuta un movimiento circular.
- Explicar las diferencias entre la aceleración centrípeta y la aceleración tangencial resultante del movimiento circular no uniforme.
- Evaluar la aceleración centrípeta y la aceleración tangencial en un movimiento circular no uniforme, y encontrar el vector de aceleración total.

El movimiento circular uniforme es un tipo específico de movimiento en el que un objeto se desplaza en círculo a una rapidez constante. Por ejemplo, cualquier punto de una hélice que gira a una velocidad constante en un movimiento circular uniforme. Otros ejemplos son las agujas de los segundos, los minutos y las horas de un reloj. Es notable que, los puntos de estos objetos en rotación se aceleren realmente, aunque la velocidad de rotación sea una constante. Para ver esto, debemos analizar el movimiento en términos de vectores.

Aceleración centrípeta

En la cinemática unidimensional, los objetos con rapidez constante tienen una aceleración cero. Sin embargo, en la cinemática bidimensional y tridimensional, aunque la rapidez sea una constante, una partícula puede tener aceleración si se mueve a lo largo de una trayectoria curva, como un círculo. En este caso, el vector de velocidad está cambiando, o $d\vec{\mathbf{v}}/dt \neq 0$. Esto se muestra en la Figura 4.18. A medida que la partícula se desplaza en sentido contrario de las agujas del reloj en el tiempo Δt en la trayectoria circular, su vector de posición se mueve desde $\vec{\mathbf{r}}(t)$ hasta $\vec{\mathbf{r}}(t + \Delta t)$. El vector de velocidad tiene una magnitud constante y es tangente a la trayectoria al pasar de $\vec{\mathbf{v}}(t)$ a $\vec{\mathbf{v}}(t + \Delta t)$, y solo cambia su dirección. Dado que el vector de velocidad $\vec{\mathbf{v}}(t)$ es perpendicular al vector de posición $\vec{\mathbf{r}}(t)$, los triángulos formados por los vectores de posición y $\Delta\vec{\mathbf{r}}$, y los vectores de velocidad y $\Delta\vec{\mathbf{v}}$ son similares. Además, dado que $\left|\vec{\mathbf{r}}(t)\right| = \left|\vec{\mathbf{r}}(t + \Delta t)\right|$ y $\left|\vec{\mathbf{v}}(t)\right| = \left|\vec{\mathbf{v}}(t + \Delta t)\right|$, los dos triángulos son isósceles. A partir de estos hechos podemos hacer la afirmación

$$\frac{\Delta v}{v} = \frac{\Delta r}{r} \text{ o } \Delta v = \frac{v}{r}\Delta r.$$

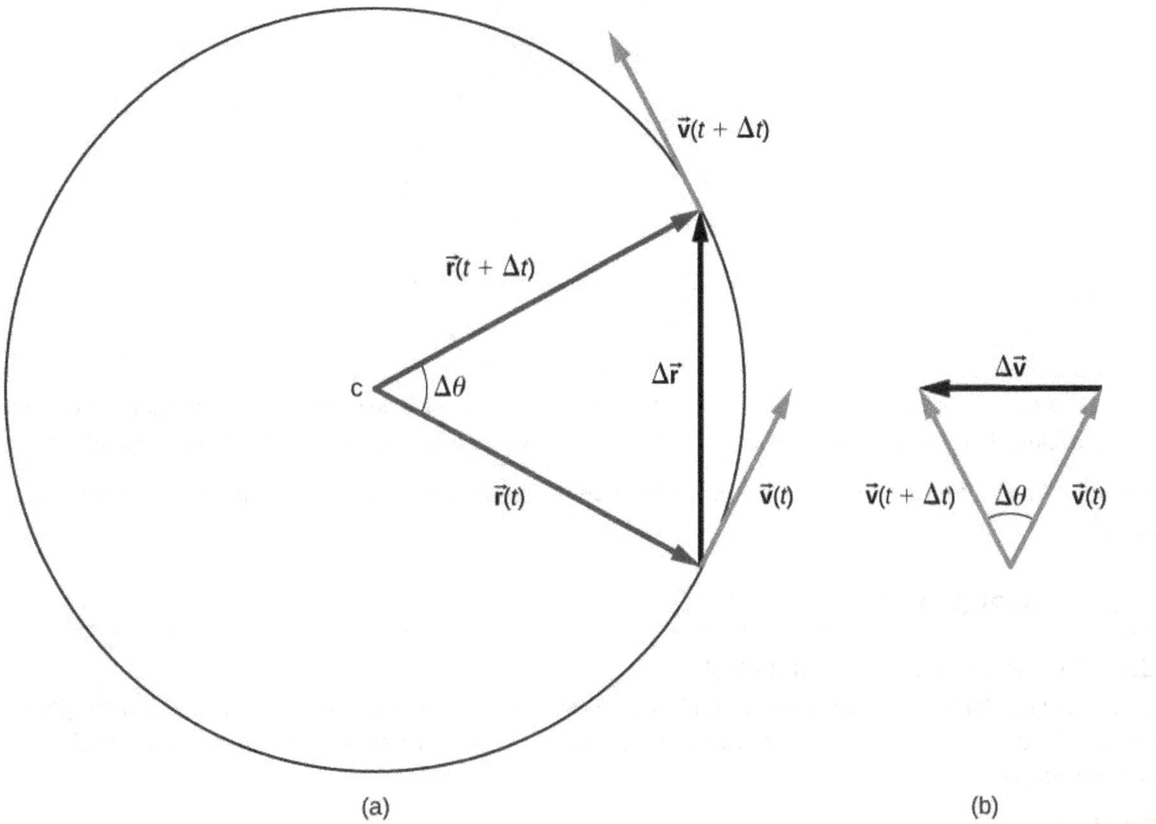

FIGURA 4.18 (a) Una partícula se mueve en un círculo con rapidez constante, con vectores de posición y velocidad en tiempos t y $t + \Delta t$. (b) Vectores de velocidad que forman un triángulo. Los dos triángulos de la figura son similares. El vector $\Delta \vec{\mathbf{v}}$ apunta hacia el centro del círculo en el límite $\Delta t \to 0$.

Podemos encontrar la magnitud de la aceleración a partir de

$$a = \lim_{\Delta t \to 0}\left(\frac{\Delta v}{\Delta t}\right) = \frac{v}{r}\left(\lim_{\Delta t \to 0}\frac{\Delta r}{\Delta t}\right) = \frac{v^2}{r}.$$

La dirección de la aceleración también se puede encontrar observando que como Δt y por lo tanto $\Delta\theta$ se acerca a cero, el vector $\Delta \vec{\mathbf{v}}$ se acerca a una dirección perpendicular a $\vec{\mathbf{v}}$. En el límite $\Delta t \to 0, \Delta \vec{\mathbf{v}}$ es perpendicular a $\vec{\mathbf{v}}$. Dado que $\vec{\mathbf{v}}$ es tangente al círculo, la aceleración $d\vec{\mathbf{v}}/dt$ apunta hacia el centro del círculo. En resumen, una partícula que se mueve en un círculo con rapidez constante tiene una aceleración con magnitud

$$a_c = \frac{v^2}{r}. \quad 4.27$$

La dirección del vector de aceleración es hacia el centro del círculo (Figura 4.19). Se trata de una aceleración radial y se denomina **aceleración centrípeta**, por lo que le damos el subíndice c. La palabra *centrípeta* viene de las palabras latinas *centrum* (que significa "centro") y *petere* (que significa "buscar"), y por tanto toma el significado de "búsqueda del centro".

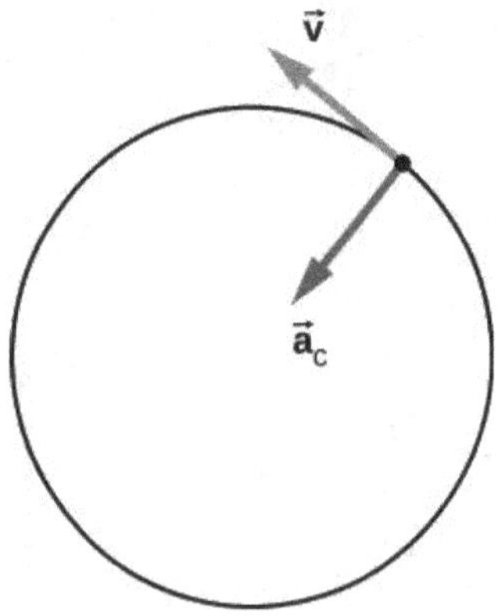

FIGURA 4.19 El vector de aceleración centrípeta apunta hacia el centro de la trayectoria circular del movimiento y es una aceleración en la dirección radial. También se muestra el vector de velocidad, que es tangente al círculo.

Investiguemos algunos ejemplos que ilustren las magnitudes relativas de la velocidad, el radio y la aceleración centrípeta.

EJEMPLO 4.10

Creación de una aceleración de 1 *g*

Un jet vuela a 134,1 m/s en línea recta y realiza un giro en una trayectoria circular a nivel del suelo. ¿Cuál debe ser el radio del círculo para producir una aceleración centrípeta de 1 *g* sobre el piloto y el jet hacia el centro de la trayectoria circular?

Estrategia

Dada la rapidez del jet, podemos resolver el radio del círculo en la expresión de la aceleración centrípeta.

Solución

Establezca la aceleración centrípeta igual a la aceleración de la gravedad: $9{,}8\ \text{m/s}^2 = v^2/r$.

Al resolver el radio, encontramos

$$r = \frac{(134{,}1\ \text{m/s})^2}{9{,}8\ \text{m/s}^2} = 1.835\ \text{m} = 1{,}835\ \text{km}.$$

Importancia

Para crear una aceleración mayor que *g* en el piloto, el jet tendría que disminuir el radio de su trayectoria circular o aumentar su rapidez en su trayectoria existente, o ambas cosas.

COMPRUEBE LO APRENDIDO 4.5

Un volante de inercia tiene un radio de 20,0 cm. ¿Cuál es la rapidez de un punto en el borde del volante de inercia si experimenta una aceleración centrípeta de $900{,}0\ \text{cm/s}^2$?

La aceleración centrípeta puede tener una amplia gama de valores, dependiendo de la rapidez y del radio de curvatura de la trayectoria circular. Las aceleraciones centrípetas típicas se indican en la siguiente tabla.

Objeto	Aceleración centrípeta (m/s^2 o factores de *g*)
La Tierra alrededor del Sol	$5{,}93 \times 10^{-3}$
La Luna alrededor de la Tierra	$2{,}73 \times 10^{-3}$

Objeto	Aceleración centrípeta (m/s^2 o factores de g)
Satélite en órbita geosincrónica	0,233
Borde exterior de un CD al reproducirlo	5,78
Jet en un rollo de barril	(2–3 g)
Montaña rusa	(5 g)
Un electrón orbita un protón en un modelo de Bohr simple del átomo	$9{,}0 \times 10^{22}$

TABLA 4.1 Aceleraciones centrípetas típicas

Ecuaciones de movimiento para el movimiento circular uniforme

Una partícula que ejecuta un movimiento circular puede describirse por su vector de posición $\vec{\mathbf{r}}(t)$. La Figura 4.20 muestra una partícula que ejecuta un movimiento circular en sentido contrario de las agujas del reloj. A medida que la partícula se mueve en el círculo, su vector de posición barre el ángulo θ con el eje de la x. El vector $\vec{\mathbf{r}}(t)$ haciendo un ángulo θ con el eje de la x se muestra con sus componentes a lo largo de los ejes de la x y la y. La magnitud del vector de posición es $A = |\vec{\mathbf{r}}(t)|$ y es también el radio del círculo, por lo que en términos de sus componentes,

$$\vec{\mathbf{r}}(t) = A\cos\omega t\hat{\mathbf{i}} + A\operatorname{sen}\omega t\hat{\mathbf{j}}. \tag{4.28}$$

Aquí, ω es una constante llamada **frecuencia angular** de la partícula. La frecuencia angular tiene unidades de radianes (rad) por segundo y es simplemente el número de radianes de medida angular por los que pasa la partícula por segundo. El ángulo θ que tiene el vector de posición en un tiempo determinado es ωt.

Si T es el periodo del movimiento, o el tiempo para completar una revolución (2π rad), entonces

$$\omega = \frac{2\pi}{T}.$$

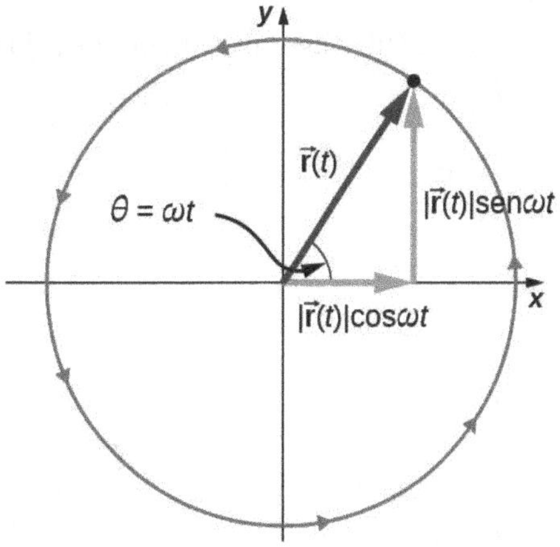

FIGURA 4.20 El vector de posición de una partícula en movimiento circular con sus componentes a lo largo de los ejes de la x y la y. La partícula se mueve en sentido contrario de las agujas del reloj. El ángulo θ es la frecuencia angular ω en radianes por segundo multiplicado por t.

La velocidad y la aceleración pueden obtenerse a partir de la función de posición por diferenciación:

$$\vec{\mathbf{v}}(t) = \frac{d\vec{\mathbf{r}}(t)}{dt} = -A\omega \operatorname{sen} \omega t\hat{\mathbf{i}} + A\omega \cos \omega t\hat{\mathbf{j}}. \quad 4.29$$

Se puede demostrar en la Figura 4.20 que el vector de velocidad es tangente al círculo en la ubicación de la partícula, con magnitud $A\omega$. Del mismo modo, el vector de aceleración se encuentra al diferenciar la velocidad:

$$\vec{\mathbf{a}}(t) = \frac{d\vec{\mathbf{v}}(t)}{dt} = -A\omega^2 \cos \omega t\hat{\mathbf{i}} - A\omega^2 \operatorname{sen} \omega t\hat{\mathbf{j}}. \quad 4.30$$

De esta ecuación vemos que el vector de aceleración tiene la magnitud $A\omega^2$ y se dirige en sentido contrario al vector de posición, hacia el origen, porque $\vec{\mathbf{a}}(t) = -\omega^2\vec{\mathbf{r}}(t)$.

EJEMPLO 4.11

Movimiento circular de un protón

Un protón tiene rapidez 5×10^6 m/s y se mueve en un círculo en el plano *xy* de radio $r = 0{,}175$ m. ¿Cuál es su posición en el plano *xy* en el tiempo $t = 2{,}0 \times 10^{-7}$ s = 200 ¿n? En $t = 0$, la posición del protón es $0{,}175\ \text{m}\hat{\mathbf{i}}$ y da vueltas en sentido contrario de las agujas del reloj. Haga un esquema de la trayectoria.

Solución

A partir de los datos dados, el protón tiene periodo y frecuencia angular:

$$T = \frac{2\pi r}{v} = \frac{2\pi(0{,}175\ \text{m})}{5{,}0 \times 10^6\ \text{m/s}} = 2{,}20 \times 10^{-7}\ \text{s}$$

$$\omega = \frac{2\pi}{T} = \frac{2\pi}{2{,}20 \times 10^{-7}\ \text{s}} = 2{,}856 \times 10^7\ \text{rad/s}.$$

La posición de la partícula en $t = 2{,}0 \times 10^{-7}$ s con $A = 0{,}175$ m es

$$\begin{aligned} \vec{\mathbf{r}}(2{,}0 \times 10^{-7}\,\text{s}) &= A\cos\omega(2{,}0 \times 10^{-7}\ \text{s})\hat{\mathbf{i}} + A \operatorname{sen} \omega(2{,}0 \times 10^{-7}\ \text{s})\hat{\mathbf{j}}\ \text{m} \\ &= 0{,}175\cos[(2{,}856 \times 10^7\ \text{rad/s})(2{,}0 \times 10^{-7}\ \text{s})]\hat{\mathbf{i}} \\ &\qquad +0{,}175\operatorname{sen}[(2{,}856 \times 10^7\ \text{rad/s})(2{,}0 \times 10^{-7}\ \text{s})]\hat{\mathbf{j}}\ \text{m} \\ &= 0{,}175\cos(5{,}712\ \text{rad})\hat{\mathbf{i}} + 0{,}175\operatorname{sen}(5{,}712\ \text{rad})\hat{\mathbf{j}} = 0{,}147\hat{\mathbf{i}} - 0{,}095\hat{\mathbf{j}}\ \text{m}. \end{aligned}$$

De este resultado vemos que el protón se encuentra ligeramente por debajo del eje de la *x*. Esto se muestra en la Figura 4.21.

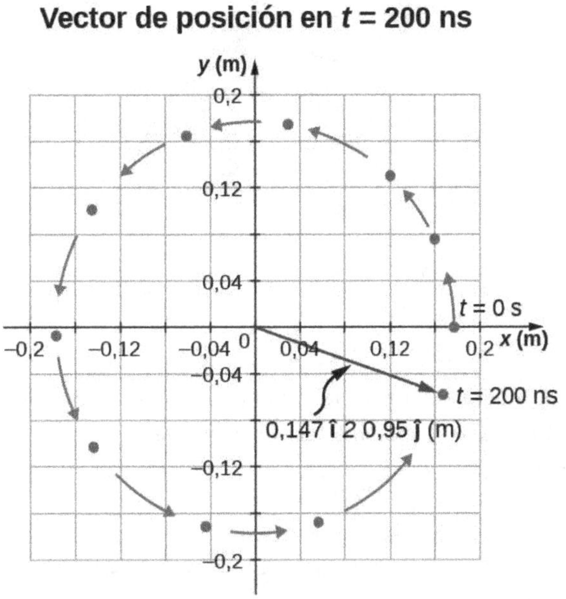

FIGURA 4.21 Vector de posición del protón en $t = 2{,}0 \times 10^{-7}\,\text{s} = 200\,\text{ns}$. Se muestra la trayectoria del protón. El ángulo que recorre el protón a lo largo del círculo es de 5,712 rad, es decir, algo menos de una revolución completa.

Importancia

Elegimos la posición inicial de la partícula para que esté en el eje de la x. Esto fue completamente arbitrario. Si se diera una posición inicial diferente, tendríamos otra posición final en $t = 200$ ns.

Movimiento circular no uniforme

El movimiento circular no tiene por qué ser de rapidez constante. Una partícula puede viajar en círculo y acelerar o frenar, lo cual indica aceleración en la dirección del movimiento.

En el movimiento circular uniforme, la partícula que ejecuta el movimiento circular tiene una rapidez constante, mientras que el círculo tiene un radio fijo. Si la rapidez de la partícula también cambia, entonces añadimos una aceleración en la dirección tangencial al círculo. Estas aceleraciones se producen en un punto de un trompo que cambia su velocidad de giro, o en cualquier rotor que se acelere. En Desplazamiento y vectores de velocidad señalamos que la aceleración centrípeta es la tasa de tiempo del cambio de la dirección del vector de velocidad. Si la rapidez de la partícula cambia, entonces tiene una **aceleración tangencial**, que es la tasa de tiempo del cambio de la magnitud de la velocidad:

$$a_{\text{T}} = \frac{d|\vec{\mathbf{v}}|}{dt}. \tag{4.31}$$

La dirección de la aceleración tangencial es tangente al círculo, mientras que la dirección de la aceleración centrípeta es radialmente hacia el centro del círculo. Por lo tanto, una partícula en movimiento circular con una aceleración tangencial tiene una **aceleración total**, que es la suma vectorial de las aceleraciones centrípeta y tangencial:

$$\vec{\mathbf{a}} = \vec{\mathbf{a}}_{\text{c}} + \vec{\mathbf{a}}_{\text{T}}. \tag{4.32}$$

Los vectores de aceleración se muestran en la Figura 4.22. Observe que los dos vectores de aceleración $\vec{\mathbf{a}}_{\text{c}}$ y $\vec{\mathbf{a}}_{\text{T}}$ son perpendiculares entre sí, con $\vec{\mathbf{a}}_{\text{c}}$ en la dirección radial y $\vec{\mathbf{a}}_{\text{T}}$ en la dirección tangencial. La aceleración total $\vec{\mathbf{a}}$ apunta a un ángulo entre $\vec{\mathbf{a}}_{\text{c}}$ y $\vec{\mathbf{a}}_{\text{T}}$.

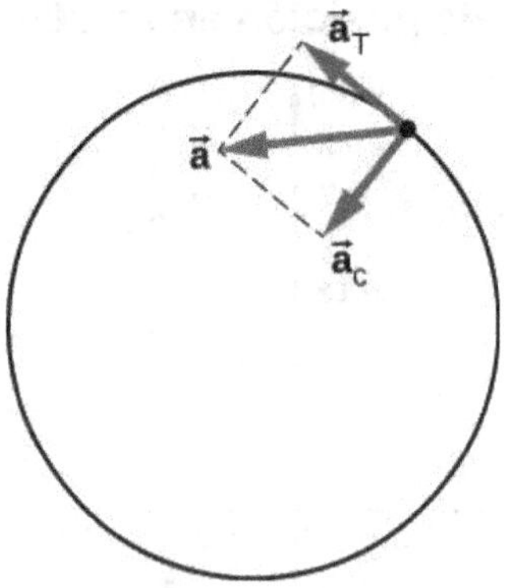

FIGURA 4.22 La aceleración centrípeta apunta hacia el centro del círculo. La aceleración tangencial es tangente al círculo en la posición de la partícula. La aceleración total es la suma vectorial de las aceleraciones tangencial y centrípeta, que son perpendiculares.

EJEMPLO 4.12

Aceleración total durante el movimiento circular

Una partícula se mueve en un círculo de radio $r = 2{,}0$ m. Durante el intervalo comprendido entre $t = 1{,}5$ s y $t = 4{,}0$ s su rapidez varía con el tiempo según

$$v(t) = c_1 - \frac{c_2}{t^2}, \quad c_1 = 4{,}0\,\text{m/s}, \quad c_2 = 6{,}0\,\text{m} \cdot \text{s}.$$

¿Cuál es la aceleración total de la partícula en $t = 2{,}0$ s?

Estrategia

Nos dan la rapidez de la partícula y el radio del círculo, por lo que podemos calcular fácilmente la aceleración centrípeta. La dirección de la aceleración centrípeta es hacia el centro del círculo. Encontramos la magnitud de la aceleración tangencial al tomar la derivada con respecto al tiempo de $|v(t)|$ utilizando la Ecuación 4.31 y evaluándola en $t = 2{,}0$ s. Usamos esto y la magnitud de la aceleración centrípeta para encontrar la aceleración total.

Solución

La aceleración centrípeta es

$$v(2{,}0\text{s}) = \left(4{,}0 - \frac{6{,}0}{(2{,}0)^2}\right)\text{m/s} = 2{,}5\,\text{m/s}$$

$$a_c = \frac{v^2}{r} = \frac{(2{,}5\,\text{m/s})^2}{2{,}0\,\text{m}} = 3{,}1\,\text{m/s}^2$$

dirigida hacia el centro del círculo. La aceleración tangencial es

$$a_T = \left|\frac{d\vec{v}}{dt}\right| = \frac{2c_2}{t^3} = \frac{12{,}0}{(2{,}0)^3}\text{m/s}^2 = 1{,}5\,\text{m/s}^2.$$

La aceleración total es

$$|\vec{a}| = \sqrt{3{,}1^2 + 1{,}5^2}\text{m/s}^2 = 3{,}44\,\text{m/s}^2$$

y $\theta = \tan^{-1}\frac{3{,}1}{1{,}5} = 64°$ de la tangente al círculo. Vea la Figura 4.23.

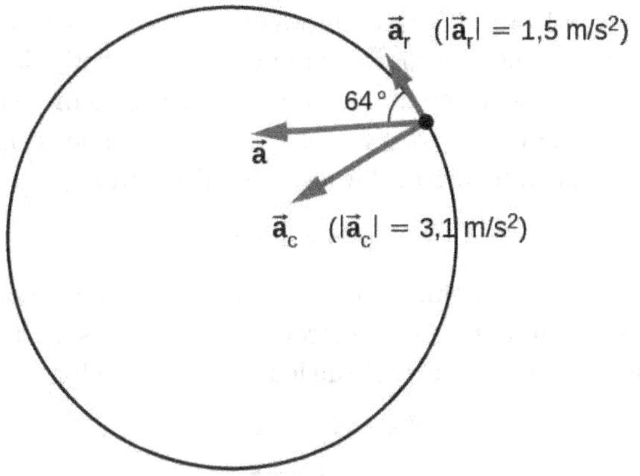

FIGURA 4.23 Los vectores de aceleración tangencial y centrípeta. La aceleración neta $\vec{a}$ es la suma vectorial de las dos aceleraciones.

Importancia

Las direcciones de las aceleraciones centrípeta y tangencial pueden describirse de forma más conveniente en términos de un sistema de coordenadas polares, con vectores unitarios en las direcciones radial y tangencial. Este sistema de coordenadas, que se utiliza para el movimiento a lo largo de trayectorias curvas, se explora en detalle más adelante en el libro.

4.5 Movimiento relativo en una y dos dimensiones

OBJETIVOS DE APRENDIZAJE

Al final de esta sección, podrá:

- Explicar el concepto de marcos de referencia.
- Escribir las ecuaciones vectoriales de posición y velocidad para el movimiento relativo.
- Dibujar los vectores de posición y velocidad para el movimiento relativo.
- Analizar problemas de movimiento relativo unidimensional y bidimensional con las ecuaciones vectoriales de posición y velocidad.

El movimiento no se produce de forma aislada. Si va en un tren que se mueve a 10 m/s hacia el este, esta velocidad se mide en relación con el suelo sobre el que viaja. Sin embargo, si otro tren le pasa a 15 m/s al este, su velocidad relativa a este otro tren es diferente de su velocidad relativa al suelo. Su velocidad relativa al otro tren es de 5 m/s al oeste. Para profundizar en esta idea, primero tenemos que establecer cierta terminología.

Marcos de referencia

Para abordar el movimiento relativo en una o más dimensiones, primero introducimos el concepto de **marcos de referenciaa**. Cuando decimos que un objeto tiene una determinada velocidad, debemos afirmar que tiene una velocidad con respecto a un determinado marco de referencia. En la mayoría de los ejemplos que hemos examinado hasta ahora, este marco de referencia ha sido la Tierra. Si dice que una persona está sentada en un tren que se mueve a 10 m/s hacia el este, entonces implica que la persona en el tren se desplaza con respecto a la superficie de la Tierra a esta velocidad, y la Tierra es el marco de referencia. Podemos ampliar nuestra visión del movimiento de la persona en el tren y afirmar que la Tierra está girando en su órbita alrededor del Sol, en cuyo caso el movimiento se complica. En este caso, el sistema solar es el marco de referencia. En resumen, todo debate sobre el movimiento relativo deberá definir los marcos de referencia involucrados. Ahora desarrollamos un método para referirse a los marcos de referencia en movimiento relativo.

Movimiento relativo en una dimensión

Primero introducimos el movimiento relativo en una dimensión, porque los vectores de velocidad se simplifican al tener solo dos direcciones posibles. Tomemos el ejemplo de la persona sentada en un tren que avanza hacia el este. Si elegimos el este como dirección positiva y la Tierra como marco de referencia, entonces podemos escribir la velocidad del tren con respecto a la Tierra como $\vec{\mathbf{v}}_{\mathrm{TE}} = 10\ \mathrm{m/s}\ \hat{\mathbf{i}}$ al este, donde los subíndices TE se refieren al tren y la Tierra. Digamos ahora que la persona se levanta de su asiento y camina hacia la parte trasera del tren a 2 m/s. Esto nos dice que tiene una velocidad relativa al marco de referencia del tren. Como la persona camina hacia el oeste, en dirección negativa, escribimos su velocidad con respecto al tren como $\vec{\mathbf{v}}_{\mathrm{PT}} = -2\ \mathrm{m/s}\ \hat{\mathbf{i}}$. Podemos sumar los dos vectores de velocidad para encontrar la velocidad de la persona con respecto a la Tierra. Esta **velocidad relativa** se escribe como

$$\vec{\mathbf{v}}_{\mathrm{PE}} = \vec{\mathbf{v}}_{\mathrm{PT}} + \vec{\mathbf{v}}_{\mathrm{TE}}. \qquad 4.33$$

Observe el orden de los subíndices de los distintos marcos de referencia en la Ecuación 4.33. Los subíndices para el marco de referencia de acoplamiento, que es el tren, aparecen consecutivamente en el lado derecho de la ecuación. La Figura 4.24 muestra el orden correcto de los subíndices al formar la ecuación vectorial.

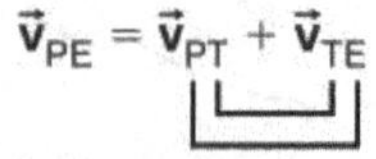

FIGURA 4.24 Al construir la ecuación vectorial, los subíndices del marco de referencia de acoplamiento aparecen consecutivamente en el interior. Los subíndices del lado izquierdo de la ecuación son los mismos que los dos subíndices exteriores del lado derecho de la ecuación.

Sumando los vectores, encontramos $\vec{\mathbf{v}}_{\mathrm{PE}} = 8\ \mathrm{m/s}\ \hat{\mathbf{i}}$, por lo que la persona se mueve 8 m/s al este con respecto a la Tierra. Gráficamente, esto se muestra en la Figura 4.25.

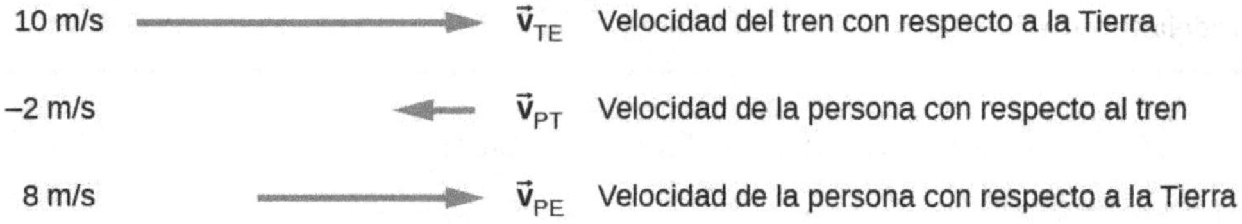

FIGURA 4.25 Vectores de velocidad del tren con respecto a la Tierra, de la persona con respecto al tren y de la persona con respecto a la Tierra.

Velocidad relativa en dos dimensiones

Ahora podemos aplicar estos conceptos para describir el movimiento en dos dimensiones. Consideremos una partícula P y los marcos de referencia S y S', como se muestra en la Figura 4.26. La posición del origen de S' medida en S es $\vec{\mathbf{r}}_{S'S}$, la posición de P medida en S' es $\vec{\mathbf{r}}_{PS'}$, y la posición de P medida en S es $\vec{\mathbf{r}}_{PS}$.

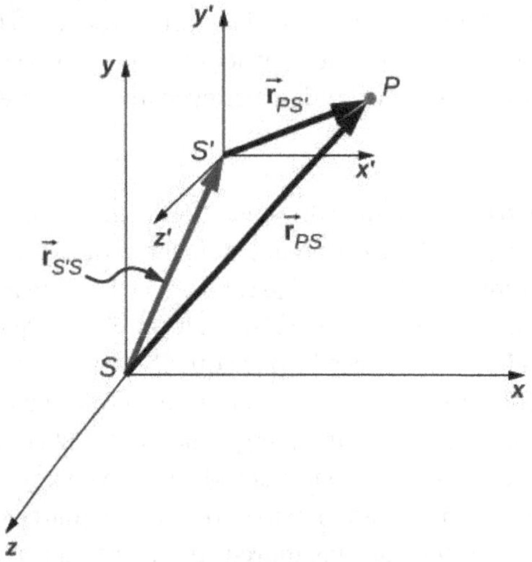

FIGURA 4.26 Las posiciones de la partícula P con respecto a los marcos S y S' son $\vec{\mathbf{r}}_{PS}$ y $\vec{\mathbf{r}}_{PS'}$, respectivamente.

En la Figura 4.26 vemos que

$$\vec{\mathbf{r}}_{PS} = \vec{\mathbf{r}}_{PS'} + \vec{\mathbf{r}}_{S'S}. \qquad 4.34$$

Las velocidades relativas son las derivadas del tiempo de los vectores de posición. Por lo tanto,

$$\vec{\mathbf{v}}_{PS} = \vec{\mathbf{v}}_{PS'} + \vec{\mathbf{v}}_{S'S}. \tag{4.35}$$

La velocidad de una partícula con respecto a S es igual a su velocidad con respecto a S' más la velocidad de S' en relación con S.

Podemos ampliar la Ecuación 4.35 a cualquier número de marcos de referencia. Para la partícula P con velocidades $\vec{\mathbf{v}}_{PA}, \vec{\mathbf{v}}_{PB}$, y $\vec{\mathbf{v}}_{PC}$ en los marcos A, B y C,

$$\vec{\mathbf{v}}_{PC} = \vec{\mathbf{v}}_{PA} + \vec{\mathbf{v}}_{AB} + \vec{\mathbf{v}}_{BC}. \tag{4.36}$$

También podemos ver cómo se relacionan las aceleraciones observadas en dos marcos de referencia al diferenciar la Ecuación 4.35:

$$\vec{\mathbf{a}}_{PS} = \vec{\mathbf{a}}_{PS'} + \vec{\mathbf{a}}_{S'S}. \tag{4.37}$$

Vemos que si la velocidad de S' con respecto a S es una constante, entonces $\vec{\mathbf{a}}_{S'S} = 0$ y

$$\vec{\mathbf{a}}_{PS} = \vec{\mathbf{a}}_{PS'}. \tag{4.38}$$

Esto manifiesta que la aceleración de una partícula es la misma medida por dos observadores que se mueven a una velocidad constante uno respecto del otro.

EJEMPLO 4.13

Movimiento de un auto con respecto a un camión

Un camión viaja hacia el sur a una rapidez de 70 km/h hacia una intersección. Un auto viaja hacia el este en dirección a la intersección a una rapidez de 80 km/h (Figura 4.27). ¿Cuál es la velocidad del auto con respecto al camión?

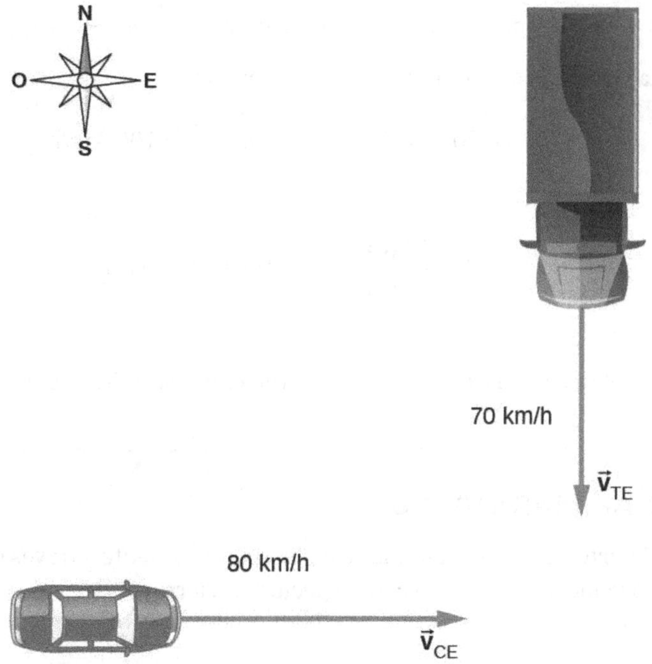

FIGURA 4.27 Un auto viaja hacia el este en dirección a una intersección, mientras que un camión viaja hacia el sur en dirección a la misma intersección.

Estrategia

En primer lugar, debemos establecer el marco de referencia común a ambos vehículos, que es la Tierra. A continuación, escribimos las velocidades de cada uno con respecto al marco de referencia de la Tierra, lo que nos permite formar una ecuación vectorial que relaciona el auto, el camión y la Tierra para resolver la velocidad del auto con respecto al camión.

Solución

La velocidad del auto con respecto a la Tierra es $\vec{v}_{CE} = 80\,\text{km/h}\,\hat{i}$. La velocidad del camión con respecto a la Tierra es $\vec{v}_{TE} = -70\,\text{km/h}\,\hat{j}$. Utilizando la regla de adición de velocidades, la ecuación de movimiento relativo que buscamos es

$$\vec{v}_{CT} = \vec{v}_{CE} + \vec{v}_{ET}.$$

Aquí, $\vec{v}_{CT}$ es la velocidad del auto con respecto al camión, y la Tierra es el marco de referencia de conexión. Como tenemos la velocidad del camión con respecto a la Tierra, el negativo de este vector es la velocidad de la Tierra con respecto al camión: $\vec{v}_{ET} = -\vec{v}_{TE}$. El diagrama vectorial de esta ecuación se muestra en la Figura 4.28.

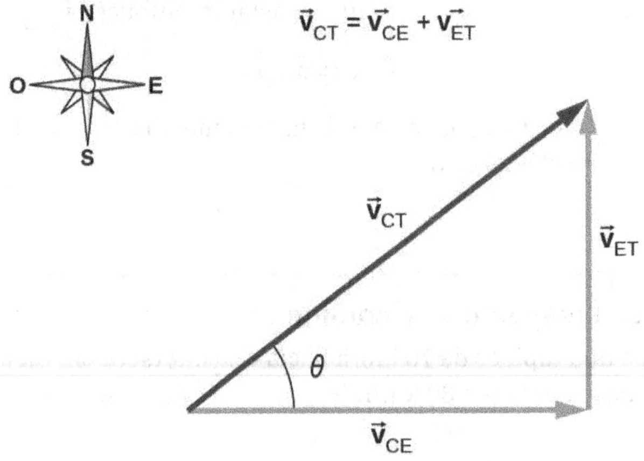

FIGURA 4.28 Diagrama vectorial de la ecuación vectorial $\vec{v}_{CT} = \vec{v}_{CE} + \vec{v}_{ET}$.

Ahora podemos resolver la velocidad del auto con respecto al camión:

$$|\vec{v}_{CT}| = \sqrt{(80{,}0\,\text{km/h})^2 + (70{,}0\,\text{km/h})^2} = 106.\,\text{km/h}$$

y

$$\theta = \tan^{-1}\left(\frac{70{,}0}{80{,}0}\right) = 41{,}2° \text{ al norte del este.}$$

Importancia

Dibujar un diagrama vectorial que muestre los vectores de velocidad permitiría entender la velocidad relativa de los dos objetos.

COMPRUEBE LO APRENDIDO 4.6

Un barco se dirige hacia el norte en aguas tranquilas a 4,5 m/s directamente a través de un río que corre hacia el este a 3,0 m/s. ¿Cuál es la velocidad del barco con respecto a la Tierra?

EJEMPLO 4.14

Volar un avión con viento

Un piloto debe volar su avión hacia el norte para llegar a su destino. El avión puede volar a 300 km/h en aire en calma. Un viento sopla del noreste a 90 km/h. (a) ¿Cuál es la rapidez del avión con respecto al suelo? (b) ¿En qué dirección debe dirigir su avión el piloto para volar hacia el norte?

Estrategia

El piloto debe apuntar su avión algo al este del norte para compensar la velocidad del viento. Necesitamos construir una ecuación vectorial que contenga la velocidad del avión con respecto al suelo, la velocidad del avión con respecto al aire y la velocidad del aire con respecto al suelo. Ya que se conocen estas dos últimas cantidades, podemos resolver la velocidad del avión con respecto al suelo. Podemos representar gráficamente los vectores y utilizar este diagrama para evaluar la magnitud de la velocidad del avión con respecto al suelo. El diagrama también nos dirá el ángulo que forma la velocidad del avión con el norte con respecto al aire, que es la dirección en la que el piloto debe dirigir su avión.

Solución

La ecuación vectorial es $\vec{\mathbf{v}}_{PG} = \vec{\mathbf{v}}_{PA} + \vec{\mathbf{v}}_{AG}$, donde P = avión, A = aire y G = suelo. A partir de la geometría en la Figura 4.29, podemos resolver fácilmente la magnitud de la velocidad del avión con respecto al suelo y el ángulo del rumbo del avión, θ.

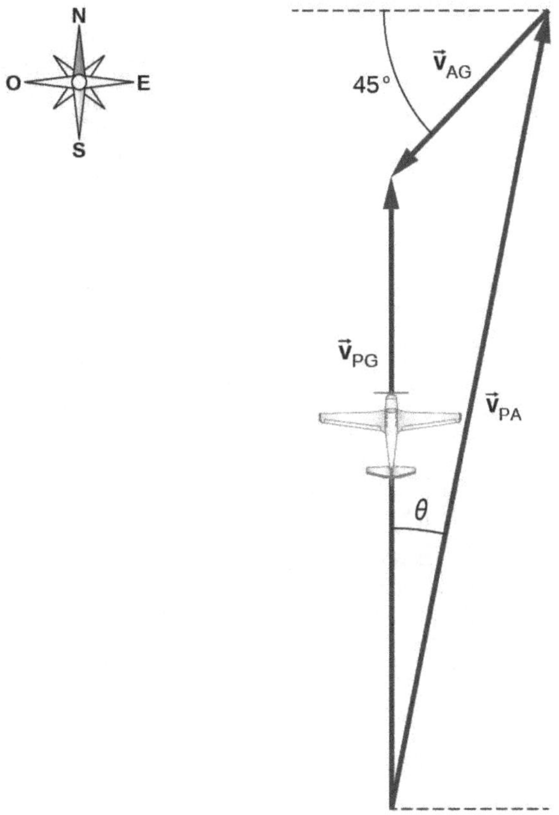

FIGURA 4.29 Diagrama vectorial para la Ecuación 4.34 que muestra los vectores $\vec{\mathbf{v}}_{PA}$, $\vec{\mathbf{v}}_{AG}$, y $\vec{\mathbf{v}}_{PG}$.

(a) Cantidades conocidas:

$$|\vec{\mathbf{v}}_{PA}| = 300\,\text{km/h}$$

$$|\vec{\mathbf{v}}_{AG}| = 90\,\text{km/h}$$

Al sustituir los valores en la ecuación del movimiento, obtenemos $|\vec{\mathbf{v}}_{PG}| = 230\,\text{km/h}$.

(b) El ángulo $\theta = \tan^{-1}\frac{63,64}{300} = 12°$ al este del norte.

Revisión Del Capítulo

Términos Clave

aceleración centrípeta componente de la aceleración de un objeto que se mueve en círculo y que se dirige radialmente hacia el centro del círculo

aceleración tangencial magnitud que es el tiempo del cambio de rapidez. Su dirección es tangente al círculo.

aceleración total suma vectorial de las aceleraciones centrípeta y tangencial

alcance distancia horizontal máxima que recorre un proyectil

frecuencia angular ω, tasa de cambio de un ángulo al que se mueve un objeto en una trayectoria circular

marco de referencia sistema de coordenadas en el que se mide la posición, la velocidad y la aceleración de un objeto en reposo o en movimiento.

movimiento de proyectil movimiento de un objeto sujeto únicamente a la aceleración de la gravedad

tiempo de vuelo tiempo que transcurre un proyectil en el aire

trayectoria recorrido de un proyectil en el aire

vector de aceleración aceleración instantánea que se obtiene al tomar la derivada de la función de velocidad con respecto al tiempo en notación vectorial unitaria

vector de desplazamiento vector desde la posición inicial hasta una posición final en una trayectoria de una partícula

vector de posición vector desde el origen de un sistema de coordenadas elegido hasta la posición de una partícula en el espacio bidimensional o tridimensional

vector de velocidad vector que da la rapidez instantánea y la dirección de una partícula; tangente a la trayectoria

velocidad relativa velocidad de un objeto observado desde un marco de referencia particular, o la velocidad de un marco de referencia con respecto a otro marco de referencia.

Ecuaciones Clave

Vector de posición	$\vec{\mathbf{r}}(t) = x(t)\hat{\mathbf{i}} + y(t)\hat{\mathbf{j}} + z(t)\hat{\mathbf{k}}$
Vector de desplazamiento	$\Delta\vec{\mathbf{r}} = \vec{\mathbf{r}}(t_2) - \vec{\mathbf{r}}(t_1)$
Vector de velocidad	$\vec{\mathbf{v}}(t) = \lim\limits_{\Delta t \to 0} \frac{\vec{\mathbf{r}}(t+\Delta t) - \vec{\mathbf{r}}(t)}{\Delta t} = \frac{d\vec{\mathbf{r}}}{dt}$
Velocidad en términos de componentes	$\vec{\mathbf{v}}(t) = v_x(t)\hat{\mathbf{i}} + v_y(t)\hat{\mathbf{j}} + v_z(t)\hat{\mathbf{k}}$
Componentes de la velocidad	$v_x(t) = \frac{dx(t)}{dt} \quad v_y(t) = \frac{dy(t)}{dt} \quad v_z(t) = \frac{dz(t)}{dt}$
Velocidad media	$\vec{\mathbf{v}}_{\text{avg}} = \frac{\vec{\mathbf{r}}(t_2) - \vec{\mathbf{r}}(t_1)}{t_2 - t_1}$
Aceleración instantánea	$\vec{\mathbf{a}}(t) = \lim\limits_{t \to 0} \frac{\vec{\mathbf{v}}(t+\Delta t) - \vec{\mathbf{v}}(t)}{\Delta t} = \frac{d\vec{\mathbf{v}}(t)}{dt}$
Aceleración instantánea, forma de componente	$\vec{\mathbf{a}}(t) = \frac{dv_x(t)}{dt}\hat{\mathbf{i}} + \frac{dv_y(t)}{dt}\hat{\mathbf{j}} + \frac{dv_z(t)}{dt}\hat{\mathbf{k}}$
Aceleración instantánea como segunda derivada de la posición	$\vec{\mathbf{a}}(t) = \frac{d^2x(t)}{dt^2}\hat{\mathbf{i}} + \frac{d^2y(t)}{dt^2}\hat{\mathbf{j}} + \frac{d^2z(t)}{dt^2}\hat{\mathbf{k}}$
Tiempo de vuelo (tof)	$T_{\text{tof}} = \frac{2(v_0 \text{sen}\theta_0)}{g}$

Trayectoria	$y = (\tan\theta_0)x - \left[\frac{g}{2(v_0\cos\theta_0)^2}\right]x^2$
Alcance	$R = \frac{v_0^2 \text{sen } 2\theta_0}{g}$
Aceleración centrípeta	$a_C = \frac{v^2}{r}$
Vector de posición, movimiento circular uniforme	$\vec{\mathbf{r}}(t) = A\cos\omega t\,\hat{\mathbf{i}} + A \text{ sen } \omega t\,\hat{\mathbf{j}}$
Vector de velocidad, movimiento circular uniforme	$\vec{\mathbf{v}}(t) = \frac{d\vec{\mathbf{r}}(t)}{dt} = -A\omega \text{ sen } \omega t\hat{\mathbf{i}} + A\omega\cos\omega t\hat{\mathbf{j}}$
Vector de aceleración, movimiento circular uniforme	$\vec{\mathbf{a}}(t) = \frac{d\vec{\mathbf{v}}(t)}{dt} = -A\omega^2\cos\omega t\hat{\mathbf{i}} - A\omega^2 \text{ sen } \omega t\hat{\mathbf{j}}$
Aceleración tangencial	$a_T = \frac{d\lvert\vec{\mathbf{v}}\rvert}{dt}$
Aceleración total	$\vec{\mathbf{a}} = \vec{\mathbf{a}}_C + \vec{\mathbf{a}}_T$
Vector de posición en el marco *S* es el vector de posición en el marco S' más el vector que va del origen de *S* al origen de S'	$\vec{\mathbf{r}}_{PS} = \vec{\mathbf{r}}_{PS'} + \vec{\mathbf{r}}_{S'S}$
Ecuación de velocidad relativa que conecta dos marcos de referencia	$\vec{\mathbf{v}}_{PS} = \vec{\mathbf{v}}_{PS'} + \vec{\mathbf{v}}_{S'S}$
Ecuación de la velocidad relativa que conecta más de dos marcos de referencia	$\vec{\mathbf{v}}_{PC} = \vec{\mathbf{v}}_{PA} + \vec{\mathbf{v}}_{AB} + \vec{\mathbf{v}}_{BC}$
Ecuación de la aceleración relativa	$\vec{\mathbf{a}}_{PS} = \vec{\mathbf{a}}_{PS'} + \vec{\mathbf{a}}_{S'S}$

Resumen

4.1 Vectores de desplazamiento y velocidad

- La función de posición $\vec{\mathbf{r}}(t)$ da la posición en función del tiempo de una partícula que se mueve en dos o tres dimensiones. Gráficamente, es un vector desde el origen de un sistema de coordenadas elegido hasta el punto en el que se encuentra la partícula en un momento determinado.
- El vector de desplazamiento $\Delta\vec{\mathbf{r}}$ da la distancia más corta entre dos puntos cualquiera de la trayectoria de una partícula en dos o tres dimensiones.
- La velocidad instantánea da la rapidez y la dirección de una partícula en un momento determinado de su trayectoria en dos o tres dimensiones, y es un vector en dos y tres dimensiones.
- El vector velocidad es tangente a la trayectoria de la partícula.
- El desplazamiento $\vec{\mathbf{r}}(t)$ puede escribirse como una suma vectorial de los desplazamientos unidimensionales $\vec{x}(t), \vec{y}(t), \vec{z}(t)$ a lo largo de las direcciones de la *x*, la *y* y la *z*.
- La velocidad $\vec{\mathbf{v}}(t)$ puede escribirse como una suma vectorial de las velocidades unidimensionales $v_x(t), v_y(t), v_z(t)$ a lo largo de las direcciones de la *x*, la *y* y la *z*.
- El movimiento en una dirección determinada es independiente del movimiento en una dirección perpendicular.

4.2 Vector de aceleración

- En dos y tres dimensiones, el vector de aceleración puede tener una dirección arbitraria y no apunta necesariamente a lo largo de un componente determinado de la velocidad.
- La aceleración instantánea se produce por un cambio de velocidad tomado en un tiempo muy corto (infinitesimal). La aceleración instantánea es un vector en dos o tres dimensiones. Se encuentra al tomar la derivada de la función de velocidad con respecto al tiempo.
- En tres dimensiones, la aceleración $\vec{\mathbf{a}}(t)$ puede escribirse como una suma vectorial de las aceleraciones unidimensionales $a_x(t), a_y(t)$, y $a_z(t)$ a lo largo de los ejes de la *x*, la *y* y la *z*.
- Las ecuaciones cinemáticas para la aceleración constante pueden escribirse como la suma vectorial de las ecuaciones de aceleración constante en las direcciones de la *x*, la *y* y la *z*.

4.3 Movimiento de proyectil

- El movimiento de proyectil es el movimiento de un objeto sometido únicamente a la aceleración de la gravedad, cuando la aceleración es constante, como ocurre cerca de la superficie de la Tierra.
- Para resolver problemas de movimiento de proyectil, analizamos el movimiento del proyectil en las direcciones horizontal y vertical mediante el empleo de las ecuaciones cinemáticas unidimensionales para *x* y *y*.
- El tiempo de vuelo de un proyectil lanzado con velocidad vertical inicial v_{0y} en una superficie llana está dado por

$$T_{tof} = \frac{2(v_0 \operatorname{sen} \theta)}{g}.$$

  Esta ecuación es válida únicamente cuando el proyectil cae a la misma altura desde la que se lanzó.
- La distancia horizontal máxima que recorre un proyectil se denomina alcance. Una vez más, la ecuación del alcance es válida únicamente cuando el proyectil cae a la misma altura desde la que se lanzó.

4.4 Movimiento circular uniforme

- El movimiento circular uniforme es el movimiento en un círculo a rapidez constante.
- La aceleración centrípeta $\vec{\mathbf{a}}_C$ es la aceleración que debe tener una partícula para seguir una trayectoria circular. La aceleración centrípeta siempre apunta hacia el centro de rotación y tiene una magnitud $a_C = v^2/r$.
- El movimiento circular no uniforme se produce cuando hay aceleración tangencial de un objeto, que ejecuta un movimiento circular, de tal manera que la rapidez del objeto cambia. Esta aceleración recibe el nombre de aceleración tangencial $\vec{\mathbf{a}}_T$. La magnitud de la aceleración tangencial es la tasa de tiempo del cambio de la magnitud de la velocidad. El vector de aceleración tangencial es tangente al círculo, mientras que el vector de aceleración centrípeta apunta radialmente hacia el centro del círculo. La aceleración total es la suma vectorial de las aceleraciones tangencial y centrípeta.
- Un objeto que ejecuta un movimiento circular uniforme puede describirse con ecuaciones de movimiento. El vector de posición del objeto es $\vec{\mathbf{r}}(t) = A \cos \omega t \hat{\mathbf{i}} + A \operatorname{sen} \omega t \hat{\mathbf{j}}$, donde *A* es la magnitud $|\vec{\mathbf{r}}(t)|$, que es también el radio del círculo, y ω es la frecuencia angular.

4.5 Movimiento relativo en una y dos dimensiones

- Al analizar el movimiento de un objeto, es necesario especificar el marco de referencia en términos de posición, velocidad y aceleración.
- La velocidad relativa es la velocidad de un objeto observada desde un marco de referencia concreto, y varía con la elección del marco de referencia.
- Si *S* y S' son dos marcos de referencia que se mueven uno respecto al otro a velocidad constante, entonces la velocidad de un objeto respecto a *S* es igual a su velocidad respecto a S' más la velocidad de S' en relación con *S*.
- Si dos marcos de referencia se mueven uno respecto al otro a velocidad constante, entonces la aceleración de un objeto que se observa en ambos marcos de referencia es igual.

Preguntas Conceptuales

4.1 Vectores de desplazamiento y velocidad

1. ¿Qué forma tiene la trayectoria de una partícula si la distancia de cualquier punto *A* al punto *B* es igual a la magnitud del desplazamiento de *A* a *B*?

2. Dé un ejemplo de una trayectoria en dos o tres dimensiones causada por movimientos perpendiculares independientes.

3. Si la velocidad instantánea es cero, ¿qué se puede

decir de la pendiente de la función de posición?

4.2 Vector de aceleración

4. Si la función de posición de una partícula es una función lineal del tiempo, ¿qué se puede decir de su aceleración?
5. Si un objeto tiene un componente *x* constante de velocidad y de repente experimenta una aceleración en la dirección de la *y*, ¿cambia el componente *x* de su velocidad?
6. Si un objeto tiene un componente *x* constante de velocidad y de repente experimenta una aceleración con un ángulo de 70° en la dirección de la *x*, ¿cambia el componente *x* de velocidad?

4.3 Movimiento de proyectil

7. Responda las siguientes preguntas con respecto al movimiento de proyectil en terreno llano suponiendo que la resistencia del aire es despreciable y que el ángulo inicial no es 0° ni 90° : (a) ¿La velocidad es siempre cero? (b) ¿Cuándo la velocidad es mínima? ¿Y máxima? (c) ¿Puede la velocidad ser alguna vez igual a la velocidad inicial en un tiempo distinto a $t = 0$? (d) ¿Puede la rapidez ser alguna vez igual a la rapidez inicial en un tiempo distinto a $t = 0$?
8. Responda las siguientes preguntas con respecto al movimiento de proyectil en terreno llano suponiendo que la resistencia del aire es despreciable y que el ángulo inicial no es 0° ni 90° : (a) ¿La aceleración es siempre cero? (b) ¿El vector $\vec{\mathbf{v}}$ siempre es paralelo o antiparalelo al vector $\vec{\mathbf{a}}$? (c) ¿El vector v es siempre perpendicular al vector a? Si es así, ¿dónde se encuentra?
9. Se coloca una moneda de diez centavos en el borde de una mesa para que cuelgue ligeramente. Una moneda de 25 centavos se desliza horizontalmente sobre la superficie de la mesa perpendicularmente al borde y golpea la moneda de 10 centavos de frente. ¿Qué moneda cae primero al suelo?

4.4 Movimiento circular uniforme

10. ¿Puede la aceleración centrípeta modificar la rapidez de una partícula en movimiento circular?
11. ¿Puede la aceleración tangencial modificar la rapidez de una partícula en movimiento circular?

4.5 Movimiento relativo en una y dos dimensiones

12. ¿Qué marco o marcos de referencia utiliza instintivamente cuando conduce un auto? ¿Cuando vuela en un avión comercial?
13. Un jugador de baloncesto que regatea en la cancha mantiene la mirada fija en los jugadores que le rodean. Se mueve rápido. ¿Por qué no tiene que mantener la vista en el balón?
14. Si alguien va en la parte trasera de una camioneta y lanza una pelota de sóftbol directamente hacia atrás, ¿es posible que la pelota caiga directamente hacia abajo, vista por una persona que esté parada a un lado de la carretera? ¿En qué condiciones ocurriría esto? ¿Cómo parecería para la persona que la lanzó el movimiento de la pelota?
15. La gorra de un corredor que corre a velocidad constante se le cae de la nuca. Dibuje un esquema que muestre la trayectoria de la gorra en el marco de referencia del corredor. Dibuje su trayectoria vista por un observador inmóvil. Ignore la resistencia del aire.
16. Un terrón de tierra cae de la plataforma de un camión en movimiento. Golpea el suelo directamente debajo del extremo del camión. (a) ¿Cuál es la dirección de su velocidad con respecto al camión justo antes de chocar? (b) ¿Es la misma que la dirección de su velocidad con respecto al suelo justo antes de chocar? Explique sus respuestas.

Problemas

4.1 Vectores de desplazamiento y velocidad

17. Las coordenadas de una partícula en un sistema de coordenadas rectangulares son (1,0, -4,0, 6,0). ¿Cuál es el vector de posición de la partícula?
18. La posición de una partícula cambia de $\vec{\mathbf{r}}_1 = (2{,}0\ \hat{\mathbf{i}} + 3{,}0\hat{\mathbf{j}})\text{cm}$ a $\vec{\mathbf{r}}_2 = (-4{,}0\hat{\mathbf{i}} + 3{,}0\hat{\mathbf{j}})$ cm. ¿Cuál es el desplazamiento de la partícula?
19. El hoyo 18 del campo de golf de Pebble Beach es un *dogleg* a la izquierda de 496,0 m de longitud. La calle desde el *tee* se toma como la dirección de la *x*. Un golfista realiza su golpe del *tee* a una distancia de 300,0 m, lo que corresponde a un desplazamiento $\Delta\vec{\mathbf{r}}_1 = 300{,}0\ \text{m}\hat{\mathbf{i}}$, y realiza su

segundo golpe a 189,0 m con un desplazamiento $\Delta\vec{\mathbf{r}}_2 = 172{,}0\,\text{m}\hat{\mathbf{i}} + 80{,}3\,\text{m}\hat{\mathbf{j}}$. ¿Cuál es el desplazamiento final de la bola de golf desde el *tee*?

20. Un pájaro vuela en línea recta hacia el noreste una distancia de 95,0 km durante 3,0 h. Con el eje de la *x* hacia el este y el eje de la *y* hacia el norte, ¿cuál es el desplazamiento en notación vectorial unitaria del pájaro? ¿Cuál es la velocidad media del viaje?

21. Un ciclista recorre 5,0 km hacia el este y luego 10,0 km a 20° al oeste del norte. Desde este punto recorre 8,0 km hacia el oeste. ¿Cuál es el desplazamiento final desde el punto de partida del ciclista?

22. El defensa de los New York Rangers, Daniel Girardi, se sitúa en la portería y pasa un disco de hockey a 20 m y 45° en línea recta desde el hielo hasta el ala izquierda, donde Chris Kreider esperaba en la línea azul. Kreider espera a que Girardi llegue a la línea azul y le pasa el disco directamente a través del hielo a 10 m de distancia. ¿Cuál es el desplazamiento final del disco? Vea la siguiente figura.

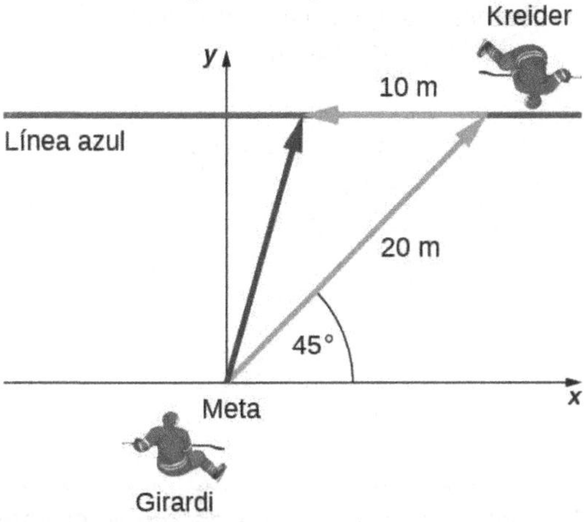

23. La posición de una partícula es $\vec{\mathbf{r}}(t) = 4{,}0t^2\hat{\mathbf{i}} - 3{,}0\hat{\mathbf{j}} + 2{,}0t^3\hat{\mathbf{k}}\text{m}$. (a) ¿Cuál es la velocidad de la partícula en 0 s y en 1,0 s? (b) ¿Cuál es la velocidad media entre 0 s y 1,0 s?

24. Clay Matthews, apoyador (*linebacker*) de los Green Bay Packers, puede alcanzar una rapidez de 10,0 m/s. Al comienzo de una jugada, Matthews corre por el campo a 45° con respecto a la línea de 50 yardas y recorre 8,0 m en 1 s. Luego, corre en línea recta por el campo a 90° con respecto a la línea de 50 yardas durante 12 m, con un tiempo transcurrido de 1,2 s. (a) ¿Cuál es el desplazamiento final de Matthews desde el inicio de la jugada? (b) ¿Cuál es su velocidad media?

25. El F-35B Lighting II es un avión de combate de despegue corto y aterrizaje vertical. Si realiza un despegue vertical a 20,00 m de altura sobre el suelo y luego sigue una trayectoria de vuelo en un ángulo de 30° con respecto al suelo durante 20,00 km, ¿cuál es el desplazamiento final?

4.2 Vector de aceleración

26. La posición de una partícula es $\vec{\mathbf{r}}(t) = (3{,}0t^2\hat{\mathbf{i}} + 5{,}0\hat{\mathbf{j}} - 6{,}0t\hat{\mathbf{k}})$ m. (a) Determine su velocidad y aceleración en función del tiempo. (b) ¿Cuáles son su velocidad y aceleración en el tiempo $t = 0$?

27. La aceleración de una partícula es $(4{,}0\hat{\mathbf{i}} + 3{,}0\hat{\mathbf{j}})\text{m/s}^2$. En $t = 0$, su posición y velocidad son cero. (a) ¿Cuáles son la posición y la velocidad de la partícula en función del tiempo? (b) Halle la ecuación de la trayectoria de la partícula. Dibuje los ejes de la *x* y la *y* y haga un esquema de la trayectoria de la partícula.

28. Un barco sale del muelle en $t = 0$ y se dirige a un lago con una aceleración de $2{,}0\,\text{m/s}^2\hat{\mathbf{i}}$. Un fuerte viento empuja el barco y le imprime una velocidad adicional de $2{,}0\,\text{m/s}\hat{\mathbf{i}} + 1{,}0\,\text{m/s}\hat{\mathbf{j}}$. (a) ¿Cuál es la velocidad del barco en $t = 10$ s? (b) ¿Cuál es la posición del barco en $t = 10$s? Dibuje un esquema de la trayectoria y posición del barco en $t = 10$ s, mostrando los ejes de la *x* y la *y*.

29. La posición de una partícula para $t > 0$ está dada por $\vec{\mathbf{r}}(t) = (3{,}0t^2\hat{\mathbf{i}} - 7{,}0t^3\hat{\mathbf{j}} - 5{,}0t^{-2}\hat{\mathbf{k}})$ m. (a) ¿Cuál es la velocidad en función del tiempo? (b) ¿Cuál es la aceleración en función del tiempo? (c) ¿Cuál es la velocidad de la partícula en $t = 2{,}0$ s? (d) ¿Cuál es su velocidad en $t = 1{,}0$ s y $t = 3{,}0$ s? (e) ¿Cuál es la velocidad media entre $t = 1{,}0$ s y $t = 2{,}0$ s?

30. La aceleración de una partícula es una constante. En $t = 0$ la velocidad de la partícula es $(10\hat{\mathbf{i}} + 20\hat{\mathbf{j}})$m/s. En $t = 4$ s la velocidad es $10\hat{\mathbf{j}}$m/s. (a) ¿Cuál es la aceleración de la partícula? (b) ¿Cómo varían la posición y la velocidad con el tiempo? Supongamos que la partícula está inicialmente en el origen.

31. Una partícula tiene una función de posición $\vec{\mathbf{r}}(t) = \cos(1{,}0t)\hat{\mathbf{i}} + \text{sen}(1{,}0t)\hat{\mathbf{j}} + t\hat{\mathbf{k}}$, donde los argumentos de las funciones coseno (cos) y seno (sen) están en radianes. (a) ¿Cuál es el vector velocidad? (b) ¿Cuál es el vector de aceleración?

32. Un jet Lockheed Martin F-35 II Lighting despega de un portaaviones con una longitud de pista de 90 m y una rapidez de despegue de 70 m/s al final de la pista. Los jets se catapultan al espacio aéreo desde la cubierta de un portaaviones con dos fuentes de propulsión: la propulsión del jet y la catapulta. En el momento de abandonar la cubierta del portaaviones, la aceleración del F-35 disminuye hasta una constante de $5{,}0\ \text{m/s}^2$ a 30° con respecto a la horizontal. (a) ¿Cuál es la aceleración inicial del F-35 en la cubierta del portaviones para hacerlo volar? (b) Escriba la posición y la velocidad del F-35 en notación vectorial unitaria desde el momento en que abandona la cubierta del portaaviones. (c) ¿A qué altitud se encuentra el avión de combate 5,0 s después de abandonar la cubierta del portaaviones? (d) ¿Cuál es su velocidad y su rapidez en ese momento? (e) ¿Qué distancia ha recorrido horizontalmente?

4.3 Movimiento de proyectil

33. Se dispara una bala horizontalmente desde la altura del hombro (1,5 m) con una rapidez inicial de 200 m/s. (a) ¿Cuánto tiempo transcurre antes de que la bala toque el suelo? (b) ¿Qué distancia recorre la bala horizontalmente?

34. Una canica rueda desde una mesa de 1,0 m de altura y cae al suelo en un punto situado a 3,0 m del borde de la mesa en dirección horizontal. (a) ¿Cuánto tiempo está la canica en el aire? (b) ¿Cuál es la rapidez de la canica cuando sale del borde de la mesa? (c) ¿Cuál es su rapidez cuando cae al suelo?

35. Se lanza un dardo horizontalmente a una rapidez de 10 m/s a la diana de un tablero de dardos que está a 2,4 m de distancia, como en la siguiente figura. (a) ¿A qué distancia debajo del blanco previsto impacta el dardo? (b) ¿Qué le dice su respuesta sobre cómo lanzan los dardos los jugadores expertos?

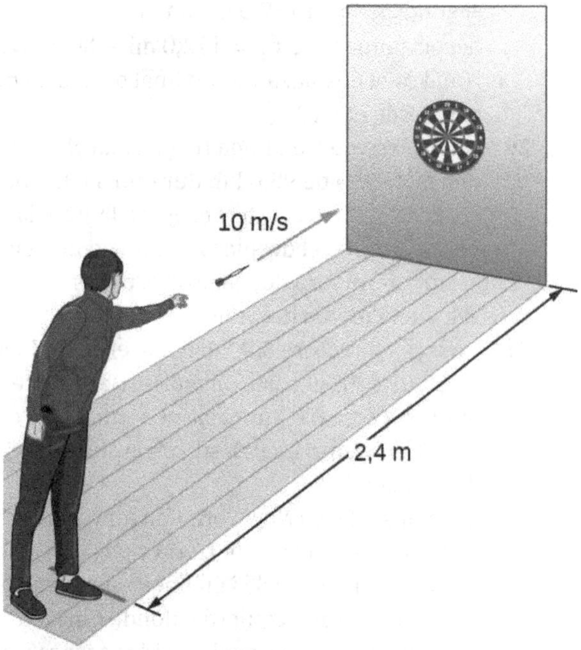

36. Un avión que vuela horizontalmente con una rapidez de 500 km/h a una altura de 800 m deja caer una caja de suministros (ver la siguiente figura). Si el paracaídas no se abre, ¿a qué distancia del punto de liberación golpea la caja el suelo?

37. Supongamos que el avión del problema anterior dispara un proyectil horizontalmente en su dirección de movimiento a una rapidez de 300 m/s con respecto al avión. (a) ¿A qué distancia del punto de lanzamiento impacta el proyectil en el suelo? (b) ¿Cuál es su rapidez cuando impacta en el suelo?

38. Un lanzador de bolas rápidas puede lanzar una bola de béisbol a una rapidez de 40 m/s (90 mi/h). (a) Suponiendo que el lanzador suelte la bola a 16,7 m del plato de home para que la bola se mueva horizontalmente, ¿cuánto tiempo tarda la bola en llegar al plato de home? (b) ¿Qué distancia cae la bola entre la mano del lanzador y el plato de home?

39. Un proyectil se lanza con un ángulo de 30° y

aterriza 20 s después a la misma altura a la que se lanzó. (a) ¿Cuál es la rapidez inicial del proyectil? (b) ¿Cuál es la altitud máxima? (c) ¿Cuál es el alcance? (d) Calcule el desplazamiento desde el punto de lanzamiento hasta la posición en su trayectoria a los 15 s.

40. Un jugador de baloncesto lanza hacia una canasta situada a 6,1 m y a 3,0 m del suelo. Si la pelota se suelta a 1,8 m del suelo con un ángulo de $60°$ sobre la horizontal, ¿cuál debe ser la rapidez inicial para que pase por la canasta?

41. En un instante determinado, un globo aerostático se encuentra a 100 m de altura y desciende a una rapidez constante de 2,0 m/s. En ese preciso instante, una chica lanza una pelota horizontalmente, con respecto a ella misma, con una rapidez inicial de 20 m/s. Cuando aterrice, ¿dónde encontrará la pelota? Ignore la resistencia del aire.

42. Un hombre en una motocicleta que viaja a una rapidez uniforme de 10 m/s lanza una lata vacía directamente hacia arriba con respecto a él con una rapidez inicial de 3,0 m/s. Halle la ecuación de la trayectoria vista por un policía al lado de la carretera. Supongamos que la posición inicial de la lata es el punto donde se lanza. Ignore la resistencia del aire.

43. Un atleta puede saltar una distancia de 8,0 m en el salto largo. ¿Cuál es la distancia máxima que puede saltar el atleta en la Luna, donde la aceleración gravitatoria es una sexta parte de la de la Tierra?

44. La distancia horizontal máxima a la que un niño puede lanzar una pelota es de 50 m. Asuma que puede lanzar con la misma rapidez inicial en todos los ángulos. ¿A qué altura lanza la pelota cuando lo hace directamente hacia arriba?

45. Una roca es lanzada desde un acantilado con un ángulo de $53°$ con respecto a la horizontal. El acantilado tiene 100 m de altura. La rapidez inicial de la roca es de 30 m/s. (a) ¿A qué altura sobre el borde del acantilado se eleva la roca? (b) ¿A qué distancia se ha desplazado horizontalmente cuando se encuentra a la máxima altura? (c) ¿Cuánto tiempo después del lanzamiento golpea el suelo? (d) ¿Cuál es el alcance de la roca? (e) ¿Cuáles son las posiciones horizontal y vertical de la roca con respecto al borde del acantilado en $t = 2{,}0$ s, $t = 4{,}0$ s y $t = 6{,}0$ s?

46. Tratando de escapar de sus perseguidores, un agente secreto esquía por una pendiente inclinada a $30°$ por debajo de la horizontal a 60 km/h. Para sobrevivir y aterrizar en la nieve 100 m más abajo, debe superar un desfiladero de 60 m de ancho. ¿Lo consigue? Ignore la resistencia del aire.

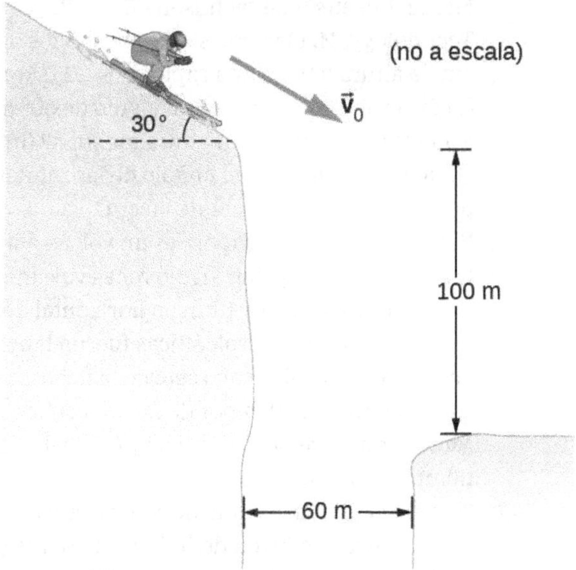

47. Una golfista en una calle se encuentra a 70 m del *green*, que se encuentra 20 m por debajo del nivel de la calle. Si la golfista golpea la pelota con un ángulo de $40°$ con una rapidez inicial de 20 m/s, ¿qué tan cerca del *green* llega?

48. Se dispara un proyectil contra una colina cuya base está a 300 m de distancia. El proyectil se dispara a $60°$ sobre la horizontal con una rapidez inicial de 75 m/s. La colina puede ser aproximada por un plano inclinado a $20°$ de la horizontal. En relación con el sistema de coordenadas mostrado en la siguiente figura, la ecuación de esta recta es $y = (\tan 20°)x - 109$. ¿En qué parte de la colina cae el proyectil?

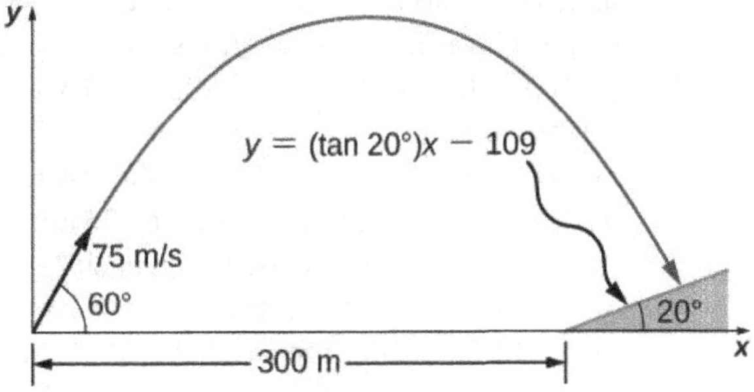

49. Un astronauta en Marte patea un balón de fútbol a un ángulo de $45°$ con una velocidad inicial de 15 m/s. Si la aceleración de la gravedad en Marte es $3{,}7\,\text{m/s}^2$, (a) ¿cuál es el alcance del golpe del balón de fútbol en una superficie plana? (b) ¿cuál sería el alcance del mismo golpe en la Luna, donde la gravedad es una sexta parte de la Tierra?

50. Mike Powell ostenta el récord de salto de longitud de 8,95 m, establecido en 1991. Si dejó el suelo a un ángulo de $15°$, ¿cuál era su rapidez inicial?

51. El guepardo robot del Instituto Tecnológico de Massachusetts (Massachusetts Institute of Technology, MIT) puede saltar obstáculos de 46 cm de altura y tiene una rapidez de 12,0 km/h. (a) Si el robot se lanza en un ángulo de $60°$ a esta rapidez, ¿cuál es su altura máxima? (b) ¿Cuál tendría que ser el ángulo de lanzamiento para alcanzar una altura de 46 cm?

52. El monte Asama, en Japón, es un volcán activo. En 2009, una erupción arrojó rocas volcánicas sólidas que cayeron a 1 km en horizontal desde el cráter. Si las rocas volcánicas fueron lanzadas en un ángulo de $40°$ con respecto a la horizontal y aterrizaron a 900 m por debajo del cráter, (a) ¿cuál sería su velocidad inicial y (b) cuál es su tiempo de vuelo?

53. Drew Brees, de los Saints de Nueva Orleans, puede lanzar un balón de fútbol a 23,0 m/s (50 mph). Si angula el lanzamiento a $10°$ desde la horizontal, ¿qué distancia recorre si debe atraparse a la misma altura a la que se lanzó?

54. El vehículo lunar itinerante que se utilizó en las últimas misiones *Apolo* de la NASA alcanzó una rapidez lunar no oficial de $5{,}0\ \text{m/s}$ por el astronauta Eugene Cernan. Si el rover se moviera a esta rapidez en una superficie lunar plana y golpeara un pequeño bache que lo proyectara fuera de la superficie en un ángulo de $20°$, ¿cuánto tiempo estaría "en el aire" en la Luna?

55. Una portería de fútbol tiene 2,44 m de altura. Un jugador patea el balón a una distancia de 10 m de la portería con un ángulo de $25°$. El balón golpea el travesaño en la parte superior de la portería. ¿Cuál es la rapidez inicial del balón de fútbol?

56. El monte Olimpo de Marte es el mayor volcán del sistema solar, con una altura de 25 km y un radio de 312 km. Si está de pie en la cima, ¿con qué velocidad inicial tendría que disparar un proyectil desde un cañón en horizontal para superar el volcán y aterrizar en la superficie de Marte? Tenga en cuenta que Marte tiene una aceleración de la gravedad de $3{,}7\ \text{m/s}^2$.

57. En 1999, Robbie Knievel fue el primero en saltar el Gran Cañón en moto. En una parte estrecha del cañón (69,0 m de ancho) y viajando a 35,8 m/s desde la rampa de despegue, llegó al otro lado. ¿Cuál era su ángulo de lanzamiento?

58. Usted lanza una pelota de béisbol a una rapidez inicial de 15,0 m/s con un ángulo de $30°$ con respecto a la horizontal. ¿Cuál tendría que ser la rapidez inicial de la pelota a $30°$ en un planeta que tiene el doble de aceleración de la gravedad que la Tierra para lograr el mismo alcance? Considere el lanzamiento y el impacto en una superficie horizontal.

59. Aaron Rodgers lanza un balón de fútbol a 20,0 m/s a su receptor, que corre en línea recta por el campo a 9,4 m/s. Si Aarón lanza el balón cuando el receptor está a 10,0 m delante de él, ¿con qué ángulo tiene que lanzarlo Aarón para que el receptor lo atrape a 20,0 m delante de él?

4.4 Movimiento circular uniforme

60. Un volante de inercia rota a 30 rev/s. ¿Cuál es el ángulo total, en radianes, por el que rota un punto del volante de inercia en 40 s?

61. Una partícula se desplaza en un círculo de radio 10 m, a una rapidez constante de 20 m/s. ¿Cuál es la magnitud de la aceleración?

62. Cam Newton, de los Panthers de Carolina, lanza una espiral de fútbol americano perfecta a 8,0 rev/s. El radio de un balón de fútbol profesional es de 8,5 cm en el centro del lado corto. ¿Cuál es la aceleración centrípeta de los cordones del balón?

63. Una atracción de un parque de diversiones hace girar a sus ocupantes dentro de un espacio en forma de platillo volador. Si la trayectoria circular horizontal que siguen los ocupantes tiene un radio de 8,00 m, ¿a cuántas revoluciones por minuto se someten los ocupantes a una aceleración centrípeta igual a la de la gravedad?

64. Una corredora que participa en la carrera de 200 metros debe correr alrededor del extremo de una pista que tiene un arco circular con un radio de curvatura de 30,0 m. La corredora comienza la carrera a una rapidez constante. Si culmina la carrera de 200 metros en 23,2 s y corre a una rapidez constante durante toda la carrera, ¿cuál es su aceleración centrípeta al recorrer la parte curva de la pista?

65. ¿Cuál es la aceleración de Venus hacia el Sol, suponiendo una órbita circular?

66. Un cohete experimental a reacción viaja alrededor de la Tierra a lo largo de su ecuador, justo por encima de su superficie. ¿A qué rapidez debe viajar si la magnitud de su aceleración es *g*?

67. Un ventilador gira a una constante de 360,0 rev/min. ¿Cuál es la magnitud de la aceleración de un punto de una de sus aspas a 10,0 cm del eje de rotación?

68. Un punto situado en el segundero de un gran reloj tiene una aceleración radial de $0{,}1 cm/s^2$. ¿A qué distancia está el punto del eje de rotación del segundero?

4.5 Movimiento relativo en una y dos dimensiones

69. Los ejes de coordenadas del marco de referencia S' permanecen paralelos a los de S, ya que S' se aleja de S a una velocidad constante $\vec{\mathbf{v}}_{S'}^{S} = (4{,}0\hat{\mathbf{i}} + 3{,}0\hat{\mathbf{j}} + 5{,}0\hat{\mathbf{k}})$ m/s. (a) Si en el tiempo $t = 0$ los orígenes coinciden, ¿cuál es la posición del origen O' en el marco S en función del tiempo? (b) ¿Cómo se relaciona la posición de la partícula para $\vec{\mathbf{r}}(t)$ y $\vec{\mathbf{r}}'(t)$, medida en S y S', respectivamente? (c) ¿Cuál es la relación entre las velocidades de las partículas $\vec{\mathbf{v}}(t)$ y $\vec{\mathbf{v}}'(t)$? (d) ¿Cómo están las aceleraciones $\vec{\mathbf{a}}(t)$ y $\vec{\mathbf{a}}'(t)$ relacionadas?

70. Los ejes de coordenadas del marco de referencia S' permanecen paralelos a los de S, ya que S' se aleja de S a una velocidad constante $\vec{\mathbf{v}}_{S'S} = (1{,}0\hat{\mathbf{i}} + 2{,}0\hat{\mathbf{j}} + 3{,}0\hat{\mathbf{k}})t$ m/s. (a) Si en el tiempo $t = 0$ los orígenes coinciden, ¿cuál es la posición del origen O' en el marco S en función del tiempo? (b) ¿Cómo se relaciona la posición de la partícula para $\vec{\mathbf{r}}(t)$ y $\vec{\mathbf{r}}'(t)$, medida en S y S', respectivamente? (c) ¿Cuál es la relación entre las velocidades de las partículas $\vec{\mathbf{v}}(t)$ y $\vec{\mathbf{v}}'(t)$? (d) ¿Cómo están las aceleraciones $\vec{\mathbf{a}}(t)$ y $\vec{\mathbf{a}}'(t)$ relacionadas?

71. La velocidad de una partícula en el marco de referencia A es $(2{,}0\hat{\mathbf{i}} + 3{,}0\hat{\mathbf{j}})$ m/s. La velocidad del marco de referencia A con respecto al marco de referencia B es $4{,}0\hat{\mathbf{k}}$ m/s, y la velocidad del marco de referencia B con respecto a C es $2{,}0\hat{\mathbf{j}}$ m/s. ¿Cuál es la velocidad de la partícula en el marco de referencia C?

72. Las gotas de lluvia caen verticalmente a 4,5 m/s con respecto a la tierra. ¿Qué mide un observador en un auto que se mueve a 22,0 m/s en línea recta como la velocidad de las gotas de lluvia?

73. Una gaviota puede volar a una velocidad de 9,00 m/s en aire en calma. (a) Si el ave tarda 20,0 min en recorrer 6,00 km en línea recta hacia un viento que se aproxima, ¿cuál es la velocidad del viento? (b) Si el ave da la vuelta y vuela con el viento, ¿cuánto tardará en recorrer de vuelta 6,00 km?

74. Un barco zarpa de Rotterdam con rumbo norte a 7,00 m/s respecto al agua. La corriente marina local es de 1,50 m/s en una dirección $40{,}0°$ al norte del este. ¿Cuál es la velocidad del barco con respecto a la Tierra?

75. Un bote se puede remar a 8,0 km/h en aguas tranquilas. (a) ¿Cuánto tiempo se necesita para remar 1,5 km aguas abajo en un río que se mueve a 3,0 km/h con respecto a la orilla? (b) ¿Cuánto tiempo se necesita para el viaje de vuelta? (c) ¿En qué dirección debe apuntar el bote para remar en línea recta por el río? (d) Supongamos que el río tiene 0,8 km de ancho. ¿Cuál es la velocidad del bote con respecto a la Tierra y cuánto tiempo se necesita para llegar a la orilla opuesta? (e) Supongamos, en cambio, que el bote se dirige directamente al otro lado del río. ¿Cuánto tiempo se necesita para cruzar y a qué distancia aguas abajo está el bote cuando llega a la orilla opuesta?

76. Una avioneta vuela a 200 km/h en aire en calma. Si el viento sopla directamente del oeste a 50 km/h, (a) ¿en qué dirección debe la piloto dirigir su avión para moverse directamente hacia el norte por tierra y (b) cuánto tiempo tarda en alcanzar un punto a 300 km directamente al norte de su punto de partida?

77. Un ciclista que viaja hacia el sureste por una carretera a 15 km/h siente un viento que sopla del suroeste a 25 km/h. Para un observador inmóvil, ¿cuáles son la rapidez y la dirección del viento?

78. Un río se mueve hacia el este a 4 m/s. Un bote parte del muelle en dirección $30°$ al norte del oeste a 7 m/s. Si el río tiene 1.800 m de ancho, (a) ¿cuál es la velocidad del bote con respecto a la Tierra y (b) cuánto tarda el bote en cruzar el río?

Problemas Adicionales

79. Un auto de carreras de Fórmula 1 se desplaza a 89,0 m/s por una pista recta y entra en una curva con un radio de curvatura de 200,0 m. ¿Qué aceleración centrípeta debe tener el auto para mantenerse en la pista?

80. Una partícula viaja en una órbita circular de radio de 10 m. Su rapidez cambia a una tasa de $15{,}0 m/s^2$ en un instante en que su rapidez es de 40,0 m/s. ¿Cuál es la magnitud de la aceleración de la partícula?

81. El conductor de un auto que se mueve a 90,0 km/h pisa el freno cuando el auto entra en una curva circular de radio de 150,0 m. Si la rapidez del auto disminuye a una tasa de 9,0 km/h cada segundo, ¿cuál es la magnitud de la aceleración del auto en el instante en que su rapidez es de 60,0 km/h?

82. Un auto de carreras que entra en la parte curva de la pista en las 500 millas de Daytona reduce su rapidez de 85,0 m/s a 80,0 m/s en 2,0 s. Si el radio de la parte curva de la pista es de 316,0 m, calcule la aceleración total del auto de carreras al principio y al final de la reducción de rapidez.

83. Un elefante se encuentra en la superficie de la Tierra a una latitud λ. Calcule la aceleración centrípeta del elefante resultante de la rotación de la Tierra alrededor de su eje polar. Exprese su respuesta en términos de λ, el radio R_E de la Tierra, y el tiempo T para una rotación de la Tierra. Compare su respuesta con la g para $\lambda = 40°$.

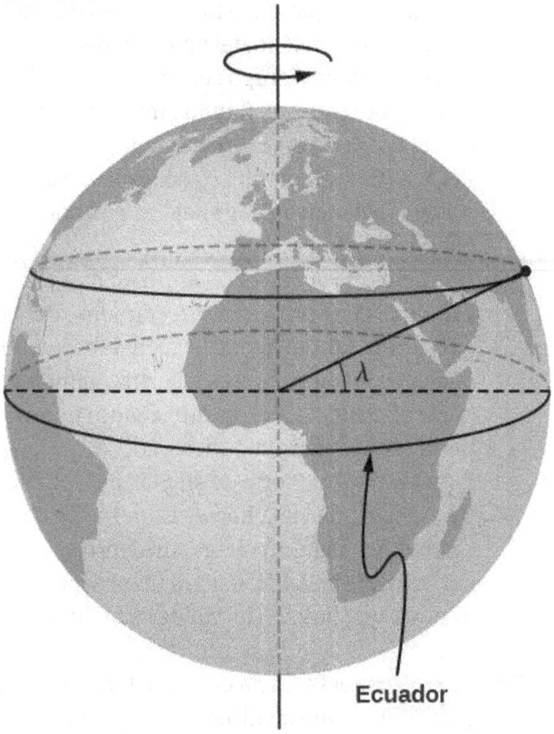

84. Un protón en un sincrotrón se mueve en un círculo de radio de 1 km y aumenta su rapidez en $v(t) = c_1 + c_2 t^2$, donde $c_1 = 2{,}0 \times 10^5$ m/s, $c_2 = 10^5$ m/s^3. (a) ¿Cuál es la aceleración total del protón en $t = 5{,}0$ s? (b) ¿A qué tiempo la expresión de la velocidad deja de ser física?

85. Un aspa de hélice en reposo comienza a girar desde $t = 0$ s hasta $t = 5{,}0$ s con una aceleración tangencial de la punta del aspa a $3{,}00$ m/s^2. La punta del aspa está a 1,5 m del eje de rotación. En $t = 5{,}0$ s, ¿cuál es la aceleración total de la punta del aspa?

86. Una partícula ejecuta un movimiento circular con una frecuencia angular constante de $\omega = 4{,}00$ rad/s. Si el tiempo $t = 0$ corresponde a la posición de la partícula situada en $y = 0$ m y $x = 5$ m, (a) ¿cuál es la posición de la partícula en $t = 10$ s? (b) ¿cuál es su velocidad en este tiempo? (c) ¿cuál es su aceleración?

87. La aceleración centrípeta de una partícula es $a_C = 4{,}0$ m/s^2 en $t = 0$ s donde se encuentra en el eje de la x y se mueve en sentido contrario de las agujas del reloj en el plano xy. Ejecuta un movimiento circular uniforme en torno a un eje a una distancia de 5,0 m. ¿Cuál es su velocidad en $t = 10$ s?

88. Una varilla de 3,0 m de longitud rota a 2,0 rev/s en torno a un eje situado en un extremo. Compare las aceleraciones centrípetas en radios de (a) 1,0 m, (b) 2,0 m y (c) 3,0 m.

89. Una partícula situada inicialmente en $(1{,}5\hat{\mathbf{j}} + 4{,}0\hat{\mathbf{k}})$m sufre un desplazamiento de $(2{,}5\hat{\mathbf{i}} + 3{,}2\hat{\mathbf{j}} - 1{,}2\hat{\mathbf{k}})$ m. ¿Cuál es la posición final de la partícula?

90. La posición de una partícula viene dada por $\vec{\mathbf{r}}(t) = (50\text{ m/s})t\hat{\mathbf{i}} - (4{,}9\text{ m/s}^2)t^2\hat{\mathbf{j}}$. (a) ¿Cuáles son la velocidad y la aceleración de la partícula en función del tiempo? (b) ¿Cuáles son las condiciones iniciales para producir el movimiento?

91. Una nave espacial viaja a una velocidad constante de $\vec{\mathbf{v}}(t) = 250{,}0\hat{\mathbf{i}}$m/s cuando sus cohetes se activan, lo que le imprime una aceleración de $\vec{\mathbf{a}}(t) = (3{,}0\hat{\mathbf{i}} + 4{,}0\hat{\mathbf{k}})$m/s^2. ¿Cuál es su velocidad 5 s después de la activación de los cohetes?

92. Una ballesta apunta horizontalmente a un objetivo a 40 m de distancia. La flecha impacta 30 cm por debajo del punto al que estaba dirigida. ¿Cuál es la velocidad inicial de la flecha?

93. Un atleta de salto largo puede saltar una distancia de 8,0 m cuando se eleva a un ángulo de 45° con respecto a la horizontal. Suponiendo que pueda saltar con la misma rapidez inicial en todos los ángulos, ¿cuánta distancia pierde al saltar a 30°?

94. En el planeta Arcon, el alcance horizontal máximo de un proyectil lanzado a 10 m/s es de 20 m. ¿Cuál es la aceleración de la gravedad en este planeta?

95. Un ciclista de montaña se topa con un obstáculo en un circuito de carreras que lo lanza por el aire a 60° de la horizontal. Si aterriza a una distancia horizontal de 45,0 m y 20 m por debajo de su punto de lanzamiento, ¿cuál es su rapidez inicial?

96. ¿Cuál tiene mayor aceleración centrípeta, un auto con una rapidez de 15,0 m/s a lo largo de una pista circular de radio de 100,0 m o un auto con una rapidez de 12,0 m/s a lo largo de una pista circular de radio de 75,0 m?

97. Un satélite geosincrónico orbita la Tierra a una distancia de 42.250,0 km y tiene un periodo de 1 día. ¿Cuál es la aceleración centrípeta del satélite?

98. Dos lanchas rápidas viajan a la misma rapidez con respecto al agua en direcciones opuestas en un río en movimiento. Un observador en la orilla del río ve que las lanchas se mueven a 4,0 m/s y 5,0 m/s. (a) ¿Cuál es la rapidez de las lanchas con respecto al río? (b) ¿A qué velocidad se mueve el río con respecto a la orilla?

Problemas De Desafío

99. El par 3 más largo del mundo. El *tee* del par 3 más largo del mundo se encuentra en la cima de la montaña Hanglip de Sudáfrica, a 400,0 m de altura sobre el *green*, y solo se puede llegar a él en helicóptero. La distancia horizontal al *green* es de 359,0 m. Ignore la resistencia del aire y responda a las siguientes preguntas. (a) Si una golfista lanza un tiro que es de 40° con respecto a la horizontal, ¿qué velocidad inicial le debe dar a la pelota? (b) ¿Cuál es el tiempo para llegar al *green*?

100. Cuando un goleador de campo patea un balón de fútbol tan fuerte como puede a 45° de la horizontal, el balón pasa justo por encima del travesaño de 3 m de altura de los postes de la portería a 45,7 m de distancia. (a) ¿Cuál es la rapidez máxima que el pateador puede impartir al balón? (b) Además de pasar por encima del travesaño, el balón debe estar lo suficientemente alto en el aire durante su vuelo para evitar el alcance del liniero defensivo que se aproxima. Si el liniero está a 4,6 m y tiene un alcance vertical de 2,5 m, ¿puede bloquear el intento de gol de campo de 45,7 m? (c) ¿Y si el liniero está a 1,0 m?

101. Un camión viaja hacia el este a 80 km/h. En una intersección situada a 32 km, un auto circula hacia el norte a 50 km/h. (a) ¿Cuánto tiempo después de este momento estarán los vehículos más cerca el uno del otro? (b) ¿A qué distancia estarán en ese momento?

CAPÍTULO 5
Leyes del movimiento de Newton

Figura 5.1 El puente Golden Gate, una de las mayores obras de la ingeniería moderna, era el puente colgante más largo del mundo en el año de su inauguración, 1937. Al momento de redactar esto, sigue estando entre los 10 puentes colgantes más largos. Al diseñar y construir un puente, ¿qué física debemos tener en cuenta? ¿Qué fuerzas actúan sobre el puente? ¿Qué fuerzas impiden que el puente se caiga? ¿Cómo interactúan las torres, los cables y el suelo para mantener la estabilidad?

ESQUEMA DEL CAPITULO

INTRODUCCIÓN Cuando conduce por un puente, espera que se mantenga estable. También espera acelerar o frenar su auto en respuesta a los cambios de tráfico. En ambos casos, se está lidiando con fuerzas. Las fuerzas sobre el puente están en equilibrio, por lo que se mantiene en su sitio. Por el contrario, la fuerza producida por el motor de su auto provoca un cambio en el movimiento. Isaac Newton descubrió las leyes del movimiento que describen estas situaciones.

Las fuerzas afectan a cada momento de su vida. Su cuerpo está sujeto a la Tierra por la fuerza y se mantiene unido por las fuerzas de las partículas cargadas. Cuando abre una puerta, camina por la calle, levanta el tenedor o toca la cara de un bebé, está aplicando fuerzas. Si nos acercamos más, los átomos del cuerpo se mantienen unidos por fuerzas eléctricas, y el núcleo del átomo se mantiene unido por la fuerza más potente que conocemos: la fuerza nuclear fuerte.

5.1 Fuerzas

OBJETIVOS DE APRENDIZAJE

Al final de esta sección, podrá:

- Distinguir entre cinemática y dinámica.
- Comprender la definición de fuerza.
- Identificar los diagramas simples de cuerpo libre.
- Definir la unidad de fuerza del SI, el newton.
- Describir la fuerza como un vector.

El estudio del movimiento recibe el nombre de *cinemática*; sin embargo, la cinemática describe solamente la forma en que se mueven los objetos: su velocidad y su aceleración. La **dinámica** es el estudio de cómo las fuerzas inciden en el movimiento de los objetos y sistemas. Considera las causas del movimiento de los objetos y sistemas de interés, donde un sistema es cualquier cosa que se analice. El fundamento de la dinámica son las leyes del movimiento enunciadas por Isaac Newton (1642-1727). Estas leyes son un ejemplo de la amplitud y simplicidad de los principios conforme a los cuales funciona la naturaleza. También son leyes universales, en el sentido de que se aplican a situaciones en la Tierra y en el espacio.

Las leyes del movimiento de Newton fueron apenas una parte de la monumental obra que lo ha hecho legendario (Figura 5.2). El desarrollo de las leyes de Newton marca la transición del Renacimiento a la era moderna. No fue sino hasta la llegada de la física moderna que se descubrió que las leyes de Newton describen adecuadamente el movimiento únicamente cuando los objetos se mueven a velocidades muy inferiores a la de la luz y cuando esos objetos son más grandes que el tamaño de la mayoría de las moléculas (alrededor de 10^{-9} m de diámetro). Estas limitaciones definen el ámbito de la mecánica newtoniana. A principios del siglo XX, Albert Einstein (1879-1955) desarrolló la teoría de la relatividad y, junto con otros muchos científicos, la mecánica cuántica. La mecánica cuántica no tiene las limitaciones presentes en la física newtoniana. Todas las situaciones que consideramos en este capítulo, y todas las que preceden a la introducción de la relatividad en Relatividad (http://openstax.org/books/university-physics-volume-3/pages/5-introduction), se sitúan en el ámbito de la física newtoniana.

FIGURA 5.2 Isaac Newton (1642-1727) publicó su sorprendente obra, *Philosophiae Naturalis Principia Mathematica (Principios matemáticos de la filosofía natural)*, en 1687. Propuso leyes científicas que aún hoy se aplican para describir el movimiento de los objetos (las leyes del movimiento). Newton también descubrió la ley de la gravedad, inventó el cálculo e hizo grandes aportaciones a las teorías de la luz y el color.

Definición funcional de fuerza

La dinámica es el estudio de las fuerzas que movilizan los objetos y los sistemas. Para entender esto, necesitamos una definición funcional de fuerza. La definición intuitiva de **fuerza**, es decir, un empujón o tirón, es un buen punto de partida. Sabemos que un empujón o tirón tiene magnitud y dirección (por lo tanto, es una cantidad vectorial), por lo que podemos definir la fuerza como el empujón o tirón sobre un objeto con una magnitud y dirección específicas. La fuerza puede representarse mediante vectores o expresarse como múltiplo de una fuerza estándar.

El empujón o tirón de un objeto puede variar considerablemente en magnitud o dirección. Por ejemplo, un cañón ejerce una gran fuerza sobre una bala de cañón que se lanza al aire. En cambio, la Tierra ejerce únicamente una pequeña fuerza gravitatoria hacia abajo sobre una pulga. Nuestras experiencias cotidianas también nos dan una buena idea de cómo se suman las múltiples fuerzas. Si dos personas empujan en distintas direcciones a una tercera persona, como se ilustra en la Figura 5.3, podríamos esperar que la fuerza total sea en la dirección indicada. Dado que la fuerza es un vector, se suma igual que otros vectores. Las fuerzas, al igual que otros vectores, se representan mediante flechas y pueden sumarse mediante el conocido método de cabeza a cola o los métodos trigonométricos. Estas ideas se desarrollaron en Vectores.

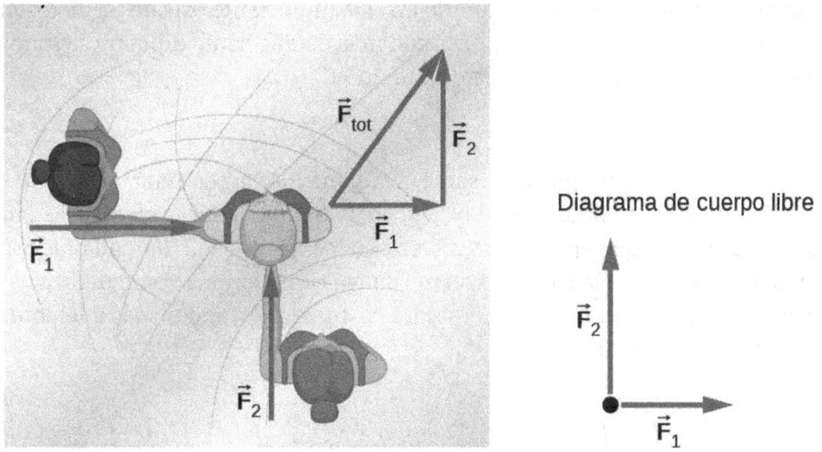

(a) (b)

FIGURA 5.3 (a) Vista aérea de dos patinadores sobre hielo que empujan a un tercer patinador. Las fuerzas son vectores y se suman como otros vectores, por lo que la fuerza total sobre el tercer patinador está en la dirección indicada. (b) Diagrama de cuerpo libre que representa las fuerzas que actúan sobre el tercer patinador.

La Figura 5.3(b) es nuestro primer ejemplo de **diagrama de cuerpo libre**; se trata de un esquema que muestra todas las fuerzas externas que actúan sobre un objeto o sistema. El objeto o sistema está representado por un único punto aislado (o cuerpo libre), y solo se muestran las fuerzas que actúan *sobre* este y que se originan fuera del objeto o sistema, es decir, las **fuerzas externas**. (Estas fuerzas son las únicas que se muestran porque solamente las fuerzas externas que actúan sobre el cuerpo libre inciden en su movimiento. Podemos ignorar las fuerzas internas del cuerpo). Las fuerzas están representadas por vectores que se extienden hacia afuera del cuerpo libre.

Los diagramas de cuerpo libre sirven para analizar las fuerzas que actúan sobre un objeto o sistema, y se emplean ampliamente en el estudio y la aplicación de las leyes del movimiento de Newton. Los verá por todo este texto y en todos sus estudios de física. Los siguientes pasos explican brevemente cómo se crea un diagrama de cuerpo libre; examinamos esta estrategia con más detalle en Dibujar diagramas de cuerpo libre.

ESTRATEGIA DE RESOLUCIÓN DE PROBLEMAS

Dibujar diagramas de cuerpo libre

1. Dibuje el objeto en cuestión. Si está tratando el objeto como una partícula, represente el objeto como un punto. Sitúe este punto en el origen de un sistema de coordenadas *xy*.

2. Incluya todas las fuerzas que actúan sobre el objeto, represente estas fuerzas como vectores. Sin embargo, no incluya la fuerza neta sobre el objeto ni las fuerzas que este ejerce sobre su entorno.
3. Resuelva todos los vectores de fuerza en componentes *x* y *y*.
4. Dibuje un diagrama de cuerpo libre para cada objeto del problema.

Ilustramos esta estrategia con dos ejemplos de diagramas de cuerpo libre (Figura 5.4). Los términos utilizados en esta figura se explican con más detalle más adelante en el capítulo.

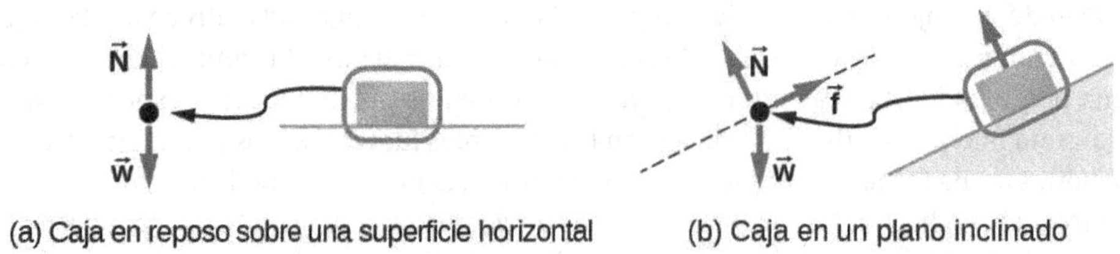

FIGURA 5.4 En estos diagramas de cuerpo libre, $\vec{\mathbf{N}}$ es la fuerza normal, $\vec{\mathbf{w}}$ es el peso del objeto, y $\vec{\mathbf{f}}$ es la fricción.

Los pasos que se dan aquí son suficientes para guiarlo en esta importante estrategia de resolución de problemas. La última sección de este capítulo explica con más detalle cómo dibujar diagramas de cuerpo libre cuando se trabaja con las ideas presentadas en este capítulo.

Desarrollo del concepto de fuerza

Una definición cuantitativa de la fuerza puede basarse en alguna fuerza estándar, al igual que la distancia se mide en unidades relativas a una longitud estándar. Una posibilidad es estirar un resorte a una cierta distancia fija (Figura 5.5) y utilizar la fuerza que ejerce para volver a su forma relajada (llamada *fuerza restauradora*) como estándar. La magnitud de todas las demás fuerzas puede considerarse como múltiplos de esta unidad de fuerza estándar. Existen muchas otras posibilidades para las fuerzas estándar. Más adelante en este capítulo se darán algunas otras definiciones de fuerza.

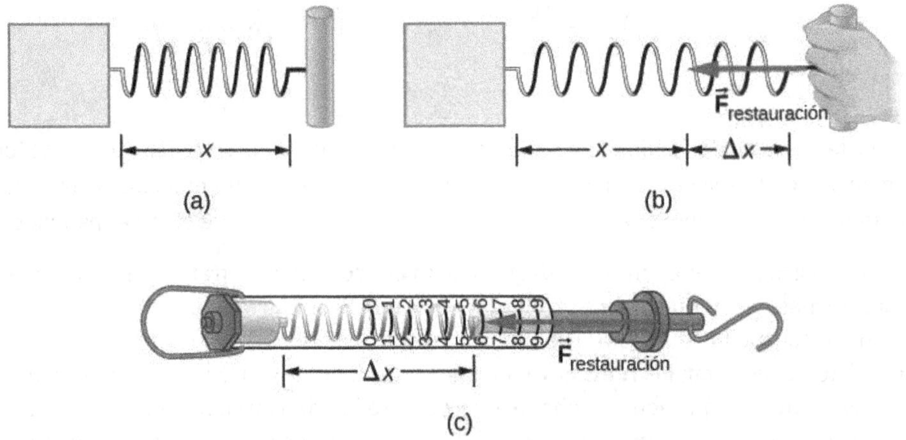

FIGURA 5.5 La fuerza ejercida por un resorte estirado puede utilizarse como unidad de fuerza estándar. (a) Este resorte tiene una longitud *x* cuando está inalterado. (b) Cuando se estira una distancia Δx, el resorte ejerce una fuerza restauradora $\vec{\mathbf{F}}_{\text{restauración}}$, que es reproducible. (c) Una balanza de resorte es un dispositivo que utiliza un resorte para medir la fuerza. La fuerza $\vec{\mathbf{F}}_{\text{restauración}}$ se ejerce sobre lo que está unido al gancho. Aquí, esta fuerza tiene una magnitud de seis unidades de la fuerza estándar que se está empleando.

Analicemos la fuerza a profundidad. Supongamos que un estudiante de física está sentado en una mesa, y trabaja diligentemente en sus deberes (Figura 5.6). ¿Qué fuerzas externas actúan sobre él? ¿Podemos determinar el origen de estas fuerzas?

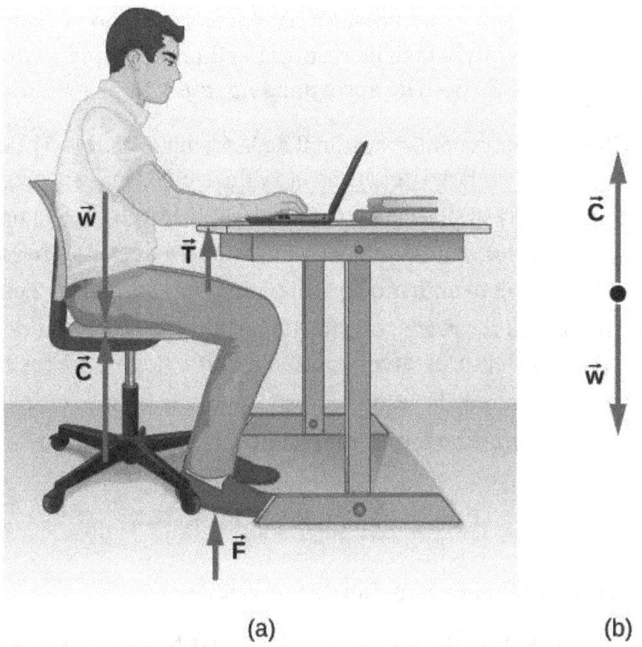

FIGURA 5.6 (a) Las fuerzas que actúan sobre el estudiante se deben a la silla, la mesa, el suelo y la atracción gravitatoria de la Tierra. (b) Al resolver un problema que implique al estudiante, podemos considerar solo las fuerzas que actúan a lo largo de la línea que pasa por su torso. Se muestra un diagrama de cuerpo libre para esta situación.

En la mayoría de las situaciones, las fuerzas se agrupan en dos categorías: *fuerzas de contacto* y *fuerzas de campo*. Como podrá imaginar, las fuerzas de contacto se deben al contacto físico directo entre objetos. Por ejemplo, el estudiante en la Figura 5.6 experimenta las fuerzas de contacto $\vec{\mathbf{C}}$, $\vec{\mathbf{F}}$, y $\vec{\mathbf{T}}$, que ejercen la silla en su parte posterior, el suelo en sus pies y la mesa en sus antebrazos, respectivamente. Sin embargo, las fuerzas de campo actúan sin necesidad de contacto físico entre los objetos. Dependen de la presencia de un "campo" en la región del espacio que rodea al cuerpo en cuestión. Como el estudiante está en el campo gravitatorio de la Tierra, siente una fuerza gravitatoria $\vec{\mathbf{w}}$; en otras palabras, tiene peso.

Se puede pensar en un campo como una propiedad del espacio que detectan las fuerzas que ejerce. Los científicos creen que solo hay cuatro campos de fuerza fundamentales en la naturaleza. Se trata de los campos gravitatorio, electromagnético, nuclear fuerte y débil (consideramos estas cuatro fuerzas en la naturaleza más adelante en este texto). Como se ha señalado para $\vec{\mathbf{w}}$ en la Figura 5.6, el campo gravitatorio es el responsable del peso de un cuerpo. Las fuerzas del campo electromagnético incluyen las de la electricidad estática y el magnetismo. Estas también son responsables de la atracción entre los átomos de la materia en bruto. Tanto el campo de fuerza nuclear fuerte como el campo de fuerza débil son eficaces únicamente en distancias aproximadamente iguales a una longitud de escala no mayor que un núcleo atómico (10^{-15} m). Su alcance es tan pequeño que ninguno de los dos campos tiene influencia en el mundo macroscópico de la mecánica newtoniana.

Las fuerzas de contacto son fundamentalmente electromagnéticas. Mientras el codo del estudiante en la Figura 5.6 está en contacto con la superficie de la mesa, las cargas atómicas de su piel interactúan electromagnéticamente con las cargas de la superficie de la mesa. El resultado neto (total) es la fuerza $\vec{\mathbf{T}}$. Del mismo modo, cuando la cinta adhesiva se pega a un trozo de papel, los átomos de la cinta se entremezclan con los del papel para provocar una fuerza electromagnética neta entre los dos objetos. Sin embargo, en el contexto de la mecánica newtoniana, el origen electromagnético de las fuerzas de contacto no es ninguna preocupación importante.

Notación vectorial para la fuerza

Como ya se ha mencionado, la fuerza es un vector; tiene magnitud y dirección. La unidad de fuerza del SI se llama **newton** (abreviado N), y 1 N es la fuerza necesaria para acelerar un objeto con una masa de 1 kg a una tasa de 1 m/s^2: $1\text{ N} = 1\text{ kg} \cdot m/s^2$. Una forma fácil de recordar el tamaño de un newton es imaginar que se sostiene una pequeña manzana; tiene un peso de aproximadamente 1 N.

Por lo tanto, podemos describir una fuerza bidimensional de la forma $\vec{\mathbf{F}} = a\hat{\mathbf{i}} + b\hat{\mathbf{j}}$ (los vectores unitarios $\hat{\mathbf{i}}$ y $\hat{\mathbf{j}}$ indican la dirección de estas fuerzas a lo largo del eje de la *xy* del eje de la *y*, respectivamente) y una fuerza tridimensional de la forma $\vec{\mathbf{F}} = a\hat{\mathbf{i}} + b\hat{\mathbf{j}} + c\hat{\mathbf{k}}$. En la Figura 5.3, supongamos que el patinador sobre hielo 1, en el lado izquierdo de la figura, empuja horizontalmente con una fuerza de 30,0 N hacia la derecha; lo representamos como $\vec{\mathbf{F}}_1 = 30{,}0\hat{\mathbf{i}}$ N. Del mismo modo, si el patinador sobre hielo 2 empuja con una fuerza de 40,0 N en la dirección vertical positiva mostrada, escribiríamos $\vec{\mathbf{F}}_2 = 40{,}0\hat{\mathbf{j}}$ N. La resultante de las dos fuerzas hace que una masa se acelere, en este caso, el tercer patinador sobre hielo. Esta resultante se denomina **fuerza externa neta** $\vec{\mathbf{F}}_{\text{neta}}$ y se encuentra tomando la suma vectorial de todas las fuerzas externas que actúan sobre un objeto o sistema (por lo tanto, también podemos representar la fuerza externa neta como $\sum \vec{\mathbf{F}}$):

$$\vec{\mathbf{F}}_{\text{neta}} = \sum \vec{\mathbf{F}} = \vec{\mathbf{F}}_1 + \vec{\mathbf{F}}_2 + \cdots \tag{5.1}$$

Esta ecuación puede extenderse a cualquier cantidad de fuerzas.

En este ejemplo, tenemos $\vec{\mathbf{F}}_{\text{neta}} = \sum \vec{\mathbf{F}} = \vec{\mathbf{F}}_1 + \vec{\mathbf{F}}_2 = 30{,}0\hat{\mathbf{i}} + 40{,}0\hat{\mathbf{j}}$ N. La hipotenusa del triángulo mostrado en la Figura 5.3 es la fuerza resultante, o fuerza neta. Es un vector. Para encontrar su magnitud (el tamaño del vector, sin tener en cuenta la dirección), utilizamos la regla dada en Vectores. Tomamos la raíz cuadrada de la suma de los cuadrados de las componentes:

$$F_{\text{neta}} = \sqrt{(30{,}0\text{ N})^2 + (40{,}0\text{ N})^2} = 50{,}0\text{ N}.$$

La dirección viene dada por:

$$\theta = \tan^{-1}\left(\frac{F_2}{F_1}\right) = \tan^{-1}\left(\frac{40{,}0}{30{,}0}\right) = 53{,}1°,$$

que se mide desde el eje de la *x* positiva, como se muestra en el diagrama de cuerpo libre en la Figura 5.3(b).

Supongamos que los patinadores sobre hielo ahora empujan al tercer patinador con $\vec{\mathbf{F}}_1 = 3{,}0\hat{\mathbf{i}} + 8{,}0\hat{\mathbf{j}}$ N y $\vec{\mathbf{F}}_2 = 5{,}0\hat{\mathbf{i}} + 4{,}0\hat{\mathbf{j}}$ N. ¿Cuál es la resultante de estas dos fuerzas? Debemos reconocer que la fuerza es un vector; por lo tanto, debemos sumar mediante el empleo de las reglas para la adición de vectores:

$$\vec{\mathbf{F}}_{\text{neta}} = \vec{\mathbf{F}}_1 + \vec{\mathbf{F}}_2 = \left(3{,}0\hat{\mathbf{i}} + 8{,}0\hat{\mathbf{j}}\right) + \left(5{,}0\hat{\mathbf{i}} + 4{,}0\hat{\mathbf{j}}\right) = 8{,}0\hat{\mathbf{i}} + 12\hat{\mathbf{j}}\text{ N}$$

COMPRUEBE LO APRENDIDO 5.1

Halle la magnitud y la dirección de la fuerza neta en el ejemplo del patinador sobre hielo que acabamos de dar.

INTERACTIVO

Vea esta simulación interactiva (https://openstax.org/l/21addvectors) para aprender a sumar vectores. Arrastre vectores a un gráfico, cambie su longitud y ángulo, y súmelos. La magnitud, el ángulo y los componentes de cada vector pueden mostrarse en varios formatos.

5.2 Primera ley de Newton

OBJETIVOS DE APRENDIZAJE

Al final de esta sección, podrá:

- Describir la primera ley del movimiento de Newton.
- Reconocer la fricción como una fuerza externa.
- Definir la inercia.
- Identificar los marcos de referencia inerciales.
- Calcular el equilibrio de un sistema.

La experiencia sugiere que un objeto en reposo permanece en reposo si se le deja tal como está y que un objeto en movimiento tiende a reducir su velocidad y a detenerse, a no ser que se haga algún esfuerzo para mantenerlo en movimiento. Sin embargo, la **primera ley de Newton** ofrece una explicación más detallada de esta observación.

Primera ley del movimiento de Newton

Un cuerpo en reposo permanece en reposo o, si está en movimiento, permanece en movimiento a velocidad constante, a menos que actúe sobre este una fuerza externa neta.

Observe el uso reiterado del verbo "permanece". Podemos pensar en esta ley como la preservación del *statu quo* del movimiento. Observe también la expresión "velocidad constante"; esto significa que el objeto mantiene una trayectoria a lo largo de una línea recta, ya que ni la magnitud ni la dirección del vector velocidad cambian. Podemos utilizar la Figura 5.7 para considerar las dos partes de la primera ley de Newton.

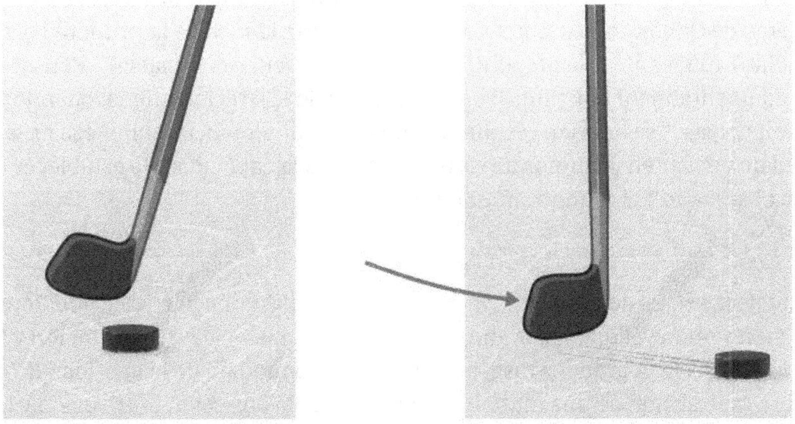

(a) (b)

FIGURA 5.7 (a) Se muestra un disco de hockey en reposo; permanece en reposo hasta que una fuerza exterior, como un palo de hockey, cambia su estado de reposo; (b) se muestra un disco de hockey en movimiento; continúa en movimiento rectilíneo hasta que una fuerza exterior le hace cambiar su estado de movimiento. Aunque sea resbaladiza, la superficie de hielo proporciona cierta fricción que frena el disco.

En lugar de contradecir nuestra experiencia, la primera ley de Newton establece que deberá haber una causa para que se produzca cualquier cambio de velocidad (un cambio de magnitud o de dirección). Esta causa es una fuerza externa neta, que hemos definido anteriormente en el capítulo. Un objeto que se desliza por una mesa o el suelo desacelera debido a la fuerza neta de fricción que actúa sobre el objeto. Si la fricción desaparece, ¿el objeto seguirá desacelerando?

La idea de causa y efecto es crucial para describir con precisión lo que ocurre en diversas situaciones. Por ejemplo, considere lo que ocurre con un objeto que se desliza por una superficie horizontal áspera. El objeto se detiene rápidamente. Si rociamos la superficie con talco para hacerla más lisa, el objeto se desliza más lejos. Si hacemos la superficie aún más lisa al frotar aceite lubricante en ella, el objeto se desliza aún más lejos.

Extrapolando a una superficie sin fricción y sin tomar en cuenta la resistencia del aire, podemos imaginar que el objeto se desliza en línea recta indefinidamente. La fricción es, por tanto, la causa de la ralentización (de acuerdo con la primera ley de Newton). El objeto no se frenaría si se eliminara la fricción.

Considere una mesa de hockey de aire (Figura 5.8). Cuando se apaga el aire, el disco se desliza apenas una corta distancia antes de que la fricción lo detenga. Sin embargo, cuando el aire se enciende, crea una superficie casi sin fricción, y el disco se desliza largas distancias sin desacelerar. Además, si sabemos lo suficiente sobre la fricción, podemos predecir con exactitud qué tan rápido el objeto desacelera.

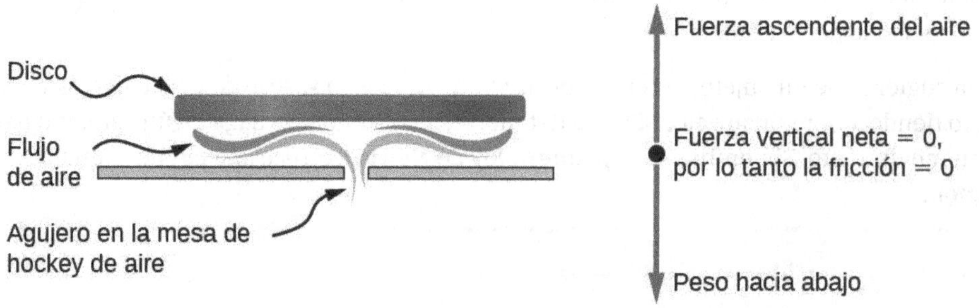

FIGURA 5.8 Una mesa de hockey de aire sirve para ilustrar las leyes de Newton. Cuando el aire está apagado, la fricción frena rápidamente el disco; pero cuando el aire está encendido, minimiza el contacto entre el disco y la mesa de hockey, y el disco se desliza mucho por la mesa.

La primera ley de Newton es general y puede aplicarse a cualquier cosa: desde un objeto que se desliza sobre una mesa hasta un satélite en órbita o la sangre que bombea el corazón. Los experimentos han verificado que cualquier cambio de velocidad (rapidez o dirección) deberá causarlo una fuerza externa. La idea de las *leyes universales o de aplicación general* es importante: es una característica básica de todas las leyes de la física. Identificar estas leyes es como reconocer patrones en la naturaleza a partir de los cuales se pueden descubrir otros patrones. El genio de Galileo, que desarrolló por primera vez la idea de la primera ley del movimiento, y de Newton, que la aclaró, fue plantear la pregunta fundamental: "¿cuál es la causa?". Pensar en términos de causa y efecto es fundamentalmente distinto al enfoque típico de la Grecia antigua, cuando preguntas como "¿por qué un tigre tiene rayas?" se habrían respondido de forma aristotélica, como "esa es la naturaleza de la bestia". La capacidad de pensar en términos de causa y efecto es la capacidad de establecer una conexión entre un comportamiento observado y el mundo circundante.

Gravitación e inercia

Independientemente de la escala de un objeto, ya sea una molécula o una partícula subatómica, hay dos propiedades que siguen siendo válidas y, por ende, de interés para la física: la gravitación y la inercia. Ambas están relacionadas con la masa. A grandes rasgos, la *masa* es una medida de la cantidad de materia que hay en algo. La *gravitación* es la atracción de una masa hacia otra, como la atracción entre usted y la Tierra que mantiene sus pies en el suelo. La magnitud de esta atracción es su peso, y es una fuerza.

La masa también está relacionada con la **inercia**, la capacidad de un objeto para resistir los cambios en su movimiento, es decir, para resistir la aceleración. La primera ley de Newton suele llamarse **ley de la inercia**. Como sabemos por experiencia, algunos objetos tienen más inercia que otros. Es más difícil cambiar el movimiento de una roca grande que el de una pelota de baloncesto, por ejemplo, porque la roca tiene más masa que la pelota. En otras palabras, la inercia de un objeto se mide por su masa. La relación entre la masa y el peso se estudia más adelante en este capítulo.

Marcos de referencia inerciales

Anteriormente, enunciamos la primera ley de Newton como "un cuerpo en reposo permanece en reposo o, si está en movimiento, permanece en movimiento a velocidad constante a menos que actúe sobre este una fuerza externa neta". También puede enunciarse como "todo cuerpo permanece en su estado de movimiento uniforme en línea recta, a no ser que las fuerzas que actúen sobre este lo obliguen a cambiar de estado". Para Newton, el "movimiento uniforme en línea recta" significaba velocidad constante, lo que incluye el caso de la velocidad cero, o reposo. Por lo tanto, la primera ley señala que la velocidad de un objeto permanece constante si la fuerza neta sobre este es cero.

La primera ley de Newton suele considerarse una afirmación sobre los marcos de referencia. Proporciona un método para identificar un tipo especial de marco de referencia: el **marco de referencia inercial**. En principio, podemos hacer que la fuerza neta sobre un cuerpo sea cero. Si su velocidad relativa a un marco determinado es constante, entonces se dice que ese marco es inercial. Así que, por definición, un marco de referencia inercial es aquel en el que la primera ley de Newton es válida. La primera ley de Newton se aplica a los objetos a velocidad constante. De este hecho, podemos deducir la siguiente afirmación.

Marco de referencia inercial

Un marco de referencia que se mueve a velocidad constante con respecto a un marco inercial es también inercial. Un marco de referencia que acelera con respecto a un marco inercial no es inercial.

¿Son comunes los marcos inerciales en la naturaleza? Resulta que, dentro del error experimental, un marco de referencia en reposo con respecto a las estrellas más lejanas, o "fijas", es inercial. Todos los marcos que se mueven uniformemente con respecto a este marco de estrella fija son también inerciales. Por ejemplo, un marco de referencia no rotativo y unido al Sol es, a efectos prácticos, inercial, porque su velocidad con respecto a las estrellas fijas no varía en más de una parte en 10^{10}. La Tierra acelera con respecto a las estrellas fijas porque gira sobre su eje y alrededor del Sol; de allí que un marco de referencia unido a su superficie no sea inercial. Sin embargo, para la mayoría de los problemas, dicho marco sirve como una aproximación suficientemente precisa a un marco inercial, ya que la aceleración de un punto en la superficie de la Tierra con respecto a las estrellas fijas es bastante pequeña ($< 3{,}4 \times 10^{-2}$ m/s^2). Así, a menos que se indique lo contrario, consideramos que los marcos de referencia fijados en la Tierra son inerciales.

Por último, ningún marco inercial particular es más especial que otro. En cuanto a las leyes de la naturaleza, todos los marcos inerciales son equivalentes. Al analizar un problema, elegimos un marco inercial en lugar de otro simplemente por conveniencia.

La primera ley de Newton y el equilibrio

La primera ley de Newton nos habla del equilibrio de un sistema, que es el estado en el que las fuerzas sobre el sistema están balanceadas. Volviendo a las fuerzas y a los patinadores sobre hielo en la Figura 5.3, sabemos que las fuerzas $\vec{\mathbf{F}}_1$ y $\vec{\mathbf{F}}_2$ se combinan para formar una fuerza resultante, o la fuerza externa neta: $\vec{\mathbf{F}}_R = \vec{\mathbf{F}}_{neta} = \vec{\mathbf{F}}_1 + \vec{\mathbf{F}}_2$. Para crear el equilibrio, necesitamos una fuerza de equilibrio que produzca una fuerza neta de cero. Esta fuerza deberá ser igual en magnitud pero opuesta en dirección a $\vec{\mathbf{F}}_R$, lo que significa que el vector deberá ser $-\vec{\mathbf{F}}_R$. En referencia a los patinadores sobre hielo, para los que encontramos que $\vec{\mathbf{F}}_R$ era $30{,}0\hat{\mathbf{i}} + 40{,}0\hat{\mathbf{j}}$ N, podemos determinar la fuerza de equilibrio simplemente al encontrar $-\vec{\mathbf{F}}_R = -30{,}0\hat{\mathbf{i}} - 40{,}0\hat{\mathbf{j}}$ N. Vea el diagrama de cuerpo libre en la Figura 5.3(b).

Podemos dar la primera ley de Newton en forma vectorial:

$$\vec{\mathbf{v}} = \text{constante cuando } \vec{\mathbf{F}}_{neta} = \vec{\mathbf{0}}\text{ N.} \tag{5.2}$$

Esta ecuación señala que una fuerza neta de cero implica que la velocidad $\vec{\mathbf{v}}$ del objeto es constante. (La palabra "constante" puede indicar velocidad cero).

La primera ley de Newton es aparentemente sencilla. Si un auto está en reposo, las únicas fuerzas que actúan sobre el auto son el peso y la fuerza de contacto del pavimento que empuja hacia arriba en el auto (Figura 5.9). Es fácil entender que se requiere una fuerza neta distinta a cero para cambiar el estado de movimiento del auto. Cuando un auto se desplaza a velocidad constante, la fricción lo impulsa hacia delante y se opone a la fuerza de arrastre contra este.

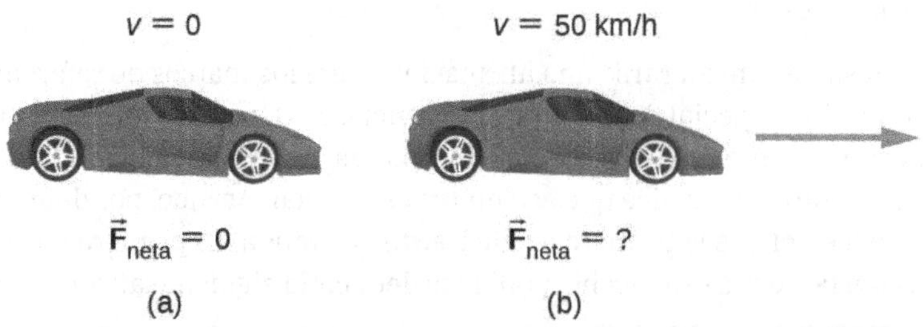

FIGURA 5.9 Se muestra un auto (a) estacionado y (b) en movimiento a velocidad constante. ¿Cómo se aplican las leyes de Newton al auto estacionado? ¿Qué nos dice el saber que el auto se mueve a velocidad constante sobre la fuerza horizontal neta sobre el auto?

EJEMPLO 5.1

¿Cuándo se aplica la primera ley de Newton a su auto?

Las leyes de Newton pueden aplicarse a todos los procesos físicos en los que intervienen la fuerza y el movimiento, incluso a algo tan mundano como conducir un auto.

(a) Su auto está estacionado en la puerta de su casa. ¿Se aplica la primera ley de Newton en esta situación? ¿Por qué sí por qué no?

(b) Su auto se mueve a velocidad constante por la calle. ¿Se aplica la primera ley de Newton en esta situación? ¿Por qué sí por qué no?

Estrategia

En (a), estamos considerando la primera parte de la primera ley de Newton, que trata de un cuerpo en reposo; en (b), vemos la segunda parte de la primera ley de Newton para un cuerpo en movimiento.

Solución

a. Cuando su auto está estacionado, todas las fuerzas sobre el auto deben estar equilibradas; la suma vectorial es 0 N. Así, la fuerza neta es cero, y se aplica la primera ley de Newton. La aceleración del auto es cero y, en este caso, la velocidad también es cero.
b. Cuando su auto se mueve a velocidad constante por la calle, la fuerza neta también debe ser cero según la primera ley de Newton. La fuerza de fricción del auto entre la carretera y los neumáticos se opone a la fuerza de arrastre del auto con la misma magnitud, lo que produce una fuerza neta de cero. El cuerpo continúa en su estado de velocidad constante hasta que la fuerza neta se hace distinta de cero. Dese cuenta de que *una fuerza neta de cero significa que un objeto está en reposo o se mueve con velocidad constante, es decir, no está acelerando*. ¿Qué cree que pasa cuando el auto acelera? Exploramos esta idea en la siguiente sección.

Importancia

Como muestra este ejemplo, hay dos tipos de equilibrio. En (a), el auto está en reposo; decimos que está en *equilibrio estático*. En (b), las fuerzas sobre el auto están equilibradas, pero el auto se mueve; decimos que está en *equilibrio dinámico*. (Examinamos esta idea con más detalle en Equilibrio estático y elasticidad) De nuevo, es posible que dos (o más) fuerzas actúen sobre un objeto y que éste se mueva. Además, una fuerza neta de cero no puede producir aceleración.

COMPRUEBE LO APRENDIDO 5.2

Un paracaidista abre su paracaídas y, poco después, se mueve a velocidad constante. (a) ¿Qué fuerzas actúan sobre él? (b) ¿Qué fuerza es mayor?

INTERACTIVO

Realice esta simulación (https://openstax.org/l/21forcemotion_es) para predecir, cualitativamente, cómo una fuerza externa incidirá en la rapidez y dirección del movimiento de un objeto. Explique los efectos con la ayuda de un diagrama de cuerpo libre. Utilice los diagramas de cuerpo libre para dibujar gráficos de posición, velocidad, aceleración y fuerza, y viceversa. Explique cómo se relacionan los gráficos entre sí. Dado un escenario o un gráfico, haga un esquema de los cuatro gráficos.

5.3 Segunda ley de Newton

OBJETIVOS DE APRENDIZAJE

Al final de esta sección, podrá:

- Distinguir entre fuerzas externas e internas.
- Describir la segunda ley del movimiento de Newton.
- Explicar la dependencia de la aceleración de la fuerza neta y la masa.

La segunda ley de Newton está estrechamente relacionada con su primera ley. Proporciona matemáticamente la relación causa y efecto entre la fuerza y los cambios en el movimiento. La segunda ley de Newton es cuantitativa y se utiliza mucho para calcular lo que ocurre en situaciones que implican una fuerza. Antes de poder escribir la segunda ley de Newton como una ecuación sencilla que dé la relación exacta de fuerza, masa y aceleración, tenemos que afinar algunas ideas que hemos mencionado antes.

Fuerza y aceleración

En primer lugar, ¿qué entendemos por un cambio de movimiento? La respuesta es que un cambio de movimiento equivale a un cambio de velocidad. Un cambio de velocidad significa, por definición, que hay aceleración. La primera ley de Newton establece que una fuerza externa neta provoca un cambio en el movimiento; por lo tanto, vemos que una *fuerza externa neta provoca una aceleración distinta de cero.*

En Fuerzas definimos la fuerza externa como la fuerza que actúa sobre un objeto o sistema y que se origina fuera del objeto o sistema. Analicemos más a fondo este concepto. Una noción intuitiva de lo *externo* es correcta: está fuera del sistema de interés. Por ejemplo, en la Figura 5.10(a), el sistema de interés es el auto más la persona que está dentro. Las dos fuerzas ejercidas por los dos estudiantes son fuerzas externas. En cambio, una fuerza interna actúa entre los elementos del sistema. Por lo tanto, la fuerza que ejerce la persona en el auto para agarrarse al volante es una fuerza interna entre elementos del sistema de interés. Solo las fuerzas externas afectan el movimiento de un sistema, según la primera ley de Newton. (Las fuerzas internas se anulan entre sí, como se explica en la siguiente sección). Por lo tanto, debemos definir los límites del sistema antes de poder determinar qué fuerzas son externas. A veces, el sistema es obvio, mientras que otras veces, identificar los límites de un sistema es más sutil. El concepto de sistema es fundamental en muchas áreas de la física, así como la correcta aplicación de las leyes de Newton. Este concepto se repite muchas veces en el estudio de la física.

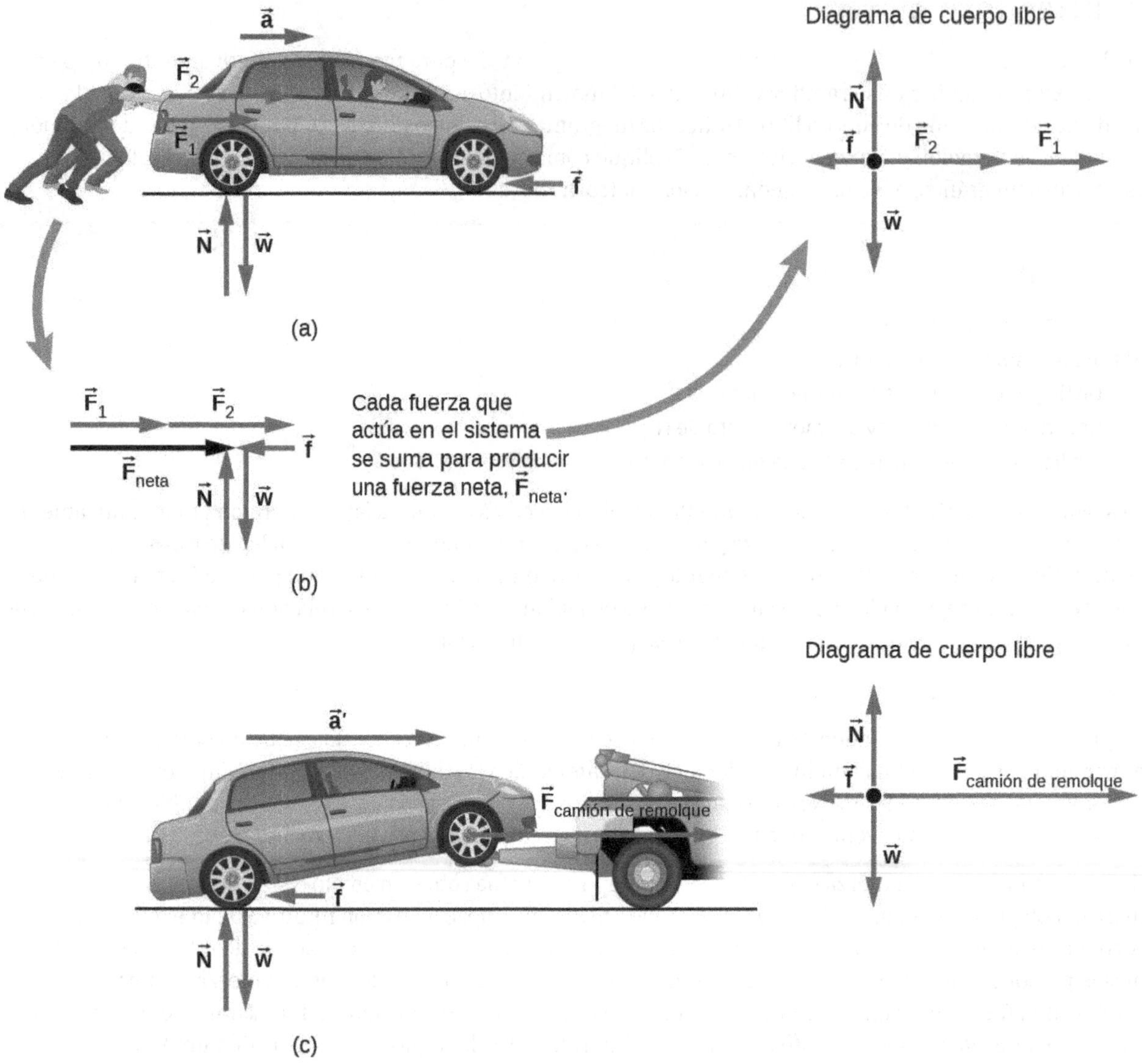

FIGURA 5.10 Diferentes fuerzas ejercidas sobre una misma masa producen diferentes aceleraciones. (a) Dos estudiantes empujan un auto detenido. Se muestran todas las fuerzas externas que actúan sobre el auto. (b) Las fuerzas que actúan sobre el auto se transfieren a un plano de coordenadas (diagrama de cuerpo libre) para simplificar el análisis. (c) La grúa puede producir una mayor fuerza externa sobre la misma masa y, por lo tanto, una mayor aceleración.

En este ejemplo puede ver que diferentes fuerzas ejercidas sobre la misma masa producen diferentes aceleraciones. En la Figura 5.10(a), los dos estudiantes empujan un auto con un conductor dentro. Se muestran las flechas que representan todas las fuerzas externas. El sistema de interés es el auto y su conductor. El peso $\vec{\mathbf{w}}$ del sistema y el soporte del suelo $\vec{\mathbf{N}}$ también se muestran para completar y se supone que se cancelan (porque no hubo movimiento vertical y no hubo desequilibrio de fuerzas en la dirección vertical para crear un cambio en el movimiento). El vector $\vec{\mathbf{f}}$ representa la fricción que actúa sobre el auto, y actúa hacia la izquierda, en oposición al movimiento del auto. (En el próximo capítulo hablaremos de la fricción con más detalle). En la Figura 5.10(b), todas las fuerzas externas que actúan sobre el sistema se suman para generar la fuerza neta $\vec{\mathbf{F}}_{\text{neta}}$. El diagrama de cuerpo libre muestra todas las fuerzas que actúan sobre el sistema en cuestión. El punto representa el centro de masa del sistema. Cada vector de fuerza se extiende desde este punto. Como hay dos fuerzas que actúan a la derecha, los vectores se muestran colinealmente. Finalmente, en la Figura 5.10(c), una mayor fuerza externa neta produce una mayor aceleración ($\vec{\mathbf{a}'} > \vec{\mathbf{a}}$) cuando la grúa remolca el auto.

Parece razonable que la aceleración sea directamente proporcional y en la misma dirección que la fuerza externa neta que actúa sobre un sistema. Esta suposición se ha verificado experimentalmente y se ilustra en la Figura 5.10. Para obtener una ecuación de la segunda ley de Newton, primero escribimos la relación de la aceleración $\vec{\mathbf{a}}$ y la fuerza externa neta $\vec{\mathbf{F}}_{\text{neta}}$ como la proporcionalidad

$$\vec{\mathbf{a}} \propto \vec{\mathbf{F}}_{\text{neta}}$$

donde el símbolo $\propto$ significa "proporcional a" (recordemos en Fuerzas que la fuerza externa neta es la suma vectorial de todas las fuerzas externas y a veces se indica como $\sum \vec{\mathbf{F}})$. Esta proporcionalidad muestra lo que hemos dicho en palabras: la aceleración es directamente proporcional a la fuerza externa neta. Una vez elegido el sistema en cuestión, identifique las fuerzas externas e ignore las internas. Es una tremenda simplificación prescindir de las numerosas fuerzas internas que actúan entre los objetos del sistema, como las fuerzas musculares dentro del cuerpo de los estudiantes, por no hablar de las innumerables fuerzas entre los átomos de los objetos. Aun así, esta simplificación nos permite resolver algunos problemas complejos.

También parece razonable que la aceleración sea inversamente proporcional a la masa del sistema. En otras palabras, cuanto mayor sea la masa (la inercia), menor será la aceleración producida por una fuerza determinada. Como se ilustra en la Figura 5.11, la misma fuerza externa neta aplicada a un balón de baloncesto produce una aceleración mucho menor cuando se aplica a un vehículo todoterreno. La proporcionalidad se escribe como

$$a \propto \frac{1}{m},$$

donde m es la masa del sistema y a es la magnitud de la aceleración. Los experimentos han demostrado que la aceleración es exactamente inversamente proporcional a la masa, al igual que es directamente proporcional a la fuerza externa neta.

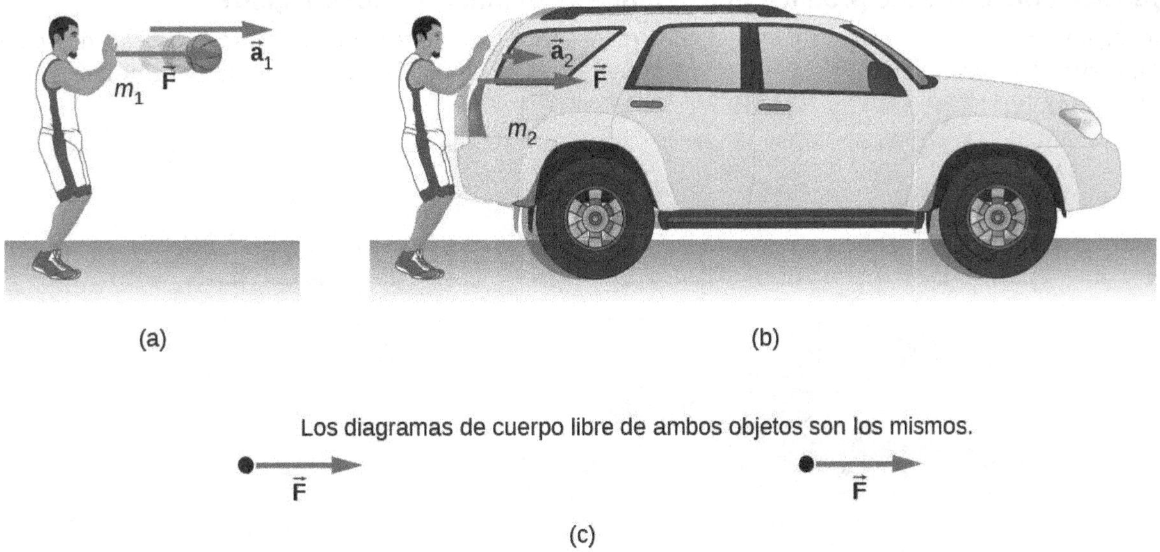

FIGURA 5.11 La misma fuerza ejercida sobre sistemas de masas diferentes produce aceleraciones diferentes. (a) Un jugador de baloncesto empuja el balón para hacer un pase (ignore el efecto de la gravedad sobre el balón). (b) El mismo jugador ejerce una fuerza idéntica en un vehículo todoterreno detenido y produce una aceleración mucho menor. (c) Los diagramas de cuerpo libre son idénticos, lo que permite comparar directamente las dos situaciones. Una serie de patrones para los diagramas de cuerpo libre surgirá a medida que haga más problemas y aprenda a dibujarlos en Dibujar diagramas de cuerpo libre.

Se ha comprobado que la aceleración de un objeto depende únicamente de la fuerza externa neta y de la masa del objeto. Combinando las dos proporciones que acabamos de dar produce la **segunda ley de Newton**.

Segunda ley del movimiento de Newton

La aceleración de un sistema es directamente proporcional y en la misma dirección que la fuerza externa neta que actúa sobre el sistema y es inversamente proporcional a su masa. En forma de ecuación, la segunda ley de Newton es

$$\vec{\mathbf{a}} = \frac{\vec{\mathbf{F}}_{\text{neta}}}{m},$$

donde $\vec{\mathbf{a}}$ es la aceleración, $\vec{\mathbf{F}}_{\text{neta}}$ es la fuerza neta, y m es la masa. Esto se escribe a menudo en la forma más familiar

$$\vec{\mathbf{F}}_{\text{neta}} = \sum \vec{\mathbf{F}} = m\vec{\mathbf{a}}, \tag{5.3}$$

pero la primera ecuación permite comprender mejor el significado de la segunda ley de Newton. Cuando solo se considera la magnitud de la fuerza y la aceleración, esta ecuación puede escribirse en la forma escalar más simple:

$$F_{\text{neta}} = ma. \tag{5.4}$$

La ley es una relación de causa y efecto entre tres cantidades que no se basa simplemente en sus definiciones. La validez de la segunda ley se basa en la verificación experimental. El diagrama de cuerpo libre, que aprenderá a dibujar en Dibujar diagramas de cuerpo libre, es la base para escribir la segunda ley de Newton.

EJEMPLO 5.2

¿Qué aceleración puede producir una persona al empujar un cortacésped?

Supongamos que la fuerza externa neta (empujón menos fricción) que se ejerce sobre un cortacésped es de 51 N (aproximadamente 11 lb) paralela al suelo (Figura 5.12). La masa del cortacésped es de 24 kg. ¿Cuál es su aceleración?

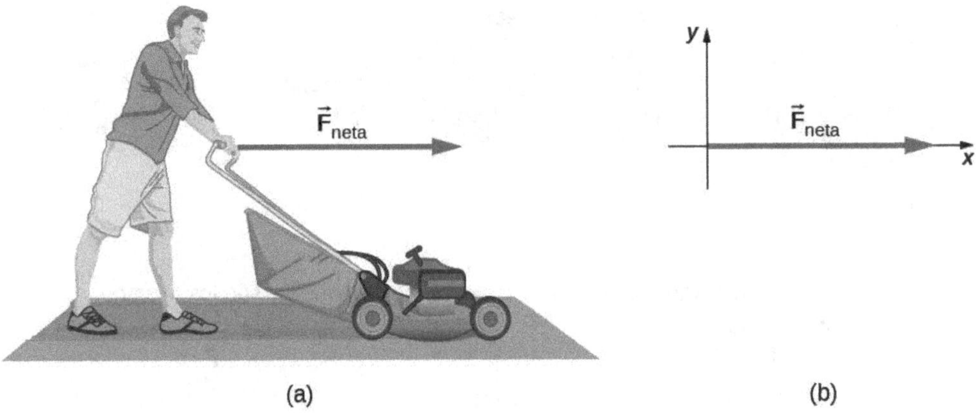

FIGURA 5.12 (a) La fuerza neta sobre un cortacésped es de 51 N hacia la derecha. ¿A qué proporción acelera el cortacésped hacia la derecha? (b) Se muestra el diagrama de cuerpo libre para este problema.

Estrategia

Este problema implica solo el movimiento en la dirección horizontal; también se nos da la fuerza neta, indicada por el vector único, pero podemos suprimir la naturaleza vectorial y concentrarnos en aplicar la segunda ley de Newton. Dado que F_{neta} y m se han dado, la aceleración se puede calcular directamente a partir de la segunda ley de Newton como $F_{\text{neta}} = ma$.

Solución

La magnitud de la aceleración a es $a = F_{\text{neta}}/m$. Introduciendo los valores conocidos se obtiene

$$a = \frac{51\,\text{N}}{24\,\text{kg}}.$$

Sustituyendo la unidad de kilogramos por metros por segundo al cuadrado por newtons produce

$$a = \frac{51\,\text{kg} \cdot \text{m/s}^2}{24\,\text{kg}} = 2{,}1\,\text{m/s}^2.$$

Importancia

La dirección de la aceleración es la misma que la de la fuerza neta, que es paralela al suelo. Esto es resultado de la relación vectorial expresada en la segunda ley de Newton, es decir, el vector que representa la fuerza neta es el múltiplo escalar del vector aceleración. En este ejemplo no se da información sobre las fuerzas externas individuales que actúan sobre el sistema, pero podemos decir algo sobre su magnitud relativa. Por ejemplo, la fuerza ejercida por la persona que empuja el cortacésped debe ser mayor que la fricción que se opone al movimiento (ya que sabemos que el cortacésped se ha movido hacia delante), y las fuerzas verticales deben anularse porque no se produce ninguna aceleración en la dirección vertical (el cortacésped se mueve solo horizontalmente). La aceleración encontrada es lo suficientemente pequeña como para ser razonable para una persona que empuja un cortacésped. Tal esfuerzo no duraría demasiado, porque la velocidad máxima de la persona se alcanzaría pronto.

COMPRUEBE LO APRENDIDO 5.3

En el momento de su lanzamiento, el RMS *Titanic* era el objeto móvil más grande jamás construido, con una masa de $6{,}0 \times 10^7$ kg. Si una fuerza de 6 MN (6×10^6 N) se aplicara al barco, ¿qué aceleración experimentaría?

En el ejemplo anterior, hemos tratado únicamente la fuerza neta para simplificar. Sin embargo, varias fuerzas actúan sobre el cortacésped. El peso $\vec{\mathbf{w}}$ (que se analiza en detalle en Masa y peso) ejerce una fuerza gravitatoria hacia abajo del cortacésped, hacia el centro de la Tierra; esto produce una fuerza de contacto en el suelo. El suelo debe ejercer una fuerza ascendente sobre el cortacésped, conocida como fuerza normal $\vec{\mathbf{N}}$, que definimos en Fuerzas comunes. Estas fuerzas están equilibradas y, por lo tanto, no producen ninguna aceleración vertical. En el siguiente ejemplo, mostramos ambas fuerzas. A medida que resuelva problemas con la segunda ley de Newton, muestre varias fuerzas.

EJEMPLO 5.3

¿Qué fuerza es mayor?

(a) El auto que se muestra en la Figura 5.13 se mueve a una rapidez constante. ¿Qué fuerza es mayor, $\vec{\mathbf{F}}_{\text{fricción}}$ o $\vec{\mathbf{F}}_{\text{arrastre}}$? Explique.

(b) El mismo auto acelera ahora hacia la derecha. ¿Qué fuerza es mayor, $\vec{\mathbf{F}}_{\text{fricción}}$ o $\vec{\mathbf{F}}_{\text{arrastre}}$? Explique.

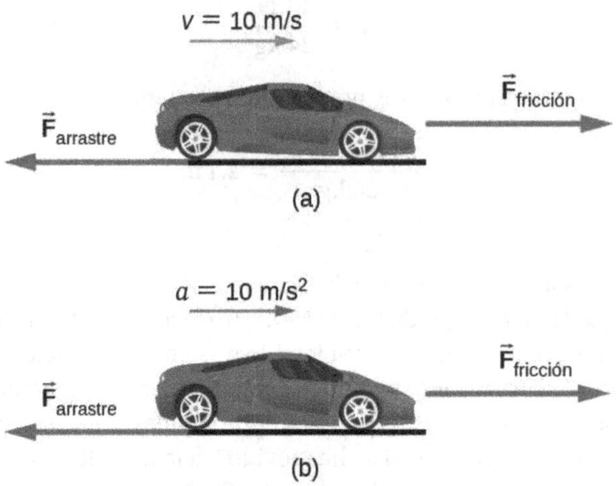

FIGURA 5.13 Se muestra un auto (a) que se desplaza a una rapidez constante y (b) que acelera. ¿Cómo se comparan las fuerzas que actúan en el auto en cada caso? (a) ¿Qué nos dice el conocimiento de que el auto se mueva a velocidad constante acerca de la fuerza horizontal neta sobre el auto, en comparación con la fuerza de fricción? (b) ¿Qué nos dice el conocimiento de que el auto acelere acerca de la fuerza horizontal sobre el auto, en comparación con la fuerza de fricción?

Estrategia

Debemos tener en cuenta la primera y la segunda ley de Newton para analizar la situación. Tenemos que decidir qué ley se aplica; esto, a su vez, nos indicará la relación entre las fuerzas.

Solución

a. Las fuerzas son iguales. Según la primera ley de Newton, si la fuerza neta es cero, la velocidad es constante.
b. En este caso, $\vec{\mathbf{F}}_{\text{fricción}}$ deberá ser mayor que $\vec{\mathbf{F}}_{\text{arrastre}}$. Según la segunda ley de Newton, se requiere una fuerza neta para provocar la aceleración.

Importancia

Estas preguntas pueden parecer triviales, pero suelen responderse incorrectamente. Para que un auto o cualquier otro objeto se mueva, debe acelerarse desde el reposo hasta la rapidez deseada; para ello es necesario que la fuerza de fricción sea mayor que la de arrastre. Una vez que el auto se mueva a velocidad constante, la fuerza neta deberá ser cero; de lo contrario, el auto se acelerará (ganará rapidez). Para resolver problemas en los que intervienen las leyes de Newton, debemos entender si hay que aplicar la primera ley de Newton (donde $\sum \vec{\mathbf{F}} = \vec{\mathbf{0}}$) o la segunda ley de Newton (donde $\sum \vec{\mathbf{F}}$ no es cero). Esto será evidente a medida que vea más ejemplos e intente resolver los problemas por su cuenta.

EJEMPLO 5.4

¿Qué empuje de cohete acelera este trineo?

Antes de los vuelos espaciales que transportaban astronautas, los trineos de cohetes se utilizaban para probar aeronaves, equipos de misiles y los efectos fisiológicos en el ser humano a altas velocidades. Consistían en una plataforma montada sobre uno o dos rieles e impulsada por varios cohetes.

Calcule la magnitud de la fuerza ejercida por cada cohete, llamada su empuje T, para el sistema de propulsión de cuatro cohetes mostrado en la Figura 5.14. La aceleración inicial del trineo es $49\ \text{m/s}^2$, la masa del sistema es de 2.100 kg, y la fuerza de fricción que se opone al movimiento es de 650 N.

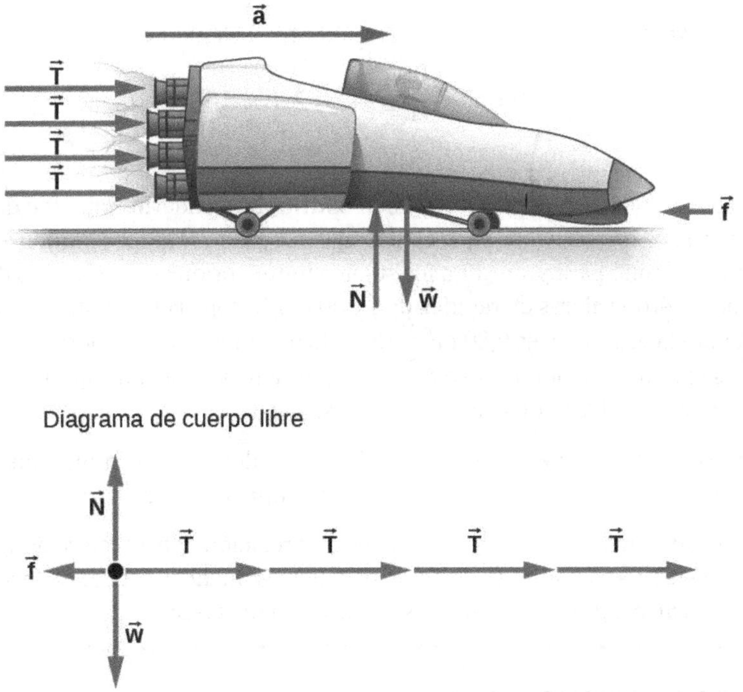

FIGURA 5.14 Un trineo experimenta el empuje de un cohete que lo acelera hacia la derecha. Cada cohete crea un empuje idéntico *T*. El sistema aquí es el trineo, sus cohetes y su conductor, por lo que no se considera ninguna de las fuerzas entre estos objetos. La flecha que representa la fricción ($\vec{\mathbf{f}}$) se dibuja más grande que la escala.

Estrategia

Aunque las fuerzas actúan tanto vertical como horizontalmente, suponemos que las fuerzas verticales se cancelan porque no hay aceleración vertical. Esto nos deja solo con las fuerzas horizontales y un problema unidimensional más simple. Las direcciones se indican con signos de más o menos, tomándose la derecha como la dirección positiva. Vea el diagrama de cuerpo libre en la Figura 5.14.

Solución

Como la aceleración, la masa y la fuerza de fricción están dadas, partimos de la segunda ley de Newton y buscamos la forma de encontrar el empuje de los motores. Hemos definido la dirección de la fuerza y la aceleración como actuando "hacia la derecha", por lo que necesitamos considerar solo la magnitud de estas cantidades en los cálculos. Por lo tanto, comenzamos con

$$F_{\text{neta}} = ma$$

donde F_{neta} es la fuerza neta a lo largo de la dirección horizontal. Podemos ver en la figura que los empujes del motor se suman, mientras que la fricción se opone al empuje. En forma de ecuación, la fuerza externa neta es

$$F_{\text{neta}} = 4T - f.$$

Sustituyendo esto en la segunda ley de Newton obtenemos

$$F_{\text{neta}} = ma = 4T - f.$$

Utilizando un poco de álgebra, resolvemos el empuje total $4T$:

$$4T = ma + f.$$

Sustituyendo los valores conocidos produce

$$4T = ma + f = (2.100\,\text{kg})\left(49\,\text{m/s}^2\right) + 650\,\text{N}.$$

Por lo tanto, el empuje total es

$$4T = 1{,}0 \times 10^5\,\text{N},$$

y los empujes individuales son

$$T = \frac{1{,}0 \times 10^5 \text{ N}}{4} = 2{,}5 \times 10^4 \text{ N}.$$

Importancia

Las cifras son bastante grandes, por lo que el resultado podría sorprenderle. Este tipo de experimentos se realizaron a principios de la década de los años 60 del siglo XX para probar los límites de la resistencia humana, y el montaje se diseñó para proteger a los sujetos humanos en las eyecciones de emergencia de los jets de combate. Se obtuvieron valores de rapidez de 1.000 km/h, con aceleraciones de 45 *g*. (Recordemos que *g*, la aceleración debida a la gravedad, es $9{,}80 \text{ m/s}^2$. Cuando decimos que la aceleración es de 45 *g*, significa $45 \times 9{,}8 \text{ m/s}^2$, que es aproximadamente 440 m/s^2). Aunque ya no se utilizan sujetos vivos, se ha obtenido una rapidez terrestre de 10.000 km/h con un trineo de cohetes.

En este ejemplo, como en el anterior, el sistema de interés es evidente. En ejemplos posteriores veremos que la elección del sistema de interés es crucial, y la elección no siempre es obvia.

La segunda ley de Newton es más que una definición; es una relación entre aceleración, fuerza y masa. Nos permite hacer predicciones. Cada una de esas cantidades físicas puede definirse de forma independiente, por lo que la segunda ley nos dice algo básico y universal sobre la naturaleza.

COMPRUEBE LO APRENDIDO 5.4

Un auto deportivo de 550 kg choca con un camión de 2.200 kg, y durante la colisión, la fuerza neta sobre cada vehículo es la fuerza ejercida por el otro. Si la magnitud de la aceleración del camión es 10 m/s^2, ¿cuál es la magnitud de la aceleración del auto deportivo?

Forma de los componentes de la segunda ley de Newton

Hemos desarrollado la segunda ley de Newton y la hemos presentado como una ecuación vectorial en la Ecuación 5.3. Esta ecuación vectorial puede escribirse como ecuaciones de tres componentes:

$$\sum \vec{\mathbf{F}}_x = m\vec{\mathbf{a}}_x, \ \sum \vec{\mathbf{F}}_y = m\vec{\mathbf{a}}_y, \text{ y } \sum \vec{\mathbf{F}}_z = m\vec{\mathbf{a}}_z. \quad 5.5$$

La segunda ley es una descripción de cómo un cuerpo responde mecánicamente a su entorno. La influencia del entorno es la fuerza neta $\vec{\mathbf{F}}_{\text{neta}}$, la respuesta del cuerpo es la aceleración $\vec{\mathbf{a}}$, y la fuerza de la respuesta es inversamente proporcional a la masa *m*. Cuanto mayor sea la masa de un objeto, menor será su respuesta (su aceleración) a la influencia del entorno (una fuerza neta determinada). Por lo tanto, la masa de un cuerpo es una medida de su inercia, como explicamos en la Primera ley de Newton.

EJEMPLO 5.5

Fuerza sobre un balón de fútbol

Un jugador patea a través del campo un balón de fútbol de 0,400 kg; este experimenta una aceleración dada por $\vec{\mathbf{a}} = 3{,}00\hat{\mathbf{i}} + 7{,}00\hat{\mathbf{j}} \text{ m/s}^2$. Halle (a) la fuerza resultante que actúa sobre el balón y (b) la magnitud y dirección de la fuerza resultante.

Estrategia

Los vectores en formato $\hat{\mathbf{i}}$ y $\hat{\mathbf{j}}$, que indican la dirección de la fuerza a lo largo del eje de la *x* y del eje de la *y*, respectivamente, están involucrados, por lo que aplicamos la segunda ley de Newton en forma vectorial.

Solución

a. Aplicamos la segunda ley de Newton:

$$\vec{\mathbf{F}}_{\text{neta}} = m\vec{\mathbf{a}} = (0{,}400\,\text{kg})\left(3{,}00\hat{\mathbf{i}} + 7{,}00\hat{\mathbf{j}}\ \text{m/s}^2\right) = 1{,}20\hat{\mathbf{i}} + 2{,}80\hat{\mathbf{j}}\ \text{N}.$$

b. La magnitud y la dirección se encuentran con los componentes de $\vec{\mathbf{F}}_{\text{neta}}$:

$$F_{\text{neta}} = \sqrt{(1{,}20\,\text{N})^2 + (2{,}80\,\text{N})^2} = 3{,}05\,\text{N y } \theta = \tan^{-1}\left(\frac{2{,}80}{1{,}20}\right) = 66{,}8°.$$

Importancia

Debemos recordar que la segunda ley de Newton es una ecuación vectorial. En (a), estamos multiplicando un vector por un escalar para determinar la fuerza neta en forma vectorial. Aunque la forma vectorial ofrece una representación compacta del vector de fuerza, no nos dice lo "grande" que es, ni a dónde va, en términos intuitivos. En (b), estamos determinando el tamaño real (magnitud) de esta fuerza y la dirección en la que viaja.

EJEMPLO 5.6

Masa de un auto

Halle la masa de un auto si una fuerza neta de $-600{,}0\hat{\mathbf{j}}$ N produce una aceleración de $-0{,}2\hat{\mathbf{j}}\ \text{m/s}^2$.

Estrategia

La división vectorial no está definida, por lo que $m = \vec{\mathbf{F}}_{\text{neta}}/\vec{\mathbf{a}}$ no se puede realizar. Sin embargo, la masa m es un escalar, por lo que podemos utilizar la forma escalar de la segunda ley de Newton, $m = F_{\text{neta}}/a$.

Solución

Utilizamos $m = F_{\text{neta}}/a$ y sustituimos la magnitud de los dos vectores: $F_{\text{neta}} = 600{,}0\,\text{N}$ y $a = 0{,}2\,\text{m/s}^2$. Por lo tanto,

$$m = \frac{F_{\text{neta}}}{a} = \frac{600{,}0\,\text{N}}{0{,}2\,\text{m/s}^2} = 3.000\,\text{kg}.$$

Importancia

La fuerza y la aceleración se dieron en formato $\hat{\mathbf{i}}$ y $\hat{\mathbf{j}}$, pero la respuesta, la masa m, es un escalar y, por ende, no se da en forma de $\hat{\mathbf{i}}$ y $\hat{\mathbf{j}}$.

EJEMPLO 5.7

Varias fuerzas sobre una partícula

Una partícula de masa $m = 4{,}0\,\text{kg}$ está sometida a la acción de cuatro fuerzas de magnitud $F_1 = 10{,}0\,\text{N}$, $F_2 = 40{,}0\,\text{N}$, $F_3 = 5{,}0\,\text{N}$, y $F_4 = 2{,}0\,\text{N}$, con las direcciones indicadas en el diagrama de cuerpo libre en la Figura 5.15. ¿Cuál es la aceleración de la partícula?

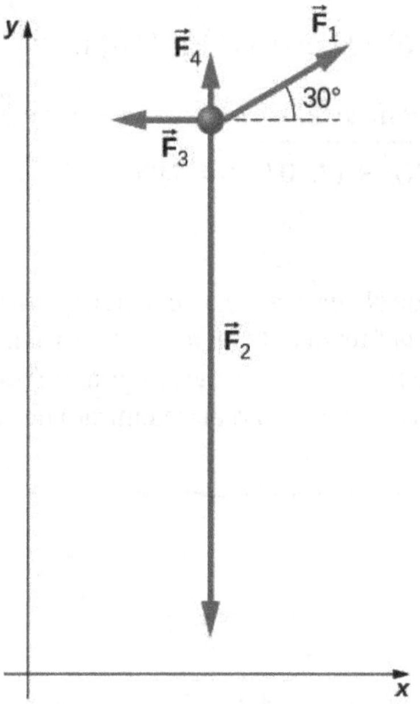

FIGURA 5.15 Se aplican cuatro fuerzas en el plano *xy* a una partícula de 4,0 kg.

Estrategia

Como se trata de un problema bidimensional, debemos utilizar un diagrama de cuerpo libre. Primero, $\vec{\mathbf{F}}_1$ debe resolverse en componentes *x* y *y*. Entonces podemos aplicar la segunda ley en cada dirección.

Solución

Dibujamos un diagrama de cuerpo libre como se muestra en la Figura 5.15. Ahora aplicamos la segunda ley de Newton. Consideramos todos los vectores resueltos en componentes de *x* y *y*:

$$\begin{aligned} \sum F_x &= ma_x \\ F_{1x} - F_{3x} &= ma_x \\ F_1 \cos 30° - F_{3x} &= ma_x \\ (10{,}0\,\text{N})(\cos 30°) - 5{,}0\,\text{N} &= (4{,}0\,\text{kg})\,a_x \\ a_x &= 0{,}92\,\text{m/s}^2. \end{aligned}$$

$$\begin{aligned} \sum F_y &= ma_y \\ F_{1y} + F_{4y} - F_{2y} &= ma_y \\ F_1 \,\text{sen}\, 30° + F_{4y} - F_{2y} &= ma_y \\ (10{,}0\,\text{N})(\text{sen}\, 30°) + 2{,}0\,\text{N} - 40{,}0\,\text{N} &= (4{,}0\,\text{kg})\,a_y \\ a_y &= -8{,}3\,\text{m/s}^2. \end{aligned}$$

Así, la aceleración neta es

$$\vec{\mathbf{a}} = \left(0{,}92\hat{\mathbf{i}} - 8{,}3\hat{\mathbf{j}}\right)\ \text{m/s}^2,$$

que es un vector de magnitud 8,4 m/s^2 dirigido a 276° al eje de la *x* positiva.

Importancia

Se pueden encontrar numerosos ejemplos en la vida cotidiana que implican tres o más fuerzas que actúan sobre un mismo objeto, como los cables que van desde el puente Golden Gate o un jugador de fútbol que es abordado por tres defensores. Podemos ver que la solución de este ejemplo es solo una extensión de lo que ya hemos hecho.

COMPRUEBE LO APRENDIDO 5.5

Un auto tiene fuerzas que actúan sobre él, como se muestra a continuación. La masa del auto es de 1.000,0 kg. La carretera está resbaladiza, por lo que se puede ignorar la fricción. (a) ¿Cuál es la fuerza neta sobre el auto? (b) ¿Cuál es la aceleración del auto?

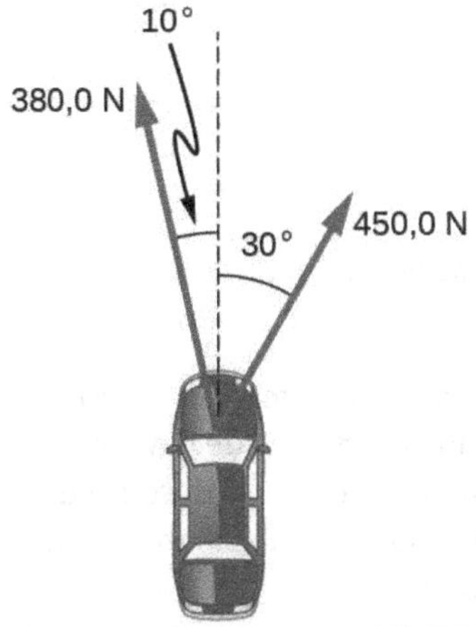

Segunda ley de Newton y el momento

En realidad, Newton planteó su segunda ley en términos de momento: "La tasa instantánea a la que cambia el momento de un cuerpo es igual a la fuerza neta que actúa sobre el cuerpo" ("tasa instantánea" implica que la derivada está involucrada). Esto puede estar dado por la ecuación vectorial

$$\vec{\mathbf{F}}_{\text{neta}} = \frac{d\vec{\mathbf{p}}}{dt}. \tag{5.6}$$

Esto significa que la segunda ley de Newton aborda la pregunta central del movimiento: ¿qué causa un cambio en el movimiento de un objeto? Newton describió el momento como "cantidad de movimiento", una forma de combinar la velocidad de un objeto y su masa. Dedicamos Momento lineal y colisiones al estudio del momento.

Por ahora, basta con definir el *momento* $\vec{\mathbf{p}}$ como el producto de la masa del objeto m y su velocidad $\vec{\mathbf{v}}$:

$$\vec{\mathbf{p}} = m\vec{\mathbf{v}}. \tag{5.7}$$

Ya que la velocidad es un vector, también lo es el momento.

Es fácil visualizar el momento. Un tren que se mueve a 10 m/s tiene más momento que uno que se mueve a 2 m/s. En la vida cotidiana, hablamos de que un equipo deportivo "tiene momento" cuando anota puntos contra el equipo contrario.

Si sustituimos la Ecuación 5.7 en la Ecuación 5.6, obtenemos

$$\vec{\mathbf{F}}_{\text{neta}} = \frac{d\vec{\mathbf{p}}}{dt} = \frac{d\left(m\vec{\mathbf{v}}\right)}{dt}.$$

Cuando m es constante, tenemos

$$\vec{\mathbf{F}}_{\text{neta}} = m\frac{d\left(\vec{\mathbf{v}}\right)}{dt} = m\vec{\mathbf{a}}.$$

Así, vemos que la forma del momento de la segunda ley de Newton se reduce a la forma dada anteriormente en esta sección.

INTERACTIVO

Explore las fuerzas que actúan (https://openstax.org/l/21forcesatwork) al halar un carro (https://openstax.org/l/21pullacart) o al empujar un refrigerador, una caja o una persona. Cree una fuerza aplicada (https://openstax.org/l/21forcemotion_es) y vea cómo hace que los objetos se muevan. Ponga un objeto en una rampa (https://openstax.org/l/21ramp) y vea cómo afecta a su movimiento.

5.4 Masa y peso

OBJETIVOS DE APRENDIZAJE

Al final de esta sección, podrá:

- Explicar la diferencia entre masa y peso.
- Explicar por qué los objetos que caen en la Tierra nunca están realmente en caída libre.
- Describir el concepto de ingravidez.

La masa y el peso se utilizan a menudo indistintamente en la conversación cotidiana. Por ejemplo, nuestra historia clínica suele indicar nuestro peso en kilogramos, pero nunca en las unidades correctas de newtons. Sin embargo, en la física hay una distinción importante. El peso es la fuerza gravitatoria de la Tierra sobre un objeto. Depende de la distancia al centro de la Tierra. A diferencia del peso, la masa no varía con la ubicación. La masa de un objeto es la misma en la Tierra, en órbita o en la superficie de la Luna.

Unidades de fuerza

La ecuación $F_{\text{neta}} = ma$ se utiliza para definir la fuerza neta en términos de masa, longitud y tiempo. Como se ha explicado anteriormente, la unidad de fuerza del SI es el newton. Dado que $F_{\text{neta}} = ma$,

$$1\,\text{N} = 1\,\text{kg} \cdot \text{m/s}^2.$$

Aunque casi todo el mundo utiliza el newton como unidad de fuerza, en los Estados Unidos la unidad de fuerza más conocida es la libra (lb), donde 1 N = 0,225 lb. Por lo tanto, una persona de 225 lb pesa 1000 N.

Peso y fuerza gravitatoria

Cuando un objeto se deja caer, se acelera hacia el centro de la Tierra. La segunda ley de Newton establece que una fuerza neta sobre un objeto es responsable por su aceleración. Si la resistencia del aire es despreciable, la fuerza neta sobre un objeto que cae es la fuerza gravitatoria, comúnmente llamada su **peso** $\vec{\mathbf{w}}$, o su fuerza debida a la gravedad que actúa sobre un objeto de masa m. El peso puede denotarse como un vector porque tiene una dirección; *hacia abajo* es, por definición, la dirección de la gravedad, y por lo tanto, el peso es una fuerza descendente. La magnitud del peso se indica como w. Galileo contribuyó a demostrar que, en ausencia de resistencia del aire, todos los objetos caen con la misma aceleración g. Utilizando el resultado de Galileo y la segunda ley de Newton, podemos derivar una ecuación para el peso.

Consideremos un objeto con masa m que cae hacia la Tierra. Experimenta solamente la fuerza de gravedad descendente, que es el peso $\vec{\mathbf{w}}$. La segunda ley de Newton establece que la magnitud de la fuerza externa neta sobre un objeto es $\vec{\mathbf{F}}_{\text{neta}} = m\vec{\mathbf{a}}$. Sabemos que la aceleración de un objeto debida a la gravedad es $\vec{\mathbf{g}}$, o $\vec{\mathbf{a}} = \vec{\mathbf{g}}$. Al sustituir esto en la segunda ley de Newton obtenemos las siguientes ecuaciones.

Peso

La fuerza gravitatoria sobre una masa es su peso. Podemos escribirlo en forma de vector, donde $\vec{\mathbf{w}}$ es el peso y m es la masa, ya que

$$\vec{\mathbf{w}} = m\vec{\mathbf{g}}. \tag{5.8}$$

En forma escalar, podemos escribir

$$w = mg. \tag{5.9}$$

Dado que $g = 9{,}80\,\text{m/s}^2$ en la Tierra, el peso de un objeto de 1,00 kg en la Tierra es de 9,80 N:

$$w = mg = (1{,}00\,\text{kg})(9{,}80\,\text{m/s}^2) = 9{,}80\,\text{N}.$$

Cuando la fuerza externa neta sobre un objeto es su peso, decimos que está en **caída libre**, es decir, que la única fuerza que actúa sobre el objeto es la gravedad. Sin embargo, cuando los objetos en la Tierra caen hacia abajo, nunca están realmente en caída libre porque siempre hay alguna fuerza de resistencia hacia arriba del aire que actúa sobre el objeto.

La aceleración debida a la gravedad *g* varía ligeramente sobre la superficie de la Tierra, por lo que el peso de un objeto depende de su ubicación y no es una propiedad intrínseca del objeto. El peso varía drásticamente si salimos de la superficie de la Tierra. En la Luna, por ejemplo, la aceleración debida a la gravedad es solo $1{,}67\ \text{m/s}^2$. Así, una masa de 1,0 kg tiene un peso de 9,8 N en la Tierra y solo unos 1,7 N en la Luna.

La definición más amplia de peso en este sentido es que el peso de un objeto es la fuerza gravitatoria que ejerce sobre este el cuerpo grande más cercano, como la Tierra, la Luna o el Sol. Esta es la definición más común y útil de peso en física. Sin embargo, difiere radicalmente de la definición de peso utilizada por la NASA y los medios de comunicación en relación con los viajes y la exploración espacial. Cuando hablan de "ingravidez" y "microgravedad", se refieren al fenómeno que en física denominamos "caída libre". Utilizamos la definición anterior de peso, la fuerza $\vec{\mathbf{w}}$ debida a la gravedad que actúa sobre un objeto de masa *m*, y distinguimos cuidadosamente entre caída libre e ingravidez real.

Tenga en cuenta que el peso y la masa son magnitudes físicas diferentes, aunque están estrechamente relacionadas. La masa es una propiedad intrínseca de un objeto: Es una cantidad de materia. La cantidad de materia de un objeto viene determinada por el número de átomos y moléculas de distintos tipos que contiene. Como estos números no varían, en la física newtoniana, la masa no varía; por lo tanto, su respuesta a una fuerza aplicada no varía. En cambio, el peso es la fuerza gravitatoria que actúa sobre un objeto, por lo que sí varía en función de la gravedad. Por ejemplo, una persona más cercana al centro de la Tierra, en una cota baja como Nueva Orleans, pesa ligeramente más que una persona que se encuentra en la cota más alta de Denver, aunque tengan la misma masa.

Es tentador equiparar la masa al peso, porque la mayoría de nuestros ejemplos se presenta en la Tierra, donde el peso de un objeto varía solo un poco, dependiendo de su ubicación. Además, es difícil contar e identificar todos los átomos y moléculas de un objeto, por lo que la masa rara vez se determina de esta manera. Si consideramos situaciones en las que $\vec{\mathbf{g}}$ es una constante en la Tierra, vemos que el peso $\vec{\mathbf{w}}$ es directamente proporcional a la masa *m*, ya que $\vec{\mathbf{w}} = m\vec{\mathbf{g}}$, es decir, cuanta más masa tiene un objeto, más pesa. Desde el punto de vista operativo, las masas de los objetos se determinan por comparación con el kilogramo estándar, tal y como comentamos en Unidades y medidas. No obstante, al comparar un objeto en la Tierra con uno en la Luna, podemos ver fácilmente una variación en el peso, pero no en la masa. Por ejemplo, en la Tierra, un objeto de 5,0 kg pesa 49 N; en la Luna, donde *g* es $1{,}67\ \text{m/s}^2$, el objeto pesa 8,4 N. Sin embargo, la masa del objeto sigue siendo de 5,0 kg en la Luna.

EJEMPLO 5.8

Despejar un campo

Un agricultor levanta algunas rocas moderadamente pesadas de un campo para plantar cultivos. Alza una piedra que pesa 40,0 libras (unos 180 N). ¿Qué fuerza ejerce si la piedra acelera a una tasa de $1{,}5\ \text{m/s}^2$?

Estrategia

Nos dieron el peso de la piedra, que utilizamos para encontrar la fuerza neta sobre la piedra. Sin embargo, también necesitamos conocer su masa para aplicar la segunda ley de Newton, por lo que debemos aplicar la ecuación del peso, $w = mg$, para determinar la masa.

Solución

No hay fuerzas que actúen en la dirección horizontal, por lo que podemos concentrarnos en las fuerzas verticales, como se muestra en el siguiente diagrama de cuerpo libre. Marcamos la aceleración hacia el lado; técnicamente, no forma parte del diagrama de cuerpo libre, aunque sirve para recordar que el objeto acelera hacia arriba (por lo que la fuerza neta es hacia arriba).

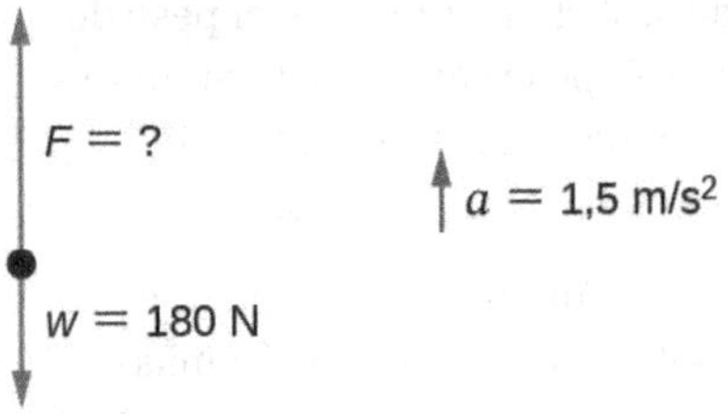

$$
\begin{aligned}
w &= mg \\
m &= \frac{w}{g} = \frac{180\,\text{N}}{9{,}8\,\text{m/s}^2} = 18\,\text{kg} \\
\sum F &= ma \\
F - w &= ma \\
F - 180\,\text{N} &= (18\,\text{kg})(1{,}5\,\text{m/s}^2) \\
F - 180\,\text{N} &= 27\,\text{N} \\
F &= 207\,\text{N} = 210\,\text{N para dos cifras significativas}
\end{aligned}
$$

Importancia

Para aplicar la segunda ley de Newton como ecuación principal en la resolución de un problema, a veces tenemos que apoyarnos en otras ecuaciones, como la del peso o una de las ecuaciones cinemáticas, para completar la solución.

COMPRUEBE LO APRENDIDO 5.6

Para el Ejemplo 5.8, calcule la aceleración cuando la fuerza aplicada por el agricultor es de 230,0 N.

INTERACTIVO

¿Usted puede evitar el campo de rocas y aterrizar con seguridad justo antes de que se le acabe el combustible, como hizo Neil Armstrong en 1969? Esta versión del clásico videojuego (https://openstax.org/l/21lunarlander) simula con precisión el movimiento real del módulo de aterrizaje lunar, con la masa, el empuje, el índice de consumo de combustible y la gravedad lunar correctos. El módulo de aterrizaje lunar real es difícil de controlar.

5.5 Tercera ley de Newton

OBJETIVOS DE APRENDIZAJE

Al final de esta sección, podrá:

- Enunciar la tercera ley del movimiento de Newton.
- Identificar las fuerzas de acción y reacción en diferentes situaciones.
- Aplicar la tercera ley de Newton para definir sistemas y resolver problemas de movimiento.

Hasta ahora hemos considerado la fuerza como un empujón o un tirón; sin embargo, si lo piensa, se dará cuenta de que ningún empujón o tirón se produce por sí mismo. Cuando empuja una pared, esta le devuelve el empujón. Esto nos lleva a la **tercera ley de Newton**.

Tercera ley del movimiento de Newton

Cada vez que un cuerpo ejerce una fuerza sobre otro cuerpo, el primer cuerpo experimenta una fuerza de magnitud igual y dirección opuesta a la que ejerce. Matemáticamente, si un cuerpo A ejerce una fuerza $\vec{\mathbf{F}}$ sobre el cuerpo B, entonces B ejerce simultáneamente una fuerza $-\vec{\mathbf{F}}$ en A, o en forma de ecuación vectorial,

$$\vec{\mathbf{F}}_{AB} = -\vec{\mathbf{F}}_{BA}. \quad 5.10$$

La tercera ley de Newton representa cierta simetría en la naturaleza: las fuerzas siempre se producen por parejas, y un cuerpo no puede ejercer una fuerza sobre otro sin experimentar una fuerza él mismo. A veces nos referimos a esta ley de forma imprecisa como "acción y reacción", donde la fuerza ejercida es la acción y la fuerza experimentada como consecuencia es la reacción. La tercera ley de Newton tiene usos prácticos para analizar el origen de las fuerzas y comprender qué fuerzas son externas a un sistema.

Podemos ver fácilmente de qué manera la tercera ley de Newton se pone en práctica al observar cómo se mueven las personas. Considere la posibilidad de que una nadadora se impulse desde el lado de una piscina (Figura 5.16). Se impulsa desde la pared de la piscina con los pies y acelera en la dirección opuesta a la de su empuje. La pared ha ejercido una fuerza igual y opuesta sobre la nadadora. Podría pensarse que dos fuerzas iguales y opuestas se anulan, pero no es así, *porque actúan sobre sistemas diferentes*. En este caso, hay dos sistemas que podríamos investigar: la nadadora y la pared. Si seleccionamos a la nadadora como sistema de interés, como en la figura, entonces $F_{\text{pared en los pies}}$ es una fuerza externa sobre este sistema y afecta a su movimiento. La nadadora se mueve en la dirección de esta fuerza. En cambio, la fuerza $F_{\text{pies en la pared}}$ actúa sobre la pared, no sobre nuestro sistema de interés. Por lo tanto, $F_{\text{pies en la pared}}$ no afecta directamente el movimiento del sistema y no anula $F_{\text{pared en los pies}}$. La nadadora empuja en la dirección opuesta a la que desea moverse. La reacción a su empujón va, pues, en la dirección deseada. En un diagrama de cuerpo libre, como el que se muestra en la Figura 5.16, nunca incluimos las dos fuerzas de un par acción y reacción; en este caso, solamente utilizamos $F_{\text{pared en los pies}}$, no $F_{\text{pies en la pared}}$.

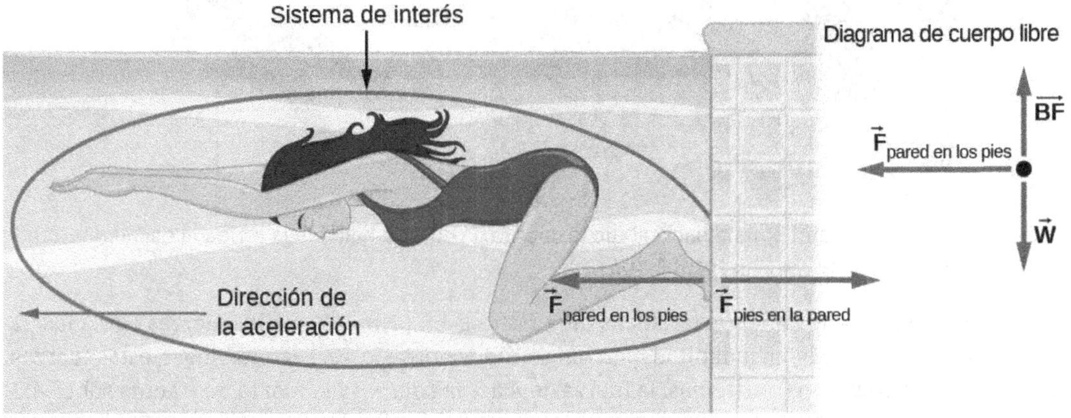

FIGURA 5.16 Cuando la nadadora ejerce una fuerza sobre la pared, acelera en la dirección opuesta; es decir, la fuerza externa neta sobre ella es en la dirección opuesta a $F_{\text{pies en la pared}}$. Esta oposición se produce porque, de acuerdo con la tercera ley de Newton, la pared ejerce una fuerza $F_{\text{pared en los pies}}$ sobre la nadadora que es de igual magnitud, pero en la dirección opuesta a la que ella ejerce sobre la pared. La línea que rodea a la nadadora indica el sistema de interés. Por lo tanto, el diagrama de cuerpo libre solo muestra $F_{\text{pared en los pies}}$, *w* (la fuerza gravitatoria), y *BF*, que es la fuerza de flotación del agua que soporta el peso de la nadadora. Las fuerzas verticales *w* y *BF* se anulan porque no hay aceleración vertical.

Es fácil encontrar otros ejemplos de la tercera ley de Newton:

- Mientras un profesor se pasea delante de una pizarra, ejerce una fuerza hacia atrás en el suelo. El suelo ejerce una fuerza de reacción hacia delante, sobre el profesor, que le hace acelerar hacia delante.
- Un auto acelera hacia delante porque el suelo empuja hacia delante las ruedas motrices, en reacción a que las ruedas motrices empujan hacia atrás sobre el suelo. Puede ver la evidencia de las ruedas empujando hacia atrás cuando los neumáticos giran en un camino de grava y lanzan las piedras hacia atrás.
- Los cohetes avanzan expulsando gas hacia atrás a gran velocidad. Esto significa que el cohete ejerce una

gran fuerza hacia atrás, sobre el gas en la cámara de combustión del cohete; por lo tanto, el gas ejerce una gran fuerza de reacción hacia adelante, sobre el cohete. Esta fuerza de reacción, que empuja un cuerpo hacia adelante en respuesta a una fuerza hacia atrás, se denomina **empuje**. Es un error común pensar que los cohetes se propulsan empujando el suelo o sobre el aire que hay detrás de ellos. De hecho, funcionan mejor en el vacío, donde pueden expulsar más fácilmente los gases de escape.

- Los helicópteros crean sustentación empujando el aire hacia abajo, por lo que experimentan una fuerza de reacción hacia arriba.
- Los pájaros y los aviones también vuelan ejerciendo una fuerza sobre el aire, en dirección opuesta a la que necesitan. Por ejemplo, las alas de un pájaro fuerzan el aire hacia abajo y hacia atrás para conseguir sustentación y avanzar.
- Un pulpo se propulsa en el agua expulsando agua a través de un embudo de su cuerpo, similar a una moto acuática.
- Cuando una persona hala hacia abajo una cuerda vertical, la cuerda hala hacia arriba a la persona (Figura 5.17).

FIGURA 5.17 Cuando el escalador hala hacia abajo la cuerda, la cuerda hala hacia arriba al escalador (créditos de la izquierda: modificación de la obra de Cristian Bortes).

La tercera ley de Newton tiene dos características importantes. En primer lugar, las fuerzas ejercidas (la acción y la reacción) son siempre de igual magnitud, pero en sentido contrario. En segundo lugar, estas fuerzas actúan sobre diferentes cuerpos o sistemas: la fuerza de *A* actúa sobre *B* y la fuerza de *B* actúa sobre *A*. En otras palabras, las dos fuerzas son fuerzas distintas que no actúan sobre el mismo cuerpo. Por lo tanto, no se anulan entre sí.

Para la situación mostrada en la Figura 5.6, la tercera ley indica la forma en que la silla empuja hacia arriba al niño con fuerza $\vec{\mathbf{C}}$, él empuja hacia abajo, sobre la silla, con fuerza $-\vec{\mathbf{C}}$. Del mismo modo, empuja hacia abajo con fuerzas $-\vec{\mathbf{F}}$ y $-\vec{\mathbf{T}}$ sobre el suelo y sobre la mesa, respectivamente. Finalmente, ya que la Tierra ejerce una fuerza gravitatoria hacia abajo del niño con fuerza $\vec{\mathbf{w}}$, él hala hacia arriba de la Tierra con fuerza $-\vec{\mathbf{w}}$. Si ese estudiante golpeara con rabia la mesa en señal de frustración, aprendería rápidamente la dolorosa lección (lo que se evita si estudiara las leyes de Newton) de que la mesa devuelve los golpes con la misma fuerza.

Una persona que camina o corre aplica instintivamente la tercera ley de Newton. Por ejemplo, el corredor en la Figura 5.18 empuja hacia atrás sobre el suelo para que este le empuje hacia delante.

FIGURA 5.18 El corredor experimenta la tercera ley de Newton. (a) El corredor ejerce una fuerza sobre el suelo. (b) La fuerza de reacción del suelo sobre el corredor le empuja hacia delante (créditos "corredor": modificación de la obra de "Greenwich Photography"/Flickr).

EJEMPLO 5.9

Fuerzas sobre un objeto inmóvil

El paquete en la Figura 5.19 reposa en una báscula. Las fuerzas sobre el paquete son $\vec{\mathbf{S}}$, que se debe a la báscula, y -$\vec{\mathbf{w}}$, que se debe al campo gravitatorio de la Tierra. Las fuerzas de reacción que ejerce el paquete son -$\vec{\mathbf{S}}$ sobre la báscula y $\vec{\mathbf{w}}$ sobre la Tierra. Debido a que el paquete no se acelera, la aplicación de la segunda ley produce

$$\vec{\mathbf{S}} - \vec{\mathbf{w}} = m\vec{\mathbf{a}} = \vec{\mathbf{0}},$$

así que

$$\vec{\mathbf{S}} = \vec{\mathbf{w}}.$$

Por lo tanto, la lectura de la báscula da la magnitud del peso del paquete. Sin embargo, la báscula no mide el peso del paquete, sino la fuerza -$\vec{\mathbf{S}}$ en su superficie. Si el sistema se acelera, $\vec{\mathbf{S}}$ y -$\vec{\mathbf{w}}$ no serían iguales, como se explica en Aplicaciones de las leyes de Newton.

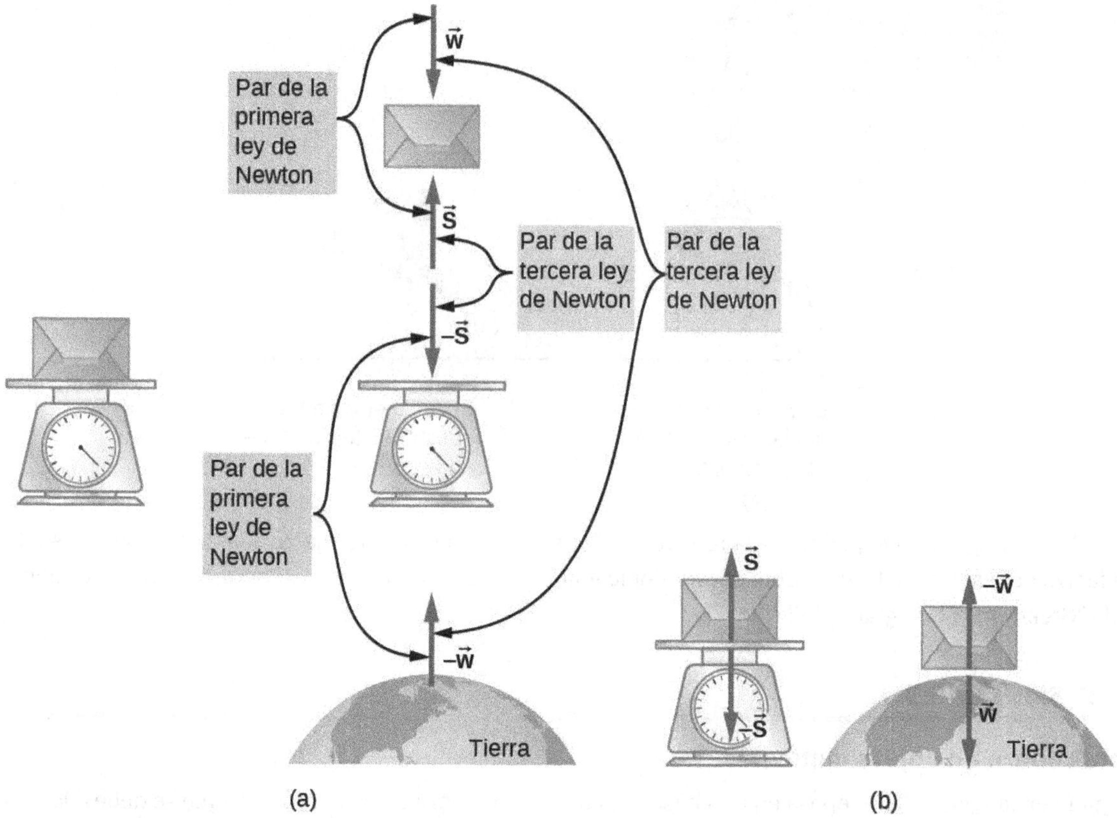

FIGURA 5.19 (a) Las fuerzas sobre un paquete que reposa en una báscula, junto con sus fuerzas de reacción. La fuerza $\vec{w}$ es el peso del paquete (la fuerza debida a la gravedad terrestre) y $\vec{S}$ es la fuerza de la báscula sobre el paquete. (b) El aislamiento del sistema del paquete y la báscula y del sistema del paquete y la Tierra hace que los pares de acción y reacción sean claros.

EJEMPLO 5.10

Ponerse al día: elegir el sistema correcto

Una profesora de física empuja un carro con equipos de demostración hacia una sala de conferencias (Figura 5.20). Su masa es de 65,0 kg, la masa del carro es de 12,0 kg y la masa del equipo es de 7,0 kg. Calcule la aceleración producida cuando la profesora ejerce una fuerza hacia atrás de 150 N sobre el suelo. Todas las fuerzas que se oponen al movimiento, como la fricción en las ruedas del carro y la resistencia del aire, suman 24,0 N.

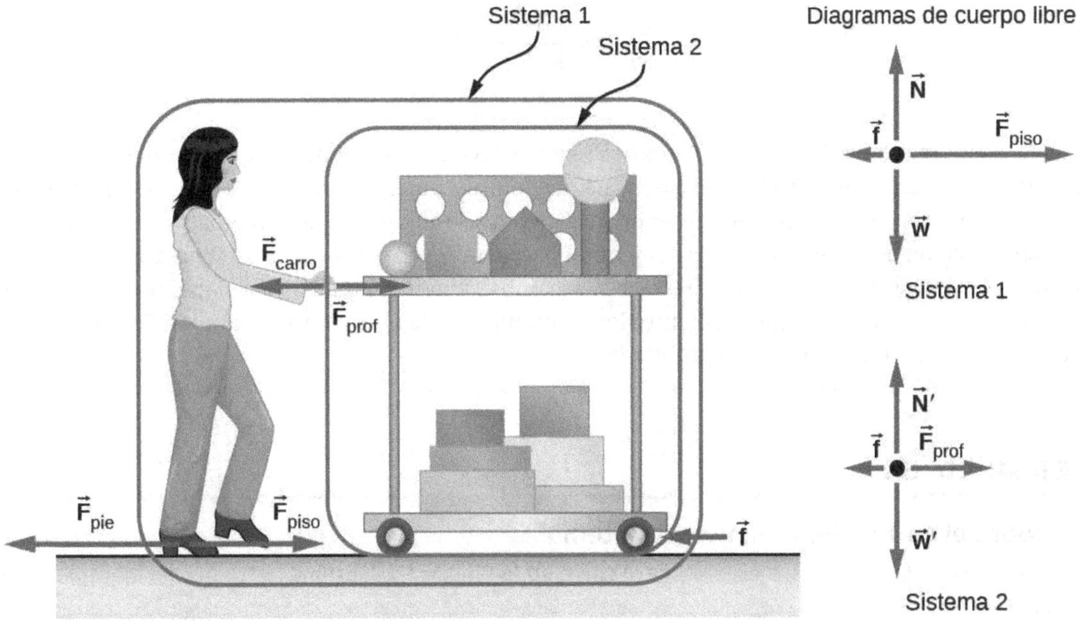

FIGURA 5.20 Una profesora empuja el carro con su equipo de demostración. Las longitudes de las flechas son proporcionales a las magnitudes de las fuerzas (excepto para $\vec{\mathbf{f}}$, porque es demasiado pequeña para dibujarla a escala). El Sistema 1 es apropiado para este ejemplo, porque pide la aceleración de todo el grupo de objetos. Solo $\vec{\mathbf{F}}_{\text{suelo}}$ y $\vec{\mathbf{f}}$ son fuerzas externas que actúan sobre el Sistema 1 a lo largo de la línea de movimiento. Todas las demás fuerzas se anulan o actúan sobre el mundo exterior. Para el siguiente ejemplo se ha elegido el Sistema 2, entonces $\vec{\mathbf{F}}_{\text{prof}}$ es una fuerza externa y entra en la segunda ley de Newton. Los diagramas de cuerpo libre, que sirven de base a la segunda ley de Newton, varían según el sistema elegido.

Estrategia

Dado que aceleran como una unidad, definimos el sistema como la profesora, el carro y el equipo. Este es el Sistema 1 en la Figura 5.20. La profesora empuja hacia atrás con una fuerza F_{pie} de 150 N. Según la tercera ley de Newton, el suelo ejerce una fuerza de reacción hacia delante F_{suelo} de 150 N en el Sistema 1. Como todo el movimiento es horizontal, podemos suponer que no hay fuerza neta en la dirección vertical. Por lo tanto, el problema es unidimensional a lo largo de la dirección horizontal. Como se ha señalado, la fricción f se opone al movimiento y, por ende, está en la dirección opuesta a F_{suelo}. No incluimos las fuerzas F_{prof} o F_{carro} porque son fuerzas internas, y no incluimos F_{pie} porque actúa sobre el suelo, no sobre el sistema. No hay otras fuerzas significativas que actúen sobre el Sistema 1. Si, a partir de toda esta información, se puede encontrar la fuerza externa neta, podemos utilizar la segunda ley de Newton para encontrar la aceleración como se pide. Vea el diagrama de cuerpo libre en la figura.

Solución

La segunda ley de Newton viene dada por

$$a = \frac{F_{\text{neta}}}{m}.$$

La fuerza externa neta sobre el Sistema 1 se deduce de la Figura 5.20 y del análisis anterior, que es

$$F_{\text{neta}} = F_{\text{suelo}} - f = 150\,\text{N} - 24{,}0\,\text{N} = 126\,\text{N}.$$

La masa del Sistema 1 es

$$m = (65{,}0 + 12{,}0 + 7{,}0)\ \text{kg} = 84\,\text{kg}.$$

Estos valores de F_{neta} y m producen una aceleración de

$$a = \frac{F_{\text{neta}}}{m} = \frac{126\,\text{N}}{84\,\text{kg}} = 1{,}5\,\text{m/s}^2.$$

Importancia

Ninguna de las fuerzas entre los componentes del Sistema 1, como por ejemplo entre las manos de la profesora y el carro, contribuyen a la fuerza externa neta porque son internas al Sistema 1. Otra forma de ver esto es que las fuerzas entre los componentes de un sistema se anulan porque son iguales en magnitud y opuestas en dirección. Por ejemplo, la fuerza ejercida por la profesora sobre el carro tiene como resultado una fuerza igual y opuesta sobre la profesora. En este caso, ambas fuerzas actúan sobre el mismo sistema y, por ende, se anulan. Así, las fuerzas internas (entre los componentes de un sistema) se anulan. La elección del Sistema 1 fue crucial para resolver este problema.

EJEMPLO 5.11

Fuerza sobre el carro: elegir un nuevo sistema

Calcule la fuerza que la profesora ejerce sobre el carro en la Figura 5.20; utilice los datos del ejemplo anterior, si es necesario.

Estrategia

Si definimos el sistema de interés como el carro más el equipo (Sistema 2 en la Figura 5.20), entonces la fuerza externa neta sobre el Sistema 2 es la fuerza que la profesora ejerce sobre el carro menos la fricción. La fuerza que ejerce sobre el carro, F_{prof}, es una fuerza externa que actúa sobre el Sistema 2. F_{prof} era interna al Sistema 1, pero es externa al Sistema 2 y, por ende, entra en la segunda ley de Newton para este sistema.

Solución

La segunda ley de Newton se puede utilizar para encontrar F_{prof}. Empezamos con

$$a = \frac{F_{\text{neta}}}{m}.$$

La magnitud de la fuerza externa neta sobre el Sistema 2 es

$$F_{\text{neta}} = F_{\text{prof}} - f.$$

Resolvemos F_{prof}, la cantidad deseada:

$$F_{\text{prof}} = F_{\text{neta}} + f.$$

El valor de f está dado, por lo que debemos calcular el valor neto F_{neta}. Esto se puede hacer porque se conocen tanto la aceleración como la masa del Sistema 2. Utilizando la segunda ley de Newton, vemos que

$$F_{\text{neta}} = ma,$$

donde la masa del Sistema 2 es de 19,0 kg ($m = 12{,}0\,\text{kg} + 7{,}0\,\text{kg}$) y su aceleración resultó ser $a = 1{,}5\,\text{m/s}^2$ en el ejemplo anterior. Así,

$$F_{\text{neta}} = ma = (19{,}0\,\text{kg})\left(1{,}5\,\text{m/s}^2\right) = 29\,\text{N}.$$

Ahora podemos encontrar la fuerza deseada:

$$F_{\text{prof}} = F_{\text{neta}} + f = 29\,\text{N} + 24{,}0\,\text{N} = 53\,\text{N}.$$

Importancia

Esta fuerza es significativamente menor que la fuerza de 150 N que la profesora ejerció hacia atrás sobre el suelo. No toda esa fuerza de 150 N se transmite al carro; parte de esta acelera a la profesora. La elección de un sistema es un paso analítico importante tanto para resolver problemas como para comprender a fondo la física de la situación (que no son necesariamente las mismas cosas).

COMPRUEBE LO APRENDIDO 5.7

Dos bloques están en reposo y en contacto sobre una superficie sin fricción, como se muestra a continuación, con $m_1 = 2{,}0\ \text{kg}$, $m_2 = 6{,}0\ \text{kg}$, y una fuerza aplicada de 24 N. (a) Calcule la aceleración del sistema de bloques. (b) Supongamos que los bloques se separan posteriormente. ¿Qué fuerza dará al segundo bloque, con una masa de 6,0 kg, la misma aceleración que el sistema de bloques?

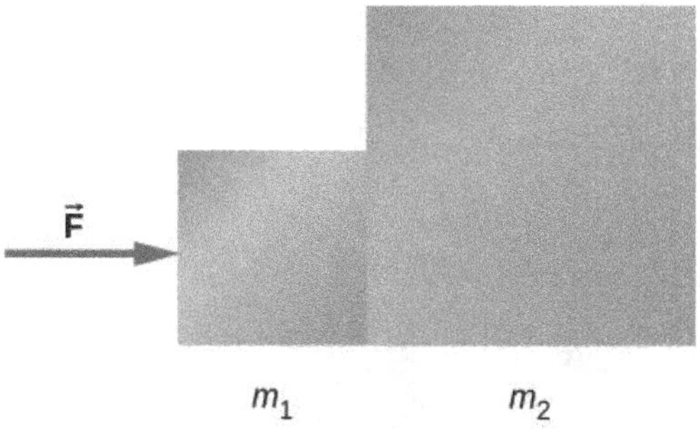

INTERACTIVO

Vea este video (https://openstax.org/l/21actionreact) con ejemplos de acción y reacción.

INTERACTIVO

Vea este video (https://openstax.org/l/21NewtonsLaws) con ejemplos de las leyes de Newton y de las fuerzas internas y externas.

5.6 Fuerzas comunes

OBJETIVOS DE APRENDIZAJE

Al final de esta sección, podrá:

- Definir las fuerzas normales y de tensión.
- Distinguir entre fuerzas reales y ficticias.
- Aplicar las leyes del movimiento de Newton para resolver problemas que impliquen una variedad de fuerzas.

Las fuerzas reciben muchos nombres, como empujón, tirón, empuje y peso. Tradicionalmente, las fuerzas se han agrupado en varias categorías y han recibido nombres relacionados con su origen, su forma de transmisión o sus efectos. En esta sección se analizan varias de estas categorías, junto con algunas aplicaciones interesantes. Más adelante, en este mismo texto, se comentan otros ejemplos de fuerzas.

Un catálogo de fuerzas: normal, tensión y otros ejemplos de fuerzas

El catálogo de fuerzas nos servirá de referencia a la hora de resolver diversos problemas relacionados con la fuerza y el movimiento. Estas fuerzas incluyen la fuerza normal, la tensión, la fricción y la fuerza de resorte.

Fuerza normal

El peso (también llamado fuerza de gravedad) es una fuerza omnipresente que actúa en todo momento y que debe contrarrestarse para evitar que un objeto caiga. Debe soportar el peso de un objeto pesado empujándolo hacia arriba cuando lo mantiene fijo, como se ilustra en la Figura 5.21(a). ¿Cómo soportan los objetos inanimados, como una mesa, el peso de una masa colocada sobre ellos, como se muestra en la Figura 5.21(b)? Cuando se coloca la bolsa de comida para perros sobre la mesa, esta cede ligeramente bajo la carga. Esto se notaría si la carga se colocara sobre una mesa de juego, pero incluso una mesa de roble resistente se deforma cuando se le aplica una fuerza. A menos que un objeto se deforme más allá de su límite, ejercerá una fuerza restauradora muy parecida a la de un resorte deformado (o un trampolín). Cuanto mayor sea la deformación, mayor será la fuerza restauradora. Así, cuando se coloca la carga sobre la mesa, esta cede hasta que la fuerza restauradora es tan grande como el peso de la carga. En este punto, la fuerza externa neta sobre la carga es cero. Esta es la situación cuando la carga está estacionaria en la mesa. La mesa cede rápidamente y el hundimiento es leve, por lo que no lo notamos. Sin embargo, es semejante al hundimiento de un trampolín cuando se sube a esta.

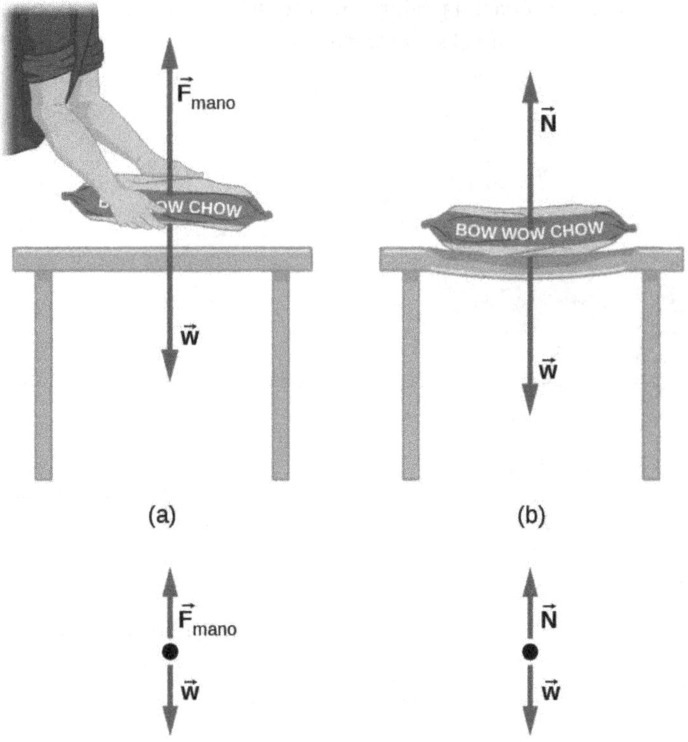

FIGURA 5.21 (a) La persona que sostiene la bolsa de comida para perros debe suministrar una fuerza ascendente $\vec{\mathbf{F}}_{\mathbf{mano}}$ de magnitud igual y dirección contraria al peso del alimento $\vec{\mathbf{w}}$ para que no se caiga al suelo. (b) La mesa de juego cede cuando se coloca la comida para perros sobre ella, como si fuera un trampolín rígido. Las fuerzas restauradoras elásticas en la mesa crecen a medida que se hunde hasta que suministran una fuerza $\vec{\mathbf{N}}$ de magnitud igual y dirección contraria al peso de la carga.

Debemos concluir que cualquier cosa que soporte una carga, sea animada o no, deberá suministrar una fuerza ascendente igual al peso de la carga, como hemos supuesto en algunos de los ejemplos anteriores. Si la fuerza que soporta el peso de un objeto, o una carga, es perpendicular a la superficie de contacto entre la carga y su soporte, se define como **fuerza normal** y aquí viene dada por el símbolo $\vec{\mathbf{N}}$. (No es la unidad de newton para la fuerza, o N.) La palabra *normal* significa perpendicular a una superficie. Esto significa que la fuerza normal experimentada por un objeto que descansa sobre una superficie horizontal puede expresarse en forma vectorial de la siguiente manera:

$$\vec{\mathbf{N}} = -m\vec{\mathbf{g}}. \quad 5.11$$

En forma escalar, esto se convierte en

$$N = mg. \quad 5.12$$

La fuerza normal puede ser menor que el peso del objeto si este se encuentra en una pendiente.

EJEMPLO 5.12

Peso en una inclinación

Considere la esquiadora en la pendiente en la Figura 5.22. Su masa, incluso el equipo, es de 60,0 kg. (a) ¿Cuál es su aceleración si la fricción es despreciable? (b) ¿Cuál es su aceleración si la fricción es de 45,0 N?

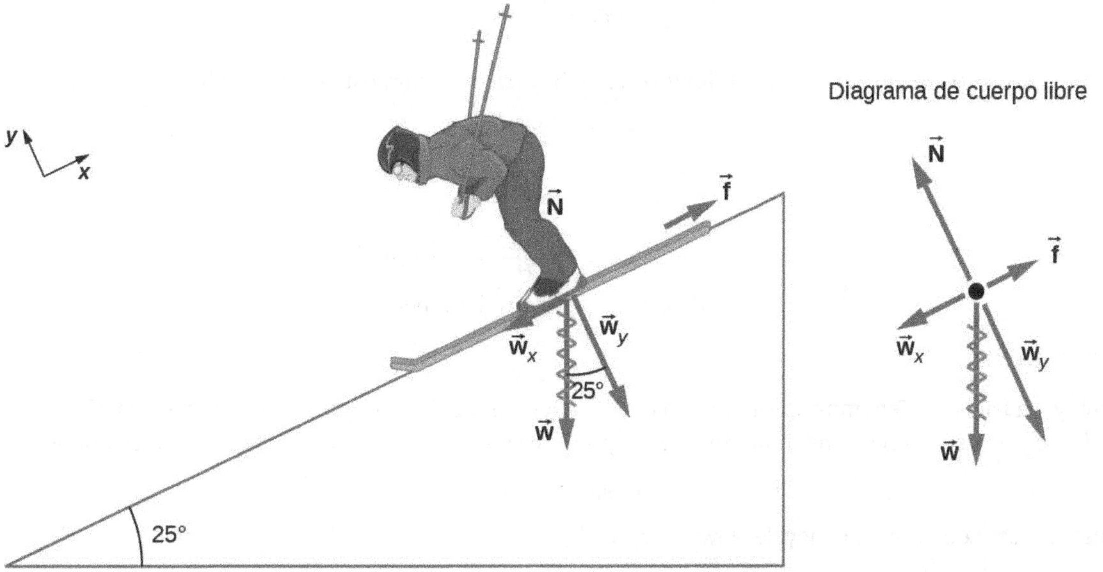

FIGURA 5.22 Dado que la aceleración es paralela a la pendiente y actúa hacia abajo, lo más conveniente es proyectar todas las fuerzas sobre un sistema de coordenadas en el que un eje es paralelo a la pendiente y el otro es perpendicular a esta (ejes mostrados a la izquierda de la esquiadora). $\vec{N}$ es perpendicular a la pendiente y $\vec{f}$ es paralela a la pendiente, pero $\vec{w}$ tiene componentes a lo largo de ambos ejes, es decir: w_y y w_x. Aquí, $\vec{w}$ tiene una línea ondulada para mostrar que ha sido sustituido por estos componentes. La fuerza $\vec{N}$ es igual en magnitud a w_y, por lo que no hay aceleración perpendicular a la pendiente, pero f es menor que w_x, por lo que se produce una aceleración dirigida hacia abajo (a lo largo del eje paralelo a la pendiente).

Estrategia

Se trata de un problema bidimensional, ya que no todas las fuerzas sobre la esquiadora (el sistema de interés) son paralelas. El enfoque que hemos utilizado en la cinemática bidimensional también funciona bien aquí. Elija un sistema de coordenadas conveniente y proyecte los vectores sobre sus ejes, para crear dos problemas unidimensionales por resolver. El sistema de coordenadas más conveniente para el movimiento en una pendiente es aquel que tiene una coordenada paralela a la pendiente y otra perpendicular. (Los movimientos a lo largo de ejes mutuamente perpendiculares son independientes). Utilizamos la x y la y para las direcciones paralela y perpendicular, respectivamente. Esta elección de ejes simplifica este tipo de problemas, porque no hay movimiento perpendicular a la pendiente y la aceleración se dirige hacia abajo. En cuanto a las fuerzas, la fricción se dibuja en oposición al movimiento (la fricción siempre se opone al avance) y siempre es paralela a la pendiente, w_x se dibuja en paralelo a la pendiente y dirigida hacia abajo (provoca el movimiento de la esquiadora hacia abajo de la pendiente), y w_y se dibuja como el componente del peso perpendicular a la pendiente. Entonces, podemos considerar los problemas separados de las fuerzas paralelas a la pendiente y las fuerzas perpendiculares a la pendiente.

Solución

La magnitud del componente del peso paralelo a la pendiente es

$$w_x = w \operatorname{sen} 25° = mg \operatorname{sen} 25°,$$

y la magnitud del componente del peso perpendicular a la pendiente es

$$w_y = w \cos 25° = mg \cos 25°.$$

a. Ignore la fricción. Dado que la aceleración es paralela a la pendiente, solo debemos considerar las fuerzas paralelas. (Las fuerzas perpendiculares a la pendiente suman cero, ya que no hay aceleración en esa dirección). Las fuerzas paralelas a la pendiente son el componente del peso de la esquiadora paralelo a la pendiente w_x y la fricción f. Utilizando la segunda ley de Newton, con subíndices para denotar las cantidades paralelas a la pendiente,

$$a_x = \frac{F_{\text{neta } x}}{m}$$

donde $F_{\text{neta } x} = w_x - mg \text{ sen } 25°$, asumiendo que no hay fricción para esta parte. Por lo tanto,

$$a_x = \frac{F_{\text{neta } x}}{m} = \frac{mg \text{ sen } 25°}{m} = g \text{ sen } 25°$$
$$\left(9{,}80 \text{ m/s}^2\right)(0{,}4226) = 4{,}14 \text{ m/s}^2$$

es la aceleración.

b. Incluya la fricción. Tenemos un valor dado para la fricción, y sabemos que su dirección es paralela a la pendiente y que se opone al movimiento entre superficies en contacto. Así que la fuerza externa neta es

$$F_{\text{neta } x} = w_x - f.$$

Al sustituir esto en la segunda ley de Newton, $a_x = F_{\text{neta } x}/m$, da

$$a_x = \frac{F_{\text{neta } x}}{m} = \frac{w_x - f}{m} = \frac{mg \text{ sen } 25° - f}{m}.$$

Sustituimos los valores conocidos para obtener

$$a_x = \frac{(60{,}0 \text{ kg})\left(9{,}80 \text{ m/s}^2\right)(0{,}4226) - 45{,}0 \text{ N}}{60{,}0 \text{ kg}}.$$

Esto nos da

$$a_x = 3{,}39 \text{ m/s}^2,$$

que es la aceleración paralela a la pendiente cuando hay 45,0 N de fricción opuesta.

Importancia

Como la fricción siempre se opone al movimiento entre superficies, la aceleración es menor cuando hay fricción. Es un resultado general que, si la fricción en una pendiente es despreciable, entonces la aceleración hacia abajo de la pendiente es $a = g \text{ sen } \theta$, independientemente de la masa. Como se ha comentado anteriormente, todos los objetos caen con la misma aceleración en ausencia de resistencia del aire. Del mismo modo, todos los objetos, independientemente de su masa, se deslizan por una pendiente sin fricción con la misma aceleración (si el ángulo es el mismo).

Cuando un objeto se apoya en una pendiente que forma un ángulo θ con la horizontal, la fuerza de gravedad que actúa sobre el objeto se divide en dos componentes: una fuerza que actúa perpendicularmente al plano, w_y, y una fuerza que actúa paralela al plano, w_x (Figura 5.23). La fuerza normal $\vec{\mathbf{N}}$ suele ser de igual magnitud y de dirección opuesta al componente perpendicular del peso w_y. La fuerza que actúa paralela al plano, w_x, hace que el objeto se acelere por la pendiente.

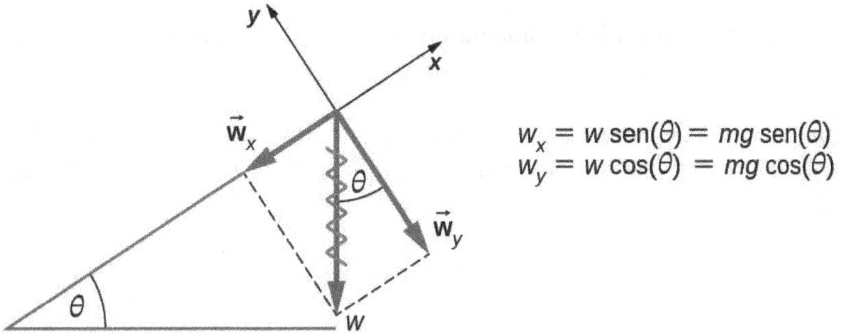

FIGURA 5.23 Un objeto se apoya en una pendiente que forma un ángulo θ con la horizontal.

Tenga cuidado al resolver el peso del objeto en componentes. Si la inclinación es en ángulo θ a la horizontal, entonces las magnitudes de los componentes del peso son

$$w_x = w\,\text{sen}\,\theta = mg\,\text{sen}\,\theta$$

y

$$w_y = w\cos\theta = mg\cos\theta.$$

Utilizamos la segunda ecuación para escribir la fuerza normal que experimenta un objeto en reposo sobre un plano inclinado:

$$N = mg\cos\theta. \tag{5.13}$$

En lugar de memorizar estas ecuaciones, es útil poder determinarlas a partir de la razón. Para ello, dibujamos el ángulo recto formado por los tres vectores de peso. El ángulo θ de la inclinación es igual al ángulo formado entre w y w_y. Conociendo esta propiedad, podemos utilizar la trigonometría para determinar la magnitud de los componentes del peso:

$$\cos\theta = \frac{w_y}{w},\quad w_y = w\cos\theta = mg\cos\theta$$
$$\text{sen}\,\theta = \frac{w_x}{w},\quad w_x = w\,\text{sen}\,\theta = mg\,\text{sen}\,\theta.$$

COMPRUEBE LO APRENDIDO 5.8

Una fuerza de 1.150 N actúa en paralelo a una rampa para empujar una caja fuerte de armas de 250 kg hacia una furgoneta en movimiento. La rampa no tiene fricción y está inclinada a 17°. (a) ¿Cuál es la aceleración de la caja fuerte al subir la rampa? (b) Si consideramos la fricción en este problema, con una fuerza de fricción de 120 N, ¿cuál es la aceleración de la caja fuerte?

Tensión

La **tensión** es una fuerza a lo largo de un medio; en particular, es una fuerza de tracción que actúa a lo largo de un conector flexible estirado, como una cuerda o un cable. La palabra "tensión" proviene de la palabra latina que significa "estirar". No por casualidad, las cuerdas flexibles que llevan las fuerzas musculares a otras partes del cuerpo se llaman *tendones*.

Cualquier conector flexible, como un cordel, una cuerda, una cadena, un alambre o un cable, solo puede ejercer un tirón paralelo a su longitud; por lo tanto, una fuerza transportada por un conector flexible es una tensión con una dirección paralela al conector. La tensión es un tirón en un conector. Considere la frase: "No puede empujar una cuerda". En cambio, la fuerza de tensión hala hacia afuera a lo largo de los dos extremos de una cuerda.

Considere a una persona que sostiene una masa en una cuerda, como se muestra en la Figura 5.24. Si la masa de 5,00 kg de la figura está inmóvil, su aceleración es cero y la fuerza neta es cero. Las únicas fuerzas externas que actúan sobre la masa son su peso y la tensión suministrada por la cuerda. Por lo tanto,

$$F_{\text{neta}} = T - w = 0,$$

donde T y w son las magnitudes de la tensión y el peso, respectivamente, y sus signos indican la dirección, y es positivo hacia arriba. Como hemos demostrado con la segunda ley de Newton, la tensión es igual al peso de la masa apoyada:

$$T = w = mg. \tag{5.14}$$

Por lo tanto, para una masa de 5,00 kg (descartando la masa de la cuerda), vemos que

$$T = mg = (5{,}00\,\text{kg})\left(9{,}80\,\text{m/s}^2\right) = 49{,}0\,\text{N}.$$

Si cortamos la cuerda e introducimos un resorte, este se extendería en una longitud correspondiente a una fuerza de 49,0 N, lo cual proporciona una observación y medida directa de la fuerza de tensión en la cuerda.

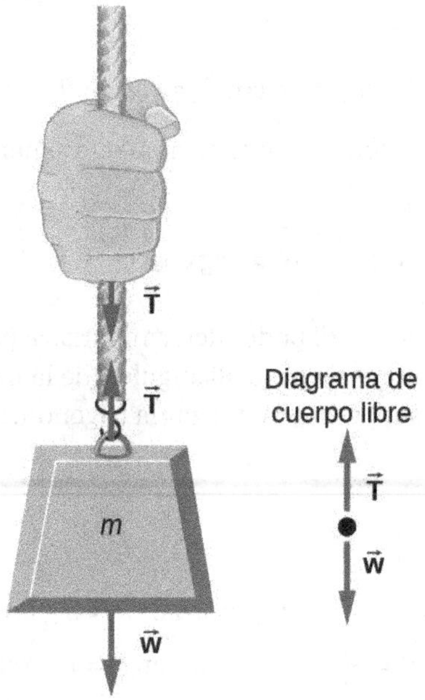

FIGURA 5.24 Cuando un conector perfectamente flexible (que no requiere fuerza para doblarlo) como esta cuerda transmite una fuerza $\vec{\mathbf{T}}$, esa fuerza deberá ser paralela a la longitud de la cuerda, como se muestra. Por la tercera ley de Newton, la cuerda hala con igual fuerza, pero en direcciones opuestas de la mano y de la masa apoyada (descartando el peso de la cuerda). La cuerda es el medio que transporta las fuerzas iguales y opuestas entre los dos objetos. La tensión en cualquier parte de la cuerda entre la mano y la masa es igual. Una vez que haya determinado la tensión en un lugar, habrá determinado la tensión en todos los lugares a lo largo de la cuerda.

Los conectores flexibles se utilizan a menudo para transmitir fuerzas en las esquinas, como en un sistema de tracción hospitalaria, un tendón o un cable de freno de bicicleta. Si no hay fricción, la transmisión de la tensión no disminuye, solamente cambia de dirección, y siempre es paralela al conector flexible, como se muestra en la Figura 5.25.

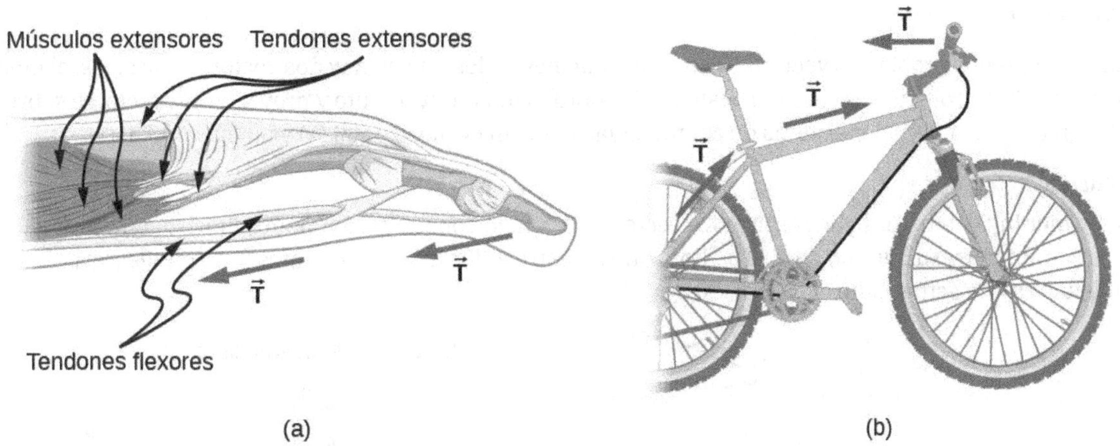

FIGURA 5.25 (a) Los tendones del dedo transportan la fuerza T desde los músculos a otras partes del dedo; normalmente cambia la dirección de la fuerza, pero no su magnitud (los tendones están relativamente sin fricción). (b) El cable de freno de una bicicleta transporta la tensión T desde la palanca de freno del manillar hasta el mecanismo de freno. Una vez más, cambia la dirección, pero no la magnitud de T.

EJEMPLO 5.13

¿Qué es la tensión en la cuerda floja?

Calcule la tensión en el alambre que sostiene al equilibrista de 70,0 kg que se muestra en la Figura 5.26.

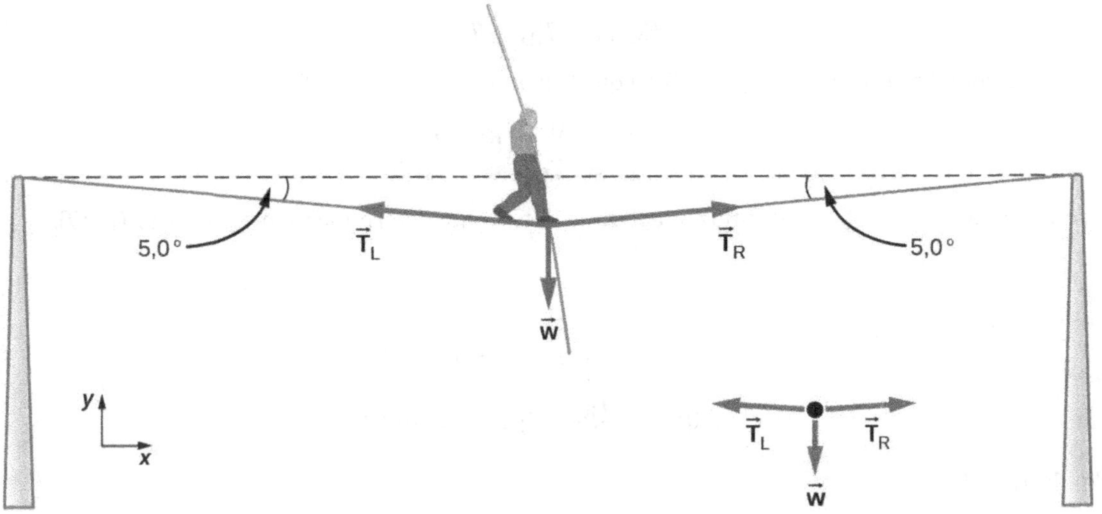

FIGURA 5.26 El peso de un equilibrista hace que el alambre se hunda en 5,0°. El sistema de interés es el punto del alambre en el que se encuentra el equilibrista.

Estrategia

Como puede ver en la Figura 5.26, el alambre se dobla bajo el peso de la persona. Por lo tanto, la tensión a ambos lados de la persona tiene un componente ascendente que soporta su peso. Como es habitual, las fuerzas son vectores representados pictóricamente por flechas que tienen la misma dirección que las fuerzas y longitudes proporcionales a sus magnitudes. El sistema es el equilibrista, y las únicas fuerzas externas que actúan sobre él son su peso $\vec{\mathbf{w}}$ y las dos tensiones $\vec{\mathbf{T}}_{\mathrm{L}}$ (tensión izquierda) y $\vec{\mathbf{T}}_{\mathrm{R}}$ (tensión derecha). Es razonable descartar el peso del alambre. La fuerza externa neta es cero, porque el sistema es estático. Podemos utilizar la trigonometría para encontrar las tensiones. Una conclusión es posible desde el principio: podemos ver en la Figura 5.26(b) que las magnitudes de las tensiones T_{L} y T_{R} deben ser iguales. Lo sabemos porque no hay aceleración horizontal en la cuerda y las únicas fuerzas que actúan a la izquierda y a la derecha son T_{L} y T_{R}. Por lo tanto, la magnitud de esos componentes horizontales de las fuerzas deberá ser igual para que se anulen mutuamente.

Cuando tenemos problemas vectoriales bidimensionales en los que no hay dos vectores paralelos, el método más sencillo de solución es elegir un sistema de coordenadas conveniente y proyectar los vectores sobre sus ejes. En este caso, el mejor sistema de coordenadas tiene un eje horizontal (x) y un eje vertical (y).

Solución

En primer lugar, tenemos que resolver los vectores de tensión en sus componentes horizontal y vertical. Es útil observar un nuevo diagrama de cuerpo libre que muestre todos los componentes horizontales y verticales de cada fuerza que actúa sobre el sistema (Figura 5.27).

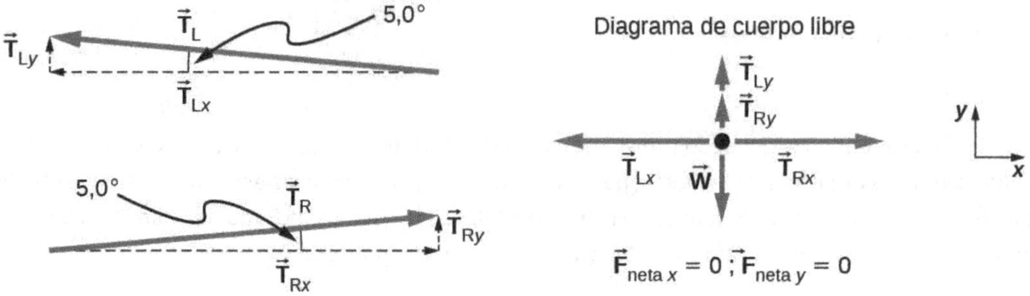

FIGURA 5.27 Cuando los vectores se proyectan sobre los ejes vertical y horizontal, sus componentes a lo largo de estos ejes deben sumar cero, ya que el equilibrista está inmóvil. El pequeño ángulo hace que T sea mucho mayor que w.

Consideremos los componentes horizontales de las fuerzas (denotadas con un subíndice x):

$$F_{\text{neta } x} = T_{\text{R}x} - T_{\text{L}x}.$$

La fuerza horizontal externa neta $F_{\text{neta } x} = 0$, ya que la persona está inmóvil. Por lo tanto,

$$\begin{aligned} F_{\text{neta } x} &= 0 = T_{\text{R}x} - T_{\text{L}x} \\ T_{\text{L}x} &= T_{\text{R}x}. \end{aligned}$$

Ahora observe la Figura 5.27. Puede utilizar la trigonometría para determinar la magnitud de T_{L} y T_{R}:

$$\begin{aligned} \cos 5{,}0° &= \frac{T_{\text{L}x}}{T_{\text{L}}}, \; T_{\text{L}x} = T_{\text{L}} \cos 5{,}0° \\ \cos 5{,}0° &= \frac{T_{\text{R}x}}{T_{\text{R}}}, \; T_{\text{R}x} = T_{\text{R}} \cos 5{,}0°. \end{aligned}$$

Igualando $T_{\text{L}x}$ y $T_{\text{R}x}$:

$$T_{\text{L}} \cos 5{,}0° = T_{\text{R}} \cos 5{,}0°.$$

Por lo tanto,

$$T_{\text{L}} = T_{\text{R}} = T,$$

como se predijo. Ahora, considerando los componentes verticales (denotadas por un subíndice y), podemos resolver T. De nuevo, dado que la persona está inmóvil, la segunda ley de Newton implica que $F_{\text{neta } y} = 0$. Por lo tanto, como se ilustra en el diagrama de cuerpo libre,

$$F_{\text{neta } y} = T_{\text{L}y} + T_{\text{R}y} - w = 0.$$

Podemos utilizar la trigonometría para determinar las relaciones entre T_{Ly}, T_{Ry}, y T. Como determinamos a partir del análisis en la dirección horizontal, $T_{\text{L}} = T_{\text{R}} = T$:

$$\begin{aligned} \text{sen}\,5{,}0° &= \frac{T_{Ly}}{T_L},\ T_{Ly} = T_L \text{sen}\,5{,}0° = T\,\text{sen}\,5{,}0° \\ \text{sen}\,5{,}0° &= \frac{T_{Ry}}{T_R},\ T_{Ry} = T_R \text{sen}\,5{,}0° = T\,\text{sen}\,5{,}0°. \end{aligned}$$

Ahora podemos sustituir los valores por T_{Ly} y T_{Ry}, en la ecuación de la fuerza neta en la dirección vertical:

$$\begin{aligned} F_{\text{neta}\ y} &= T_{Ly} + T_{Ry} - w = 0 \\ F_{\text{neta}\ y} &= T\,\text{sen}\,5{,}0° + T\,\text{sen}\,5{,}0° - w = 0 \\ 2T\,\text{sen}\,5{,}0° - w &= 0 \\ 2T\,\text{sen}\,5{,}0° &= w \end{aligned}$$

y

$$T = \frac{w}{2\,\text{sen}\,5{,}0°} = \frac{mg}{2\,\text{sen}\,5{,}0°},$$

así que

$$T = \frac{(70{,}0\,\text{kg})\left(9{,}80\,\text{m/s}^2\right)}{2\,(0{,}0872)},$$

y la tensión es

$$T = 3.930\,\text{N}.$$

Importancia

La tensión vertical en el alambre actúa como una fuerza que soporta el peso del equilibrista. La tensión es casi seis veces superior al peso de 686 N del equilibrista. Como el alambre es casi horizontal, el componente vertical de su tensión es apenas una fracción de la tensión en el alambre. Los grandes componentes horizontales están en direcciones opuestas y se anulan, por lo que la mayor parte de la tensión del alambre no se utiliza para soportar el peso del equilibrista.

Si queremos crear una gran tensión, basta con ejercer una fuerza perpendicular a un conector flexible tenso, como se ilustra en la Figura 5.26. Como vimos en el Ejemplo 5.13, el peso del equilibrista actúa como una fuerza perpendicular a la cuerda. Hemos visto que la tensión de la cuerda está relacionada con el peso del equilibrista de la siguiente manera:

$$T = \frac{w}{2\,\text{sen}\,\theta}.$$

Podemos extender esta expresión para describir la tensión T creada cuando una fuerza perpendicular ($F_\perp$) se ejerce en el centro de un conector flexible:

$$T = \frac{F_\perp}{2\,\text{sen}\,\theta}.$$

El ángulo entre la horizontal y el conector doblado está representado por θ. En este caso, T se agranda a medida que θ se acerca a cero. Incluso el peso relativamente pequeño de cualquier conector flexible hará que se hunda, ya que se produciría una tensión infinita si estuviera horizontal (es decir, $\theta = 0$ y sen de $\theta = 0$). Por ejemplo, la Figura 5.28 muestra una situación en la que queremos sacar un auto del barro cuando no hay grúa disponible. Cada vez que el auto avanza, la cadena se tensa para mantenerla lo más recta posible. La tensión en la cadena viene dada por $T = \frac{F_\perp}{2\,\text{sen}\,\theta}$, y dado que θ es pequeño, T es grande. Esta situación es análoga a la del equilibrista, salvo que las tensiones que se muestran aquí son las que se transmiten al auto y al árbol, en lugar de las que actúan en el punto donde $F_\perp$ se aplica.

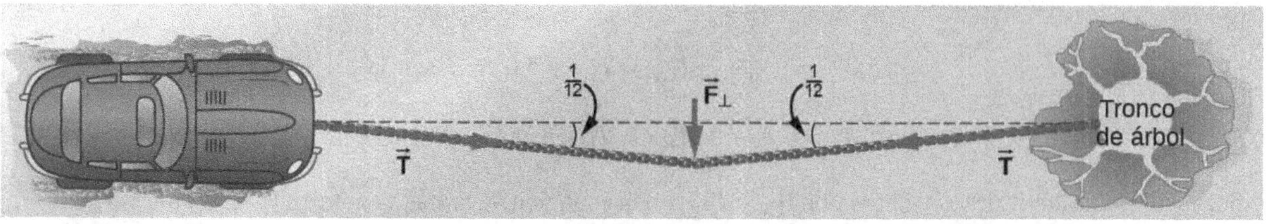

FIGURA 5.28 Podemos crear una gran tensión en la cadena, y posiblemente un gran desastre, al empujarla perpendicularmente a su longitud, como se muestra.

COMPRUEBE LO APRENDIDO 5.9

El extremo de una cuerda de 3,0 m está atado a un árbol; el otro extremo está atado a un auto atascado en el barro. El conductor hala lateralmente del punto medio de la cuerda, para desplazarla una distancia de 0,25 m. Si ejerce una fuerza de 200,0 N en estas condiciones, determine la fuerza ejercida sobre el auto.

En Aplicaciones de las leyes de Newton, ampliamos el debate sobre la tensión en un cable para incluir casos en los que los ángulos indicados no son iguales.

Fricción

La fricción es una fuerza de resistencia que se opone al movimiento o a su tendencia. Imagine un objeto en reposo sobre una superficie horizontal. La fuerza neta que actúa sobre el objeto debe ser cero, lo que lleva a la igualdad del peso y la fuerza normal, que actúan en direcciones opuestas. Si la superficie está inclinada, la fuerza normal equilibra el componente del peso perpendicular a la superficie. Si el objeto no se desliza hacia abajo, el componente del peso paralelo al plano inclinado se equilibra por la fricción. La fricción se trata con más detalle en el siguiente capítulo.

Fuerza del resorte

Un resorte es un medio especial con una estructura atómica específica que tiene la capacidad de recuperar su forma, si se deforma. Para recuperar su forma, el resorte ejerce una fuerza restauradora proporcional y en el sentido contrario al que se estira o comprime. Este es el enunciado de una ley conocida como ley de Hooke, que tiene la forma matemática

$$\vec{\mathbf{F}} = -k\vec{\mathbf{x}}.$$

La constante de proporcionalidad k es una medida de la rigidez del resorte. La línea de acción de esta fuerza es paralela al eje del resorte, y el sentido de la fuerza está en la dirección opuesta al vector de desplazamiento (Figura 5.29). El desplazamiento deberá medirse desde la posición de relajación $x = 0$ cuando el resorte está relajado.

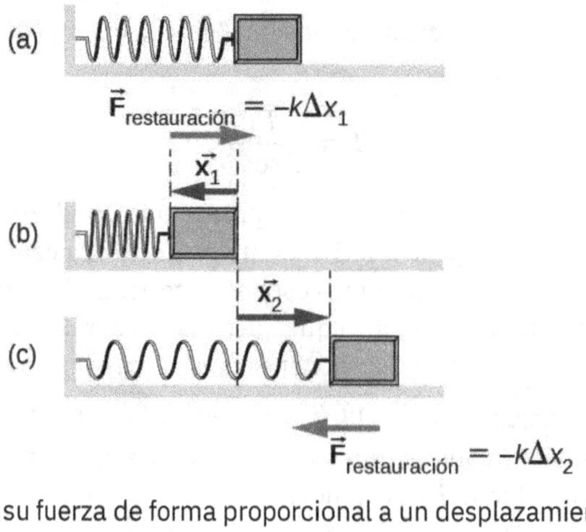

FIGURA 5.29 Un resorte ejerce su fuerza de forma proporcional a un desplazamiento, tanto si está comprimido como estirado. (a) El resorte está en posición relajada y no ejerce ninguna fuerza sobre el bloque. (b) El resorte está comprimido por el desplazamiento $\Delta\vec{\mathbf{x}}_1$ del objeto y ejerce una fuerza restauradora $-k\Delta\vec{\mathbf{x}}_1$. (c) El resorte está

estirado por el desplazamiento $\Delta\vec{\mathbf{x}}_2$ del objeto y ejerce una fuerza restauradora $-k\Delta\vec{\mathbf{x}}_2$.

Fuerzas reales y marcos inerciales

Hay otra distinción entre las fuerzas: algunas fuerzas son reales, mientras que otras no lo son. Las *fuerzas reales* tienen algún origen físico, como la fuerza gravitatoria. Por el contrario, las *fuerzas ficticias* surgen simplemente porque un observador se encuentra en un marco de referencia acelerado o no inercial, como uno rotativo (como un carrusel) o que experimenta una aceleración lineal (como un auto que frena). Por ejemplo, si un satélite se dirige hacia el norte sobre el hemisferio norte de la Tierra, a un observador en la Tierra le parecerá que experimenta una fuerza hacia el oeste que no tiene origen físico. En su lugar, la Tierra rota hacia el este y se mueve hacia el este bajo el satélite. En el marco de la Tierra, esto parece una fuerza hacia el oeste sobre el satélite, o puede interpretarse como una violación de la primera ley de Newton (la ley de la inercia). Podemos identificar una fuerza ficticia con la pregunta: "¿Cuál es la fuerza de reacción?" Si no podemos nombrar la fuerza de reacción, entonces la fuerza que estamos considerando es ficticia. En el ejemplo del satélite, la fuerza de reacción tendría que ser una fuerza hacia el este de la Tierra. Recordemos que un marco de referencia inercial es aquel en el que todas las fuerzas son reales y, por ende, aquel en el que las leyes de Newton tienen las formas simples dadas en este capítulo.

La rotación planetaria es lo suficientemente lenta como para que la Tierra sea casi un marco inercial. Normalmente debe realizar experimentos precisos para observar las fuerzas ficticias y las ligeras desviaciones de las leyes de Newton, como el efecto que acabamos de describir. A gran escala, como en el caso de la rotación de los sistemas meteorológicos y las corrientes oceánicas, los efectos pueden observarse fácilmente (Figura 5.30).

FIGURA 5.30 Se muestra al huracán Fran que se dirigió hacia la costa sureste de Estados Unidos en septiembre de 1996. Observe la característica forma de "ojo" del huracán. Esto es resultado del efecto Coriolis, que es la desviación de los objetos (en este caso, el aire), cuando se consideran en un marco de referencia rotativo, como el giro de la Tierra. Este huracán muestra una rotación en sentido contrario de las agujas del reloj, porque se trata de una tormenta de baja presión.

El factor crucial para determinar si un marco de referencia es inercial es si acelera o rota con respecto a un marco inercial conocido. A menos que se indique lo contrario, todos los fenómenos que se tratan en este texto están en marcos inerciales.

Las fuerzas analizadas en esta sección son fuerzas reales, aunque no son las únicas. La sustentación y el empuje, por ejemplo, son fuerzas reales más especializadas. En la larga lista de fuerzas, ¿hay algunas más básicas que otras? ¿Son algunas manifestaciones diferentes de la misma fuerza subyacente? La respuesta a ambas preguntas es afirmativa, como se verá en el tratamiento de la física moderna más adelante en el texto.

INTERACTIVO

Explore las fuerzas y el movimiento en esta simulación interactiva (https://openstax.org/l/21ramp) mientras empuja objetos domésticos hacia arriba y hacia abajo en una rampa. Baje y suba la rampa para ver cómo afecta el ángulo de inclinación a las fuerzas paralelas. Los gráficos muestran las fuerzas, la energía y el trabajo.

INTERACTIVO

Estire y comprima resortes en esta actividad (https://openstax.org/l/21hookeslaw) para explorar las relaciones entre la fuerza, la constante del resorte y el desplazamiento. Investigue qué ocurre cuando se conectan dos resortes en serie y en paralelo.

5.7 Dibujar diagramas de cuerpo libre

OBJETIVOS DE APRENDIZAJE

Al final de esta sección, podrá:

- Explicar las reglas para dibujar un diagrama de cuerpo libre.
- Construir diagramas de cuerpo libre para diferentes situaciones.

El primer paso en la descripción y el análisis de la mayoría de los fenómenos de la física consiste en dibujar cuidadosamente un diagrama de cuerpo libre. En los ejemplos de este capítulo se han utilizado diagramas de cuerpo libre. Recuerde que un diagrama de cuerpo libre solo debe incluir las fuerzas externas que actúan sobre el cuerpo de interés. Una vez que hemos dibujado un diagrama de cuerpo libre preciso, podemos aplicar la primera ley de Newton si el cuerpo está en equilibrio (fuerzas equilibradas; es decir, $F_{\text{neta}} = 0$) o la segunda ley de Newton si el cuerpo está acelerando (fuerza desequilibrada; es decir, $F_{\text{neta}} \neq 0$).

En Fuerzas, dimos una breve estrategia de resolución de problemas para ayudarle a entender los diagramas de cuerpo libre. Aquí añadimos algunos detalles a la estrategia que le ayudarán a construir estos diagramas.

ESTRATEGIA DE RESOLUCIÓN DE PROBLEMAS

Construcción de diagramas de cuerpo libre

Observe las siguientes reglas cuando construya un diagrama de cuerpo libre:

1. Dibuje el objeto en cuestión; no es necesario que sea artístico. Al principio, puede dibujar un círculo alrededor del objeto de interés para asegurarse de que se centra en marcar las fuerzas que actúan sobre el objeto. Si está tratando el objeto como una partícula (sin tamaño ni forma y sin rotación), represente el objeto como un punto. Solemos situar este punto en el origen de un sistema de coordenadas *xy*.
2. Incluya todas las fuerzas que actúan sobre el objeto, represente estas fuerzas como vectores. Considere los tipos de fuerzas descritas en Fuerzas comunes, fuerza normal, fricción, tensión y fuerza de resorte, así como el peso y la fuerza aplicada. No incluya la fuerza neta sobre el objeto. A excepción de la gravedad, todas las fuerzas de las que hemos hablado requieren un contacto directo con el objeto. Sin embargo, no deben incluirse las fuerzas que el objeto ejerce sobre su entorno. Nunca incluimos las dos fuerzas de un par de acción y reacción.
3. Convierta el diagrama de cuerpo libre en un diagrama más detallado que muestre los componentes *x* y *y* de una fuerza dada (esto sirve cuando se resuelve un problema utilizando la primera o segunda ley de Newton). En este caso, coloque una línea ondulada a través del vector original para mostrar que ya no está en juego, sino que ha sido reemplazado por sus componentes *x* y *y*.
4. Si hay dos o más objetos, o cuerpos, en el problema, dibuje un diagrama de cuerpo libre separado para cada objeto.

Nota: Si hay aceleración, no la incluimos directamente en el diagrama de cuerpo libre; sin embargo, valdría la pena indicar la aceleración fuera del diagrama de cuerpo libre. Puede marcarla con un color diferente para indicar que está separada del diagrama de cuerpo libre.

Apliquemos la estrategia de resolución de problemas al dibujar un diagrama de cuerpo libre para un trineo. En la Figura 5.31(a), un trineo es halado por la fuerza **P** con un ángulo de 30°. En la parte (b), mostramos un diagrama de cuerpo libre para esta situación, tal como se describe en los pasos 1 y 2 de la estrategia de resolución de problemas. En la parte (c), mostramos todas las fuerzas en términos de sus componentes x y y, de acuerdo con el paso 3.

(a)   (b)   (c)

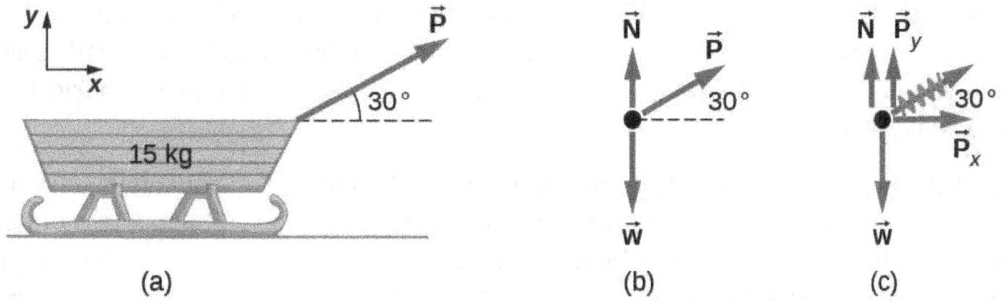

FIGURA 5.31 (a) Un trineo en movimiento se muestra como (b) un diagrama de cuerpo libre y (c) un diagrama de cuerpo libre con componentes de fuerza.

✳ EJEMPLO 5.14

Dos bloques en un plano inclinado

Construya el diagrama de cuerpo libre para el objeto A y el objeto B en la Figura 5.32.

Estrategia

Seguimos los cuatro pasos indicados en la estrategia de resolución de problemas.

Solución

Comenzamos creando un diagrama para el primer objeto de interés. En la Figura 5.32(a), el objeto A está aislado (encerrado por un círculo) y representado por un punto.

$\vec{w}_A$ = peso del bloque A

$\vec{T}$ = tensión

$\vec{N}_{BA}$ = fuerza normal ejercida por B sobre A

$\vec{f}_{BA}$ = fuerza de fricción ejercida por B sobre A

(a)

$\vec{w}_B$ = peso del bloque B

$\vec{N}_{AB}$ = fuerza normal ejercida por A sobre B

$\vec{N}_B$ = fuerza normal ejercida por el plano inclinado sobre B

$\vec{f}_{AB}$ = fuerza de fricción ejercida por A sobre B

$\vec{f}_B$ = fuerza de fricción ejercida por el plano inclinado sobre B

(b)

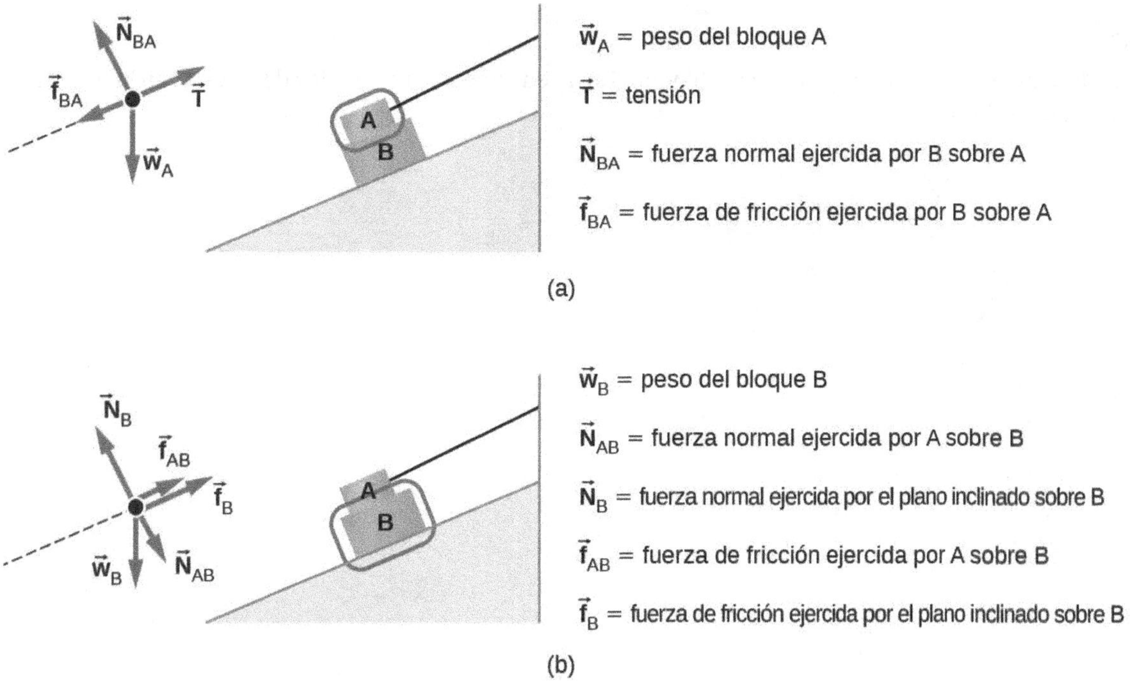

FIGURA 5.32 (a) El diagrama de cuerpo libre para el objeto aislado A. (b) El diagrama de cuerpo libre para el objeto aislado B. Comparando los dos dibujos, vemos que la fricción actúa en sentido contrario en las dos figuras. Como el objeto A experimenta una fuerza que tiende a halar de este hacia la derecha, la fricción debe actuar hacia la izquierda. Debido a que el objeto B experimenta un componente de su peso que lo hala hacia la izquierda, hacia

abajo de la pendiente, la fuerza de fricción debe oponerse y actuar hacia arriba de la rampa. La fricción siempre actúa en sentido contrario a la dirección del movimiento.

Ahora incluimos cualquier fuerza que actúe sobre el cuerpo. Aquí no hay presente ninguna fuerza aplicada. El peso del objeto actúa como una fuerza que apunta verticalmente hacia abajo, y la presencia de la cuerda indica una fuerza de tensión que apunta hacia fuera del objeto. El objeto A tiene una interfaz y, por tanto, experimenta una fuerza normal, dirigida hacia fuera de la interfaz. La fuente de esta fuerza es el objeto B, y esta fuerza normal está marcada en consecuencia. Como el objeto B tiene tendencia a deslizarse hacia abajo, el objeto A tiene tendencia a deslizarse hacia arriba con respecto a la interfaz, por lo que la fricción f_{BA} se dirige hacia abajo en paralelo al plano inclinado.

Como se indica en el paso 4 de la estrategia de resolución de problemas, a continuación construimos el diagrama de cuerpo libre en la Figura 5.32(b) utilizando el mismo enfoque. El objeto B experimenta dos fuerzas normales y dos fuerzas de fricción debido a la presencia de dos superficies de contacto. La interfaz con el plano inclinado ejerce fuerzas externas de N_B y f_B, y la interfaz con el objeto B ejerce la fuerza normal N_{AB} y la fricción f_{AB}; N_{AB} está dirigida lejos del objeto B, y f_{AB} se opone a la tendencia del movimiento relativo del objeto B con respecto al objeto A.

Importancia

El objeto en cuestión en cada parte de este problema estaba encerrado por un círculo gris. Cuando esté aprendiendo a dibujar diagramas de cuerpo libre, le resultará útil encerrar en un círculo el objeto antes de decidir qué fuerzas actúan sobre ese objeto en particular. Esto centra su atención, ya que se abstiene de considerar fuerzas que no estén actuando en el cuerpo.

EJEMPLO 5.15

Dos bloques en contacto

Se aplica una fuerza a dos bloques en contacto, como se muestra.

Estrategia

Dibuje un diagrama de cuerpo libre para cada bloque. Tenga en cuenta la tercera ley de Newton en la interfaz donde se tocan los dos bloques.

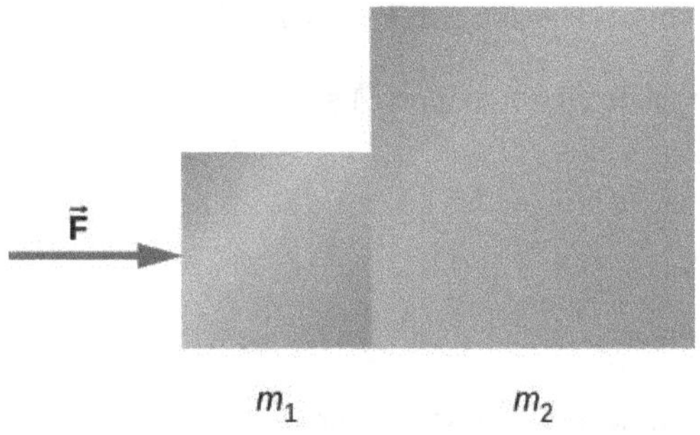

Solución

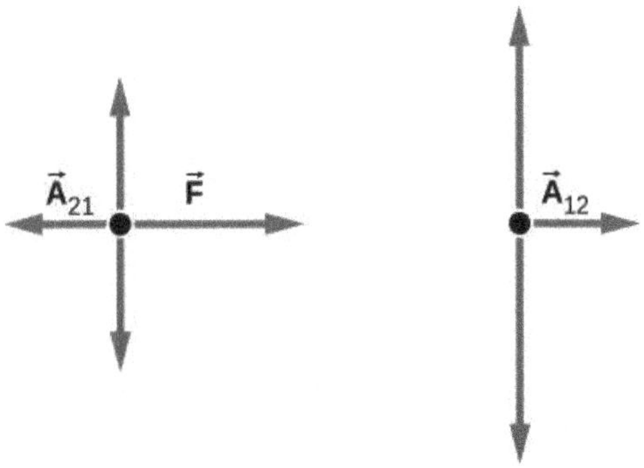

Importancia

$\vec{\mathbf{A}}_{21}$ es la fuerza de acción del bloque 2 sobre el bloque 1. $\vec{\mathbf{A}}_{12}$ es la fuerza de reacción del bloque 1 sobre el bloque 2. Utilizamos estos diagramas de cuerpo libre en Aplicaciones de las leyes de Newton.

EJEMPLO 5.16

Bloque en la mesa (bloques acoplados)

Un bloque descansa sobre la mesa, como se muestra. Una cuerda ligera está unida a él y pasa por encima de una polea. El otro extremo de la cuerda se sujeta a un segundo bloque. Se dice que los dos bloques están acoplados. Bloque m_2 ejerce una fuerza debida a su peso, que hace que el sistema (dos bloques y una cuerda) se acelere.

Estrategia

Suponemos que la cuerda no tiene masa para no tener que considerarla como un objeto separado. Dibuje un diagrama de cuerpo libre para cada bloque.

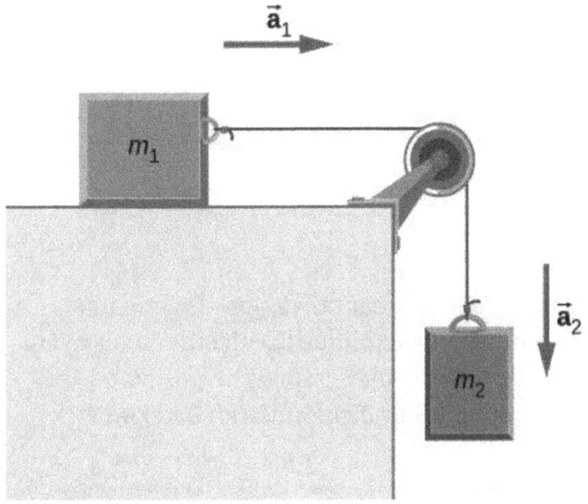

Solución

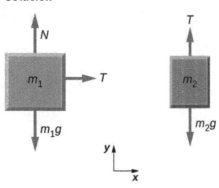

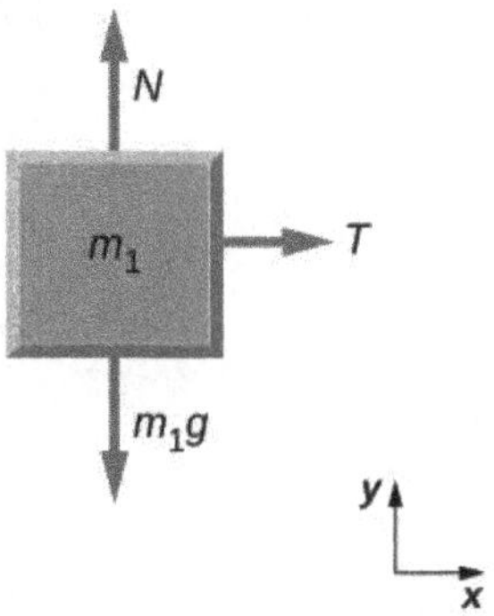

Importancia

Cada bloque acelera (observe las marcas que se muestran para $\vec{\mathbf{a}}_1$ y $\vec{\mathbf{a}}_2$); sin embargo, suponiendo que la cuerda permanece tensa, las magnitudes de la aceleración son iguales. Por lo tanto, tenemos $|\vec{\mathbf{a}}_1| = |\vec{\mathbf{a}}_2|$. Si queremos seguir resolviendo el problema, podríamos simplemente llamar la aceleración $\vec{\mathbf{a}}$. Además, utilizamos dos diagramas de cuerpo libre porque normalmente estamos encontrando la tensión T, lo que requeriría que utilicemos un sistema de dos ecuaciones en este tipo de problemas. La tensión es la misma en ambos m_1 y m_2.

COMPRUEBE LO APRENDIDO 5.10

(a) Dibuje el diagrama de cuerpo libre para la situación mostrada. (b) Vuelva a dibujarlo mostrando los componentes; utilice los ejes de la x paralelos a las dos rampas.

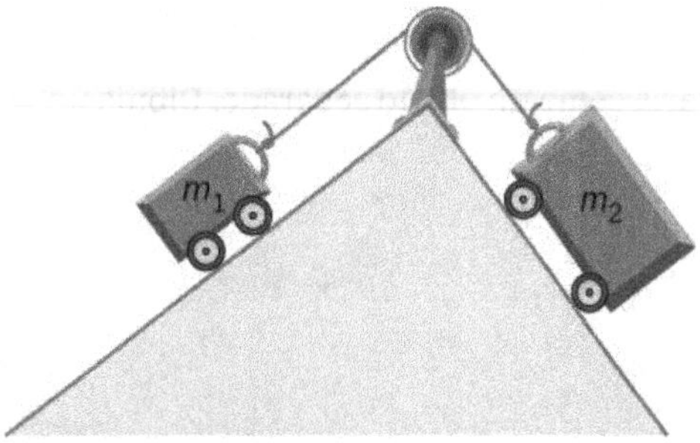

INTERACTIVO

Vea esta simulación (https://openstax.org/l/21forcemotion_es) para predecir, cualitativamente, cómo una fuerza externa afectará a la rapidez y dirección del movimiento de un objeto. Explique los efectos con la ayuda de un diagrama de cuerpo libre. Utilice los diagramas de cuerpo libre para dibujar gráficos de posición, velocidad, aceleración y fuerza, y viceversa. Explique cómo se relacionan los gráficos entre sí. Dado un escenario o un gráfico, haga un esquema de los cuatro gráficos.

Revisión Del Capítulo

Términos Clave

caída libre situación en la que la única fuerza que actúa sobre un objeto es la gravedad

diagrama de cuerpo libre esquema que muestra todas las fuerzas externas que actúan sobre un objeto o sistema; el sistema está representado por un único punto aislado, y las fuerzas están representadas por vectores que se extienden hacia fuera desde ese punto

dinámica estudio de cómo las fuerzas inciden en el movimiento de los objetos y sistemas

empuje fuerza de reacción que empuja un cuerpo hacia adelante en respuesta a una fuerza hacia atrás.

fuerza empujón o tirón de un objeto con una magnitud y dirección específicas; puede representarse mediante vectores o expresarse como múltiplo de una fuerza estándar

fuerza externa fuerza que actúa sobre un objeto o sistema y que se origina fuera del objeto o sistema

fuerza externa neta suma vectorial de todas las fuerzas externas que actúan sobre un objeto o sistema; hace que una masa se acelere

fuerza normal fuerza que soporta el peso de un objeto, o una carga, que es perpendicular a la superficie de contacto entre la carga y su soporte; la superficie aplica esta fuerza a un objeto para soportar su peso

inercia capacidad de un objeto para resistir cambios en su movimiento

ley de Hooke en un resorte, una fuerza restauradora proporcional y en sentido contrario al desplazamiento impuesto

ley de la inercia consulte la primera ley del movimiento de Newton

marco de referencia inercial un marco de referencia que se mueve a velocidad constante con respecto a un marco inercial también es inercial; un marco de referencia que acelera con respecto a un marco inercial no es inercial

newton unidad de fuerza del SI; 1 N es la fuerza necesaria para acelerar un objeto con una masa de 1 kg a una tasa de $1\ \text{m/s}^2$

peso fuerza $\vec{\mathbf{w}}$ debido a la gravedad que actúa sobre un objeto de masa m

primera ley del movimiento de Newton un cuerpo en reposo permanece en reposo o, si está en movimiento, permanece en movimiento a velocidad constante, a menos que actúe sobre este una fuerza externa neta; también se conoce como ley de la inercia

segunda ley del movimiento de Newton la aceleración de un sistema es directamente proporcional y en la misma dirección que la fuerza externa neta que actúa sobre el sistema y es inversamente proporcional a su masa

tensión fuerza de tracción que actúa a lo largo de un conector flexible estirado, como una cuerda o un cable

tercera ley del movimiento de Newton cada vez que un cuerpo ejerce una fuerza sobre un segundo cuerpo, el primer cuerpo experimenta una fuerza de magnitud igual y de dirección opuesta a la fuerza que ejerce

Ecuaciones Clave

Fuerza externa neta	$\vec{\mathbf{F}}_{\text{neta}} = \sum \vec{\mathbf{F}} = \vec{\mathbf{F}}_1 + \vec{\mathbf{F}}_2 + \cdots$
Primera ley de Newton	$\vec{\mathbf{v}} = \text{ constante cuando } \vec{\mathbf{F}}_{\text{neta}} = \vec{\mathbf{0}}\,\text{N}$
Segunda ley de Newton, forma vectorial	$\vec{\mathbf{F}}_{\text{neta}} = \sum \vec{\mathbf{F}} = m\vec{\mathbf{a}}$
Segunda ley de Newton, forma escalar	$F_{\text{neta}} = ma$
Segunda ley de Newton, forma de los componentes	$\sum \vec{\mathbf{F}}_x = m\vec{\mathbf{a}}_x,\ \sum \vec{\mathbf{F}}_y = m\vec{\mathbf{a}}_y, \text{ y } \sum \vec{\mathbf{F}}_z = m\vec{\mathbf{a}}_z.$
Segunda ley de Newton, forma del momento	$\vec{\mathbf{F}}_{\text{neta}} = \frac{d\vec{\mathbf{p}}}{dt}$

Definición de peso, forma vectorial	$\vec{\mathbf{w}} = m\vec{\mathbf{g}}$
Definición de peso, forma escalar	$w = mg$
Tercera ley de Newton	$\vec{\mathbf{F}}_{AB} = -\vec{\mathbf{F}}_{BA}$
Fuerza normal sobre un objeto que descansa sobre una superficie horizontal, forma vectorial	$\vec{\mathbf{N}} = -m\vec{\mathbf{g}}$
Fuerza normal sobre un objeto que descansa sobre una superficie horizontal, forma escalar	$N = mg$
Fuerza normal sobre un objeto que descansa en un plano inclinado, forma escalar	$N = mg\cos\theta$
Tensión en un cable que soporta un objeto de masa m en reposo, forma escalar	$T = w = mg$

Resumen

5.1 Fuerzas

- La dinámica es el estudio de cómo las fuerzas inciden en el movimiento de los objetos, mientras que la cinemática simplemente describe la forma en que se mueven los objetos.
- La fuerza es un empujón o tirón, que puede definirse en términos de varias normas, y es un vector que tiene tanto magnitud como dirección.
- Las fuerzas externas son cualquier fuerza exterior que actúe sobre un cuerpo. Un diagrama de cuerpo libre es un dibujo de todas las fuerzas externas que actúan sobre un cuerpo.
- La unidad de fuerza del SI es el newton (N).

5.2 Primera ley de Newton

- Según la primera ley de Newton, deberá haber una causa para que se produzca cualquier cambio de velocidad (un cambio de magnitud o de dirección). Esta ley también se conoce como la ley de la inercia.
- La fricción es una fuerza externa que hace que un objeto desacelere.
- La inercia es la tendencia de un objeto a permanecer en reposo o en movimiento. La inercia está relacionada con la masa de un objeto.
- Si la velocidad de un objeto con respecto a un marco determinado es constante, entonces el marco es inercial. Esto significa que, en un marco de referencia inercial, la primera ley de Newton es válida.
- El equilibrio se alcanza cuando las fuerzas sobre un sistema están equilibradas.
- Una fuerza neta cero significa que un objeto está en reposo o se mueve con velocidad constante; es decir, no acelera.

5.3 Segunda ley de Newton

- Una fuerza externa actúa sobre un sistema desde fuera, a diferencia de las fuerzas internas, que actúan entre los componentes del sistema.
- La segunda ley del movimiento de Newton establece que la fuerza externa neta sobre un objeto con una determinada masa es directamente proporcional y en la misma dirección que la aceleración del objeto.
- La segunda ley de Newton también puede describir la fuerza neta como la tasa de cambio instantáneo del momento. Por lo tanto, una fuerza externa neta provoca una aceleración distinta a cero.

5.4 Masa y peso

- La masa es la cantidad de materia de una sustancia.
- El peso de un objeto es la fuerza neta sobre un objeto que cae, o su fuerza gravitatoria. El objeto experimenta una aceleración debida a la gravedad.
- Una fuerza de resistencia ascendente del aire actúa sobre todos los objetos que caen en la

Tierra, por lo que nunca pueden estar realmente en caída libre.

- Hay que distinguir cuidadosamente entre la caída libre y la ingravidez mediante la definición de peso como fuerza debida a la gravedad que actúa sobre un objeto de cierta masa.

5.5 Tercera ley de Newton

- La tercera ley del movimiento de Newton representa una simetría básica en la naturaleza, con una fuerza experimentada igual en magnitud y opuesta en dirección a una fuerza ejercida.
- Dos fuerzas iguales y opuestas no se anulan porque actúan sobre sistemas diferentes.
- Los pares de acción y reacción incluyen a una nadadora que se impulsa desde una pared, a los helicópteros que crean sustentación al empujar el aire hacia abajo y a un pulpo que se propulsa hacia adelante expulsando agua de su cuerpo. Una fuerza de reacción de empuje impulsa los cohetes, los aviones y los autos hacia delante.
- La elección de un sistema es un paso analítico importante para comprender la física de un problema y resolverlo.

5.6 Fuerzas comunes

- Cuando un objeto descansa en una superficie, esta aplica una fuerza al objeto que soporta su peso. Esta fuerza de soporte actúa de forma perpendicular y alejada de la superficie. Se denomina fuerza normal.
- Cuando un objeto descansa sobre una superficie horizontal no acelerada, la magnitud de la fuerza normal es igual al peso del objeto.
- Cuando un objeto descansa en un plano inclinado que forma un ángulo θ con la superficie horizontal, el peso del objeto puede resolverse en componentes que actúan perpendicular y paralelamente a la superficie del plano.
- La fuerza de tracción que actúa a lo largo de un conector flexible estirado, como una cuerda o un cable, se llama tensión. Cuando una cuerda soporta el peso de un objeto en reposo, la tensión en la cuerda es igual al peso del objeto. Si el objeto está acelerando, la tensión es mayor que el peso, y si está desacelerando, la tensión es menor que el peso.
- La fuerza de fricción es una fuerza que experimenta un objeto en movimiento (o un objeto que tiene tendencia a moverse) paralela a la interfaz que se opone al movimiento (o a su tendencia).
- La fuerza desarrollada en un resorte obedece a la ley de Hooke, según la cual su magnitud es proporcional al desplazamiento y tiene un sentido en la dirección opuesta al desplazamiento.
- Las fuerzas reales tienen un origen físico, mientras que las fuerzas ficticias se producen porque el observador se encuentra en un marco de referencia acelerado o no inercial.

5.7 Dibujar diagramas de cuerpo libre

- Para dibujar un diagrama de cuerpo libre, dibujamos el objeto de interés, dibujamos todas las fuerzas que actúan sobre ese objeto y resolvemos todos los vectores de fuerza en componentes x y y. Debemos dibujar un diagrama de cuerpo libre distinto para cada objeto del problema.
- El diagrama de cuerpo libre sirve para describir y analizar todas las fuerzas que actúan sobre un cuerpo con el fin de determinar el equilibrio, según la primera ley de Newton, o la aceleración, según la segunda ley de Newton.

Preguntas Conceptuales

5.1 Fuerzas

1. ¿Qué propiedades tienen las fuerzas que nos permiten clasificarlas como vectores?

5.2 Primera ley de Newton

2. Tomando como inercial un marco unido a la Tierra, ¿cuáles de los siguientes objetos no pueden tener marcos inerciales unidos a ellos y cuáles son marcos de referencia inerciales?
(a) Un auto que se mueve a velocidad constante.
(b) Un auto que acelera.
(c) Un elevador en caída libre.
(d) Una cápsula espacial que orbita la Tierra.
(e) Un elevador que desciende uniformemente.

3. Una mujer transportaba una caja abierta de magdalenas a una fiesta escolar. El auto frente a ella se detuvo repentinamente; ella frenó de inmediato. Llevaba el cinturón de seguridad y no sufrió ninguna lesión (solo una gran vergüenza), pero las magdalenas volaron hacia el tablero y se convirtieron en "pasteles aplastados". Explique lo que pasó.

5.3 Segunda ley de Newton

4. ¿Por qué no podemos tener en cuenta fuerzas como las que mantienen un cuerpo unido cuando aplicamos la segunda ley de Newton?
5. Una piedra se lanza hacia arriba. En la parte superior de la trayectoria, la velocidad es momentáneamente cero. ¿Esto implica que la fuerza que actúa sobre el objeto es cero? Razone su respuesta.

5.4 Masa y peso

6. ¿Cuál es la relación entre el peso y la masa? ¿Cuál es la propiedad intrínseca e inmutable de un cuerpo?
7. ¿Cuánto pesa una astronauta de 70 kg en el espacio, lejos de cualquier cuerpo celeste? ¿Cuál es su masa en este lugar?
8. ¿Cuál de las siguientes afirmaciones es correcta?
(a) La masa y el peso son la misma cosa, expresada en unidades diferentes.
(b) Si un objeto no tiene peso, no debe tener masa.
(c) Si el peso de un objeto varía, también debe hacerlo su masa.
(d) La masa y la inercia son conceptos diferentes.
(e) El peso es siempre proporcional a la masa.
9. Cuando se para en la Tierra, sus pies empujan contra ella con una fuerza igual a su peso. ¿Por qué la Tierra no acelera lejos de usted?
10. ¿Cómo daría el valor de $\vec{\mathbf{g}}$ en forma de vector?

5.5 Tercera ley de Newton

11. Identifique las fuerzas de acción y reacción en las siguientes situaciones: (a) la Tierra atrae a la Luna, (b) un niño patea un balón de fútbol, (c) un cohete acelera hacia arriba, (d) un auto acelera hacia delante, (e) un atleta de salto alto salta, y (f) una pistola dispara una bala.
12. Suponga que tiene una taza de café en la mano. Identifique todas las fuerzas sobre la taza y la reacción a cada fuerza.
13. (a) ¿Por qué un rifle ordinario retrocede (tira hacia atrás) cuando se dispara? (b) El cañón de un rifle sin retroceso está abierto en ambos extremos. Describa cómo se aplica la tercera ley de Newton cuando se dispara uno. (c) ¿Puede situarse con seguridad detrás de uno cuando se dispara?

5.6 Fuerzas comunes

14. Se coloca una mesa sobre una alfombra. A continuación, se coloca un libro sobre la mesa. ¿Sobre qué ejerce el suelo una fuerza normal?
15. Una partícula se desplaza hacia la derecha. (a) ¿Puede la fuerza sobre ella estar actuando hacia la izquierda? En caso afirmativo, ¿qué ocurriría? (b) ¿Puede esa fuerza actuar hacia abajo? En caso afirmativo, ¿por qué?

5.7 Dibujar diagramas de cuerpo libre

16. Al completar la solución de un problema de fuerzas, ¿qué hacemos después de construir el diagrama de cuerpo libre? Es decir, ¿qué aplicamos?
17. Si un libro está situado sobre una mesa, ¿cuántas fuerzas deben mostrarse en un diagrama de cuerpo libre del libro? Descríbalas.
18. Si el libro de la pregunta anterior está en caída libre, ¿cuántas fuerzas deberían mostrarse en un diagrama de cuerpo libre del libro? Descríbalas.

Problemas

5.1 Fuerzas

19. Dos cuerdas están atadas a un árbol, y las fuerzas de $\vec{\mathbf{F}}_1 = 2{,}0\hat{\mathbf{i}} + 4{,}0\hat{\mathbf{j}}$ N y $\vec{\mathbf{F}}_2 = 3{,}0\hat{\mathbf{i}} + 6{,}0\hat{\mathbf{j}}$ N se aplican. Las fuerzas son coplanarias (en el mismo plano). (a) ¿Cuál es la resultante (fuerza neta) de estos dos vectores de fuerza? (b) Halle la magnitud y dirección de esta fuerza neta.
20. Un poste telefónico tiene tres cables que halan como se muestra desde arriba, con $\vec{\mathbf{F}}_1 = \left(300{,}0\hat{\mathbf{i}} + 500{,}0\hat{\mathbf{j}}\right)$, $\vec{\mathbf{F}}_2 = -200{,}0\hat{\mathbf{i}}$, y $\vec{\mathbf{F}}_3 = -800{,}0\hat{\mathbf{j}}$. (a) Halle la fuerza neta sobre el poste telefónico en forma de componentes. (b) Halle la magnitud y la dirección de esta fuerza neta.

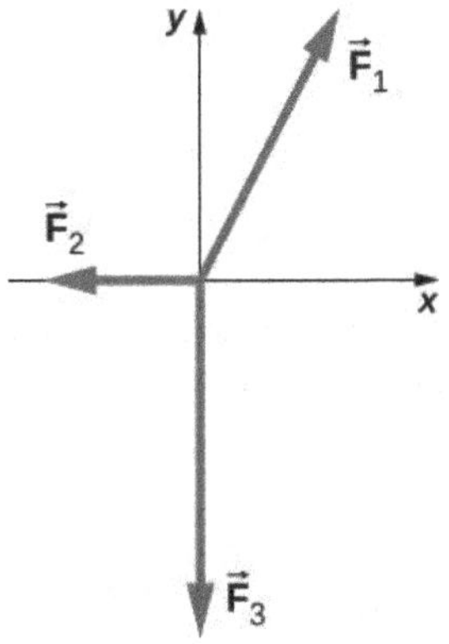

21. Dos adolescentes halan unas cuerdas atadas a un árbol. El ángulo entre las cuerdas es 30,0°. David hala con una fuerza de 400,0 N y Stephanie hala con una fuerza de 300,0 N. (a) Halle la forma de componentes de la fuerza neta. (b) Halle la magnitud de la fuerza resultante (neta) sobre el árbol y el ángulo que forma con la cuerda de David.

5.2 Primera ley de Newton

22. Dos fuerzas de $\vec{\mathbf{F}}_1 = \frac{75,0}{\sqrt{2}}\left(\hat{\mathbf{i}} - \hat{\mathbf{j}}\right)$ N y $\vec{\mathbf{F}}_2 = \frac{150,0}{\sqrt{2}}\left(\hat{\mathbf{i}} - \hat{\mathbf{j}}\right)$ N actúan sobre un objeto. Halle la tercera fuerza $\vec{\mathbf{F}}_3$ que se necesita para equilibrar las dos primeras fuerzas.
23. Mientras deslizan un sofá por el suelo, Andrea y Jennifer ejercen fuerzas $\vec{\mathbf{F}}_A$ y $\vec{\mathbf{F}}_J$ sobre el sofá. La fuerza de Andrea se dirige hacia el norte con una magnitud de 130,0 N y la fuerza de Jennifer es a 32° al este del norte a una magnitud de 180,0 N. (a) Halle la fuerza neta en forma de componentes. (b) Halle la magnitud y la dirección de la fuerza neta. (c) Si los compañeros de vivienda de Andrea y Jennifer, David y Stephanie, no están de acuerdo con el movimiento y quieren impedir su traslado, ¿con qué fuerza combinada $\vec{\mathbf{F}}_{DS}$ deben empujar para que el sofá no se mueva?

5.3 Segunda ley de Newton

24. Andrea, una velocista de 63,0 kg, comienza una carrera con una aceleración de $4{,}200\ \text{m/s}^2$. ¿Cuál es la fuerza externa neta sobre ella?
25. Si la velocista del problema anterior acelera a ese ritmo durante 20,00 m y luego mantiene esa velocidad durante el resto de una carrera de 100,00 m, ¿cuál será su tiempo en la carrera?
26. Un limpiador empuja un carro de lavandería de 4,50 kg de manera que la fuerza externa neta sobre él es de 60,0 N. Calcule la magnitud de la aceleración de su carro.
27. Los astronautas en órbita son aparentemente ingrávidos. Esto significa que se necesita un método inteligente de medición de la masa de los astronautas para controlar sus ganancias o pérdidas de masa y ajustar su dieta. Una forma de hacerlo es ejercer una fuerza conocida sobre un astronauta y medir la aceleración producida. Supongamos que se ejerce una fuerza externa neta de 50,0 N y que la aceleración de una astronauta se mide en $0{,}893\ \text{m/s}^2$. (a) Calcule su masa. (b) Al ejercer una fuerza sobre la astronauta, el vehículo en el que orbita experimenta una fuerza igual y opuesta. Utilice este conocimiento para encontrar una ecuación para la aceleración del sistema (astronauta y nave espacial) que sería medida por un observador cercano. (c) Explique cómo afectaría esto la medición de la aceleración de la astronauta. Proponga un método para evitar el retroceso del vehículo.
28. En la Figura 5.12, la fuerza externa neta sobre el cortacésped de 24 kg es de 51 N. Si la fuerza de fricción que se opone al movimiento es de 24 N, ¿qué fuerza *F* (en newtons) ejerce la persona sobre el cortacésped? Supongamos que el cortacésped se mueve a 1,5 m/s cuando se elimina la fuerza *F*. ¿Qué distancia recorrerá el cortacésped antes de detenerse?
29. El trineo de cohetes que se muestra a continuación desacelera a una velocidad de $196\ \text{m/s}^2$. ¿Qué fuerza es necesaria para producir esta desaceleración? Supongamos que los cohetes están apagados. La masa del sistema es $2{,}10 \times 10^3$ kg.

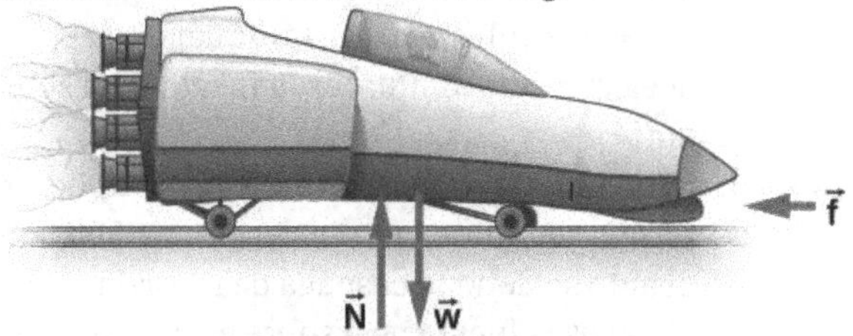

30. Si el trineo de cohetes mostrado en el problema anterior comienza con un solo cohete encendido, ¿cuál es la magnitud de esta aceleración? Supongamos que la masa del sistema es $2{,}10 \times 10^3$ kg, el empuje *T* es $2{,}40 \times 10^4$ N, y la fuerza de fricción que se opone al movimiento es de 650,0 N. (b) ¿Por qué la aceleración no es una cuarta parte de lo que es con todos los cohetes encendidos?
31. ¿Cuál es la desaceleración del trineo de cohetes si se detiene en 1,10 s desde una rapidez de

1.000,0 km/h? (Esta desaceleración hizo que un sujeto de prueba se desmayara y tuviera ceguera temporal).

32. Supongamos que dos niños empujan horizontalmente, pero en direcciones exactamente opuestas, a un tercer niño en un vagón. El primer niño ejerce una fuerza de 75,0 N, el segundo ejerce una fuerza de 90,0 N, la fricción es de 12,0 N, y la masa del tercer niño más el vagón es de 23,0 kg. (a) ¿Cuál es el sistema en cuestión si se quiere calcular la aceleración del niño en el vagón? (Vea el diagrama de cuerpo libre). (b) Calcule la aceleración. (c) ¿Cuál sería la aceleración si la fricción fuera de 15,0 N?

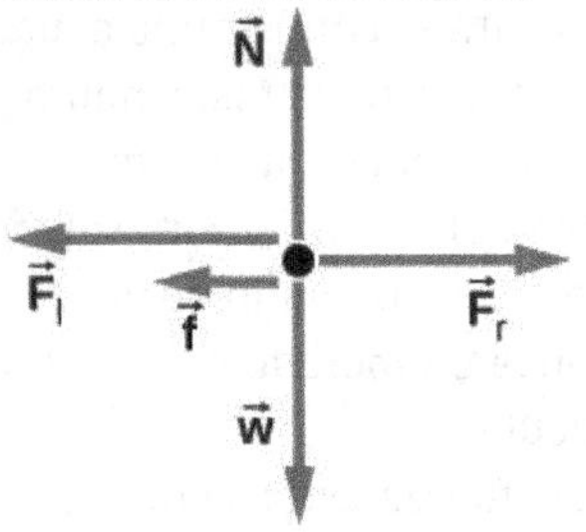

33. Una moto potente puede producir una aceleración de $3{,}50\ \text{m/s}^2$ mientras viaja a 90,0 km/h. A esa rapidez, las fuerzas que se resisten al movimiento, incluso la fricción y la resistencia del aire, suman 400,0 N. (La resistencia del aire es análoga a la fricción del aire. Siempre se opone al movimiento de un objeto). ¿Cuál es la magnitud de la fuerza que la motocicleta ejerce hacia atrás sobre el suelo para producir su aceleración si la masa de la motocicleta con el conductor es de 245 kg?

34. Un auto con una masa de 1.000,0 kg acelera de 0 a 90,0 km/h en 10,0 s. (a) ¿Cuál es su aceleración? (b) ¿Cuál es la fuerza neta sobre el auto?

35. El conductor del problema anterior aplica los frenos cuando el auto se desplaza a 90,0 km/h, y el auto se detiene después de recorrer 40,0 m. ¿Cuál es la fuerza neta sobre el auto durante su desaceleración?

36. Un pasajero de 80,0 kg va en un vehículo todoterreno que viaja a $1{,}00 \times 10^2$ km/h lleva el cinturón de seguridad. El conductor pisa el freno y el vehículo todoterreno se detiene en 45,0 m. Halle la fuerza del cinturón de seguridad sobre el pasajero.

37. Sobre una partícula de masa 2,0 kg actúa una sola fuerza $\vec{\mathbf{F}}_1 = 18\hat{\mathbf{i}}\ \text{N}$. (a) ¿Cuál es la aceleración de la partícula? (b) Si la partícula comienza en reposo, ¿qué distancia recorre en los primeros 5,0 s?

38. Supongamos que la partícula del problema anterior también experimenta fuerzas $\vec{\mathbf{F}}_2 = -15\hat{\mathbf{i}}\ \text{N}$ y $\vec{\mathbf{F}}_3 = 6{,}0\hat{\mathbf{j}}\ \text{N}$. ¿Cuál es su aceleración en este caso?

39. Calcule la aceleración del cuerpo de masa 5,0 kg que se muestra a continuación.

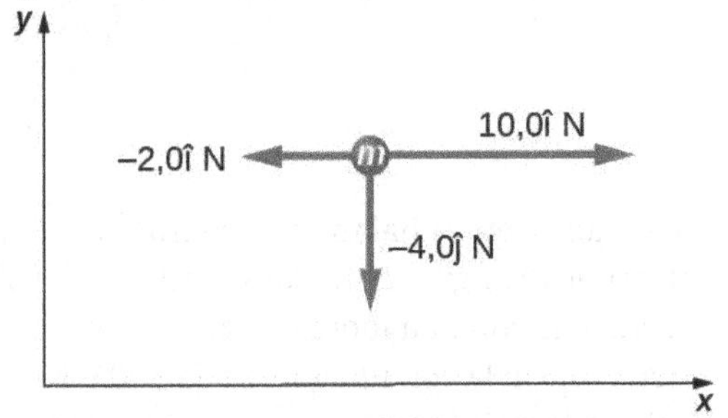

40. En la siguiente figura, la superficie horizontal sobre la que se desliza este bloque no tiene fricción. Si las dos fuerzas que actúan sobre este tienen cada una una magnitud $F = 30{,}0\ \text{N}$ y $M = 10{,}0\ \text{kg}$, ¿cuál es la magnitud de la aceleración resultante del bloque?

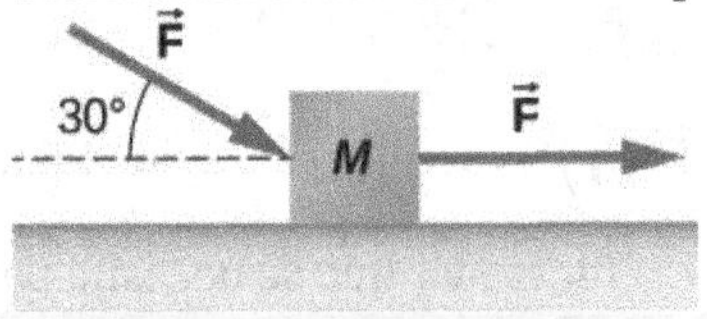

5.4 Masa y peso

41. El peso de un astronauta más su traje espacial en la Luna es de solo 250 N. (a) ¿Cuánto pesa el astronauta con su traje en la Tierra? (b) ¿Cuál es la masa en la Luna? ¿Y en la Tierra?

42. Supongamos que la masa de un módulo completamente cargado en el que los astronautas despegan de la Luna es $1{,}00 \times 10^4$ kg. El empuje de sus motores es $3{,}00 \times 10^4$ N. (a) Calcule la magnitud de la aceleración del módulo en un despegue vertical desde la Luna. (b) ¿Podría despegar desde la Tierra? Si no, ¿por qué no? Si fuera posible, calcule la magnitud de su aceleración.

43. Un trineo de cohetes acelera a una tasa de $49{,}0\ \text{m/s}^2$. Su pasajero tiene una masa de 75,0 kg. (a) Calcule el componente horizontal de la fuerza que el asiento ejerce contra su cuerpo. Compárelo con su peso mediante una razón. (b) Calcule la dirección y la magnitud de la fuerza total que el asiento ejerce contra su cuerpo.

44. Repita el problema anterior para una situación en la que el trineo de cohetes desacelera a una tasa de $201\ \text{m/s}^2$. En este problema, el asiento y el cinturón de seguridad ejercen las fuerzas.

45. Una fuerza vertical de 25,0 N empuja a un cuerpo de masa 2,00 kg. ¿Cuál es su aceleración?

46. Un auto que pesa 12.500 N parte del reposo y acelera a 83,0 km/h en 5,00 s. La fuerza de fricción es de 1.350 N. Halle la fuerza aplicada que genera el motor.

47. Se supone que un cuerpo con una masa de 10,0 kg está en el campo gravitatorio de la Tierra con $g = 9{,}80\ \text{m/s}^2$. ¿Cuál es la fuerza neta sobre el cuerpo si no hay otras fuerzas externas que actúen sobre el objeto?

48. Un bombero tiene una masa *m*; oye la alarma de incendios y se desliza por el poste con una aceleración *a* (cuya magnitud es inferior a *g*). (a) Escriba una ecuación que dé la fuerza vertical que debe aplicar al poste. (b) Si su masa es de 90,0 kg y acelera a $5{,}00\ \text{m/s}^2$, ¿cuál es la magnitud de su fuerza aplicada?

49. Un receptor de béisbol realiza una maniobra para un anuncio de televisión. Atrapará una pelota de béisbol (con una masa de 145 g), lanzada desde una altura de 60,0 m por encima de su guante. Su guante detiene la pelota en 0,0100 s. ¿Cuál es la fuerza que ejerce su guante sobre la pelota?

50. Cuando la Luna está directamente encima al atardecer, la fuerza de la Tierra sobre la Luna, F_{EM}, está esencialmente a 90° de la fuerza del Sol sobre la Luna, F_{SM}, como se muestra a continuación. Dado que $F_{EM} = 1{,}98 \times 10^{20}$ N y $F_{SM} = 4{,}36 \times 10^{20}$ N, todas las demás fuerzas sobre la Luna son despreciables, y la masa de la Luna es $7{,}35 \times 10^{22}$ kg, determina la magnitud de la aceleración de la Luna.

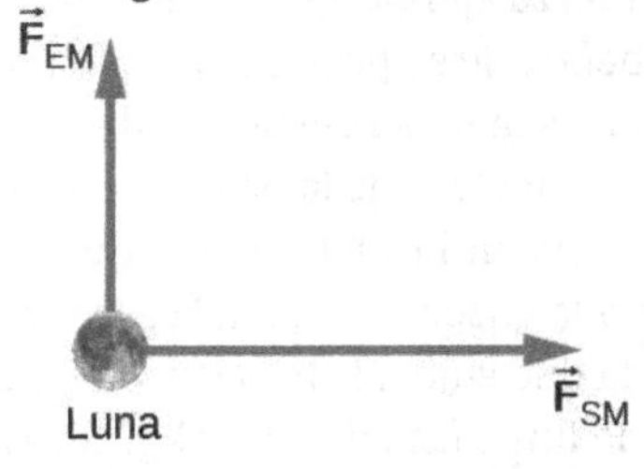

5.5 Tercera ley de Newton

51. (a) ¿Qué fuerza externa neta se ejerce sobre un casquillo de artillería de 1.100,0 kg disparado desde un acorazado si el casquillo se acelera a $2{,}40 \times 10^4\ \text{m/s}^2$? (b) ¿Cuál es la magnitud de la fuerza ejercida sobre el barco por el casquillo de artillería, y por qué?

52. Un jugador contrario, quien ejerce una fuerza de 800,0 N, empuja hacia atrás a un temerario jugador de rugby. La masa del jugador perdedor más el equipo es de 90,0 kg, y él acelera hacia atrás a $1{,}20\ \text{m/s}^2$. (a) ¿Cuál es la fuerza de fricción entre los pies del jugador perdedor y el césped? (b) ¿Qué fuerza ejerce el jugador ganador sobre el suelo para avanzar si su masa más el equipo es de 110,0 kg?

53. Un libro de historia está encima de un libro de física en un escritorio, como se muestra a continuación; también se muestra un diagrama de cuerpo libre. Los libros de historia y física pesan 14 N y 18 N, respectivamente. Identifique cada fuerza sobre cada libro con una notación de doble subíndice (por ejemplo, la fuerza de contacto del libro de historia presionando contra el libro de física puede describirse como $\vec{\mathbf{F}}_{HP}$), y determine el valor de cada una de estas fuerzas; explique en qué consiste el proceso utilizado.

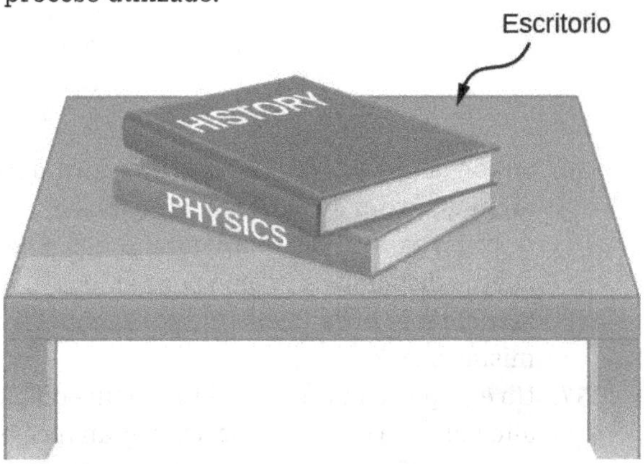

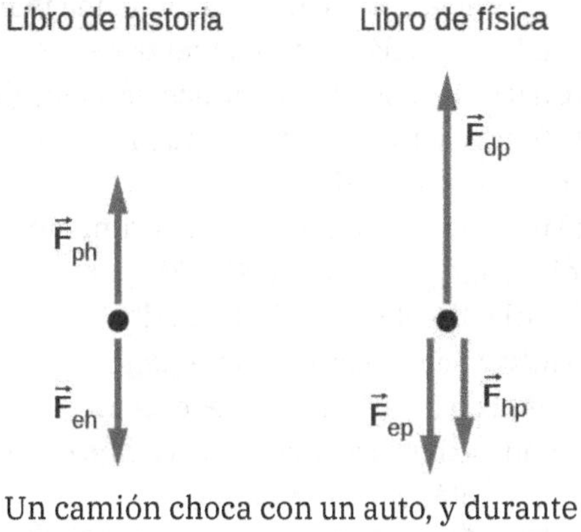

54. Un camión choca con un auto, y durante la colisión, la fuerza neta sobre cada vehículo es esencialmente la fuerza ejercida por el otro. Supongamos que la masa del auto es de 550 kg, la masa del camión es de 2200 kg, y la magnitud de la aceleración del camión es $10\ \text{m/s}^2$. Halle la magnitud de la aceleración del auto.

5.6 Fuerzas comunes

55. Una pierna está suspendida en un sistema de tracción, como se muestra a continuación. (a)

¿Qué polea de la figura se utiliza para calcular la fuerza ejercida sobre el pie? (b) ¿Cuál es la tensión de la cuerda? Aquí $\vec{\mathbf{T}}$ es la tensión, $\vec{\mathbf{w}}_{\text{pierna}}$ es el peso de la pierna, y $\vec{\mathbf{w}}$ es el peso de la carga que proporciona la tensión.

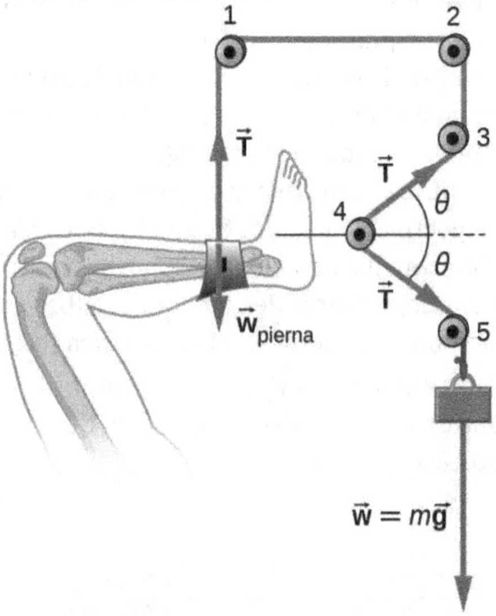

56. Supongamos que la tibia en la imagen anterior fuera un fémur en una configuración de tracción para un hueso fracturado, con poleas y cuerda disponibles. ¿Cómo podríamos aumentar la fuerza a lo largo del fémur con el mismo peso?
57. Un equipo de nueve miembros en un edificio alto hala una cuerda atada a una gran roca en una superficie helada. La roca tiene una masa de 200 kg y la halan con una fuerza de 2.350 N. (a) ¿Cuál es la magnitud de la aceleración? (b) ¿Qué fuerza sería necesaria para producir una velocidad constante?
58. ¿Qué fuerza tiene que aplicar un trampolín a Jennifer, una gimnasta de 45,0 kg, para acelerarla directamente hacia arriba a $7{,}50\ \text{m/s}^2$? La respuesta es independiente de la velocidad de la gimnasta: puede estar moviéndose hacia arriba o hacia abajo o puede estar instantáneamente inmóvil.
59. (a) Calcule la tensión en un hilo vertical de telaraña si una araña de masa $2{,}00 \times 10^{-5}$ kg cuelga inmóvil en ella. (b) Calcule la tensión en un hilo horizontal de telaraña si la misma araña se posa inmóvil en medio de ella como el equilibrista en la Figura 5.26. El hilo cede en un ángulo de $12°$ por debajo de la horizontal. Compárelo con la tensión del hilo vertical (halle el cociente).
60. Supongamos que Kevin, un gimnasta de 60,0 kg, sube por una cuerda. (a) ¿Cuál es la tensión en la cuerda si sube a una rapidez constante? (b) ¿Cuál es la tensión en la cuerda si acelera hacia arriba a una tasa de $1{,}50\ \text{m/s}^2$?
61. Demuestre que, como se explica en el texto, una fuerza $F_\perp$ ejercida sobre un medio flexible en su centro y perpendicular a su longitud (como en el alambre de la cuerda floja en la Figura 5.26) ocasiona una tensión de magnitud $T = F_\perp/2\ \text{sen}\,(\theta)$.
62. Considere la Figura 5.28. La conductora intenta sacar el auto del barro al ejercer una fuerza perpendicular de 610,0 N, y la distancia que empuja en medio de la cuerda es de 1,00 m mientras se sitúa a 6,00 m del auto a la izquierda y a 6,00 m del árbol a la derecha. ¿Cuál es la tensión T de la cuerda y cómo se encuentra la respuesta?
63. Un pájaro tiene una masa de 26 g y se posa en medio de una línea telefónica estirada. (a) Demuestre que la tensión en la línea puede calcularse mediante la ecuación $T = \frac{mg}{2\ \text{sen}\,\theta}$. Determine la tensión cuando (b) $\theta = 5°$ y (c) $\theta = 0{,}5°$. Supongamos que cada mitad de la línea es recta.

64. El extremo de una cuerda de 30 metros se ata a un árbol; el otro extremo se ata a un auto atascado en el barro. El conductor hala lateralmente del punto medio de la cuerda, para desplazarla a una distancia de 2 m. Si ejerce una fuerza de 80 N en estas condiciones, determine la fuerza ejercida sobre el auto.
65. Considere el bebé que se pesa en la siguiente figura. (a) ¿Cuál es la masa del bebé y de la cesta si se observa una lectura de la báscula de 55 N? (b) ¿Cuál es la tensión T_1 en la cuerda que sujeta al bebé a la báscula? c) ¿Cuál es la tensión T_2 en la cuerda que sujeta la báscula al techo, si la báscula tiene una masa de 0,500 kg? (d) Trace un esquema de la situación, donde se indique el sistema de interés utilizado para resolver cada parte. Las masas de los cordones son despreciables.

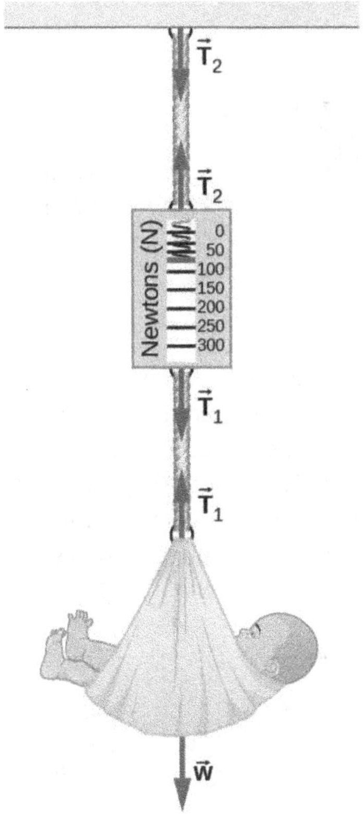

66. ¿Qué fuerza deberá aplicarse a una caja de 100,0 kg en un plano sin fricción inclinado a 30° para provocar una aceleración de 2,0 m/s^2 hacia arriba del plano?

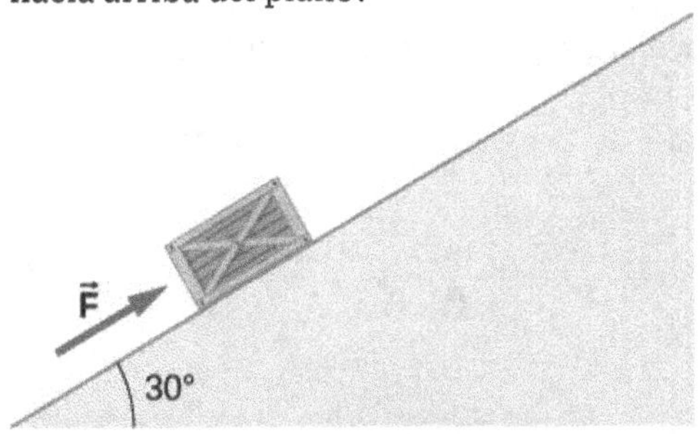

67. Un bloque de 2,0 kg está en una rampa perfectamente lisa que hace un ángulo de 30° con la horizontal. (a) ¿Cuál es la aceleración del bloque por la rampa hacia abajo y la fuerza de la rampa sobre el bloque? (b) ¿Qué fuerza aplicada hacia arriba a lo largo y en paralelo a la rampa permitiría al bloque moverse con velocidad constante?

5.7 Dibujar diagramas de cuerpo libre

68. Una pelota de masa *m* cuelga en reposo, suspendida por una cuerda. (a) Haga un esquema de todas las fuerzas. (b) Dibuje el diagrama de cuerpo libre de la pelota.
69. Un auto se mueve por una carretera horizontal. Dibuje un diagrama de cuerpo libre; incluya la fricción de la carretera que se opone al movimiento de avance del auto.
70. Un corredor empuja contra la pista, como se muestra. (a) Realice un diagrama de cuerpo libre que muestre todas las fuerzas sobre el corredor. (*Pista:* Coloque todas las fuerzas en el centro de su cuerpo e incluya su peso). (b) Presente un diagrama revisado que muestre la forma de los componentes *xy* (créditos: modificación del trabajo de "Greenwich Photography"/Flickr).

71. El semáforo cuelga de los cables como se muestra. Dibuje un diagrama de cuerpo libre en un plano de coordenadas para esta situación.

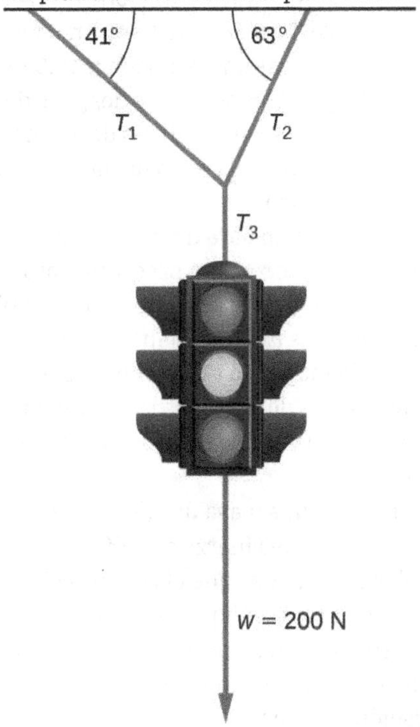

Problemas Adicionales

72. Dos pequeñas fuerzas, $\vec{\mathbf{F}}_1 = -2{,}40\hat{\mathbf{i}} - 6{,}10\hat{\mathbf{j}}$ N y $\vec{\mathbf{F}}_2 = 8{,}50\hat{\mathbf{i}} - 9{,}70\hat{\mathbf{j}}$ N, son ejercidas sobre un asteroide errante por un par de tractores espaciales. (a) Halle la fuerza neta. (b) ¿Cuál es la magnitud y la dirección de la fuerza neta? (c) Si la masa del asteroide es de 125 kg, ¿qué aceleración experimenta (en forma vectorial)? (d) ¿Cuál es la magnitud y la dirección de la aceleración?

73. Sobre un objeto actúan dos fuerzas de 25 y 45 N. Sus direcciones difieren en 70°. La aceleración resultante tiene una magnitud de $10{,}0\ \text{m/s}^2$. ¿Cuál es la masa del cuerpo?

74. Una fuerza de 1600 N actúa en paralelo a una rampa para empujar un piano de 300 kg hacia un furgón en movimiento. La rampa está inclinada a 20°. (a) ¿Cuál es la aceleración del piano al subir la rampa? (b) ¿Cuál es la velocidad del piano al llegar a la cima si la rampa tiene 4,0 m de longitud y el piano parte del reposo?

75. Dibuje un diagrama de cuerpo libre de un buceador que ha entrado en el agua, se ha desplazado hacia abajo y sobre él actúa una fuerza ascendente debida al agua que equilibra el peso (es decir, el buceador está suspendido).

76. Para una nadadora que acaba de saltar de un trampolín, suponga que la resistencia del aire es despreciable. La nadadora tiene una masa de 80,0 kg y salta desde un trampolín a 10,0 m por encima del agua. Tres segundos después de entrar en el agua, su movimiento descendente se detiene. ¿Qué fuerza media hacia arriba ha ejercido el agua sobre ella?

77. (a) Halle la ecuación para determinar la magnitud de la fuerza neta necesaria para detener un auto de masa m, dado que la rapidez inicial del auto es v_0 y la distancia de parada es x. (b) Halle la magnitud de la fuerza neta si la masa del auto es de 1.050 kg, la rapidez inicial es de 40,0 km/h y la distancia de parada es de 25,0 m.

78. Un velero tiene una masa de $1{,}50 \times 10^3$ kg y sobre este actúa una fuerza de $2{,}00 \times 10^3$ N hacia el este, mientras que el viento actúa detrás de las velas con una fuerza de $3{,}00 \times 10^3$ N en una dirección de 45° al norte del este. Halle la magnitud y la dirección de la aceleración resultante.

79. Halle la aceleración del cuerpo de masa 10,0 kg que se muestra a continuación.

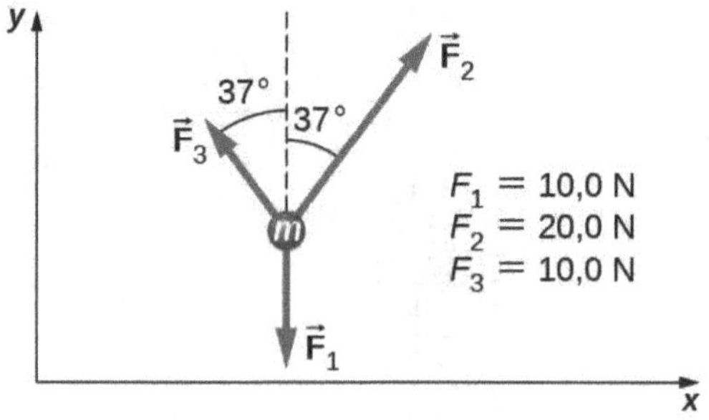

80. Un cuerpo de masa 2,0 kg se mueve a lo largo del eje de la x con una rapidez de 3,0 m/s en el instante representado a continuación. (a) ¿Cuál es la aceleración del cuerpo? (b) ¿Cuál es la velocidad del cuerpo 10,0 s después? (c) ¿Cuál es su desplazamiento después de 10,0 s?

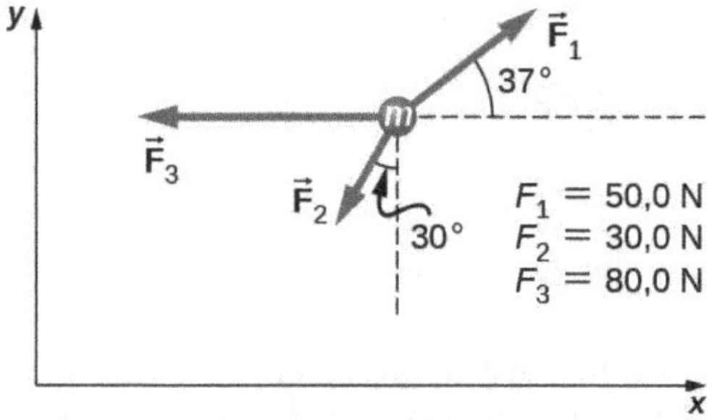

81. La fuerza $\vec{\mathbf{F}}_\mathbf{B}$ tiene el doble de magnitud de la fuerza $\vec{\mathbf{F}}_\mathbf{A}$. Halle la dirección en la que se acelera la partícula en esta figura.

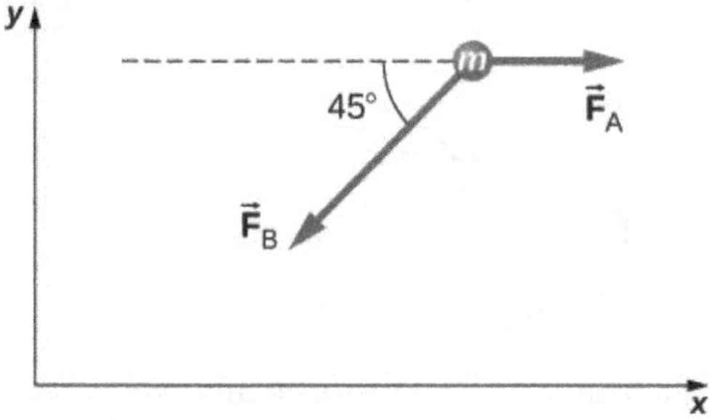

82. A continuación, se muestra un cuerpo de masa 1,0 kg bajo la influencia de las fuerzas $\vec{\mathbf{F}}_\mathbf{A}$, $\vec{\mathbf{F}}_\mathbf{B}$, y $m\vec{\mathbf{g}}$. Si el cuerpo acelera hacia la izquierda a $20\ \text{m/s}^2$, ¿que son $\vec{\mathbf{F}}_\mathbf{A}$ y $\vec{\mathbf{F}}_\mathbf{B}$?

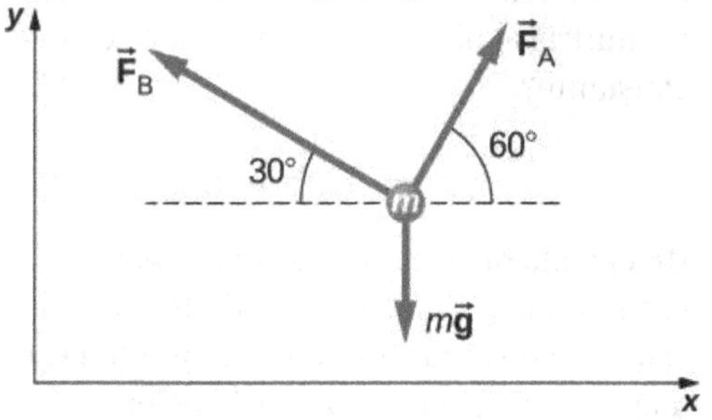

83. Una fuerza actúa sobre un auto de masa m de forma que la rapidez v del auto aumenta con la posición x como $v = kx^2$, donde k es constante y todas las cantidades están en unidades del SI. Halle la fuerza que actúa sobre el auto en función de la posición.

84. Se aplica una fuerza de 7,0 N paralela a una inclinación a una caja de 1,0 kg. La rampa está inclinada a $20°$ y no tiene fricción. (a) ¿Cuál es la aceleración de la caja? (b) Si todas las demás condiciones son iguales pero la rampa tiene una fuerza de fricción de 1,9 N, ¿cuál es la aceleración?

85. Dos cajas, A y B, están en reposo. La caja A está en un terreno llano, mientras que la caja B descansa en un plano inclinado con un ángulo θ con la horizontal. (a) Escriba expresiones para la fuerza normal que actúa sobre cada bloque. (b) Compare las dos fuerzas; es decir, diga cuál es mayor o si son iguales en magnitud. (c) Si el ángulo de inclinación es $10°$, ¿qué fuerza es mayor?

86. Una masa de 250,0 g está suspendida de un resorte que cuelga verticalmente. El resorte se estira 6,00 cm. ¿Cuánto se estirará el resorte si la masa suspendida es de 530,0 g?

87. Como se muestra a continuación, dos resortes idénticos, cada uno con la constante del resorte 20 N/m, soportan un peso de 15,0 N. (a) ¿Cuál es la tensión del resorte A? (b) ¿Cuál es la cantidad de estiramiento del resorte A desde la posición de reposo?

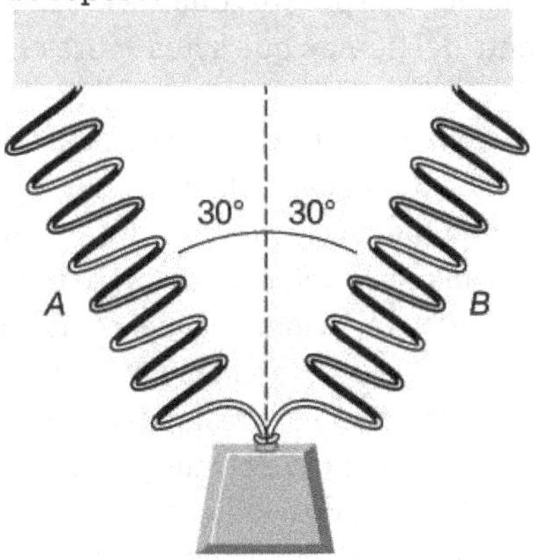

88. A continuación, se muestra un bloque de 30,0 kg que descansa sobre una rampa sin fricción inclinada a $60°$ de la horizontal. El bloque está sujeto por un resorte que se estira 5,0 cm. ¿Cuál es la constante de fuerza del resorte?

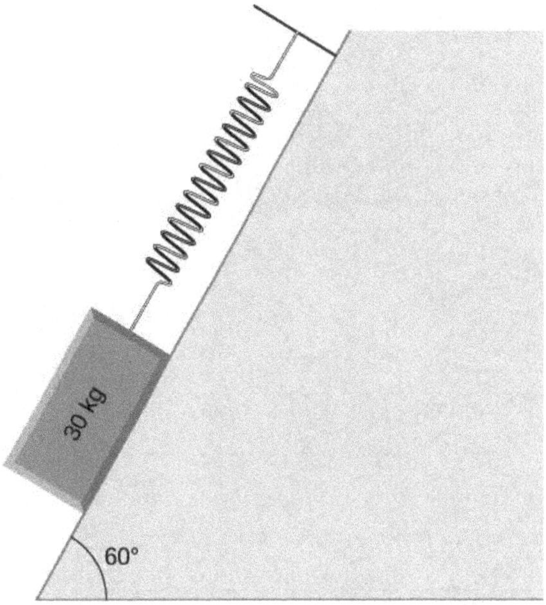

89. Los carpinteros que construyen una casa utilizan clavos de una caja grande. La caja se suspende de un resorte dos veces durante el día para medir el uso de los clavos. Al principio del día, el resorte se estira 50 cm. Al final del día, el resorte se estira 30 cm. ¿Qué fracción o porcentaje de los clavos se ha utilizado?

90. Se aplica una fuerza a un bloque para que suba 30° de inclinación. La inclinación es sin fricción. Si $F = 65{,}0\,\text{N}$ y $M = 5{,}00\,\text{kg}$, ¿cuál es la magnitud de la aceleración del bloque?

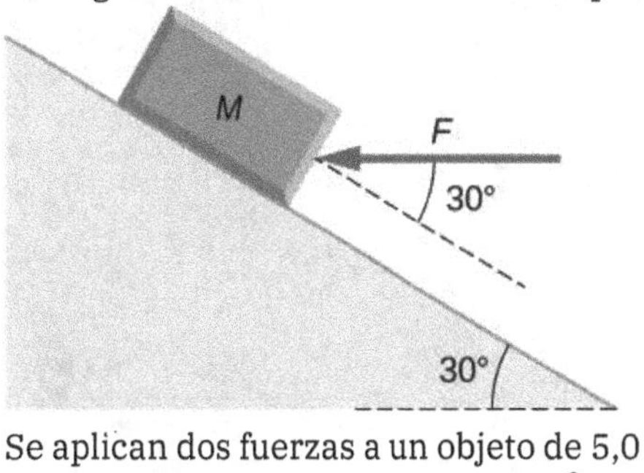

91. Se aplican dos fuerzas a un objeto de 5,0 kg y este se acelera a una tasa de $2{,}0\,\text{m/s}^2$ en la dirección de la y positiva. Si una de las fuerzas actúa en la dirección de la x positiva con una magnitud de 12,0 N, halle la magnitud de la otra fuerza.

92. El bloque de la derecha que se muestra a continuación tiene más masa que el bloque de la izquierda ($m_2 > m_1$). Dibuje diagramas de cuerpo libre para cada bloque.

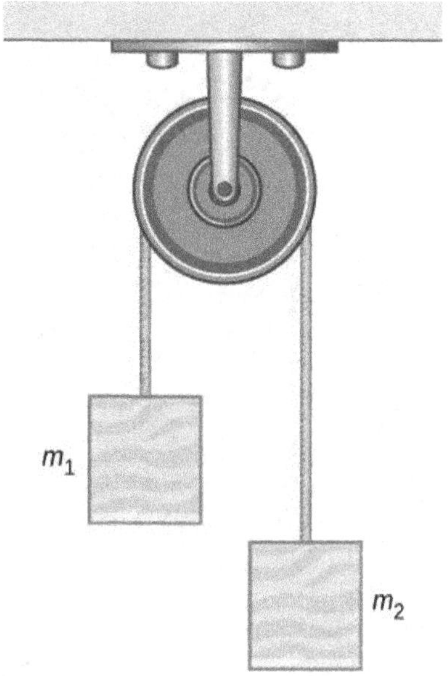

Problemas De Desafío

93. Si dos remolcadores halan de un barco averiado, como se muestra aquí en una vista aérea, se remolcará el barco a lo largo de la dirección indicada por el resultado de las fuerzas ejercidas. (a) Dibuje un diagrama de cuerpo libre para el barco. Suponga que no hay fuerzas de fricción o arrastre que afecten al barco. (b) ¿Incluyó todas las fuerzas de la vista aérea en su diagrama de cuerpo libre? ¿Por qué sí por qué no?

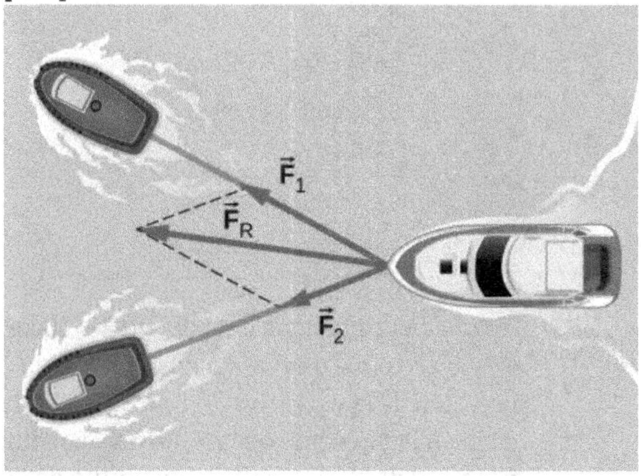

94. Un objeto de 10,0 kg se mueve inicialmente hacia el este a 15,0 m/s. Luego, una fuerza actúa sobre este durante 2,00 s, tras lo cual se mueve hacia el noroeste, también a 15,0 m/s. ¿Cuál es la magnitud y la dirección de la fuerza media que ha actuado sobre el objeto en el intervalo de 2,00 s?

95. El 25 de junio de 1983, el lanzador de peso Udo Beyer, de Alemania Oriental, lanzó el tiro de 7,26 kg a 22,22 m, lo que en aquel momento constituía un récord mundial. (a) Si el tiro se lanzó a una altura de 2,20 m con un ángulo de proyección de 45,0°, ¿cuál era su velocidad inicial? (b) Si mientras estaba en la mano de Beyer el disparo se aceleró uniformemente a lo largo de una distancia de 1,20 m, ¿cuál era la fuerza neta sobre él?

96. Un cuerpo de masa m se mueve en una dirección horizontal tal que en el tiempo t su posición viene dada por $x(t) = at^4 + bt^3 + ct$, donde a, b y c son constantes. (a) ¿Cuál es la aceleración del cuerpo? (b) ¿Cuál es la fuerza dependiente del tiempo que actúa sobre el cuerpo?

97. Un cuerpo de masa m tiene una velocidad inicial v_0 en la dirección de la x positiva. Sobre este actúa una fuerza constante F durante un tiempo t hasta que la velocidad se hace cero; la fuerza sigue actuando sobre el cuerpo hasta que su velocidad se hace $-v_0$ en la misma cantidad de tiempo. Escriba una expresión para la distancia total que recorre el cuerpo en términos de las variables indicadas.

98. Las velocidades de un objeto de 3,0 kg en $t = 6{,}0$ s y $t = 8{,}0$ s son $(3{,}0\hat{\mathbf{i}} - 6{,}0\hat{\mathbf{j}} + 4{,}0\hat{\mathbf{k}})$ m/s y $(-2{,}0\hat{\mathbf{i}} + 4{,}0\hat{\mathbf{k}})$ m/s, respectivamente. Si el objeto se mueve con una aceleración constante, ¿cuál es la fuerza que actúa sobre este?

99. Un astronauta de 120 kg viaja en un trineo de cohetes que se desliza por un plano inclinado. El trineo tiene un componente horizontal de aceleración de $5{,}0\ \text{m/s}^2$ y un componente descendente de $3{,}8\ \text{m/s}^2$. Calcule la magnitud de la fuerza ejercida por el trineo sobre el conductor. (*Pista*: Recuerde que hay que tener en cuenta la aceleración gravitatoria).

100. Dos fuerzas actúan sobre un objeto de 5,0 kg que se mueve con aceleración de $2{,}0\ \text{m/s}^2$ en la dirección de la *y* positiva. Si una de las fuerzas actúa en la dirección de la *x* positiva y tiene una magnitud de 12 N, ¿cuál es la magnitud de la otra fuerza?

101. Suponga que está viendo un partido de fútbol desde un helicóptero sobre el campo de juego. Dos jugadores de fútbol patean simultáneamente un balón de fútbol inmóvil en el campo plano; el balón de fútbol tiene una masa de 0,420 kg. El primer jugador patea con fuerza de 162 N a $9{,}0°$ al norte del oeste. En el mismo instante, el segundo jugador patea con fuerza de 215 N a $15°$ al este del sur. Halle la aceleración del balón en la forma de $\hat{\mathbf{i}}$ y $\hat{\mathbf{j}}$.

102. Una masa de 10,0 kg cuelga de un resorte cuya constante es de 535 N/m. Halle la posición del extremo del resorte alejado de su posición de reposo (utilice $g = 9{,}80\ \text{m/s}^2$).

103. Un par de dados de peluche de 0,0502 kg se sujeta al espejo retrovisor de un auto mediante una cuerda corta. El auto acelera a proporción constante, y los dados cuelgan en un ángulo de 3,20° de la vertical debido a la aceleración del auto. ¿Cuál es la magnitud de la aceleración del auto?

104. En un circo, un burro hala de un trineo que lleva un pequeño payaso con una fuerza dada por $2{,}48\hat{\mathbf{i}} + 4{,}33\hat{\mathbf{j}}$ N. Un caballo hala del mismo trineo, ayudando al desventurado burro, con una fuerza de $6{,}56\hat{\mathbf{i}} + 5{,}33\hat{\mathbf{j}}$ N. La masa del trineo es de 575 kg. Utilizando la forma $\hat{\mathbf{i}}$ y $\hat{\mathbf{j}}$ para la respuesta a cada problema, calcule: (a) la fuerza neta sobre el trineo cuando los dos animales actúan juntos, (b) la aceleración del trineo, y (c) la velocidad después de 6,50 s.

105. Colgando del techo sobre una cuna, bien lejos del alcance del bebé, hay una cuerda con formas de plástico, como se muestra aquí. La cuerda está tensa (no queda floja), como muestran los segmentos rectos. Cada forma plástica tiene la misma masa *m*, y están igualmente espaciadas por una distancia *d*, como se muestra. Los ángulos marcados θ describen el ángulo formado por el extremo de la cuerda y el techo en cada extremo. La longitud central de la cuerda es horizontal. Los dos segmentos restantes forman cada uno un ángulo con la horizontal, marcados como ϕ. Supongamos que T_1 sea la tensión en la sección más a la izquierda de la cuerda, T_2 sea la tensión en la sección adyacente, y T_3 sea la tensión en el segmento horizontal. (a) Halle una ecuación para la tensión en cada sección de la cuerda en términos de las variables *m*, *g* y θ. (b) Halle el ángulo ϕ en términos del ángulo θ. (c) Si $\theta = 5{,}10°$, cuál es el valor de ϕ? (d) Calcule la distancia *x* entre los puntos extremos en términos de *d* y θ.

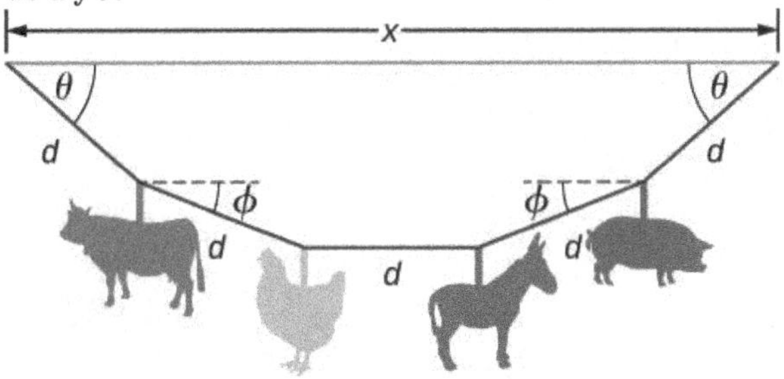

106. Una bala disparada por un rifle tiene una masa de 10,0 g y se desplaza hacia la derecha a 350 m/s. Golpea un objetivo, un gran saco de arena, penetrando en él una distancia de 34,0 cm. Calcule la magnitud y la dirección de la fuerza retardadora que frena y detiene la bala.

107. Tres fuerzas simultaneas actúan sobre un objeto: $\vec{\mathbf{F}}_1 = \left(-3{,}00\hat{\mathbf{i}} + 2{,}00\hat{\mathbf{j}}\right)$ N, $\vec{\mathbf{F}}_2 = \left(6{,}00\hat{\mathbf{i}} - 4{,}00\hat{\mathbf{j}}\right)$ N, y $\vec{\mathbf{F}}_3 = \left(2{,}00\hat{\mathbf{i}} + 5{,}00\hat{\mathbf{j}}\right)$ N. El objeto experimenta una aceleración de $4{,}23\ \text{m/s}^2$. (a) Halle el vector de aceleración en términos de *m*. (b) Halle la masa del objeto. (c) Si el objeto parte del reposo, halle su rapidez después de 5,00 s. (d) Halle los componentes de la velocidad del objeto después de 5,00 s.

108. En un acelerador de partículas, un protón tiene masa $1{,}67 \times 10^{-27}$ kg y una rapidez inicial de $2{,}00 \times 10^5$ m/s. Se mueve en línea recta, y su rapidez aumenta a $9{,}00 \times 10^5$ m/s en una distancia de 10,0 cm. Supongamos que la aceleración es constante. Halle la magnitud de la fuerza ejercida sobre el protón.

109. Un dron es dirigido a través de un lago cubierto de hielo sin fricción. La masa del dron es de 1,50 kg, y su velocidad es $3{,}00\hat{\mathbf{i}}$m/s. Después de 10,0 s, la velocidad es $9{,}00\hat{\mathbf{i}} + 4{,}00\hat{\mathbf{j}}$m/s. Si una fuerza constante en la dirección horizontal causa este cambio en el movimiento, calcule: (a) los componentes de la fuerza y (b) la magnitud de la fuerza.

CAPÍTULO 6
Aplicaciones de las leyes de Newton

Figura 6.1 Autos de serie corriendo en la carrera de la División Grand National en la Iowa Speedway en mayo de 2015. Los autos alcanzan a menudo velocidades de 200 millas por hora (mph) (320 kilómetros por hora [km/h]) (créditos: modificación del trabajo de Erik Schneider/Marina de los EE. UU.).

ESQUEMA DEL CAPITULO

INTRODUCCIÓN Las carreras de autos han ganado popularidad en los últimos años. A medida que cada auto se mueve en una trayectoria alrededor de la curva, sus ruedas también giran rápidamente. Las ruedas completan muchas revoluciones mientras que el auto solo hace parte de una (un arco circular). ¿Cómo podemos describir las velocidades, las aceleraciones y las fuerzas implicadas? ¿Qué fuerza impide que un auto de carreras haga un trompo y choque contra el muro que bordea la pista? ¿Qué proporciona esta fuerza? ¿Por qué la pista tiene peralte? En este capítulo responderemos todas estas preguntas mientras ampliamos nuestra consideración de las leyes del movimiento de Newton.

6.1 Resolución de problemas con las leyes de Newton

OBJETIVOS DE APRENDIZAJE

Al final de esta sección, podrá:

- Aplicar técnicas de resolución de problemas para resolver cantidades en sistemas de fuerzas más complejos.
- Utilizar los conceptos de la cinemática para resolver problemas mediante el empleo de las leyes del movimiento de Newton.
- Resolver problemas de equilibrio más complejos.
- Resolver problemas de aceleración más complejos.
- Aplicar el cálculo a problemas de dinámica más avanzados.

El éxito en la resolución de problemas es necesario para comprender y aplicar los principios físicos. En las Leyes del movimiento de Newton desarrollamos un patrón para analizar y plantear las soluciones a los problemas que involucran las leyes de Newton. En este capítulo, continuamos abordando estas estrategias y aplicando un proceso paso a paso.

Estrategias de resolución de problemas

Aquí seguimos los fundamentos de la resolución de problemas presentados anteriormente en este texto. Sin embargo, hacemos hincapié en las estrategias específicas que son útiles para aplicar las leyes del movimiento de Newton. Una vez que identifique los principios físicos implicados en el problema y determine que incluyen las leyes del movimiento de Newton, puede aplicar estos pasos para encontrar una solución. Estas técnicas también refuerzan conceptos que son útiles en muchas otras áreas de la física. Muchas de las estrategias de resolución de problemas se exponen directamente en los ejemplos trabajados, por lo que las siguientes técnicas deberían reforzar las habilidades que ya ha empezado a desarrollar.

ESTRATEGIA DE RESOLUCIÓN DE PROBLEMAS

Aplicación de las leyes del movimiento de Newton

1. Identifique los principios físicos implicados; enumere los datos dados y las cantidades por calcular.
2. Haga un esquema de la situación; utilice flechas para representar todas las fuerzas.
3. Determine el sistema de interés. El resultado es un diagrama de cuerpo libre, que es esencial para resolver el problema.
4. Aplique la segunda ley de Newton para resolver el problema. Si es necesario, aplique las correspondientes ecuaciones cinemáticas del capítulo sobre el movimiento rectilíneo.
5. Compruebe si la solución es razonable.

Apliquemos esta estrategia de resolución de problemas al reto de subir un piano de cola a un segundo piso. Una vez que hayamos determinado que las leyes del movimiento de Newton están implicadas (si el problema implica fuerzas), es especialmente importante trazar un esquema pormenorizado de la situación. Este esquema se muestra en la Figura 6.2(a). Entonces, como en la Figura 6.2(b), podemos representar todas las fuerzas con flechas. Siempre que exista información suficiente, es mejor etiquetar estas flechas minuciosamente y hacer que la longitud y la dirección de cada una se correspondan con la fuerza representada.

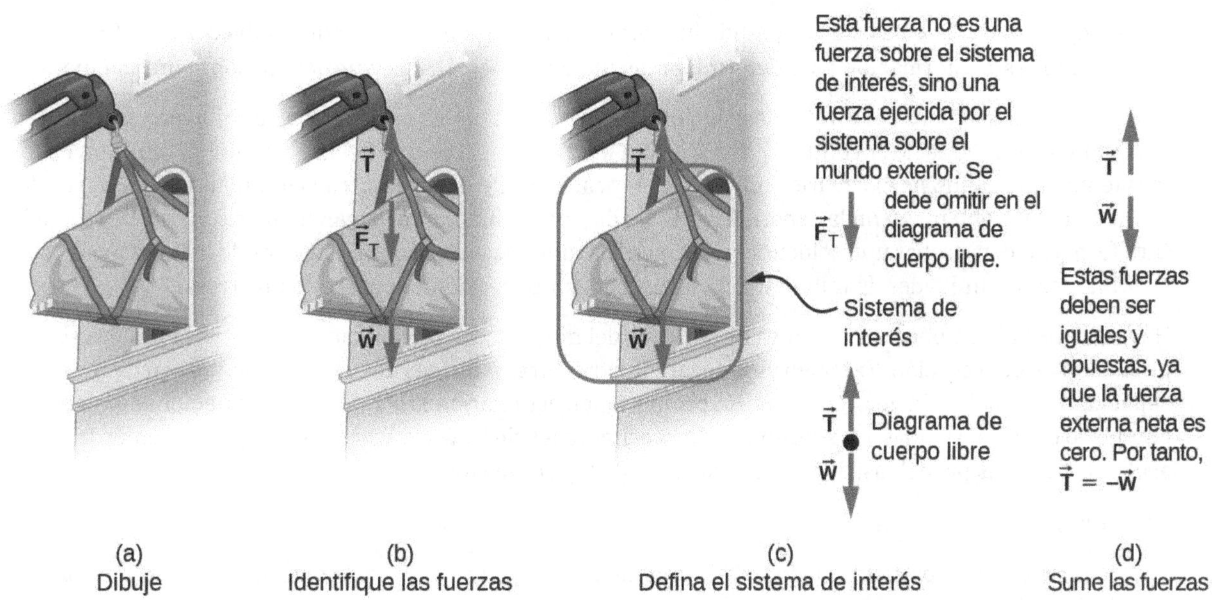

FIGURA 6.2 (a) Un piano de cola se sube a un segundo piso. (b) Se utilizan flechas para representar todas las fuerzas: $\vec{\mathbf{T}}$ es la tensión en la cuerda sobre el piano, $\vec{\mathbf{F}}_T$ es la fuerza que el piano ejerce sobre la cuerda, y $\vec{\mathbf{w}}$ es el peso del piano. Todas las demás fuerzas, como el empuje de una brisa, se suponen despreciables. (c) Supongamos que nos dan la masa del piano y nos indican que encontremos la tensión en la cuerda. A continuación, definimos el sistema de interés como se muestra y dibujamos un diagrama de cuerpo libre. Ahora $\vec{\mathbf{F}}_T$ ya no se muestra, porque no es una fuerza que actúe sobre el sistema de interés; mejor dicho, $\vec{\mathbf{F}}_T$ actúa sobre el mundo exterior. (d) Mostrando solo las flechas, se utiliza el método de suma de cabeza a cola. Es evidente que si el piano está inmóvil, $\vec{\mathbf{T}} = -\vec{\mathbf{w}}$.

Como en la mayoría de los problemas, a continuación hay que identificar lo que hay que determinar y lo que se sabe o se puede deducir del problema tal y como está planteado, es decir, hacer una lista de los valores conocidos y las incógnitas. Es especialmente importante identificar el sistema de interés, ya que la segunda ley de Newton solo implica fuerzas externas. Así podemos determinar cuáles fuerzas son externas y cuáles son internas, lo que es un paso necesario para emplear la segunda ley de Newton. (Ver la Figura 6.2(c)). La tercera ley de Newton puede utilizarse para identificar si las fuerzas se ejercen entre los componentes de un sistema (internas) o entre el sistema y algo exterior (externas). Como se ilustra en las Leyes del movimiento de Newton, el sistema de interés depende de la pregunta a la que debemos responder. En los diagramas de cuerpo libre solo se muestran las fuerzas, no la aceleración ni la velocidad. Hemos dibujado varios diagramas de cuerpo libre en los ejemplos de trabajo anteriores. La Figura 6.2(c) muestra un diagrama de cuerpo libre para el sistema de interés. Tenga en cuenta que en un diagrama de cuerpo libre no se muestran las fuerzas internas.

Una vez dibujado el diagrama de cuerpo libre, aplicamos la segunda ley de Newton. Esto se hace en la Figura 6.2(d) para una situación particular. En general, una vez que las fuerzas externas están claramente identificadas en los diagramas de cuerpo libre, debería ser una tarea sencilla ponerlas en forma de ecuación y resolver la incógnita, como se hizo en todos los ejemplos anteriores. Si el problema es unidimensional, es decir, si todas las fuerzas son paralelas, pueden manejarse algebraicamente. Si el problema es bidimensional, hay que descomponerlo en un par de problemas unidimensionales. Para ello, proyectamos los vectores de fuerza sobre un conjunto de ejes elegidos por conveniencia. Como se aprecia en los ejemplos anteriores, la elección de los ejes puede simplificar el problema. Por ejemplo, cuando se trata de una inclinación, lo más conveniente es un conjunto de ejes con un eje paralelo a la inclinación y otro perpendicular a ella. Casi siempre es conveniente hacer un eje paralelo a la dirección del movimiento, si se conoce. En general, basta con escribir la segunda ley de Newton en componentes a lo largo de las diferentes direcciones. Entonces, tiene las siguientes ecuaciones:

$$\sum F_x = ma_x, \ \sum F_y = ma_y.$$

(Si, por ejemplo, el sistema está acelerando horizontalmente, entonces se puede establecer $a_y = 0$). Necesitamos esta información para determinar las fuerzas desconocidas que actúan sobre un sistema.

Como siempre, debemos comprobar la solución. En algunos casos, es fácil saber si la solución es razonable. Por ejemplo, es razonable encontrar que la fricción hace que un objeto se deslice por una inclinación de forma más lenta que cuando no existe fricción. En la práctica, la intuición se desarrolla gradualmente a través de la resolución de problemas; con la experiencia, se facilita paulatinamente juzgar si una respuesta es razonable. Otra forma de comprobar una solución es verificar las unidades. Si estamos resolviendo la fuerza y terminamos con unidades de milímetros por segundo, entonces hemos cometido un error.

Hay muchas aplicaciones interesantes de las leyes del movimiento de Newton, algunas de las cuales se presentan en esta sección. También sirven para ilustrar otras sutilezas de la física y para desarrollar la capacidad de resolución de problemas. En primer lugar, estudiaremos los problemas relacionados con el equilibrio de las partículas, que hacen uso de la primera ley de Newton, y después consideraremos la aceleración de las partículas, que implica la segunda ley de Newton.

Equilibrio de partículas

Recordemos que una partícula en equilibrio es aquella para la que las fuerzas externas están equilibradas. El equilibrio estático implica objetos en reposo, y el equilibrio dinámico implica objetos en movimiento sin aceleración. Sin embargo, es importante recordar que estas condiciones son relativas. Por ejemplo, un objeto puede estar en reposo cuando se ve desde nuestro marco de referencia, pero el mismo objeto parecería estar en movimiento cuando lo ve alguien que se mueve a una velocidad constante. A continuación, utilizaremos los conocimientos adquiridos en las Leyes del movimiento de Newton, relativos a los diferentes tipos de fuerzas y al uso de los diagramas de cuerpo libre, para resolver problemas adicionales de equilibrio de partículas.

EJEMPLO 6.1

Diferentes tensiones en diferentes ángulos

Considere el semáforo (con una masa de 15,0 kg) suspendido de dos alambres, como se muestra en la Figura 6.3. Halle la tensión en cada alambre; ignore las masas de los alambres.

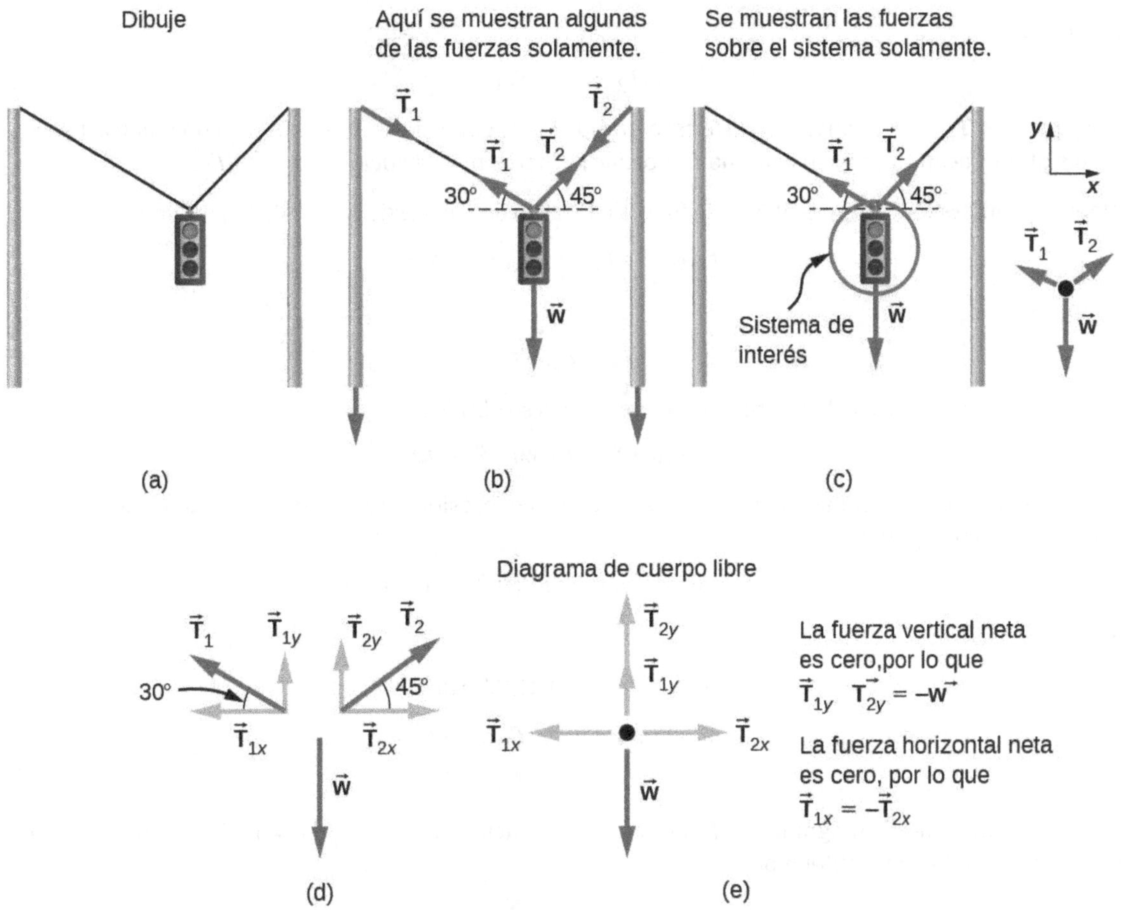

FIGURA 6.3 Un semáforo está suspendido de dos alambres. (b) Algunas de las fuerzas implicadas. (c) Solo se muestran las fuerzas que actúan sobre el sistema. También se muestra el diagrama de cuerpo libre del semáforo. (d) Las fuerzas proyectadas sobre los ejes vertical (y) y horizontal (x). Los componentes horizontales de las tensiones deben anularse, y la suma de los componentes verticales de las tensiones debe ser igual al peso del semáforo. (e) El diagrama de cuerpo libre muestra las fuerzas verticales y horizontales que actúan sobre el semáforo.

Estrategia

El sistema de interés es el semáforo, y su diagrama de cuerpo libre se muestra en la Figura 6.3(c). Las tres fuerzas implicadas no son paralelas, por lo que deben proyectarse en un sistema de coordenadas. El sistema de coordenadas más conveniente tiene un eje vertical y otro horizontal, y las proyecciones vectoriales sobre este se muestran en la Figura 6.3(d). Hay dos incógnitas en este problema (T_1 y T_2), por lo que se necesitan dos ecuaciones para encontrarlas. Estas dos ecuaciones provienen de la aplicación de la segunda ley de Newton a lo largo de los ejes vertical y horizontal; se observa que la fuerza externa neta es cero a lo largo de cada eje porque la aceleración es cero.

Solución

En primer lugar, considere el eje horizontal o x:

$$F_{\text{neta } x} = T_{2x} + T_{1x} = 0.$$

Por lo tanto, como es de esperar,

$$|T_{1x}| = |T_{2x}|.$$

Esto nos da la siguiente relación:

$$T_1 \cos 30° = T_2 \cos 45°.$$

Por lo tanto,

$$T_2 = 1{,}225T_1.$$

Observe que T_1 y T_2 no son iguales en este caso porque los ángulos de ambos lados no son iguales. Es razonable que T_2 acabe siendo mayor que T_1 porque se ejerce más verticalmente que T_1.

Consideremos ahora los componentes de la fuerza a lo largo del eje vertical o eje de la *y*:

$$F_{\text{neta } y} = T_{1y} + T_{2y} - w = 0.$$

Esto implica

$$T_{1y} + T_{2y} = w.$$

Al sustituir las expresiones de los componentes verticales se obtiene

$$T_1 \text{ sen } 30° + T_2 \text{sen } 45° = w.$$

Hay dos incógnitas en esta ecuación, pero si se sustituye la expresión de T_2 en términos de T_1 la reduce a una ecuación con una incógnita:

$$T_1(0{,}500) + (1{,}225T_1)(0{,}707) = w = mg,$$

que produce

$$1{,}366T_1 = (15{,}0 \text{ kg})(9{,}80 \text{ m/s}^2).$$

Al resolver esta última ecuación se obtiene la magnitud de T_1 que es

$$T_1 = 108 \text{ N}.$$

Por último, encontramos la magnitud de T_2 utilizando la relación entre ellos, $T_2 = 1{,}225T_1$, que se encontró anteriormente. Por lo tanto, obtenemos

$$T_2 = 132 \text{ N}.$$

Importancia

Ambas tensiones serían mayores si los dos alambres estuvieran más horizontales, y serán iguales si y solo si los ángulos de ambos lados son iguales (como lo eran en el ejemplo anterior de un equilibrista en las Leyes de movimiento de Newton).

Aceleración de partículas

Hemos dado varios ejemplos de partículas en equilibrio. Ahora nos centramos en los problemas de aceleración de partículas, que son el resultado de una fuerza neta distinta a cero. Vuelva a consultar los pasos dados al principio de esta sección y observe cómo se aplican a los siguientes ejemplos.

EJEMPLO 6.2

Fuerza de arrastre en una barcaza

Dos remolcadores empujan una barcaza en diferentes ángulos (Figura 6.4). El primer remolcador ejerce una fuerza de $2{,}7 \times 10^5$ N en la dirección de la *x*, y el segundo remolcador ejerce una fuerza de $3{,}6 \times 10^5$ N en la dirección de la *y*. La masa de la barcaza es $5{,}0 \times 10^6$ kg y su aceleración se observa que es $7{,}5 \times 10^{-2}$ m/s^2 en la dirección indicada. ¿Cuál es la fuerza de arrastre del agua sobre la barcaza que se resiste al movimiento? (*Nota:* La fuerza de arrastre es una fuerza de fricción ejercida por los fluidos, como el aire o el agua. La fuerza de arrastre se opone al movimiento del objeto. Como la barcaza tiene un fondo plano, podemos suponer que la fuerza de arrastre está en la dirección opuesta al movimiento de la barcaza).

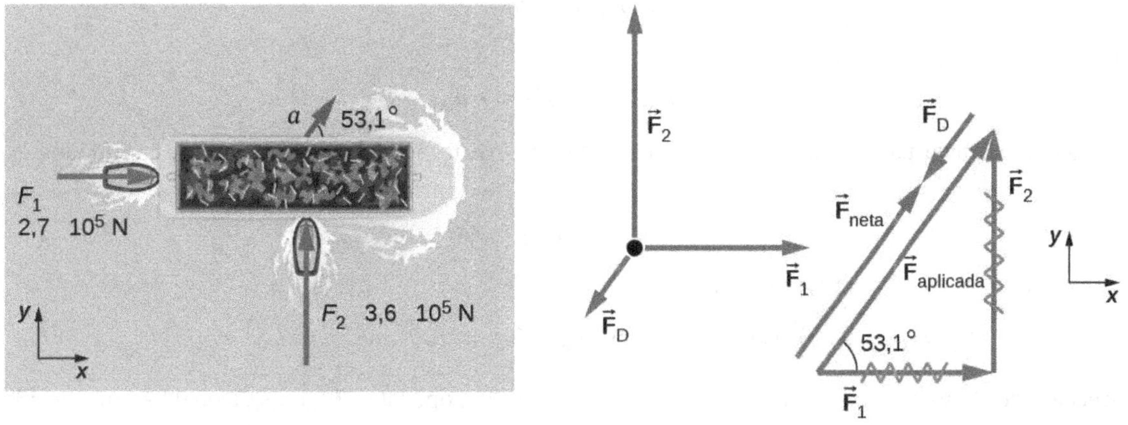

(a) (b)

FIGURA 6.4 (a) Vista desde arriba de dos remolcadores que empujan una barcaza. (b) El diagrama de cuerpo libre del barco contiene solo las fuerzas que actúan en el plano del agua. Omite las dos fuerzas verticales, el peso de la barcaza y la fuerza de flotación del agua que la sostiene, pues se anulan y no se muestran. Observe que $\vec{\mathbf{F}}_{\text{aplicada}}$ es la fuerza total aplicada de los remolcadores.

Estrategia

Las direcciones y magnitudes de la aceleración y las fuerzas aplicadas se indican en la Figura 6.4(a). Definimos la fuerza total de los remolcadores sobre la barcaza como $\vec{\mathbf{F}}_{\text{aplicada}}$ de modo que

$$\vec{\mathbf{F}}_{\text{aplicada}} = \vec{\mathbf{F}}_1 + \vec{\mathbf{F}}_2.$$

El arrastre del agua $\vec{\mathbf{F}}_{\text{D}}$ está en la dirección opuesta a la dirección del movimiento del bote; por lo tanto, esta fuerza trabaja contra $\vec{\mathbf{F}}_{\text{aplicada}}$, como se muestra en el diagrama de cuerpo libre en la Figura 6.4(b). El sistema de interés aquí es la barcaza, ya que se dan las fuerzas sobre ella y su aceleración. Como las fuerzas aplicadas son perpendiculares, los ejes de la x y la y están en la misma dirección que $\vec{\mathbf{F}}_1$ y $\vec{\mathbf{F}}_2$. El problema se convierte rápidamente en unidimensional en la dirección de $\vec{\mathbf{F}}_{\text{aplicada}}$, ya que la fricción va en sentido contrario a $\vec{\mathbf{F}}_{\text{aplicada}}$. Nuestra estrategia consiste en encontrar la magnitud y la dirección de la fuerza neta aplicada $\vec{\mathbf{F}}_{\text{aplicada}}$ y luego aplicar la segunda ley de Newton para resolver la fuerza de arrastre $\vec{\mathbf{F}}_{\text{D}}$.

Solución

Dado que F_x y F_y son perpendiculares, podemos encontrar la magnitud y la dirección de $\vec{\mathbf{F}}_{\text{aplicada}}$ directamente. En primer lugar, la magnitud resultante viene dada por el teorema de Pitágoras:

$$F_{\text{aplicada}} = \sqrt{F_1^2 + F_2^2} = \sqrt{(2{,}7 \times 10^5\text{N})^2 + (3{,}6 \times 10^5\text{ N})^2} = 4{,}5 \times 10^5\text{ N}.$$

El ángulo viene dado por

$$\theta = \tan^{-1}\left(\frac{F_2}{F_1}\right) = \tan^{-1}\left(\frac{3{,}6 \times 10^5\text{ N}}{2{,}7 \times 10^5\text{ N}}\right) = 53{,}1°.$$

Por la primera ley de Newton, sabemos que esta es la misma dirección que la aceleración. También sabemos que $\vec{\mathbf{F}}_{\text{D}}$ está en la dirección opuesta a $\vec{\mathbf{F}}_{\text{aplicada}}$, ya que actúa para frenar la aceleración. Por lo tanto, la fuerza externa neta está en la misma dirección que $\vec{\mathbf{F}}_{\text{aplicada}}$, pero su magnitud es ligeramente inferior a $\vec{\mathbf{F}}_{\text{aplicada}}$. El problema es ahora unidimensional. A partir del diagrama de cuerpo libre, podemos ver que

$$F_{\text{neta}} = F_{\text{aplicada}} - F_{\text{D}}.$$

Sin embargo, la segunda ley de Newton establece que

$$F_{\text{neta}} = ma.$$

Por lo tanto,

$$F_{\text{aplicada}} - F_{\text{D}} = ma.$$

Esto se puede resolver para la magnitud de la fuerza de arrastre del agua F_{D} en términos de cantidades conocidas:

$$F_{\text{D}} = F_{\text{aplicada}} - ma.$$

Al sustituir los valores conocidos se obtiene

$$F_{\text{D}} = \left(4{,}5 \times 10^5\ \text{N}\right) - \left(5{,}0 \times 10^6\ \text{kg}\right)\left(7{,}5 \times 10^{-2}\ \text{m/s}^2\right) = 7{,}5 \times 10^4\ \text{N}.$$

La dirección de $\vec{\mathbf{F}}_{\text{D}}$ ya se ha determinado que está en la dirección opuesta a $\vec{\mathbf{F}}_{\text{aplicada}}$, o en un ángulo de 53° al sur del oeste.

Importancia

Las cifras utilizadas en este ejemplo son razonables para una barcaza moderadamente grande. Ciertamente, es difícil obtener aceleraciones mayores con los remolcadores, y es deseable poca rapidez para evitar que la barcaza se estrelle contra los muelles. El arrastre es relativamente pequeño para un casco bien diseñado a rapidez baja, de acuerdo con la respuesta a este ejemplo, donde F_{D} es menos de 1/600 del peso del barco.

En las Leyes del movimiento de Newton, hablamos de la fuerza normal, que es una fuerza de contacto que actúa normal a la superficie para que un objeto no tenga una aceleración perpendicular a la superficie. La báscula de baño es un excelente ejemplo de una fuerza normal que actúa sobre un cuerpo. Proporciona una lectura cuantitativa de cuánto debe empujar hacia arriba para soportar el peso de un objeto. Sin embargo, ¿podría predecir lo que vería en el dial de una báscula de baño si se subiera a ella durante un viaje en elevador? ¿Verá un valor superior a su peso cuando el elevador se ponga en marcha? ¿Y cuando el elevador se mueve hacia arriba a una rapidez constante? Haga una estimación antes de leer el siguiente ejemplo.

EJEMPLO 6.3

¿Qué indica la báscula de baño en un elevador?

La Figura 6.5 muestra a un hombre de 75,0 kg (con un peso de aproximadamente 165 lb) subido a una báscula de baño en un elevador. Calcule la lectura de la báscula: (a) si el elevador acelera hacia arriba a una tasa de $1{,}20\ \text{m/s}^2$, y (b) si el elevador se mueve hacia arriba a una rapidez constante de 1 m/s.

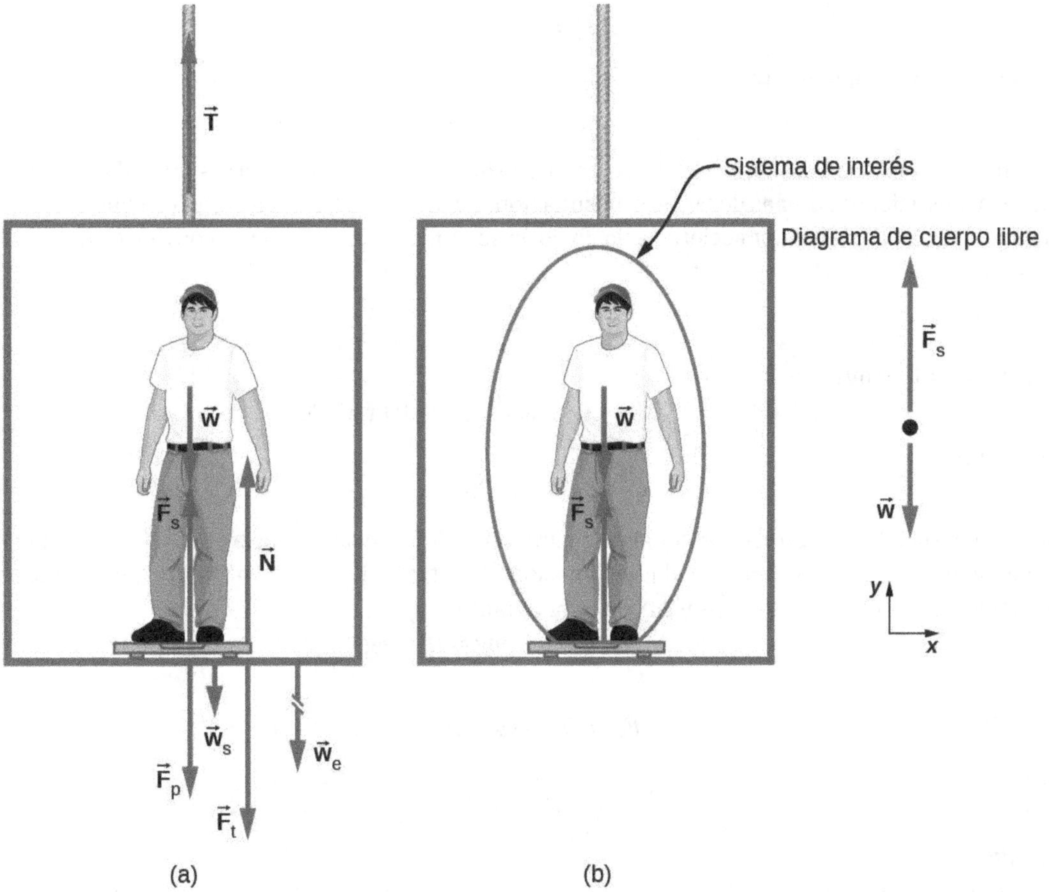

FIGURA 6.5 a) Las distintas fuerzas que actúan cuando una persona se sube a una báscula de baño en un elevador. Las flechas son aproximadamente correctas para cuando el elevador acelera hacia arriba; las flechas rotas representan fuerzas demasiado grandes para dibujarse a escala $\vec{\mathbf{T}}$ es la tensión en el cable de soporte, $\vec{\mathbf{w}}$ es el peso de la persona, $\vec{\mathbf{w}}_s$ es el peso de la báscula, $\vec{\mathbf{w}}_e$ es el peso del elevador, $\vec{\mathbf{F}}_s$ es la fuerza de la báscula sobre la persona, $\vec{\mathbf{F}}_p$ es la fuerza de la persona en la báscula, $\vec{\mathbf{F}}_t$ es la fuerza de la báscula en el suelo del elevador, y $\vec{\mathbf{N}}$ es la fuerza del suelo hacia arriba sobre la báscula. (b) El diagrama de cuerpo libre muestra únicamente las fuerzas externas que actúan *sobre* el sistema de interés designado (la persona) y es el diagrama que utilizamos para la solución del problema.

Estrategia

Si la báscula en reposo es precisa, su lectura es igual a $\vec{\mathbf{F}}_p$, la magnitud de la fuerza que la persona ejerce hacia abajo sobre ella. La Figura 6.5(a) muestra las numerosas fuerzas que actúan sobre el elevador, la báscula y la persona. Hace que este problema unidimensional parezca mucho más formidable que si se elige a la persona como sistema de interés y se dibuja un diagrama de cuerpo libre, como en la Figura 6.5(b). El análisis del diagrama de cuerpo libre mediante el empleo de las leyes de Newton puede dar respuesta a los dos apartados (a) y (b) de la Figura 6.5 de este ejemplo, así como a otras preguntas que puedan surgir. Las únicas fuerzas que actúan sobre la persona son su peso $\vec{\mathbf{w}}$ y la fuerza ascendente de la báscula $\vec{\mathbf{F}}_s$. Según la tercera ley de Newton, $\vec{\mathbf{F}}_p$ y $\vec{\mathbf{F}}_s$ son iguales en magnitud y opuestos en dirección, por lo que necesitamos encontrar F_s para encontrar lo que marca la báscula. Podemos hacerlo, como siempre, aplicando la segunda ley de Newton,

$$\vec{\mathbf{F}}_{neta} = m\vec{\mathbf{a}}.$$

A partir del diagrama de cuerpo libre, vemos que $\vec{\mathbf{F}}_{neta} = \vec{\mathbf{F}}_s - \vec{\mathbf{w}}$, por lo que tenemos

$$F_s - w = ma.$$

Al resolver F_s nos da una ecuación con una sola incógnita:

$$F_s = ma + w,$$

o, dado que $w = mg$, simplemente

$$F_s = ma + mg.$$

No se han hecho suposiciones sobre la aceleración, por lo que esta solución debería ser válida para una variedad de aceleraciones además de las de esta situación. (*Nota:* Consideramos el caso en que el elevador acelera hacia arriba. Si el elevador acelera hacia abajo, la segunda ley de Newton se convierte en $F_s - w = -ma$.)

Solución

a. Tenemos $a = 1{,}20\,\text{m/s}^2$, de modo que

$$F_s = (75{,}0\,\text{kg})(9{,}80\,\text{m/s}^2) + (75{,}0\,\text{kg})(1{,}20\,\text{m/s}^2)$$

que produce

$$F_s = 825\,\text{N}.$$

b. Ahora, ¿qué sucede cuando el elevador alcanza una velocidad constante hacia arriba? ¿La báscula seguirá marcando más que su peso? Para cualquier velocidad constante (hacia arriba, hacia abajo o inmóvil), la aceleración es cero porque $a = \frac{\Delta v}{\Delta t}$ y $\Delta v = 0$. Por lo tanto,

$$F_s = ma + mg = 0 + mg$$

o

$$F_s = (75{,}0\,\text{kg})(9{,}80\,\text{m/s}^2),$$

que da

$$F_s = 735\,\text{N}.$$

Importancia

La lectura de la báscula en la Figura 6.5(a) es de aproximadamente 185 lb. ¿Qué habría leído la báscula si estuviera inmóvil? Como su aceleración sería cero, la fuerza de la báscula sería igual a su peso:

$$F_{\text{neta}} = ma = 0 = F_s - w$$

$$F_s = w = mg$$

$$F_s = (75{,}0\,\text{kg})(9{,}80\,\text{m/s}^2) = 735\,\text{N}.$$

Por lo tanto, la lectura de la báscula en el elevador es mayor que su peso de 735 N (165 libras). Esto significa que la báscula empuja hacia arriba sobre la persona con una fuerza mayor que su peso, como debe ser, para acelerarla hacia arriba. Evidentemente, cuanto mayor sea la aceleración del elevador, mayor será la lectura de la báscula, en consonancia con lo que se siente en los elevadores de aceleración rápida frente a los de aceleración lenta. En la Figura 6.5(b), la lectura de la báscula es de 735 N, que equivale al peso de la persona. Este es el caso siempre que el elevador tenga una velocidad constante, ya sea subiendo, bajando o inmóvil.

COMPRUEBE LO APRENDIDO 6.1

Calcule ahora la lectura de la báscula cuando el elevador acelera hacia abajo a una velocidad de $1{,}20\,\text{m/s}^2$.

La solución del ejemplo anterior también se aplica a un elevador que acelera hacia abajo, como se ha mencionado. Cuando un elevador acelera hacia abajo, *a* es negativa, y la lectura de la báscula es *menor* que el peso de la persona. Si se alcanza una velocidad constante hacia abajo, la lectura de la báscula vuelve a ser igual al peso de la persona. Si el elevador está en caída libre y acelera hacia abajo a *g*, entonces la lectura de la báscula es cero y la persona parece no tener peso.

EJEMPLO 6.4

Dos bloques sujetados

La Figura 6.6 muestra un bloque de masa m_1 en una superficie horizontal sin fricción. Se hala de una cuerda ligera que pasa por una polea sin fricción ni masa. El otro extremo de la cuerda está conectado a un bloque de masa m_2. Halle la aceleración de los bloques y la tensión en la cuerda en términos de $m_1, m_2,$ y g.

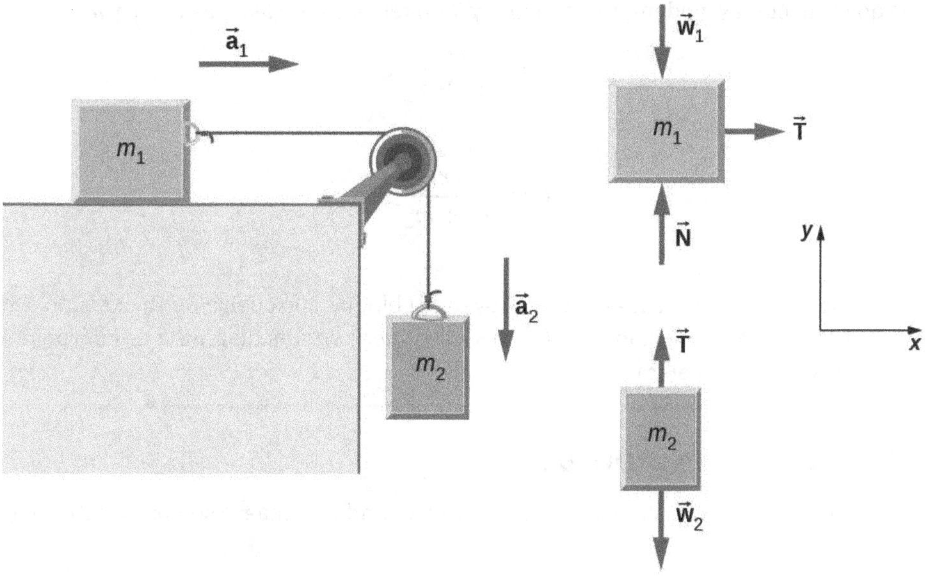

FIGURA 6.6 (a) El bloque 1 está unido por una cuerda ligera al bloque 2. (b) Los diagramas de cuerpo libre de los bloques.

Estrategia

Dibujamos un diagrama de cuerpo libre para cada masa por separado, como se muestra en la Figura 6.6. A continuación, analizamos cado uno de ellos para encontrar las incógnitas necesarias. Las fuerzas sobre el bloque 1 son la fuerza gravitatoria, la fuerza de contacto de la superficie y la tensión de la cuerda. El bloque 2 está sometido a la fuerza gravitatoria y a la tensión de la cuerda. La segunda ley de Newton se aplica a cada uno, por lo que escribimos dos ecuaciones vectoriales:

Para el bloque 1: $\vec{\mathbf{T}} + \vec{\mathbf{w}}_1 + \vec{\mathbf{N}} = m_1\vec{\mathbf{a}}_1$

Para el bloque 2: $\vec{\mathbf{T}} + \vec{\mathbf{w}}_2 = m_2\vec{\mathbf{a}}_2$.

Observe que $\vec{\mathbf{T}}$ es el mismo para ambos bloques. Como la cuerda y la polea tienen una masa despreciable, y como no hay fricción en la polea, la tensión es la misma en toda la cuerda. Ahora podemos escribir las ecuaciones de los componentes de cada bloque. Todas las fuerzas son horizontales o verticales, por lo que podemos utilizar el mismo sistema de coordenadas horizontales/verticales para ambos objetos.

Solución

Las ecuaciones de los componentes se derivan de las ecuaciones vectoriales anteriores. Vemos que el bloque 1 tiene las fuerzas verticales equilibradas, así que las pasamos por alto y escribimos una ecuación que relacione los componentes de x. No hay fuerzas horizontales en el bloque 2, por lo que se escribe únicamente la ecuación de y. Obtenemos estos resultados:

Bloque 1	**Bloque 2**
$\sum F_x = ma_x$	$\sum F_y = ma_y$
$T_x = m_1 a_{1x}$	$T_y - m_2 g = m_2 a_{2y}$.

Cuando el bloque 1 se mueve hacia la derecha, el bloque 2 se desplaza a una distancia igual hacia abajo; por lo tanto, $a_{1x} = -a_{2y}$. Al escribir la aceleración común de los bloques como $a = a_{1x} = -a_{2y}$, ahora tenemos

$$T = m_1 a$$

y

$$T - m_2 g = -m_2 a.$$

A partir de estas dos ecuaciones, podemos expresar a y T en términos de las masas m_1 y m_2, y g :

$$a = \frac{m_2}{m_1 + m_2} g$$

y

$$T = \frac{m_1 m_2}{m_1 + m_2} g.$$

Importancia

Observe que la tensión de la cuerda es *menor* que el peso del bloque que cuelga de su extremo. Un error común en este tipo de problemas es establecer $T = m_2 g$. Se puede ver del diagrama de cuerpo libre del bloque 2 que no es correcto si el bloque acelera.

COMPRUEBE LO APRENDIDO 6.2

Calcule la aceleración del sistema, y la tensión en la cuerda, cuando las masas son $m_1 = 5{,}00\ \text{kg}$ y $m_2 = 3{,}00\ \text{kg}$.

EJEMPLO 6.5

Máquina de Atwood

Un problema clásico de la física, similar al que acabamos de resolver, es el de la máquina de Atwood, que consiste en una cuerda que pasa por una polea, con dos objetos de diferente masa unidos. Sirve especialmente para comprender la conexión entre fuerza y movimiento. En la Figura 6.7, $m_1 = 2{,}00\ \text{kg}$ y $m_2 = 4{,}00\ \text{kg}$. Considere que la polea no tiene fricción. (a) Si m_2 se libera, ¿cuál será su aceleración? (b) ¿Cuál es la tensión de la cuerda?

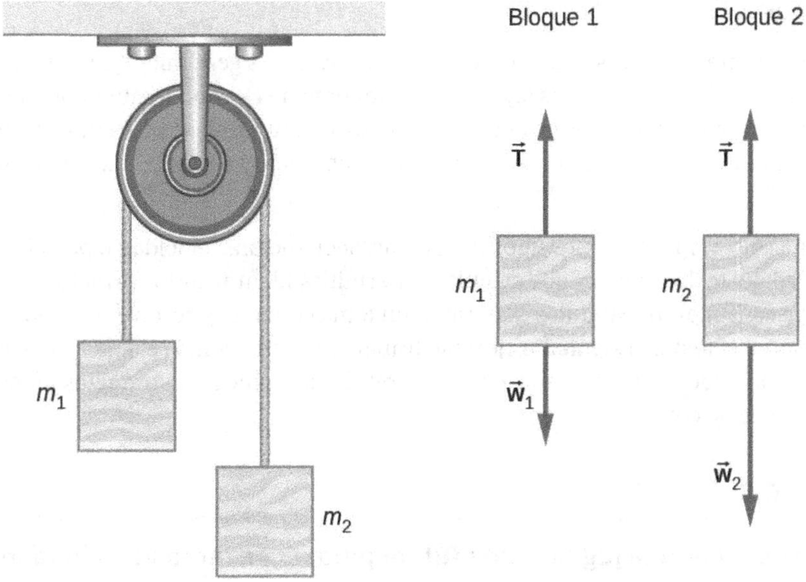

FIGURA 6.7 Una máquina de Atwood y diagramas de cuerpo libre para cada uno de los dos bloques.

Estrategia

Dibujamos un diagrama de cuerpo libre para cada masa por separado, como se muestra en la figura. A continuación, analizamos cada diagrama para encontrar las incógnitas necesarias. Esto puede implicar la solución de ecuaciones simultáneas. También es importante señalar la similitud con el ejemplo anterior. Como el bloque 2 acelera con aceleración a_2 hacia abajo, el bloque 1 acelera hacia arriba con aceleración a_1. Por lo tanto, $a = a_1 = -a_2$.

Solución

a. Tenemos

$$\text{Para } m_1, \sum F_y = T - m_1 g = m_1 a. \qquad \text{Para } m_2, \sum F_y = T - m_2 g = -m_2 a.$$

(El signo negativo delante de $m_2 a$ indica que m_2 acelera hacia abajo; ambos bloques aceleran a la misma velocidad, pero en direcciones opuestas). Resuelva las dos ecuaciones simultáneamente (réstelas) y el resultado es

$$(m_2 - m_1)g = (m_1 + m_2)a.$$

Al resolver a:

$$a = \frac{m_2 - m_1}{m_1 + m_2} g = \frac{4\,\text{kg} - 2\,\text{kg}}{4\,\text{kg} + 2\,\text{kg}}(9{,}8\,\text{m/s}^2) = 3{,}27\,\text{m/s}^2.$$

b. Al observar el primer bloque, vemos que

$$T - m_1 g = m_1 a$$
$$T = m_1(g + a) = (2\,\text{kg})(9{,}8\,\text{m/s}^2 + 3{,}27\,\text{m/s}^2) = 26{,}1\,\text{N}.$$

Importancia

El resultado de la aceleración dado en la solución puede interpretarse como la razón de la fuerza desequilibrada sobre el sistema, $(m_2 - m_1)g$, a la masa total del sistema, $m_1 + m_2$. También podemos utilizar la máquina de Atwood para medir la intensidad del campo gravitatorio local.

COMPRUEBE LO APRENDIDO 6.3

Determine una fórmula general en términos de m_1, m_2 y g para calcular la tensión en la cuerda para la máquina de Atwood mostrada arriba.

Leyes del movimiento y cinemática de Newton

La física es más interesante y poderosa cuando se aplica a situaciones generales que implican algo más que un estrecho conjunto de principios físicos. Las leyes del movimiento de Newton también pueden integrarse con otros conceptos que se han tratado anteriormente en este texto para resolver problemas de movimiento. Por ejemplo, las fuerzas producen aceleración, un tema de la cinemática, y de ahí la relevancia de los capítulos anteriores.

Al abordar problemas que implican varios tipos de fuerzas, aceleración, velocidad o posición, la enumeración de las cantidades dadas y de las que hay que calcular le permitirá identificar los principios implicados. A continuación, puede consultar los capítulos que tratan un tema concreto y resolver el problema con las estrategias indicadas en el texto. El siguiente ejemplo trabajado ilustra cómo se aplica la estrategia de resolución de problemas, dada anteriormente en este capítulo, así como las estrategias presentadas en otros capítulos, a un problema de concepto integrado.

EJEMPLO 6.6

¿Qué fuerza debe ejercer una jugadora de fútbol para alcanzar la velocidad máxima?

Una jugadora de fútbol comienza en reposo y acelera hacia delante, y alcanza una velocidad de 8,00 m/s en 2,50 s. (a) ¿Cuál es su aceleración media? (b) ¿Qué fuerza media ejerce el suelo hacia delante sobre la corredora para que alcance esta aceleración? La masa de la jugadora es de 70,0 kg y la resistencia del aire es despreciable.

Estrategia

Para encontrar las respuestas a este problema, utilizamos la estrategia de resolución de problemas, dada anteriormente en este capítulo. Las soluciones de cada parte del ejemplo ilustran cómo aplicar los pasos específicos de la resolución de problemas. En este caso, no es necesario utilizar todos los pasos. Simplemente identificamos los principios físicos y, por lo tanto, los valores conocidos y las incógnitas; aplicamos la segunda ley de Newton y comprobamos si la respuesta es razonable.

Solución

a. Se nos dan las velocidades inicial y final (cero y 8,00 m/s hacia adelante); por lo tanto, el cambio de velocidad es $\Delta v = 8{,}00 \text{ m/s}$. Nos dan el tiempo transcurrido, así que $\Delta t = 2{,}50 \text{ s}$. La incógnita es la aceleración, que se puede encontrar a partir de su definición:

$$a = \frac{\Delta v}{\Delta t}.$$

Al sustituir los valores conocidos se tiene

$$a = \frac{8{,}00 \text{ m/s}}{2{,}50 \text{ s}} = 3{,}20 \text{ m/s}^2.$$

b. Aquí se nos pide que encontremos la fuerza media que el suelo ejerce sobre la corredora para producir esta aceleración. (Recuerde que se trata de la fuerza o fuerzas que actúan sobre el objeto de interés). Esta es la fuerza de reacción a la que ejerce la jugadora hacia atrás contra el suelo, por la tercera ley de Newton. Al ignorar la resistencia del aire, esto sería igual en magnitud a la fuerza externa neta sobre la jugadora, ya que esta fuerza causa su aceleración. Como ahora conocemos la aceleración de la jugadora y tenemos su masa, podemos utilizar la segunda ley de Newton para encontrar la fuerza ejercida. Eso es,

$$F_{\text{neta}} = ma.$$

Al sustituir los valores conocidos de m y a obtenemos

$$F_{\text{neta}} = (70{,}0 \text{ kg})(3{,}20 \text{ m/s}^2) = 224 \text{ N}.$$

Este es un resultado razonable: la aceleración es alcanzable para un atleta en buenas condiciones. La fuerza es de aproximadamente 50 libras, una fuerza media razonable.

Importancia

Este ejemplo ilustra cómo aplicar las estrategias de resolución de problemas a situaciones que incluyen temas de diferentes capítulos. El primer paso es identificar los principios físicos, los valores conocidos y las incógnitas del problema. El segundo paso es resolver la incógnita, en este caso con la segunda ley de Newton. Por último, comprobamos nuestra respuesta para asegurarnos de que sea razonable. Estas técnicas de problemas de conceptos integrados serán útiles en aplicaciones de la física fuera de un curso de física, como en su profesión, en otras disciplinas científicas y en la vida cotidiana.

COMPRUEBE LO APRENDIDO 6.4

La jugadora de fútbol se detiene tras realizar la jugada descrita anteriormente, pero ahora se da cuenta de que la pelota se puede robar. Si ahora experimenta una fuerza de 126 N para intentar robar la pelota, que está a 2,00 m de ella, ¿cuánto tiempo tardará en llegar a la pelota?

EJEMPLO 6.7

¿Qué fuerza actúa sobre un modelo de helicóptero?

Un modelo de helicóptero de 1,50 kg tiene una velocidad de $5{,}00\hat{\mathbf{j}}$ m/s a $t = 0$. Se acelera a una tasa constante durante dos segundos (2,00 s) después de lo cual tiene una velocidad de $\left(6{,}00\hat{\mathbf{i}} + 12{,}00\hat{\mathbf{j}}\right)$ m/s. ¿Cuál es la magnitud de la fuerza resultante que actúa sobre el helicóptero durante este intervalo?

Estrategia

Podemos establecer fácilmente un sistema de coordenadas en el que el eje de la $x\,(\hat{\mathbf{i}})$ es horizontal, y el eje de la $y\,(\hat{\mathbf{j}})$ es vertical. Sabemos que $\Delta t = 2{,}00s$ y $\Delta v = (6{,}00\hat{\mathbf{i}} + 12{,}00\hat{\mathbf{j}}\text{ m/s}) - (5{,}00\hat{\mathbf{j}}\text{ m/s})$. A partir de esto, podemos calcular la aceleración por la definición; entonces podemos aplicar la segunda ley de Newton.

Solución

Tenemos

$$a = \frac{\Delta v}{\Delta t} = \frac{(6{,}00\hat{\mathbf{i}} + 12{,}00\hat{\mathbf{j}}\,\text{m/s}) - (5{,}00\hat{\mathbf{j}}\text{ m/s})}{2{,}00\text{ s}} = 3{,}00\hat{\mathbf{i}} + 3{,}50\hat{\mathbf{j}}\,\text{m/s}^2$$

$$\sum \vec{\mathbf{F}} = m\vec{\mathbf{a}} = (1{,}50\text{ kg})(3{,}00\hat{\mathbf{i}} + 3{,}50\hat{\mathbf{j}}\text{ m/s}^2) = 4{,}50\hat{\mathbf{i}} + 5{,}25\hat{\mathbf{j}}\text{ N}.$$

La magnitud de la fuerza se encuentra ahora fácilmente:

$$F = \sqrt{(4{,}50\text{ N})^2 + (5{,}25\text{ N})^2} = 6{,}91\text{ N}.$$

Importancia

El problema original se planteó en términos de componentes vectoriales $\hat{\mathbf{i}} - \hat{\mathbf{j}}$, por lo que utilizamos métodos vectoriales. Compare este ejemplo con el anterior.

COMPRUEBE LO APRENDIDO 6.5

Halle la dirección de la resultante para el modelo de helicóptero de 1,50 kg.

EJEMPLO 6.8

Tractor de equipaje

La Figura 6.8(a) muestra un tractor de equipaje que hala los carros portaequipajes de un avión. El tractor tiene una masa de 650,0 kg, mientras que el carro A tiene una masa de 250,0 kg y el carro B tiene una masa de 150,0 kg. La fuerza motriz que actúa durante un breve lapso acelera el sistema desde el reposo y actúa durante 3,00 s. (a) Si esta fuerza motriz está dada por $F = (820{,}0t)$ N, halle la rapidez después de 3,00 segundos. (b) ¿Cuál es la fuerza horizontal que actúa sobre el cable de conexión entre el tractor y el carro A en este instante?

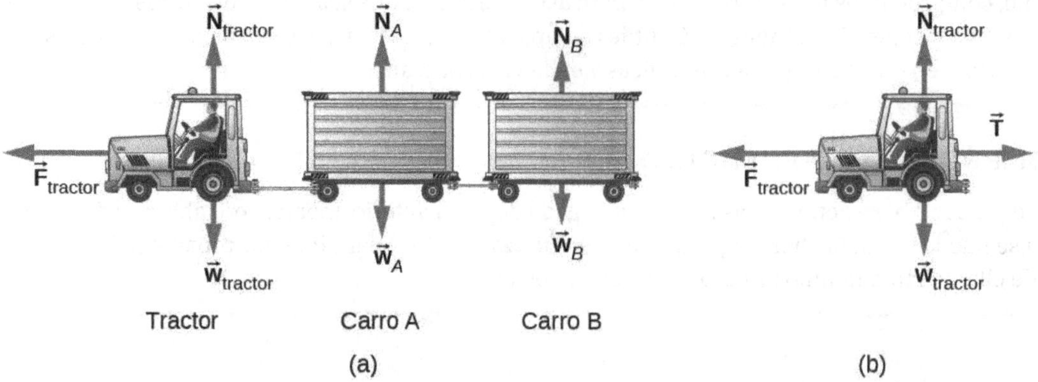

FIGURA 6.8 (a) Se muestra un diagrama de cuerpo libre que indica todas las fuerzas externas sobre el sistema formado por el tractor y los carros portaequipajes para transportar el equipaje de la aerolínea. (b) Se muestra un diagrama de cuerpo libre solo del tractor aislado para calcular la tensión en el cable a los carros.

Estrategia

Un diagrama de cuerpo libre muestra la fuerza motriz del tractor, que da al sistema su aceleración. Solo tenemos que considerar el movimiento en la dirección horizontal. Las fuerzas verticales se equilibran entre sí y no es necesario considerarlas. Para la parte b, utilizamos un diagrama de cuerpo libre del tractor solo para determinar la fuerza entre este y el carro A. Esto expone la fuerza de acoplamiento $\vec{\mathbf{T}}$, que es nuestro objetivo.

Solución

a. $\sum F_x = m_{sistema} a_x$ y $\sum F_x = 820{,}0t$, así que

$$\begin{aligned} 820{,}0t &= (650{,}0 + 250{,}0 + 150{,}0)a \\ a &= 0{,}7809t. \end{aligned}$$

Dado que la aceleración es una función del tiempo, podemos determinar la velocidad del tractor mediante $a = \frac{dv}{dt}$ con la condición inicial de que $v_0 = 0$ a $t = 0$. Integramos desde $t = 0$ a $t = 3$:

$$dv = adt, \quad \int_0^3 dv = \int_0^{3{,}00} adt = \int_0^{3{,}00} 0{,}7809tdt, \quad v = 0{,}3905t^2\Big]_0^{3{,}00} = 3{,}51 \text{ m/s}.$$

b. Consulte el diagrama de cuerpo libre en la Figura 6.8(b).

$$\begin{aligned} \sum F_x &= m_{tractor} a_x \\ 820{,}0t - T &= m_{tractor}(0{,}7805)t \\ (820{,}0)(3{,}00) - T &= (650{,}0)(0{,}7805)(3{,}00) \\ T &= 938 \text{ N}. \end{aligned}$$

Importancia

Como la fuerza varía con el tiempo, debemos utilizar el cálculo para resolver este problema. Observe cómo la masa total del sistema era importante para resolver la (a) Figura 6.8, mientras que solo la masa del camión (ya que suministraba la fuerza) era útil en la Figura 6.8(b).

Recuerde que $v = \frac{ds}{dt}$ y $a = \frac{dv}{dt}$. Si la aceleración es una función del tiempo, podemos utilizar las formas de cálculo desarrolladas en Movimiento en línea recta, como se muestra en este ejemplo. Sin embargo, a veces la aceleración es una función del desplazamiento. En este caso, podemos derivar un resultado importante de estas relaciones de cálculo. Al resolver dt en cada uno, tenemos $dt = \frac{ds}{v}$ y $dt = \frac{dv}{a}$. Ahora, al igualar estas expresiones, tenemos $\frac{ds}{v} = \frac{dv}{a}$. Podemos reordenar esto para obtener $ads = vdv$.

EJEMPLO 6.9

Movimiento de un proyectil disparado verticalmente

Un proyectil de mortero de 10,0 kg se dispara verticalmente hacia arriba desde el suelo, con una velocidad inicial de 50,0 m/s (ver la Figura 6.9). Determine la altura máxima que recorrerá si la resistencia atmosférica se mide como $F_D = (0{,}0100v^2)$ N, donde v es la rapidez en cualquier instante.

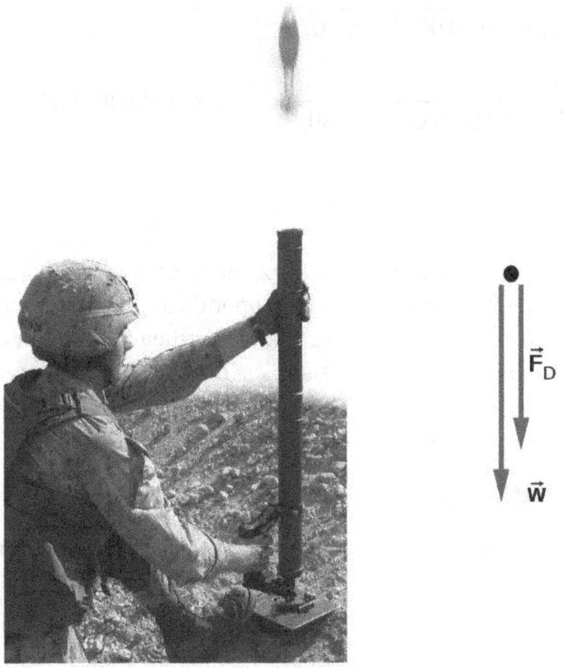

(a) (b)

FIGURA 6.9 (a) El mortero dispara un proyectil en línea recta hacia arriba; consideramos la fuerza de fricción proporcionada por el aire. (b) Se muestra un diagrama de cuerpo libre que indica todas las fuerzas sobre el proyectil de mortero (créditos: a. modificación del trabajo de OS541/DoD. La información visual del Departamento de Defensa (Department of Defense, DoD) de los EE. UU. no implica ni constituye el respaldo del DoD).

Estrategia

La fuerza conocida sobre el proyectil de mortero puede relacionarse con su aceleración mediante el empleo de las ecuaciones del movimiento. La cinemática puede utilizarse entonces para relacionar la aceleración del proyectil de mortero con su posición.

Solución

Inicialmente, $y_0 = 0$ y $v_0 = 50{,}0$ m/s. En la altura máxima $y = h$, $v = 0$. El diagrama de cuerpo libre muestra F_D actúa hacia abajo, porque frena el movimiento ascendente del proyectil de mortero. Así, podemos escribir

$$\sum F_y = ma_y$$

$$\begin{aligned} -F_D - w &= ma_y \\ -0{,}0100v^2 - 98{,}0 &= 10{,}0a \\ a &= -0{,}00100v^2 - 9{,}80. \end{aligned}$$

La aceleración depende de v y, por tanto, es variable. Dado que $a = f(v)$, podemos relacionar a con v mediante el reordenamiento descrito anteriormente,

$$ads = vdv.$$

Sustituimos ds por dy porque se trata de la dirección vertical,

$$ady = vdv, \quad (-0{,}00100v^2 - 9{,}80)dy = vdv.$$

Ahora separamos las variables (v y dv por un lado; dy por otro):

$$\int_0^h dy = \int_{50{,}0}^0 \frac{vdv}{(-0{,}00100v^2 - 9{,}80)}$$

$$\int_0^h dy = -\int_{50{,}0}^0 \frac{vdv}{(0{,}00100v^2 + 9{,}80)} = (-5 \times 10^3)\ln(0{,}00100v^2 + 9{,}80)\Big|_{50{,}0}^{0}.$$

Por lo tanto, $h = 114$ m.

Importancia

Observe la necesidad de aplicar el cálculo, ya que la fuerza no es constante, lo que significa también que la aceleración no es constante. Por si fuera poco, la fuerza depende de v (no de t), por lo que debemos utilizar el truco explicado antes del ejemplo. La respuesta para la altura indica una menor elevación si hubiera resistencia del aire. Trataremos los efectos de la resistencia del aire y otras fuerzas de arrastre con más detalle en Fuerza de arrastre y velocidad límite.

COMPRUEBE LO APRENDIDO 6.6

Si se ignora la resistencia atmosférica, halle la altura máxima del proyectil de mortero. ¿Es necesario el cálculo para esta solución?

INTERACTIVO

Explore las fuerzas que actúan en esta simulación (https://openstax.org/l/21forcesatwork) cuando intenta empujar un archivador. Cree una fuerza aplicada y vea la fuerza de fricción resultante y la fuerza total que actúa sobre el archivador. Los gráficos muestran las fuerzas, la posición, la velocidad y la aceleración frente al tiempo. Visualice un diagrama de cuerpo libre de todas las fuerzas (inclusive las fuerzas gravitacionales y normales).

6.2 Fricción

OBJETIVOS DE APRENDIZAJE

Al final de esta sección, podrá:

- Describir las características generales de la fricción.
- Enumerar los distintos tipos de fricción.
- Calcular la magnitud de la fricción estática y cinética, y utilizarlas en problemas que impliquen las leyes del movimiento de Newton.

Cuando un cuerpo está en movimiento, tiene resistencia porque el cuerpo interactúa con su entorno. Esta resistencia es una fuerza de fricción. La fricción se opone al movimiento relativo entre sistemas en contacto, pero también nos permite movernos, un concepto que se hace evidente si se intenta caminar sobre el hielo. La fricción es una fuerza común, aunque compleja, y su comportamiento aún no se comprende del todo. Aun así, es posible entender las circunstancias en las que se comporta.

Fricción estática y cinética

La definición básica de **fricción** es relativamente sencilla de enunciar.

> **Fricción**
>
> La fricción es una fuerza que se opone al movimiento relativo entre sistemas en contacto.

Hay varias formas de fricción. Una de las características más sencillas de la fricción por deslizamiento es que es paralela a las superficies de contacto entre los sistemas y siempre está en una dirección que se opone al movimiento o intento de movimiento de los sistemas entre sí. Si dos sistemas están en contacto y se mueven uno respecto al otro, la fricción entre ellos se denomina fricción cinética. Por ejemplo, la fricción frena el deslizamiento de un disco de hockey sobre el hielo. Cuando los objetos están inmóviles, la fricción estática puede actuar entre ellos; la fricción estática suele ser mayor que la fricción cinética entre dos objetos.

> **Fricción estática y cinética**
>
> Si dos sistemas están en contacto y estacionarios uno respecto al otro, la fricción entre ellos se denomina **fricción estática**. Si dos sistemas están en contacto y se mueven uno respecto al otro, la fricción entre ellos se denomina **fricción cinética**.

Imagine, por ejemplo, que intenta deslizar una caja pesada por un piso de hormigón: podría empujar muy fuerte la caja y no moverla en absoluto. Esto significa que la fricción estática responde a lo que usted hace: aumenta para ser igual y en la dirección opuesta a su empujón. Si finalmente empuja lo suficientemente fuerte, la caja parece deslizarse de repente y comienza a moverse. Ahora la fricción estática da paso a la fricción cinética. Una vez en movimiento, es más fácil mantenerla en movimiento que lo que fue ponerla en marcha, lo que indica que la fuerza de fricción cinética es menor que la fuerza de fricción estática. Si se añade masa a la caja, por ejemplo, si coloca una caja encima, hay que empujar aún más fuerte para ponerla en marcha y también para mantenerla en movimiento. Además, si aceitara el hormigón le resultaría más fácil poner la caja en marcha y mantenerla en marcha (como es lógico).

La Figura 6.10 es una burda representación pictórica de cómo se produce la fricción en la interfaz entre dos objetos. La inspección de cerca de estas superficies muestra que son ásperas. Por lo tanto, cuando empuja para que un objeto se mueva (en este caso, una caja), debe alzar el objeto hasta que pueda saltar con solo las puntas de la superficie golpeando, romper las puntas, o ambas cosas. La fricción puede resistir una fuerza considerable, sin movimiento aparente. Cuanto más fuerte se empujen las superficies entre sí (por ejemplo, si se coloca otra caja sobre la caja), más fuerza se necesitará para moverlas. Una parte de la fricción se debe a las fuerzas adhesivas entre las moléculas de la superficie de los dos objetos, lo que explica la dependencia de la fricción de la naturaleza de las sustancias. Por ejemplo, los zapatos con suela de goma resbalan menos que los que tienen suela de cuero. La adhesión varía con las sustancias en contacto y es un aspecto complicado de la física de las superficies. Una vez que el objeto está en movimiento, hay menos puntos de contacto (menos moléculas adheridas), por lo que se requiere menos fuerza para mantenerlo en movimiento. A poca rapidez, pero distinta a cero, la fricción es casi independiente de la velocidad.

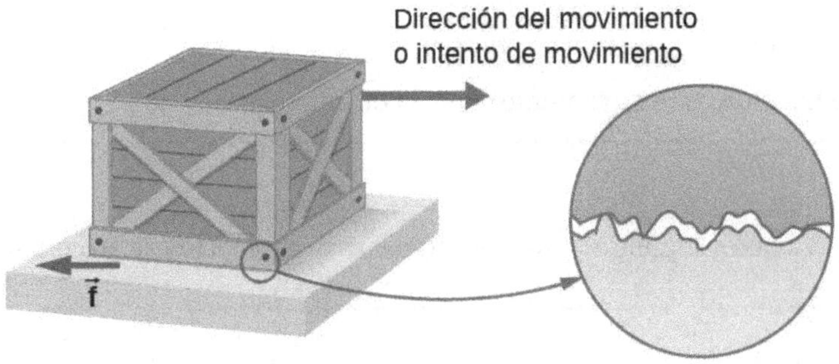

FIGURA 6.10 Las fuerzas de fricción, como $\vec{\mathbf{f}}$, siempre se oponen al movimiento o al intento de movimiento entre objetos en contacto. La fricción se produce en parte por la aspereza de las superficies en contacto, como se ve en la vista ampliada. Para que el objeto se mueva, debe elevarse hasta donde los picos de la superficie superior puedan saltar a lo largo de la superficie inferior. Por lo tanto, se requiere una fuerza solo para poner el objeto en movimiento. Algunos de los picos se quebrarán, lo que exigirá también una fuerza para mantener el movimiento. En realidad, gran parte de la fricción se debe a las fuerzas de atracción entre las moléculas que componen los dos objetos, de modo que incluso las superficies perfectamente lisas no están exentas de fricción. (De hecho, superficies perfectamente lisas y limpias de materiales similares se adherirían para formar una unión denominada "soldadura en frío").

La magnitud de la fuerza de fricción tiene dos formas: una para situaciones estáticas (fricción estática) y otra para situaciones de movimiento (fricción cinética). Lo que sigue es apenas un modelo empírico aproximado (determinado experimentalmente). Estas ecuaciones para la fricción estática y cinética no son ecuaciones vectoriales.

Magnitud de la fricción estática

La magnitud de la fricción estática f_s es

$$f_s \leq \mu_s N, \tag{6.1}$$

donde μ_s es el coeficiente de fricción estática y N es la magnitud de la fuerza normal.

El símbolo $\leq$ significa *menor o igual que*, lo que implica que la fricción estática puede tener un valor máximo de $\mu_s N$. La fricción estática es una fuerza de respuesta que aumenta para ser igual y opuesta a cualquier fuerza que se ejerza, hasta su límite máximo. Una vez que la fuerza aplicada supera

$f_s(\text{máx})$, el objeto se mueve. Por lo tanto,

$$f_s(\text{máx}) = \mu_s N.$$

Magnitud de la fricción cinética

La magnitud de la fricción cinética f_k viene dada por

$$f_k = \mu_k N, \tag{6.2}$$

donde μ_k es el coeficiente de fricción cinética.

Un sistema en el que $f_k = \mu_k N$ se describe como un sistema en el que la *fricción se comporta de forma sencilla*. La transición de la fricción estática a la cinética se ilustra en la Figura 6.11.

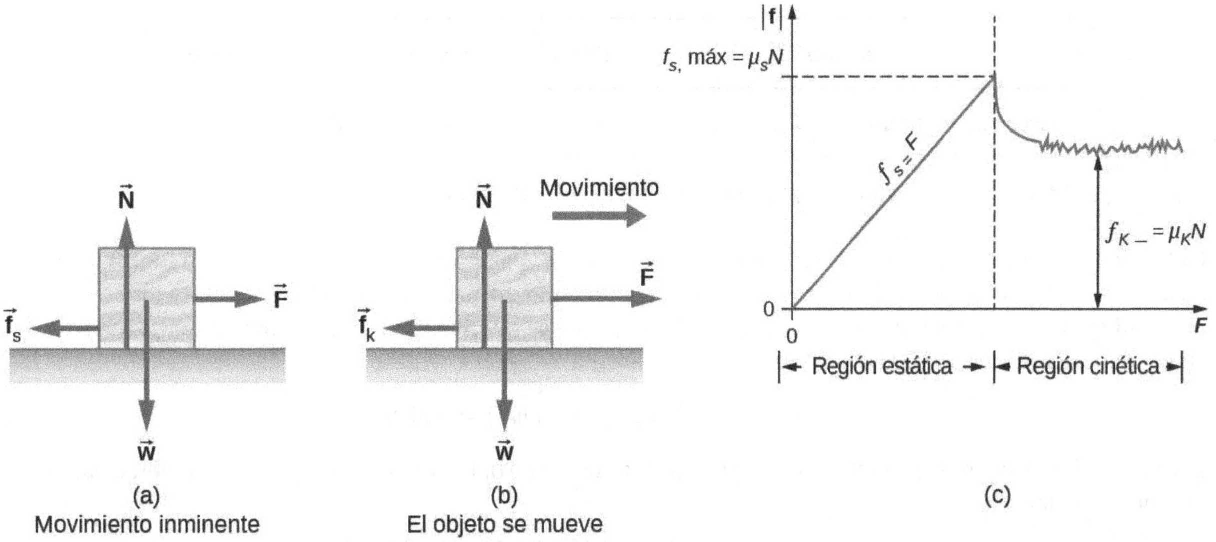

FIGURA 6.11 (a) La fuerza de fricción $\vec{\mathbf{f}}$ entre el bloque y la superficie áspera se opone a la dirección de la fuerza aplicada $\vec{\mathbf{F}}$. La magnitud de la fricción estática equilibra la de la fuerza aplicada. Esto se muestra en la parte izquierda del gráfico en (c). (b) En algún momento, la magnitud de la fuerza aplicada es mayor que la fuerza de fricción cinética, y el bloque se mueve hacia la derecha. Esto se muestra en la parte derecha del gráfico. (c) El gráfico de la fuerza de fricción frente a la fuerza aplicada; observe que $f_s(\text{máx}) > f_k$. Esto significa que $\mu_s > \mu_k$.

Como puede ver en la Tabla 6.1, los coeficientes de fricción cinética son menores que sus homólogos estáticos. Los valores aproximados de μ se indican a solo uno o dos dígitos para señalar la descripción aproximada de la fricción dada por las dos ecuaciones anteriores.

Sistema	Fricción estática μ_s	Fricción cinética μ_k
Goma sobre hormigón seco	1,0	0,7
Goma sobre hormigón húmedo	0,5-0,7	0,3-0,5
Madera sobre madera	0,5	0,3
Madera encerada sobre nieve húmeda	0,14	0,1
Metal sobre madera	0,5	0,3
Acero sobre acero (en seco)	0,6	0,3
Acero sobre acero (aceitado)	0,05	0,03
Teflón sobre acero	0,04	0,04
Hueso lubricado por líquido sinovial	0,016	0,015
Zapatos sobre madera	0,9	0,7
Zapatos sobre hielo	0,1	0,05
Hielo sobre hielo	0,1	0,03

Sistema	Fricción estática μ_s	Fricción cinética μ_k
Acero sobre hielo	0,4	0,02

TABLA 6.1 Coeficientes aproximados de fricción estática y cinética

La Ecuación 6.1 y la Ecuación 6.2 incluyen la dependencia de la fricción con los materiales y la fuerza normal. La dirección de la fricción es siempre opuesta a la del movimiento, paralela a la superficie entre los objetos y perpendicular a la fuerza normal. Por ejemplo, si la caja que se intenta empujar (con una fuerza paralela al suelo) tiene una masa de 100 kg, entonces la fuerza normal es igual a su peso,

$$w = mg = (100\,\text{kg})\left(9{,}80\,\text{m/s}^2\right) = 980\,\text{N},$$

perpendicular al suelo. Si el coeficiente de fricción estática es de 0,45, tendría que ejercer una fuerza paralela al suelo superior a

$$f_s(\text{máx}) = \mu_s N = (0{,}45)(980\,\text{N}) = 440\,\text{N}$$

para mover la caja. Una vez que hay movimiento, la fricción es menor y el coeficiente de fricción cinética puede ser 0,30, por lo que una fuerza de solo

$$f_k = \mu_k N = (0{,}30)(980\,\text{N}) = 290\,\text{N}$$

lo mantiene en movimiento a una rapidez constante. Si el suelo está lubricado, ambos coeficientes son considerablemente menores de lo que serían sin lubricación. El coeficiente de fricción es una cantidad sin unidad con una magnitud generalmente entre 0 y 1,0. El valor real depende de las dos superficies que están en contacto.

Muchas personas han experimentado lo resbaladizo que resulta caminar sobre el hielo. Sin embargo, muchas partes del cuerpo, especialmente las articulaciones, tienen coeficientes de fricción mucho menores, a menudo tres o cuatro veces menos que el hielo. Una articulación está formada por los extremos de dos huesos, que están unidos por tejidos gruesos. La articulación de la rodilla está formada por el hueso de la parte inferior de la pierna (la tibia) y el hueso del muslo (el fémur). La cadera es una articulación de rótula (en el extremo del fémur) y cavidad (parte de la pelvis). Los extremos de los huesos de la articulación están cubiertos por cartílago, que proporciona una superficie lisa, casi cristalina. Las articulaciones también producen un líquido (líquido sinovial) que reduce la fricción y el desgaste. Una articulación dañada o artrítica puede reemplazarse con una articulación artificial (Figura 6.12). Estas prótesis pueden ser de metal (acero inoxidable o titanio) o de plástico (polietileno), también con coeficientes de fricción muy pequeños.

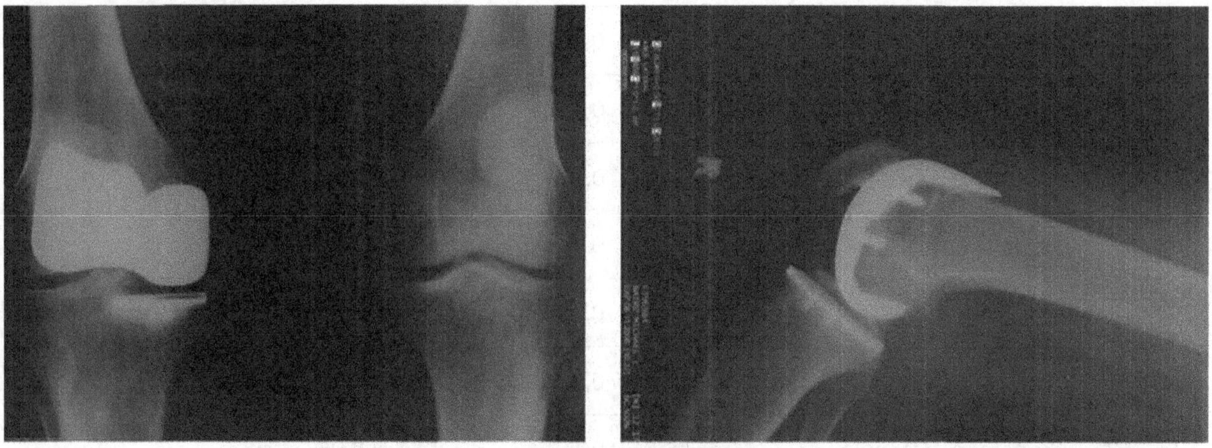

FIGURA 6.12 El reemplazo de rodilla artificial es un procedimiento que se realiza desde hace más de 20 años. Estas radiografías postoperatorias muestran el reemplazo de la articulación de la rodilla derecha (créditos: modificación del trabajo de Mike Baird).

Entre los lubricantes naturales se encuentran la saliva que facilita la deglución, y el moco viscoso que se encuentra entre los órganos del cuerpo y los protege y lubrica durante los latidos del corazón, durante la respiración y cuando la persona se mueve. Los hospitales y las clínicas médicas utilizan lubricantes artificiales, como gel, para reducir la fricción.

Las ecuaciones dadas para la fricción estática y cinética son leyes empíricas que describen el comportamiento de las fuerzas de fricción. Aunque estas fórmulas son muy útiles a efectos prácticos, no tienen la categoría de enunciados matemáticos que representan los principios generales (por ejemplo, la segunda ley de Newton). De hecho, hay casos para los que estas ecuaciones ni siquiera son buenas aproximaciones. Por ejemplo, ninguna de las dos fórmulas es precisa para superficies lubricadas o para dos superficies que se deslizan una sobre otra a gran rapidez. A menos que se especifique, no nos ocuparemos de estas excepciones.

EJEMPLO 6.10

Fricción estática y cinética

Una caja de 20,0 kg está en reposo sobre el piso, como se muestra en la Figura 6.13. El coeficiente de fricción estática entre la caja y el piso es de 0,700 y el coeficiente de fricción cinética es de 0,600. Una fuerza horizontal $\vec{\mathbf{P}}$ se aplica a la caja. Halle la fuerza de fricción si (a) $\vec{\mathbf{P}} = 20{,}0\,\text{N}$, (b) $\vec{\mathbf{P}} = 30{,}0\,\text{N}$, (c) $\vec{\mathbf{P}} = 120{,}0\,\text{N}$, y (d) $\vec{\mathbf{P}} = 180{,}0\,\text{N}$.

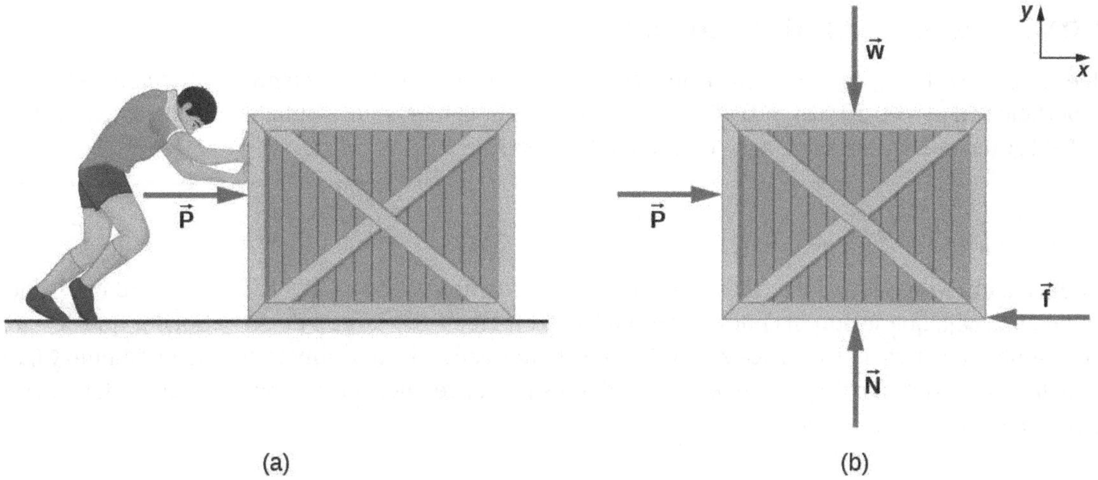

FIGURA 6.13 (a) Una caja situada en una superficie horizontal se empuja con una fuerza $\vec{\mathbf{P}}$. (b) Las fuerzas sobre la caja. Aquí, $\vec{\mathbf{f}}$ puede representar la fuerza de fricción estática o cinética.

Estrategia

El diagrama de cuerpo libre de la caja se muestra en la Figura 6.13(b). Aplicamos la segunda ley de Newton en las direcciones horizontal y vertical, incluso la fuerza de fricción en oposición a la dirección del movimiento de la caja.

Solución

La segunda ley de Newton DA

$$\sum F_x = ma_x \qquad \sum F_y = ma_y$$
$$P - f = ma_x \qquad N - w = 0.$$

Aquí utilizamos el símbolo f para representar la fuerza de fricción, ya que aún no hemos determinado si la caja está sometida a fricción estática o fricción cinética. Lo hacemos siempre que no estemos seguros del tipo de fricción que está actuando. Ahora el peso de la caja es

$$w = (20{,}0\,\text{kg})(9{,}80\,\text{m/s}^2) = 196\,\text{N},$$

que también es igual a N. Por tanto, la fuerza máxima de fricción estática es $(0{,}700)\,(196\,\text{N}) = 137\,\text{N}$. Siempre que $\vec{\mathbf{P}}$ sea inferior a 137 N, la fuerza de fricción estática mantendrá la caja inmóvil y $f_s = \vec{\mathbf{P}}$. Por lo tanto, (a) $f_s = 20{,}0\,\text{N}$, (b) $f_s = 30{,}0\,\text{N}$, y (c) $f_s = 120{,}0\,\text{N}$.

(d) Si $\vec{\mathbf{P}} = 180{,}0\,\text{N}$, la fuerza aplicada es mayor que la fuerza máxima de fricción estática (137 N), por lo que la caja ya no puede permanecer en reposo. Una vez que la caja esté en movimiento, actúa la fricción cinética. Entonces

$$f_k = \mu_k N = (0{,}600)(196\,\text{N}) = 118\,\text{N},$$

y la aceleración es

$$a_x = \frac{\vec{\mathbf{P}} - f_k}{m} = \frac{180{,}0\,\text{N} - 118\,\text{N}}{20{,}0\,\text{kg}} = 3{,}10\,\text{m/s}^2.$$

Importancia

Este ejemplo ilustra cómo consideramos la fricción en un problema de dinámica. Observe que la fricción estática tiene un valor que coincide con la fuerza aplicada, hasta que alcanzamos el valor máximo de fricción estática. Además, no puede producirse ningún movimiento hasta que la fuerza aplicada sea igual a la fuerza de fricción estática, pero la fuerza de fricción cinética será entonces menor.

COMPRUEBE LO APRENDIDO 6.7

Un bloque de masa 1,0 kg descansa sobre una superficie horizontal. Los coeficientes de fricción para el bloque y la superficie son $\mu_s = 0{,}50$ y $\mu_k = 0{,}40$. (a) ¿Cuál es la mínima fuerza horizontal necesaria para mover el bloque? (b) ¿Cuál es la aceleración del bloque cuando se aplica esta fuerza?

Fricción y el plano inclinado

Una situación en la que la fricción desempeña un papel evidente es la de un objeto en una pendiente. Puede tratarse de una caja que se empuja por una rampa hasta un muelle de carga o de un patinador que desciende por una montaña, pero la física básica es la misma. Solemos generalizar la superficie con pendiente y llamarla plano inclinado, pero luego fingimos que la superficie es plana. Veamos un ejemplo de análisis del movimiento en un plano inclinado con fricción.

EJEMPLO 6.11

Esquiador cuesta abajo

Un esquiador con una masa de 62 kg se desliza por una pendiente nevada con aceleración constante. Halle el coeficiente de fricción cinética del esquiador si se sabe que la fricción es de 45,0 N.

Estrategia

La magnitud de la fricción cinética es de 45,0 N. La fricción cinética está relacionada con la fuerza normal N por $f_k = \mu_k N$; por lo tanto, podemos encontrar el coeficiente de fricción cinética si encontramos la fuerza normal sobre el esquiador. La fuerza normal es siempre perpendicular a la superficie, y como no hay movimiento perpendicular a la superficie, la fuerza normal debe ser igual al componente del peso del esquiador perpendicular a la pendiente. (Vea la Figura 6.14, que repite una figura del capítulo sobre las leyes del movimiento de Newton).

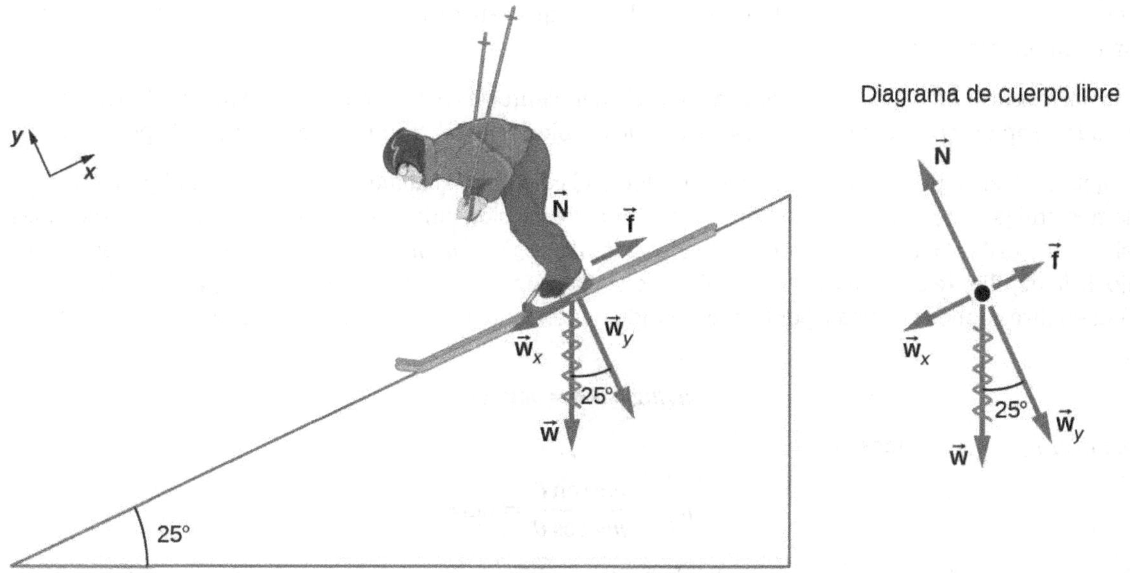

FIGURA 6.14 El movimiento del esquiador y la fricción son paralelos a la pendiente, por lo que lo más conveniente es proyectar todas las fuerzas en un sistema de coordenadas en el que un eje es paralelo a la pendiente y el otro es perpendicular (los ejes se muestran a la izquierda del esquiador). La fuerza normal $\vec{\mathbf{N}}$ es perpendicular a la pendiente, y la fricción $\vec{\mathbf{f}}$ es paralela a la pendiente, pero el peso del esquiador $\vec{\mathbf{w}}$ tiene componentes a lo largo de ambos ejes, es decir $\vec{\mathbf{w}}_y$ y $\vec{\mathbf{w}}_x$. La fuerza normal $\vec{\mathbf{N}}$ es igual en magnitud a $\vec{\mathbf{w}}_y$, por lo que no hay movimiento perpendicular a la pendiente. Sin embargo, $\vec{\mathbf{f}}$ es igual a $\vec{\mathbf{w}}_x$ en magnitud, por lo que hay una velocidad constante hacia abajo en la pendiente (a lo largo del eje de la *x*).

Tenemos

$$N = w_y = w \cos 25° = mg \cos 25°.$$

Al sustituir esto en nuestra expresión de la fricción cinética, obtenemos

$$f_{\text{k}} = \mu_{\text{k}} mg \cos 25°,$$

que ahora se puede resolver para el coeficiente de fricción cinética μ_{k}.

Solución

Al resolver μ_{k} da

$$\mu_{\text{k}} = \frac{f_{\text{k}}}{N} = \frac{f_{\text{k}}}{w \cos 25°} = \frac{f_{\text{k}}}{mg \cos 25°}.$$

Al sustituir los valores conocidos en el lado derecho de la ecuación,

$$\mu_{\text{k}} = \frac{45{,}0\,\text{N}}{(62\,\text{kg})(9{,}80\,\text{m/s}^2)(0{,}906)} = 0{,}082.$$

Importancia

Este resultado es un poco menor que el coeficiente indicado en la Tabla 6.1 para la madera encerada sobre la nieve, pero sigue siendo razonable, ya que los valores de los coeficientes de fricción pueden variar mucho. En situaciones como esta, en la que un objeto de masa m se desliza por una pendiente que forma un ángulo θ con la horizontal, la fricción está dada por $f_{\text{k}} = \mu_{\text{k}} mg \cos \theta$. Todos los objetos se deslizan hacia abajo por una pendiente con aceleración constante en estas circunstancias.

Hemos hablado de que, cuando un objeto se apoya en una superficie horizontal, la fuerza normal que lo sostiene es igual en magnitud a su peso. Además, la fricción simple es siempre proporcional a la fuerza normal. Cuando un objeto no está sobre una superficie horizontal, como en el caso del plano inclinado, debemos encontrar la fuerza que actúa sobre el objeto y que está dirigida perpendicularmente a la superficie; es un componente del peso.

Ahora derivamos una relación útil para calcular el coeficiente de fricción en un plano inclinado. Observe que el resultado se aplica solo para situaciones en las que el objeto se desliza con rapidez constante por la rampa.

Un objeto se desliza por un plano inclinado a velocidad constante si la fuerza neta sobre el objeto es cero. Podemos utilizar este hecho para medir el coeficiente de fricción cinética entre dos objetos. Como se muestra en el Ejemplo 6.11, la fricción cinética en una pendiente es $f_k = \mu_k mg \cos \theta$. El componente del peso hacia abajo de la pendiente es igual a $mg \text{ sen } \theta$ (observe el diagrama de cuerpo libre en la Figura 6.14). Estas fuerzas actúan en direcciones opuestas, por lo que, cuando tienen igual magnitud, la aceleración es cero. Escribiendo esto,

$$\mu_{\text{k}} mg \cos \theta = mg \text{ sen } \theta.$$

Al resolver μ_{k}, encontramos que

$$\mu_{\text{k}} = \frac{mg \text{ sen } \theta}{mg \cos \theta} = \tan \theta.$$

Coloque una moneda sobre un libro e inclínelo hasta que la moneda se deslice a una velocidad constante por el libro. Es posible que tenga que golpear ligeramente el libro para que la moneda se mueva. Mida el ángulo de inclinación con respecto a la horizontal y calcule μ_{k}. Observe que la moneda no empieza a deslizarse en absoluto hasta que un ángulo superior a θ se obtiene, ya que el coeficiente de fricción estática es mayor que el coeficiente de fricción cinética. Piense en cómo esto puede afectar el valor para μ_{k} y su incertidumbre.

Explicaciones a escala atómica de la fricción

Los aspectos más sencillos de la fricción tratados hasta ahora son sus características macroscópicas (a gran escala). En las últimas décadas se han producido grandes avances en la explicación de la fricción a escala atómica. Los investigadores están descubriendo que la naturaleza atómica de la fricción parece tener varias características fundamentales. Estas características no solo explican algunos de los aspectos más sencillos de la fricción, sino que también encierran el potencial para el desarrollo de entornos casi sin fricción. Esto podría ahorrar cientos de miles de millones de dólares en energía que actualmente se convierte (innecesariamente) en calor.

La Figura 6.15 ilustra una característica macroscópica de la fricción que se explica mediante la investigación microscópica (a pequeña escala). Hemos observado que la fricción es proporcional a la fuerza normal, pero no a la cantidad del área en contacto, una noción algo contraintuitiva. Cuando dos superficies ásperas están en contacto, el área de contacto real es una fracción minúscula del área total porque solo se tocan los puntos altos. Cuando se ejerce una fuerza normal mayor, el área de contacto real aumenta, y encontramos que la fricción es proporcional a esta área.

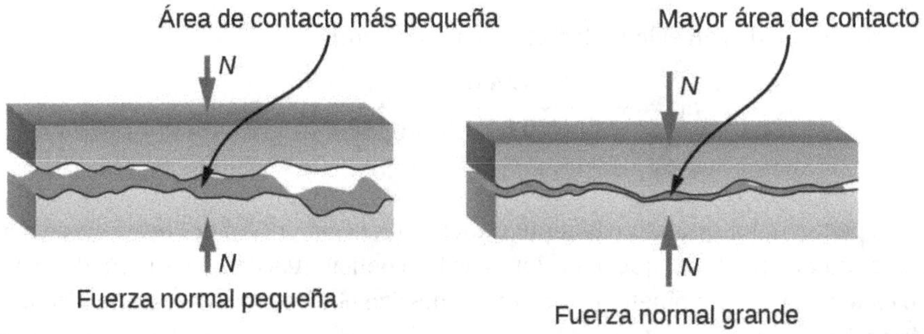

FIGURA 6.15 Dos superficies ásperas en contacto tienen un área de contacto real mucho menor que su área total. Cuando la fuerza normal es mayor como resultado de una mayor fuerza aplicada, el área de contacto real aumenta, al igual que la fricción.

Sin embargo, la visión a escala atómica promete explicar mucho más que las características más simples de la fricción. Ahora se está determinando el mecanismo de cómo se genera el calor. En otras palabras, ¿por qué se calientan las superficies al frotarlas? Esencialmente, los átomos están unidos entre sí para formar entramados. Cuando las superficies se frotan, los átomos de la superficie se adhieren y hacen vibrar los entramados atómicos, para crear esencialmente ondas sonoras que penetran en el material. Las ondas sonoras disminuyen con la distancia y su energía se convierte en calor. Las reacciones químicas relacionadas con el desgaste por fricción también pueden producirse entre los átomos y las moléculas de las superficies. La Figura 6.16 muestra cómo la punta de una sonda que atraviesa otro material se deforma por la fricción a escala atómica. La fuerza necesaria para arrastrar la punta puede medirse y se encuentra relacionada con la tensión de corte, que se aborda en Equilibrio estático y elasticidad. La variación de la tensión de corte es notable (más de un factor de 10^{12}) y difícil de predecir teóricamente, pero la tensión de corte permite comprender fundamentalmente un fenómeno a gran escala que se conoce desde la antigüedad: la fricción.

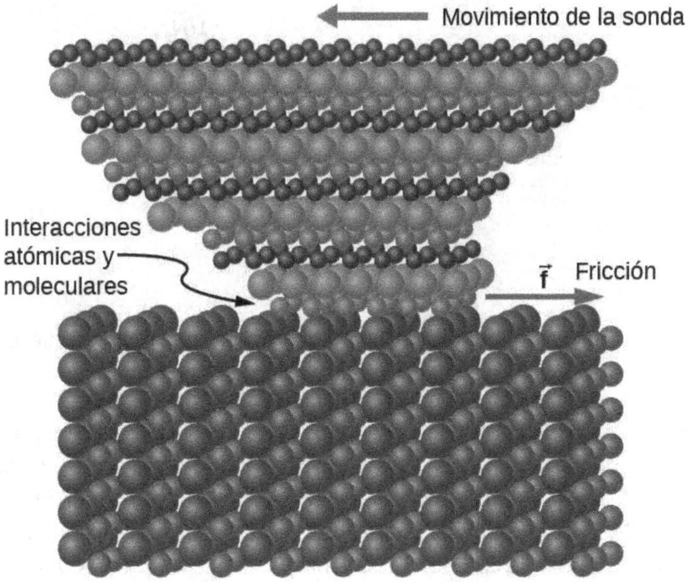

FIGURA 6.16 La punta de una sonda se deforma lateralmente por la fuerza de fricción al ser arrastrada por una superficie. Las mediciones de cómo varía la fuerza en diferentes materiales aportan conocimientos fundamentales sobre la naturaleza atómica de la fricción.

INTERACTIVO

Describa un modelo de fricción (https://openstax.org/l/21friction) a nivel molecular. Describa la materia en términos de movimiento molecular. La descripción debería incluir diagramas que apoyen la descripción, cómo incide la temperatura en la imagen, cuáles son las diferencias y similitudes entre el movimiento de las partículas sólidas, líquidas y gaseosas, y cómo se relacionan el tamaño y la rapidez de las moléculas de gas con los objetos cotidianos.

EJEMPLO 6.12

Bloques deslizantes

Los dos bloques de la Figura 6.17 están unidos entre sí por una cuerda sin masa que se enrolla alrededor de una polea sin fricción. Cuando el bloque inferior de 4,00 kg es halado hacia la izquierda por la fuerza constante $\vec{P}$, el bloque superior de 2,00 kg se desliza por este hacia la derecha. Halle la magnitud de la fuerza necesaria para mover los bloques con rapidez constante. Supongamos que el coeficiente de fricción cinética entre todas las superficies es de 0,400.

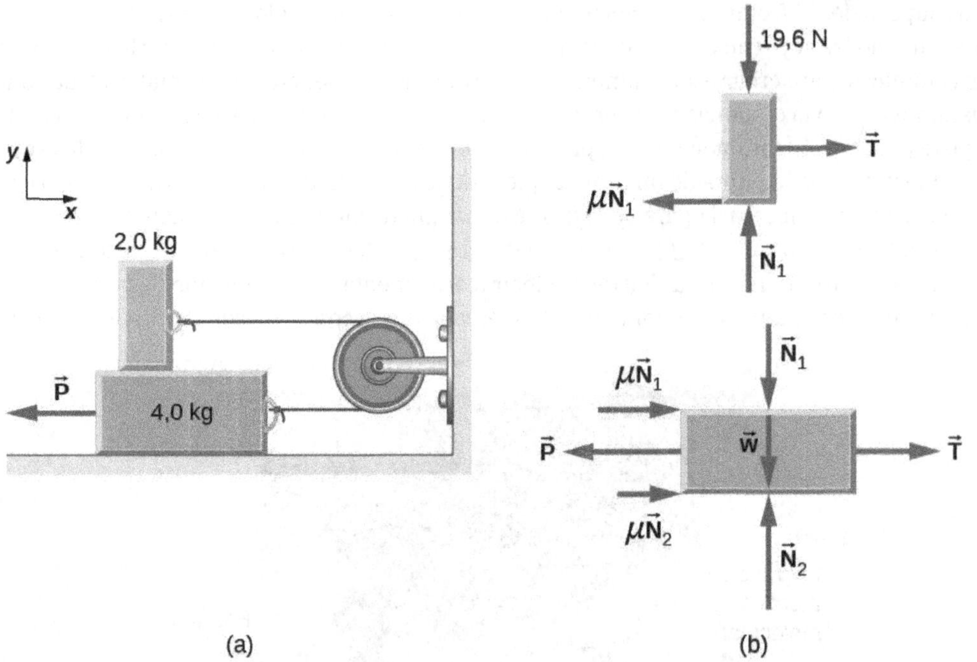

FIGURA 6.17 (a) Cada bloque se mueve a velocidad constante. (b) Diagramas de cuerpo libre para los bloques.

Estrategia

Analizamos los movimientos de los dos bloques por separado. El bloque superior está sometido a una fuerza de contacto ejercida por el bloque inferior. Los componentes de esta fuerza son la fuerza normal N_1 y la fuerza de fricción $-0{,}400N_1$. Otras fuerzas sobre el bloque superior son la tensión Ti en la cuerda y el peso del propio bloque superior, 19,6 N. El bloque inferior está sometido a fuerzas de contacto debidas al bloque superior y al suelo. La primera fuerza de contacto tiene componentes $-N_1$ y $0{,}400N_1$, que son simplemente fuerzas de reacción a las fuerzas de contacto que el bloque inferior ejerce sobre el bloque superior. Los componentes de la fuerza de contacto del suelo son N_2 y $0{,}400N_2$. Otras fuerzas sobre este bloque son $-P$, la tensión Ti, y el peso -39,2 N.

Solución

Como el bloque superior se mueve horizontalmente hacia la derecha a velocidad constante, su aceleración es cero tanto en la dirección horizontal como en la vertical. De la segunda ley de Newton,

$$\sum F_x = m_1 a_x \qquad \sum F_y = m_1 a_y$$
$$T - 0{,}400N_1 = 0 \qquad N_1 - 19{,}6\,\text{N} = 0.$$

Al resolver las dos incógnitas, obtenemos $N_1 = 19{,}6\,\text{N}$ y $T = 0{,}40N_1 = 7{,}84\,\text{N}$. El bloque inferior tampoco acelera, por lo que la aplicación de la segunda ley de Newton a este bloque da

$$\sum F_x = m_2 a_x \qquad \sum F_y = m_2 a_y$$
$$T - P + 0{,}400\,N_1 + 0{,}400\,N_2 = 0 \qquad N_2 - 39{,}2\,\text{N} - N_1 = 0.$$

Los valores de N_1 y T se encontraron con el primer conjunto de ecuaciones. Cuando estos valores se sustituyen en el segundo conjunto de ecuaciones, podemos determinar N_2 y P. Son

$$N_2 = 58{,}8\,\text{N} \text{ y } P = 39{,}2\,\text{N}.$$

Importancia

Entender en qué dirección hay que dibujar la fuerza de fricción suele ser problemático. Observe que cada fuerza de fricción marcada en la Figura 6.17 actúa en la dirección opuesta al movimiento de su bloque correspondiente.

EJEMPLO 6.13

Una caja en un camión que acelera

Una caja de 50,0 kg descansa en la plataforma de un camión como se muestra en la Figura 6.18. Los coeficientes de fricción entre las superficies son $\mu_k = 0{,}300$ y $\mu_s = 0{,}400$. Halle la fuerza de fricción sobre la caja cuando el camión se acelera hacia adelante con respecto al suelo a (a) 2,00 m/s², y (b) 5,00 m/s².

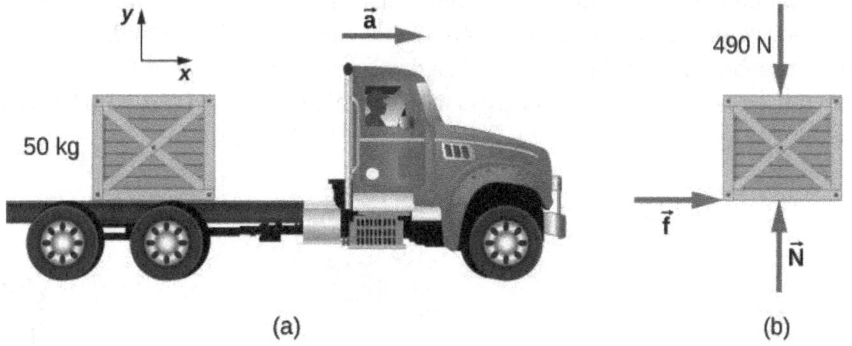

FIGURA 6.18 (a) Una caja descansa sobre la plataforma del camión que acelera hacia adelante. (b) El diagrama de cuerpo libre de la caja.

Estrategia

Las fuerzas sobre la caja son su peso y las fuerzas normales y de fricción debidas al contacto con la plataforma del camión. Comenzamos *asumiendo* que la caja no se desliza. En este caso, la fuerza de fricción estática f_s actúa sobre la caja. Además, la aceleración de la caja y del camión es igual.

Solución

a. La aplicación de la segunda ley de Newton a la caja, con el marco de referencia fijado al suelo, produce

$$\begin{aligned} \sum F_x &= ma_x & \sum F_y &= ma_y \\ f_s &= (50{,}0\,\text{kg})(2{,}00\,\text{m/s}^2) & N - 4{,}90 \times 10^2\,\text{N} &= (50{,}0\,\text{kg})(0) \\ &= 1{,}00 \times 10^2\,\text{N} & N &= 4{,}90 \times 10^2\,\text{N}. \end{aligned}$$

Ahora podemos comprobar la validez de nuestra suposición de no deslizamiento. El valor máximo de la fuerza de fricción estática es

$$\mu_s N = (0{,}400)(4{,}90 \times 10^2\,\text{N}) = 196\,\text{N},$$

mientras que la fuerza *real* de fricción estática que actúa cuando el camión acelera hacia delante a $2{,}00\,\text{m/s}^2$ es solo $1{,}00 \times 10^2$ N. Por lo tanto, la suposición de que no hay deslizamiento es válida.

b. Si la caja se mueve con el camión cuando este acelera a $5{,}0\,\text{m/s}^2$, la fuerza de fricción estática deberá ser

$$f_s = ma_x = (50{,}0\,\text{kg})(5{,}00\,\text{m/s}^2) = 250\,\text{N}.$$

Como esto excede el máximo de 196 N, la caja deberá deslizarse. La fuerza de fricción es por tanto cinética y es

$$f_k = \mu_k N = (0{,}300)(4{,}90 \times 10^2\,\text{N}) = 147\,\text{N}.$$

La aceleración horizontal de la caja con respecto al suelo se encuentra ahora a partir de

$$\begin{aligned} \sum F_x &= ma_x \\ 147\,\text{N} &= (50{,}0\,\text{kg})a_x, \\ \text{así que } a_x &= 2{,}94\,\text{m/s}^2. \end{aligned}$$

Importancia

En relación con el suelo, el camión acelera hacia delante a $5{,}0\,\text{m/s}^2$ y la caja acelera hacia delante a $2{,}94\,\text{m/s}^2$. Por lo tanto, la caja se desliza hacia atrás con respecto a la plataforma del camión con una aceleración de

$2{,}94\ \text{m/s}^2 - 5{,}00\ \text{m/s}^2 = -2{,}06\ \text{m/s}^2.$

EJEMPLO 6.14

Surfear sobre nieve

Anteriormente, analizamos la situación de un esquiador cuesta abajo que se desplaza a velocidad constante para determinar el coeficiente de fricción cinética. Ahora, hagamos un análisis similar para determinar la aceleración. La surfista sobre nieve de la Figura 6.19 se desliza por una pendiente inclinada a $\theta = 13^0$ con la horizontal. El coeficiente de fricción cinética entre la tabla y la nieve es $\mu_k = 0{,}20$. ¿Cuál es la aceleración de la surfista sobre nieve?

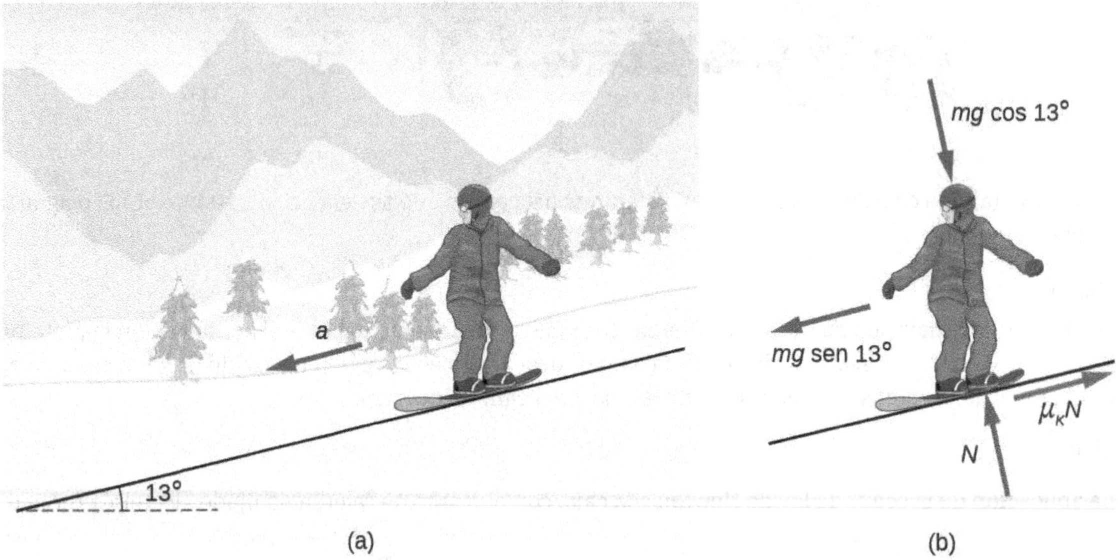

FIGURA 6.19 (a) Una surfista sobre nieve se desliza por una pendiente inclinada a 13° con respecto a la horizontal. (b) El diagrama de cuerpo libre de la surfista sobre nieve.

Estrategia

Las fuerzas que actúan sobre la surfista sobre nieve son su peso y la fuerza de contacto de la pendiente, que tiene un componente normal a la inclinación y un componente a lo largo de la misma (fuerza de fricción cinética). Como se desplaza a lo largo de la pendiente, el marco de referencia más conveniente para analizar su movimiento es uno con el eje de la x a lo largo y el eje de la y perpendicular a la pendiente. En este marco, tanto las fuerzas normales como las de fricción se sitúan a lo largo de los ejes de coordenadas, los componentes del peso son mg sen θ a lo largo de la pendiente y $mg \cos\theta$ en ángulo recto en la pendiente, y la única aceleración es a lo largo del eje de la x $\left(a_y = 0\right)$.

Solución

Ahora podemos aplicar la segunda ley de Newton a la surfista sobre nieve:

$$\begin{aligned} \sum F_x &= ma_x & \sum F_y &= ma_y \\ mg\,\text{sen}\,\theta - \mu_k N &= ma_x & N - mg\cos\theta &= m(0). \end{aligned}$$

De la segunda ecuación, $N = mg\cos\theta$. Al sustituir esto en la primera ecuación, encontramos

$$\begin{aligned} a_x &= g(\text{sen}\,\theta - \mu_k \cos\theta) \\ &= g(\text{sen}\,13^\circ - 0{,}20\cos 13^\circ) = 0{,}29\ \text{m/s}^2. \end{aligned}$$

Importancia

Observe en esta ecuación que, si θ es lo suficientemente pequeño o μ_k es lo suficientemente grande, a_x será negativo, es decir, la surfista sobre nieve desacelera.

COMPRUEBE LO APRENDIDO 6.8

La surfista sobre nieve se desplaza ahora por una colina con pendiente de 10,0°. ¿Cuál es la aceleración de la esquiadora?

6.3 Fuerza centrípeta

OBJETIVOS DE APRENDIZAJE

Al final de esta sección, podrá:

- Explicar la ecuación de la aceleración centrípeta.
- Aplicar la segunda ley de Newton para desarrollar la ecuación de la fuerza centrípeta.
- Utilizar los conceptos de movimiento circular para resolver problemas relacionados con las leyes del movimiento de Newton.

En Movimiento en dos y tres dimensiones, examinamos los conceptos básicos del movimiento circular. Un objeto que experimenta un movimiento circular, como uno de los autos de carreras mostrados al principio de este capítulo, debe estar acelerando porque está cambiando la dirección de su velocidad. Demostramos que esta aceleración dirigida al centro, llamada aceleración centrípeta, está dada por la fórmula

$$a_c = \frac{v^2}{r}$$

donde v es la velocidad del objeto, dirigida a lo largo de una línea tangente a la curva en cualquier instante. Si conocemos la velocidad angular ω, entonces podemos utilizar

$$a_c = r\omega^2.$$

La velocidad angular da la proporción con la que el objeto gira a través de la curva, en unidades de rad/s. Esta aceleración actúa a lo largo del radio de la trayectoria curva, por lo que también se denomina aceleración radial.

La fuerza deberá producir la aceleración. Cualquier fuerza o combinación de fuerzas puede provocar una aceleración centrípeta o radial. Algunos ejemplos son la tensión en la cuerda de un balón atado a un poste (*tether ball*), la fuerza de la gravedad terrestre en la Luna, la fricción entre los patines y el suelo de una pista de patinaje, la fuerza de una calzada con peralte sobre un auto y las fuerzas en el tubo de una centrífuga que gira. Cualquier fuerza neta que cause un movimiento circular uniforme se denomina **fuerza centrípeta**. La dirección de una fuerza centrípeta es hacia el centro de curvatura, igual que la dirección de la aceleración centrípeta. Según la segunda ley del movimiento de Newton, la fuerza neta es la masa por la aceleración: $F_{neta} = ma$. Para un movimiento circular uniforme, la aceleración es la aceleración centrípeta: $a = a_c$. Por lo tanto, la magnitud de la fuerza centrípeta F_c es

$$F_c = ma_c.$$

Al sustituir las expresiones para la aceleración centrípeta $a_c (a_c = \frac{v^2}{r}; a_c = r\omega^2)$, obtenemos dos expresiones para la fuerza centrípeta F_c en términos de masa, velocidad, velocidad angular y radio de la curvatura:

$$F_c = m\frac{v^2}{r}; \quad F_c = mr\omega^2. \tag{6.3}$$

Puede utilizar la expresión de la fuerza centrípeta que más le convenga. La fuerza centrípeta $\vec{\mathbf{F}}_c$ es siempre perpendicular a la trayectoria y apunta al centro de curvatura, porque $\vec{\mathbf{a}}_c$ es perpendicular a la velocidad y apunta al centro de curvatura. Observe que, si se resuelve la primera expresión para r, obtiene

$$r = \frac{mv^2}{F_c}.$$

Esto implica que, para una masa y una velocidad dadas, una fuerza centrípeta grande provoca un radio de curvatura pequeño, es decir, una curva cerrada, como en la Figura 6.20.

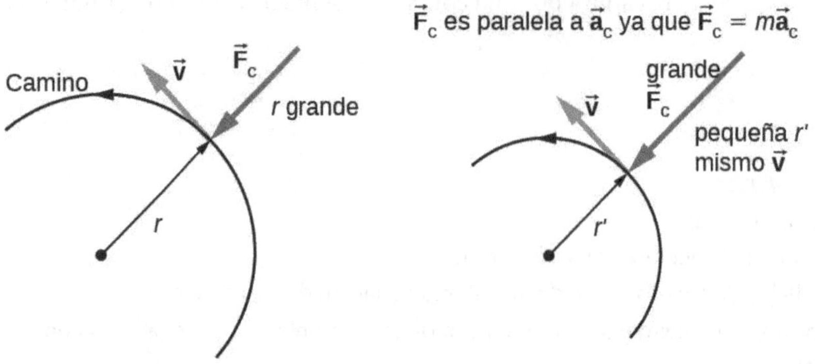

FIGURA 6.20 La fuerza de fricción suple la fuerza centrípeta y es numéricamente igual a ella. La fuerza centrípeta es perpendicular a la velocidad y provoca un movimiento circular uniforme. Cuanto más grande sea la F_c, menor será el radio de curvatura r y más pronunciada será la curva. La segunda curva tiene la misma v, pero una mayor F_c produce un r' más pequeño.

EJEMPLO 6.15

¿Qué coeficiente de fricción necesitan los autos en una curva plana?

(a) Calcule la fuerza centrípeta ejercida sobre un auto de 900,0 kg que recorre una curva de 500,0 m de radio a 25,00 m/s. (b) Suponiendo una curva sin peralte, halle el mínimo coeficiente de fricción estática entre los neumáticos y la carretera, siendo la fricción estática la que impide que el auto resbale (Figura 6.21).

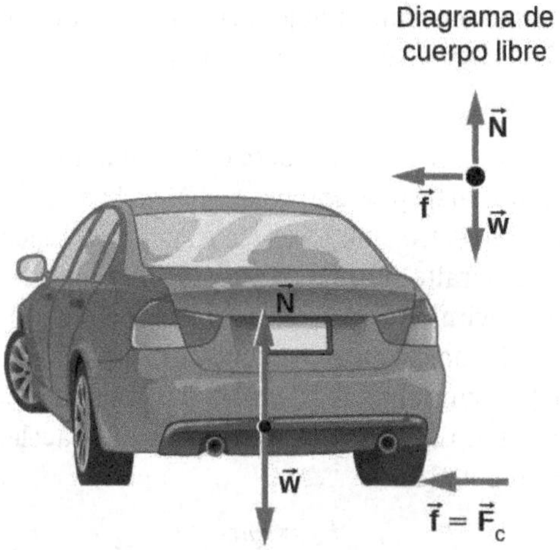

FIGURA 6.21 Este auto en terreno llano se aleja y gira a la izquierda. La fuerza centrípeta que hace que el auto gire en una trayectoria circular se debe a la fricción entre los neumáticos y la carretera. Se necesita un mínimo coeficiente de fricción; de otra manera, el auto se moverá en una curva de mayor radio y se saldrá de la calzada.

Estrategia

a. Sabemos que $F_c = \frac{mv^2}{r}$. Así,

$$F_c = \frac{mv^2}{r} = \frac{(900{,}0\,\text{kg})(25{,}00\,\text{m/s})^2}{(500{,}0\,\text{m})} = 1.125\,\text{N}.$$

b. La Figura 6.21 muestra las fuerzas que actúan sobre el auto en una curva sin peralte (terreno llano). La fricción está a la izquierda, lo que impide que el auto resbale, y como es la única fuerza horizontal que actúa sobre el auto, la fricción es la fuerza centrípeta en este caso. Sabemos que la fricción estática máxima (con la que los neumáticos ruedan pero no resbalan) es $\mu_s N$, donde μ_s es el coeficiente de fricción estática y N es la fuerza normal. La fuerza normal es igual al peso del auto sobre terreno llano, por lo que $N = mg$. Así, la fuerza centrípeta en esta situación es

$$F_c \equiv f = \mu_s N = \mu_s mg.$$

Ahora tenemos una relación entre la fuerza centrípeta y el coeficiente de fricción. Al utilizar la ecuación

$$F_c = m\frac{v^2}{r},$$

obtenemos

$$m\frac{v^2}{r} = \mu_s mg.$$

Resolvemos esto para μ_s, observamos que la masa se anula, y obtenemos

$$\mu_s = \frac{v^2}{rg}.$$

Al sustituir los valores conocidos,

$$\mu_s = \frac{(25{,}00\ \text{m/s})^2}{(500{,}0\ \text{m})(9{,}80\ \text{m/s}^2)} = 0{,}13.$$

(Como los coeficientes de fricción son aproximados, la respuesta se da con apenas dos dígitos).

Importancia

El coeficiente de fricción que se encuentra en la Figura 6.21(b) es mucho menor que el que se encuentra normalmente entre los neumáticos y las carreteras. El auto sigue maniobrando en la curva si el coeficiente es superior a 0,13, ya que la fricción estática es una fuerza de respuesta, capaz de asumir un valor inferior, pero no superior a $\mu_s N$. Un coeficiente más alto también permitiría al auto tomar la curva a mayor rapidez, pero si el coeficiente de fricción es menor, la rapidez segura sería inferior a 25 m/s. Observe que la masa se anula, lo que implica que, en este ejemplo, no importa la carga del auto para maniobrar el giro. La masa se anula porque la fricción se supone proporcional a la fuerza normal, que a su vez es proporcional a la masa. Si la superficie de la carretera tuviera peralte, la fuerza normal sería mayor, como se explica a continuación.

COMPRUEBE LO APRENDIDO 6.9

Un auto que se mueve a 96,8 km/h recorre una curva circular de radio 182,9 m en una carretera rural plana. ¿Cuál debe ser el coeficiente mínimo de fricción estática para que el auto no resbale?

Curvas con peralte

Consideremos ahora las **curvas con peralte**, en las que la pendiente de la carretera permite maniobrar en la curva (Figura 6.22). Cuanto mayor sea el ángulo θ, más rápido se puede tomar la curva. Los circuitos de carreras, tanto de motos como de autos, por ejemplo, suelen tener curvas con peralte muy pronunciados. En una "curva con peralte ideal", el ángulo θ es tal que puede maniobrar en la curva a cierta rapidez sin la ayuda de la fricción entre los neumáticos y la carretera. Derivamos una expresión θ para una curva con peralte ideal y consideramos un ejemplo relacionado con ella.

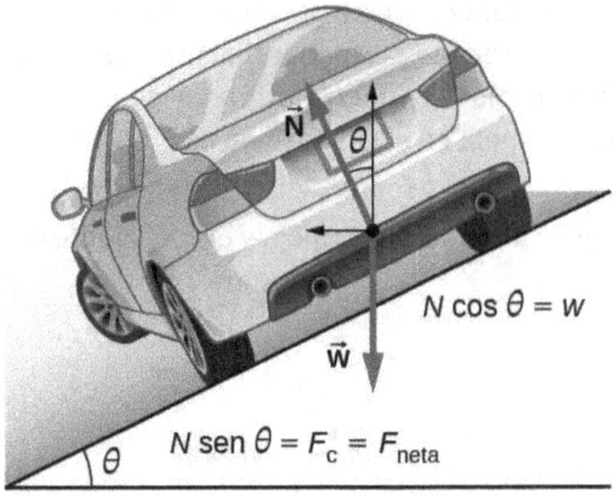

FIGURA 6.22 El auto en esta curva con peralte se aleja y gira a la izquierda.

Para el **peralte ideal**, la fuerza externa neta es igual a la fuerza centrípeta horizontal en ausencia de fricción. Las componentes de la fuerza normal *N* en las direcciones horizontal y vertical deberán ser iguales a la fuerza centrípeta y al peso del auto, respectivamente. En los casos en que las fuerzas no son paralelas, lo más conveniente es considerar los componentes a lo largo de los ejes perpendiculares, en este caso, las direcciones vertical y horizontal.

La Figura 6.22 muestra un diagrama de cuerpo libre para un auto en una curva con peralte sin fricción. Si el ángulo θ es ideal para la rapidez y el radio, entonces la fuerza externa neta es igual a la fuerza centrípeta necesaria. Las dos únicas fuerzas externas que actúan sobre el auto son su peso $\vec{\mathbf{w}}$ y la fuerza normal de la carretera $\vec{\mathbf{N}}$. (Una superficie sin fricción puede ejercer solamente una fuerza perpendicular a la superficie, es decir, una fuerza normal). Estas dos fuerzas deberán sumarse para dar una fuerza externa neta que es horizontal hacia el centro de la curvatura y tiene magnitud mv^2/r. Como esta es la fuerza crucial y es horizontal, utilizamos un sistema de coordenadas con ejes verticales y horizontales. Solo la fuerza normal tiene un componente horizontal, por lo que este deberá ser igual a la fuerza centrípeta, es decir,

$$N \operatorname{sen} \theta = \frac{mv^2}{r}.$$

Dado que el auto no abandona la superficie de la carretera, la fuerza vertical neta deberá ser cero, lo que significa que los componentes verticales de las dos fuerzas externas deberán ser iguales en magnitud y opuestas en dirección. En la Figura 6.22, vemos que el componente vertical de la fuerza normal es $N \cos \theta$, y la única otra fuerza vertical es el peso del auto. Estas deberán ser iguales en magnitud; por lo tanto,

$$N \cos \theta = mg.$$

Ahora podemos combinar estas dos ecuaciones para eliminar *N* y obtener una expresión para θ, según se desee. Al resolver la segunda ecuación para $N = mg/(cos\theta)$ y sustituir esto en la primera obtiene

$$\begin{aligned} mg\frac{\operatorname{sen}\theta}{\cos\theta} &= \frac{mv^2}{r} \\ mg\tan\theta &= \frac{mv^2}{r} \\ \tan\theta &= \frac{v^2}{rg}. \end{aligned}$$

Al tomar la tangente inversa se obtiene

$$\theta = \tan^{-1}\left(\frac{v^2}{rg}\right). \qquad 6.4$$

Esta expresión puede entenderse al considerar cómo θ depende de *v* y *r*. Un gran θ se obtiene para una *v* grande y un *r* pequeño. Es decir, las carreteras deben tener un peralte pronunciado para la rapidez elevada y las curvas cerradas. La fricción permite tomar la curva a mayor o menor rapidez que si la curva no tuviera fricción. Observe que θ no depende de la masa del vehículo.

EJEMPLO 6.16

¿Cuál es la rapidez ideal para tomar una curva cerrada con peralte pronunciado?

Las curvas de algunos circuitos de pruebas y de carreras, como el Daytona International Speedway de Florida, tienen un peralte muy pronunciado. Este peralte, junto con la fricción de los neumáticos y las configuraciones de los autos muy estables, permite tomar las curvas a muy alta velocidad. Para ilustrarlo, calcule la rapidez a la que una curva de 100,0 m de radio con peralte a 31,0° debería conducirse si la carretera no tuviera fricción.

Estrategia

En primer lugar, observamos que todos los términos de la expresión para el ángulo ideal de una curva con peralte son conocidos, excepto la rapidez; por lo tanto, solo tenemos que reorganizarla para que la rapidez aparezca en el lado izquierdo y luego sustituir las cantidades conocidas.

Solución

A partir de

$$\tan\theta = \frac{v^2}{rg},$$

obtenemos

$$v = \sqrt{rg\tan\theta}.$$

Al observar que $\tan 31{,}0° = 0{,}609$, obtenemos

$$v = \sqrt{(100{,}0\text{ m})(9{,}80\text{ m/s}^2)(0{,}609)} = 24{,}4\text{ m/s}.$$

Importancia

Se trata de unos 165 km/h, lo que se corresponde con una curva con peralte muy pronunciado y bastante cerrada. La fricción de los neumáticos permite que el vehículo tome la curva a una rapidez mucho mayor.

Los aviones también hacen virajes por ladeo. La fuerza de sustentación, debida a la fuerza del aire sobre el ala, actúa en ángulo recto con el ala. Cuando el avión se ladea, el piloto obtiene mayor sustentación de la necesaria para el vuelo nivelado. El componente vertical de la sustentación equilibra el peso del avión, y el componente horizontal acelera el avión. El ángulo de ladeo que se muestra en la Figura 6.23 viene dado por $\boldsymbol{\theta}$. Analizamos las fuerzas de la misma manera que tratamos el caso del auto que toma una curva con peralte.

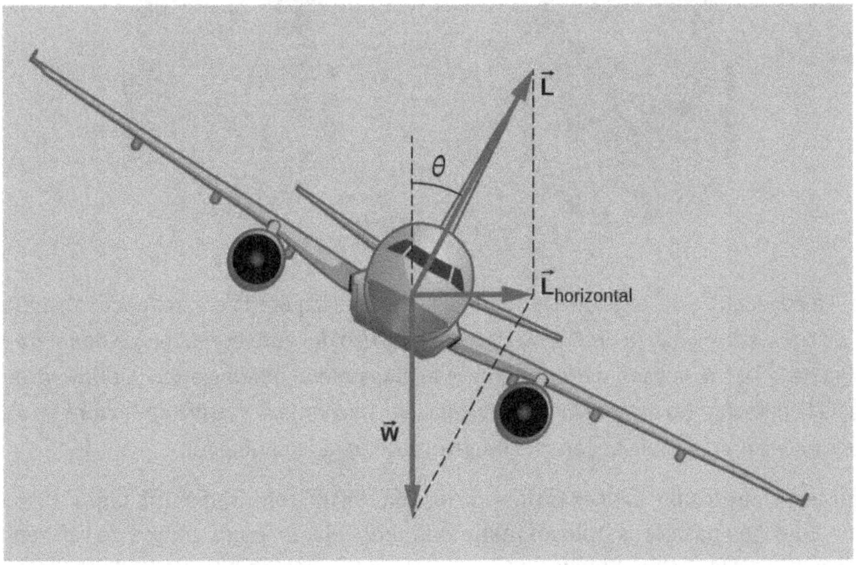

FIGURA 6.23 En un giro inclinado, el componente horizontal de la sustentación se desequilibra y acelera el avión.

El componente normal de la sustentación equilibra el peso del avión. El ángulo de ladeo viene dado por θ. Compare el diagrama vectorial con el que se muestra en la Figura 6.22.

INTERACTIVO

Acompañe a la mariquita (https://openstax.org/l/21ladybug) en una exploración del movimiento rotacional. Rote el carrusel para cambiar su ángulo o elija una velocidad angular o una aceleración angular constantes. Explore cómo el movimiento circular se relaciona con la posición *xy* del insecto, la velocidad y la aceleración mediante el empleo de vectores o gráficos.

INTERACTIVO

El movimiento circular requiere una fuerza, la llamada fuerza centrípeta, que se dirige al eje de rotación. Este modelo de un carrusel (https://openstax.org/l/21carousel) simplificado demuestra esta fuerza.

Fuerzas inerciales y marcos no inerciales (acelerados): la fuerza de Coriolis

¿Qué tienen en común el despegue de un avión de reacción, el giro de una esquina en un auto, el paseo en un carrusel y el movimiento circular de un ciclón tropical? Cada uno de ellos presenta fuerzas inerciales, es decir, fuerzas que simplemente parecen surgir del movimiento, porque el marco de referencia del observador acelera o rota. Al despegar en un jet, la mayoría de la gente estará de acuerdo en que se siente como si le empujaran hacia atrás en el asiento mientras el avión acelera por la pista. Sin embargo, un físico diría que *usted* tiende a permanecer inmóvil mientras el *asiento* le empuja hacia delante. Una experiencia aún más común ocurre cuando se toma una curva cerrada con el auto, por ejemplo, hacia la derecha (Figura 6.24). Tiene la sensación de ser lanzado (es decir, *forzado*) hacia la izquierda en relación con el auto. De nuevo, un físico diría que *usted* va en línea recta (recuerde la primera ley de Newton), pero que el *auto* se desplaza hacia la derecha, no que usted esté experimentando una fuerza desde la izquierda.

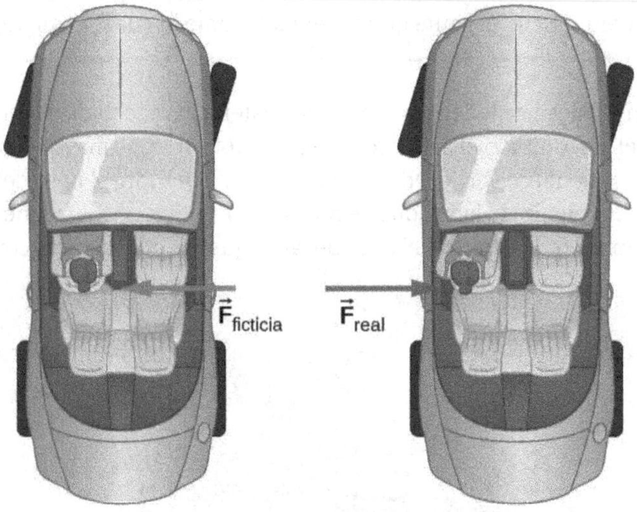

FIGURA 6.24 (a) La conductora del auto se siente forzada hacia la izquierda con respecto al auto cuando hace un giro a la derecha. Se trata de una fuerza de inercia derivada del uso del auto como marco de referencia. (b) En el marco de referencia de la Tierra, la conductora se mueve en línea recta, obedeciendo la primera ley de Newton, y el auto se mueve hacia la derecha. No hay ninguna fuerza hacia la izquierda sobre la conductora en relación con la Tierra. En cambio, hay una fuerza hacia la derecha sobre el auto para hacerlo girar.

Podemos conciliar estos puntos de vista examinando los marcos de referencia utilizados. Concentrémonos en las personas en un auto. Los pasajeros utilizan instintivamente el auto como marco de referencia, mientras que un físico podría utilizar la Tierra. El físico podría hacer esta elección porque la Tierra es casi un marco de referencia inercial, en el que todas las fuerzas tienen un origen físico identificable. En este marco de referencia, las leyes del movimiento de Newton adoptan la forma dada en Leyes de movimiento de Newton. El auto es un **marco de referencia no inercial** porque está acelerado hacia un lado. La fuerza hacia la izquierda que perciben los pasajeros de un auto es una **fuerza inercial** que no tiene origen físico (se debe puramente a la inercia del pasajero, no a ninguna causa física como la tensión, la fricción o la gravitación). El auto, al igual que el conductor, acelera hacia la derecha. Se dice que esta fuerza inercial es una fuerza inercial porque no tiene ningún origen físico, como la gravedad.

Un físico elige el marco de referencia que sea más conveniente para la situación analizada. El físico no tiene ningún problema en incluir las fuerzas inerciales y la segunda ley de Newton, como es habitual, si eso es más conveniente, por ejemplo, en un carrusel o en un planeta en rotación. Los marcos de referencia no inerciales (acelerados) se utilizan cuando es útil hacerlo. Hay que tener en cuenta diferentes marcos de referencia al hablar del movimiento de un astronauta en una nave espacial que viaja a velocidades cercanas a la velocidad de la luz, como apreciará en el estudio de la teoría especial de la relatividad.

Ahora, demos un paseo mental en un carrusel, concretamente en un carrusel de parque infantil que rota rápidamente (Figura 6.25). Usted toma el carrusel como marco de referencia porque ambos rotan juntos. Al rotar en ese marco de referencia no inercial, se siente una fuerza inercial que tiende a despedirlo hacia afuera; esto se denomina *fuerza centrífuga* (no confundirla con la fuerza centrípeta). La fuerza centrífuga es un término que se utiliza comúnmente, pero en realidad no existe. Debe agarrarse con fuerza para contrarrestar su inercia (que la gente denomina fuerza centrífuga). En el marco de referencia de la Tierra, no hay ninguna fuerza que intente despedirlo hacia afuera; subrayamos que la fuerza centrífuga es una ficción. Tiene que agarrarse para ir en círculo, porque, de lo contrario, iría en línea recta, justo fuera del carrusel, de acuerdo con la primera ley de Newton. Sin embargo, la fuerza que se ejerce actúa hacia el centro del círculo.

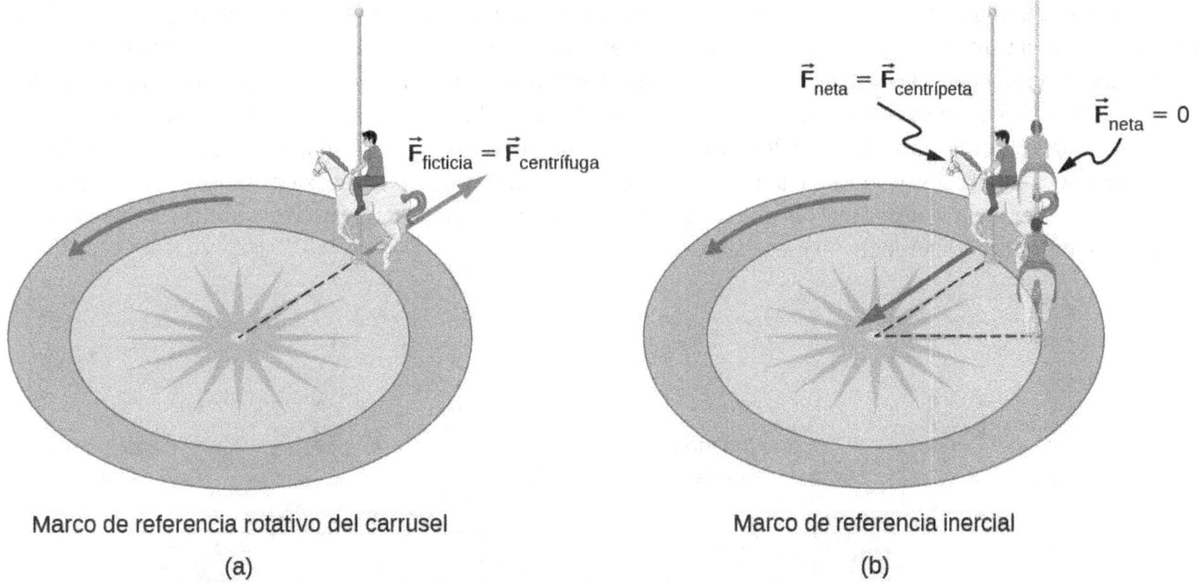

FIGURA 6.25 (a) Una persona que se monta en un carrusel tiene la sensación de salir despedido hacia afuera. Esta fuerza inercial a veces se denomina erróneamente fuerza centrífuga en un intento por explicar el movimiento de la persona montada en el marco de referencia rotativo. (b) En un marco de referencia inercial y según las leyes de Newton, es su inercia la que lo arrastra (la persona sin sombrear tiene $F_{neta} = 0$ y se dirige en línea recta). Una fuerza, $F_{centrípeta}$, es necesaria para provocar una trayectoria circular.

Este efecto inercial, que lo aleja del centro de rotación si no hay una fuerza centrípeta que provoque un movimiento circular, se aprovecha en las centrífugas (Figura 6.26). Una centrífuga hace girar una muestra muy rápidamente, como se ha mencionado anteriormente en este capítulo. Visto desde el marco de referencia rotativo, la fuerza inercial lanza las partículas hacia el exterior, lo que acelera su sedimentación. Cuanto mayor sea la velocidad angular, mayor será la fuerza centrífuga. Sin embargo, lo que realmente ocurre es que la inercia de las partículas las lleva a lo largo de una línea tangente al círculo, mientras que el tubo de ensayo es forzado en una trayectoria circular por una fuerza centrípeta.

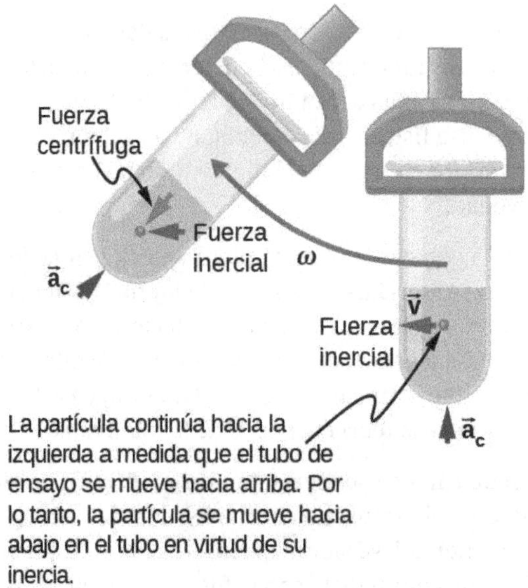

FIGURA 6.26 Las centrífugas utilizan la inercia para realizar su tarea. Las partículas del sedimento fluido se depositan porque su inercia las aleja del centro de rotación. La gran velocidad angular de la centrífuga acelera la sedimentación. Al final, las partículas entran en contacto con las paredes del tubo de ensayo, que aportan la fuerza centrípeta necesaria para que se muevan en un círculo de radio constante.

Consideremos ahora lo que ocurre si algo se mueve en un marco de referencia rotativo. Por ejemplo, ¿qué ocurre si desliza una pelota directamente desde el centro del carrusel, como se muestra en la Figura 6.27? La pelota sigue una trayectoria recta con respecto a la Tierra (suponiendo una fricción despreciable) y una trayectoria curvada hacia la derecha en la superficie del carrusel. Una persona situada junto al carrusel ve que la pelota se mueve en línea recta y que el carrusel rota debajo de ella. En el marco de referencia del carrusel, explicamos la aparente curva hacia la derecha mediante una fuerza de inercia, llamada **fuerza de Coriolis**, que hace que la pelota se curve hacia la derecha. Cualquiera puede utilizar la fuerza de Coriolis en ese marco de referencia para explicar por qué los objetos siguen trayectorias curvas y nos permite aplicar las leyes de Newton en marcos de referencia no inerciales.

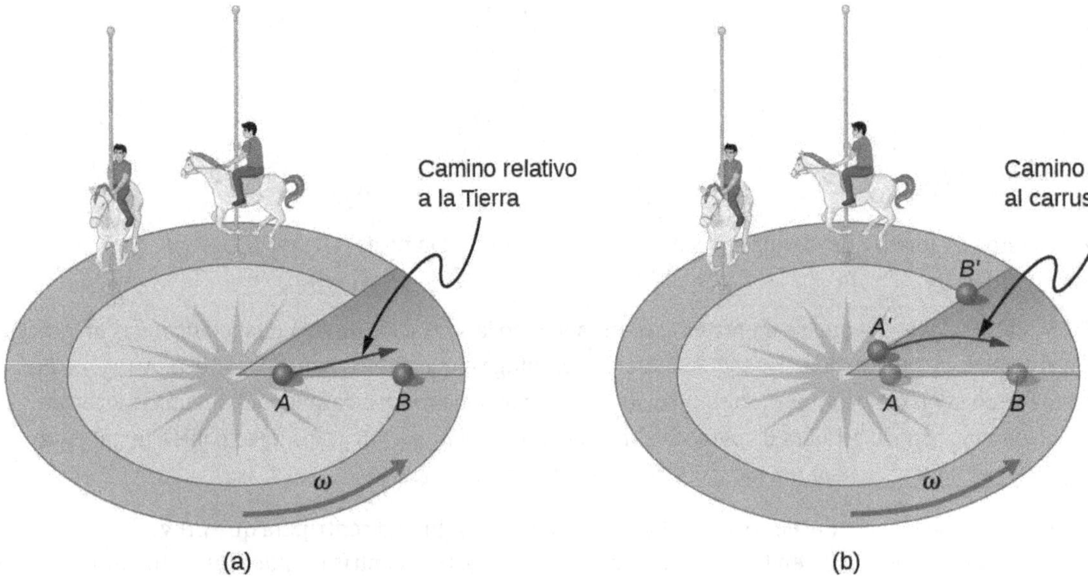

FIGURA 6.27 Observando la rotación en sentido contrario de las agujas del reloj de un carrusel, vemos que una pelota que se desliza directamente hacia el borde sigue una trayectoria curvada hacia la derecha. La persona desliza la pelota hacia el punto *B*, partiendo del punto *A*. Ambos puntos rotan hasta las posiciones sombreadas (*A'* y *B'*) que se muestran en el tiempo que la pelota sigue la trayectoria curva en el marco rotativo y una trayectoria recta en el

marco de la Tierra.

Hasta ahora, hemos considerado que la Tierra es un marco de referencia inercial, sin preocuparse por los efectos debidos a su rotación. Sin embargo, estos efectos *existen*, por ejemplo, en la rotación de los sistemas meteorológicos. La mayoría de las consecuencias de la rotación de la Tierra pueden entenderse cualitativamente por analogía con el carrusel. Vista desde el Polo Norte, la Tierra rota en sentido contrario de las agujas del reloj, al igual que el carrusel en la Figura 6.27. Como en el carrusel, cualquier movimiento en el hemisferio norte de la Tierra experimenta una fuerza de Coriolis hacia la derecha. Lo contrario ocurre en el hemisferio sur; allí, la fuerza es hacia la izquierda. Dado que la velocidad angular de la Tierra es pequeña, la fuerza de Coriolis suele ser despreciable, pero para los movimientos a gran escala, como los patrones de viento, tiene efectos sustanciales.

La fuerza de Coriolis hace que los huracanes del hemisferio norte roten en el sentido contrario a las agujas del reloj, mientras que los ciclones tropicales del hemisferio sur rotan en el sentido de las agujas del reloj. (Los términos huracán, tifón y tormenta tropical son nombres regionales específicos para los ciclones, que son sistemas de tormentas caracterizados por centros de baja presión, fuertes vientos y lluvias intensas). La Figura 6.28 ayuda a mostrar cómo se producen estas rotaciones. El aire fluye hacia cualquier región de baja presión, y los ciclones tropicales contienen presiones particularmente bajas. Así, los vientos fluyen hacia el centro de un ciclón tropical o de un sistema meteorológico de baja presión en la superficie. En el hemisferio norte, estos vientos de entrada se desvían hacia la derecha, como se muestra en la figura, lo que produce una circulación en sentido contrario a las agujas del reloj en la superficie para las zonas de baja presión de cualquier tipo. Las bajas presiones en la superficie se asocian al ascenso del aire, que también produce el enfriamiento y la formación de nubes, lo que hace que los patrones de bajas presiones sean bastante visibles desde el espacio. Por el contrario, la circulación del viento en torno a las zonas de alta presión se produce en el sentido de las agujas del reloj en el hemisferio sur, pero es menos visible porque las altas presiones se asocian al hundimiento del aire y producen cielos despejados.

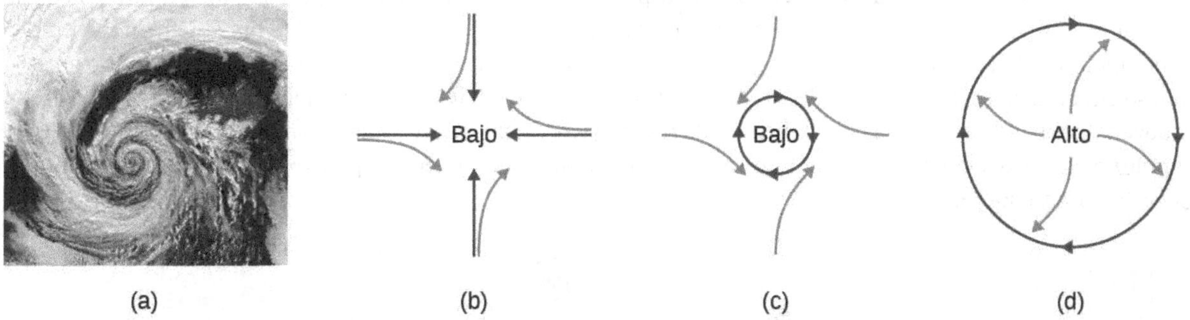

FIGURA 6.28 (a) La rotación en sentido contrario de las agujas del reloj de este huracán del hemisferio norte es una de las principales consecuencias de la fuerza de Coriolis. (b) Sin la fuerza de Coriolis, el aire fluiría directamente hacia una zona de baja presión, como la que se encuentra en los ciclones tropicales. (c) La fuerza de Coriolis desvía los vientos hacia la derecha y produce una rotación en sentido contrario de las agujas del reloj. (d) El viento que se aleja de una zona de alta presión también se desvía hacia la derecha y produce una rotación en sentido de las agujas del reloj. (e) La fuerza de Coriolis produce el sentido de rotación contrario en el hemisferio sur, lo que da lugar a los

ciclones tropicales (créditos: a y créditos e. modificaciones del trabajo de la NASA).

La rotación de los ciclones tropicales y la trayectoria de una pelota en un carrusel se explican igualmente por la inercia y la rotación del sistema que hay debajo. Cuando se utilizan marcos no inerciales, hay que inventar fuerzas inerciales, como la fuerza de Coriolis, para explicar la trayectoria curva. No existe ninguna fuente física identificable para estas fuerzas de inercia. En un marco inercial, la inercia explica la trayectoria, y no se encuentra ninguna fuerza sin una fuente identificable. Cualquiera de los dos puntos de vista nos permite describir la naturaleza, pero un punto de vista en un marco inercial es el más simple, en el sentido de que todas las fuerzas tienen orígenes y explicaciones.

6.4 Fuerza de arrastre y velocidad límite

OBJETIVOS DE APRENDIZAJE

Al final de esta sección, podrá:

- Expresar matemáticamente la fuerza de arrastre.
- Describir las aplicaciones de la fuerza de arrastre.
- Definir la velocidad límite.
- Determinar la velocidad límite de un objeto dada su masa.

Otra fuerza interesante en la vida cotidiana es la fuerza de arrastre sobre un objeto cuando se mueve en un fluido (ya sea un gas o un líquido). Siente la fuerza de arrastre cuando usted mueve la mano en el agua. También puede sentirla si mueve la mano durante un viento fuerte. Cuanto más rápido se mueva la mano, más difícil será el movimiento. Sentirá una menor fuerza de arrastre cuando incline la mano de manera que solo el lado pase por el aire: habrá disminuido el área de la mano que se enfrenta a la dirección del movimiento.

Fuerzas de arrastre

Al igual que la fricción, la **fuerza de arrastre** siempre se opone al movimiento de un objeto. A diferencia de la fricción simple, la fuerza de arrastre es proporcional a alguna función de la velocidad del objeto en ese fluido. Esta funcionalidad es complicada y depende de la forma del objeto, su tamaño, su velocidad y el fluido en el que se encuentra. Para la mayoría de los objetos grandes, como ciclistas, autos y pelotas de béisbol que no se mueven demasiado despacio, la magnitud de la fuerza de arrastre F_D es proporcional al cuadrado de la rapidez del objeto. Podemos escribir esta relación matemáticamente como $F_D \propto v^2$. Si se tienen en cuenta otros factores, esta relación se convierte en

$$F_D = \frac{1}{2}C\rho Av^2, \tag{6.5}$$

donde C es el coeficiente de arrastre, A es el área del objeto frente al fluido, y ρ es la densidad del fluido. (Recordemos que la densidad es la masa por unidad de volumen). Esta ecuación también puede escribirse de forma más generalizada como $F_D = bv^n$, donde b es una constante equivalente a $0{,}5C\rho A$. Hemos fijado el exponente n para estas ecuaciones en 2 porque, cuando un objeto se mueve a gran velocidad por el aire, la magnitud de la fuerza de arrastre es proporcional al cuadrado de la rapidez. Como veremos en Mecánica de fluidos, para partículas pequeñas que se mueven a poca rapidez en un fluido, el exponente n es igual a 1.

Fuerza de arrastre

Fuerza de arrastre F_D es proporcional al cuadrado de la rapidez del objeto. Matemáticamente,

$$F_D = \frac{1}{2}C\rho Av^2,$$

donde C es el coeficiente de arrastre, A es el área del objeto frente al fluido, y ρ es la densidad del fluido.

Tanto los atletas como los diseñadores de autos buscan reducir la fuerza de arrastre para disminuir su tiempo de carrera (Figura 6.29). La configuración aerodinámica de un automóvil puede reducir la fuerza de arrastre y, por ende, aumentar el kilometraje de un auto.

FIGURA 6.29 Desde los autos de carreras hasta los corredores de trineo, la forma aerodinámica es crucial para alcanzar velocidades máximas. Los trineos de carreras están diseñados para la rapidez y tienen forma de bala con aletas cónicas (crédito: "Ejército de los EE. UU."/Wikimedia Commons).

El valor del coeficiente de arrastre *C* se determina empíricamente, normalmente con el uso de un túnel de viento (Figura 6.30).

FIGURA 6.30 Investigadores de la NASA prueban un modelo de avión en un túnel de viento (créditos: NASA/ Ames).

El coeficiente de arrastre puede depender de la velocidad, pero aquí suponemos que es una constante. La Tabla 6.2 enumera algunos coeficientes de arrastre típicos para una variedad de objetos. Observe que el coeficiente de arrastre es una cantidad sin dimensiones. A velocidades de autopista, más del 50% de la potencia de un auto se utiliza para superar el arrastre del aire. La velocidad de crucero más eficiente en cuanto a consumo de combustible es de unos 70 a 80 km/h (unas 45 a 50 mi/h). Por esta razón, durante la crisis del petróleo de la década de los años 70 del siglo XX en los Estados Unidos, la velocidad máxima en las autopistas se fijó en unos 90 km/h (55 mi/h).

Objeto	C
Perfil alar	0,05
Toyota Camry	0,28
Ford Focus	0,32
Honda Civic	0,36
Ferrari Testarossa	0,37
Dodge Ram Pickup	0,43
Esfera	0,45
Vehículo todoterreno Hummer H2	0,64
Paracaidista (con los pies por delante)	0,70
Bicicleta	0,90
Paracaidista (horizontal)	1,0
Placa plana circular	1,12

TABLA 6.2 Valores típicos del coeficiente de arrastre C

En el mundo del deporte se está investigando mucho para minimizar el arrastre. Los hoyuelos de las pelotas de golf se están rediseñando, al igual que la ropa que llevan los deportistas. Los ciclistas y algunos nadadores y corredores llevan trajes de cuerpo entero. La australiana Cathy Freeman llevó un traje de cuerpo entero en los Juegos Olímpicos de Sydney 2000 y ganó una medalla de oro en la carrera de 400 metros. Muchos nadadores de los Juegos Olímpicos de Pekín 2008 llevaban trajes de baño de cuerpo entero (Speedo), lo que podría haber marcado la diferencia a la hora de batir muchos récords mundiales (Figura 6.31). La mayoría de los nadadores de élite (y los ciclistas) se afeitan el vello corporal. Estas innovaciones tendrían el efecto de recortar milésimas de segundo en una carrera, lo que a veces marca la diferencia entre una medalla de oro y una de plata. Una de las consecuencias es que hay que elaborar continuamente directrices cuidadosas y precisas para mantener la integridad del deporte.

FIGURA 6.31 A los trajes de cuerpo entero, como este LZR Racer Suit, se les atribuye la ayuda en muchos récords mundiales luego de su lanzamiento en 2008. Una "piel" más suave y más fuerzas de compresión en el cuerpo del nadador proporcionan al menos 10% menos arrastre (créditos: NASA/Kathy Barnstorff).

Velocidad límite

Algunas situaciones interesantes relacionadas con la segunda ley de Newton se producen al considerar los efectos de las fuerzas de arrastre sobre un objeto en movimiento. Por ejemplo, pensemos en un paracaidista que se lanza bajo la influencia de la gravedad. Las dos fuerzas que actúan sobre él son la fuerza de gravedad y la fuerza de arrastre (sin tomar en cuenta la pequeña fuerza de flotación). La fuerza de gravedad hacia abajo se mantiene constante, independientemente de la velocidad a la que se mueva la persona. Sin embargo, a medida que aumenta la velocidad de la persona, la magnitud de la fuerza de arrastre aumenta hasta que la magnitud de la fuerza de arrastre es igual a la fuerza gravitatoria, lo que produce una fuerza neta de cero. La fuerza neta de cero significa que no hay aceleración, como lo demuestra la segunda ley de Newton. En este punto, la velocidad de la persona permanece constante y decimos que la persona ha alcanzado su **velocidad límite** (v_T). Dado que F_D es proporcional a la rapidez al cuadrado, un paracaidista más pesado deberá ir más rápido para que F_D sea igual a su peso. Veamos cómo funciona esto de forma más cuantitativa.

En la velocidad terminal,

$$F_{\text{neta}} = mg - F_D = ma = 0.$$

Por lo tanto,

$$mg = F_D.$$

Al utilizar la ecuación de la fuerza de arrastre, tenemos

$$mg = \frac{1}{2} C \rho A v_T^2.$$

Al resolver la velocidad, obtenemos

$$v_T = \sqrt{\frac{2mg}{\rho C A}}.$$

Supongamos que la densidad del aire es $\rho = 1{,}21 \text{ kg/m}^3$. Un paracaidista de 75 kg que desciende de cabeza tiene un área transversal de aproximadamente $A = 0{,}18 \text{ m}^2$ y un coeficiente de arrastre de aproximadamente $C = 0{,}70$. Encontramos que

$$v_T = \sqrt{\frac{2(75 \text{ kg})(9{,}80 \text{ m/s}^2)}{(1{,}21 \text{ kg/m}^3)(0{,}70)(0{,}18 \text{ m}^2)}} = 98 \text{ m/s} = 350 \text{ km/h}.$$

Esto significa que un paracaidista con una masa de 75 kg alcanza una velocidad límite de unos 350 km/h mientras se desplaza en posición de cabeza, lo que minimiza el área y su resistencia. En una posición de águila extendida, esa velocidad límite puede disminuir a unos 200 km/h a medida que aumenta el área. Esta velocidad límite se reduce mucho después de que se abra el paracaídas.

EJEMPLO 6.17

Velocidad límite de un paracaidista

Halle la velocidad límite de un paracaidista de 85 kg que cae en posición de águila extendida.

Estrategia

Para la velocidad límite, $F_{\text{neta}} = 0$. Por lo tanto, la fuerza de arrastre sobre el paracaidista deberá ser igual a la fuerza de gravedad (el peso de la persona). Al utilizar la ecuación de la fuerza de arrastre, encontramos $mg = \frac{1}{2}\rho C A v^2$.

Solución

La velocidad límite v_T puede escribirse como

$$v_T = \sqrt{\frac{2mg}{\rho CA}} = \sqrt{\frac{2(85\ \text{kg})(9{,}80\ \text{m/s}^2)}{(1{,}21\ \text{kg/m}^3)(1{,}0)(0{,}70\ \text{m}^2)}} = 44\ \text{m/s}.$$

Importancia

Este resultado es coherente con el valor de v_T mencionado anteriormente. El paracaidista de 75 kg que iba con los pies por delante tenía una velocidad límite de $v_T = 98$ m/s. Pesaba menos, pero tenía un área frontal más pequeña y, por ende, menor arrastre debido al aire.

COMPRUEBE LO APRENDIDO 6.10

Halle la velocidad límite de un paracaidista de 50 kg que cae en forma de águila extendida.

El tamaño del objeto que cae por el aire presenta otra interesante aplicación del arrastre del aire. Si se cae de una rama de un árbol de 5 metros de altura, es probable que se haga daño, y posiblemente se fracture un hueso. Sin embargo, una ardilla pequeña hace esto todo el tiempo, sin hacerse daño. Usted no alcanza una velocidad límite en una distancia tan corta, pero la ardilla sí.

La siguiente cita interesante sobre el tamaño de los animales y la velocidad límite procede de un ensayo de 1928 de un biólogo británico, J. B. S. Haldane, titulado "Sobre ser del tamaño correcto" ("On Being the Right Size").

"Para el ratón y cualquier animal más pequeño, [la gravedad] no presenta prácticamente ningún peligro. Se puede dejar caer un ratón por el pozo de una mina de mil metros; y, al llegar al fondo, recibe una ligera sacudida y se aleja, siempre que el suelo sea bastante blando. Una rata muere, un hombre se fractura los huesos y un caballo se desparrama. Esto se debe a que la resistencia que presenta el aire al movimiento es proporcional a la superficie del objeto en movimiento. Dividiendo por diez la longitud, la anchura y la altura de un animal, su peso se reduce a una milésima parte, pero su superficie solo a una centésima parte. Así que la resistencia a la caída en el caso del animal pequeño es relativamente diez veces mayor que la fuerza motriz".

La anterior dependencia cuadrática del arrastre del aire con respecto a la velocidad no se cumple si el objeto es muy pequeño, va muy lento o se encuentra en un medio más denso que el aire. Entonces encontramos que la fuerza de arrastre es proporcional justo a la velocidad. Esta relación viene dada por la ley de Stokes.

Ley de Stokes

Para un objeto esférico que cae en un medio, la fuerza de arrastre es

$$F_s = 6\pi r\eta v, \tag{6.6}$$

donde r es el radio del objeto, η es la viscosidad del fluido y v es la velocidad del objeto.

Los microorganismos, el polen y las partículas de polvo son buenos ejemplos de la ley de Stokes. Como cada uno de estos objetos es tan pequeño, nos encontramos con que muchos de ellos se desplazan sin ayuda solo a una velocidad constante (límite). Las velocidades límites de las bacterias (tamaño de aproximadamente de 1 μm) pueden ser casi 2 μm/s. Para desplazarse a mayor rapidez, muchas bacterias nadan con flagelos (orgánulos con forma de pequeñas colas) que son impulsados por pequeños motores incrustados en la célula.

Los sedimentos en un lago pueden moverse a una velocidad límite mayor (alrededor de 5 μm/s), por lo que puede tardar días en llegar al fondo del lago después de haberse depositado en la superficie.

Si comparamos los animales terrestres con los acuáticos, se observa cómo el arrastre ha influido en la evolución. Los peces, los delfines e incluso las enormes ballenas tienen una forma aerodinámica para reducir las fuerzas de arrastre. Las aves son aerodinámicas y las especies migratorias que vuelan grandes distancias suelen tener características particulares, como cuellos largos. Las bandadas de pájaros vuelan en forma de punta de lanza mientras la bandada forma un patrón aerodinámico (Figura 6.32). En los seres humanos, un ejemplo importante de aerodinámica es la forma de los espermatozoides, que deben ser eficientes en el uso de la energía.

FIGURA 6.32 Los gansos vuelan en formación de V durante sus largos viajes migratorios. Esta forma reduce el arrastre y el consumo de energía de cada una de las aves, y también les permite comunicarse mejor (créditos: modificación de la obra de "Julo"/Wikimedia Commons).

INTERACTIVO

En las exposiciones de clase, hacemos mediciones de la fuerza de arrastre (https://openstax.org/l/21dragforce) en diferentes objetos. Los objetos se colocan en una corriente de aire uniforme creada por un ventilador. Calcule el número de Reynolds y el coeficiente de arrastre.

El cálculo de las fuerzas de fricción dependientes de la velocidad

Cuando un cuerpo se desliza por una superficie, la fuerza de fricción sobre este es aproximadamente constante y viene dada por $\mu_k N$. Desgraciadamente, la fuerza de fricción sobre un cuerpo que se mueve a través de un líquido o un gas no se comporta de forma tan sencilla. Esta fuerza de arrastre es generalmente una función complicada de la velocidad del cuerpo. Sin embargo, para un cuerpo que se mueve en línea recta a una rapidez moderada a través de un líquido como el agua, la fuerza de fricción puede aproximarse a menudo por

$$f_R = -bv,$$

donde b es una constante, cuyo valor depende de las dimensiones y la forma del cuerpo y de las propiedades del líquido, y v es la velocidad del cuerpo. Dos situaciones para las que la fuerza de fricción puede representarse mediante esta ecuación son una lancha a motor que se mueve por el agua y un pequeño objeto que cae lentamente por un líquido.

Consideremos el objeto que cae a través de un líquido. El diagrama de cuerpo libre de este objeto con la dirección positiva hacia abajo se muestra en la Figura 6.33. La segunda ley de Newton en la dirección vertical da la ecuación diferencial

$$mg - bv = m\frac{dv}{dt},$$

donde hemos escrito la aceleración como dv/dt. A medida que v aumenta, la fuerza de fricción $-bv$ aumenta hasta igualar a mg. En este punto, no hay aceleración y la velocidad se mantiene constante en la velocidad límite v_T. De la ecuación anterior,

$$mg - bv_T = 0,$$

así que

$$v_T = \frac{mg}{b}.$$

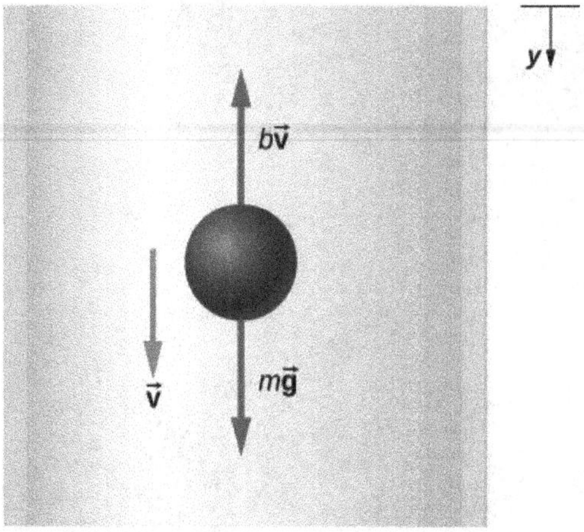

FIGURA 6.33 Diagrama de cuerpo libre de un objeto que cae a través de un medio resistivo.

Podemos encontrar la velocidad del objeto al integrar la ecuación diferencial para v. Primero, reordenamos los términos de esta ecuación para obtener

$$\frac{dv}{g - (b/m)v} = dt.$$

Suponiendo que $v = 0$ en $t = 0$, la integración de esta ecuación da como resultado

$$\int_0^v \frac{dv'}{g - (b/m)v'} = \int_0^t dt',$$

o

$$-\frac{m}{b}\ln\left(g - \frac{b}{m}v'\right)\Big|_0^v = t'\Big|_0^t,$$

donde v' y t' son variables ficticias de integración. Con los límites dados, encontramos

$$-\frac{m}{b}\left[\ln\left(g-\frac{b}{m}v\right)-\ln g\right]=t.$$

Dado que $\ln A - \ln B = \ln(A/B)$, y $\ln(A/B) = x$ implica $e^x = A/B$, obtenemos

$$\frac{g-(bv/m)}{g}=e^{-bt/m},$$

y

$$v=\frac{mg}{b}(1-e^{-bt/m}).$$

Observe que, como $t \to \infty$, $v \to mg/b = v_T$, que es la velocidad límite.

La posición en cualquier momento se encuentra al integrar la ecuación de v. Con $v = dy/dt$,

$$dy=\frac{mg}{b}(1-e^{-bt/m})dt.$$

Suponiendo que $y = 0$ cuando $t = 0$,

$$\int_0^y dy'=\frac{mg}{b}\int_0^t(1-e^{-bt'/m})\,dt',$$

que se integra en

$$y=\frac{mg}{b}t+\frac{m^2g}{b^2}(e^{-bt/m}-1).$$

EJEMPLO 6.18

Efecto de la fuerza de resistencia en una lancha a motor

Una lancha a motor se desplaza por un lago a una rapidez v_0 cuando su motor se congela y se para de repente. La lancha desacelera entonces por la fuerza de fricción $f_R = -bv$. (a) ¿Cuáles son la velocidad y la posición de la lancha en función del tiempo? (b) Si la lancha desacelera de 4,0 a 1,0 m/s en 10 s, ¿qué distancia recorre antes de detenerse?

Solución

a. Con el motor detenido, la única fuerza horizontal sobre la lancha es $f_R = -bv$, por lo que de la segunda ley de Newton,

$$m\frac{dv}{dt}=-bv,$$

que podemos escribir como

$$\frac{dv}{v}=-\frac{b}{m}dt.$$

Integrando esta ecuación entre el tiempo cero cuando la velocidad es v_0 y el tiempo t cuando la velocidad es v, tenemos

$$\int_0^v\frac{dv'}{v'}=-\frac{b}{m}\int_0^t dt'.$$

Por lo tanto,

$$\ln\frac{v}{v_0}=-\frac{b}{m}t,$$

que, dado que $\ln A = x$ implica $e^x = A$, podemos escribirlo como

$$v=v_0e^{-bt/m}.$$

Ahora, desde la definición de velocidad,

$$\frac{dx}{dt} = v_0 e^{-bt/m},$$

por lo que tenemos

$$dx = v_0 e^{-bt/m} dt.$$

Con la posición inicial cero, tenemos

$$\int_0^x dx' = v_0 \int_0^t e^{-bt'/m} dt',$$

y

$$x = -\frac{mv_0}{b} e^{-bt'/m}\Big|_0^t = \frac{mv_0}{b}(1 - e^{-bt/m}).$$

A medida que aumenta el tiempo, $e^{-bt/m} \to 0$, y la posición de la lancha se acerca a un valor límite

$$x_{\text{máx}} = \frac{mv_0}{b}.$$

Aunque esto nos dice que la lancha tarda infinidad de tiempo en llegar $x_{\text{máx}}$, la lancha se detiene efectivamente después de un tiempo razonable. Por ejemplo, en $t = 10m/b$, tenemos

$$v = v_0 e^{-10} \simeq 4{,}5 \times 10^{-5} v_0,$$

mientras que también tenemos

$$x = x_{\text{máx}}(1 - e^{-10}) \simeq 0{,}99995 x_{\text{máx}}.$$

Por lo tanto, la velocidad y la posición de la lancha han alcanzado esencialmente sus valores finales.

b. Con $v_0 = 4{,}0$ m/s y $v = 1{,}0$ m/s, tenemos $1{,}0 \text{ m/s} = (4{,}0 \text{ m/s})e^{-(b/m)(10 \text{ s})}$, así que

$$\ln 0{,}25 = -\ln 4{,}0 = -\frac{b}{m}(10 \text{ s}),$$

y

$$\frac{b}{m} = \frac{1}{10} \ln 4{,}0 \text{ s}^{-1} = 0{,}14 \text{ s}^{-1}.$$

Ahora la posición límite del barco es

$$x_{\text{máx}} = \frac{mv_0}{b} = \frac{4{,}0 \text{ m/s}}{0{,}14 \text{ s}^{-1}} = 29 \text{ m}.$$

Importancia

En los dos ejemplos anteriores, hallamos valores "límite". La velocidad límite es la misma que la velocidad terminal, que es la velocidad del objeto que cae después de un tiempo (relativamente) largo. Del mismo modo, la distancia límite de la lancha es la distancia que la lancha recorrerá después de que haya transcurrido una gran cantidad de tiempo. Debido a las propiedades del decaimiento exponencial, el tiempo necesario para alcanzar cualquiera de estos valores no es en realidad demasiado largo (¡ciertamente no es un tiempo infinito!), pero se encuentran rápidamente para llevar el límite al infinito.

COMPRUEBE LO APRENDIDO 6.11

Supongamos que la fuerza de resistencia del aire sobre un paracaidista puede aproximarse mediante $f = -bv^2$. Si la velocidad terminal de un paracaidista de 100 kg es de 60 m/s, ¿cuál es el valor de b?

Revisión Del Capítulo

Términos Clave

curva con peralte curva en una carretera con una pendiente que permite al vehículo maniobrar en la curva

fricción fuerza que se opone al movimiento relativo o a los intentos de movimiento entre sistemas en contacto

fricción cinética fuerza que se opone al movimiento de dos sistemas que están en contacto y se mueven uno respecto al otro

fricción estática fuerza que se opone al movimiento de dos sistemas que están en contacto y no se mueven uno respecto al otro

fuerza centrípeta cualquier fuerza neta que cause un movimiento circular uniforme

fuerza de arrastre fuerza que siempre se opone al movimiento de un objeto en un fluido; a diferencia de la fricción simple, la fuerza de arrastre es proporcional a alguna función de la velocidad del objeto en ese fluido

fuerza de Coriolis fuerza inercial que causa la desviación aparente de los objetos en movimiento cuando se ven en un marco de referencia rotativo

fuerza inercial fuerza que no tiene origen físico

marco de referencia no inercial marco de referencia acelerado

peralte ideal pendiente de una curva en una carretera, donde el ángulo de la pendiente permite al vehículo maniobrar en la curva a una determinada rapidez, sin la ayuda de la fricción entre los neumáticos y la carretera; la fuerza externa neta sobre el vehículo es igual a la fuerza centrípeta horizontal en ausencia de fricción

velocidad límite velocidad constante alcanzada por un objeto que cae, que se produce cuando el peso del objeto se equilibra con la fuerza de arrastre hacia arriba

Ecuaciones Clave

Magnitud de la fricción estática	$f_s \leq \mu_s N$
Magnitud de la fricción cinética	$f_k = \mu_k N$
Fuerza centrípeta	$F_c = m\frac{v^2}{r}$ o $F_c = mr\omega^2$
Ángulo ideal de una curva con peralte	$\tan\theta = \frac{v^2}{rg}$
Fuerza de arrastre	$F_D = \frac{1}{2}C\rho Av^2$
Ley de Stokes	$F_s = 6\pi r\eta v$

Resumen

6.1 Resolución de problemas con las leyes de Newton

- Las leyes del movimiento de Newton pueden aplicarse en numerosas situaciones para resolver problemas de movimiento.
- Algunos problemas contienen múltiples vectores de fuerza que actúan en diferentes direcciones sobre un objeto. Dibuje diagramas, resuelva todos los vectores de fuerza en componentes horizontales y verticales, y trace un diagrama de cuerpo libre. Analice siempre la dirección en la que se acelera un objeto para poder determinar si $F_{\text{neta}} = ma$ o $F_{\text{neta}} = 0$.
- La fuerza normal sobre un objeto no siempre es igual en magnitud al peso del objeto. Si un objeto se acelera verticalmente, la fuerza normal es menor o mayor que el peso del objeto. Además, si el objeto está en un plano inclinado, la fuerza normal es siempre menor que el peso total del objeto.
- Algunos problemas contienen varias magnitudes físicas, como fuerzas, aceleración, velocidad o posición. Puede aplicar conceptos de cinemática y dinámica para resolver estos problemas.

6.2 Fricción

- La fricción es una fuerza de contacto que se opone al movimiento o al intento de movimiento entre dos sistemas. La fricción simple es proporcional a la fuerza normal *N*, que soporta los dos sistemas.
- La magnitud de la fuerza de fricción estática entre dos materiales inmóviles uno respecto del otro se determina mediante el coeficiente de fricción estática, que depende de ambos materiales.
- La fuerza de fricción cinética entre dos materiales que se mueven uno respecto del otro se determina mediante el coeficiente de fricción cinética, que también depende de ambos materiales y siempre es menor que el coeficiente de fricción estática.

6.3 Fuerza centrípeta

- La fuerza centrípeta $\vec{\mathbf{F}}_c$ es una fuerza de "búsqueda de centro" que siempre apunta hacia el centro de rotación. Es perpendicular a la velocidad lineal y tiene la magnitud
$$F_c = ma_c.$$
- Los marcos de referencia rotativos y acelerados son no inerciales. Las fuerzas inerciales, como la fuerza de Coriolis, son necesarias para explicar el movimiento en esos marcos.

6.4 Fuerza de arrastre y velocidad límite

- Las fuerzas de arrastre que actúan sobre un objeto que se mueve en un fluido se oponen al movimiento. Para objetos más grandes (como una pelota de béisbol) que se mueven a una velocidad en el aire, la fuerza de arrastre se determina con el coeficiente de arrastre (los valores típicos se dan en la Tabla 6.2), el área del objeto que se enfrenta al fluido y la densidad del fluido.
- Para objetos pequeños (como una bacteria) que se mueven en un medio más denso (como el agua), la fuerza de arrastre viene dada por la ley de Stokes.

Preguntas Conceptuales

6.1 Resolución de problemas con las leyes de Newton

1. Para simular la ingravidez aparente de la órbita espacial, los astronautas se entrenan en la bodega de un avión de carga que acelera hacia abajo a *g*. ¿Por qué parecen no tener peso, como se mide en una báscula de baño, en este marco de referencia acelerado? ¿Hay alguna diferencia entre su aparente ingravidez en órbita y en el avión?

6.2 Fricción

2. El pegamento de un trozo de cinta adhesiva puede ejercer fuerzas. ¿Pueden estas fuerzas ser un tipo de fricción simple? Explique, teniendo en cuenta especialmente que la cinta adhesiva puede pegarse a las paredes verticales e incluso al techo.

3. Cuando aprende a conducir, descubre que tiene que soltar ligeramente el pedal del freno al detenerse o el auto se parará con una sacudida. Explique esto en términos de la relación entre la fricción estática y la cinética.

4. Cuando empuja un trozo de tiza por una pizarra, a veces chirría porque alterna rápidamente entre el deslizamiento y la adhesión a la pizarra. Describa este proceso con más detalle, en particular, explique cómo se relaciona con el hecho de que la fricción cinética es menor que la estática. (El mismo proceso de deslizamiento y agarre ocurre cuando los neumáticos chirrían en el pavimento).

5. Una estudiante de física está cocinando el desayuno cuando se da cuenta de que la fuerza de fricción entre su espátula de acero y la sartén de teflón es de apenas 0,200 N. Conociendo el coeficiente de fricción cinética entre los dos materiales, calcule rápidamente la fuerza normal. ¿De cuánto es?

6.3 Fuerza centrípeta

6. Si desea reducir el estrés (que está relacionado con la fuerza centrípeta) en los neumáticos de alta velocidad, ¿utilizaría neumáticos de diámetro grande o pequeño? Explique.

7. Defina la fuerza centrípeta. ¿Puede cualquier tipo de fuerza (por ejemplo, la tensión, la fuerza gravitatoria, la fricción, etc.) ser una fuerza centrípeta? ¿Puede cualquier combinación de fuerzas ser una fuerza centrípeta?

8. Si la fuerza centrípeta se dirige hacia el centro, ¿por qué siente que es "lanzado" lejos del centro cuando un auto toma una curva? Explique.

9. Los conductores de autos de carreras suelen

cortar las curvas, como se muestra a continuación (Trayectoria 2). Explique cómo esto permite tomar la curva a la mayor rapidez.

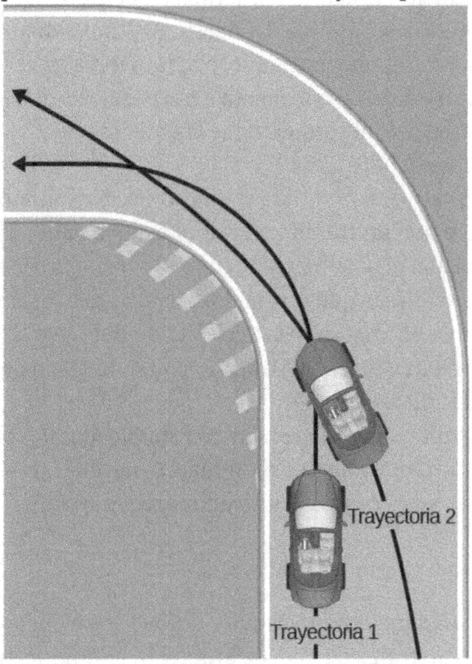

10. Muchos parques de atracciones tienen atracciones que hacen giros circulares verticales como el que se muestra a continuación. Por seguridad, los vagones se fijan a los rieles de forma que no puedan caerse. Si el vagón pasa por encima a la rapidez adecuada, solo la gravedad suministrará la fuerza centrípeta. Qué otra fuerza actúa y cuál es su dirección si:
(a) ¿El vagón pasa por encima a una rapidez mayor a la indicada?
(b) ¿El vagón pasa por encima a una rapidez inferior a la indicada?

11. ¿Qué hace que se elimine el agua de la ropa en una secadora?
12. Cuando un patinador forma un círculo, ¿qué fuerza es la responsable de realizar su giro? Utilice un diagrama de cuerpo libre en su respuesta.
13. Supongamos que una niña está montada en un carrusel a una distancia aproximada de la mitad de su centro y su borde. Tiene una fiambrera apoyada en papel encerado, de modo que hay muy poca fricción entre ella y el carrusel. ¿Qué trayectoria tomará la fiambrera cuando la suelte? La fiambrera deja un rastro de polvo sobre el carrusel. ¿Ese rastro es recto, curvado a la izquierda o curvado a la derecha? Razone su respuesta.

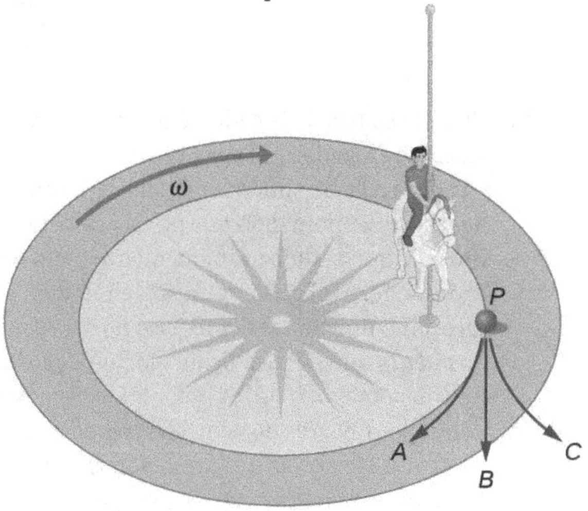

Marco de referencia rotativo del carrusel

14. ¿Siente que lo tiran hacia un lado u otro cuando toma una curva con peralte ideal para la rapidez de su auto? ¿Cuál es la dirección de la fuerza ejercida sobre usted por el asiento del auto?
15. Supongamos que una masa se mueve en una trayectoria circular sobre una mesa sin fricción como se muestra a continuación. En el marco de referencia de la Tierra, no hay ninguna fuerza centrífuga que hale a la masa del centro de rotación, pero sí hay una fuerza que estira la cuerda que une la masa al clavo. Utilizando conceptos relacionados con la fuerza centrípeta y la tercera ley de Newton, explique qué fuerza estira la cuerda, identificando su origen físico.

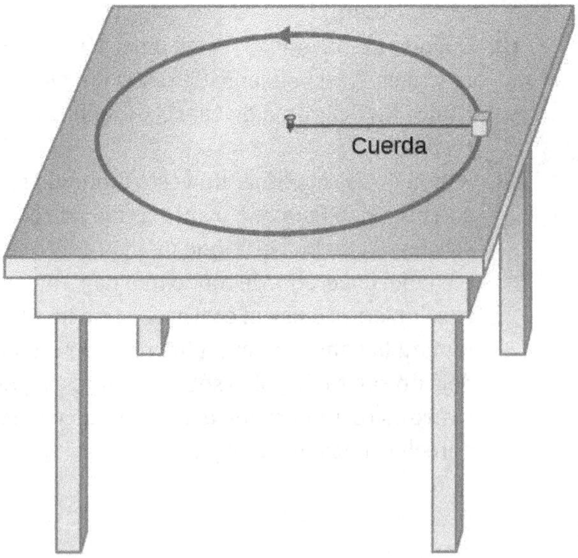

16. Cuando se tira de la cadena de un inodoro o se vacía un fregadero, el agua (y otros materiales) empieza a rotar alrededor del desagüe en su descenso. Suponiendo que no hay rotación inicial y que el flujo es inicialmente recto hacia el desagüe, explique qué causa la rotación y qué dirección tiene en el hemisferio norte. (Tenga en cuenta que se trata de un efecto pequeño y que en la mayoría de los inodoros la rotación se debe a los chorros de agua direccionales). ¿Se invertiría el sentido de la rotación si el agua fuera forzada a subir por el desagüe?
17. Un auto toma una curva y se encuentra con una placa de hielo con un coeficiente de fricción cinética muy bajo. El auto se sale de la carretera. Describa la trayectoria del auto al salir de la carretera.
18. En una atracción del parque de atracciones, los pasajeros entran en un gran barril vertical y se colocan contra la pared sobre su suelo horizontal. El barril gira hacia arriba y el suelo cae. Los pasajeros se sienten como si estuvieran clavados a la pared por una fuerza parecida a la gravitatoria. Se trata de una fuerza inercial percibida y utilizada por los pasajeros para explicar los acontecimientos en el marco de referencia rotativo del barril. Explique en un marco de referencia inercial (la Tierra es casi uno) qué es lo que sujeta a los pasajeros a la pared, e identifique todas las fuerzas que actúan sobre ellos.
19. Dos amigos mantienen una conversación. Anna dice que un satélite en órbita está en caída libre porque el satélite sigue cayendo hacia la Tierra. Tom afirma que un satélite en órbita no está en caída libre porque la aceleración debida a la gravedad no es $9{,}80\ \text{m/s}^2$. ¿Con quién está de acuerdo y por qué?
20. Un marco de referencia no rotativo situado en el centro del Sol es casi un marco inercial. ¿Por qué no es exactamente un marco inercial?

6.4 Fuerza de arrastre y velocidad límite

21. Los atletas, como los nadadores y los ciclistas, llevan trajes de cuerpo entero en competición. Formule una lista de los pros y los contras de estos trajes.
22. Se utilizaron dos expresiones para la fuerza de arrastre experimentada por un objeto en movimiento en un líquido. Uno dependía de la rapidez, mientras que el otro era proporcional al cuadrado de la rapidez. ¿En qué tipo de movimiento sería más aplicable cada una de estas expresiones que la otra?
23. Cuando los autos circulan, el aceite y la gasolina se filtran en la superficie de la carretera. Si cae una lluvia ligera, ¿qué le hace al control del auto? ¿La lluvia fuerte hace alguna diferencia?
24. ¿Por qué una ardilla puede saltar desde la rama de un árbol hasta el suelo y salir corriendo sin sufrir daños, mientras que un humano podría fracturarse un hueso en una caída así?

Problemas

6.1 Resolución de problemas con las leyes de Newton

25. Una niña de 30,0 kg en un columpio se empuja hacia un lado y se mantiene en reposo por una fuerza horizontal $\vec{\mathbf{F}}$ para que las cuerdas del columpio estén a $30{,}0°$ con respecto a la vertical. (a) Calcule la tensión en cada una de las dos cuerdas que soportan el columpio en estas condiciones. (b) Calcule la magnitud de $\vec{\mathbf{F}}$.
26. Halle la tensión en cada uno de los tres cables que sostienen el semáforo si este pesa $2{,}00 \times 10^2$ N.

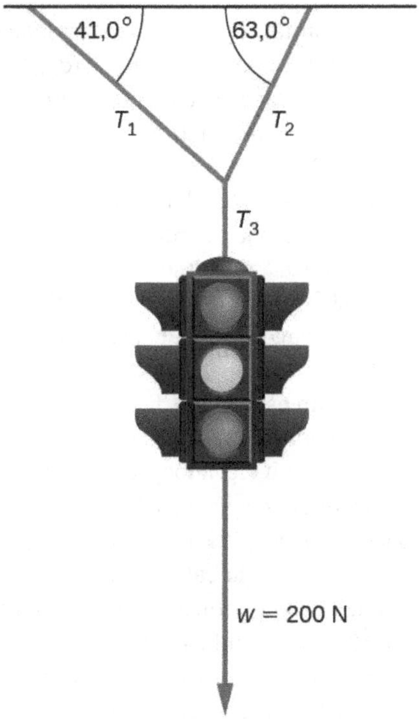

27. Tres fuerzas actúan sobre un objeto, considerado como una partícula, que se mueve con velocidad constante $v = (3\hat{\mathbf{i}} - 2\hat{\mathbf{j}})$ m/s. Dos de las fuerzas son $\vec{\mathbf{F}}_1 = (3\hat{\mathbf{i}} + 5\hat{\mathbf{j}} - 6\hat{\mathbf{k}})$ N y $\vec{\mathbf{F}}_2 = (4\hat{\mathbf{i}} - 7\hat{\mathbf{j}} + 2\hat{\mathbf{k}})$ N. Halle la tercera fuerza.
28. Una pulga salta y ejerce una fuerza de $1{,}20 \times 10^{-5}$ N directamente sobre el suelo. La brisa que sopla sobre la pulga paralela al suelo ejerce una fuerza de $0{,}500 \times 10^{-6}$ N sobre la pulga mientras aún está en contacto con el suelo. Halle la dirección y la magnitud de la aceleración de la pulga si su masa es $6{,}00 \times 10^{-7}$ kg. No ignore la fuerza gravitatoria.
29. Dos músculos de la parte posterior de la pierna halan hacia arriba el tendón de Aquiles, como se muestra en la siguiente imagen. (Estos músculos se denominan cabezas medial y lateral del músculo gastrocnemio). Halle la magnitud y la dirección de la fuerza total sobre el tendón de Aquiles. ¿Qué tipo de movimiento puede provocar esta fuerza?

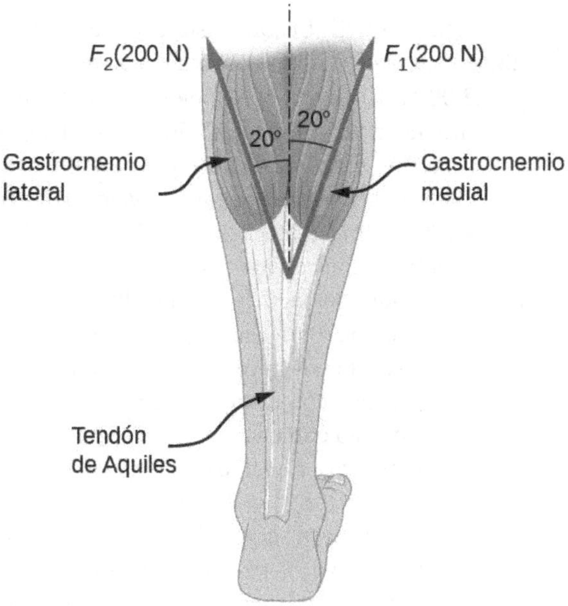

30. Tras un percance, un artista de circo de 76,0 kg se aferra a un trapecio, que está siendo halado hacia un lado por otro artista de circo, como se muestra aquí. Calcule la tensión en las dos cuerdas si la persona está momentáneamente inmóvil. Incluya un diagrama de cuerpo libre en su solución.

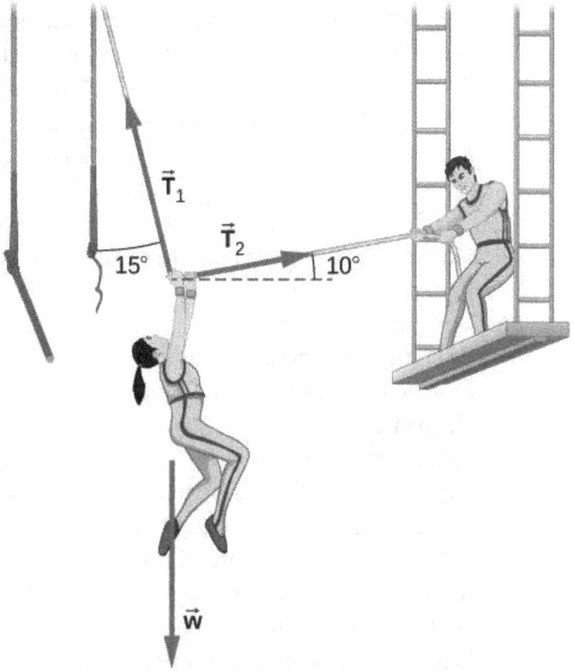

31. Un delfín de 35,0 kg desacelera de 12,0 a 7,50 m/s en 2,30 s para unirse a otro delfín en juego. ¿Qué fuerza media se ejerció para frenar al primer delfín si se movía horizontalmente? (La fuerza gravitatoria se equilibra con la fuerza de flotación del agua).
32. Al iniciar una carrera a pie, un velocista de 70,0 kg ejerce una fuerza media de 650 N hacia atrás sobre el suelo durante 0,800 s. (a) ¿Cuál es su

rapidez final? (b) ¿Qué distancia recorre?

33. Un cohete grande tiene una masa de $2,00 \times 10^6$ kg en el despegue, y sus motores producen un empuje de $3,50 \times 10^7$ N. (a) Halle su aceleración inicial si despega en vertical. (b) ¿Cuánto tarda en alcanzar una velocidad de 120 km/h en línea recta, suponiendo que la masa y el empuje son constantes?

34. Un jugador de baloncesto salta directamente por un balón. Para ello, baja su cuerpo 0,300 m y luego acelera a través de esta distancia enderezando con fuerza las piernas. Este jugador salta con una velocidad vertical suficiente para elevarse 0,900 m por encima del suelo. (a) Calcule su velocidad cuando salta. (b) Calcule su aceleración mientras endereza las piernas. Pasa de cero a la velocidad encontrada en (a) en una distancia de 0,300 m. (c) Calcule la fuerza que ejerce sobre el suelo para hacerlo, dado que su masa es de 110,0 kg.

35. Un proyectil de fuegos artificiales de 2,50 kg se dispara directamente desde un mortero y alcanza una altura de 110,0 m. (a) Ignorando la resistencia del aire (una suposición precaria, pero la haremos para este ejemplo), calcule la velocidad del proyectil cuando sale del mortero. (b) El propio mortero es un tubo de 0,450 m de longitud. Calcule la aceleración media del proyectil en el tubo al pasar de cero a la velocidad encontrada en (a). (c) ¿Cuál es la fuerza media sobre el proyectil en el mortero? Exprese su respuesta en newtons y a razón del peso del proyectil.

36. Una papa de 0,500 kg se dispara con un ángulo de $80,0°$ por encima de la horizontal desde un tubo de PVC utilizado como "pistola de papas" y alcanza una altura de 110,0 m. (a) Ignorando la resistencia del aire, calcule la velocidad de la papa cuando sale de la pistola. (b) La propia pistola es un tubo de 0,450 m de longitud. Calcule la aceleración media de la papa en el tubo al pasar de cero a la velocidad hallada en (a). (c) ¿Cuál es la fuerza media sobre la papa en la pistola? Exprese su respuesta en newtons y a razón del peso de la patata.

37. Un elevador lleno de pasajeros tiene una masa de $1,70 \times 10^3$ kg. (a) El elevador acelera hacia arriba desde el reposo a una tasa de $1,20\ \text{m/s}^2$ durante 1,50 s. Calcule la tensión en el cable que sostiene el elevador. b) El elevador continúa hacia arriba a velocidad constante durante 8,50 s. ¿Cuál es la tensión en el cable durante este tiempo? (c) El elevador desacelera a una tasa de $0,600\ \text{m/s}^2$ durante 3,00 s. ¿Cuál es la tensión del cable durante la desaceleración? (d) ¿A qué altura se ha desplazado el elevador por encima de su punto de partida original, y cuál es su velocidad final?

38. Una bola de 20,0 g cuelga del techo de un vagón de carga mediante una cuerda. Cuando el vagón de carga comienza a moverse, la cuerda hace un ángulo de $35,0°$ con la vertical. (a) ¿Cuál es la aceleración del vagón? (b) ¿Cuál es la tensión de la cuerda?

39. La mochila de un estudiante, llena de libros de texto, está colgada de una balanza de resorte fijada al techo de un elevador. Cuando el elevador acelera hacia abajo a $3,8\ \text{m/s}^2$, la balanza lee 60 N. (a) ¿Cuál es la masa de la mochila? (b) ¿Qué lee la balanza si el elevador se mueve hacia arriba mientras acelera a una tasa de $3,8\ \text{m/s}^2$? (c) ¿Qué indica la balanza si el elevador se mueve hacia arriba a velocidad constante? (d) Si el elevador no tuviera frenos y el cable que lo sostiene se soltara de modo que el elevador pudiera caer libremente, ¿qué indicaría la balanza de resorte?

40. Un elevador de servicio lleva una carga de basura, con una masa de 10,0 kg, desde un piso de un rascacielos en construcción, hasta el nivel del suelo, que acelera hacia abajo a una tasa de $1,2\ \text{m/s}^2$. Halle la magnitud de la fuerza que ejerce la basura sobre el suelo del elevador de servicio.

41. Un vagón de montaña rusa parte del reposo en la parte superior de una pista de 30,0 m de longitud e inclinada a $20,0°$ de la horizontal. Supongamos que se puede ignorar la fricción. (a) ¿Cuál es la aceleración del vagón? (b) ¿Cuánto tiempo transcurre antes de que llegue al fondo de la pista?

42. El dispositivo que se muestra a continuación es la máquina de Atwood considerada en el Ejemplo 6.5. Suponiendo que las masas de la cuerda y de la polea sin fricción son despreciables, (a) halle una ecuación para la aceleración de los dos bloques; (b) halle una ecuación para la tensión en la cuerda; y (c) halle tanto la aceleración como la tensión cuando el bloque 1 tiene masa 2,00 kg y el bloque 2 tiene masa 4,00 kg.

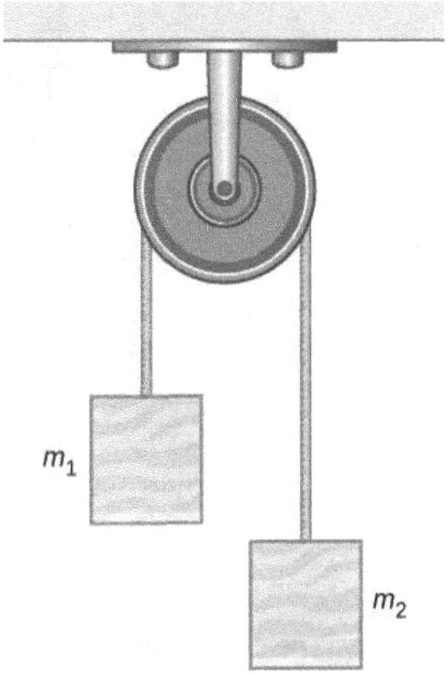

43. Dos bloques están conectados por una cuerda sin masa como se muestra a continuación. La masa del bloque sobre la mesa es de 4,0 kg y la masa colgante es de 1,0 kg. La mesa y la polea no tienen fricción. (a) Halle la aceleración del sistema. (b) Halle la tensión en la cuerda. (c) Halle la rapidez con la que la masa colgante golpea el suelo si parte del reposo y se sitúa inicialmente a 1,0 m del suelo.

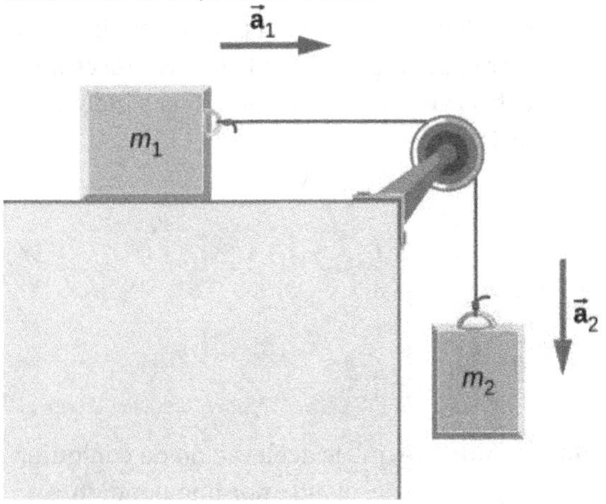

44. A continuación, se muestran dos carros unidos por una cuerda que pasa sobre una pequeña polea sin fricción. Cada carro rueda libremente con una fricción despreciable. Calcule la aceleración de los carros y la tensión de la cuerda.

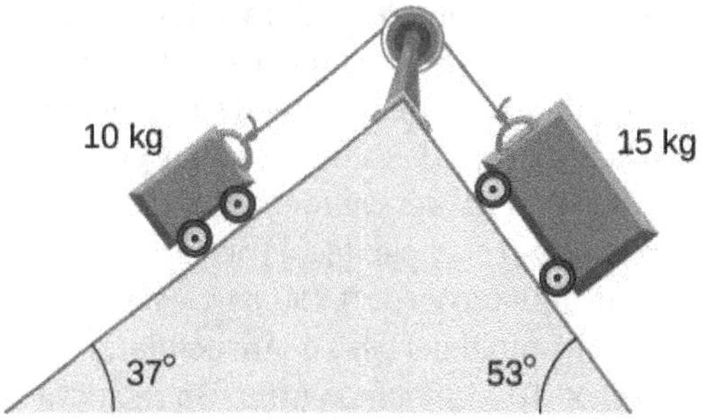

45. Un bloque de 2,00 kg (masa 1) y un bloque de 4,00 kg (masa 2) están unidos por una cuerda ligera como se muestra; la inclinación de la rampa es 40,0°. La fricción es despreciable. ¿Cuál es (a) la aceleración de cada bloque y (b) la tensión en la cuerda?

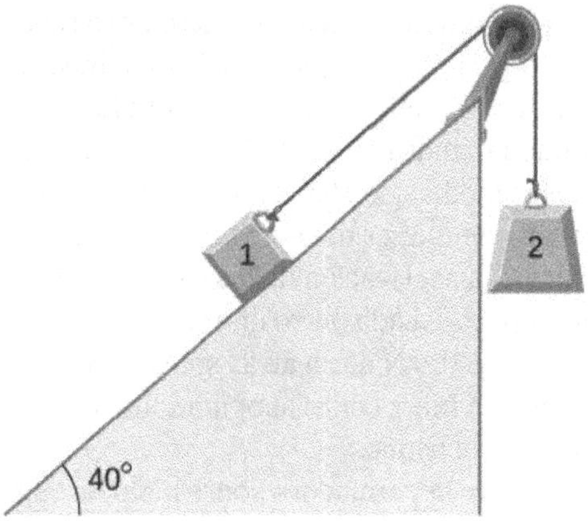

6.2 Fricción

46. (a) Al reconstruir el motor de su auto, un estudiante de física deberá ejercer $3{,}00 \times 10^2$ N de fuerza para introducir un pistón de acero seco en un cilindro de acero. ¿Cuál es la fuerza normal entre el pistón y el cilindro? b) ¿Qué fuerza tendría que ejercer si las piezas de acero estuvieran aceitadas?

47. (a) ¿Cuál es la máxima fuerza de fricción en la articulación de la rodilla de una persona que soporta 66,0 kg de su masa en esa rodilla? (b) Durante el ejercicio extenuante, es posible ejercer fuerzas en las articulaciones que son fácilmente 10 veces mayores que el peso soportado. ¿Cuál es la fuerza máxima de fricción en esas condiciones? Las fuerzas de fricción en las articulaciones son relativamente pequeñas en todas las circunstancias, excepto cuando las articulaciones se deterioran, como en el caso de las lesiones o de la artritis. El aumento de las fuerzas de fricción puede causar más lesiones y dolor.

48. Suponga que tiene una caja de madera de 120 kg apoyada sobre un suelo de madera, con un coeficiente de fricción estática de 0,500 entre estas superficies de madera. (a) ¿Qué fuerza máxima puede ejercer horizontalmente sobre la caja sin que se mueva? (b) Si sigue ejerciendo esta fuerza una vez que la caja empieza a resbalar, ¿cuál será entonces su aceleración? Se sabe que el coeficiente de fricción por deslizamiento es de 0,300 para esta situación.

49. (a) Si la mitad del peso de un pequeño $1{,}00 \times 10^3$-kg camión utilitario se apoya en sus dos ruedas motrices, ¿cuál es la máxima aceleración que puede alcanzar sobre el hormigón seco? (b) ¿Se deslizará un armario metálico que está sobre la plataforma de madera del camión si este acelera a este ritmo? (c) Resuelva ambos problemas suponiendo que el camión tiene tracción en las cuatro ruedas.

50. Un equipo de ocho perros hala un trineo con patines de madera encerada sobre la nieve húmeda (¡masa blanda!). Los perros tienen masas medias de 19,0 kg, y el trineo cargado con su conductor tiene una masa de 210 kg. (a) Calcule la aceleración de los perros partiendo del reposo si cada perro ejerce una fuerza media de 185 N hacia atrás sobre la nieve. (b) Calcule la fuerza en el acoplamiento entre los perros y el trineo.

51. Considere la patinadora sobre hielo de 65,0 kg que es empujada por otros dos que se muestran a continuación. (a) Halle la dirección y la magnitud de $\mathbf{F}_{tot}$, la fuerza total ejercida sobre ella por los demás, dado que las magnitudes F_1 y F_2 son 26,4 N y 18,6 N, respectivamente. (b) ¿Cuál es su aceleración inicial si inicialmente está inmóvil y lleva unos patines con cuchillas de acero que apuntan en la dirección de la $\mathbf{F}_{tot}$? (c) ¿Cuál es su aceleración, suponiendo que ya se está moviendo en la dirección de la $\mathbf{F}_{tot}$? (Recuerde que la fricción siempre actúa en dirección contraria a la del movimiento o intento de movimiento entre superficies en contacto).

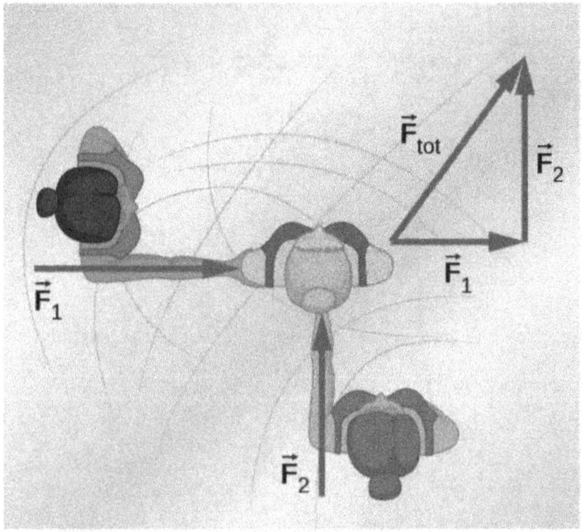

(a)

Diagrama de cuerpo libre

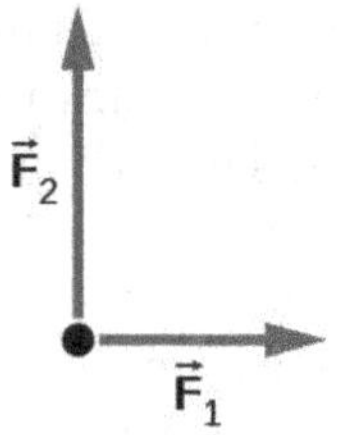

(b)

52. Demuestre que la aceleración de cualquier objeto que desciende por una pendiente sin fricción que forma un ángulo θ con la horizontal es $a = g \text{ sen } \theta$. (Observe que esta aceleración es independiente de la masa).

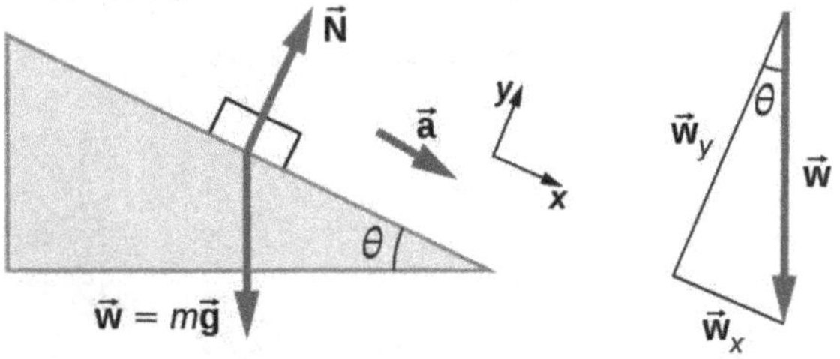

53. Demuestre que la aceleración de cualquier objeto que desciende por una pendiente en la que la fricción se comporta de forma simple (es decir, en la que $f_k = \mu_k N$) es $a = g(\text{sen } \theta - \mu_k \cos \theta)$. Observe que la aceleración es independiente de la masa y se reduce a la expresión encontrada en el problema anterior cuando la fricción se vuelve insignificantemente pequeña ($\mu_k = 0$).

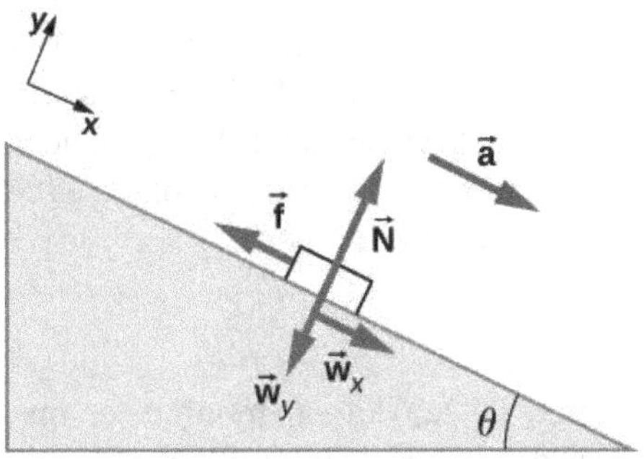

54. Calcule la desaceleración de un patinador sobre nieve que sube una pendiente de 5,00°, asumiendo el coeficiente de fricción de la madera encerada sobre la nieve húmeda. El resultado del problema anterior puede ser útil, pero hay que tener en cuenta que el patinador sobre nieve va cuesta arriba.
55. Una máquina de una oficina de correos envía los paquetes por una rampa para cargarlos en los vehículos de reparto. (a) Calcule la aceleración de una caja que se dirige hacia abajo de una pendiente de 10,0°, suponiendo que el coeficiente de fricción para un paquete sobre madera encerada es de 0,100. (b) Halle el ángulo de la pendiente por el que esta caja podría desplazarse a velocidad constante. Se puede ignorar la resistencia del aire en ambas partes.
56. Para que un objeto se apoye en una pendiente sin resbalar, la fricción debe ser igual al componente del peso del objeto paralelo a la pendiente. Esto requiere una fricción cada vez mayor para las pendientes más pronunciadas. Demuestre que el ángulo máximo de una pendiente sobre la horizontal para que un objeto no se deslice hacia abajo es $\theta = \tan^{-1} \mu_s$. Puede utilizar el resultado del problema anterior. Supongamos que $a = 0$ y que la fricción estática ha alcanzado su valor máximo.

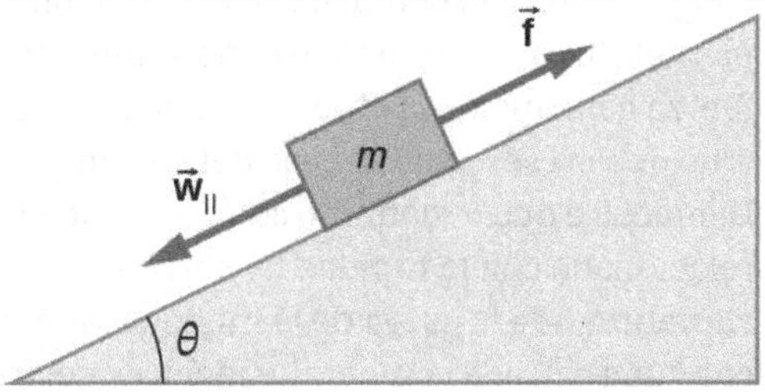

57. Calcule la aceleración máxima de un auto que se dirige hacia una pendiente de 6,00° (una que hace un ángulo de 6,00° con la horizontal) en las siguientes condiciones de la carretera. Puede suponer que el peso del auto está distribuido uniformemente en los cuatro neumáticos y que interviene el coeficiente de fricción estática, es decir, que los neumáticos no pueden resbalar durante la desaceleración. (Ignore la rodadura). Calcule para un auto: (a) sobre hormigón seco. (b) Sobre hormigón húmedo. (c) Sobre hielo, suponiendo que $\mu_s = 0{,}100$, lo mismo que para los zapatos sobre el hielo.
58. Calcule la aceleración máxima de un auto que se dirige a una pendiente de 4,00° (una que hace un ángulo de 4,00° con la horizontal) en las siguientes condiciones de la carretera. Supongamos que solo la mitad del peso del auto se soporta en las dos ruedas motrices y que interviene el coeficiente de fricción estática, es decir, que los neumáticos no pueden resbalar durante la aceleración. (Ignore la rodadura). (a) Sobre hormigón seco. (b) Sobre hormigón húmedo. (c) Sobre hielo, suponiendo que $\mu_s = 0{,}100$, lo mismo que para los zapatos sobre el hielo.
59. Repita el problema anterior para un auto con tracción en las cuatro ruedas.
60. Un tren de carga está formado por dos $8{,}00 \times 10^5$-kg motores y 45 vagones con masa promedio de $5{,}50 \times 10^5$ kg. (a) ¿Qué fuerza debe ejercer cada motor en retroceso en la vía para acelerar el tren a una tasa de $5{,}00 \times 10^{-2} \text{m/s}^2$ si la fuerza de fricción es $7{,}50 \times 10^5$N, suponiendo que los motores ejerzan fuerzas idénticas? No es una fuerza de fricción muy grande para un sistema tan masivo. La fricción de rodadura de los trenes es pequeña y, en consecuencia, los trenes son sistemas de transporte muy eficientes desde el punto de vista energético. (b) ¿Cuál es la fuerza en el acoplamiento entre los vagones 37 y 38 (es la fuerza que cada uno ejerce sobre el otro), suponiendo que todos los vagones tienen la misma masa y que la fricción se distribuye uniformemente entre todos los vagones y motores?
61. Considere la escaladora de 52,0 kg que se muestra a continuación. (a) Halle la tensión en la cuerda y la fuerza que la escaladora debe ejercer con sus pies sobre la pared vertical de la roca para permanecer estacionaria. Supongamos que la fuerza se ejerce en paralelo a sus piernas. Además, supongamos que la fuerza ejercida por sus brazos es despreciable. (b) ¿Cuál es el mínimo coeficiente de fricción entre sus zapatos y el acantilado?

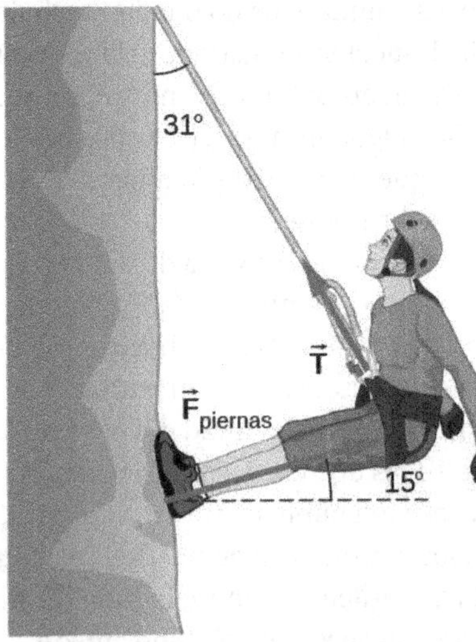

62. Un competidor en una prueba deportiva de invierno empuja un bloque de hielo de 45,0 kg a través de un lago helado, como se muestra a continuación. (a) Calcule la fuerza mínima F que debe ejercer para que el bloque se mueva. (b) ¿Cuál es su aceleración una vez que empieza a moverse, si se mantiene esa fuerza?

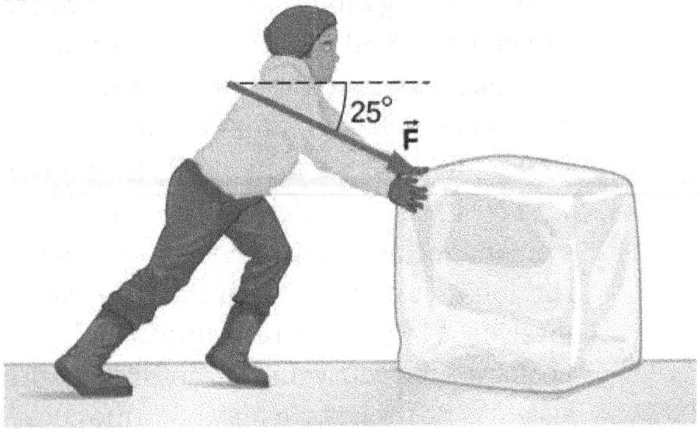

63. El competidor hala ahora el bloque de hielo con una cuerda por encima del hombro en el mismo ángulo sobre la horizontal como se muestra a continuación. Calcule la fuerza mínima F que debe ejercer para que el bloque se mueva. (b) ¿Cuál es su aceleración una vez que empieza a moverse, si se mantiene esa fuerza?

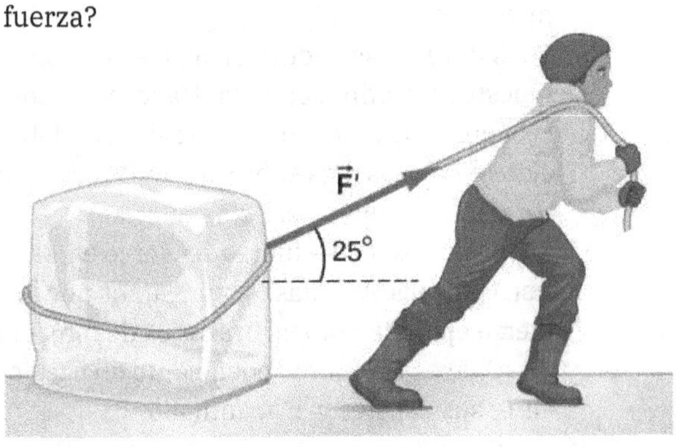

64. En una oficina de correos, un paquete que es una caja de 20,0 kg se desliza por una rampa inclinada a 30,0° con la horizontal. El coeficiente de fricción cinética entre la caja y el plano es de 0,0300. (a) Halle la aceleración de la caja. (b) Halle la velocidad de la caja al llegar al final del plano, si la longitud del plano es de 2 m y la caja comienza en reposo.

6.3 Fuerza centrípeta

65. (a) Un niño de 22,0 kg está montado en un carrusel de un parque infantil que rota a 40,0 rev/min. ¿Qué fuerza centrípeta se ejerce si está a 1,25 m de su centro? (b) ¿Qué fuerza centrípeta se ejerce si el carrusel rota a 3,00 rev/min y él está a 8,00 m de su centro? (c) Compare cada fuerza con su peso.
66. Calcule la fuerza centrípeta en el extremo de un aspa de una turbina eólica de 100 m (de radio) que rota a 0,5 rev/s. Supongamos que la masa es de 4 kg.
67. ¿Cuál es el ángulo de peralte ideal para un giro suave de 1,20 km de radio en una autopista con un límite de velocidad de 105 km/h (unas 65 mi/h), suponiendo que todo el mundo viaja al límite?
68. ¿Cuál es la rapidez ideal para tomar una curva de 100,0 m de radio con peralte a un ángulo de 20,0°?
69. (a) ¿Cuál es el radio de un giro de trineo con peralte de 75,0° y tomado a 30,0 m/s, suponiendo que tiene un peralte ideal? (b) Calcule la aceleración centrípeta. (c) ¿Le parece que esta aceleración es grande?
70. Parte de montar en bicicleta implica inclinarse en el ángulo correcto al hacer un giro, como se ve a continuación. Para ser estable, la fuerza ejercida por el suelo debe estar en una línea que pase por el centro de gravedad. La fuerza sobre la rueda de la bicicleta puede resolverse en dos componentes perpendiculares: la fricción paralela a la carretera (que debe suministrar la fuerza centrípeta) y la fuerza normal vertical (que deberá ser igual al peso del sistema). (a) Demuestre que θ (definido como se muestra) está relacionado con la rapidez v y el radio de curvatura r de la curva de la misma manera que para una calzada con peralte ideal, es decir, $\theta = \tan^{-1}(v^2/rg)$. (b) Calcule θ para un giro de 12,0 m/s de radio 30,0 m (como en una carrera).

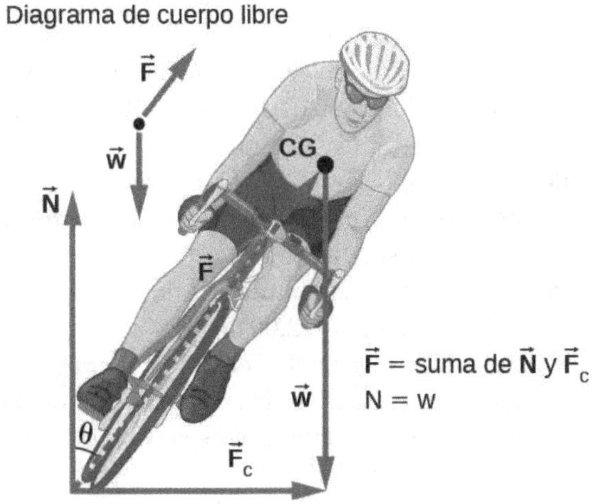

71. Si un auto toma una curva con peralte a una rapidez inferior a la ideal, la fricción es necesaria para evitar que se deslice hacia el interior de la curva (un problema en las carreteras de montaña con hielo). (a) Calcule la rapidez ideal para tomar una curva de 100,0 m de radio con peralte de 15,0°. b) ¿Cuál es el mínimo coeficiente de fricción necesario para que un conductor asustado tome la misma curva a 20,0 km/h?

72. Las montañas rusas modernas tienen giros circulares verticales como el que se muestra aquí. El radio de curvatura es menor en la parte superior que en los laterales, de modo que la aceleración centrípeta descendente en la parte superior será mayor que la aceleración debida a la gravedad, lo que mantendrá a los pasajeros firmemente presionados a sus asientos. ¿Cuál es la rapidez de la montaña rusa en la parte superior del giro circular si el radio de curvatura allí es de 15,0 m y la aceleración hacia abajo del vagón es de 1,50 *g*?

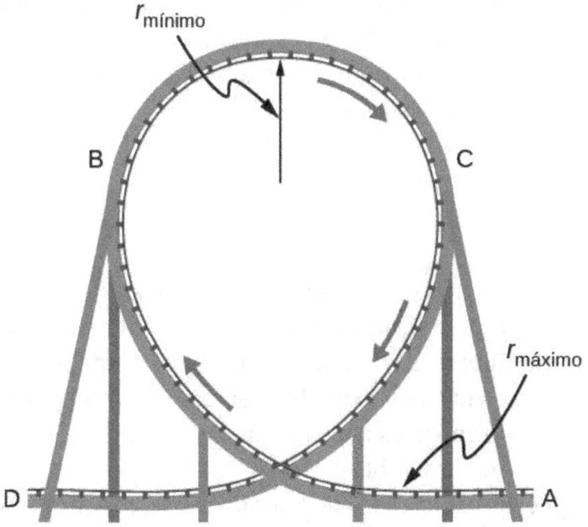

73. Un niño de masa 40,0 kg está en un vagón de montaña rusa, que se desplaza en un giro circular de radio 7,00 m. En el punto A la velocidad del vagón es de 10,0 m/s, y en el punto B, la rapidez es de 10,5 m/s. Supongamos que el niño no se sujeta y no lleva cinturón de seguridad. (a) ¿Cuál es la fuerza del asiento del vagón sobre el niño en el punto A? (b) ¿Cuál es la fuerza del asiento del vagón sobre el niño en el punto B? (c) ¿Qué rapidez mínima es necesaria para mantener al niño en su asiento en el punto A?

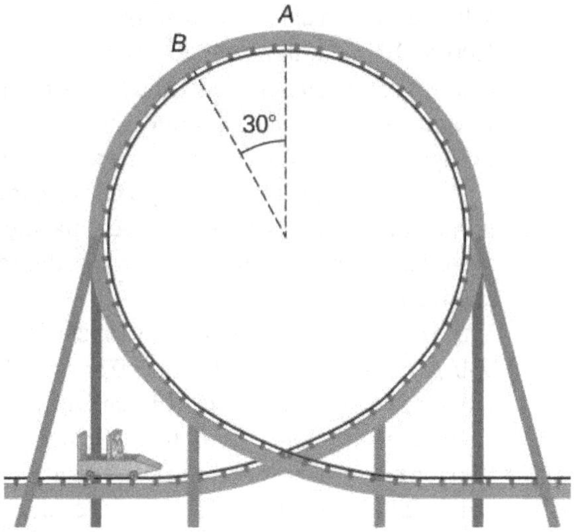

74. En el modelo de Bohr simple del estado fundamental del átomo de hidrógeno, el electrón viaja en una órbita circular alrededor de un protón fijo. El radio de la órbita es $5{,}28 \times 10^{-11}$ m, y la rapidez del electrón es $2{,}18 \times 10^{6}$ m/s. La masa de un electrón es $9{,}11 \times 10^{-31}$ kg. ¿Cuál es la fuerza sobre el electrón?

75. Las vías férreas siguen una curva circular de 500,0 m de radio y con peralte a un ángulo de 5,0°. ¿Para qué trenes de qué rapidez están diseñadas estas vías?

76. El acelerador de partículas del CERN es circular con una circunferencia de 7,0 km. (a) ¿Cuál es la aceleración de los protones ($m = 1{,}67 \times 10^{-27}$ kg) que se mueven en torno al acelerador a 5% de la velocidad de la luz? (La velocidad de la luz es $v = 3{,}00 \times 10^{8}$ m/s.) (b) ¿Cuál es la fuerza sobre los protones?

77. Un auto rodea una curva sin peralte de radio de 65 m. Si el coeficiente de fricción estática entre la carretera y el auto es de 0,70, ¿cuál es la rapidez máxima a la que el auto puede atravesar la curva sin resbalar?

78. Una autopista con peralte está diseñada para el tráfico que se mueve a 90,0 km/h. El radio de la curva es de 310 m. ¿Cuál es el ángulo de peralte de la carretera?

6.4 Fuerza de arrastre y velocidad límite

79. La velocidad límite de una persona que cae en el aire depende del peso y del área de la persona frente al fluido. Halle la velocidad límite (en metros por segundo y kilómetros por hora) de un paracaidista de 80,0 kg que cae de cabeza con una superficie de $0{,}140\ \mathrm{m}^2$.

80. Un paracaidista de 60,0 kg y otro de 90,0 kg saltan desde un avión a una altura de $6{,}00 \times 10^3\ \mathrm{m}$, ambos caen de cabeza. Haga algunas suposiciones sobre sus áreas frontales y calcule sus velocidades límites. ¿Cuánto tiempo tardará cada paracaidista en llegar al suelo (suponiendo que el tiempo para alcanzar la velocidad límite es pequeño)? Asuma que todos los valores son precisos con tres dígitos significativos.

81. Una ardilla de 560 g con una superficie de $930\ \mathrm{cm}^2$ cae desde un árbol de 5,0 m al suelo. Calcule su velocidad límite. (Utilice un coeficiente de arrastre para un paracaidista horizontal). ¿Cuál será la velocidad de una persona de 56 kg al chocar contra el suelo, suponiendo que no hay contribución del arrastre en una distancia tan corta?

82. Para mantener una rapidez constante, la fuerza proporcionada por el motor de un auto deberá ser igual a la fuerza de arrastre más la fuerza de fricción de la carretera (la resistencia a la rodadura). (a) ¿Cuáles son las fuerzas de arrastre a 70 km/h y a 100 km/h para un Toyota Camry? (El área de arrastre es $0{,}70\ \mathrm{m}^2$) b) ¿Cuál es la fuerza de arrastre a 70 km/h y a 100 km/h de una Hummer H2? (El área de arrastre es $2{,}44\ \mathrm{m}^2$) Asuma que todos los valores son precisos con tres dígitos significativos.

83. ¿En qué factor aumenta la fuerza de arrastre de un auto cuando pasa de 65 a 110 km/h?

84. Calcule la velocidad que alcanzaría una gota de lluvia esférica que cae desde 5,00 km (a) en ausencia de arrastre del aire (b) con arrastre del aire. Tomemos que el tamaño de la gota es de 4 mm y la densidad es de $1{,}00 \times 10^3\ \mathrm{kg/m}^3$, y el área de superficie como πr^2.

85. Utilizando la ley de Stokes, verifique que las unidades de la viscosidad sean kilogramos por metro por segundo.

86. Halle la velocidad límite de una bacteria esférica (diámetro $2{,}00\ \mu\mathrm{m}$) que cae en el agua. En primer lugar, debe tener en cuenta que la fuerza de arrastre es igual al peso a velocidad límite. Tome la densidad de la bacteria como $1{,}10 \times 10^3\ \mathrm{kg/m}^3$.

87. La ley de Stokes describe la sedimentación de las partículas en los líquidos y puede utilizarse para medir la viscosidad. Las partículas en los líquidos alcanzan rápidamente la velocidad límite. Se puede medir el tiempo que tarda una partícula en caer una determinada distancia y luego utilizar la ley de Stokes para calcular la viscosidad del líquido. Supongamos que un rodamiento de bolas de acero (densidad $7{,}8 \times 10^3\ \mathrm{kg/m}^3$, de 3,0 mm de diámetro) se deja caer en un recipiente con aceite de motor. Tarda 12 s en caer una distancia de 0,60 m. Calcule la viscosidad del aceite.

88. Supongamos que la fuerza de resistencia del aire sobre un paracaidista puede aproximarse por $f = -bv^2$. Si la velocidad límite de un paracaidista de 50,0 kg es de 60,0 m/s, ¿cuál es el valor de *b*?

89. Un pequeño diamante de masa 10,0 g se desprende del pendiente de una nadadora y cae por el agua, hasta alcanzar una velocidad límite de 2,0 m/s. (a) Suponiendo que la fuerza de fricción sobre el diamante obedece a $f = -bv$, ¿cuánto es *b*? (b) ¿A qué distancia cae el diamante antes de alcanzar el 90 % de su velocidad límite?

Problemas Adicionales

90. (a) ¿Cuál es la velocidad final de un auto que originalmente viajaba a 50,0 km/h y que desacelera a una tasa de $0{,}400\ \mathrm{m/s}^2$ durante 50,0 s? Supongamos un coeficiente de fricción de 1,0. (b) ¿Qué es lo poco razonable del resultado? (c) ¿Qué premisa es poco razonable o qué premisas son incompatibles?

91. Una mujer de 75,0 kg se sube a una báscula de baño en un elevador que acelera desde el reposo hasta 30,0 m/s en 2,00 s. (a) Calcule la lectura de la báscula en newtons y compárela con su peso. (La báscula ejerce sobre ella una fuerza ascendente igual a su lectura). (b) ¿Qué es lo poco razonable del resultado? (c) ¿Qué premisa es poco razonable, o qué premisas son incompatibles?

92. (a) Calcule el coeficiente de fricción mínimo necesario para que un auto recorra una curva de 50,0 m de radio sin peralte a 30,0 m/s. (b) ¿Qué es lo poco razonable del resultado? (c)

¿Qué premisas son absurdas o incompatibles?

93. Como se muestra a continuación, si $M = 5{,}50$ kg, ¿cuál es la tensión de la cuerda 1?

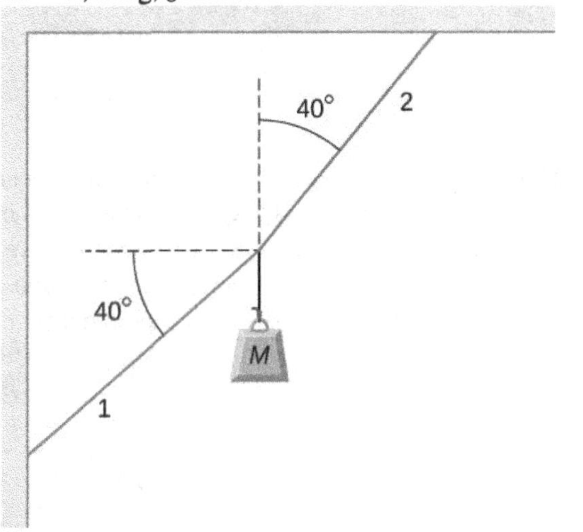

94. Como se muestra a continuación, si $F = 60{,}0$ N y $M = 4{,}00$ kg, ¿cuál es la magnitud de la aceleración del objeto suspendido? Todas las superficies son sin fricción.

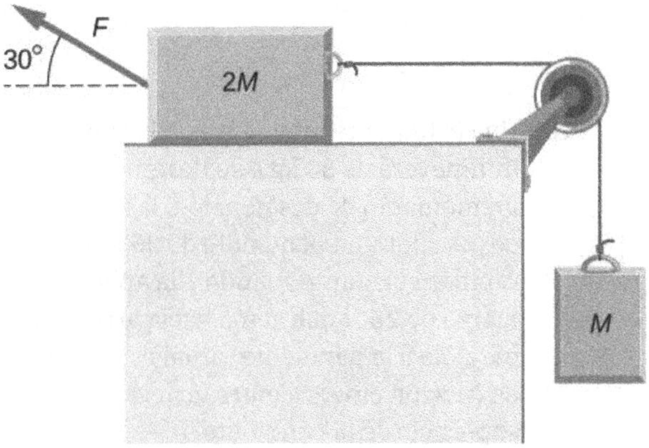

95. Como se muestra a continuación, si $M = 6{,}0$ kg, ¿cuál es la tensión de la cuerda de conexión? La polea y todas las superficies no tienen fricción.

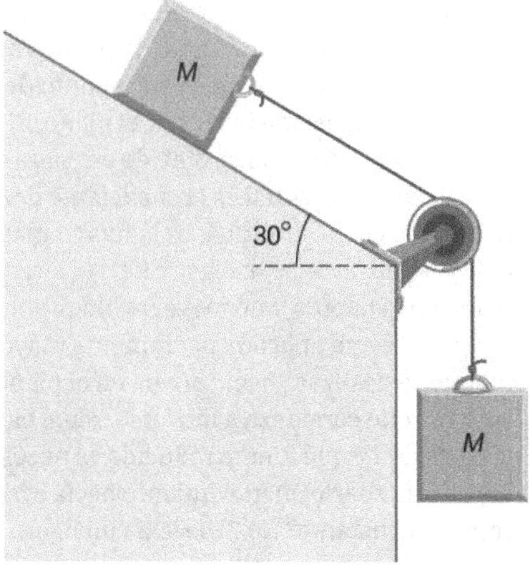

96. Una pequeña sonda espacial es liberada de una nave espacial. La sonda espacial tiene una masa de 20,0 kg y contiene 90,0 kg de combustible. Parte del reposo en el espacio profundo, desde el origen de un sistema de coordenadas basado en la nave espacial, y quema combustible a razón de 3,00 kg/s. El motor proporciona un empuje constante de 120,0 N. (a) Escriba una expresión para la masa de la sonda espacial en función del tiempo, entre 0 y 30 segundos, suponiendo que el motor encienda el combustible a partir de $t = 0$. (b) ¿Cuál es la velocidad después de 15,0 s? (c) ¿Cuál es la posición de la sonda espacial después de 15,0 s, con la posición inicial en el origen? (d) Escriba una expresión para la posición en función del tiempo, para $t > 30{,}0$ s.

97. Un contenedor de reciclaje medio lleno tiene una masa de 3,0 kg y es empujado hacia arriba por una pendiente de 40,0° con rapidez constante bajo la acción de una fuerza de 26 N que actúa hacia arriba y paralela a la pendiente. La pendiente tiene fricción. ¿Qué magnitud de fuerza debe actuar hacia arriba y en paralelo a la pendiente para que el contenedor se mueva hacia abajo con velocidad constante?

98. Un niño tiene una masa de 6,0 kg y se desliza por una pendiente de 35° con rapidez constante bajo la acción de una fuerza de 34 N que actúa hacia arriba y paralela a la inclinación. ¿Cuál es el coeficiente de fricción cinética entre el niño y la superficie de la pendiente?

99. Las dos barcazas mostradas aquí están acopladas por un cable de masa despreciable. La masa de la barcaza de adelante es $2{,}00 \times 10^3$ kg y la masa de la barcaza de atrás es $3{,}00 \times 10^3$ kg. Un remolcador hala la barcaza de adelante con una fuerza horizontal de magnitud $20{,}0 \times 10^3$ N, y las fuerzas de fricción del agua sobre las barcazas de adelante y atrás son $8{,}00 \times 10^3$ N y $10{,}0 \times 10^3$ N, respectivamente. Halle la aceleración horizontal de las barcazas y la tensión en el cable de conexión.

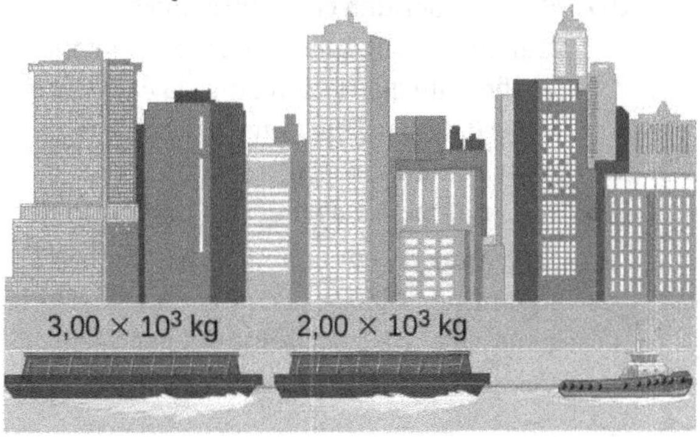

100. Si se invierte el orden de las barcazas del ejercicio anterior para que el remolcador hale la barcaza de $3{,}00 \times 10^3$ kg con una fuerza de $20{,}0 \times 10^3$ N, ¿cuál es la aceleración de las barcazas y la tensión en el cable de acoplamiento?

101. Un objeto con masa *m* se mueve a lo largo del eje de la *x*. Su posición en cualquier momento viene dada por $x(t) = pt^3 + qt^2$ donde *p* y *q* son constantes. Halle la fuerza neta sobre este objeto para cualquier tiempo *t*.

102. Un helicóptero con masa $2{,}35 \times 10^4$ kg tiene una posición dada por $\vec{\mathbf{r}}(t) = (0{,}020\,t^3)\hat{\mathbf{i}} + (2{,}2t)\hat{\mathbf{j}} - (0{,}060\,t^2)\hat{\mathbf{k}}$. Halle la fuerza neta sobre el helicóptero en $t = 3{,}0$ s.

103. Situado en el origen, un auto eléctrico de masa *m* está en reposo y en equilibrio. Una fuerza dependiente del tiempo de $\vec{\mathbf{F}}(t)$ se aplica en el tiempo $t = 0$, y sus componentes son $F_x(t) = p + nt$ y $F_y(t) = qt$ donde *p*, *q* y *n* son constantes. Halle la posición $\vec{\mathbf{r}}(t)$ y la velocidad $\vec{\mathbf{v}}(t)$ en función del tiempo *t*.

104. Una partícula de masa *m* se encuentra en el origen. Está en reposo y en equilibrio. Una fuerza dependiente del tiempo de $\vec{\mathbf{F}}(t)$ se aplica en el tiempo $t = 0$, y sus componentes son $F_x(t) = pt$ y $F_y(t) = n + qt$ donde *p*, *q* y *n* son constantes. Halle la posición $\vec{\mathbf{r}}(t)$ y la velocidad $\vec{\mathbf{v}}(t)$ en función del tiempo *t*.

105. Un objeto de 2,0 kg tiene una velocidad de $4{,}0\hat{\mathbf{i}}$ m/s a $t = 0$. Una fuerza resultante constante de $(2{,}0\hat{\mathbf{i}} + 4{,}0\hat{\mathbf{j}})$ N actúa entonces sobre el objeto durante 3,0 s. ¿Cuál es la magnitud de la velocidad del objeto al final del intervalo de 3,0 s?

106. Una masa de 1,5 kg tiene una aceleración de $(4{,}0\hat{\mathbf{i}} - 3{,}0\hat{\mathbf{j}})\ \text{m/s}^2$. Solamente dos fuerzas actúan sobre la masa. Si una de las fuerzas es $(2{,}0\hat{\mathbf{i}} - 1{,}4\hat{\mathbf{j}})$ N, ¿cuál es la magnitud de la otra fuerza?

107. Se deja caer una caja sobre una cinta transportadora que se mueve a 3,4 m/s. Si el coeficiente de fricción entre la caja y la correa es de 0,27, ¿cuánto tiempo tardará la caja en moverse sin resbalar?

108. A continuación, se muestra un bloque de 10,0 kg empujado por una fuerza horizontal $\vec{\mathbf{F}}$ de magnitud 200,0 N. El coeficiente de fricción cinética entre las dos superficies es de 0,50. Calcule la aceleración del bloque.

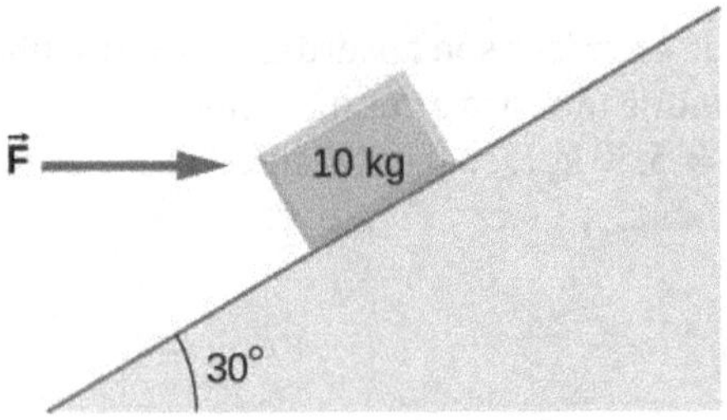

109. Como se muestra a continuación, la masa del bloque 1 es $m_1 = 4{,}0$ kg, mientras que la masa del bloque 2 es $m_2 = 8{,}0$ kg. El coeficiente de fricción entre m_1 y la superficie inclinada es $\mu_k = 0{,}40$. ¿Cuál es la aceleración del sistema?

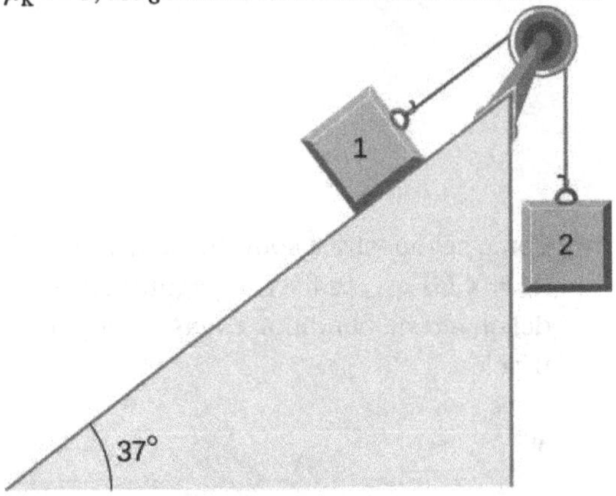

110. Una estudiante intenta trasladar una mininevera de 30 kg a su dormitorio. Durante un momento de desatención, la mininevera se desliza por una pendiente de 35 grados a rapidez constante cuando ella aplica una fuerza de 25 N que actúa hacia arriba y en paralelo a la pendiente. ¿Cuál es el coeficiente de fricción cinética entre la nevera y la superficie de la pendiente?

111. Una caja de 100,0 kg de masa descansa sobre una superficie rugosa inclinada con un ángulo de 37,0° con la horizontal. Una cuerda sin masa a la que se puede aplicar una fuerza paralela a la superficie está unida a la caja y conduce a la parte superior de la pendiente. En su estado actual, la caja está a punto de resbalar y empezar a bajar por el plano. El coeficiente de fricción es 80% de eso para el caso estático. (a) ¿Cuál es el coeficiente de fricción estática? (b) ¿Cuál es la fuerza máxima que puede aplicarse hacia arriba a lo largo del plano en la cuerda y no mover el bloque? (c) Con una fuerza aplicada ligeramente mayor, el bloque se deslizará hacia arriba en el plano. Una vez que comienza a moverse, ¿cuál es su aceleración y qué fuerza reducida es necesaria para mantenerlo en movimiento hacia arriba a rapidez constante? (d) Si se le da un ligero empujón al bloque para que comience a descender por el plano, ¿cuál será su aceleración en esa dirección? (e) Una vez que el bloque comienza a deslizarse hacia abajo, ¿qué fuerza ascendente sobre la cuerda es necesaria para evitar que el bloque acelere hacia abajo?

112. Un auto circula a gran rapidez por una autopista cuando el conductor frena de emergencia. Las ruedas se bloquean (dejan de rodar), y las marcas de derrape tienen una longitud de 32,0 metros. Si el coeficiente de fricción cinética entre los neumáticos y la carretera es de 0,550, y la aceleración fue constante durante el frenado, ¿a qué velocidad iba el auto cuando se bloquearon las ruedas?

113. Una caja con una masa de 50,0 kg cae horizontalmente desde la parte trasera del camión de plataforma, que se desplaza a 100 km/h. Calcule el valor del coeficiente de fricción cinética entre la carretera y la caja si esta se desliza 50 m sobre la carretera al llegar al reposo. La rapidez inicial de la caja es la misma que la del camión, 100 km/h.

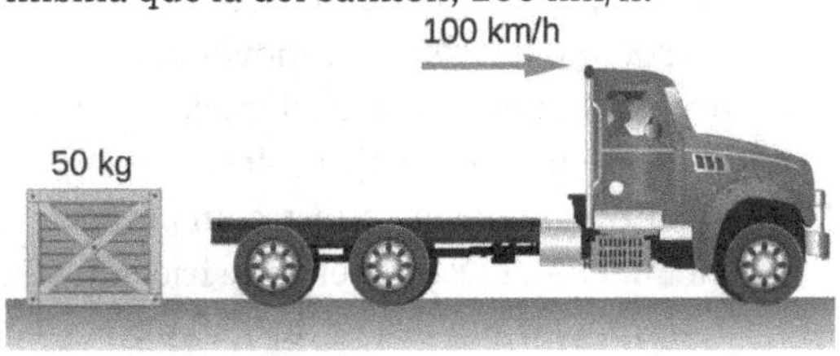

114. Un trineo de 15 kg es halado por una superficie horizontal cubierta de nieve mediante una fuerza aplicada a una cuerda a 30 grados con la horizontal. El coeficiente de fricción cinética entre el trineo y la nieve es de 0,20. (a) Si la fuerza es de 33 N, ¿cuál es la aceleración horizontal del trineo? (b) ¿Cuál debe ser la fuerza para halar el trineo a velocidad constante?

115. Una bola de 30,0 g en el extremo de una cuerda se balancea en un círculo vertical con un radio de 25,0 cm. La velocidad tangencial es de 200,0 cm/s. Halle la tensión en la cuerda: (a) en la parte superior del círculo, (b) en la parte inferior del círculo, y (c) a una distancia de 12,5 cm del centro del círculo ($r = 12{,}5\ \text{cm}$).

116. Una partícula de masa 0,50 kg comienza a moverse por una trayectoria circular en el plano *xy* con una posición dada por $\vec{\mathbf{r}}(t) = (4{,}0 \cos 3t)\hat{\mathbf{i}} + (4{,}0 \operatorname{sen} 3t)\hat{\mathbf{j}}$ donde *r* está en metros y *t* está en segundos. (a) Halle los vectores velocidad y aceleración en función del tiempo. (b) Demuestre que el vector de aceleración siempre apunta hacia el centro del círculo (y por tanto representa la aceleración centrípeta). (c) Halle el vector de fuerza centrípeta como función del tiempo.

117. Un ciclista de acrobacia circula por el interior de un cilindro de 12 m de radio. El coeficiente de fricción estática entre los neumáticos y la pared es de 0,68. Calcule el valor de la rapidez mínima para que el ciclista realice la acrobacia.

118. Cuando un cuerpo de masa de 0,25 kg está unido a un resorte vertical sin masa, se extiende 5,0 cm desde su longitud no estirada de 4,0 cm. El cuerpo y el resorte se colocan en una superficie horizontal sin fricción y se hace rotar alrededor del extremo del resorte sostenido a 2,0 rev/s. ¿Hasta dónde se estira el resorte?

119. Un trozo de tocino se desliza por la sartén cuando un lado de esta se eleva 5,0 cm. Si la longitud de la sartén desde el pivote hasta el punto de elevación es de 23,5 cm, ¿cuál es el coeficiente de fricción estática entre la sartén y el tocino?

120. Una plomada cuelga del techo de un vagón de ferrocarril. El auto rodea una pista circular de radio 300,0 m a una rapidez de 90,0 km/h. ¿Con qué ángulo con respecto a la vertical cuelga la plomada?

121. Un avión vuela a 120,0 m/s y se inclina a un ángulo de 30°. Si su masa es $2{,}50 \times 10^3$ kg, (a) ¿Cuál es la magnitud de la fuerza de sustentación? (b) ¿Cuál es el radio del giro?

122. La posición de una partícula viene dada por $\vec{\mathbf{r}}(t) = A\left(\cos \omega t\hat{\mathbf{i}} + \operatorname{sen} \omega t\hat{\mathbf{j}}\right)$, donde ω es una constante. (a) Demuestre que la partícula se mueve en un círculo de radio *A*. (b) Calcule $d\vec{\mathbf{r}}/dt$ y luego muestre que la rapidez de la partícula es una constante A_ω. (c) Determine $d^2\vec{\mathbf{r}}/dt^2$ y muestre que *a* viene dada por$a_c = r\omega^2$. (d) Calcule la fuerza centrípeta sobre la partícula. [*Pista*: Para (b) y (c), tendrá que utilizar $(d/dt)(\cos \omega t) = -\omega \operatorname{sen} \omega t$ y $(d/dt)(\operatorname{sen} \omega t) = \omega \cos \omega t$.

123. Dos bloques unidos por una cuerda son arrastrados a través de una superficie horizontal por una fuerza aplicada a uno de los bloques, como se muestra a continuación. El coeficiente de fricción cinética entre los bloques y la superficie es de 0,25. Si cada bloque tiene una aceleración de $2{,}0\ \text{m/s}^2$ hacia la derecha, ¿cuál es la magnitud *F* de la fuerza aplicada?

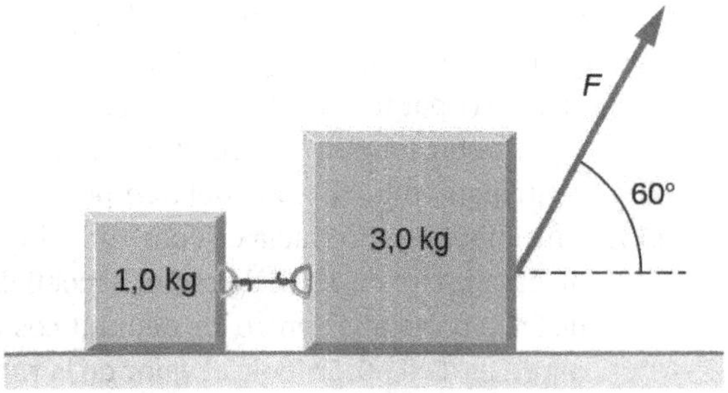

124. Como se muestra a continuación, el coeficiente de fricción cinética entre la superficie y el bloque más grande es de 0,20, y el coeficiente de fricción cinética entre la superficie y el bloque más pequeño es de 0,30. Si $F = 10\ \text{N}$ y $M = 1{,}0\ \text{kg}$, ¿cuál es la tensión de la cuerda de conexión?

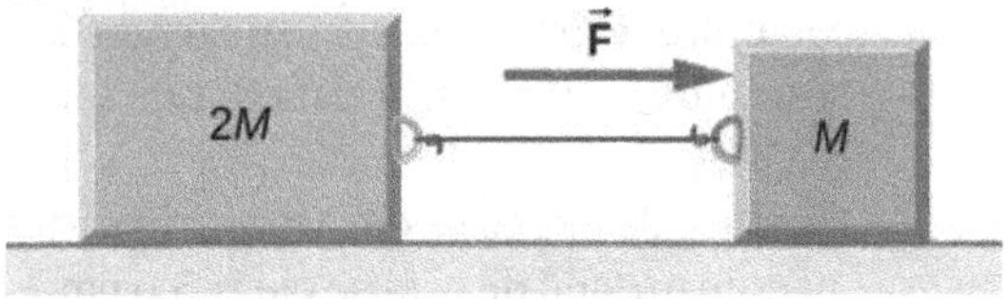

125. En la figura, el coeficiente de fricción cinética entre la superficie y los bloques es μ_k. Si $M = 1{,}0\ \text{kg}$, halle una expresión para la magnitud de la aceleración de cualquiera de los bloques (en términos de F, μ_k, y g).

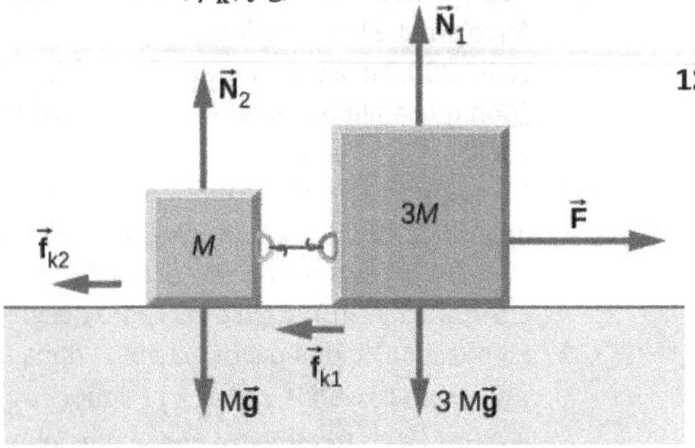

126. Dos bloques se apilan como se muestra a continuación, y descansan sobre una superficie sin fricción. Hay fricción entre los dos bloques (coeficiente de fricción μ). Se aplica una fuerza externa al bloque superior en un ángulo θ con la horizontal. ¿Cuál es la fuerza máxima F que se puede aplicar para que los dos bloques se muevan juntos?

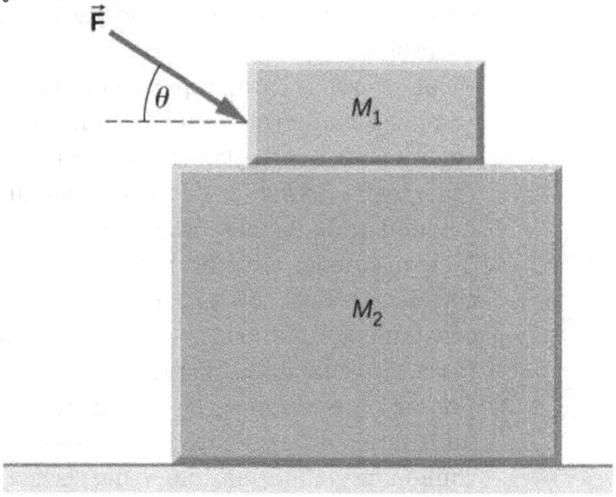

127. Una caja descansa sobre la parte trasera (horizontal) de un camión. El coeficiente de fricción estática entre la caja y la superficie sobre la que se apoya es de 0,24. ¿Qué distancia máxima puede recorrer el camión (partiendo del reposo y moviéndose horizontalmente con aceleración constante) en 3,0 s sin que la caja se deslice?

128. A continuación, se muestra un plano de doble inclinación. El coeficiente de fricción en la superficie izquierda es de 0,30 y en la derecha de 0,16. Calcule la aceleración del sistema.

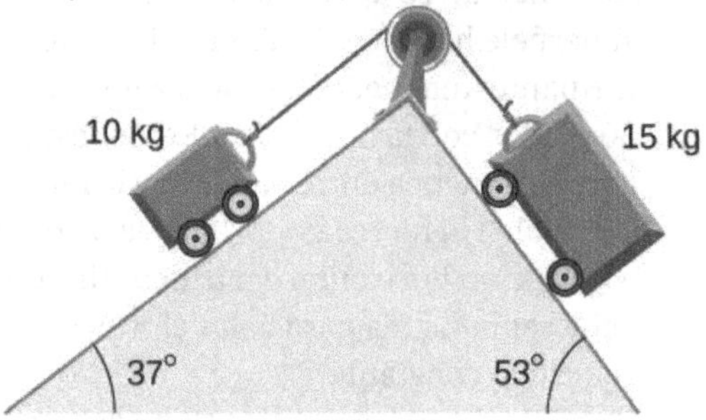

Problemas De Desafío

129. En un capítulo posterior, encontrará que el peso de una partícula varía con la altitud de forma que $w = \frac{mgr_0^2}{r^2}$ donde r_0 es el radio de la Tierra y r es la distancia al centro de la Tierra. Si la partícula se dispara verticalmente con velocidad v_0 de la superficie de la Tierra, determine su velocidad en función de la posición r. (*Pista:* Utilice $adr = vdv$, la reordenación mencionada en el texto).

130. Una gran centrifugadora, como la que se muestra a continuación, se utiliza para exponer a los aspirantes a astronautas a aceleraciones similares a las que se experimentan en los lanzamientos de cohetes y en los reingresos a la atmósfera. (a) ¿A qué velocidad angular corresponde una aceleración centrípeta de $10g$ si el piloto se encuentra a 15,0 m del centro de rotación? (b) La jaula del piloto cuelga de un pivote en el extremo del brazo, lo que le permite oscilar hacia fuera durante la rotación, como se muestra en la figura inferior adjunta. En qué ángulo θ por debajo de la horizontal colgará la jaula cuando la aceleración centrípeta sea de $10g$? (*Pista:* El brazo suministra la fuerza centrípeta y soporta el peso de la jaula. Dibuje un diagrama de cuerpo libre de las fuerzas para ver cuál ángulo θ debería ser).

(a)

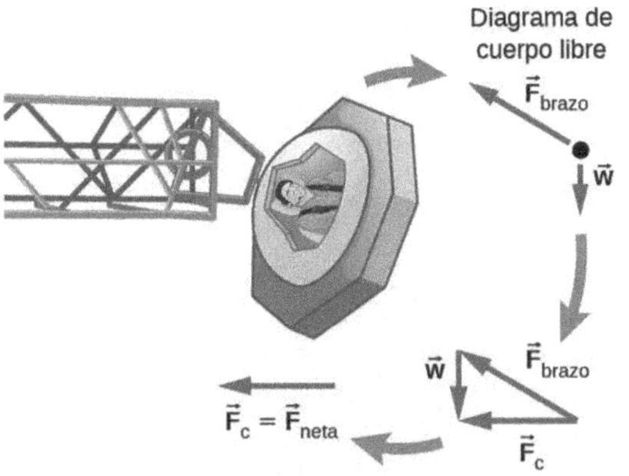

(b)

131. Un auto de masa de 1000,0 kg circula por una carretera llana a 100,0 km/h cuando se aplican los frenos. Calcule la distancia de frenado si el coeficiente de fricción cinética de los neumáticos es de 0,500. Ignore la resistencia del aire. (*Pista:* Como lo que interesa es la distancia recorrida y no el tiempo, *x* es la variable independiente deseada y no *t*. Utilice la regla de la cadena para cambiar la variable: $\frac{dv}{dt} = \frac{dv}{dx}\frac{dx}{dt} = v\frac{dv}{dx}$.)

132. Un avión que vuela a 200,0 m/s realiza un giro que tarda 4,0 min. ¿Qué ángulo de ladeo se requiere? ¿Cuál es el porcentaje de aumento del peso percibido de los pasajeros?

133. Un paracaidista se encuentra a una altura de 1.520 m. Tras 10,0 segundos de caída libre, abre su paracaídas y comprueba que la resistencia del aire, F_D, viene dada por la fórmula $F_D = -bv$, donde *b* es una constante y *v* es la velocidad. Si $b = 0{,}750$, y la masa del paracaidista es de 82,0 kg, establezca primero las ecuaciones diferenciales para la velocidad y la posición, y luego halle: (a) la rapidez del paracaidista cuando se abre el paracaídas, (b) la distancia caída antes de que se abra el paracaídas, (c) la velocidad límite después de que se abra el paracaídas (calcule la velocidad terminal), y (d) el tiempo que el paracaidista está en el aire después de que se abra el paracaídas.

134. En un anuncio de televisión, una pequeña cuenta esférica de 4,00 g de masa se libera del reposo en $t = 0$ en un frasco de champú líquido. Se observa que la velocidad límite es de 2,00 cm/s. Calcule: (a) el valor de la constante *b* en la ecuación $v = \frac{mg}{b}(1 - e^{-bt/m})$, y (b) el valor de la fuerza resistiva cuando la cuenta alcanza la velocidad límite.

135. Un navegante y una lancha a motor descansan en un lago. Juntos, tienen una masa de 200,0 kg. Si el empuje del motor es una fuerza constante de 40,0 N en la dirección del movimiento, y si la fuerza resistiva del agua es numéricamente equivalente a 2 veces la rapidez *v* de la lancha, plantee y resuelva la ecuación diferencial para encontrar: (a) la velocidad de la lancha en el tiempo *t*; (b) la velocidad límite (la velocidad después de transcurrido un tiempo largo).

CAPÍTULO 7
Trabajo y energía cinética

Figura 7.1 Una velocista ejerce su máxima potencia con la mayor fuerza en el breve tiempo que su pie está en contacto con el suelo. Esto se suma a su energía cinética y le impide que desacelere durante la carrera. Empujar con fuerza hacia atrás en la pista genera una fuerza de reacción que impulsa a la velocista hacia delante para ganar en la meta (créditos: modificación del trabajo de Marie-Lan Nguyen).

ESQUEMA DEL CAPITULO

INTRODUCCIÓN En este capítulo, abordamos algunos conceptos físicos básicos que participan en cada movimiento físico en el universo, más allá de los conceptos de fuerza y cambio en el movimiento, que exploramos en Movimiento en dos y tres dimensiones y Leyes del movimiento de Newton. Estos conceptos son el trabajo, la energía cinética y la potencia. Explicamos cómo se relacionan estas cantidades entre sí, lo que nos llevará a una relación fundamental denominada teorema de trabajo-energía. En el próximo capítulo, generalizamos esta idea al principio más amplio de la conservación de la energía.

La aplicación de las leyes de Newton exige la resolución de ecuaciones diferenciales que relacionan las fuerzas actuantes sobre un objeto con la aceleración que producen. A menudo, una solución analítica es intratable o imposible, por lo que se requieren largas soluciones numéricas o simulaciones para obtener resultados aproximados. En tales situaciones, relaciones más generales, como el teorema de trabajo-energía (o la conservación de la energía), pueden seguir dando respuestas útiles a muchas preguntas y requieren una cantidad más modesta de cálculos matemáticos. En particular, verá cómo el teorema de trabajo-energía sirve para relacionar la rapidez de una partícula, en diferentes puntos a lo largo de su trayectoria, con las fuerzas que actúan sobre esta, incluso cuando la trayectoria es demasiado complicada de tratar. Así, algunos aspectos del movimiento pueden abordarse con menos ecuaciones y sin descomposiciones vectoriales.

7.1 Trabajo

OBJETIVOS DE APRENDIZAJE

Al final de esta sección, podrá:

- Representar el trabajo realizado por cualquier fuerza.
- Evaluar el trabajo realizado para varias fuerzas.

En física, el **trabajo** se realiza sobre un objeto cuando se le transfiere energía. En otras palabras, el trabajo se realiza cuando una fuerza actúa sobre algo que sufre un desplazamiento de una posición a otra. Las fuerzas pueden variar en función de la posición, y los desplazamientos pueden ser a lo largo de varias trayectorias entre dos puntos. Primero definimos el incremento de trabajo dW realizado por una fuerza $\vec{\mathbf{F}}$ actuando a través de un desplazamiento infinitesimal $d\vec{\mathbf{r}}$ como el producto punto de estos dos vectores:

$$dW = \vec{\mathbf{F}} \cdot d\vec{\mathbf{r}} = \left|\vec{\mathbf{F}}\right|\left|d\vec{\mathbf{r}}\right| \cos\theta. \tag{7.1}$$

Entonces, podemos sumar los aportes a los desplazamientos infinitesimales, a lo largo de una trayectoria entre dos posiciones, para obtener el trabajo total.

Trabajo realizado por una fuerza

El trabajo realizado por una fuerza es la integral de la fuerza con respecto al desplazamiento a lo largo de la trayectoria del desplazamiento:

$$W_{AB} = \int_{\text{trayectoria } AB} \vec{\mathbf{F}} \cdot d\vec{\mathbf{r}}. \tag{7.2}$$

Los vectores que intervienen en la definición del trabajo realizado por una fuerza que actúa sobre una partícula se ilustran en la Figura 7.2.

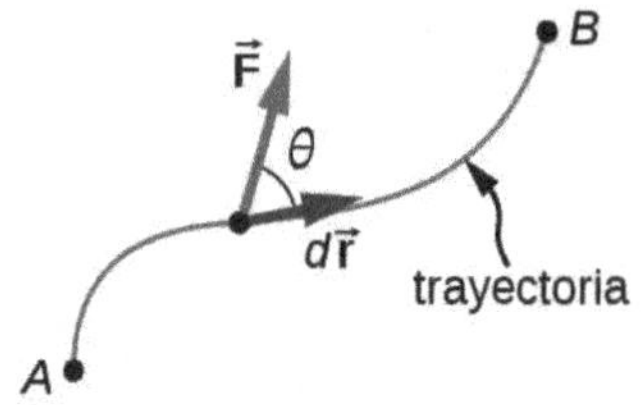

FIGURA 7.2 Vectores utilizados para definir el trabajo. La fuerza que actúa sobre una partícula y su desplazamiento infinitesimal se muestran en un punto de la trayectoria entre *A* y *B*. El trabajo infinitesimal es el producto punto de estos dos vectores; el trabajo total es la integral del producto punto a lo largo de la trayectoria.

Elegimos expresar el producto punto en términos de las magnitudes de los vectores y el coseno del ángulo entre ellos, porque el significado del producto punto para el trabajo se puede poner en palabras más directamente en términos de magnitudes y ángulos. También podríamos haber expresado el producto punto en términos de los distintos componentes introducidos en Vectores. En dos dimensiones, eran los componentes de la x y la y en coordenadas cartesianas, o los componentes r y φ en coordenadas polares; en tres dimensiones, solo eran los componentes de la x, la y y la z. La elección más conveniente depende de la situación. En palabras, se puede expresar la Ecuación 7.1 para el trabajo realizado por una fuerza que actúa sobre un desplazamiento como producto de un componente que actúa paralelo al otro componente. Por las propiedades de los vectores, no importa si toma el componente de la fuerza paralelo al desplazamiento o el componente del desplazamiento paralelo a la fuerza: obtiene el mismo resultado de cualquier manera.

Recordemos que la magnitud de una fuerza multiplicada por el coseno del ángulo que forma la fuerza con una dirección determinada es el componente de la fuerza en esa dirección. Los componentes de un vector pueden ser positivos, negativos o cero, dependiendo de si el ángulo entre el vector y la dirección del componente está entre 0° y 90° o 90° y 180°, o es igual a 90°. Como resultado, el trabajo realizado por una fuerza puede ser positivo, negativo o cero, dependiendo de si la fuerza está generalmente en la dirección del desplazamiento, generalmente opuesta al desplazamiento o perpendicular al desplazamiento. El trabajo máximo es realizado por una fuerza dada cuando se encuentra a lo largo de la dirección del desplazamiento ($\cos\theta = \pm 1$), y el trabajo es cero cuando la fuerza es perpendicular al desplazamiento ($\cos\theta = 0$).

Las unidades de trabajo son unidades de fuerza multiplicadas por unidades de longitud, que en el sistema SI son newtons por metros, $\mathrm{N} \cdot \mathrm{m}$. Esta combinación se denomina julio, por razones históricas que mencionaremos más adelante, y se abrevia como J. En el sistema inglés, aún utilizado en los Estados Unidos, la unidad de fuerza es la libra (lb) y la unidad de distancia es el pie(ft), por lo que la unidad de trabajo es el pie-libra ($\mathrm{ft} \cdot \mathrm{lb}$).

Trabajo realizado por fuerzas constantes y fuerzas de contacto

El trabajo más sencillo de evaluar es el que realiza una fuerza que es constante en magnitud y dirección. En este caso, podemos factorizar la fuerza; la integral restante es solo el desplazamiento total, que solo depende de los puntos finales *A* y *B*, pero no de la trayectoria entre ellos:

$$W_{AB} = \vec{\mathbf{F}} \cdot \int_A^B d\vec{\mathbf{r}} = \vec{\mathbf{F}} \cdot \left(\vec{\mathbf{r}}_B - \vec{\mathbf{r}}_A\right) = \left|\vec{\mathbf{F}}\right| \left|\vec{\mathbf{r}}_B - \vec{\mathbf{r}}_A\right| \cos\theta \quad \text{(fuerza constante)}.$$

También podemos ver esto escribiendo la Ecuación 7.2 en coordenadas cartesianas y utilizando el hecho de que los componentes de la fuerza son constantes:

$$\begin{aligned} W_{AB} &= \int_{\text{trayectoria } AB} \vec{\mathbf{F}} \cdot d\vec{\mathbf{r}} = \int_{\text{trayectoria } AB} \left(F_x dx + F_y dy + F_z dz\right) = F_x \int_A^B dx + F_y \int_A^B dy + F_z \int_A^B dz \\ &= F_x \left(x_B - x_A\right) + F_y \left(y_B - y_A\right) + F_z \left(z_B - z_A\right) = \vec{\mathbf{F}} \cdot \left(\vec{\mathbf{r}}_B - \vec{\mathbf{r}}_A\right). \end{aligned}$$

La Figura 7.3(a) muestra a una persona ejerciendo una fuerza constante $\vec{\mathbf{F}}$ a lo largo del mango de un cortacésped, que hace un ángulo θ con la horizontal. El desplazamiento horizontal del cortacésped, sobre el que actúa la fuerza, es $\vec{\mathbf{d}}$. El trabajo realizado sobre el cortacésped es$W = \vec{\mathbf{F}} \cdot \vec{\mathbf{d}} = Fd\cos\theta$, que la figura también ilustra como el componente horizontal de la fuerza por la magnitud del desplazamiento.

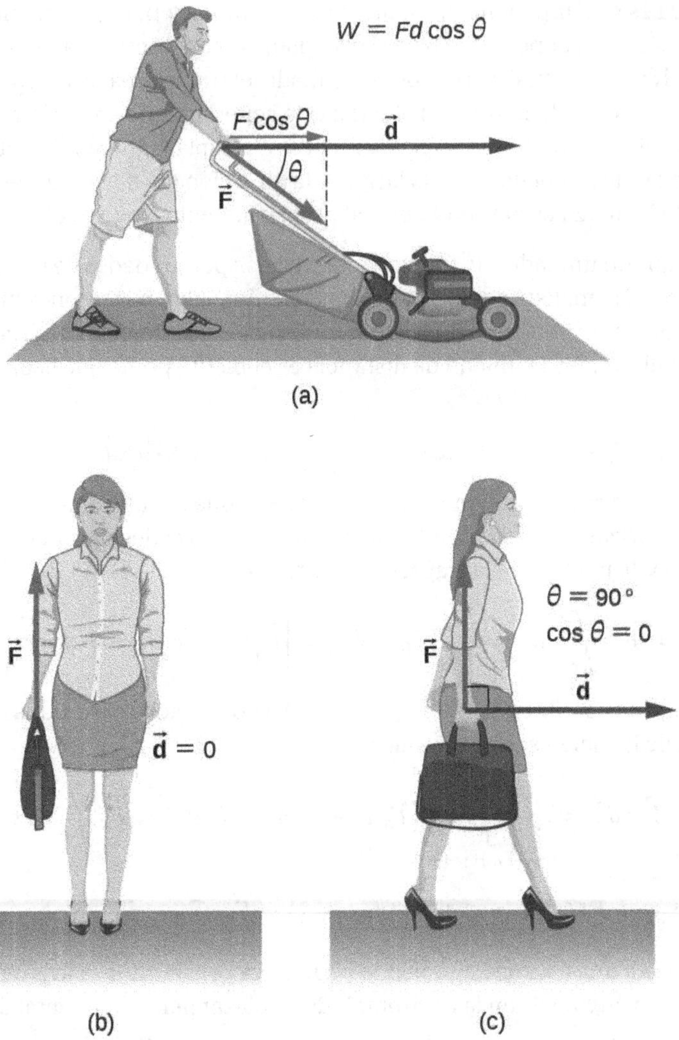

FIGURA 7.3 Trabajo realizado por una fuerza constante. (a) Una persona empuja un cortacésped con una fuerza constante. El componente de la fuerza paralelo al desplazamiento es el trabajo realizado, como se muestra en la ecuación de la figura. (b) Una persona sostiene un maletín. No se realiza ningún trabajo porque el desplazamiento es cero. (c) La persona de (b) camina horizontalmente mientras sostiene el maletín. No se realiza ningún trabajo porque cos θ es cero.

La Figura 7.3(b) muestra a una persona que sostiene un maletín. La persona debe ejercer una fuerza hacia arriba, de magnitud igual al peso del maletín, pero esta fuerza no realiza ningún trabajo, porque el desplazamiento sobre el que actúa es cero.

En la Figura 7.3(c), donde la persona en (b) camina horizontalmente con rapidez constante, el trabajo que realiza la persona sobre el maletín sigue siendo cero, pero ahora porque el ángulo entre la fuerza ejercida y el desplazamiento es $90°$ ($\vec{\mathbf{F}}$ perpendicular a $\vec{\mathbf{d}}$) y $\cos 90° = 0$.

EJEMPLO 7.1

Calcular el trabajo que realiza al empujar un cortacésped

¿Cuánto trabajo realiza la persona que aparece en la Figura 7.3(a) sobre el cortacésped si ejerce una fuerza constante de 75,0 N en un ángulo de 35° por debajo de la horizontal y empuja el cortacésped 25,0 m en terreno llano?

Estrategia

Podemos resolver este problema sustituyendo los valores dados en la definición de trabajo realizado sobre un objeto por una fuerza constante, indicada en la ecuación $W = Fd\cos\theta$. La fuerza, el ángulo y el desplazamiento están dados, por lo que solo se desconoce el trabajo *W*.

Solución

La ecuación para el trabajo es

$$W = Fd\cos\theta.$$

Al sustituir los valores conocidos se obtiene

$$W = (75{,}0\,\text{N})(25{,}0\,\text{m})\cos(35{,}0°) = 1{,}54 \times 10^3\,\text{J}.$$

Importancia

Aunque un kilojulio y medio puede parecer mucho trabajo, veremos en Energía potencial y conservación de la energía que es solo la misma cantidad de trabajo que podría hacer al quemar una sexta parte de un gramo de grasa.

Cuando corta el césped, sobre el cortacésped actúan otras fuerzas además de la que usted ejerce: la fuerza de contacto del suelo y la fuerza gravitatoria de la Tierra. Consideremos el trabajo que realizan estas fuerzas en general. Para un objeto que se mueve sobre una superficie, el desplazamiento $d\vec{\mathbf{r}}$ es tangente a la superficie. La parte de la fuerza de contacto sobre el objeto que es perpendicular a la superficie es la fuerza normal $\vec{\mathbf{N}}$. Dado que el coseno del ángulo entre la normal y la tangente a una superficie es cero, tenemos

$$dW_{\text{N}} = \vec{\mathbf{N}} \cdot d\vec{\mathbf{r}} = \vec{\mathbf{0}}.$$

La fuerza normal realiza trabajo en estas circunstancias. (Tenga en cuenta que si el desplazamiento $d\vec{\mathbf{r}}$ tuviera un componente relativo perpendicular a la superficie, el objeto abandonaría la superficie o la atravesaría, y ya no habría ninguna fuerza de contacto normal. Sin embargo, si el objeto es más que una partícula y tiene una estructura interna, la fuerza normal de contacto puede realizar un trabajo sobre él, por ejemplo, desplazándolo o deformando su forma. Esto se mencionará en el próximo capítulo).

La parte de la fuerza de contacto sobre el objeto que es paralela a la superficie es la fricción, $\vec{\mathbf{f}}$. Para este objeto que se desliza por la superficie, la fricción cinética $\vec{\mathbf{f}}_{\text{k}}$ es opuesta a $d\vec{\mathbf{r}}$, con respecto a la superficie, por lo que el trabajo realizado por la fricción cinética es negativo. Si la magnitud de $\vec{\mathbf{f}}_{\text{k}}$ es constante (como lo sería si todas las demás fuerzas sobre el objeto fueran constantes), entonces el trabajo realizado por la fricción es

$$W_{\text{fr}} = \int_A^B \vec{\mathbf{f}}_k \cdot d\vec{\mathbf{r}} = -f_k \int_A^B |dr| = -f_k\,|l_{AB}|, \tag{7.3}$$

donde $|l_{AB}|$ es la longitud de la trayectoria en la superficie. La fuerza de fricción estática no realiza ningún trabajo en el marco de referencia entre dos superficies porque nunca hay desplazamiento entre las superficies. Como fuerza externa, la fricción estática puede realizar trabajo. La fricción estática evita que alguien se deslice de un trineo cuando este se mueve y realizar un trabajo positivo sobre la persona. Si conduce su auto a la velocidad máxima en un tramo recto y llano de la autopista, el trabajo negativo realizado por la resistencia del aire se equilibra con el trabajo positivo realizado por la fricción estática de la carretera sobre las ruedas motrices. Se puede sacar la alfombra de debajo de un objeto de manera que se deslice hacia atrás con respecto a la alfombra, pero hacia delante con respecto al suelo. En este caso, la fricción cinética ejercida por la alfombra sobre el objeto podría estar en la misma dirección que el desplazamiento del objeto, con respecto al suelo, y realizar un trabajo positivo. La conclusión es que hay que analizar cada caso particular para determinar el trabajo realizado por las fuerzas, ya sea positivo, negativo o cero.

EJEMPLO 7.2

Mover un sofá

Decide mover su sofá a una nueva posición en el suelo horizontal de su sala. La fuerza normal sobre el sofá es de 1 kN y el coeficiente de fricción es de 0,6. (a) Primero empuja el sofá 3 m paralelos a una pared y luego 1 m perpendicular a la pared (de A a B en la Figura 7.4). ¿Cuánto trabajo realiza la fuerza de fricción? (b) No le gusta la nueva posición, así que devuelve el sofá a su posición original (de B a A en la Figura 7.4). ¿Cuál fue el trabajo total realizado contra la fricción al alejar el sofá de su posición original y volver a ella?

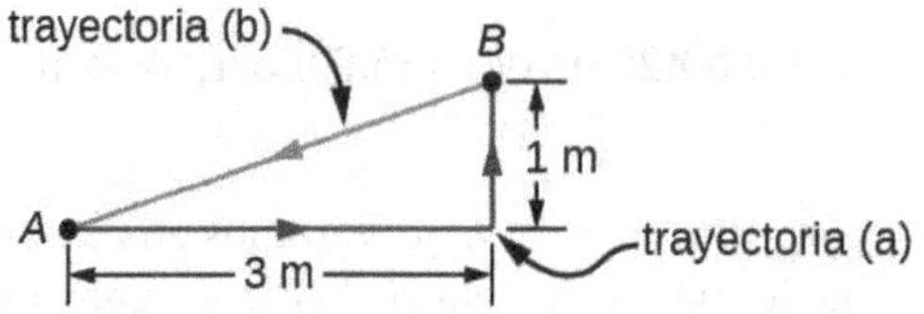

FIGURA 7.4 Vista superior de las trayectorias para mover un sofá.

Estrategia

La magnitud de la fuerza de fricción cinética sobre el sofá es constante, igual al coeficiente de fricción por la fuerza normal, $f_K = \mu_K N$. Por lo tanto, el trabajo realizado por esta es $W_{\text{fr}} = -f_K d$, donde d es la longitud de la trayectoria recorrida. Los segmentos de las trayectorias son los lados de un triángulo rectángulo, por lo que las longitudes de las trayectorias se calculan fácilmente. En la parte (b), puede utilizar el hecho de que el trabajo realizado contra una fuerza es el negativo del trabajo realizado por la fuerza.

Solución

a. El trabajo realizado por la fricción es

$$W = -(0{,}6)(1\,\text{kN})(3\,\text{m} + 1\,\text{m}) = -2{,}4\,\text{kJ}.$$

b. La longitud de la trayectoria a lo largo de la hipotenusa es $\sqrt{10}$ m, por lo que el trabajo total realizado contra la fricción es

$$W = (0{,}6)(1\,\text{kN})(3\,\text{m} + 1\,\text{m} + \sqrt{10}\,\text{m}) = 4{,}3\,\text{kJ}.$$

Importancia

La trayectoria total sobre la que se evaluó el trabajo de fricción comenzaba y terminaba en el mismo punto (era una trayectoria cerrada), de modo que el desplazamiento total del sofá era cero. Sin embargo, el trabajo total no fue cero. La razón es que fuerzas como la fricción se clasifican como fuerzas no conservativas, o fuerzas disipativas, tal y como veremos en el próximo capítulo.

COMPRUEBE LO APRENDIDO 7.1

¿Puede la fricción cinética ser alguna vez una fuerza constante para todas las trayectorias?

La otra fuerza sobre el cortacésped mencionada anteriormente era la fuerza gravitatoria de la Tierra, o el peso del cortacésped. Cerca de la superficie de la Tierra, la fuerza gravitatoria sobre un objeto de masa m tiene una magnitud constante, mg, y una dirección constante, verticalmente hacia abajo. Por lo tanto, el trabajo realizado por la gravedad sobre un objeto es el producto punto de su peso y su desplazamiento. En muchos casos, es conveniente expresar el producto punto para el trabajo gravitatorio en términos de los componentes x, y y z de los vectores. Un sistema de coordenadas típico tiene el eje de la x horizontal y el eje de la y verticalmente hacia arriba. Entonces la fuerza gravitatoria es $-mg\hat{\mathbf{j}}$, por lo que el trabajo realizado por la gravedad, en cualquier trayectoria de A a B, es

$$W_{\text{gravedad},AB} = -mg\hat{\mathbf{j}} \cdot (\vec{\mathbf{r}}_B - \vec{\mathbf{r}}_A) = -mg(y_B - y_A). \quad 7.4$$

El trabajo realizado por una fuerza de gravedad constante sobre un objeto depende únicamente del peso del objeto y de la diferencia de altura por la que se desplaza el objeto. La gravedad realiza un trabajo negativo sobre un objeto que se mueve hacia arriba ($y_B > y_A$), o, en otras palabras, hay que hacer un trabajo positivo contra la gravedad para levantar un objeto hacia arriba. Alternativamente, la gravedad hace un trabajo positivo sobre un objeto que se mueve hacia abajo ($y_B < y_A$), o se realiza un trabajo negativo contra la gravedad para "levantar" un objeto hacia abajo, controlando su descenso para que no caiga al suelo. ("levantar" se utiliza en contraposición a "caer").

EJEMPLO 7.3

Poner un libro en la estantería

Usted levanta un libro de biblioteca de gran tamaño, que pesa 20 N, 1 m en vertical desde una estantería, y lo lleva 3 m en horizontal hasta una mesa (Figura 7.5). ¿Cuánto trabajo hace la gravedad sobre el libro? (b) Cuando ha terminado, mueve el libro en línea recta hasta su lugar original en la estantería. ¿Cuál ha sido el trabajo total realizado contra la gravedad, alejando el libro de su posición original en la estantería y volviéndolo a colocar?

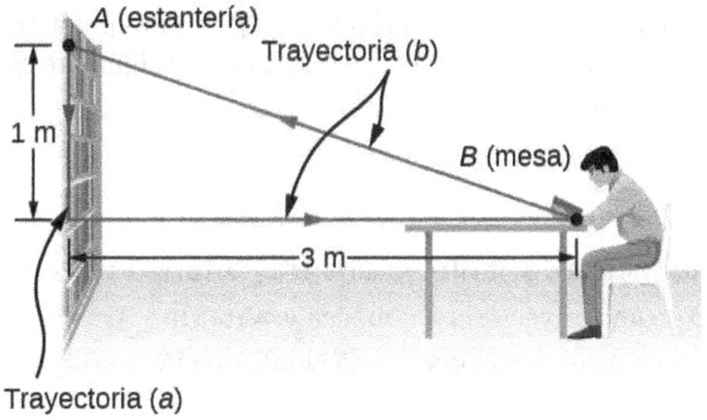

FIGURA 7.5 Vista lateral de los recorridos para mover un libro hacia y desde una estantería.

Estrategia

Acabamos de ver que el trabajo realizado por una fuerza de gravedad constante depende únicamente del peso del objeto desplazado y de la diferencia de altura por la trayectoria recorrida, $W_{AB} = -mg(y_B - y_A)$. Podemos evaluar la diferencia de altura para responder (a) y (b).

Solución

a. Como el libro empieza en la estantería y se levanta hacia abajo $y_B - y_A = -1\text{ m}$, tenemos
$$W = -(20\text{ N})(-1\text{ m}) = 20\text{ J}.$$

b. La diferencia de altura es cero para cualquier trayectoria que comience y termine en el mismo lugar de la estantería, por lo que $W = 0$.

Importancia

La gravedad realiza un trabajo positivo (20 J) cuando el libro se mueve hacia abajo desde la estantería. La fuerza gravitatoria entre dos objetos es una fuerza de atracción, que realiza un trabajo positivo cuando los objetos se acercan. La gravedad realiza un trabajo cero (0 J) cuando el libro se desplaza horizontalmente de la estantería a la mesa y un trabajo negativo (-20 J) cuando el libro se desplaza de la mesa a la estantería. El trabajo total realizado por la gravedad es cero $[20\text{ J} + 0\text{ J} + (-20\text{ J}) = 0]$. A diferencia de la fricción u otras fuerzas disipativas, descritas en el Ejemplo 7.2, el trabajo total realizado contra la gravedad, en cualquier trayectoria cerrada, es cero. Se realiza un trabajo positivo contra la gravedad en las partes ascendentes de una trayectoria cerrada, pero se realiza una cantidad igual de trabajo negativo contra la gravedad en las partes descendentes. En otras palabras, el trabajo realizado *contra* la gravedad, *levantando* un objeto, se "devuelve" cuando el objeto vuelve a bajar. Fuerzas como la gravedad (las que realizan un trabajo cero en cualquier trayectoria cerrada) se clasifican como fuerzas conservativas y desempeñan un papel importante en la física.

COMPRUEBE LO APRENDIDO 7.2

¿Puede la gravedad de la Tierra ser una fuerza constante para todas las trayectorias?

Trabajo realizado por fuerzas que varían

En general, las fuerzas pueden variar en magnitud y dirección en puntos del espacio, y las trayectorias entre dos puntos pueden ser curvas. El trabajo infinitesimal que realiza una fuerza variable puede expresarse en términos de los componentes de la fuerza y del desplazamiento a lo largo de la trayectoria,

$$dW = F_x dx + F_y dy + F_z dz.$$

Aquí, los componentes de la fuerza son funciones de la posición a lo largo de la trayectoria, y los desplazamientos dependen de las ecuaciones de la trayectoria. (Aunque hemos elegido ilustrar dW en coordenadas cartesianas, otras coordenadas son más adecuadas para algunas situaciones). La Ecuación 7.2 define el trabajo total como una integral de línea, o el límite de una suma de cantidades infinitesimales de trabajo. El concepto físico de trabajo es sencillo: se calcula el trabajo para pequeños desplazamientos y se suman. A veces las matemáticas pueden parecer complicadas, pero el siguiente ejemplo demuestra la limpieza con la que pueden funcionar.

EJEMPLO 7.4

Trabajo realizado por una fuerza variable en una trayectoria curva

Un objeto se mueve a lo largo de una trayectoria parabólica $y = (0{,}5\ \text{m}^{-1})x^2$ desde el origen $A = (0, 0)$ al punto $B = (2\ \text{m}, 2\ \text{m})$ bajo la acción de una fuerza $\vec{\mathbf{F}} = (5\ \text{N/m})y\hat{\mathbf{i}} + (10\ \text{N/m})x\hat{\mathbf{j}}$ (Figura 7.6). Calcule el trabajo realizado.

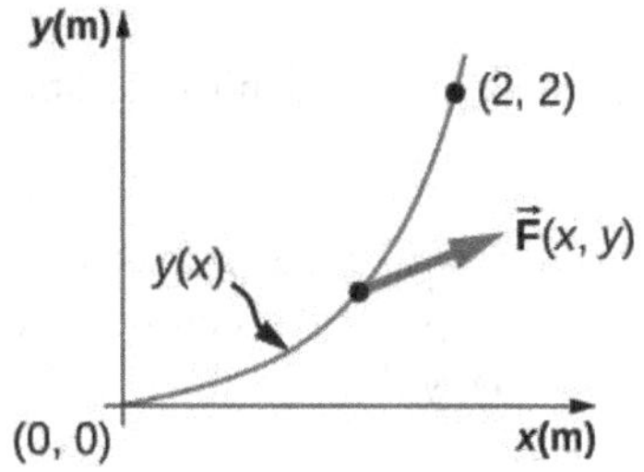

FIGURA 7.6 La trayectoria parabólica de una partícula sobre la que actúa una fuerza determinada.

Estrategia

Las componentes de la fuerza son funciones dadas de la x y la y. Podemos utilizar la ecuación de la trayectoria para expresar la y y la dy en términos de la x y la dx; esto es

$$y = (0{,}5\ \text{m}^{-1})x^2 \text{ y } dy = 2(0{,}5\ \text{m}^{-1})xdx.$$

Entonces, la integral del trabajo es solo una integral definida de una función de la x.

Solución

El elemento infinitesimal del trabajo es

$$\begin{aligned} dW &= F_x dx + F_y dy = (5\ \text{N/m})ydx + (10\ \text{N/m})xdy \\ &= (5\ \text{N/m})(0{,}5\ \text{m}^{-1})x^2 dx + (10\ \text{N/m})2(0{,}5\ \text{m}^{-1})x^2 dx = (12{,}5\ \text{N/m}^2)x^2 dx. \end{aligned}$$

La integral de x^2 es $x^3/3$, así que

$$W = \int_0^{2\text{ m}} (12{,}5\text{ N/m}^2)x^2 dx = (12{,}5\text{ N/m}^2)\frac{x^3}{3}\Big|_0^{2\text{ m}} = (12{,}5\text{ N/m}^2)\left(\frac{8}{3}\right) = 33{,}3\text{ J}.$$

Importancia

Esta integral no era difícil de hacer. Puede seguir los mismos pasos, como en este ejemplo, para calcular las integrales de línea que representan el trabajo para fuerzas y trayectorias más complicadas. En este ejemplo, todo se ha dado en términos de componentes de *x* y *y*, que son los más fáciles de usar para evaluar el trabajo en este caso. En otras situaciones, las magnitudes y los ángulos pueden ser más fáciles.

COMPRUEBE LO APRENDIDO 7.3

Calcule el trabajo realizado por la misma fuerza en el Ejemplo 7.4 sobre una trayectoria cúbica, $y = (0{,}25\text{ m}^{-2})x^3$, entre los mismos puntos $A = (0, 0)$ y $B = (2\text{ m}, 2\text{ m})$.

En el Ejemplo 7.4 ha visto que para evaluar una integral de línea, puede reducirla a una integral sobre una sola variable o parámetro. Normalmente, hay varias formas de hacerlo, que pueden ser más o menos convenientes, según el caso. En el Ejemplo 7.4, hemos reducido la integral de línea a una integral sobre la *x*, pero podríamos haber optado igualmente por reducir todo a una función de la *y*. No lo hicimos porque las funciones en la *y* implican la raíz cuadrada y los exponentes fraccionarios, que pueden ser menos familiares, pero para fines ilustrativos, lo hacemos ahora. Al resolver la *x* y *dx*, en términos de la *y*, a lo largo de la trayectoria parabólica, obtenemos

$$x = \sqrt{y/(0{,}5\text{ m}^{-1})} = \sqrt{(2\text{ m})y}\text{ y } dx = \sqrt{(2\text{ m})} \times \frac{1}{2}dy/\sqrt{y} = dy/\sqrt{(2\text{ m}^{-1})y}.$$

Los componentes de la fuerza, en términos de *y*, son

$$F_x = (5\text{ N/m})y\text{ y } F_y = (10\text{ N/m})x = (10\text{ N/m})\sqrt{(2\text{ m})y},$$

por lo que el elemento de trabajo infinitesimal se convierte en

$$dW = F_x dx + F_y dy = \frac{(5\text{ N/m})y\,dy}{\sqrt{(2\text{ m}^{-1})y}} + (10\text{ N/m})\sqrt{(2\text{ m})y}\,dy$$
$$= (5\text{ N}\cdot\text{m}^{-1/2})\left(\frac{1}{\sqrt{2}} + 2\sqrt{2}\right)\sqrt{y}\,dy = (17{,}7\text{ N}\cdot\text{m}^{-1/2})y^{1/2}dy.$$

La integral de $y^{1/2}$ es $\frac{2}{3}y^{3/2}$, por lo que el trabajo realizado de *A* a *B* es

$$W = \int_0^{2\text{ m}} (17{,}7\text{ N}\cdot\text{m}^{-1/2})y^{1/2}dy = (17{,}7\text{ N}\cdot\text{m}^{-1/2})\frac{2}{3}(2\text{ m})^{3/2} = 33{,}3\text{ J}.$$

Como era de esperar, el resultado es exactamente el mismo que antes.

Una fuerza variable muy importante y ampliamente aplicable es la fuerza que ejerce un resorte perfectamente elástico, que satisface la ley de Hooke $\vec{\mathbf{F}} = -k\Delta\vec{\mathbf{x}}$, donde *k* es la constante del resorte, y $\Delta\vec{\mathbf{x}} = \vec{\mathbf{x}} - \vec{\mathbf{x}}_{eq}$ es el desplazamiento desde la posición no estirada (de equilibrio) del resorte (leyes de movimiento de Newton). Tenga en cuenta que la posición no estirada solo es igual a la posición de equilibrio si no actúan otras fuerzas (o, si lo hacen, se anulan entre sí). Las fuerzas entre moléculas, o en cualquier sistema que sufra pequeños desplazamientos desde un equilibrio estable, se comportan aproximadamente como una fuerza de resorte.

Para calcular el trabajo que realiza la fuerza de un resorte, podemos elegir el eje de la *x* a lo largo del resorte, en la dirección de la longitud creciente, como en la Figura 7.7, con el origen en la posición de equilibrio $x_{eq} = 0$. (Entonces la *x* positiva corresponde a un estiramiento y la *x* negativa a una compresión). Con esta elección de coordenadas, la fuerza del resorte solo tiene un componente $x, F_x = -kx$, y el trabajo realizado cuando *x* cambia de x_A a x_B es

$$W_{\text{resorte},AB} = \int_A^B F_x dx = -k\int_A^B x dx = -k\frac{x^2}{2}\Big|_A^B = -\frac{1}{2}k\left(x_B^2 - x_A^2\right). \quad 7.5$$

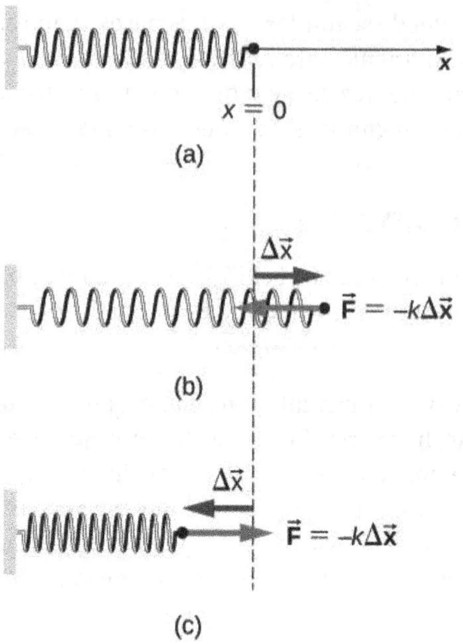

FIGURA 7.7 (a) El resorte no ejerce ninguna fuerza en su posición de equilibrio. El resorte ejerce una fuerza en sentido contrario a (b) una extensión o estiramiento, y (c) una compresión.

Observe que W_{AB} solo depende de los puntos de partida y de llegada, *A* y *B*, y es independiente de la trayectoria real entre ellos, siempre que empiece en *A* y termine en *B*. Es decir, la trayectoria real podría implicar ir y venir antes de terminar.

Otro aspecto interesante que hay que observar en la Ecuación 7.5 es que, para este caso unidimensional, se puede ver fácilmente la correspondencia entre el trabajo que realiza una fuerza y el área bajo la curva de la fuerza frente a su desplazamiento. Recordemos que, en general, una integral unidimensional es el límite de la suma de infinitesimales, $f(x)dx$, que representa el área de las franjas, como se muestra en la Figura 7.8. En la Ecuación 7.5, dado que $F = -kx$ es una línea recta con pendiente $-k$, cuando se representa en función de la x, el "área" bajo la línea no es más que una combinación algebraica de "áreas" triangulares, donde las "áreas" por encima del eje de la x son positivas y las que están por debajo son negativas, como se muestra en la Figura 7.9. La magnitud de una de estas "áreas" es justo la mitad de la base del triángulo, a lo largo del eje de la x, por la altura del triángulo, a lo largo del eje de la fuerza. (Hay comillas alrededor de "área" porque este producto de altura base tiene las unidades de trabajo, en lugar de metros cuadrados).

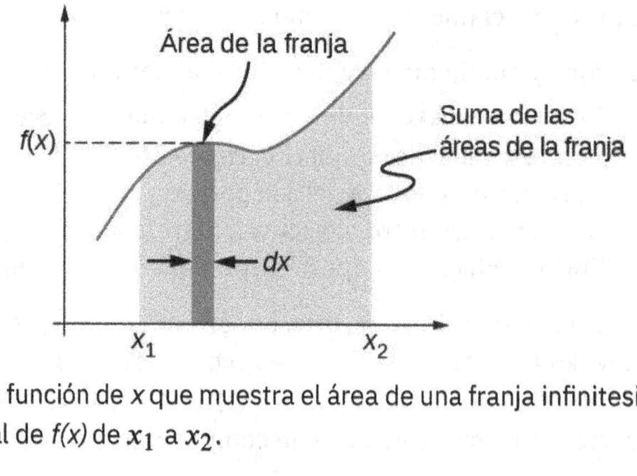

FIGURA 7.8 Curva de *f(x)* en función de *x* que muestra el área de una franja infinitesimal, *f(x)dx*, y la suma de dichas áreas, que es la integral de *f(x)* de x_1 a x_2.

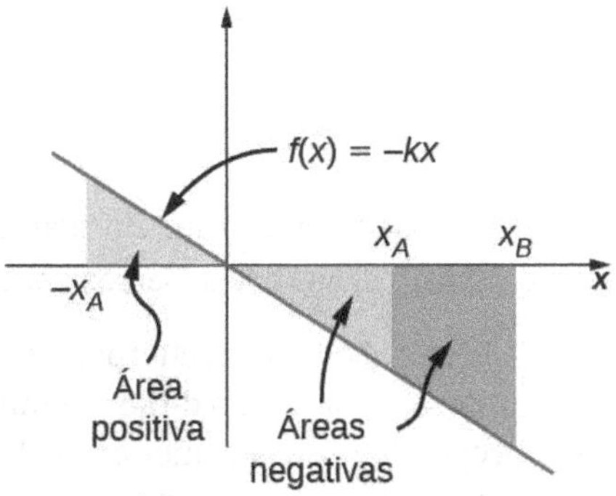

FIGURA 7.9 Curva de la fuerza del resorte $f(x) = -kx$ en función de la x, donde se muestran las áreas bajo la línea, entre x_A y x_B, tanto para valores positivos como negativos de x_A. Cuando x_A es negativa, el área total bajo la curva de la integral en la Ecuación 7.5 es la suma de las áreas triangulares positivas y negativas. Cuando x_A es positiva, el área total bajo la curva es la diferencia entre dos triángulos negativos.

EJEMPLO 7.5

Trabajo que realiza la fuerza de un resorte

Un resorte perfectamente elástico requiere 0,54 J de trabajo para estirarse 6 cm desde su posición de equilibrio, como en la Figura 7.7(b). (a) ¿Cuál es su constante k de resorte? (b) ¿Cuánto trabajo se requiere para estirarlo 6 cm más?

Estrategia

El trabajo "requerido" significa el trabajo realizado contra la fuerza del resorte, que es el negativo del trabajo en la Ecuación 7.5, es decir

$$W = \frac{1}{2}k(x_B^2 - x_A^2).$$

Para la parte (a), $x_A = 0$ y $x_B = 6\text{cm}$; para la parte (b), $x_B = 6\text{cm}$ y $x_B = 12\text{cm}$. En la parte (a), se da el trabajo y puede resolver la constante del resorte; en la parte (b), puede utilizar el valor de k, de la parte (a), para resolver el trabajo.

Solución

a. $W = 0{,}54\,\text{J} = \frac{1}{2}k[(6\,\text{cm})^2 - 0]$, así que $k = 3\,\text{N/cm}$.
b. $W = \frac{1}{2}(3\,\text{N/cm})[(12\,\text{cm})^2 - (6\,\text{cm})^2] = 1{,}62\,\text{J}$.

Importancia

Dado que el trabajo realizado por la fuerza de un resorte es independiente de la trayectoria, solo había que calcular la diferencia de la cantidad $½kx^2$ en los puntos finales. Observe que el trabajo necesario para estirar el resorte de 0 a 12 cm es el cuádruple del necesario para estirarlo de 0 a 6 cm, porque ese trabajo depende del cuadrado de la cantidad de estiramiento desde el equilibrio, $½kx^2$. En esta circunstancia, el trabajo para estirar el resorte de 0 a 12 cm es también igual al trabajo para una trayectoria compuesta de 0 a 6 cm seguida de un estiramiento adicional de 6 cm a 12 cm. Por lo tanto, $4W(0\,\text{cm a }6\,\text{cm}) = W(0\,\text{cm a }6\,\text{cm}) + W(6\,\text{cm a }12\,\text{cm})$, o $W(6\,\text{cm a }12\,\text{cm}) = 3W(0\,\text{cm a }6\,\text{cm})$, tal y como hemos comprobado anteriormente.

COMPRUEBE LO APRENDIDO 7.4

El resorte del Ejemplo 7.5 se comprime 6 cm desde su longitud de equilibrio. (a) ¿La fuerza del resorte realiza un trabajo positivo o negativo y (b) cuál es la magnitud?

7.2 Energía cinética

OBJETIVOS DE APRENDIZAJE

Al final de esta sección, podrá:

- Calcular la energía cinética de una partícula dada su masa y su velocidad o momento.
- Evaluar la energía cinética de un cuerpo, relativa a diferentes marcos de referencia.

Es plausible suponer que cuanto mayor sea la velocidad de un cuerpo, mayor será su efecto sobre otros cuerpos. Esto no depende de la dirección de la velocidad, sino de su magnitud. A finales del siglo XVII se introdujo en la mecánica una cantidad para explicar las colisiones entre dos cuerpos perfectamente elásticos, en las que un cuerpo choca frontalmente con otro idéntico en reposo. El primer cuerpo se detiene y el segundo cuerpo se desplaza con la velocidad inicial del primero. (Si alguna vez ha jugado al billar o al croquet, o ha visto una maqueta de la Cuna de Newton, habrá observado este tipo de colisión). La idea que subyace a esta cantidad está relacionada con las fuerzas que actúan sobre un cuerpo y se denomina "la energía del movimiento". Más tarde, durante el siglo XVIII, se dio el nombre de **energía cinética** a la energía del movimiento.

Teniendo en cuenta esta historia, podemos enunciar la definición clásica de energía cinética. Observe que, cuando decimos "clásica", queremos decir no relativista, es decir, a velocidades mucho menores que la de la luz. A velocidades comparables a la de la luz, la teoría especial de la relatividad requiere una expresión diferente para la energía cinética de una partícula, tal como se comenta en Relatividad (http://openstax.org/books/university-physics-volume-3/pages/5-introduction).

Dado que los objetos (o sistemas) de interés varían en complejidad, primero definimos la energía cinética de una partícula con masa m.

Energía cinética

La energía cinética de una partícula es la mitad del producto de su masa m por el cuadrado de su rapidez v:

$$K = \frac{1}{2}mv^2. \tag{7.6}$$

A continuación, ampliamos esta definición a cualquier sistema de partículas, al sumar las energías cinéticas de todas las partículas que lo componen:

$$K = \sum \frac{1}{2}mv^2. \tag{7.7}$$

Observe que, al igual que podemos expresar la segunda ley de Newton en términos de la tasa de cambio del momento o de la masa por la tasa de cambio de la velocidad, entonces la energía cinética de una partícula puede expresarse en términos de su masa y su momento ($\vec{\mathbf{p}} = m\vec{\mathbf{v}}$), en lugar de su masa y velocidad. Dado que$v = p/m$, vemos que

$$K = \frac{1}{2}m\left(\frac{p}{m}\right)^2 = \frac{p^2}{2m}$$

también expresa la energía cinética de una sola partícula. A veces, esta expresión es más cómoda de utilizar que la Ecuación 7.6.

Las unidades de energía cinética son la masa por el cuadrado de la rapidez, o $\text{kg} \cdot \text{m}^2/\text{s}^2$. No obstante, las unidades de fuerza son la masa por la aceleración, $\text{kg} \cdot \text{m/s}^2$, por lo que las unidades de energía cinética son también las unidades de la fuerza por la distancia, que son las unidades de trabajo, o julios. En la siguiente sección verá que el trabajo y la energía cinética tienen las mismas unidades, porque son formas diferentes de la misma propiedad física más general.

EJEMPLO 7.6

Energía cinética de un objeto

(a) ¿Cuál es la energía cinética de un atleta de 80 kg, corriendo a 10 m/s? (b) Se cree que el cráter de Chicxulub, en Yucatán, uno de los mayores cráteres de impacto existentes en la Tierra, fue creado por un asteroide, que viajaba a 22 km/s y liberó $4{,}2 \times 10^{23}$ J de energía cinética en el momento del impacto. ¿Cuál era su masa? (c) En los reactores nucleares, los neutrones térmicos, que viajan a unos 2,2 km/s, desempeñan un papel importante. ¿Cuál es la energía cinética de dicha partícula?

Estrategia

Para responder a estas preguntas, puede utilizar la definición de energía cinética en la Ecuación 7.6. También hay que buscar la masa de un neutrón.

Solución

No olvide convertir los km en m para hacer estos cálculos, aunque, para ahorrar espacio, omitimos mostrar estas conversiones.

a. $K = \frac{1}{2}(80\,\text{kg})(10\,\text{m/s})^2 = 4{,}0\,\text{kJ}.$
b. $m = 2K/v^2 = 2(4{,}2 \times 10^{23}\,\text{J})/(22\,\text{km/s})^2 = 1{,}7 \times 10^{15}\,\text{kg}.$
c. $K = \frac{1}{2}(1{,}68 \times 10^{-27}\,\text{kg})(2{,}2\,\text{km/s})^2 = 4{,}1 \times 10^{-21}\,\text{J}.$

Importancia

En este ejemplo, hemos utilizado la forma en que la masa y la velocidad se relacionan con la energía cinética, y hemos hallado un rango muy amplio de valores para las energías cinéticas. Para estos valores tan grandes y tan pequeños se suelen utilizar unidades diferentes. La energía del impactador en la parte (b) se compara con el rendimiento explosivo del TNT y las explosiones nucleares, 1 megatón $= 4{,}18 \times 10^{15}$ J. La energía cinética del asteroide de Chicxulub era de unos cien millones de megatones. En el otro extremo, la energía de la partícula subatómica se expresa en electronvoltios, 1 eV $= 1{,}6 \times 10^{-19}$ J. El neutrón térmico de la parte (c) tiene una energía cinética de aproximadamente una cuadragésima parte de un electronvoltio.

COMPRUEBE LO APRENDIDO 7.5

(a) Un auto y un camión se mueven cada uno con la misma energía cinética. Supongamos que el camión tiene más masa que el auto. ¿Cuál tiene mayor rapidez? (b) Un auto y un camión se mueven cada uno con la misma rapidez. ¿Cuál tiene mayor energía cinética?

Ya que la velocidad es una magnitud relativa, se puede ver que el valor de la energía cinética dependerá de su marco de referencia. Por lo general, puede elegir un marco de referencia que se adapte al propósito de su análisis y que simplifique sus cálculos. Uno de estos marcos de referencia es aquel en el que se realizan las observaciones del sistema (probablemente un marco externo). Otra opción es un marco que esté unido al sistema o se mueva con este (probablemente un marco interno). Las ecuaciones del movimiento relativo, tratadas en Movimiento en dos y tres dimensiones, proporcionan un enlace para calcular la energía cinética de un objeto con respecto a diferentes marcos de referencia.

EJEMPLO 7.7

Energía cinética en relación con diferentes marcos

Una persona de 75,0 kg camina por el pasillo central de un vagón de metro a una rapidez de 1,50 m/s respecto al vagón, mientras que el tren se mueve a 15,0 m/s respecto a las vías. (a) ¿Cuál es la energía cinética de la persona respecto al vagón? (b) ¿Cuál es la energía cinética de la persona respecto a las vías? (c) ¿Cuál es la energía cinética de la persona respecto a un marco que se mueve con la persona?

Estrategia

Ya que la rapidez está dada, utilizamos $\frac{1}{2}mv^2$ para calcular la energía cinética de la persona. Sin embargo, en la parte (a), la rapidez de la persona es relativa al vagón de metro (como se da); en la parte (b), es relativa a las vías; y en la parte (c), es cero. Si denotamos el marco del vagón como C, el marco de la vía como T, y la persona como P, las velocidades relativas en la parte (b) están relacionadas por $\vec{v}_{PT} = \vec{v}_{PC} + \vec{v}_{CT}$. Podemos suponer que el pasillo central y las vías se encuentran en la misma línea. Sin embargo, no se especifica la dirección en la que la persona camina con respecto al vagón, por lo que daremos una respuesta para cada posibilidad, $v_{PT} = v_{CT} \pm v_{PC}$, como se muestra en la Figura 7.10.

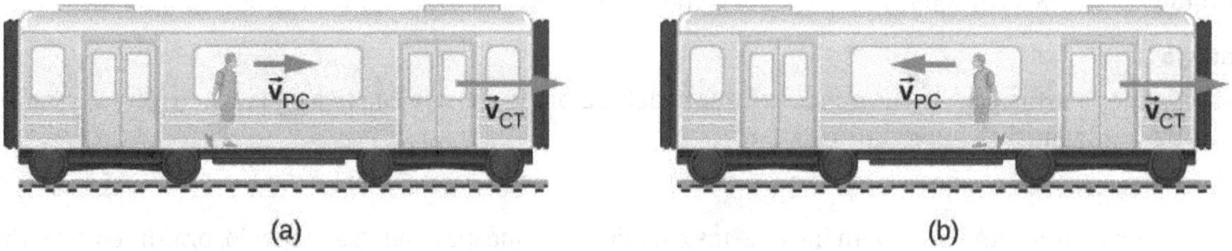

FIGURA 7.10 Los posibles movimientos de una persona que camina en un tren son (a) hacia la parte delantera del vagón y (b) hacia la parte trasera del vagón.

Solución

a. $K = \frac{1}{2}(75{,}0\,\text{kg})(1{,}50\,\text{m/s})^2 = 84{,}4\,\text{J}$.
b. $v_{PT} = (15{,}0 \pm 1{,}50)\,\text{m/s}$. Por lo tanto, los dos valores posibles de la energía cinética respecto al vagón son

$$K = \frac{1}{2}(75{,}0\,\text{kg})(13{,}5\,\text{m/s})^2 = 6{,}83\,\text{kJ}$$

y

$$K = \frac{1}{2}(75{,}0\,\text{kg})(16{,}5\,\text{m/s})^2 = 10{,}2\,\text{kJ}.$$

c. En un marco en el que $v_P = 0$, $K = 0$ también.

Importancia

Verá que la energía cinética de un objeto puede tener valores muy diferentes, dependiendo del marco de referencia. Sin embargo, la energía cinética de un objeto nunca puede ser negativa, ya que es el producto de la masa y el cuadrado de la velocidad, ambos siempre positivos o cero.

COMPRUEBE LO APRENDIDO 7.6

Está remando un bote paralelo a la orilla de un río. Su energía cinética respecto a las orillas es menor que su energía cinética respecto al agua. ¿Está remando con o contra la corriente?

La energía cinética de una partícula es una cantidad única. Sin embargo, la energía cinética de un sistema de partículas puede dividirse a veces en varios tipos, según el sistema y su movimiento. Por ejemplo, si todas las partículas de un sistema tienen la misma velocidad, el sistema está en movimiento de traslación y tiene energía cinética de traslación. Si un objeto está en rotación, podría tener energía cinética rotacional, o si está vibrando, podría tener energía cinética vibratoria. La energía cinética de un sistema, relativa a un marco de referencia interno, se denomina energía cinética interna. La energía cinética asociada al movimiento molecular aleatorio se denomina energía térmica. Estos nombres se utilizarán en capítulos posteriores del libro, cuando corresponda. Independientemente del nombre, cada tipo de energía cinética es la misma cantidad física, que representa la energía asociada al movimiento.

EJEMPLO 7.8

Nombres especiales para la energía cinética

(a) Un jugador lanza un pase a media cancha con un balón de baloncesto de 624 g, que recorre 15 m en 2 s. ¿Cuál es la energía cinética de traslación horizontal del balón de baloncesto durante su vuelo? (b) Una molécula media de aire, en el balón de baloncesto de la parte (a), tiene una masa de 29 u, y una rapidez media de 500 m/s, en relación con el balón de baloncesto. Hay alrededor de 3×10^{23} moléculas en su interior, moviéndose en direcciones aleatorias, cuando el balón está bien inflado. ¿Cuál es la energía cinética de traslación media del movimiento aleatorio de todas las moléculas del interior, en relación con el balón de baloncesto? (c) ¿A qué velocidad tendría que desplazarse el balón de baloncesto en relación con la cancha, como en la parte (a), para tener una energía cinética igual a la de la parte (b)?

Estrategia

En la parte (a), halle primero la rapidez horizontal del balón de baloncesto y luego utilice la definición de energía cinética en términos de masa y rapidez, $K = \frac{1}{2}mv^2$. A continuación, en la parte (b), convierta las unidades unificadas en kilogramos y luego utilice $K = \frac{1}{2}mv^2$ para obtener la energía cinética media de traslación de una molécula, en relación con el balón de baloncesto. A continuación, multiplique por el número de moléculas para obtener el resultado total. Finalmente, en la parte (c), podemos sustituir la cantidad de energía cinética de la parte (b), y la masa del balón de baloncesto de la parte (a), en la definición $K = \frac{1}{2}mv^2$, y resolver para v.

Solución

a. La rapidez horizontal es (15 m)/(2 s), por lo que la energía cinética horizontal del balón de baloncesto es

$$\frac{1}{2}(0{,}624\,\text{kg})(7{,}5\,\text{m/s})^2 = 17{,}6\,\text{J}.$$

b. La energía cinética media de traslación de una molécula es

$$\frac{1}{2}(29\,\text{u})(1{,}66 \times 10^{-27}\,\text{kg/u})(500\,\text{m/s})^2 = 6{,}02 \times 10^{-21}\,\text{J},$$

y la energía cinética total de todas las moléculas es

$$(3 \times 10^{23})(6{,}02 \times 10^{-21}\,\text{J}) = 1{,}80\,\text{kJ}.$$

c. $v = \sqrt{2(1{,}8\,\text{kJ})/(0{,}624\,\text{kg})} = 76{,}0\,\text{m/s}.$

Importancia

En la parte (a), este tipo de energía cinética se denomina energía cinética horizontal de un objeto (el balón de baloncesto), en relación con su entorno (la cancha). Si el balón de baloncesto estuviera girando, todas sus partes tendrían no solo la rapidez media, sino también energía cinética rotacional. La parte (b) nos recuerda que este tipo de energía cinética se denomina energía cinética interna o térmica. Observe que esta energía es unas cien veces superior a la de la parte (a). El aprovechamiento de la energía térmica será el tema en los capítulos de termodinámica. En la parte (c), dado que la energía de la parte (b) es unas 100 veces mayor que la de la parte (a), la rapidez debería ser unas 10 veces mayor, y así es (76 frente a 7,5 m/s).

7.3 Teorema de trabajo-energía

OBJETIVOS DE APRENDIZAJE

Al final de esta sección, podrá:

- Aplicar el teorema de trabajo-energía para encontrar información sobre el movimiento de una partícula, dadas las fuerzas que actúan sobre esta.
- Utilizar el teorema de trabajo-energía para encontrar información sobre las fuerzas que actúan sobre una partícula, dada la información sobre su movimiento.

Hemos hablado de cómo calcular el trabajo que realizan en una partícula las fuerzas que actúan sobre esta, pero ¿cómo se manifiesta ese trabajo en el movimiento de la partícula? Según la segunda ley del movimiento de Newton, la suma de todas las fuerzas que actúan sobre una partícula, o la fuerza neta, determina la tasa de cambio del momento de la partícula, o su movimiento. Por lo tanto, debemos considerar el trabajo que realizan todas las fuerzas que actúan sobre una partícula, o el **trabajo neto**, para ver qué efecto tiene sobre el movimiento de la partícula.

Empecemos por ver el trabajo neto realizado sobre una partícula en desplazamiento infinitesimal, que es el producto punto de la fuerza neta y el desplazamiento: $dW_{\text{neta}} = \vec{\mathbf{F}}_{\text{neta}} \cdot d\vec{\mathbf{r}}$. La segunda ley de Newton establece que $\vec{\mathbf{F}}_{\text{neta}} = m(d\vec{\mathbf{v}}/dt)$, así que $dW_{\text{neta}} = m(d\vec{\mathbf{v}}/dt) \cdot d\vec{\mathbf{r}}$. Para las funciones matemáticas que describen el movimiento de una partícula física, podemos reordenar las diferenciales *dt*, etc., como cantidades algebraicas en esta expresión, es decir,

$$dW_{\text{neta}} = m\left(\frac{d\vec{\mathbf{v}}}{dt}\right) \cdot d\vec{\mathbf{r}} = md\vec{\mathbf{v}} \cdot \left(\frac{d\vec{\mathbf{r}}}{dt}\right) = m\vec{\mathbf{v}} \cdot d\vec{\mathbf{v}},$$

donde sustituimos la velocidad por la derivada de tiempo del desplazamiento y utilizamos la propiedad conmutativa del producto punto [Ecuación 2.30]. Ya que las derivadas e integrales de escalares probablemente le resulten más familiares en este punto, expresamos el producto punto en términos de coordenadas cartesianas antes de integrar entre dos puntos cualesquiera *A* y *B* en la trayectoria de la partícula. Esto nos da el trabajo neto realizado sobre la partícula:

$$\begin{aligned} W_{\text{neta},AB} &= \int_A^B (mv_x dv_x + mv_y dv_y + mv_z dv_z) \\ &= \tfrac{1}{2}m\left|v_x^2 + v_y^2 + v_z^2\right|_A^B = \left|\tfrac{1}{2}mv^2\right|_A^B = K_B - K_A. \end{aligned} \tag{7.8}$$

En el paso intermedio, utilizamos el hecho de que el cuadrado de la velocidad es la suma de los cuadrados de sus componentes cartesianos, y en el último paso, utilizamos la definición de la energía cinética de la partícula. Este importante resultado se denomina **teorema de trabajo-energía** (Figura 7.11).

Teorema de trabajo-energía

El trabajo neto realizado sobre una partícula es igual al cambio en la energía cinética de la partícula:

$$W_{\text{neta}} = K_B - K_A. \tag{7.9}$$

FIGURA 7.11 La tracción de caballos es un evento común en las ferias estatales. El trabajo realizado por los caballos que halan de la carga da lugar a un cambio en la energía cinética de la carga, que, en última instancia, va más rápido (créditos: modificación del trabajo por "Jassen"/ Flickr).

Según este teorema, cuando un objeto desacelera, su energía cinética final es menor que su energía cinética inicial, el cambio en su energía cinética es negativo, y también lo es el trabajo neto realizado sobre este. Si un objeto se acelera, el trabajo neto realizado sobre este es positivo. Al calcular el trabajo neto, hay que incluir todas las fuerzas que actúan sobre un objeto. Si se omiten las fuerzas que actúan sobre un objeto, o si se incluyen las fuerzas que no actúan sobre este, se obtendrá un resultado erróneo.

La importancia del teorema de trabajo-energía, y de las posteriores generalizaciones a las que conduce, es que hace que algunos tipos de cálculos sean mucho más sencillos de realizar que si se tratara de resolver la segunda ley de Newton. Por ejemplo, en las Leyes de movimiento de Newton, calculamos la rapidez de un objeto que se desliza por un plano sin fricción al resolver la segunda ley de Newton para la aceleración y utilizar las ecuaciones cinemáticas para una aceleración constante, con lo que se obtiene

$$v_{\rm f}^2 = v_{\rm i}^2 + 2g(s_{\rm f} - s_{\rm i})\,\text{sen}\,\theta,$$

donde *s* es el desplazamiento hacia abajo del plano.

También podemos obtener este resultado a partir del teorema de trabajo-energía en la Ecuación 7.1. Como únicamente actúan dos fuerzas sobre el objeto, la gravedad y la fuerza normal, y la fuerza normal no realiza ningún trabajo, el trabajo neto es solo el realizado por la gravedad. El trabajo dW es el producto punto de la fuerza de gravedad o $\vec{\mathbf{F}} = -\text{mg}\hat{\text{j}}$ y el desplazamiento $\vec{dr} = dx\hat{i} + dy\hat{j}$. Tras tomar el producto punto e integrar desde una posición inicial y_i a una posición final y_f, se calcula el trabajo neto como

$$W_{\rm neta} = W_{\rm grav} = -mg(y_{\rm f} - y_{\rm i}),$$

donde la *y* es positiva hacia arriba. El teorema de trabajo-energía señala que esto es igual al cambio de energía cinética:

$$\text{-}mg(y_{\rm f} - y_{\rm i}) = \frac{1}{2}m(v_{\rm f}^2 - v_{\rm i}^2).$$

Si utilizamos un triángulo rectángulo, podemos ver que $(y_{\rm f} - y_{\rm i}) = (s_{\rm f} - s_{\rm i})\text{sen}\,\theta$, para que el resultado de la rapidez final sea el mismo.

¿Qué se gana con el teorema de trabajo-energía? La respuesta es que para una superficie plana sin fricción, no mucho. Sin embargo, la segunda ley de Newton es fácil de resolver solo para este caso en particular, mientras que el teorema de trabajo-energía da la rapidez final para cualquier superficie sin fricción. En el caso de una superficie curva arbitraria, la fuerza normal es inconstante, y la segunda ley de Newton puede ser difícil o imposible de resolver analíticamente. Constante o no, para el movimiento a lo largo de una superficie, la fuerza normal nunca hace ningún trabajo, porque es perpendicular al desplazamiento. El cálculo mediante el teorema de trabajo-energía evita esta dificultad y se aplica a situaciones más generales.

ESTRATEGIA DE RESOLUCIÓN DE PROBLEMAS

Teorema de trabajo-energía

1. Dibuje un diagrama de cuerpo libre para cada fuerza sobre el objeto.
2. Determine si cada fuerza realiza o no un trabajo sobre el desplazamiento en el diagrama. Mantenga cualquier signo positivo o negativo en el trabajo realizado.
3. Sume la cantidad total de trabajo realizado por cada fuerza.
4. Establezca este trabajo total igual al cambio de energía cinética y resuelva para cualquier parámetro desconocido.
5. Compruebe sus respuestas. Si el objeto se desplaza a una rapidez constante o a una aceleración cero, el trabajo total realizado debería ser cero y coincidir con el cambio de energía cinética. Si el trabajo total es positivo, el objeto debe haber acelerado o aumentado su energía cinética. Si el trabajo total es negativo, el objeto debe haber disminuido su velocidad o su energía cinética.

EJEMPLO 7.9

Completar el círculo

La pista sin fricción para un auto de juguete consta de un giro circular de radio R. ¿A qué altura, medida desde la parte inferior del círculo, debe colocarse el auto para partir del reposo en la sección de pista que se aproxima y dar toda la vuelta al círculo?

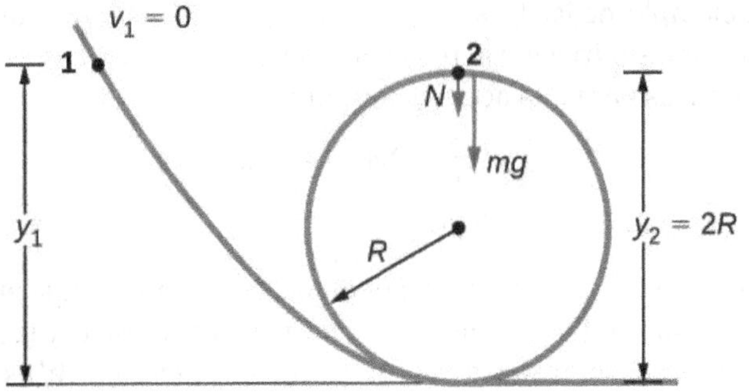

FIGURA 7.12 Una pista sin fricción para un auto de juguete tiene un giro circular completo. ¿A qué altura debe arrancar el auto para que pueda dar la vuelta al círculo sin caerse?

Estrategia

El diagrama de cuerpo libre en la posición final del objeto se dibuja en la Figura 7.12. El trabajo gravitacional es el único trabajo realizado sobre el desplazamiento que no es cero. Dado que el peso apunta en la misma dirección que el desplazamiento vertical neto, el trabajo total realizado por la fuerza gravitacional es positivo. A partir del teorema de trabajo-energía, la altura inicial determina la rapidez del auto en la parte superior del círculo,

$$-mg(y_2 - y_1) = \frac{1}{2}mv_2{}^2,$$

donde la notación se muestra en la figura adjunta. En la parte superior del círculo, la fuerza normal y la gravedad están abajo y la aceleración es centrípeta, por lo que

$$a_{\text{superior}} = \frac{F}{m} = \frac{N + mg}{m} = \frac{v_2^2}{R}.$$

La condición para mantener el contacto con la pista es que haya alguna fuerza normal, por mínima que sea; es decir, $N > 0$. Sustituyendo por v_2^2 y N, podemos encontrar la condición para y_1.

Solución

Aplique los pasos de la estrategia para llegar al resultado deseado:

$$N = \text{-}mgR + \frac{mv_2^2}{R} = \frac{\text{-}mg + 2mg(y_1 - 2R)}{R} > 0 \text{ o } y_1 > \frac{5R}{2}.$$

Importancia

En la superficie del círculo, el componente normal de la gravedad y la fuerza normal de contacto deberán proporcionar la aceleración centrípeta del auto que da la vuelta al círculo. El componente tangencial de la gravedad frena o acelera el auto. Un niño averiguaría a qué altura arrancar el auto por ensayo y error, pero ahora que conoce el de teorema de trabajo-energía, puede predecir la altura mínima (así como otros resultados más útiles) a partir de principios físicos. Al utilizar el teorema de trabajo-energía, no ha tenido que resolver ninguna ecuación diferencial para determinar la altura.

COMPRUEBE LO APRENDIDO 7.7

Supongamos que el radio del giro circular en el Ejemplo 7.9 es de 15 cm y que el auto de juguete parte del reposo a una altura de 45 cm sobre la parte inferior. ¿Cuál es su rapidez en la parte superior del círculo?

INTERACTIVO

Visite el sitio web de Carleton College para ver un vídeo (https://openstax.org/l/21carcollvidrol) de una montaña rusa con círculos completos.

En situaciones en las que se conoce el movimiento de un objeto, pero se desconocen los valores de una o más de las fuerzas que actúan sobre este, se puede utilizar el teorema de trabajo-energía para obtener alguna información sobre las fuerzas. El trabajo depende de la fuerza y de la distancia sobre la que actúa, por lo que la información se proporciona a través de su producto.

EJEMPLO 7.10

Determinación de la fuerza de detención

Una bala tiene una masa de 40 granos (2,60 g) y una velocidad de salida de 1.100 pies/s (335 m/s). Puede penetrar ocho tablas de pino de 1 pulgada, cada una con un grosor de 0,75 pulgadas. ¿Cuál es la fuerza media de detención ejercida por la madera, como se muestra en la Figura 7.13?

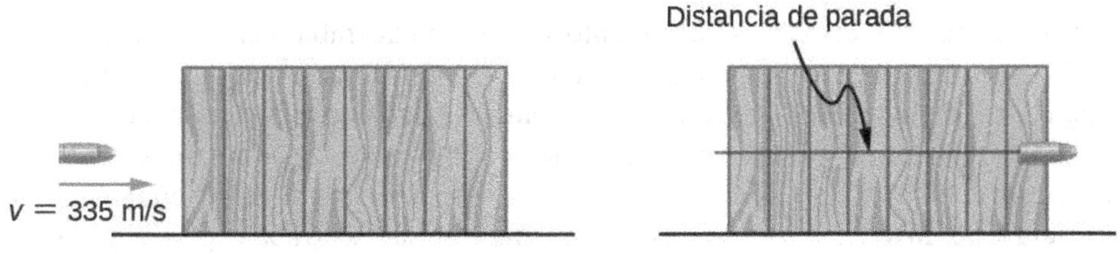

FIGURA 7.13 Las tablas ejercen una fuerza para detener la bala. Como resultado, las tablas hacen trabajo y la bala pierde energía cinética.

Estrategia

Podemos suponer que, en las condiciones generales expuestas, la bala pierde toda su energía cinética al penetrar en las tablas, por lo que el teorema de trabajo-energía señala que su energía cinética inicial es igual a la fuerza media de detención por la distancia penetrada. El cambio en la energía cinética de la bala y el trabajo neto realizado para detenerla son ambos negativos, así que cuando escribe el teorema de trabajo-energía, con el trabajo neto igual a la fuerza media por la distancia de detención, eso es lo que obtiene. El espesor total de ocho tablas de pino de 1 pulgada que la bala penetra es $8 \times \frac{3}{4}$ in. = 6 in. = 15,2 cm.

Solución

Si aplicamos el teorema de trabajo-energía, obtenemos

$$W_{\text{neta}} = -F_{\text{ave}} \Delta s_{\text{detención}} = -K_{\text{inicial}},$$

entonces

$$F_{\text{ave}} = \frac{\frac{1}{2}mv^2}{\Delta s_{\text{detención}}} = \frac{\frac{1}{2}(2{,}6 \times 10^{-3}\,\text{kg})(335\,\text{m/s})^2}{0{,}152\,\text{m}} = 960\,\text{N}.$$

Importancia

Podríamos haber utilizado la segunda ley de Newton y la cinemática en este ejemplo, pero el teorema de trabajo-energía también proporciona una respuesta a situaciones menos sencillas. La penetración de una bala, disparada verticalmente hacia arriba en un bloque de madera, se analiza en una sección del reciente artículo de Asif Shakur ["Bullet-Block Science Video Puzzle" (Video rompecabezas de ciencia con bloque y bala) *The Physics Teacher (El Profesor de Física)* (enero de 2015) 53(1): 15-16]. Si la bala se dispara centrada en el bloque, pierde toda su energía cinética y penetra ligeramente más lejos que si se dispara descentrada. La razón es que si la bala impacta descentrada, tiene un poco de energía cinética después de dejar de penetrar, porque el bloque gira. El teorema de trabajo-energía implica que un menor cambio en la energía cinética da lugar a una menor penetración. Entenderá mejor la física de este interesante artículo cuando termine de leer Momento angular.

INTERACTIVO

Aprenda más sobre el trabajo y la energía en esta simulación de PhET (https://openstax.org/l/21PhETSimRamp) llamada "la rampa". Intente cambiar la fuerza que empuja la caja y la fuerza de fricción a lo largo de la pendiente. Los gráficos de trabajo y energía pueden examinarse para observar el trabajo total realizado y el cambio en la energía cinética de la caja.

7.4 Potencia

OBJETIVOS DE APRENDIZAJE

Al final de esta sección, podrá:

- Relacionar el trabajo realizado durante un intervalo de tiempo con la potencia entregada.
- Hallar la potencia gastada por una fuerza que actúa sobre un cuerpo en movimiento.

El concepto de trabajo implica fuerza y desplazamiento; el teorema de trabajo-energía relaciona el trabajo neto que se realiza sobre un cuerpo con la diferencia de su energía cinética, calculada entre dos puntos de su trayectoria. Ninguna de estas cantidades o relaciones implica explícitamente el tiempo, pero sabemos que el tiempo disponible para realizar una determinada cantidad de trabajo suele ser tan importante para nosotros como la propia cantidad. En la figura que abre el capítulo, varios velocistas pueden haber alcanzado la misma velocidad en la meta y, por lo tanto, haber realizado la misma cantidad de trabajo, pero el ganador de la carrera lo hizo en el menor tiempo.

Expresamos la relación entre el trabajo realizado y el intervalo de tiempo que implica su realización, al introducir el concepto de potencia. Dado que el trabajo puede variar en función del tiempo, primero definimos la **potencia media** (Average, ave) como el trabajo realizado durante un intervalo de tiempo, dividido entre el intervalo,

$$P_{\text{ave}} = \frac{\Delta W}{\Delta t}. \qquad 7.10$$

A continuación, podemos definir la **potencia instantánea** (a menudo denominada simplemente **potencia**).

Potencia

La potencia se define como la tasa de realización de trabajo, o el límite de la potencia media para los intervalos de tiempo que se acercan a cero,

$$P = \frac{dW}{dt}. \qquad 7.11$$

Si la potencia es constante a lo largo de un intervalo de tiempo, la potencia media de ese intervalo es igual a la potencia instantánea, y el trabajo realizado por el agente que suministra la potencia es $W = P\Delta t$. Si la potencia durante un intervalo varía con el tiempo, entonces el trabajo realizado es la integral del tiempo de la potencia,

$$W = \int P dt.$$

El teorema de trabajo-energía relaciona cómo se puede transformar el trabajo en energía cinética. Dado que también existen otras formas de energía, como veremos en el próximo capítulo, también podemos definir la potencia como la tasa de transferencia de energía. El trabajo y la energía se miden en unidades de julios, por lo que la potencia se mide en unidades de julios por segundo, a las que el SI ha dado el nombre de vatios, con abreviatura W: 1 J/s = 1 W. Otra unidad común para expresar la capacidad de potencia de los dispositivos cotidianos es el caballo de fuerza (Horsepower, hp): 1 hp = 746 W.

EJEMPLO 7.11

Potencia de levantamiento

Un aprendiz del ejército de 80 kg hace dominadas en una barra horizontal (Figura 7.14). El aprendiz tarda 0,8 segundos en levantar el cuerpo desde una posición baja hasta que la barbilla está por encima de la barra. ¿Cuánta fuerza suministran los músculos del aprendiz al mover su cuerpo desde la posición inferior hasta que la barbilla está por encima de la barra? (*Pista:* Haga una estimación razonable de las cantidades necesarias).

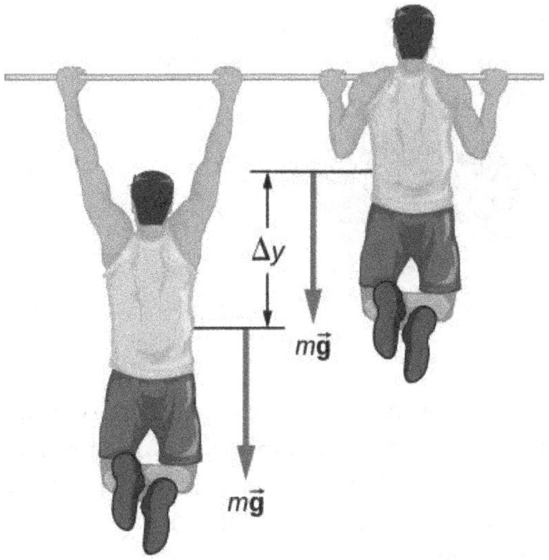

FIGURA 7.14 ¿Cuál es la potencia gastada al hacer diez dominadas en diez segundos?

Estrategia

El trabajo realizado contra la gravedad, subiendo o bajando una distancia Δy, es $mg\Delta y$. Supongamos que $\Delta y = 2$pies ≈ 60 cm. Supongamos también que los brazos representan el 10 % de la masa del cuerpo y no se incluyen en la masa en movimiento. Con estos supuestos, podemos calcular el trabajo realizado.

Solución

El resultado que obtenemos, aplicando nuestros supuestos, es

$$P = \frac{\text{mg}(\Delta y)}{t} = \frac{0{,}9\,(80\,\text{kg})(9{,}8\,\text{m/s}^2)(0{,}60\,\text{m})}{0{,}8\,\text{s}} = 529\,\text{W}.$$

Importancia

Esto es típico para el gasto de energía en el ejercicio extenuante; en unidades cotidianas, es algo más de un caballo de fuerza (1 hp = 746 W).

COMPRUEBE LO APRENDIDO 7.8

Calcule la potencia que gasta un levantador de pesas al levantar una barra de 150 kg 2 m en 3 s.

La potencia necesaria para mover un cuerpo también puede expresarse en términos de las fuerzas que actúan sobre este. Si una fuerza $\vec{\mathbf{F}}$ actúa sobre un cuerpo que es desplazado $d\vec{\mathbf{r}}$ en un tiempo dt, la potencia gastada por la fuerza es

$$P = \frac{dW}{dt} = \frac{\vec{\mathbf{F}} \cdot d\vec{\mathbf{r}}}{dt} = \vec{\mathbf{F}} \cdot \left(\frac{d\vec{\mathbf{r}}}{dt}\right) = \vec{\mathbf{F}} \cdot \vec{\mathbf{v}}, \qquad 7.12$$

donde $\vec{\mathbf{v}}$ es la velocidad del cuerpo. El hecho de que los límites implicados por las derivadas existan, para el movimiento de un cuerpo real, justifica el reordenamiento de los infinitesimales.

EJEMPLO 7.12

Potencia automotriz conduciendo cuesta arriba

¿Cuánta potencia debe gastar el motor de un automóvil para mover un auto de 1.200 kg por una pendiente de grado del 15 % a 90 km/h (Figura 7.15)? Supongamos que el 25 % de esta potencia se disipa al vencer la resistencia del aire y la fricción.

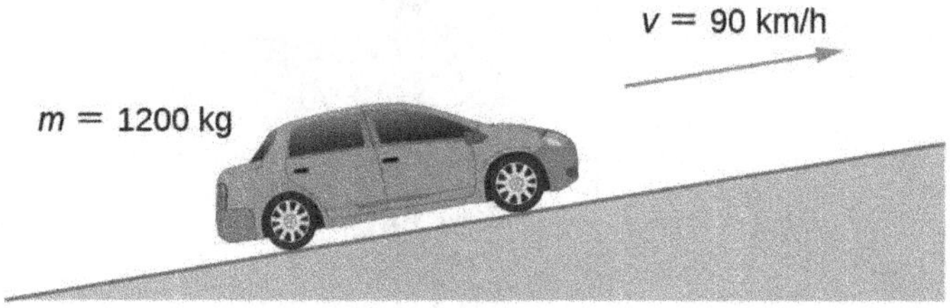

FIGURA 7.15 Queremos calcular la potencia necesaria para subir un auto por una colina a velocidad constante.

Estrategia

A velocidad constante, no hay cambio en la energía cinética, por lo que el trabajo neto realizado para mover el auto es cero. Por lo tanto, la potencia suministrada por el motor para mover el auto es igual a la potencia gastada contra la gravedad y la resistencia del aire. Suponiendo que el 75 % de la potencia se suministre contra la gravedad, lo que equivale a $m\vec{\mathbf{g}} \cdot \vec{\mathbf{v}} = mgv \operatorname{sen} \theta$, donde θ es el ángulo de la pendiente. Un grado del 15 % significa $\tan \theta = 0{,}15$. Este razonamiento nos permite resolver la potencia necesaria.

Solución

Al llevar a cabo los pasos sugeridos, hallamos

$$0{,}75\, P = mgv \operatorname{sen}(\tan^{-1} 0{,}15),$$

o

$$P = \frac{(1.200 \times 9{,}8\,\text{N})(90\,\text{m}/3{,}6\,\text{s})\text{sen}(8{,}53°)}{0{,}75} = 58\,\text{kW},$$

o unos 78 hp. (Deberá suministrar los pasos utilizados para convertir las unidades).

Importancia

Esta es una cantidad razonable de potencia para que el motor de un auto pequeño o mediano suministre (1 hp = 0,746 kW). Observe que esto es solo la potencia gastada para mover el auto. Gran parte de la potencia del motor va a parar a otra parte, por ejemplo, al calor residual. Por eso los autos necesitan radiadores. La potencia restante puede utilizarse para acelerar o para hacer funcionar los accesorios del auto.

Revisión Del Capítulo

Términos Clave

energía cinética energía del movimiento, la mitad de la masa de un objeto por el cuadrado de su rapidez

potencia (o potencia instantánea) tasa de realización del trabajo

potencia media trabajo realizado en un intervalo de tiempo dividido entre el intervalo de tiempo

teorema de trabajo-energía el trabajo neto realizado sobre una partícula es igual a la variación de su energía cinética

trabajo se realiza cuando una fuerza actúa sobre algo que sufre un desplazamiento de una posición a otra

trabajo neto trabajo realizado por todas las fuerzas que actúan sobre un objeto

Ecuaciones Clave

Trabajo realizado por una fuerza en un desplazamiento infinitesimal	$dW = \vec{\mathbf{F}} \cdot d\vec{\mathbf{r}} = \left\|\vec{\mathbf{F}}\right\| \left\|d\vec{\mathbf{r}}\right\| \cos\theta$
Trabajo realizado por una fuerza que actúa a lo largo de una trayectoria de A a B	$W_{AB} = \int_{\text{trayectoria}AB} \vec{\mathbf{F}} \cdot d\vec{\mathbf{r}}$
Trabajo realizado por una fuerza constante de fricción cinética	$W_{\text{fr}} = -f_k \left\|l_{AB}\right\|$
Trabajo realizado por la gravedad de la Tierra para ir de A a B, cerca de su superficie	$W_{\text{grav},AB} = -mg\left(y_B - y_A\right)$
Trabajo realizado por la fuerza de un resorte unidimensional para ir de A a B	$W_{\text{resorte},AB} = -\left(\frac{1}{2}k\right)\left(x_B^2 - x_A^2\right)$
Energía cinética de una partícula no relativista	$K = \frac{1}{2}mv^2 = \frac{p^2}{2m}$
Teorema de trabajo-energía	$W_{\text{neto}} = K_B - K_A$
Potencia como tasa de realización del trabajo	$P = \frac{dW}{dt}$
Potencia como producto punto de la fuerza y la velocidad	$P = \vec{\mathbf{F}} \cdot \vec{\mathbf{v}}$

Resumen

7.1 Trabajo

- El incremento infinitesimal del trabajo realizado por una fuerza, que actúa sobre un desplazamiento infinitesimal, es el producto punto de la fuerza y el desplazamiento.
- El trabajo realizado por una fuerza, que actúa sobre una trayectoria finita, es la integral de los incrementos infinitesimales del trabajo realizado a lo largo de la trayectoria.
- El trabajo realizado *contra* una fuerza es el negativo del trabajo realizado *por* la fuerza.
- El trabajo realizado por una fuerza normal o de fricción por contacto deberá determinarse en cada caso particular.
- El trabajo realizado por la fuerza de la gravedad, sobre un objeto cercano a la superficie de la Tierra, depende únicamente del peso del objeto y de la diferencia de altura por la que se desplazó.
- El trabajo realizado por una fuerza de resorte, que actúa desde una posición inicial hasta una posición final, depende únicamente de la constante del resorte y de los cuadrados de esas posiciones.

7.2 Energía cinética

- La energía cinética de una partícula es el producto de la mitad de su masa por el cuadrado de su velocidad, para una rapidez no relativista.
- La energía cinética de un sistema es la suma de las energías cinéticas de todas las partículas del sistema.
- La energía cinética es relativa a un marco de referencia, siempre es positiva y a veces recibe nombres especiales para los distintos tipos de movimiento.

7.3 Teorema de trabajo-energía

- Ya que la fuerza neta sobre una partícula es igual a su masa por la derivada de su velocidad, la integral del trabajo neto realizado sobre la partícula es igual al cambio en la energía cinética de la partícula. Este es el teorema de trabajo-energía.
- Puede utilizar el teorema de trabajo-energía para hallar ciertas propiedades de un sistema, sin tener que resolver la ecuación diferencial de la segunda ley de Newton.

7.4 Potencia

- La potencia es la tasa de realización del trabajo, es decir, la derivada del trabajo con respecto al tiempo.
- Alternativamente, el trabajo realizado durante un intervalo de tiempo es la integral de la potencia suministrada durante dicho intervalo.
- La potencia entregada por una fuerza, que actúa sobre una partícula en movimiento, es el producto punto de la fuerza por la velocidad de la partícula.

Preguntas Conceptuales

7.1 Trabajo

1. Dé un ejemplo de algo que consideremos trabajo en circunstancias cotidianas y que no sea trabajo en el sentido científico. ¿La energía se transfiere o cambia de forma en su ejemplo? En caso afirmativo, explique cómo se consigue esto sin realizar trabajo.
2. Dé un ejemplo de una situación en la que hay una fuerza y un desplazamiento, pero la fuerza no realiza ningún trabajo. Explique por qué no realiza trabajo.
3. Describa una situación en la que una fuerza se ejerce durante mucho tiempo, pero no realiza ningún trabajo. Explique.
4. Un cuerpo se mueve en un círculo a rapidez constante. ¿La fuerza centrípeta que acelera el cuerpo realiza algún trabajo? Explique.
5. Suponga que lanza una pelota hacia arriba y la atrapa cuando vuelve a la misma altura. ¿Cuánto trabajo realiza la fuerza gravitatoria sobre la pelota en todo su recorrido?
6. ¿Por qué es más difícil hacer abdominales sobre una tabla inclinada que sobre una superficie horizontal? (Vea a continuación).

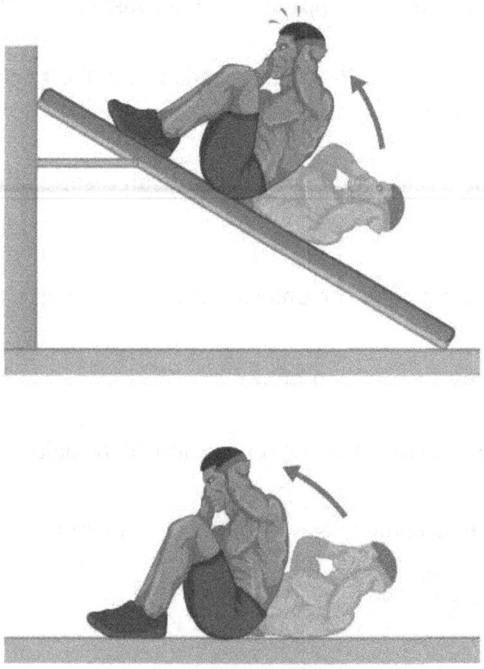

7. De joven, Tarzán trepó por una liana para llegar a su casa del árbol. Cuando se hizo mayor, decidió construir y utilizar una escalera en su lugar. Dado que el trabajo de la fuerza gravitatoria *mg* es independiente de la trayectoria, ¿qué ganaba el rey de los monos al utilizar las escaleras?

7.2 Energía cinética

8. Una partícula de *m* tiene una velocidad de $v_x\hat{\mathbf{i}} + v_y\hat{\mathbf{j}} + v_z\hat{\mathbf{k}}$. ¿Está su energía cinética dada por $m(v_x{}^2\hat{\mathbf{i}} + v_y{}^2\hat{\mathbf{j}} + v_z{}^2\hat{\mathbf{k}})/2$? Si no es así, ¿cuál

es la expresión correcta?

9. Una partícula tiene masa m y una segunda partícula tiene masa $2m$. La segunda partícula se mueve con rapidez v y la primera con rapidez $2v$. ¿Cómo se comparan sus energías cinéticas?
10. Una persona deja caer un guijarro de masa m_1 desde una altura h, y golpea el suelo con una energía cinética K. La persona deja caer otro guijarro de masa m_2 desde una altura de $2h$, y golpea el suelo con la misma energía cinética K. ¿Cómo se comparan las masas de los guijarros?

7.3 Teorema de trabajo-energía

11. La persona que se muestra a continuación ejerce trabajo sobre el cortacésped. ¿En qué condiciones el cortacésped ganaría energía de la persona que lo empuja? ¿En qué condiciones perdería energía?

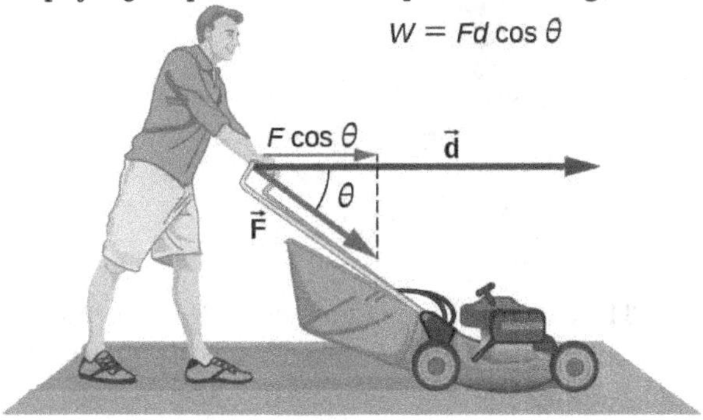

12. El trabajo realizado sobre un sistema aporta energía al mismo. El trabajo realizado por un sistema le quita energía. Dé un ejemplo para cada afirmación.
13. Dos canicas de masas m y $2m$ se dejan caer desde una altura h. Compare sus energías cinéticas cuando llegan al suelo.
14. Compare el trabajo necesario para acelerar un auto de 2.000 kg de masa de 30,0 a 40,0 km/h con el necesario para una aceleración de 50,0 a 60,0 km/h.
15. Supongamos que está trotando a velocidad constante. ¿Está ejerciendo un trabajo en el ambiente y viceversa?
16. Dos fuerzas actúan para duplicar la rapidez de una partícula que se mueve inicialmente con una energía cinética de 1 J. Una de las fuerzas realiza 4 J de trabajo. ¿Cuánto trabajo hace la otra fuerza?

7.4 Potencia

17. La mayoría de los aparatos eléctricos están clasificados en vatios. ¿Depende esta clasificación del tiempo que esté encendido el aparato? (Cuando está apagado, es un dispositivo de cero vatios). Explique en términos de la definición de potencia.
18. Explique, en términos de la definición de potencia, por qué el consumo de energía se indica a veces en kilovatios-hora en lugar de julios. ¿Cuál es la relación entre estas dos unidades de energía?
19. Una chispa de electricidad estática, como la que puede recibir de un pomo de la puerta en un día frío y seco, puede llevar unos cientos de vatios de potencia. Explique por qué no lo lastima dicha chispa.
20. ¿Depende el trabajo realizado al levantar un objeto de que tan rápido este es levantado? ¿Depende la potencia gastada de la rapidez con la que se levanta?
21. ¿Puede ser negativa la potencia gastada por una fuerza?
22. ¿Cómo puede una bombilla de 50 W consumir más energía que un horno de 1.000 W?

Problemas

7.1 Trabajo

23. ¿Cuánto trabajo realiza el cajero de un supermercado con una lata de sopa que empuja 0,600 m horizontalmente con una fuerza de 5,00 N?
24. Una persona de 75,0 kg sube las escaleras, para llegar a 2,50 m de altura. Calcule el trabajo realizado para llevar a cabo esta tarea.
25. (a) Calcule el trabajo realizado sobre una cabina de elevador de 1.500 kg por su cable para elevarla 40,0 m con rapidez constante, suponiendo que la fricción es de media 100 N. (b) ¿Cuál es el trabajo realizado sobre el elevador por la fuerza gravitatoria en este proceso? (c) ¿Cuál es el trabajo total realizado sobre el elevador?
26. Supongamos que un auto recorre 108 km a una rapidez de 30,0 m/s, y utiliza 2,0 galones de gasolina. Solo el 30 % de la gasolina se convierte en trabajo útil por la fuerza que mantiene el auto en movimiento a rapidez constante, a pesar de la fricción. (El contenido de energía de la gasolina es de unos 140 MJ/gal). (a) ¿Cuál es la magnitud de la fuerza ejercida para mantener el auto en movimiento a rapidez constante? (b) Si la fuerza necesaria es directamente proporcional a la rapidez, ¿cuántos galones se

utilizarán para recorrer 108 km a una rapidez de 28,0 m/s?

27. Calcule el trabajo realizado por un hombre de 85,0 kg que empuja una caja de 4,00 m hacia arriba por una rampa que forma un ángulo de $20{,}0°$ con la horizontal (vea más abajo). Ejerce una fuerza de 500 N sobre la caja paralela a la rampa y se mueve a rapidez constante. Incluya el trabajo que realiza en la caja y en su cuerpo para subir la rampa.

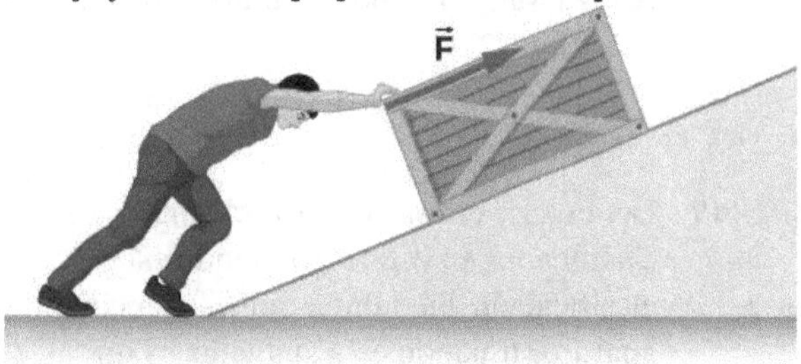

28. ¿Cuánto trabajo realiza el niño que hala a su hermana 30,0 m en una carretilla como la que se muestra a continuación? Supongamos que ninguna fricción actúa sobre la carretilla.

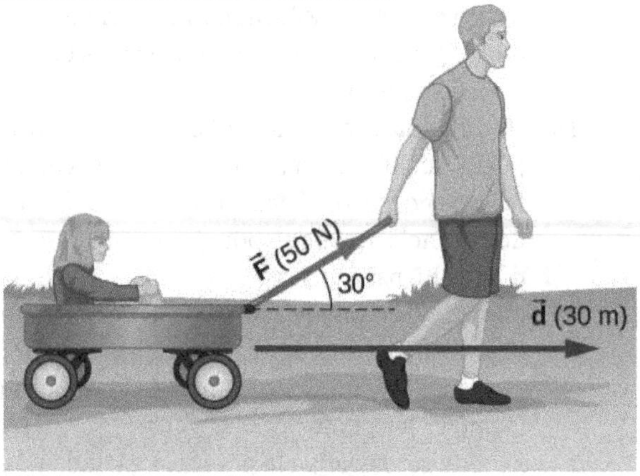

29. Un comprador empuja un carro de supermercado 20,0 m a rapidez constante en terreno llano, contra una fuerza de fricción de 35,0 N. Empuja en una dirección de $25{,}0°$ por debajo de la horizontal. (a) ¿Cuál es el trabajo realizado sobre el carro por la fricción? (b) ¿Cuál es el trabajo realizado sobre el carro por la fuerza gravitatoria? (c) ¿Cuál es el trabajo realizado sobre el carro por el comprador? (d) Calcule la fuerza que ejerce el comprador; utilice consideraciones de energía. (e) ¿Cuál es el trabajo total realizado sobre el carro?

30. Supongamos que la patrulla de esquí baja un trineo de rescate y una víctima, con una masa total de 90,0 kg, por una pendiente de $60{,}0°$ a rapidez constante, como se muestra a continuación. El coeficiente de fricción entre el trineo y la nieve es de 0,100. (a) ¿Cuánto trabajo realiza la fricción cuando el trineo se desplaza 30,0 m por la colina? (b) ¿Cuánto trabajo realiza la cuerda sobre el trineo en esta distancia? (c) ¿Cuál es el trabajo realizado por la fuerza gravitatoria sobre el trineo? (d) ¿Cuál es el trabajo total realizado?

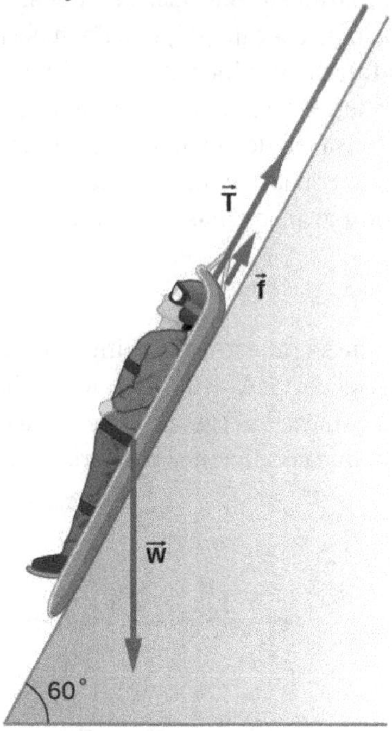

31. Una fuerza constante de 20 N empuja una pequeña pelota en la dirección de la fuerza a lo largo de una distancia de 5,0 m. ¿Cuál es el trabajo realizado por la fuerza?

32. Un carro de juguete es arrastrado una distancia de 6,0 m en línea recta por el suelo. La fuerza que hala del carro tiene una magnitud de 20 N y está dirigida a $37°$ sobre la horizontal. ¿Cuál es el trabajo realizado por esta fuerza?

33. Una caja de 5,0 kg descansa sobre una superficie horizontal. El coeficiente de fricción cinética entre la caja y la superficie es $\mu_K = 0{,}50$. Una fuerza horizontal hala de la caja a velocidad constante durante 10 cm. Calcule el trabajo realizado por (a) la fuerza horizontal aplicada, (b) la fuerza de fricción y (c) la fuerza neta.

34. Un trineo más un pasajero con una masa total de 50 kg es halado 20 m por la nieve ($\mu_k = 0{,}20$) a velocidad constante por una fuerza dirigida a $25°$ sobre la horizontal. Calcule (a) el trabajo de la fuerza aplicada, (b) el trabajo de la fricción y (c) el trabajo total.

35. Supongamos que el trineo más el pasajero del problema anterior son empujados 20 m por la nieve a velocidad constante por una fuerza dirigida a $30°$ por debajo de la horizontal. Calcule (a) el trabajo de la fuerza aplicada, (b) el

trabajo de la fricción y (c) el trabajo total.

36. ¿Cuánto trabajo realiza la fuerza $F(x) = (-2{,}0/x)$ N en una partícula cuando se mueve de $x = 2{,}0$ m a $x = 5{,}0$ m?

37. ¿Cuánto trabajo se realiza contra la fuerza gravitatoria sobre un maletín de 5,0 kg cuando se transporta desde la planta baja hasta la azotea del Empire State Building, un ascenso vertical de 380 m?

38. Se necesitan 500 J de trabajo para comprimir un resorte 10 cm. ¿Cuál es la constante de fuerza del resorte?

39. Una cuerda elástica es esencialmente una banda elástica muy larga que puede estirarse hasta cuatro veces su longitud sin estirar. Sin embargo, su constante de resorte varía a lo largo de su estiramiento [vea Menz, P.G. "La física del *puenting*". *El profesor de física (The Physics Teacher)* (noviembre de 1993) 31: 483-487]. Tome la longitud de la cuerda en la dirección de la *x* y defina el estiramiento de la *x* como la longitud de la cuerda *l* menos su longitud no estirada l_0; es decir, $x = l - l_0$ (vea más abajo). Supongamos que una determinada cuerda elástica tiene una constante de resorte, para $0 \leq x \leq 4{,}88$ m, de $k_1 = 204$ N/m y para $4{,}88\text{ m} \leq x$, de $k_2 = 111$ N/m. (Recuerde que la constante del resorte es la pendiente de la fuerza *F(x)* en función de su estiramiento *x*). (a) ¿Cuál es la tensión en la cuerda cuando el estiramiento es de 16,7 m (el máximo deseado para un salto determinado)? (b) ¿Cuánto trabajo debe realizarse contra la fuerza elástica de la cuerda elástica para estirarla 16,7 m?

FIGURA 7.16 (créditos: modificación del trabajo de Graeme Churchard).

40. Una cuerda elástica ejerce una fuerza elástica no lineal de magnitud $F(x) = k_1 x + k_2 x^3$, donde la *x* es la distancia a la que se estira la cuerda, $k_1 = 204$ N/m y $k_2 = -0{,}233$ N/m^3. ¿Cuánto trabajo hay que ejercer en la cuerda para estirarla 16,7 m?

41. Los ingenieros desean modelar la magnitud de la fuerza elástica de una cuerda elástica con la ecuación

$$F(x) = a\left[\frac{x+9\text{ m}}{9\text{ m}} - \left(\frac{9\text{ m}}{x+9\text{ m}}\right)^2\right],$$

donde la *x* es el estiramiento de la cuerda a lo largo de su longitud y *a* es una constante. Si se necesitan 22,0 kJ de trabajo para estirar la cuerda 16,7 m, determine el valor de la constante *a*.

42. Una partícula que se mueve en el plano *xy* está sometida a una fuerza

$$\vec{\mathbf{F}}(x, y) = (50\text{ N/m})(x\hat{\mathbf{i}} + \frac{y^2}{3\text{m}}\hat{\mathbf{j}})$$

donde la *x* y la *y* están en metros. Calcule el trabajo realizado sobre la partícula por esta fuerza, al moverse en línea recta desde el punto (3 m, 4 m) hasta el punto (6 m, 8 m).

43. Una partícula se mueve a lo largo de una trayectoria curva $y(x) = (10\text{ m})\{1 + \cos[(0{,}1\text{ m}^{-1})x]\}$, de $x = 0$ a $x = 10\pi$ m, sometida a una fuerza tangencial de magnitud variable $F(x) = (10\text{ N})\text{sen}[(0{,}1\text{ m}^{-1})x]$. ¿Cuánto trabajo hace la fuerza? (*Pista:* Consulte una tabla de integrales o utilice un programa de integración numérica).

7.2 Energía cinética

44. Compare la energía cinética de un camión de 20.000 kg que se mueve a 110 km/h con la de un astronauta de 80,0 kg en órbita que se mueve a 27.500 km/h.

45. (a) ¿A qué velocidad debe moverse un elefante de 3.000 kg para tener la misma energía cinética que un velocista de 65,0 kg que corre a 10,0 m/s? (b) Argumente de qué manera las mayores energías necesarias para el movimiento de los animales más grandes se relacionarían con las tasas metabólicas.

46. Calcule la energía cinética de un portaaviones de 90.000 toneladas que se mueve a una rapidez de 30 nudos. Tendrá que buscar la definición de milla náutica para utilizarla en la conversión de la unidad para la rapidez, donde 1 nudo equivale a 1 milla náutica por hora. Además, para este problema, 1 tonelada equivale a 2.000 libras.

47. Calcule las energías cinéticas de (a) un automóvil de 2.000,0 kg que se mueve a 100,0 km/h; (b) un corredor de 80,0 kg que esprinta a 10,0 m/s; y (c) un electrón de $9{,}1 \times 10^{-31}$ -kg que se mueve a $2{,}0 \times 10^{7}$ m/s.

48. Un cuerpo de 5,0 kg tiene tres veces la energía cinética de un cuerpo de 8,0 kg. Calcule el cociente de la rapidez de estos cuerpos.

49. Una bala de 8,0 g tiene una rapidez de 800 m/s. (a) ¿Cuál es su energía cinética? (b) ¿Cuál es su energía cinética si la rapidez se reduce a la mitad?

7.3 Teorema de trabajo-energía

50. (a) Calcule la fuerza necesaria para que un auto de 950 kg se detenga desde una rapidez de 90,0 km/h en una distancia de 120 m (una distancia bastante típica para una parada sin pánico). (b) Suponga que, en cambio, el auto choca con un estribo de hormigón a toda velocidad y se detiene en 2,00 m. Calcule la fuerza ejercida sobre el auto y compárela con la fuerza encontrada en la parte (a).

51. El parachoques de un auto está diseñado para soportar una colisión a 4,0 km/h (1,1 m/s) con un objeto inamovible sin que se dañe la carrocería del vehículo. El parachoques amortigua el choque absorbiendo la fuerza a lo largo de una distancia. Calcule la magnitud de la fuerza media sobre un parachoques que se desploma 0,200 m al poner en reposo un auto de 900 kg desde una rapidez inicial de 1,1 m/s.

52. Los guantes de boxeo están acolchados para disminuir la fuerza de un golpe. (a) Calcule la fuerza ejercida por un guante de boxeo sobre la cara de un adversario, si el guante y la cara se comprimen 7,50 cm durante un golpe en el que el brazo de 7,00 kg y el guante se llevan a reposo desde una rapidez inicial de 10,0 m/s. (b) Calcule la fuerza ejercida por un golpe idéntico en los días en que no se utilizaban guantes, y los nudillos y la cara se comprimían sólo 2,00 cm. Suponga que el cambio de masa al quitarse el guante es despreciable. (c) Comente sobre la magnitud de la fuerza con el guante puesto. ¿Parece lo suficientemente alta como para causar daños aunque sea menor que la fuerza sin guante?

53. Con base en consideraciones energéticas, calcule la fuerza media que un velocista de 60,0 kg ejerce hacia atrás en la pista para acelerar de 2,00 a 8,00 m/s en una distancia de 25,0 m, si encuentra un viento en contra que ejerce una fuerza media de 30,0 N contra él.

54. Una caja de 5,0 kg tiene una aceleración de $2{,}0\ \text{m/s}^2$ cuando es halada por una fuerza horizontal a través de una superficie con $\mu_K = 0{,}50$. Calcule el trabajo realizado en una distancia de 10 cm por (a) la fuerza horizontal, (b) la fuerza de fricción y (c) la fuerza neta. (d) ¿Cuál es el cambio en la energía cinética de la caja?

55. Se aplica una fuerza horizontal constante de 10 N a un carro de 20 kg en reposo sobre un suelo plano. Si la fricción es despreciable, ¿cuál es la rapidez del carro cuando ha sido empujado 8,0 m?

56. En el problema anterior, la fuerza de 10 N se aplica en un ángulo de $45°$ por debajo de la horizontal. ¿Cuál es la rapidez del carro cuando ha sido empujado 8,0 m?

57. Compare el trabajo necesario para detener una caja de 100 kg que se desliza a 1,0 m/s y una bala de 8,0 g que viaja a 500 m/s.

58. Un vagón con su pasajero se encuentra en la cima de una colina. El vagón recibe un ligero empujón y rueda 100 m por una pendiente de $10°$ hasta la base de la colina. Cuál es la rapidez del vagón cuando llega al final de la pendiente. Supongamos que la fuerza de fricción retardadora es despreciable.

59. Una bala de 8,0 g a una rapidez de 800 m/s se

dispara contra un bloque de madera y penetra 20 cm antes de detenerse. ¿Cuál es la fuerza media de la madera sobre la bala? Supongamos que el bloque no se mueve.

60. Un bloque de 2,0 kg comienza con una rapidez de 10 m/s en la parte inferior de un plano inclinado a 37° de la horizontal. El coeficiente de fricción por deslizamiento entre el bloque y el plano es $\mu_k = 0{,}30$. (a) Utilice el principio de trabajo-energía para determinar la distancia que el bloque se desliza a lo largo del plano antes de detenerse momentáneamente. (b) Después de detenerse, el bloque vuelve a deslizarse por el plano. ¿Cuál es su rapidez cuando llega a la parte inferior? (*Pista:* Para el viaje de ida y vuelta, solo la fuerza de la fricción ejerce trabajo en el bloque).

61. Cuando un bloque de 3,0 kg es empujado contra un resorte sin masa de fuerza constante $4{,}5 \times 10^3$ N/m, el resorte se comprime 8,0 cm. El bloque se suelta y se desliza 2,0 m (desde el punto en que se suelta) por una superficie horizontal antes de que la fricción lo detenga. ¿Cuál es el coeficiente de fricción cinética entre el bloque y la superficie?

62. Un pequeño bloque de masa 200 g comienza en reposo en A, se desliza hasta B donde su rapidez es $v_B = 8{,}0$ m/s, luego, se desliza por la superficie horizontal una distancia de 10 m antes de detenerse en C. (Vea abajo.) (a) ¿Cuál es el trabajo de fricción a lo largo de la superficie curva? (b) ¿Cuál es el coeficiente de fricción cinética a lo largo de la superficie horizontal?

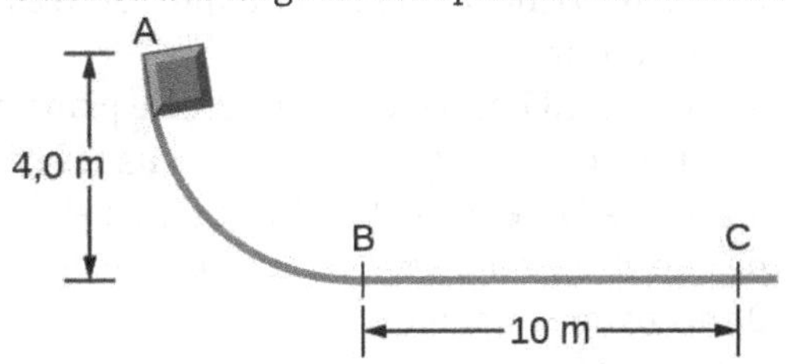

63. Se coloca un pequeño objeto en la parte superior de una pendiente que es esencialmente sin fricción. El objeto se desliza por la pendiente hasta una superficie horizontal rugosa, donde se detiene en 5,0 s después de recorrer 60 m. (a) ¿Cuál es la rapidez del objeto en la parte inferior de la pendiente y su aceleración a lo largo de la superficie horizontal? (b) ¿Cuál es la altura de la pendiente?

64. Cuando se suelta, un bloque de 100 g se desliza por la trayectoria que se muestra a continuación, para llegar hasta la parte inferior con una rapidez de 4,0 m/s. ¿Cuánto trabajo realiza la fuerza de fricción?

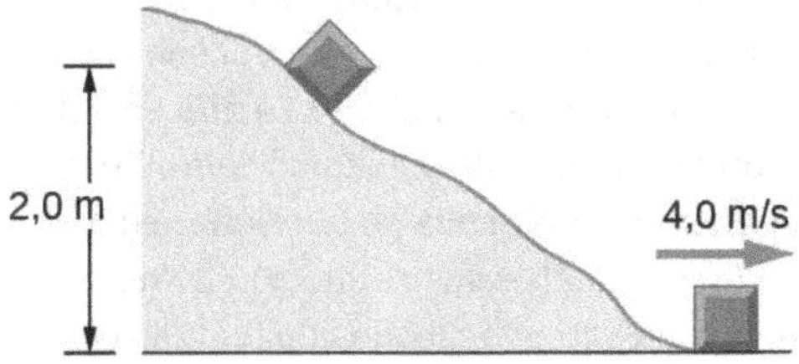

65. Una bala de calibre 0,22LR como la mencionada en el Ejemplo 7.10 se dispara contra una puerta hecha con tablas de pino de un solo grosor de 1 pulgada. ¿A qué velocidad se desplazaría la bala después de atravesar la puerta?

66. Un trineo parte del reposo en la cima de una pendiente cubierta de nieve que forma un ángulo de 22° con la horizontal. Tras deslizarse 75 m por la pendiente, su rapidez es de 14 m/s. Utilice el teorema de trabajo-energía para calcular el coeficiente de fricción cinética entre los patines del trineo y la superficie nevada.

7.4 Potencia

67. Una persona en buenas condiciones físicas puede emitir 100 W de potencia útil durante varias horas seguidas, quizás pedaleando un mecanismo que accione un generador eléctrico. Descartando los problemas de eficiencia de los generadores ni consideraciones prácticas como el tiempo de descanso: (a) ¿Cuántas personas harían falta para hacer funcionar una secadora de ropa eléctrica de 4,00 kW? (b) ¿Cuántas personas harían falta para sustituir una gran central eléctrica que genera 800 MW?

68. ¿Cuál es el costo de funcionamiento de un reloj eléctrico de 3,00 W durante un año si el costo de la electricidad es de 0,0900 dólares por $\text{kW} \cdot \text{h}$?

69. Un gran aparato de aire acondicionado residencial puede consumir 15,0 kW de potencia. ¿Cuál es el costo de hacer funcionar este aire acondicionado 3,00 h al día durante 30,0 d si el costo de la electricidad es de 0,110 $ por $\text{kW} \cdot \text{h}$?

70. (a) ¿Cuál es el consumo medio de potencia en vatios de un aparato que utiliza 5,00 $\text{kW} \cdot \text{h}$ de energía al día? b) ¿Cuántos julios de energía consume este aparato en un año?

71. (a) ¿Cuál es la producción de potencia útil media de una persona que hace $6{,}00 \times 10^6$ J de trabajo útil en 8,00 h? (b) Trabajando a este ritmo, ¿cuánto tiempo tardará esta persona en levantar 2.000 kg de ladrillos en 1,50 m hasta una plataforma? (El trabajo realizado para levantar su cuerpo puede omitirse porque no se considera aquí una producción útil).

72. Un dragster de 500 kg acelera desde el reposo hasta una rapidez final de 110 m/s en 400 m (aproximadamente un cuarto de milla) y encuentra una fuerza de fricción media de 1.200 N. ¿Cuál es su producción de potencia media en vatios y caballos de fuerza si esto le toma 7,30 s?

73. (a) ¿Cuánto tardará un auto de 850 kg con una potencia útil de 40,0 hp (1 hp equivale a 746 W) en alcanzar una rapidez de 15,0 m/s, ignorando la fricción? (b) ¿Cuánto tardará esta aceleración si el auto también sube una colina de 3,00 m de altura en el proceso?

74. (a) Halle la potencia útil de un motor de elevador que eleva una carga de 2.500 kg a una altura de 35,0 m en 12,0 s, si además aumenta la rapidez desde el reposo a 4,00 m/s. Observe que la masa total del sistema de contrapesos es de 10.000 kg, de modo que solo se elevan 2.500 kg en altura, pero se aceleran los 10.000 kg completos. (b) ¿Cuánto cuesta, si la electricidad es de 0,0900 dólares por $kW \cdot h$?

75. (a) ¿Cuánto tiempo tardaría un avión de $1{,}50 \times 10^5$-kg con motores que generan 100 MW de potencia para alcanzar una rapidez de 250 m/s y una altitud de 12,0 km si la resistencia del aire fuera despreciable? (b) Si realmente tarda 900 s, ¿cuál es la potencia? (c) Dada esta potencia, ¿cuál es la fuerza media de la resistencia del aire si el avión tarda 1.200 s? (*Pista:* Debe encontrar la distancia que recorre el avión en 1.200 s suponiendo una aceleración constante).

76. Calcule la producción de potencia necesaria para que un auto de 950 kg suba una pendiente de $2{,}00°$ a 30,0 m/s constantes mientras se encuentra con una resistencia al viento y una fricción de 600 N.

77. Un hombre de 80 kg de masa sube corriendo un tramo de escaleras de 20 m de altura en 10 s. (a) ¿Cuánta potencia se utiliza para levantar al hombre? (b) Si el cuerpo del hombre tiene un rendimiento del 25 %, ¿cuánta potencia gasta?

78. El hombre del problema anterior consume aproximadamente $1{,}05 \times 10^7$ J (2.500 calorías) de energía al día para mantener un peso constante. ¿Cuál es la potencia media que produce en un día? Compare esto con su producción de energía cuando sube las escaleras.

79. Un electrón en un tubo de televisión se acelera uniformemente desde el reposo hasta una rapidez de $8{,}4 \times 10^7$ m/s a una distancia de 2,5 cm. ¿Cuál es la potencia entregada al electrón en el instante en que su desplazamiento es de 1,0 cm?

80. El carbón se eleva desde una mina una distancia vertical de 50 m mediante un motor que suministra 500 W a una cinta transportadora. ¿Cuánto carbón por minuto se puede sacar a la superficie? Ignore los efectos de la fricción.

81. Una niña hala su vagón de 15 kg por una acera plana al aplicar una fuerza de 10 N a $37°$ de la horizontal. Supongamos que la fricción es despreciable y que el vagón parte del reposo. (a) ¿Cuánto trabajo realiza la niña sobre el vagón en los primeros 2,0 s. (b) ¿Cuánta potencia instantánea ejerce en $t = 2{,}0$ s?

82. Un motor de automóvil típico tiene un rendimiento del 25 %. Supongamos que el motor de un automóvil de 1.000 kg tiene una potencia máxima de 140 hp. ¿Cuál es el grado máximo que puede subir el automóvil a 50 km/h si la fuerza de fricción retardante sobre este es de 300 N?

83. Al trotar a 13 km/h en una superficie plana, un hombre de 70 kg utiliza energía a una tasa de aproximadamente 850 W. Con base en el hecho de que el "motor humano" tiene una eficiencia de aproximadamente el 25 %, determine la tasa a la que este hombre utiliza energía al correr por una pendiente de $5{,}0°$ a esta misma rapidez. Supongamos que la fuerza de fricción retardante es la misma en ambos casos.

Problemas Adicionales

84. Un carro es arrastrado una distancia *D* sobre una superficie plana y horizontal por una fuerza constante *F* que actúa a un ángulo θ con respecto a la dirección horizontal. Las otras fuerzas sobre el objeto durante este tiempo son la gravedad (F_w), las fuerzas normales (F_{N1}) y (F_{N2}), y las fricciones de rodadura F_{r1} y F_{r2}, como se muestra a continuación. ¿Cuál es el trabajo que realiza cada fuerza?

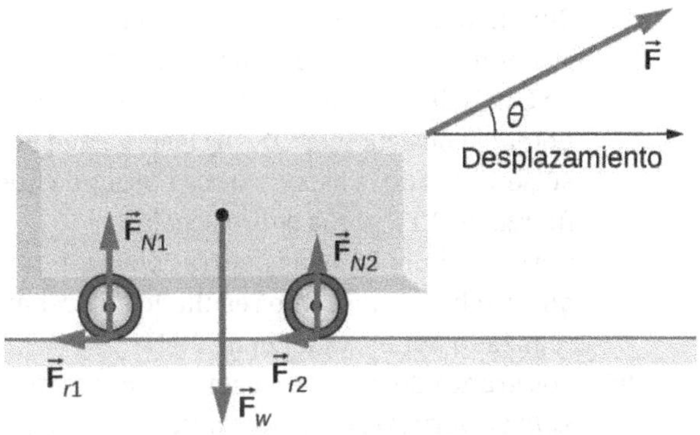

85. Consideremos una partícula sobre la que actúan varias fuerzas, una de las cuales se sabe que es constante en el tiempo: $\vec{\mathbf{F}}_1 = (3\text{ N})\hat{\mathbf{i}} + (4\text{ N})\hat{\mathbf{j}}$. Como resultado, la partícula se mueve a lo largo del eje de la x desde $x = 0$ a $x = 5$ m en algún intervalo de tiempo. ¿Cuál es el trabajo que realiza $\vec{\mathbf{F}}_1$?

86. Consideremos una partícula sobre la que actúan varias fuerzas, una de las cuales se sabe que es constante en el tiempo: $\vec{\mathbf{F}}_1 = (3\text{ N})\hat{\mathbf{i}} + (4\text{ N})\hat{\mathbf{j}}$. Como resultado, la partícula se mueve primero a lo largo del eje de la x de $x = 0$ a $x = 5$ m y luego paralela al eje de la y de $y = 0$ a $y = 6$ m. ¿Cuál es el trabajo que realiza $\vec{\mathbf{F}}_1$?

87. Consideremos una partícula sobre la que actúan varias fuerzas, una de las cuales se sabe que es constante en el tiempo: $\vec{\mathbf{F}}_1 = (3\text{ N})\hat{\mathbf{i}} + (4\text{ N})\hat{\mathbf{j}}$. Como resultado, la partícula se desplaza por una trayectoria recta desde una coordenada cartesiana de (0 m, 0 m) a (5 m, 6 m). ¿Cuál es el trabajo que realiza $\vec{\mathbf{F}}_1$?

88. Consideremos una partícula sobre la que actúa una fuerza que depende de la posición de la partícula. Esta fuerza viene dada por $\vec{\mathbf{F}}_1 = (2y)\hat{\mathbf{i}} + (3x)\hat{\mathbf{j}}$. Calcule el trabajo que realiza esta fuerza cuando la partícula se mueve desde el origen hasta un punto situado 5 metros a la derecha en el eje de la x.

89. Un niño hala de un carro de 5 kg con una fuerza de 20 N en un ángulo de 30° por encima de la horizontal durante un tiempo. Durante este tiempo, el carro se desplaza una distancia de 12 m sobre el suelo horizontal. (a) Calcule el trabajo que realiza el niño sobre el carro. (b) ¿Cuál será el trabajo que realiza el niño si hala con la misma fuerza horizontalmente en lugar de en un ángulo de 30° sobre la horizontal en la misma distancia?

90. Hay que llevar una caja de 200 kg de masa desde un sitio en la planta baja hasta el tercer piso. Los trabajadores saben que pueden utilizar primero el elevador y luego deslizarla por el tercer piso hasta el apartamento, o bien deslizar primero la caja hasta otro lugar marcado con una C abajo, y luego tomar el elevador hasta el tercer piso y deslizarla en el tercer piso una distancia más corta. El problema es que la tercera planta es muy áspera en comparación con la planta baja. Dado que el coeficiente de fricción cinética entre la caja y el suelo es de 0,100 y entre la caja y la superficie del tercer piso es de 0,300, calcule el trabajo que necesitan realizar los trabajadores para cada trayectoria mostrada desde *A* hasta *E*. Suponga que la fuerza que necesitan ejercer los trabajadores es la suficiente para deslizar la caja a velocidad constante (aceleración cero). *Nota:* El trabajo del elevador contra la fuerza de la gravedad no lo realizan los trabajadores.

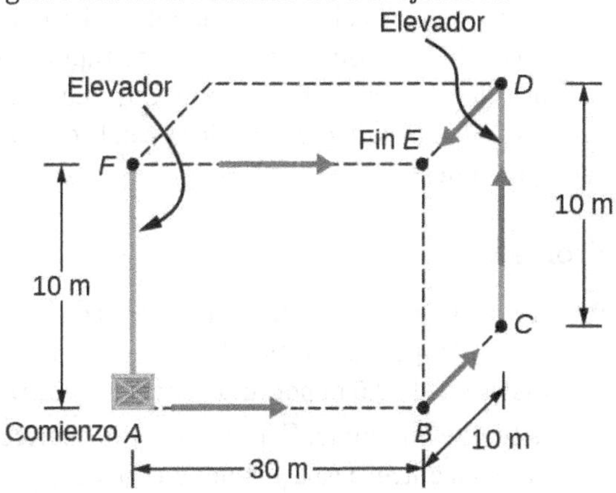

91. Un disco de hockey con una masa de 0,17 kg se lanza por un suelo áspero con una aspereza diferente en distintos lugares, que puede describirse mediante un coeficiente de fricción cinética que depende de la posición. Para un disco que se mueve a lo largo del eje de la x, el coeficiente de fricción cinética es la siguiente función de x, donde x está en m: $\mu(x) = 0{,}1 + 0{,}05x$. Calcule el trabajo realizado por la fuerza cinética de fricción sobre el disco de hockey cuando se ha movido (a) de $x = 0$ a $x = 2$ m, y (b) de $x = 2$ m a $x = 4$ m.

92. Se requiere una fuerza horizontal de 20 N para mantener una caja de 5,0 kg subiendo a rapidez constante por una pendiente sin fricción durante un cambio de altura vertical de 3,0 m. (a) ¿Cuál es el trabajo realizado por la gravedad durante este cambio de altura? (b) ¿Cuál es el trabajo realizado por la fuerza normal? (c) ¿Cuál es el trabajo realizado por la fuerza horizontal?

93. Una caja de 7,0 kg se desliza por un suelo horizontal sin fricción a 1,7 m/s y colisiona con un resorte relativamente sin masa que se comprime 23 cm antes de que la caja se detenga. (a) ¿Cuánta energía cinética tiene la caja antes de chocar con el resorte? (b) Calcule el trabajo realizado por el resorte. (c) Determine la constante del resorte.

94. Está conduciendo su auto por una carretera recta con un coeficiente de fricción entre los neumáticos y la carretera de 0,55. Un gran trozo de escombro cae enfrente; usted frena de súbito y deja una marca de derrape de 30,5 m (100 pies) antes de detenerse. Un policía ve su auto parado en la carretera, mira la marca de derrape y le impone una multa por superar el límite de velocidad de 13,4 m/s (30 mph). ¿Debe impugnar la multa por exceso de velocidad en los tribunales?

95. Se empuja una caja por una superficie de suelo áspero. Si no se aplica ninguna fuerza sobre la caja, esta desacelerá y se detendrá. Si la caja de 50 kg de masa que se mueve a una rapidez de 8 m/s llega al reposo en 10 segundos, ¿cuál es la tasa a la que la fuerza de fricción sobre la caja le quita energía?

96. Supongamos que se requiere una fuerza horizontal de 20 N para mantener una rapidez de 8 m/s de una caja de 50 kg. (a) ¿Cuál es la potencia de esta fuerza? (b) Observe que la aceleración de la caja es cero, a pesar de que la fuerza de 20 N actúa sobre la caja horizontalmente. ¿Qué ocurre con la energía que recibe la caja como resultado del trabajo realizado por esta fuerza de 20 N?

97. Los granos de una tolva caen a una tasa de 10 kg/s en vertical sobre una cinta transportadora que se mueve en horizontal a una rapidez constante de 2 m/s. (a) ¿Qué fuerza se necesita para mantener la cinta transportadora en movimiento a la velocidad constante? (b) ¿Cuál es la potencia mínima del motor que mueve la cinta transportadora?

98. Un ciclista en una carrera debe subir una colina de 5° a una rapidez de 8 m/s. Si la masa de la bicicleta y del ciclista juntos es de 80 kg, ¿cuál debe ser la producción de potencia del ciclista para alcanzar la meta?

Problemas De Desafío

99. A continuación, se muestra una caja de 40 kg, que se empuja a velocidad constante, a una distancia de 8,0 m por una pendiente de 30° por la fuerza horizontal $\vec{\mathbf{F}}$. El coeficiente de fricción cinética entre la caja y la pendiente es $\mu_k = 0{,}40$. Calcule el trabajo realizado por (a) la fuerza aplicada, (b) la fuerza de fricción, (c) la fuerza gravitacional y (d) la fuerza neta.

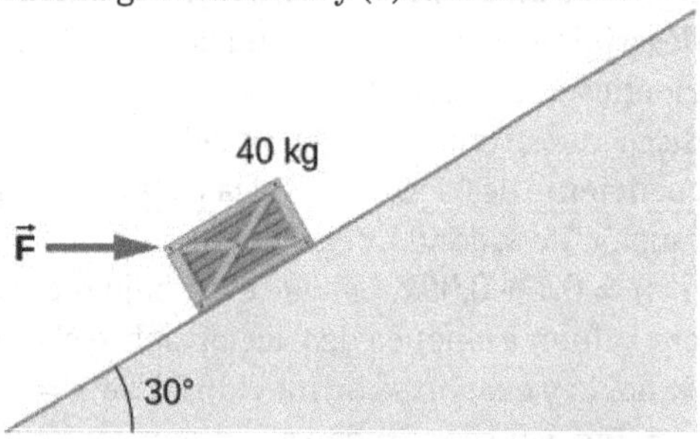

100. La superficie del problema anterior se modifica para que el coeficiente de fricción cinética disminuya. Se aplica la misma fuerza horizontal a la caja y, tras empujarse 8,0 m, su rapidez es de 5,0 m/s. ¿Cuánto trabajo realiza ahora la fuerza de fricción? Supongamos que la caja comienza en reposo.

101. La fuerza $F(x)$ varía con la posición, como se muestra a continuación. Calcule el trabajo realizado por esta fuerza sobre una partícula cuando se mueve de $x = 1{,}0$ m a $x = 5{,}0$ m.

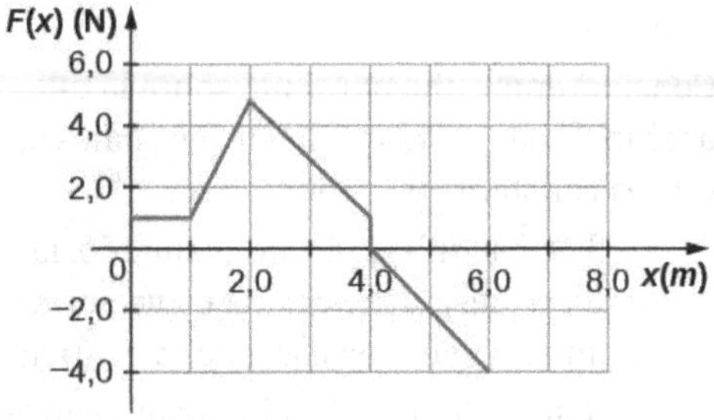

102. Calcule el trabajo realizado por la misma fuerza en el Ejemplo 7.4, entre los mismos puntos, $\boldsymbol{A} = (0, 0)$ y $\boldsymbol{B} = (2\text{ m}, 2\text{ m})$, sobre un arco circular de radio 2 m, centrado en (0, 2 m). Evalúe la integral de la trayectoria mediante el empleo de coordenadas cartesianas. (*Pista:* Probablemente tendrá que consultar una tabla de integrales).

103. Responda al problema anterior mediante el empleo de coordenadas polares.

104. Calcule el trabajo realizado por la misma fuerza en el Ejemplo 7.4, entre los mismos puntos, $\boldsymbol{A} = (0, 0)$ y $\boldsymbol{B} = (2\text{ m}, 2\text{ m})$, sobre un arco de radio 2 m, centrado en (2 m, 0). Evalúe la integral de la trayectoria mediante el empleo de coordenadas cartesianas. (*Pista:* Probablemente tendrá que consultar una tabla de integrales).

105. Responda al problema anterior mediante el

empleo de coordenadas polares.

106. A un auto de masa m le llega una potencia constante P a través de su motor. Demuestre que, si se puede ignorar la resistencia del aire, la distancia recorrida en un tiempo t por el auto, partiendo del reposo, está dada por $s = (8P/9m)^{1/2}t^{3/2}$.

107. Supongamos que la resistencia del aire que encuentra un auto es independiente de su rapidez. Cuando el auto se desplaza a 15 m/s, su motor entrega 20 hp a sus ruedas. (a) ¿Cuál es la potencia entregada a las ruedas cuando el auto se desplaza a 30 m/s? (b) ¿Cuánta energía utiliza el auto para recorrer 10 km a 15 m/s? ¿A 30 m/s? Supongamos que el motor tiene un rendimiento del 25 %. (c) Responda las mismas preguntas si la fuerza de la resistencia del aire es proporcional a la rapidez del automóvil. (d) ¿Qué le dicen estos resultados, más su experiencia con el consumo de gasolina, acerca de la resistencia del aire?

108. Consideremos un resorte lineal, como el de la Figura 7.7(a), con una masa M, distribuida uniformemente a lo largo. El extremo izquierdo del resorte está fijo, pero el extremo derecho, en la posición de equilibrio $x = 0$, se desplaza a una rapidez v en la dirección de la x. ¿Cuál es la energía cinética total del resorte? (*Pista:* Primero, exprese la energía cinética de un elemento infinitesimal del resorte dm en términos de la masa total, la longitud de equilibrio, la rapidez del extremo derecho y la posición a lo largo del resorte; luego integre).

CAPÍTULO 8
Energía potencial y conservación de la energía

Figura 8.1 Aquí se muestra parte de una escultura Ball Machine de George Rhoads. Una pelota en este artilugio se levanta, rueda, cae, rebota y colisiona con varios objetos. A lo largo de sus viajes, su energía cinética cambia en cantidades definidas y predecibles, que dependen de su posición y de los objetos con los que interactúa (créditos: modificación del trabajo de Roland Tanglao).

ESQUEMA DEL CAPITULO

INTRODUCCIÓN En la escultura de la pelota rodante de George Rhoads, el principio de conservación de la energía rige los cambios en la energía cinética de la pelota y los relaciona con los cambios y transferencias de otros tipos de energía asociados a las interacciones de la bola. En este capítulo, presentamos el importante concepto de energía potencial. Esto nos permitirá formular la ley de conservación de la energía mecánica y aplicarla a sistemas sencillos, lo cual facilitará la resolución de problemas. En la última sección sobre las fuentes de energía, consideraremos las transferencias de energía y la ley general de conservación de la energía. A lo largo de este libro, la ley de conservación de la energía se aplicará cada vez con más detalle, a medida que se encuentren sistemas más complejos y variados, y otras formas de energía.

8.1 Energía potencial de un sistema

OBJETIVOS DE APRENDIZAJE

Al final de esta sección, podrá:

- Relacionar la diferencia de energía potencial con el trabajo realizado en una partícula para un sistema sin fricción ni arrastre del aire.
- Explicar el significado del cero de la función de energía potencial para un sistema.
- Calcular y aplicar la energía potencial gravitacional para un objeto cercano a la superficie terrestre y la energía potencial elástica de un sistema masa-resorte.

En Trabajo, vimos que el trabajo realizado sobre un objeto por la fuerza gravitacional constante, cerca de la superficie de la Tierra, sobre cualquier desplazamiento es una función solo de la diferencia en las posiciones de los puntos finales del desplazamiento. Esta propiedad nos permite definir un tipo de energía diferente para el sistema que su energía cinética, que recibe el nombre de **energía potencial**. En las siguientes subsecciones consideramos varias propiedades y tipos de energía potencial.

Fundamentos de la energía potencial

En Movimiento en dos y tres dimensiones, analizamos el movimiento de un proyectil, como patear un balón de fútbol en la Figura 8.2. Para este ejemplo, vamos a ignorar la fricción y la resistencia del aire. Cuando el balón se eleva, el trabajo realizado por la fuerza gravitacional sobre el balón es negativo, porque su desplazamiento es positivo en sentido vertical y la fuerza debida a la gravedad es negativa en sentido vertical. También observamos que el balón desacelera hasta llegar a su punto más alto en el movimiento, lo que disminuye su energía cinética. Esta pérdida de energía cinética se traduce en una ganancia de energía potencial gravitacional del sistema balón de fútbol-Tierra.

A medida que el balón cae hacia la Tierra, el trabajo realizado sobre el balón es ahora positivo, ya que tanto el desplazamiento como la fuerza gravitacional apuntan verticalmente hacia abajo. El balón también se acelera, lo que indica un aumento en la energía cinética. Por lo tanto, la energía potencial gravitacional se convierte en energía cinética.

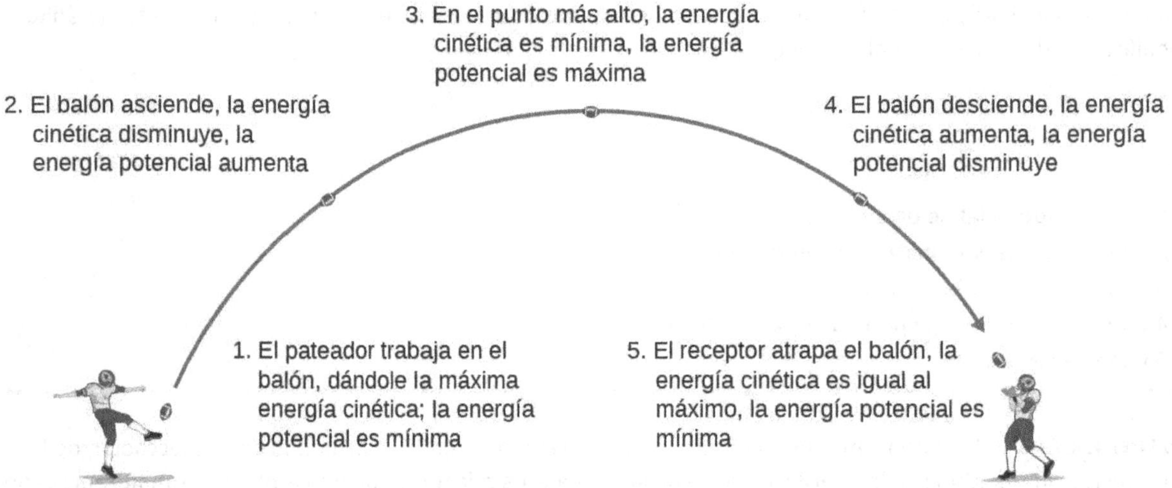

FIGURA 8.2 Cuando el balón de fútbol comienza a descender hacia el receptor, la energía potencial gravitacional se convierte de nuevo en energía cinética.

Basándonos en este escenario, podemos definir la diferencia de energía potencial del punto A al punto B como el negativo del trabajo realizado:

$$\Delta U_{AB} = U_B - U_A = -W_{AB}. \quad (8.1)$$

Esta fórmula indica explícitamente una **diferencia de energía potencial**, no solo una energía potencial absoluta. Por lo tanto, tenemos que definir la energía potencial en una posición determinada de manera que se establezcan valores estándar de energía potencial por sí mismos, en lugar de diferencias de energía potencial. Lo hacemos al reescribir la función de energía potencial en términos de una constante arbitraria,

$$\Delta U = U(\vec{\mathbf{r}}) - U(\vec{\mathbf{r}}_0). \quad 8.2$$

La elección de la energía potencial en un punto de partida de $\vec{\mathbf{r}}_0$ se hace por conveniencia en el problema dado. Lo más importante es que, sea cual sea la elección que se haga, se debería indicar y mantener la coherencia a lo largo de todo el problema. Hay algunas opciones bien aceptadas de energía potencial inicial. Por ejemplo, la altura más baja de un problema se define como energía potencial cero, o si un objeto está en el espacio, el punto más alejado del sistema se define como energía potencial cero. Entonces, la energía potencial, con respecto a cero en $\vec{\mathbf{r}}_0$, es solo $U(\vec{r})$.

Mientras no haya fricción ni resistencia del aire, el cambio en la energía cinética del balón es igual al negativo del cambio en su energía potencial gravitacional. Esto se puede generalizar a cualquier energía potencial:

$$\Delta K_{AB} = -\Delta U_{AB}. \quad 8.3$$

Veamos un ejemplo concreto, al elegir la energía potencial cero para la energía potencial gravitacional en los puntos convenientes.

EJEMPLO 8.1

Propiedades básicas de la energía potencial

Una partícula se mueve a lo largo del eje de la x bajo la acción de una fuerza dada por $F = -ax^2$, donde $a = 3\ \text{N/m}^2$. (a) ¿Cuál es la diferencia en su energía potencial al pasar de $x_A = 1$ m a $x_B = 2$ m? (b) ¿Cuál es la energía potencial de la partícula en $x = 1$ m con respecto a una determinada energía potencial de 0,5 J en $x = 0$?

Estrategia

(a) La diferencia en la energía potencial es el negativo del trabajo realizado, definido por la Ecuación 8.1. El trabajo se define en el capítulo anterior como el producto punto de la fuerza por la distancia. Dado que la partícula se desplaza hacia adelante, en la dirección de la x, el producto punto se simplifica a una multiplicación ($\hat{\mathbf{i}} \cdot \hat{\mathbf{i}} = 1$). Para hallar el trabajo total realizado, tenemos que integrar la función entre los límites dados. Después de la integración, podemos indicar el trabajo o el cambio de energía potencial. (b) La función de energía potencial, con respecto a cero en $x = 0$, es la integral indefinida encontrada en la parte (a), con la constante de integración determinada a partir de la Ecuación 8.3. A continuación, sustituimos el valor de x en la función de energía potencial para calcular la energía potencial en $x = 1$ m.

Solución

a. El trabajo realizado por la fuerza dada cuando la partícula se mueve de la coordenada x a $x + dx$ en una dimensión es

$$dW = \vec{\mathbf{F}} \cdot d\vec{\mathbf{r}} = F dx = -ax^2 dx.$$

Sustituyendo esta expresión en la Ecuación 8.1, obtenemos

$$\Delta U = -W = \int_{x_1}^{x_2} ax^2 dx = \frac{1}{3}(3\ \text{N/m}^2)x^3\Big|_{1\ \text{m}}^{2\ \text{m}} = 7\ \text{J}.$$

b. La integral indefinida para la función de energía potencial en la parte (a) es

$$U(x) = \frac{1}{3}ax^3 + \text{const.},$$

y queremos que la constante esté determinada por

$$U(0) = 0{,}5\ \text{J}.$$

Así, la energía potencial con respecto a cero en $x = 0$ es solo

$$U(x) = \frac{1}{3}ax^3 + 0{,}5\ \text{J}.$$

Por lo tanto, la energía potencial en $x = 1$ m es

$$U(1\ \text{m}) = \frac{1}{3}\left(3\ \text{N/m}^2\right)(1\ \text{m})^3 + 0{,}5\ \text{J} = 1{,}5\ \text{J}.$$

Importancia

En este ejemplo unidimensional, cualquier función que podamos integrar, independientemente de la trayectoria, es conservativa. Observe cómo hemos aplicado la definición de diferencia de energía potencial para determinar la función de energía potencial con respecto a cero en un punto seleccionado. Observe también que la energía potencial, determinada en la parte (b), en $x = 1$ m es $U(1\ \text{m}) = 1$ J y en $x = 2$ m es $U(2\ \text{m}) = 8$ J; su diferencia es el resultado de la parte (a).

COMPRUEBE LO APRENDIDO 8.1

En el Ejemplo 8.1, ¿cuál es la energía potencial de la partícula en $x = 1$ m y $x = 2$ m con respecto a cero en $x = 1{,}5$ m? Compruebe que la diferencia de energía potencial sigue siendo de 7 J.

Sistemas de varias partículas

En general, un sistema de interés puede estar formado por varias partículas. La diferencia en la energía potencial del sistema es el negativo del trabajo realizado por las fuerzas gravitacionales o elásticas, que, como veremos en el siguiente apartado, son fuerzas conservativas. La diferencia de energía potencial depende solo de las posiciones inicial y final de las partículas, y de algunos parámetros que caracterizan la interacción (como la masa para la gravedad o la constante de resorte para una fuerza de la ley de Hooke).

Es importante recordar que la energía potencial es una propiedad de las interacciones entre los objetos de un sistema elegido, y no solo una propiedad de cada objeto. Esto es especialmente cierto para las fuerzas eléctricas, aunque en los ejemplos de energía potencial que consideramos a continuación, las partes del sistema son tan grandes (como la Tierra, comparada con un objeto en su superficie) o tan pequeñas (como un resorte sin masa), que los cambios que sufren esas partes son despreciables cuando se incluyen en el sistema.

Tipos de energía potencial

Para cada tipo de interacción presente en un sistema, se puede marcar el tipo correspondiente de energía potencial. La energía potencial total del sistema es la suma de las energías potenciales de todos los tipos. (Esto se deduce de la propiedad aditiva del producto punto en la expresión del trabajo realizado). Veamos algunos ejemplos concretos de los tipos de energía potencial que se analizan en Trabajo. En primer lugar, consideramos cada una de estas fuerzas cuando actúan por separado, y luego cuando ambas actúan conjuntamente.

Energía potencial gravitacional cerca de la superficie de la Tierra

El sistema de interés consiste en nuestro planeta, la Tierra, y una o más partículas cercanas a su superficie (o cuerpos lo suficientemente pequeños para ser considerados como partículas, en comparación con la Tierra). La fuerza gravitacional sobre cada partícula (o cuerpo) es solo su peso mg cerca de la superficie de la Tierra, que actúa verticalmente hacia abajo. Según la tercera ley de Newton, cada partícula ejerce una fuerza sobre la Tierra de igual magnitud, pero en sentido contrario. La segunda ley de Newton establece que la magnitud de la aceleración producida por cada una de estas fuerzas sobre la Tierra es mg dividida entre la masa terrestre. Dado que el cociente entre la masa de cualquier objeto ordinario y la masa de la Tierra es diminuto, el movimiento de la Tierra puede ignorarse por completo. Por lo tanto, consideramos que este sistema es un grupo de sistemas de una sola partícula, sujetos a la fuerza gravitacional uniforme de la Tierra.

En Trabajo, el trabajo realizado sobre un cuerpo por la fuerza gravitacional uniforme de la Tierra, cerca de su superficie, dependía de la masa del cuerpo, de la aceleración debida a la gravedad y de la diferencia de altura que el cuerpo recorría, tal como se indica en la Ecuación 7.4. Por definición, este trabajo es el negativo de la diferencia de energía potencial gravitacional, por lo que esa diferencia es

$$\Delta U_{grav} = -W_{grav,AB} = mg(y_B - y_A). \quad 8.4$$

De ello se deduce que la función de energía potencial gravitacional, cerca de la superficie de la Tierra, es

$$U(y) = mgy + \text{const.} \quad 8.5$$

Se puede elegir el valor de la constante, como se describe en el análisis de la Ecuación 8.2; sin embargo, para resolver la mayoría de los problemas, la constante más conveniente a elegir es cero para cuando $y = 0$, que es la posición vertical más baja del problema.

EJEMPLO 8.2

Energía potencial gravitacional de un excursionista

La cumbre de Great Blue Hill en Milton, un pueblo localizado en Massachusetts, está a 147 m sobre su base y tiene una cota sobre el nivel del mar de 195 m (Figura 8.3). (Su nombre nativo americano, *Massachusett*, fue adoptado por los colonos para dar nombre a la Colonia de la Bahía y al estado cercano a su ubicación). Un excursionista de 75 kg asciende desde la base hasta la cumbre. ¿Cuál es la energía potencial gravitacional del sistema excursionista-Tierra con respecto a la energía potencial gravitacional cero a la altura de la base, cuando el excursionista está (a) en la base de la colina, (b) en la cima, y (c) a nivel del mar, después?

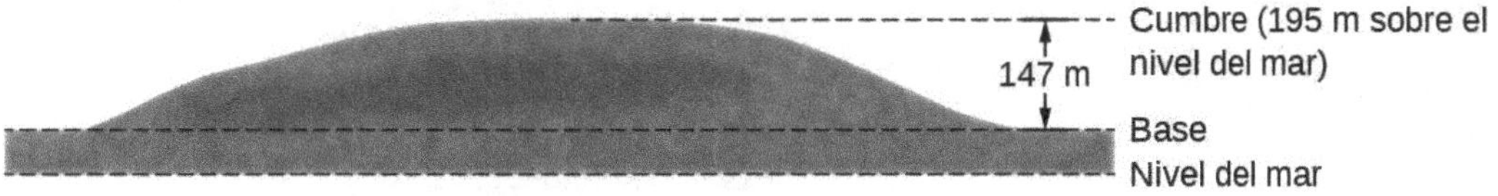

FIGURA 8.3 Esquema del perfil de Great Blue Hill, Milton, Massachusetts. Se indican las altitudes de los tres niveles.

Estrategia

En primer lugar, tenemos que elegir un origen para el eje de la y y luego determinar el valor de la constante que hace que la energía potencial sea cero a la altura de la base. Entonces, podemos determinar las energías potenciales a partir de la Ecuación 8.5, con base en la relación entre la altura de la energía potencial cero y la altura a la que se encuentra el excursionista.

Solución

a. Elijamos el origen para el eje y en la altura de la base, donde también queremos que esté el cero de la energía potencial. Esta elección hace que la constante sea igual a cero y
$$U(\text{base}) = U(0) = 0.$$

b. En la cumbre, $y = 147$ m, así que
$$U(\text{cumbre}) = U(147\text{ m}) = mgh = (75 \times 9{,}8\text{ N})(147\text{ m}) = 108\text{ kJ}.$$

c. A nivel del mar, $y = (147 - 195)\text{ m} = -48\text{ m}$, así que
$$U(\text{nivel del mar}) = (75 \times 9{,}8\text{ N})(-48\text{ m}) = -35{,}3\text{ kJ}.$$

Importancia

Además de ilustrar el uso de la Ecuación 8.4 y la Ecuación 8.5, los valores de energía potencial gravitacional que hallamos son razonables. La energía potencial gravitacional es mayor en la cumbre que en la base, y menor a nivel del mar que en la base. ¡La gravedad también actúa sobre usted al subir! Hace un trabajo negativo y no tanto (en magnitud), como el que hacen sus músculos. No obstante, ciertamente realiza un trabajo Del mismo modo, sus músculos realizan un trabajo en la bajada, como trabajo negativo. Los valores numéricos de las energías potenciales dependen de la elección del cero de la energía potencial, pero las diferencias físicamente significativas de la energía potencial no lo hacen. [Observe que, dado que la Ecuación 8.2 es una diferencia, los valores numéricos no dependen del origen de coordenadas].

COMPRUEBE LO APRENDIDO 8.2

¿Cuáles son los valores de la energía potencial gravitacional del excursionista en la base, la cumbre y al nivel del mar, con respecto a un cero de energía potencial a nivel del mar?

Energía potencial elástica

En Trabajo, vimos que el trabajo que realiza un resorte perfectamente elástico, en una dimensión, depende solo de la constante del resorte y de los cuadrados de los desplazamientos desde la posición no estirada, como se indica en la Ecuación 7.5. Este trabajo se refiere única y exclusivamente a las propiedades de una interacción de la ley de Hooke y no a las propiedades de los resortes reales y de los objetos que estén unidos a ellos. Por lo tanto, podemos definir la diferencia de energía potencial elástica para una fuerza de resorte como el negativo del trabajo realizado por la fuerza de resorte en esta ecuación, antes de considerar los sistemas que encarnan este tipo de fuerza. Así,

$$\Delta U = -W_{AB} = \frac{1}{2}k(x_B^2 - x_A^2), \tag{8.6}$$

donde el objeto se desplaza del punto A al punto B. La función de energía potencial correspondiente a esta diferencia es

$$U(x) = \frac{1}{2}kx^2 + \text{const.} \tag{8.7}$$

Si la fuerza del resorte es la única que actúa, lo más sencillo es tomar el cero de la energía potencial en $x = 0$, cuando el resorte está sin estirar. Entonces, la constante en la Ecuación 8.7 es cero. (Otras opciones pueden ser más convenientes si actúan otras fuerzas).

EJEMPLO 8.3

Energía potencial del resorte

Un sistema contiene un resorte perfectamente elástico, con una longitud sin estirar de 20 cm y una constante de resorte de 4 N/cm. (a) ¿Cuánta energía potencial elástica aporta el resorte cuando su longitud es de 23 cm? (b) ¿Cuánta más energía potencial aporta si su longitud aumenta a 26 cm?

Estrategia

Cuando el resorte está sin estirar, no aporta nada a la energía potencial del sistema, por lo que podemos utilizar la Ecuación 8.7 con la constante igual a cero. El valor de la x es la longitud menos la longitud sin estirar. Cuando el resorte se expande, el desplazamiento del resorte o la diferencia entre su longitud relajada y su longitud estirada debe utilizarse para el valor de la x en el cálculo de la energía potencial del resorte.

Solución

a. El desplazamiento del resorte es $x = 23\text{ cm} - 20\text{ cm} = 3\text{ cm}$, por lo que la energía potencial aportada es $U = \frac{1}{2}kx^2 = \frac{1}{2}(4\text{ N/cm})(3\text{ cm})^2 = 0{,}18\text{ J}$.
b. Cuando el desplazamiento del resorte es $x = 26\text{ cm} - 20\text{ cm} = 6\text{ cm}$, la energía potencial es $U = \frac{1}{2}kx^2 = \frac{1}{2}(4\text{ N/cm})(6\text{ cm})^2 = 0{,}72\text{ J}$, lo que supone un aumento de 0,54 J sobre la cantidad de la parte (a).

Importancia

El cálculo de la energía potencial elástica y de las diferencias de energía potencial a partir de la Ecuación 8.7

implica la resolución de las energías potenciales en función de las longitudes dadas del resorte. Dado que U depende de x^2, la energía potencial para una compresión (x negativa) es la misma que para una extensión de igual magnitud.

COMPRUEBE LO APRENDIDO 8.3

Cuando la longitud del resorte en el Ejemplo 8.3 cambia de un valor inicial de 22,0 cm a un valor final, la energía potencial elástica que aporta cambia en $-0{,}0800$ J. Halle la longitud final.

Energía potencial gravitacional y elástica

Un sistema sencillo que incorpora los tipos de energía potencial gravitacional y elástica es un sistema unidimensional vertical de masa-resorte. Consiste en una partícula masiva (o bloque), colgada de un extremo de un resorte perfectamente elástico y sin masa, cuyo otro extremo está fijo, como se ilustra en la Figura 8.4.

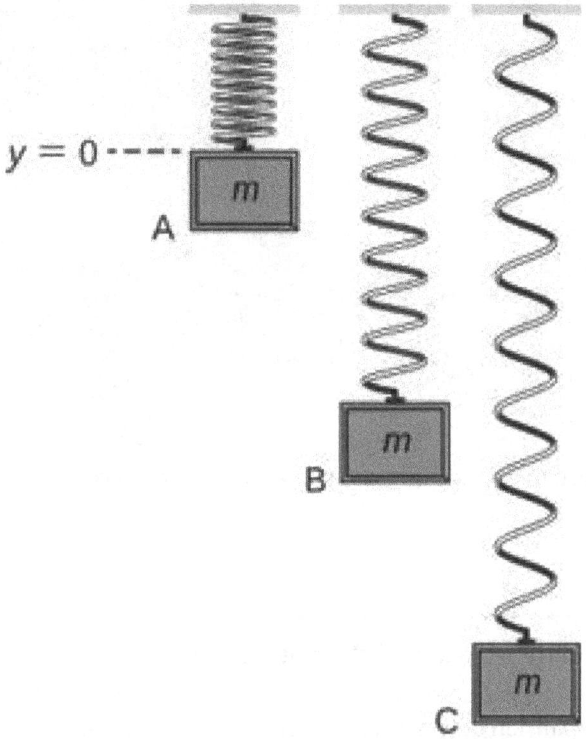

FIGURA 8.4 Un sistema vertical de masa-resorte, con el eje de la *Y* positivo apuntando hacia arriba. La masa se encuentra inicialmente en una longitud de resorte sin estirar, el punto A. Luego se suelta y se expande más allá del punto B hasta el punto C, donde se detiene.

En primer lugar, consideremos la energía potencial del sistema. Necesitamos definir la constante en la función de energía potencial de la Ecuación 8.5. A menudo, el suelo es una opción adecuada para cuando la energía potencial gravitacional es cero; sin embargo, en este caso, el punto más alto o cuando $y = 0$ es un lugar conveniente para la energía potencial gravitacional cero. Observe que esta elección es arbitraria, y el problema puede resolverse correctamente aunque se elija otra opción.

También debemos definir la energía potencial elástica del sistema y la constante correspondiente, como se detalla en la Ecuación 8.7. Aquí es donde el resorte está sin estirar, o en la posición $y = 0$.

Si consideramos que la energía total del sistema se conserva, entonces la energía en el punto A es igual a la del punto C. El bloque se coloca justo sobre el resorte, por lo que su energía cinética inicial es cero. Según el planteamiento del problema analizado anteriormente, tanto la energía potencial gravitacional como la energía potencial elástica son iguales a cero. Por lo tanto, la energía inicial del sistema es cero. Cuando el bloque llega al punto C, su energía cinética es cero. Sin embargo, ahora tiene tanto energía potencial gravitacional como energía potencial elástica. Por lo tanto, podemos resolver la distancia y, que recorre el bloque antes de detenerse:

$$\begin{aligned} K_A + U_A &= K_C + U_C \\ 0 &= 0 + mgy_C + \tfrac{1}{2}k(y_C)^2 \\ y_C &= \frac{-2mg}{k} \end{aligned}$$

FIGURA 8.5 Un puente elástico transforma la energía potencial gravitacional al inicio del salto en energía potencial elástica al final del mismo.

EJEMPLO 8.4

Energía potencial de un sistema vertical de masa-resorte

Un bloque que pesa 1,2 N se cuelga de un resorte con una constante de 6,0 N/m, como se muestra en la Figura 8.4. (a) ¿Cuál es la máxima expansión del resorte, vista en el punto C? (b) ¿Cuál es la energía potencial total en el punto B, a medio camino entre A y C? (c) ¿Cuál es la velocidad del bloque en el punto B?

Estrategia

En la parte (a) calculamos la distancia y_C como se ha comentado en el texto anterior. Luego, en la parte (b), utilizamos la mitad del valor de y para calcular la energía potencial en el punto B mediante la Ecuación 8.4 y la Ecuación 8.6. Esta energía deberá ser igual a la energía cinética, la Ecuación 7.6, en el punto B ya que la energía inicial del sistema es cero. Al calcular la energía cinética en el punto B, ahora podemos calcular la rapidez del bloque en el punto B.

Solución

a. Dado que la energía total del sistema es cero en el punto A, como se ha comentado anteriormente, se calcula que la expansión máxima del resorte es:

$$\begin{aligned} y_C &= \frac{-2mg}{k} \\ y_C &= \frac{-2(1{,}2\,\text{N})}{(6{,}0\text{N/m})} = -0{,}40\,\text{m} \end{aligned}$$

b. La posición de $y_B$es la mitad de la posición en y_C o $-0{,}20$ m. La energía potencial total en el punto B sería, por lo tanto, la siguiente:

$$U_B = mgy_B + \frac{1}{2}k(y_C)^2$$
$$U_B = (1{,}2\,\text{N})(-0{,}20\,\text{m}) + \frac{1}{2}(6\,\text{N/m})(-0{,}20\,\text{m})^2$$
$$U_B = -0{,}12\,\text{J}$$

c. La masa del bloque es el peso dividido entre la gravedad.

$$m = \frac{F_w}{g} = \frac{1{,}2\,\text{N}}{9{,}8\text{m/s}^2} = 0{,}12\text{kg}$$

Por lo tanto, la energía cinética en el punto B es de 0,12 J, porque la energía total es cero. Así, la rapidez del bloque en el punto B es igual a

$$K = \frac{1}{2}mv^2$$
$$v = \sqrt{\frac{2K}{m}} = \sqrt{\frac{2(0{,}12\,\text{J})}{(0{,}12\,\text{kg})}} = 1{,}4\ \text{m/s}$$

Importancia

Aunque la energía potencial debida a la gravedad es relativa a un lugar cero elegido, las soluciones a este problema serían las mismas si los puntos de energía cero se eligieran en lugares diferentes.

COMPRUEBE LO APRENDIDO 8.4

Supongamos que la masa en la Ecuación 8.6 se duplica mientras se mantienen las demás condiciones. ¿Aumentaría, disminuiría o permanecería igual la expansión máxima del resorte? ¿La rapidez en el punto B sería mayor, menor o igual en comparación con la masa original?

INTERACTIVO

¡Vea esta simulación (https://openstax.org/l/21conenerskat) para aprender sobre la conservación de la energía con un patinador! Construya pistas, rampas y saltos para el patinador y observe la energía cinética, la energía potencial y la fricción mientras se mueve. ¡También puede llevar al patinador a diferentes planetas o incluso al espacio!

En la Tabla 8.1 se muestra un gráfico de muestra de una variedad de energías para darle una idea sobre los valores típicos de energía, asociados a ciertos eventos. Algunos de ellos se calculan con la energía cinética, mientras que otros se calculan con cantidades que se encuentran en una forma de energía potencial, que quizá no se haya comentado en este punto.

Objeto/fenómeno	Energía en julios
Big Bang	10^{68}
Consumo anual de energía en el mundo	$4{,}0 \times 10^{20}$
Bomba grande de fusión (9 megatones)	$3{,}8 \times 10^{16}$
Bomba de fisión del tamaño de la de Hiroshima (10 kilotones)	$4{,}2 \times 10^{13}$
1 barril de petróleo crudo	$5{,}9 \times 10^{9}$
1 tonelada métrica de TNT	$4{,}2 \times 10^{9}$

Objeto/fenómeno	Energía en julios
1 galón de gasolina	$1{,}2 \times 10^8$
Ingesta diaria de alimentos para adultos (recomendada)	$1{,}2 \times 10^7$
Auto de 1.000 kg a 90 km/h	$3{,}1 \times 10^5$
Pelota de tenis a 100 km/h	22
Mosquito $\left(10^{-2}\text{ g a }0{,}5\text{ m/s}\right)$	$1{,}3 \times 10^{-6}$
Electrón individual en un haz de tubo de TV	$4{,}0 \times 10^{-15}$
Energía para romper una cadena de ADN	10^{-19}

TABLA 8.1 Energía de diversos objetos y fenómenos

8.2 Fuerzas conservativas y no conservativas

OBJETIVOS DE APRENDIZAJE

Al final de esta sección, podrá:

- Caracterizar una fuerza conservativa de diferentes maneras.
- Especificar las condiciones matemáticas que debe cumplir una fuerza conservativa y sus componentes.
- Relacionar la fuerza conservativa entre las partículas de un sistema con su energía potencial.
- Calcular los componentes de una fuerza conservativa en distintos casos.

En Energía potencial y conservación de la energía, cualquier transición entre energía cinética y potencial conserva la energía total del sistema. Esto era independiente de la trayectoria, lo que significa que podemos empezar y parar en dos puntos cualesquiera del problema, y que la energía total del sistema, cinética más potencial, en estos puntos es igual. Esto es característico de la **fuerza conservativa**. En la sección anterior hemos tratado las fuerzas conservativas, como la fuerza gravitacional y la fuerza del resorte. Al comparar el movimiento del balón de fútbol en la Figura 8.2, la energía total del sistema nunca cambia, aunque la energía potencial gravitacional del balón aumenta, ya que el balón se eleva con respecto al suelo y vuelve a caer a la energía potencial gravitacional inicial cuando el jugador de fútbol atrapa el balón. Las **fuerzas no conservativas** son fuerzas disipativas como la fricción o la resistencia del aire. Estas fuerzas restan energía al sistema a medida que este avanza, energía que no se puede recuperar. Estas fuerzas dependen de la trayectoria; por lo tanto, importa dónde empieza y se detiene el objeto.

Fuerza conservativa

El trabajo que realiza una fuerza conservativa es independiente de la trayectoria; en otras palabras, el trabajo que realiza una fuerza conservativa es el mismo para cualquier trayectoria que conecte dos puntos:

$$W_{AB,\text{trayectoria-1}} = \int_{AB,\text{trayectoria-1}} \vec{\mathbf{F}}_{\text{cons}} \cdot d\vec{\mathbf{r}} = W_{AB,\text{trayectoria-2}} = \int_{AB,\text{trayectoria-2}} \vec{\mathbf{F}}_{\text{cons}} \cdot d\vec{\mathbf{r}}. \quad (8.8)$$

El trabajo que realiza una fuerza no conservativa depende de la trayectoria recorrida.

De forma equivalente, una fuerza es conservativa si el trabajo que realiza alrededor de cualquier trayectoria cerrada es cero:

$$W_{\text{trayectoria cerrada}} = \oint \vec{\mathbf{F}}_{\text{cons}} \cdot d\vec{\mathbf{r}} = 0. \qquad 8.9$$

[En la Ecuación 8.9, utilizamos la notación de un círculo en medio del signo de la integral para una integral de línea sobre una trayectoria cerrada, una notación que se encuentra en la mayoría de los textos de física e ingeniería]. La Ecuación 8.8 y la Ecuación 8.9 son equivalentes porque cualquier trayectoria cerrada es la suma de dos trayectorias: la primera va de A a B, y la segunda va de B a A. El trabajo realizado que va por una trayectoria de B a A es el negativo del trabajo realizado que va por la misma trayectoria de A a B, donde A y B son dos puntos cualesquiera en la trayectoria cerrada:

$$\begin{aligned} 0 = \int \vec{\mathbf{F}}_{\text{cons}} \cdot d\vec{\mathbf{r}} &= \int_{AB,\text{trayectoria-1}} \vec{\mathbf{F}}_{\text{cons}} \cdot d\vec{\mathbf{r}} + \int_{BA,\text{trayectoria-2}} \vec{\mathbf{F}}_{\text{cons}} \cdot d\vec{\mathbf{r}} \\ &= \int_{AB,\text{trayectoria-1}} \vec{\mathbf{F}}_{\text{cons}} \cdot d\vec{\mathbf{r}} - \int_{AB,\text{trayectoria-2}} \vec{\mathbf{F}}_{\text{cons}} \cdot d\vec{\mathbf{r}} = 0. \end{aligned}$$

Podría preguntar cómo hacemos para demostrar si una fuerza es o no conservativa, ya que las definiciones implican todas y cada una de las trayectorias de A a B, o todas y cada una de las trayectorias cerradas. Sin embargo, para hacer la integral del trabajo, tiene que elegir una trayectoria en particular. Una respuesta es que el trabajo realizado es independiente de la trayectoria si el trabajo infinitesimal $\vec{\mathbf{F}} \cdot d\vec{\mathbf{r}}$ es una **diferencial exacta**, como el trabajo neto infinitesimal era igual a la diferencial exacta de la energía cinética,

$dW_{\text{neto}} = m\vec{\mathbf{v}} \cdot d\vec{\mathbf{v}} = d\frac{1}{2}mv^2,$

cuando derivamos el teorema de trabajo-energía en Teorema de trabajo-energía. Hay condiciones matemáticas que se pueden utilizar para comprobar si el trabajo infinitesimal que realiza una fuerza es una diferencial exacta, y la fuerza es conservativa. Estas condiciones solo implican una diferenciación y, por lo tanto, su aplicación es relativamente sencilla. En dos dimensiones, la condición para $\vec{\mathbf{F}} \cdot d\vec{\mathbf{r}} = F_x dx + F_y dy$ para ser una diferencial exacta es

$$\frac{dF_x}{dy} = \frac{dF_y}{dx}. \qquad 8.10$$

Recordará que el trabajo que realiza la fuerza en el Ejemplo 7.4 dependía de la trayectoria. Para esa fuerza,

$$F_x = (5\,\text{N/m})\,y \text{ y } F_y = (10\,\text{N/m})\,x.$$

Por lo tanto,

$$(dF_x/dy) = 5\,\text{N/m} \neq \left(dF_y/dx\right) = 10\,\text{N/m},$$

lo que indica que es una fuerza no conservativa. ¿Puede ver lo que podría cambiar para convertirla en una fuerza conservativa?

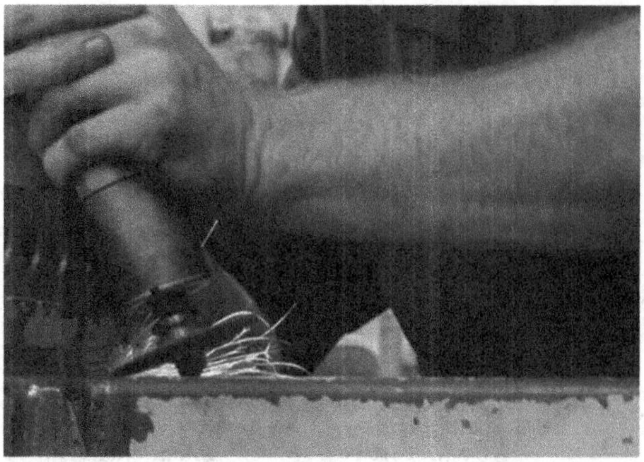

FIGURA 8.6 La rueda de esmeril aplica una fuerza no conservativa, ya que el trabajo realizado depende del número de rotaciones que haga la rueda, por lo que depende de la trayectoria (créditos: modificación del trabajo de Grantez Stephens, Marina de los EE. UU.).

EJEMPLO 8.5

¿Conservativa o no?

¿Cuáles de las siguientes fuerzas bidimensionales son conservativas y cuáles no? Supongamos que *a* y *b* son constantes con las unidades adecuadas:

(a) $axy^3\hat{\mathbf{i}} + ayx^3\hat{\mathbf{j}}$, (b) $a\left[\left(y^2/x\right)\hat{\mathbf{i}} + 2y\ln(x/b)\hat{\mathbf{j}}\right]$, (c) $\frac{ax\hat{\mathbf{i}}+ay\hat{\mathbf{j}}}{x^2+y^2}$

Estrategia

Aplicar la condición indicada en la Ecuación 8.10, es decir, utilizar las derivadas de los componentes de cada fuerza indicada. Si la derivada del componente *y* de la fuerza con respecto a *x* es igual a la derivada del componente *x* de la fuerza con respecto a *y*, la fuerza es una fuerza conservativa, lo que significa que la trayectoria tomada para el cálculo de la energía potencial o del trabajo siempre arroja los mismos resultados.

Solución

a. $\frac{dF_x}{dy} = \frac{d\left(axy^3\right)}{dy} = 3axy^2$ y $\frac{dF_y}{dx} = \frac{d\left(ayx^3\right)}{dx} = 3ayx^2$, por lo que esta fuerza no es conservativa.

b. $\frac{dF_x}{dy} = \frac{d\left(ay^2/x\right)}{dy} = \frac{2ay}{x}$ y $\frac{dF_y}{dx} = \frac{d(2ay\ln(x/b))}{dx} = \frac{2ay}{x}$, por lo que esta fuerza es conservativa.

c. $\frac{dF_x}{dy} = \frac{d\left(ax/\left(x^2+y^2\right)\right)}{dy} = -\frac{ax(2y)}{\left(x^2+y^2\right)^2} = \frac{dF_y}{dx} = \frac{d\left(ay/\left(x^2+y^2\right)\right)}{dx}$, de nuevo conservativa.

Importancia

Las condiciones en la Ecuación 8.10 son derivadas como funciones de una sola variable; en tres dimensiones, existen condiciones similares que implican más derivadas.

COMPRUEBE LO APRENDIDO 8.5

Una fuerza bidimensional y conservativa es cero en los ejes de la *x* y la *y*, y satisface la condición $(dF_x/dy) = \left(dF_y/dx\right) = \left(4\,\text{N/m}^3\right)xy$. ¿Cuál es la magnitud de la fuerza en el punto $x = y = 1$ m?

Antes de dejar esta sección, observamos que las fuerzas no conservativas no tienen energía potencial asociada porque la energía se pierde en el sistema y no puede convertirse en trabajo útil más adelante. Así que siempre hay una fuerza conservativa asociada a cada energía potencial. Hemos visto que la energía potencial se define en relación con el trabajo que realizan las fuerzas conservativas. Esa relación, la Ecuación 8.1, implicaba una integral para el trabajo; partiendo de la fuerza y el desplazamiento, se integraba para obtener el trabajo y el cambio de energía potencial. Sin embargo, la integración es la operación inversa de la diferenciación; podría haber empezado con la energía potencial y tomar su derivada, con respecto al desplazamiento, para obtener la fuerza. El incremento infinitesimal de energía potencial es el producto punto de la fuerza y el desplazamiento infinitesimal,

$$dU = -\vec{\mathbf{F}} \cdot d\vec{\mathbf{l}} = -F_l dl.$$

En este caso, hemos optado por representar el desplazamiento en una dirección arbitraria mediante $d\vec{\mathbf{l}}$, para no limitarnos a una dirección de coordenadas concreta. También expresamos el producto punto en términos de la magnitud del desplazamiento infinitesimal y el componente de la fuerza en su dirección. Ambas cantidades son escalares, por lo que se puede dividir por dl para obtener

$$F_l = -\frac{dU}{dl}. \quad 8.11$$

Esta ecuación da la relación entre la fuerza y la energía potencial asociada. En palabras, el componente de una fuerza conservativa, en una dirección particular, es igual al negativo de la derivada de la energía potencial correspondiente, con respecto a un desplazamiento en esa dirección. Para un movimiento unidimensional, digamos a lo largo del eje de la x, la Ecuación 8.11 da la fuerza vectorial completa, $\vec{\mathbf{F}} = F_x\hat{\mathbf{i}} = -\frac{\partial U}{\partial x}\hat{\mathbf{i}}$.

En dos dimensiones,

$$\vec{\mathbf{F}} = F_x\hat{\mathbf{i}} + F_y\hat{\mathbf{j}} = -\left(\frac{\partial U}{\partial x}\right)\hat{\mathbf{i}} - \left(\frac{\partial U}{\partial y}\right)\hat{\mathbf{j}}.$$

A partir de esta ecuación, se puede ver por qué la Ecuación 8.11 es la condición para que el trabajo sea una diferencial exacta, en términos de las derivadas de los componentes de la fuerza. En general, se utiliza una notación de derivada parcial. Si una función tiene muchas variables, la derivada se toma solo de la variable que especifica la derivada parcial. Las demás variables se mantienen constantes. En tres dimensiones, se añade otro término para el componente z, y el resultado es que la fuerza es el negativo del gradiente de la energía potencial. Sin embargo, todavía no vamos a ver ejemplos tridimensionales.

EJEMPLO 8.6

Fuerza debida a una energía potencial cuártica

La energía potencial de una partícula que experimenta un movimiento unidimensional a lo largo del eje de la x es

$$U(x) = \frac{1}{4}cx^4,$$

donde $c = 8\ \text{N/m}^3$. Su energía total en $x = 0$ es 2 J, y no está sujeta a ninguna fuerza no conservativa. Halle (a) las posiciones en las que su energía cinética es cero y (b) las fuerzas en esas posiciones.

Estrategia

(a) Podemos hallar las posiciones en las que $K = 0$, por lo que la energía potencial es igual a la energía total del sistema dado. (b) Utilizando la Ecuación 8.11, podemos encontrar la fuerza evaluada en las posiciones halladas de la parte anterior, ya que la energía mecánica se conserva.

Solución

a. La energía total del sistema de 2 J es igual a la energía elástica cuártica dada en el problema,

$$2\ \text{J} = \frac{1}{4}\left(8\ \text{N/m}^3\right) x_f{}^4.$$

Resolviendo para x_f da como resultado $x_f = \pm 1$ m.

b. A partir de la Ecuación 8.11,

$$F_x = -dU/dx = -cx^3.$$

Por lo tanto, al evaluar la fuerza en ± 1 m, obtenemos

$$\vec{\mathbf{F}} = -(8\text{ N/m}^3)(\pm 1\text{ m})^3\hat{\mathbf{i}} = \pm 8\text{ N}\hat{\mathbf{i}}.$$

En ambas posiciones, la magnitud de las fuerzas es de 8 N y las direcciones son hacia el origen, ya que esta es la energía potencial para una fuerza restauradora.

Importancia

Hallar la fuerza a partir de la energía potencial es matemáticamente más fácil que hallar la energía potencial a partir de la fuerza, porque diferenciar una función es más fácil que integrar una.

COMPRUEBE LO APRENDIDO 8.6

Halle las fuerzas sobre la partícula en el Ejemplo 8.6 cuando su energía cinética es de 1,0 J en $x = 0$.

8.3 Conservación de la energía

OBJETIVOS DE APRENDIZAJE

Al final de esta sección, podrá:

- Formular el principio de conservación de la energía mecánica, con o sin la presencia de fuerzas no conservativas.
- Utilizar la conservación de la energía mecánica para calcular diversas propiedades de sistemas sencillos.

En esta sección, explicamos y ampliamos el resultado que derivamos en Energía potencial de un sistema, donde reescribimos el teorema de trabajo-energía en términos del cambio en las energías cinética y potencial de una partícula. Esto nos llevará a analizar el importante principio de la conservación de la energía mecánica. A medida que continúe examinando otros temas de la física, en capítulos posteriores de este libro, verá cómo esta ley de conservación se generaliza para abarcar otros tipos de energía y transferencias de energía. La última sección de este capítulo ofrece un avance.

Los términos "cantidad conservada" y "ley de conservación" tienen significados específicos y científicos en física, que son diferentes de los significados cotidianos, que se asocian a estas palabras. (El mismo comentario es válido para los usos científicos y cotidianos de la palabra "trabajo"). En el uso cotidiano, se puede conservar el agua al no usarla, al usar menos cantidad o al reutilizarla. El agua está compuesta por moléculas formadas por dos átomos de hidrógeno y uno de oxígeno. Si se juntan estos átomos para formar una molécula, se crea el agua; si se disocian los átomos de dicha molécula, se destruye el agua. Sin embargo, en el uso científico, una **cantidad conservada** para un sistema permanece constante, cambia en una cantidad definida que se transfiere a otros sistemas o se convierte en otras formas de esa cantidad. Una cantidad conservada, en el sentido científico, puede transformarse, pero no crearse ni destruirse en el sentido estricto de la palabra. Así, no existe ninguna ley física de conservación del agua.

Sistemas con una sola partícula u objeto

Primero consideramos un sistema con una sola partícula u objeto. De vuelta a nuestro desarrollo de la Ecuación 8.2, recordemos que primero separamos todas las fuerzas que actúan sobre una partícula en tipos conservativas y no conservativas, y escribimos el trabajo realizado por cada tipo de fuerza como un término separado en el teorema de trabajo-energía. Entonces sustituimos el trabajo realizado por las fuerzas conservativas por el cambio en la energía potencial de la partícula y lo combinamos con el cambio en la energía cinética de la partícula para obtener la Ecuación 8.2. Ahora, escribimos esta ecuación sin el paso intermedio y definimos la suma de las energías cinética y potencial, $K + U = E$; a ser la **energía mecánica** de la partícula.

Conservación de la energía

La energía mecánica E de una partícula permanece constante, a menos que fuerzas externas al sistema o fuerzas no conservativas realicen un trabajo sobre ella, en cuyo caso, el cambio en la energía mecánica es igual al trabajo realizado por las fuerzas no conservativas:

$$W_{\text{nc},AB} = \Delta(K+U)_{AB} = \Delta E_{AB}. \tag{8.12}$$

Esta afirmación expresa el concepto de **conservación de energía** para una partícula clásica mientras no haya trabajo no conservativo. Recordemos que una partícula clásica es solo una masa puntual, no es relativista y obedece a las leyes del movimiento de Newton. En Relatividad (http://openstax.org/books/university-physics-volume-3/pages/5-introduction), veremos que la conservación de la energía sigue aplicándose a una partícula no clásica. Sin embargo, para ello tenemos que hacer un ligero ajuste en la definición de energía.

A veces es conveniente separar el caso en el que el trabajo realizado por las fuerzas no conservativas es cero, ya sea porque se supone que no hay tales fuerzas presentes, o, como la fuerza normal, realizan un trabajo cero cuando el movimiento es paralelo a la superficie. Entonces

$$0 = W_{\text{nc},AB} = \Delta(K+U)_{AB} = \Delta E_{AB}. \tag{8.13}$$

En este caso, la conservación de la energía mecánica puede expresarse como sigue: La energía mecánica de una partícula no cambia si todas las fuerzas no conservativas que pueden actuar sobre ella no realizan ningún trabajo. Lo importante es comprender el concepto de conservación de energía, no la ecuación concreta que se utilice para expresarla.

ESTRATEGIA DE RESOLUCIÓN DE PROBLEMAS

Conservación de la energía

1. Identifique el organismo o los organismos que se van a estudiar (el sistema). A menudo, en las aplicaciones del principio de conservación de energía mecánica, estudiamos más de un cuerpo al mismo tiempo.
2. Identifique todas las fuerzas que actúan sobre el cuerpo o los cuerpos.
3. Determine si cada fuerza que realiza un trabajo es conservativa. Si una fuerza no conservativa (por ejemplo, la fricción) realiza un trabajo, la energía mecánica no se conserva. Luego, el sistema deberá analizarse con trabajo no conservativo, la Ecuación 8.13.
4. Para cada fuerza que realice un trabajo, elija un punto de referencia y determine la función de energía potencial para la fuerza. Los puntos de referencia de las distintas energías potenciales no tienen por qué estar en el mismo lugar.
5. Aplique el principio de conservación de energía mecánica al establecer la suma de las energías cinética y potencial iguales en cada punto de interés.

EJEMPLO 8.7

Péndulo simple

Una partícula de masa m cuelga desde el techo con una cuerda sin masa de 1,0 m de longitud, como se muestra en la Figura 8.7. La partícula se libera del reposo, cuando el ángulo entre la cuerda y la dirección vertical descendente es de 30°. ¿Cuál es su rapidez cuando alcanza el punto más bajo de su arco?

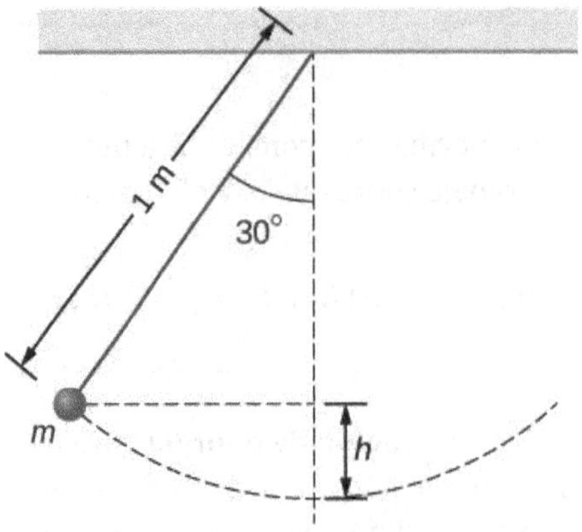

FIGURA 8.7 Una partícula colgada de una cuerda constituye un péndulo simple. Se muestra cuando se libera del reposo, junto con algunas distancias que se utilizan en el análisis del movimiento.

Estrategia

Al utilizar nuestra estrategia de resolución de problemas, el primer paso es definir que estamos interesados en el sistema partícula-Tierra. En segundo lugar, sobre la partícula solo actúa la fuerza gravitacional, que es conservativa (paso 3). Ignoramos la resistencia del aire en el problema, y la tensión de la cuerda, que es perpendicular al arco del movimiento, no realiza ningún trabajo. Por lo tanto, la energía mecánica del sistema se conserva, como se representa en la Ecuación 8.13, $0 = \Delta(K + U)$. Como la partícula parte del reposo, el aumento de la energía cinética es solo la energía cinética en el punto más bajo. Este aumento de la energía cinética es igual a la disminución de la energía potencial gravitacional, que podemos calcular a partir de la geometría. En el paso 4, elegimos como punto de referencia para la energía potencial gravitacional cero el punto vertical más bajo que alcanza la partícula, que es la mitad de la oscilación. Por último, en el paso 5, establecemos la suma de energías en el punto más alto (inicial) de la oscilación hasta el punto más bajo (final) de la oscilación para resolver finalmente la rapidez final.

Solución

Estamos ignorando las fuerzas no conservativas, por lo que escribimos la fórmula de conservación de energía que relaciona la partícula en el punto más alto (inicial) y el punto más bajo de la oscilación (final) como

$$K_i + U_i = K_f + U_f.$$

Dado que la partícula se libera del reposo, la energía cinética inicial es cero. En el punto más bajo, definimos que la energía potencial gravitacional es cero. Por lo tanto, nuestra fórmula de conservación de la energía se reduce a

$$\begin{aligned} 0 + mgh &= \tfrac{1}{2}mv^2 + 0 \\ v &= \sqrt{2gh}. \end{aligned}$$

La altura vertical de la partícula no se da directamente en el problema. Esto puede resolverse con la trigonometría y dos datos: la longitud del péndulo y el ángulo por el que la partícula se hala verticalmente. Observando el diagrama, la línea vertical discontinua es la longitud de la cuerda del péndulo. La altura vertical se denomina h. La otra longitud parcial de la cuerda vertical se puede calcular con trigonometría. Esa parte se resuelve por

$$\cos\theta = x/L, x = L\cos\theta.$$

Por lo tanto, si observamos las dos partes de la cuerda, podemos resolver la altura h,

$$\begin{aligned} x + h &= L \\ L\cos\theta + h &= L \\ h &= L - L\cos\theta = L(1 - \cos\theta). \end{aligned}$$

Sustituimos esta altura en la expresión anterior resuelta para la rapidez con el fin de calcular nuestro resultado:

$$v = \sqrt{2gL\,(1 - \cos\theta)} = \sqrt{2\left(9{,}8\,\text{m/s}^2\right)(1\,\text{m})\,(1 - \cos 30°)} = 1{,}62\,\text{m/s}.$$

Importancia

Hallamos la rapidez directamente a partir de la conservación de la energía mecánica, sin tener que resolver la ecuación diferencial para el movimiento de un péndulo (vea Oscilaciones). Podemos abordar este problema en términos de gráficos de barras de energía total. Inicialmente, la partícula tiene toda la energía potencial, al estar en el punto más alto, y ninguna energía cinética. Cuando la partícula cruza el punto más bajo de la parte inferior de la oscilación, la energía pasa de la columna de energía potencial a la columna de energía cinética. Por lo tanto, podemos imaginar una progresión de esta transferencia a medida que la partícula se mueve entre su punto más alto, el punto más bajo de la oscilación, y de vuelta al punto más alto (Figura 8.8). A medida que la partícula se desplaza desde el punto más bajo de la oscilación hasta el punto más alto en el extremo derecho del diagrama, las barras de energía van en orden inverso de (c) a (b) a (a).

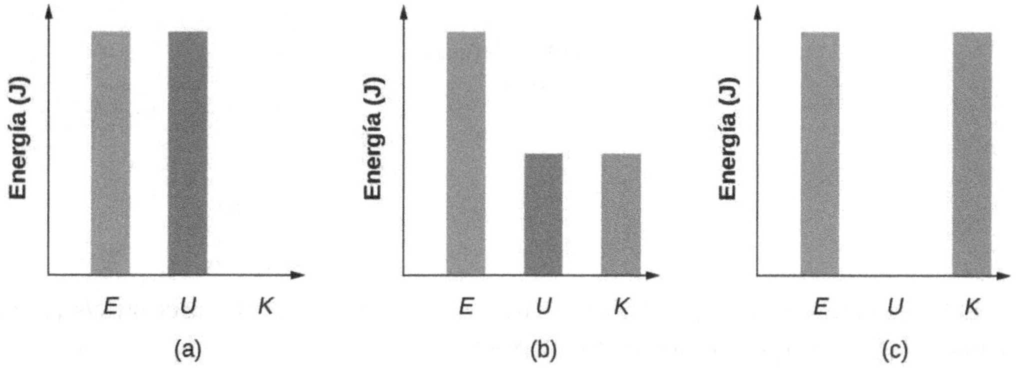

FIGURA 8.8 Gráficos de barras que representan la energía total (*E*), la energía potencial (*U*) y la energía cinética (*K*) de la partícula en diferentes posiciones. (a) La energía total del sistema es igual a la energía potencial y la energía cinética es cero, que se encuentra en el punto más alto que alcanza la partícula. (b) La partícula se encuentra a medio camino entre el punto más alto y el más bajo, por lo que los gráficos de barras de energía cinética más energía potencial son iguales a la energía total. (c) La partícula se encuentra en el punto más bajo de la oscilación, por lo que el gráfico de barras de energía cinética es el más alto e igual a la energía total del sistema.

COMPRUEBE LO APRENDIDO 8.7

¿A qué altura sobre la parte inferior de su arco se encuentra la partícula en el péndulo simple de arriba, cuando su rapidez es $0{,}81\,\text{m/s}$?

EJEMPLO 8.8

Resistencia del aire en un objeto que cae

Un helicóptero sobrevuela a una altitud de $1\,\text{km}$ cuando un panel de su parte inferior se desprende y cae al suelo (Figura 8.9). La masa del panel es $15\,\text{kg}$, y golpea el suelo a una rapidez de $45\,\text{m/s}$. ¿Cuánta energía mecánica se disipó por la resistencia del aire durante el descenso del panel?

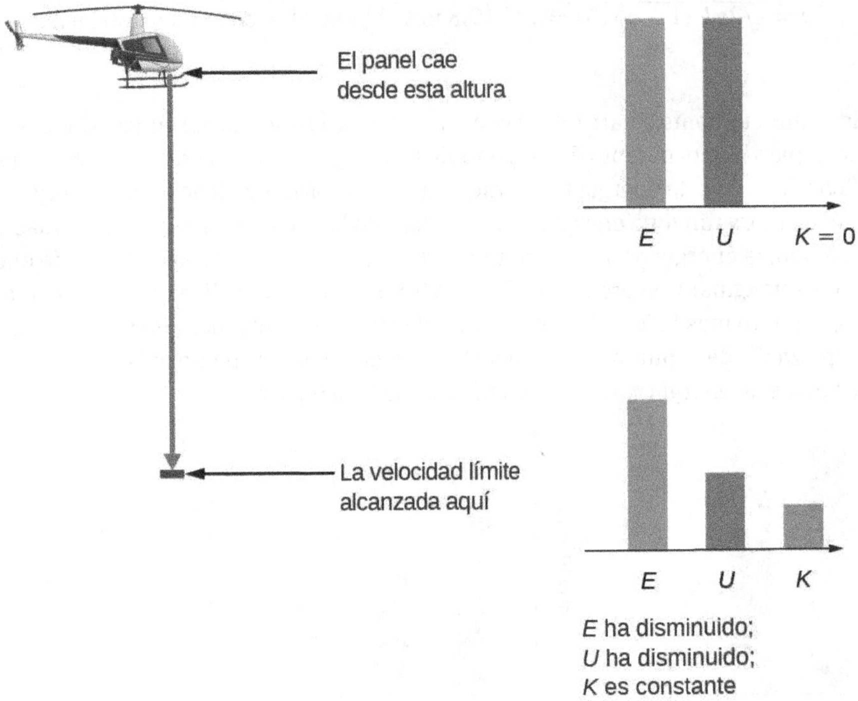

FIGURA 8.9 Un helicóptero pierde un panel que cae hasta alcanzar una velocidad límite de 45 m/s. ¿En qué medida contribuyó la resistencia del aire a la disipación de energía en este problema?

Estrategia

Paso 1: Aquí solo se investiga un cuerpo.

Paso 2: Sobre el panel actúa la fuerza gravitacional y la resistencia del aire, que se indica en el problema.

Paso 3: La fuerza gravitacional es conservativa; sin embargo, la fuerza no conservativa de la resistencia del aire realiza un trabajo negativo sobre el panel que cae, por lo que podemos utilizar la conservación de la energía mecánica, en la forma expresada por la Ecuación 8.12, para hallar la energía disipada. Esta energía es la magnitud del trabajo:

$$\Delta E_{\text{disipada}} = |W_{\text{nc, if}}| = |\Delta(K+U)_{\text{if}}|.$$

Paso 4: La energía cinética inicial, en $y_i = 1\text{ km}$, es cero. Por comodidad, fijamos la energía potencial gravitacional en cero a nivel del suelo.

Paso 5: El trabajo no conservativo se establece igual a las energías para resolver el trabajo disipado por la resistencia del aire.

Solución

La energía mecánica disipada por la resistencia del aire es la suma algebraica de la ganancia de energía cinética y la pérdida de energía potencial. Por lo tanto, el cálculo de esta energía es

$$\begin{aligned}\Delta E_{\text{disipada}} &= |K_f - K_i + U_f - U_i| \\ &= \left|\tfrac{1}{2}(15\text{ kg})(45\text{ m/s})^2 - 0 + 0 - (15\text{ kg})\left(9{,}8\text{ m/s}^2\right)(1.000\text{ m})\right| = 130\text{ kJ}.\end{aligned}$$

Importancia

La mayor parte de la energía mecánica inicial del panel (U_i), 147 kJ, se perdió por la resistencia del aire. Observe que hemos podido calcular la energía disipada sin saber cuál era la fuerza de resistencia del aire, únicamente que era disipativa.

COMPRUEBE LO APRENDIDO 8.8

Probablemente recuerde que, al descartar la resistencia del aire, si lanza un proyectil directamente hacia arriba, el tiempo que tarda en alcanzar su altura máxima es igual al tiempo que tarda en caer desde la altura máxima hasta la altura inicial. Supongamos que no se puede descartar la resistencia del aire, como en el Ejemplo 8.8. ¿Es el tiempo que el proyectil tarda en subir (a) mayor, (b) menor o (c) igual al tiempo que tarda en bajar? Explique.

En estos ejemplos, hemos podido utilizar la conservación de la energía para calcular la rapidez de una partícula justo en determinados puntos de su movimiento. Sin embargo, el método de análisis del movimiento de las partículas, partiendo de la conservación de energía, es más poderoso que eso. Los tratamientos más avanzados de la teoría de la mecánica permiten calcular la dependencia a tiempo completo del movimiento de una partícula, para una energía potencial dada. De hecho, a menudo se da el caso de que un mejor modelo para el movimiento de la partícula lo proporciona la forma de sus energías cinética y potencial, en lugar de una ecuación para la fuerza que actúa sobre esta. (Esto es especialmente cierto para la descripción mecánica cuántica de partículas como los electrones o los átomos).

Podemos ilustrar algunas de las características más simples de este enfoque basado en la energía, al considerar una partícula en movimiento unidimensional, con energía potencial $U(x)$ y sin interacciones no conservativas presentes. La Ecuación 8.12 y la definición de velocidad requieren

$$\begin{aligned} K &= \tfrac{1}{2}mv^2 = E - U(x) \\ v &= \tfrac{dx}{dt} = \sqrt{\tfrac{2(E-U(x))}{m}}. \end{aligned}$$

Separe las variables x y t e integre, a partir de un tiempo inicial $t = 0$ a un tiempo arbitrario, para obtener

$$t = \int_0^t dt = \int_{x_0}^{x} \frac{dx}{\sqrt{2\left[E - U(x)\right]/m}}. \qquad 8.14$$

Si puedes hacer la integral en la Ecuación 8.14, entonces puedes resolver x en función de t.

EJEMPLO 8.9

Aceleración constante

Utilice la energía potencial $U(x) = -E(x/x_0)$, para $E > 0$, en la Ecuación 8.14 para hallar la posición x de una partícula como función del tiempo t.

Estrategia

Ya que sabemos cómo cambia la energía potencial como función de x, podemos sustituir por $U(x)$ en la Ecuación 8.14, integre, y luego resuelva para x. Se obtiene una expresión de x como función del tiempo con las constantes de energía E, masa m y posición inicial x_0.

Solución

Siguiendo los dos primeros pasos sugeridos en la estrategia anterior,

$$t = \int_{x_0}^{x} \frac{dx}{\sqrt{(2E/mx_0)(x_0 - x)}} = \frac{1}{\sqrt{(2E/mx_0)}}\left|-2\sqrt{(x_0 - x)}\right|_{x_0}^{x} = -\frac{2\sqrt{(x_0 - x)}}{\sqrt{(2E/mx_0)}}.$$

Resolviendo para la posición, obtenemos $x(t) = x_0 - \frac{1}{2}(E/mx_0)t^2$.

Importancia

La posición en función del tiempo, para este potencial, representa un movimiento unidimensional con aceleración constante, $a = (E/mx_0)$, partiendo de la posición de reposo x_0. Esto no es tan sorprendente, ya que se trata de una energía potencial para una fuerza constante, $F = -dU/dx = E/x_0$, y $a = F/m$.

COMPRUEBE LO APRENDIDO 8.9

¿Qué energía potencial $U(x)$ puede sustituir en la Ecuación 8.13 que resultará en un movimiento con velocidad constante de 2 m/s para una partícula de 1 kg de masa y 1 J de energía mecánica?

Veremos otro ejemplo más apropiado físicamente del uso de la Ecuación 8.13 después de que hayamos explorado algunas implicaciones adicionales que se pueden extraer de la forma funcional de la energía potencial de una partícula.

Sistemas con varias partículas u objetos

Los sistemas suelen estar formados por más de una partícula u objeto. Sin embargo, la conservación de la energía mecánica, en una de sus formas en la Ecuación 8.12 o la Ecuación 8.13, es una ley fundamental de la física y se aplica a cualquier sistema. Todo lo que hay que hacer es incluir las energías cinética y potencial de todas las partículas, y el trabajo realizado por todas las fuerzas no conservativas que actúan sobre ellas. Hasta que aprenda más sobre la dinámica de los sistemas compuestos por muchas partículas, en Momento lineal y colisiones, Rotación de eje fijo y Momento angular, es mejor posponer el debate de la aplicación de la conservación de energía para entonces.

8.4 Diagramas de energía potencial y estabilidad

OBJETIVOS DE APRENDIZAJE

Al final de esta sección, podrá:

- Crear e interpretar gráficos de energía potencial.
- Explicar la relación entre la estabilidad y la energía potencial.

A menudo, se puede obtener una buena cantidad de información útil sobre el comportamiento dinámico de un sistema mecánico simplemente mediante la interpretación de un gráfico de su energía potencial como función de la posición, denominado **diagrama de energía potencial**. Esto es más fácil de lograr para un sistema unidimensional, cuya energía potencial se puede trazar en un gráfico bidimensional, por ejemplo, $U(x)$ frente a x, en una hoja de papel o en un programa de computadora. Para los sistemas cuyo movimiento es en más de una dimensión, es necesario estudiar el movimiento en el espacio tridimensional. Simplificaremos nuestro procedimiento para el movimiento unidimensional solamente.

En primer lugar, veamos un objeto que cae libremente en vertical, cerca de la superficie de la Tierra, en ausencia de resistencia del aire. La energía mecánica del objeto se conserva, $E = K + U$, y la energía potencial, con respecto a cero a nivel del suelo, es $U(y) = mgy$, que es una línea recta que pasa por el origen con pendiente mg. En el gráfico mostrado en la Figura 8.10, el eje de la x es la altura sobre el suelo y y el eje de la y es la energía del objeto.

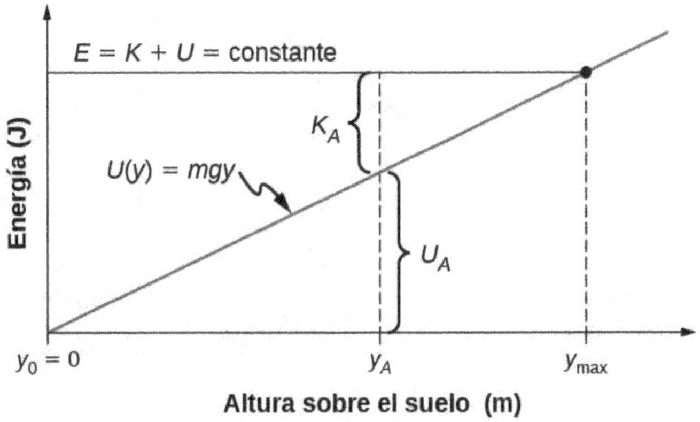

FIGURA 8.10 Gráfico de la energía potencial de un objeto en caída libre vertical, en la que se indican diversas cantidades.

La línea en la energía E representa la energía mecánica constante del objeto, mientras que las energías cinética y potencial, K_A y U_A, se indican a una altura determinada y_A. Puede ver cómo la energía total se divide entre energía cinética y potencial a medida que cambia la altura del objeto. Dado que la energía cinética nunca puede ser negativa, existe una energía potencial máxima y una altura máxima que un objeto con la energía total dada no puede superar:

$$K = E - U \geq 0,$$
$$U \leq E.$$

Si utilizamos el punto de referencia de la energía potencial gravitacional de cero en y_0, podemos reescribir la energía potencial gravitacional U como mgy. Resolviendo para y se obtiene

$$y \leq E/mg = y_{\text{máx}}.$$

Observamos en esta expresión que la cantidad de energía total, dividida entre el peso (mg), se sitúa en la altura máxima de la partícula, o $y_{\text{máx}}$. En la altura máxima, la energía cinética y la rapidez son cero, por lo que si el objeto se desplazara inicialmente hacia arriba, su velocidad pasaría por cero allí, mientras que $y_{\text{máx}}$ sería un punto de inflexión en el movimiento. A nivel del suelo, $y_0 = 0$, la energía potencial es cero, y la energía cinética y la rapidez son máximas:

$$\begin{aligned} U_0 &= 0 = E - K_0, \\ E &= K_0 = \tfrac{1}{2}mv_0{}^2, \\ v_0 &= \pm\sqrt{2E/m}. \end{aligned}$$

La rapidez máxima $\pm v_0$ da la velocidad inicial necesaria para alcanzar $y_{\text{máx}}$, la altura máxima, y $-v_0$ representa la velocidad final, después de caer de $y_{\text{máx}}$. Puede leer toda esta información, y más, en el diagrama de energía potencial que hemos mostrado.

Considere un sistema masa-resorte sobre una superficie horizontal sin fricción, estacionaria, de modo que la gravedad y la fuerza normal de contacto no realizan ningún trabajo y pueden pasarse por alto (Figura 8.11). Es como un sistema unidimensional, cuya energía mecánica E es una constante y cuya energía potencial, con respecto a la energía cero en el desplazamiento cero de la longitud no estirada del resorte, $x = 0$, es $U(x) = \frac{1}{2}kx^2$.

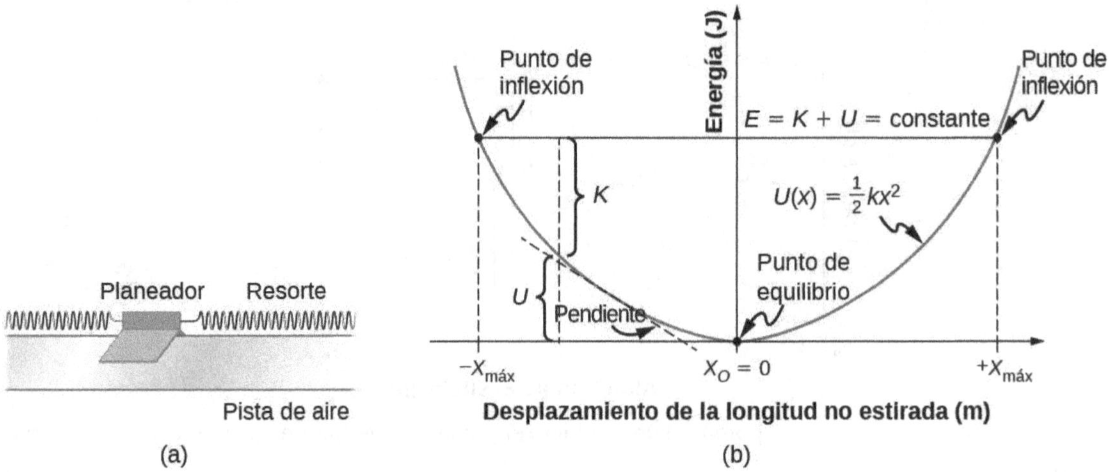

FIGURA 8.11 (a) Un planeador entre resortes en una pista de aire es un ejemplo de un sistema masa-resorte horizontal. (b) El diagrama de energía potencial para este sistema, donde se indican diversas cantidades.

En este caso se puede leer el mismo tipo de información a partir del diagrama de energía potencial que en el caso del cuerpo en caída libre vertical. Sin embargo, ya que la energía potencial del resorte describe una fuerza variable, se puede aprender más de este gráfico. En cuanto al objeto en caída libre vertical, se puede deducir el rango de movimiento físicamente admisible y los valores máximos de distancia y rapidez, a partir de los límites de la energía cinética, $0 \leq K \leq E$. Por lo tanto, $K = 0$ y $U = E$ en un **punto de inflexión**, de los cuales hay dos para la energía potencial del resorte elástico,

$$x_{\text{máx}} = \pm\sqrt{2E/k}.$$

El movimiento del planeador se limita a la región entre los puntos de inflexión, $-x_{\text{máx}} \leq x \leq x_{\text{máx}}$. Esto es así con cualquier valor (positivo) de E porque la energía potencial es ilimitada con respecto a x. Por esta razón, así como por la forma de la curva de energía potencial, $U(x)$ se denomina pozo de potencial infinito. En el fondo del pozo de potencial, $x = 0, U = 0$ y la energía cinética es máxima, $K = E$, entonces $v_{\text{máx}} = \pm\sqrt{2E/m}$.

Sin embargo, a partir de la pendiente de esta curva de energía potencial, también se puede deducir información sobre la fuerza sobre el planeador y su aceleración. Hemos visto antes que el negativo de la pendiente de la energía potencial es la fuerza del resorte, que en este caso es también la fuerza neta, y por lo tanto es proporcional a la aceleración. Cuando $x = 0$, la pendiente, la fuerza y la aceleración son todas cero, por lo que se trata de un **punto de equilibrio**. El negativo de la pendiente, a ambos lados del punto de equilibrio, da una fuerza que apunta hacia el punto de equilibrio, $F = \pm kx$, por lo que el equilibrio se denomina estable y la fuerza se denomina restauradora. Esto implica que $U(x)$ tiene allí un mínimo relativo. Si la fuerza a ambos lados de un punto de equilibrio tiene una dirección opuesta a la del cambio de posición, el equilibrio se denomina inestable, y esto implica que $U(x)$ tiene un máximo relativo en ese punto.

EJEMPLO 8.10

Diagrama de energía potencial cuártica y cuadrática

La energía potencial para una partícula que experimenta un movimiento unidimensional a lo largo del eje de la x es $U(x) = 2(x^4 - x^2)$, donde U está en julios y x está en metros. La partícula no está sometida a ninguna fuerza no conservativa y su energía mecánica es constante en $E = -0{,}25$ J. (a) ¿Está el movimiento de la partícula confinado en algunas regiones del eje de la x, y si es así, cuáles son? (b) ¿Existen puntos de equilibrio, y si es así, dónde están y son estables o inestables?

Estrategia

En primer lugar, tenemos que graficar la energía potencial como función de la x. La función es cero en el origen, se vuelve negativa a medida que la x aumenta en las direcciones positivas o negativas (x^2 es mayor que x^4 para $x < 1$), y luego se convierte en positiva a un tamaño suficientemente grande $|x|$. Su gráfico debería parecerse a un pozo de potencial doble, con los ceros determinados al resolver la ecuación $U(x) = 0$, y los extremos se determinan al examinar las derivadas primera y segunda de $U(x)$, como se muestra en la Figura 8.12.

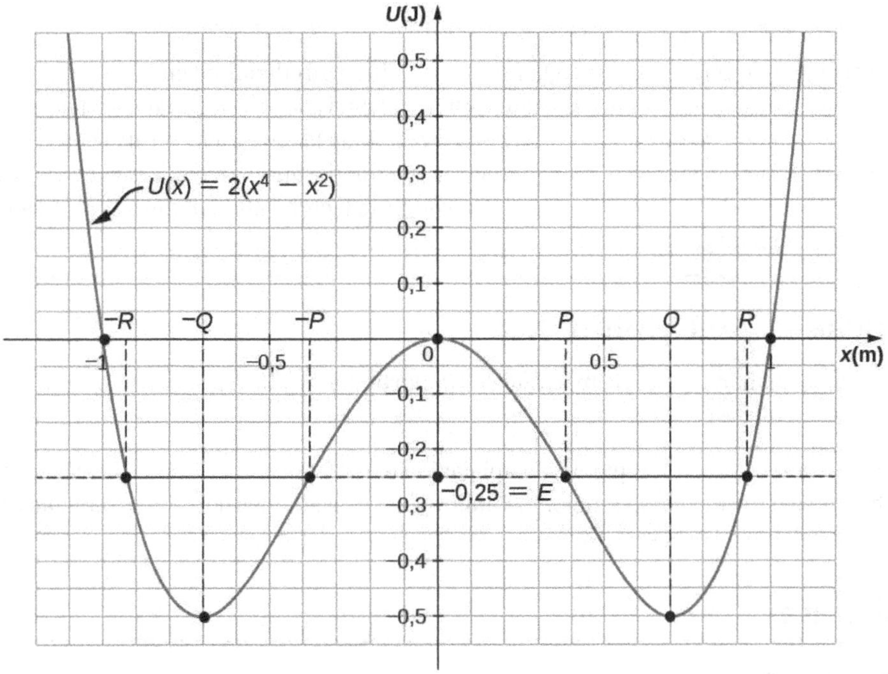

FIGURA 8.12 El gráfico de energía potencial para una energía potencial unidimensional, cuártica y cuadrática, se muestra con diversas cantidades.

Puede calcular los valores de (a) las regiones permitidas a lo largo del eje de la x, para el valor dado de la energía mecánica, a partir de la condición de que la energía cinética no puede ser negativa, y (b) los puntos de equilibrio y su estabilidad a partir de las propiedades de la fuerza (estable para un mínimo relativo e inestable para un máximo relativo de energía potencial).

Para obtener respuestas cualitativas a las preguntas de este ejemplo, basta con echar un vistazo al gráfico. Al fin y al cabo, ese es el valor de los diagramas de energía potencial. Puede ver que hay dos regiones permitidas para el movimiento ($E > U$) y tres puntos de equilibrio (pendiente $dU/dx = 0$), de los cuales el central es inestable $\left(d^2U/dx^2 < 0\right)$, y los otros dos son estables $\left(d^2U/dx^2 > 0\right)$.

Solución

a. Para hallar las regiones permitidas para la x, utilizamos la condición

$$K = E - U = -\frac{1}{4} - 2\left(x^4 - x^2\right) \geq 0.$$

Si completamos el cuadrado en x^2, esta condición se simplifica a $2\left(x^2 - \frac{1}{2}\right)^2 \leq \frac{1}{4}$, que podemos resolver para obtener

$$\frac{1}{2} - \sqrt{\frac{1}{8}} \leq x^2 \leq \frac{1}{2} + \sqrt{\frac{1}{8}}.$$

Esto representa dos regiones permitidas, $x_p \leq x \leq x_R$ y $-x_R \leq x \leq -x_p$, donde $x_p = 0{,}38$ y $x_R = 0{,}92$ (en metros).

b. Para hallar los puntos de equilibrio, resolvemos la ecuación

$$dU/dx = 8x^3 - 4x = 0$$

y calculamos $x = 0$ y $x = \pm x_Q$, donde $x_Q = 1/\sqrt{2} = 0{,}707$ (metros). La segunda derivada

$$d^2U/dx^2 = 24x^2 - 4$$

es negativa en $x = 0$, por lo que esa posición es un máximo relativo y el equilibrio allí es inestable. La segunda derivada es positiva en $x = \pm x_Q$, por lo que estas posiciones son mínimos relativos y representan equilibrios estables.

Importancia

La partícula en este ejemplo puede oscilar en la región permitida alrededor de cualquiera de los dos puntos de equilibrio estables que encontramos, pero no tiene suficiente energía para escapar de cualquier pozo de potencial en el que se encuentre inicialmente. La conservación de la energía mecánica y las relaciones entre la energía cinética y la velocidad, y la energía potencial y la fuerza, permiten deducir mucha información sobre el comportamiento cualitativo del movimiento de una partícula, así como alguna información cuantitativa, a partir de un gráfico de su energía potencial.

COMPRUEBE LO APRENDIDO 8.10

Repita el Ejemplo 8.10 cuando la energía mecánica de la partícula es +0,25 J.

Antes de terminar esta sección, practiquemos la aplicación del método basado en la energía potencial de una partícula para hallar su posición como función del tiempo, en el sistema unidimensional masa-resorte considerado anteriormente en esta sección.

EJEMPLO 8.11

Oscilaciones sinusoidales

Calcule $x(t)$ para una partícula que se mueve con energía mecánica constante $E > 0$ y energía potencial $U(x) = \frac{1}{2}kx^2$, cuando la partícula parte del reposo en el tiempo $t = 0$.

Estrategia

Seguimos los mismos pasos que en el Ejemplo 8.9. Sustituya la energía potencial U en la Ecuación 8.14 y factorice las constantes, como m o k. Integre la función y resuelva la expresión resultante para la posición, que ahora es una función del tiempo.

Solución

Sustituya la energía potencial en la Ecuación 8.14 e intégrela mediante un solucionador de integrales encontrado en una búsqueda en la web:

$$t = \int_{x_0}^{x} \frac{dx}{\sqrt{(k/m)\left[(2E/k) - x^2\right]}} = \sqrt{\frac{m}{k}}\left[\text{sen}^{-1}\left(\frac{x}{\sqrt{2E/k}}\right) - \text{sen}^{-1}\left(\frac{x_0}{\sqrt{2E/k}}\right)\right].$$

A partir de las condiciones iniciales en $t = 0$, la energía cinética inicial es cero y la energía potencial inicial es $\frac{1}{2}kx_0{}^2 = E$, a partir de lo que puede observar que $x_0/\sqrt{(2E/k)} = \pm 1$ y $\text{sen}^{-1}(\pm) = \pm 90^0$. Ahora puede resolver para x:

$$x(t) = \sqrt{(2E/k)}\,\text{sen}\left[\left(\sqrt{k/m}\right)t \pm 90^0\right] = \pm\sqrt{(2E/k)}\cos\left[\left(\sqrt{k/m}\right)t\right].$$

Importancia

Unos cuantos párrafos atrás, nos hemos referido a este sistema masa-resorte como un ejemplo de oscilador armónico. Aquí, anticipamos que un oscilador armónico ejecuta oscilaciones sinusoidales con un desplazamiento máximo de $\sqrt{(2E/k)}$ (amplitud) y una tasa de oscilación de $(1/2\pi)\sqrt{k/m}$ (frecuencia). Para más información sobre las oscilaciones, consulte Oscilaciones.

COMPRUEBE LO APRENDIDO 8.11

Calcule $x(t)$ para el sistema masa-resorte en el Ejemplo 8.11 si la partícula parte de $x_0 = 0$ en $t = 0$. ¿Cuál es la velocidad inicial de la partícula?

8.5 Fuentes de energía

OBJETIVOS DE APRENDIZAJE

Al final de esta sección, podrá:

- Describir las transformaciones y conversiones de energía en términos generales.
- Explicar qué significa que una fuente de energía sea renovable o no renovable.

En este capítulo hemos estudiado la energía. Hemos aprendido que la energía puede adoptar diferentes formas y transferirse de una forma a otra. Verá que la energía se analiza en muchos contextos cotidianos, así como en los científicos, porque está implicada en todos los procesos físicos. También se hará evidente que muchas situaciones se entienden mejor, o se conceptualizan más fácilmente, al considerar la energía. Hasta ahora, ningún resultado experimental ha contradicho la conservación de la energía. De hecho, siempre que las mediciones han parecido entrar en conflicto con la conservación de energía, se han descubierto o reconocido nuevas formas de energía de acuerdo con este principio.

¿Cuáles son otras formas de energía? Muchas de estas se tratan en capítulos posteriores (vea también la Figura 8.13), aunque detallaremos algunas aquí:

- Los átomos y las moléculas del interior de todos los objetos están en movimiento aleatorio. La energía cinética interna de estos movimientos aleatorios se denomina *energía térmica* porque está relacionada con la temperatura del objeto. Observe que la energía térmica también se transfiere de un lugar a otro, sin transformarse ni convertirse, mediante los conocidos procesos de conducción, convección y radiación. En este caso, la energía se conoce como *energía calorífica.*
- La *energía eléctrica* es una forma común que se convierte en muchas otras formas y funciona en una amplia gama de situaciones prácticas.
- Los combustibles, como la gasolina y los alimentos, tienen *energía química*, que es energía potencial derivada de su estructura molecular. La energía química se convierte en energía térmica mediante reacciones como la oxidación. Las reacciones químicas también generan energía eléctrica, como en las baterías. La energía eléctrica, a su vez, genera energía térmica y luz, como en un calentador eléctrico o una bombilla.
- La luz es solo un tipo de radiación electromagnética, o *energía radiante* que también incluye la radio, el infrarrojo, el ultravioleta, los rayos X y los rayos gama. Todos los cuerpos con energía térmica irradian energía en ondas electromagnéticas.
- La *energía nuclear* proviene de reacciones y procesos que convierten cantidades mensurables de masa en energía. La energía nuclear se transforma en energía radiante en el Sol, en energía térmica en las calderas de las plantas de energía nuclear y luego en energía eléctrica en los generadores de las plantas de energía. Estas y todas las demás formas de energía se transforman entre sí y, hasta cierto punto, se convierten en trabajo mecánico.

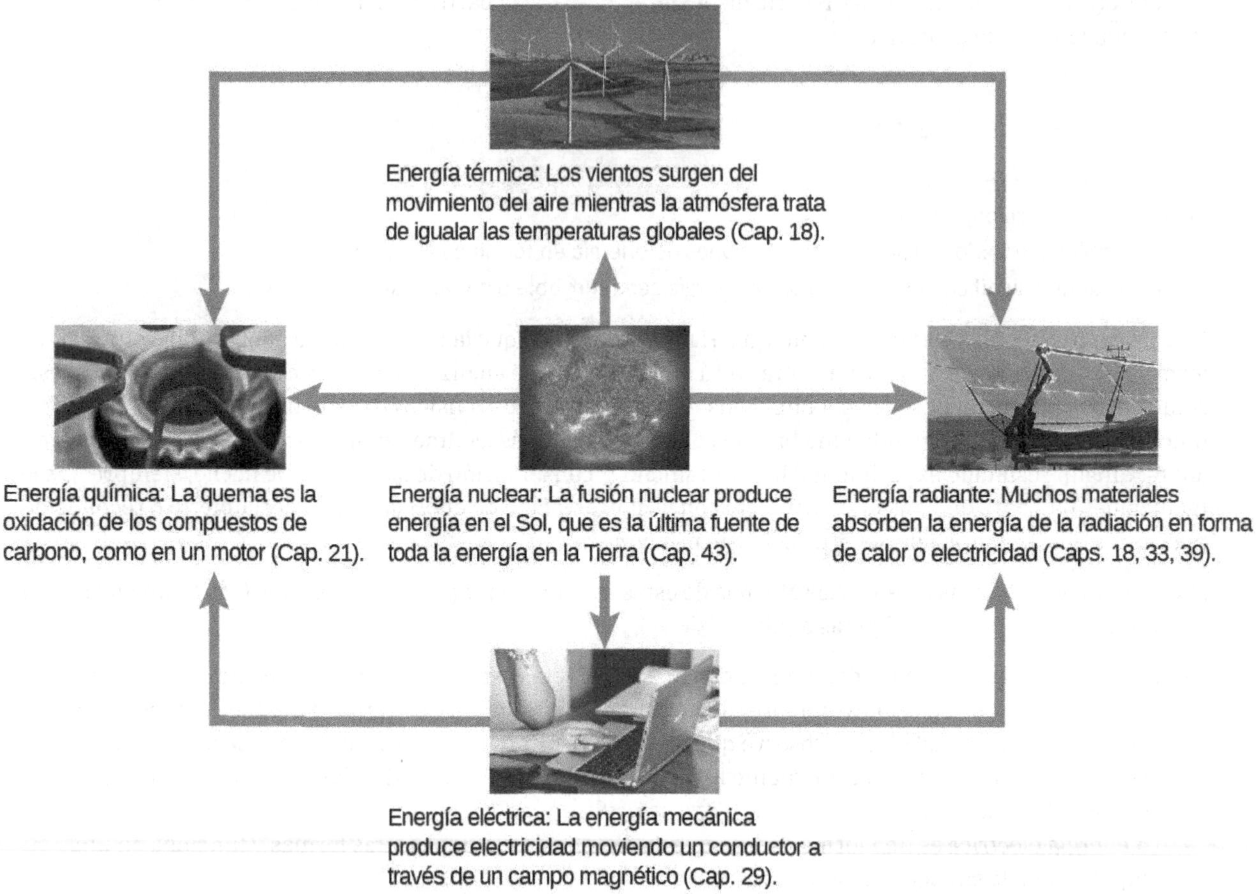

Energía térmica: Los vientos surgen del movimiento del aire mientras la atmósfera trata de igualar las temperaturas globales (Cap. 18).
Energía química: La quema es la oxidación de los compuestos de carbono, como en un motor (Cap. 21).
Energía nuclear: La fusión nuclear produce energía en el Sol, que es la última fuente de toda la energía en la Tierra (Cap. 43).
Energía radiante: Muchos materiales absorben la energía de la radiación en forma de calor o electricidad (Caps. 18, 33, 39).
Energía eléctrica: La energía mecánica produce electricidad moviendo un conductor a través de un campo magnético (Cap. 29).

FIGURA 8.13 La energía que utilizamos en la sociedad adopta muchas formas, que se convierten de una en otra, dependiendo del proceso que se realice. Estudiaremos muchas de estas formas de energía en capítulos posteriores de este texto (créditos: "sol", modificación del trabajo del Consorcio del Observatorio Solar y Heliosférico [Solar and Heliospheric Observatory, SOHO] - Telescopio de Imágenes Ultravioleta Extrema [Extreme Utraviolet Imaging Telescope, EIT], ESA y NASA; "paneles solares", modificación del trabajo de "kjkolb"/Wikimedia Commons; "quemador de gas", modificación del trabajo de Steven Depolo).

La transformación de la energía de una forma a otra ocurre todo el tiempo. La energía química de los alimentos se convierte en energía térmica a través del metabolismo; la energía de la luz se convierte en energía química a través de la fotosíntesis. Otro ejemplo de conversión de energía se produce en una celda solar. La luz solar que incide en una celda solar produce electricidad, que se utiliza para hacer funcionar motores eléctricos o calentar agua. En un ejemplo que abarca muchos pasos, la energía química contenida en el carbón se convierte en energía térmica al arder en un horno, para transformar el agua en vapor, en una caldera. Parte de la energía térmica del vapor se convierte en energía mecánica al expandirse y hacer girar una turbina, que está conectada a un generador para producir energía eléctrica. En estos ejemplos, no toda la energía inicial se convierte en las formas mencionadas, porque siempre se transfiere algo de energía al medio ambiente.

La energía es un elemento importante en todos los niveles de la sociedad. Vivimos en un mundo muy interdependiente, y el acceso a recursos energéticos adecuados y fiables es crucial para el crecimiento económico y para mantener la calidad de nuestras vidas. Los principales recursos energéticos que se utilizan en el mundo se muestran en la Figura 8.14. La figura distingue entre dos grandes tipos de fuentes de energía: **renovables** y **no renovables**, y además divide cada tipo en algunas clases más específicas. Las fuentes renovables son fuentes de energía que se reponen a través de procesos naturales y continuos, en una escala de tiempo que es mucho más corta que la vida prevista de la civilización que utiliza la fuente. Las fuentes no renovables se agotan una vez que parte de la energía que contienen se extrae y se convierte en otros tipos de energía. Los procesos naturales por los que se forman las fuentes no renovables suelen tener lugar en escalas de tiempo geológicas.

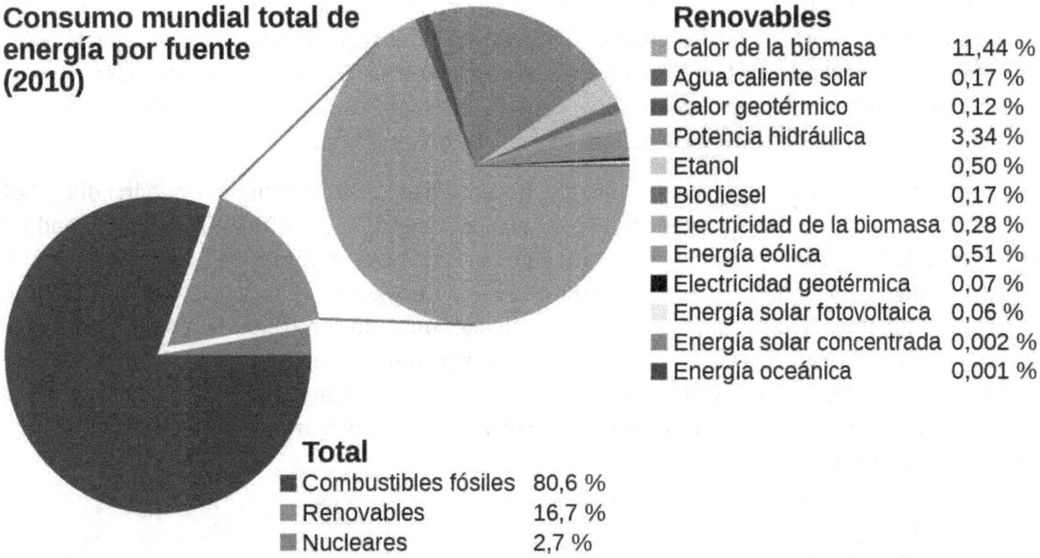

FIGURA 8.14 Consumo mundial de energía por fuentes; el porcentaje de renovables va en aumento, lo que representa el 19 % en 2012.

Nuestras fuentes de energía no renovables más importantes son los combustibles fósiles, como el carbón, el petróleo y el gas natural. Estas representan alrededor del 81 % del consumo mundial de energía, como se muestra en la figura. La quema de combustibles fósiles crea reacciones químicas que transforman la energía potencial, en las estructuras moleculares de los reactivos, en la energía térmica y en productos. Esta energía térmica se utiliza para la calefacción en los edificios o para hacer funcionar maquinaria de vapor. Los motores de combustión interna y de reacción convierten parte de la energía de los gases en rápida expansión, liberados por la combustión de la gasolina, en trabajo mecánico. La generación de potencia eléctrica se deriva principalmente de la transferencia de energía en el vapor en expansión, a través de turbinas, en trabajo mecánico, que hace rotar bobinas de alambre en campos magnéticos para generar electricidad. La energía nuclear es la otra fuente no renovable que aparece en la Figura 8.14 y suministra aproximadamente el 3 % del consumo mundial. Las reacciones nucleares liberan energía al transformar la energía potencial, en la estructura de los núcleos, en energía térmica, semejante a la liberación de energía en las reacciones químicas. La energía térmica obtenida de las reacciones nucleares puede transferirse y convertirse en otras formas de la misma manera que se utiliza la energía de los combustibles fósiles.

Un desafortunado subproducto de depender de la energía generada a partir de la combustión de combustibles fósiles es la liberación de dióxido de carbono a la atmósfera y su contribución al calentamiento global. La energía nuclear también plantea problemas ambientales, como la seguridad y la eliminación de los residuos nucleares. Además de estas importantes consecuencias, las reservas de fuentes de energía no renovables son limitadas y, dado el rápido ritmo de crecimiento del consumo mundial de energía, puede que no duren más que unos cuantos cientos de años. Se está realizando un esfuerzo considerable para desarrollar y ampliar el uso de las fuentes de energía renovables, en el que participa un porcentaje importante de los físicos e ingenieros del mundo.

Cuatro de las fuentes de energía renovable enumeradas en la Figura 8.14, las que utilizan material vegetal como combustible (calor de biomasa, etanol, biodiésel y electricidad de biomasa), implican los mismos tipos de transformaciones y conversiones energéticas que se acaban de comentar para los combustibles fósiles y nucleares. Los otros grandes tipos de energías renovables son la hidroeléctrica, la eólica, la geotérmica y la solar.

La potencia hidráulica se produce al convertir la energía potencial gravitacional del agua que cae o fluye en energía cinética y luego en trabajo para hacer funcionar generadores eléctricos o maquinaria. La conversión de la energía mecánica de las olas y las mareas de la superficie del océano está en desarrollo. La energía eólica también convierte la energía cinética en trabajo, que puede utilizarse directamente para generar electricidad, hacer funcionar molinos y propulsar veleros.

El interior de la Tierra tiene una gran cantidad de energía térmica, parte de la cual es un remanente de su formación original (energía potencial gravitacional convertida en energía térmica), y la otra parte es liberada por los minerales radioactivos (una forma de energía nuclear natural). Esta energía geotérmica tardará mucho tiempo en salir al espacio, por lo que la gente suele considerarla como una fuente renovable, cuando en realidad, es simplemente inagotable en escalas de tiempo de la humanidad.

La fuente de energía solar es la energía transportada por las ondas electromagnéticas que irradia el Sol. La mayor parte de esta energía es transportada por la luz visible y la radiación infrarroja (calor). Cuando los materiales adecuados absorben las ondas electromagnéticas, la energía radiante se convierte en energía térmica, que se utiliza para calentar el agua, o cuando se concentra, para hacer vapor y generar electricidad (Figura 8.15). Sin embargo, en otro importante proceso físico, conocido como efecto fotoeléctrico, la radiación energética que incide sobre ciertos materiales se convierte directamente en electricidad. Los materiales que hacen esto reciben el nombre de fotovoltaicos (PV en la Figura 8.14). Algunos sistemas de energía solar utilizan lentes o espejos para concentrar los rayos del Sol, antes de convertir su energía a través de fotovoltaicos, y se califican como CSP en la Figura 8.14.

FIGURA 8.15 Matrices de celdas solares que se encuentran en una zona soleada y que convierten la energía solar en energía eléctrica almacenada (créditos: modificación del trabajo de Sarah Swenty, Servicio de Pesca y Vida Silvestre de los EE. UU.).

Al terminar este capítulo sobre la energía y el trabajo, es pertinente establecer algunas distinciones entre dos términos a veces malinterpretados en el ámbito del uso de la energía. Como ya hemos mencionado, la "ley de conservación de la energía" es un principio muy útil para analizar los procesos físicos. No se puede demostrar a partir de principios básicos, pero es un dispositivo de contabilidad muy bueno, y nunca se han encontrado excepciones. Afirma que la cantidad total de energía en un sistema aislado siempre permanece constante. Relacionada con este principio, pero notablemente diferente de este, se encuentra la importante filosofía de la conservación de energía. Este concepto tiene que ver con la búsqueda de la disminución de la cantidad de energía utilizada por un individuo o grupo a través de la reducción de las actividades (por ejemplo, al bajar los termostatos, al conducir menos kilómetros) o el aumento de la eficiencia de la conversión en el desempeño de una tarea particular, como el desarrollo y el uso de calentadores de habitación más eficientes, autos que tienen mayores índices de millas por galón, luces fluorescentes compactas de bajo consumo, etc.

Dado que la energía en un sistema aislado no se destruye, ni se crea, ni se genera, cabe preguntarse por qué tenemos que preocuparnos por nuestros recursos energéticos, ya que la energía es una cantidad conservada. El problema es que el resultado final de la mayoría de las transformaciones energéticas es el calor residual, es decir, el trabajo que se ha "degradado" en la transformación energética. Trataremos esta idea con más detalle en los capítulos sobre termodinámica.

Revisión Del Capítulo

Términos Clave

cantidad conservada es aquella que no se crea ni se destruye, sino que asume distintas formas de sí misma

conservación de energía la energía total de un sistema aislado es constante

diagrama de energía potencial gráfico de la energía potencial de una partícula en función de la posición

diferencia de energía potencial negativo del trabajo realizado y que actúa entre dos puntos del espacio

diferencial exacta es la diferencial total de una función y requiere el uso de derivadas parciales si la función implica más de una dimensión

energía mecánica la suma de las energías cinética y potencial

energía potencial función de la posición, energía que posee un objeto en relación con el sistema considerado

fuerza conservativa fuerza que realiza un trabajo independiente de la trayectoria

fuerza no conservativa fuerza que realiza un trabajo que depende de la trayectoria

no renovable fuente de energía que no es renovable, sino que se agota con el consumo humano

punto de equilibrio posición en la que la supuesta fuerza conservativa neta sobre una partícula, dada por la pendiente de su curva de energía potencial, es cero

punto de inflexión posición en la que la velocidad de una partícula, en movimiento unidimensional, cambia de signo

renovable fuente de energía que se repone mediante procesos naturales, en escalas de tiempo de la humanidad

Ecuaciones Clave

Diferencia de energía potencial	$\Delta U_{AB} = U_B - U_A = -W_{AB}$
Energía potencial con respecto a cero de energía potencial en $\vec{\mathbf{r}}_0$	$\Delta U = U\left(\vec{\mathbf{r}}\right) - U\left(\vec{\mathbf{r}}_0\right)$
Energía potencial gravitacional cerca de la superficie de la Tierra	$U(y) = mgy + \text{const.}$
Energía potencial para un resorte ideal	$U(x) = \frac{1}{2}kx^2 + \text{const.}$
Trabajo realizado por una fuerza conservativa en una trayectoria cerrada	$W_{\text{trayectoria cerrada}} = \int \vec{\mathbf{F}}_{\text{cons}} \cdot d\vec{\mathbf{r}} = 0$
Condición para la fuerza conservativa en dos dimensiones	$\left(\frac{dF_x}{dy}\right) = \left(\frac{dF_y}{dx}\right)$
La fuerza conservativa es la derivada negativa de la energía potencial	$F_l = -\frac{dU}{dl}$
Conservación de la energía sin fuerzas no conservativas	$0 = W_{nc,AB} = \Delta(K+U)_{AB} = \Delta E_{AB}.$

Resumen

8.1 Energía potencial de un sistema

- Para un sistema de una sola partícula, la diferencia de energía potencial es la opuesta al trabajo realizado por las fuerzas que actúan sobre la partícula cuando se mueve de una posición a otra.
- Dado que solo las diferencias de energía potencial son físicamente significativas, el cero de la función de energía potencial puede

elegirse en un lugar conveniente.
- Las energías potenciales para la gravedad constante de la Tierra, cerca de su superficie, y para una fuerza de la ley de Hooke son funciones lineales y cuadráticas de la posición, respectivamente.

8.2 Fuerzas conservativas y no conservativas

- La fuerza conservativa es aquella para la que el trabajo realizado es independiente de la trayectoria. De forma equivalente, una fuerza es conservativa si el trabajo realizado en cualquier trayectoria cerrada es cero.
- La fuerza no conservativa es aquella cuyo trabajo depende de la trayectoria.
- Para una fuerza conservativa, el trabajo infinitesimal es una diferencial exacta. Esto implica condiciones sobre las derivadas de los componentes de la fuerza.
- El componente de una fuerza conservativa, en una dirección particular, es igual al negativo de la derivada de la energía potencial para esa fuerza, con respecto a un desplazamiento en esa dirección.

8.3 Conservación de la energía

- Una cantidad conservada es una propiedad física que se mantiene constante, independientemente de la trayectoria recorrida.
- Una forma del teorema de trabajo-energía establece que el cambio en la energía mecánica de una partícula es igual al trabajo que realizan sobre esta las fuerzas no conservativas.
- Si las fuerzas no conservativas no realizan ningún trabajo y no hay fuerzas externas, la energía mecánica de una partícula permanece constante. Esta es una afirmación de la conservación de la energía mecánica y no hay ningún cambio en la energía mecánica total.
- En cuanto al movimiento unidimensional de una partícula, en el que la energía mecánica es constante y la energía potencial es conocida, la posición de la partícula, como función del tiempo, se halla al evaluar una integral que se deriva de la conservación de la energía mecánica.

8.4 Diagramas de energía potencial y estabilidad

- La interpretación de un diagrama de energía potencial unidimensional permite obtener información cualitativa, y algo de información cuantitativa, sobre el movimiento de una partícula.
- En un punto de inflexión, la energía potencial es igual a la energía mecánica y la energía cinética es cero, lo que indica que el sentido de la velocidad se invierte allí.
- El negativo de la pendiente de la curva de energía potencial, para una partícula, es igual al componente unidimensional de la fuerza conservativa sobre la partícula. En un punto de equilibrio, la pendiente es cero y es un equilibrio estable (inestable) para un mínimo (máximo) de energía potencial.

8.5 Fuentes de energía

- La energía se transfiere de un sistema a otro y se transforma o convierte de un tipo a otro. Algunos de los tipos básicos de energía son la cinética, la potencial, la térmica y la electromagnética.
- Las fuentes de energía renovables son aquellas que se reponen mediante procesos naturales continuos, a lo largo de escalas de tiempo humanas. Algunos ejemplos son la energía eólica, la hidráulica, la geotérmica y la solar.
- Las fuentes de energía no renovables son aquellas que se agotan por el consumo, en escalas de tiempo humanas. Los ejemplos son los combustibles fósiles y la energía nuclear.

Preguntas Conceptuales

8.1 Energía potencial de un sistema

1. La energía cinética de un sistema deberá ser siempre positiva o cero. Explique si esto es cierto para la energía potencial de un sistema.

2. La fuerza que ejerce un trampolín es conservativa, siempre que la fricción interna sea despreciable. Suponiendo que la fricción es despreciable, describa los cambios en la energía potencial de un trampolín cuando un nadador se impulsa desde este, empezando justo antes de que el nadador pise el trampolín hasta justo después de que sus pies se aparten de este.

3. Describa las transferencias y transformaciones de energía potencial gravitacional de una jabalina, empezando por el punto en el que un atleta recoge la jabalina y terminando cuando la jabalina se clava en el suelo después lanzarla.

4. Un par de balones de fútbol de igual masa son pateados desde el suelo a la misma rapidez, pero en diferentes ángulos. El balón A se lanza con un ángulo ligeramente superior a la horizontal, mientras que el balón B se lanza ligeramente por debajo de la vertical. ¿Cómo se comparan cada uno de los siguientes elementos para el balón A y el balón B? (a) La energía cinética inicial y (b) el cambio en la energía potencial gravitacional desde el suelo hasta el punto más alto? Si la energía de la parte (a) difiere de la de la parte (b), explique por qué hay una diferencia entre las dos energías.

5. ¿Cuál es el factor dominante que afecta a la rapidez de un objeto que parte del reposo por una pendiente sin fricción, si el único trabajo realizado sobre el objeto procede de las fuerzas gravitacionales?
6. Dos personas observan cómo cae una hoja de un árbol. Una persona está de pie en una escalera y la otra en el suelo. Si cada persona comparara la energía de la hoja observada, ¿encontraría lo siguiente igual o diferente para la hoja, desde el punto en el que cae del árbol hasta cuando golpea el suelo: (a) la energía cinética de la hoja; (b) el cambio en la energía potencial gravitacional; (c) la energía potencial gravitacional final?

8.2 Fuerzas conservativas y no conservativas

7. ¿Cuál es el significado físico de la fuerza no conservativa?
8. Un cohetón se dispara directamente al aire, a una rapidez de $30\ \text{m/s}$. Si se ignora la resistencia del aire, el cohetón subiría hasta una altura de aproximadamente $46\ \text{m}$. Sin embargo, el cohetón sube a solo $35\ \text{m}$ antes de volver al suelo. ¿Qué ha pasado? Explique solamente con una respuesta cualitativa.
9. Una fuerza externa actúa sobre una partícula durante un viaje de un punto a otro y de vuelta a ese mismo punto. Esta partícula solo se ve afectada por las fuerzas conservativas. ¿Cambia la energía cinética y la energía potencial de esta partícula como resultado de este viaje?

8.3 Conservación de la energía

10. Cuando un cuerpo se desliza por un plano inclinado, ¿el trabajo de la fricción depende de la rapidez inicial del cuerpo? Responda la misma pregunta en relación con un cuerpo que se desliza por una superficie curva.
11. Considere la situación siguiente. Un auto para el que la fricción *no* es despreciable acelera desde el reposo cuesta abajo, pero se queda sin gasolina al cabo de una corta distancia (vea más abajo). El conductor deja que el auto vaya un poco más abajo por la colina y entonces asciende por una pequeña cresta. Luego, viaja cuesta abajo, hasta llegar a una gasolinera, donde frena y llena el tanque de gasolina. Identifique las formas de energía que tiene el auto y cómo se cambian y transfieren en esta serie de acontecimientos.

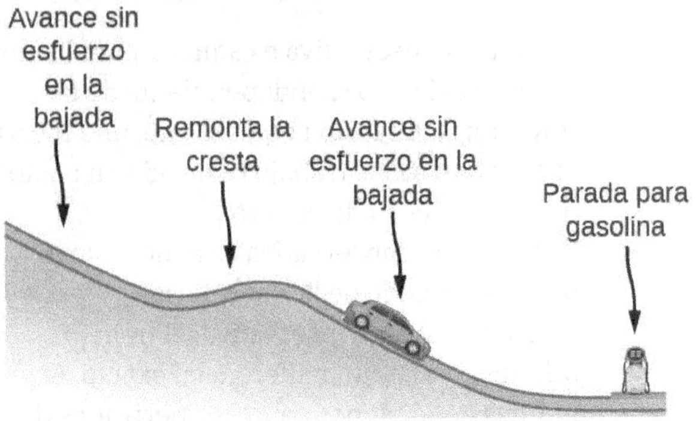

12. Una pelota que cae rebota hasta la mitad de su altura original. Comente sobre las transformaciones energéticas que se producen.
13. "$E = K + U$ constante es un caso especial del teorema de trabajo-energía". Razone esta afirmación.
14. En una demostración común de física, una bola de boliche está suspendida del techo por una cuerda. El profesor aleja la bola de su posición de equilibrio y la mantiene junto a su nariz, como se muestra a continuación. Suelta la bola para que oscile directamente lejos de él. ¿Recibe el golpe de la bola a su regreso? ¿Qué intenta mostrar con esta demostración?

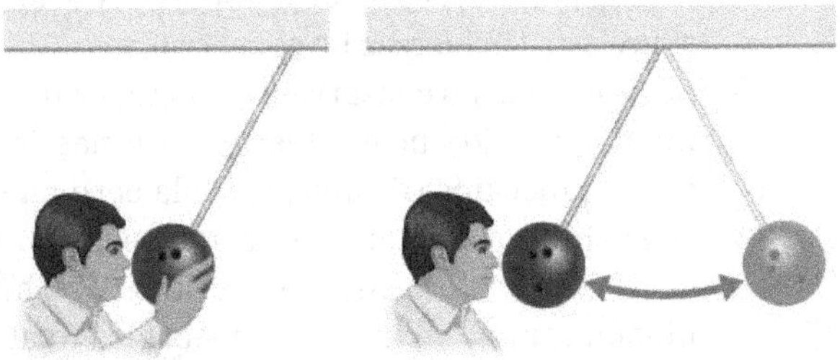

15. Un niño salta sobre una cama y alcanza una mayor altura después de cada rebote. Explique cómo el niño puede aumentar su energía potencial gravitacional máxima con cada rebote.
16. ¿Puede una fuerza no conservativa aumentar la energía mecánica del sistema?
17. Descartando la resistencia del aire, ¿cuánto tendría que aumentar la altura vertical si quisiera duplicar la velocidad de impacto de un objeto que cae?
18. Una caja se deja caer sobre un resorte en su posición de equilibrio. El resorte se comprime con la caja unida y llega a un punto de reposo.

Dado que el resorte está en posición vertical, ¿es necesario considerar en este problema el cambio en la energía potencial gravitacional de la caja mientras el resorte se comprime?

Problemas

8.1 Energía potencial de un sistema

19. Utilizando los valores de la Tabla 8.1, ¿cuántas moléculas de ADN podrían romperse por la energía transportada por un solo electrón en el haz de un tubo antiguo de televisión? (Estos electrones no eran peligrosos en sí mismos, pero sí generaban rayos X nocivos. Los televisores de tubo de modelos posteriores tenían un blindaje que absorbía los rayos X antes de que se escaparan y expusieran a los espectadores).

20. Si la energía de las bombas de fusión se utilizara para abastecer las necesidades energéticas del mundo, ¿cuántas de la variedad de 9 megatones se necesitarían para el suministro de energía de un año (utilizando los datos de la Ecuación 8.3)?

21. Una cámara que pesa 10 N cae desde un pequeño dron que flota 20 m por encima y entra en caída libre. ¿Cuál es el cambio de energía potencial gravitacional de la cámara desde el dron hasta el suelo, si se toma como punto de referencia que (a) el suelo tiene una energía potencial gravitacional cero? (b) el dron tiene una energía potencial gravitacional cero? ¿Cuál es la energía potencial gravitacional de la cámara (c) antes de que caiga del dron y (d) después de que la cámara aterrice en el suelo si se toma como punto de referencia de energía potencial gravitacional cero una segunda persona que se asoma de un edificio a 30 m del suelo?

22. Alguien deja caer un guijarro de 50 – g de un crucero atracado, a 70,0 m de la línea de agua. Una persona en un muelle a 3,0 m de la línea del agua sostiene una red para atrapar el guijarro. (a) ¿Cuánto trabajo realiza la gravedad sobre el guijarro durante la caída? (b) ¿Cuál es el cambio en la energía potencial gravitacional durante la caída? Si la energía potencial gravitacional es cero en la línea del agua, ¿cuál es la energía potencial gravitacional (c) cuando se deja caer el guijarro? (d) cuando llega a la red? ¿Y si la energía potencial gravitacional fuera 30,0 Julios al nivel del agua? (e) Encuentre las respuestas a las mismas preguntas en (c) y (d).

23. Una bola arrugada de juguete para gatos con masa 15 g se lanza directamente hacia arriba con una rapidez inicial de 3 m/s. Supongamos en este problema que la resistencia del aire es despreciable. (a) ¿Cuál es la energía cinética de la bola cuando sale de la mano? (b) ¿Cuánto trabajo realiza la fuerza gravitacional durante el ascenso de la bola hasta su punto máximo? (c) ¿Cuál es el cambio en la energía potencial gravitacional de la bola durante el ascenso hasta su punto máximo? (d) Si se considera que la energía potencial gravitacional es cero en el punto en que sale de la mano, ¿cuál es la energía potencial gravitacional cuando alcanza la altura máxima? (e) Si se considera que la energía potencial gravitacional es cero en la altura máxima que alcanza la bola, ¿cuál sería la energía potencial gravitacional cuando sale de la mano? (f) ¿Cuál es la altura máxima que alcanza la bola?

8.2 Fuerzas conservativas y no conservativas

24. Una fuerza $F(x) = (3{,}0/x)$ N actúa sobre una partícula al moverse a lo largo del eje de la x positiva. (a) ¿Cuánto trabajo realiza la fuerza sobre la partícula al moverse de $x = 2{,}0$ m a $x = 5{,}0$ m? (b) Elija un punto de referencia conveniente de la energía potencial para que sea cero en $x = \infty$, y halle la energía potencial de esta fuerza.

25. Una fuerza $F(x) = \left(-5{,}0x^2 + 7{,}0x\right)$ N actúa sobre una partícula. ¿Cuánto trabajo realiza la fuerza sobre la partícula al pasar de $x = 2{,}0$ m a $x = 5{,}0$ m?

26. Halle la fuerza correspondiente a la energía potencial $U(x) = -a/x + b/x^2$.

27. La función de energía potencial para cualquiera de los dos átomos de una molécula diatómica suele tomarse como $U(x) = a/x^{12} - b/x^6$ donde x es la distancia entre los átomos. (a) ¿A qué distancia de separación tiene la energía potencial un mínimo local (no a $x = \infty$)? (b) ¿Cuál es la fuerza sobre un átomo a esta separación? (c) ¿Cómo varía la fuerza con la distancia de separación?

28. Una partícula de masa 2,0 kg se desplaza bajo la influencia de la fuerza $F(x) = \left(3/\sqrt{x}\right)$ N. Si su rapidez en $x = 2{,}0$ m es $v = 6{,}0$ m/s, cuál es su rapidez en $x = 7{,}0$ m?

29. Una partícula de masa 2,0 kg se desplaza bajo la influencia de la fuerza $F(x) = \left(-5x^2 + 7x\right)$ N. Si su rapidez en $x = -4{,}0$ m es $v = 20{,}0$ m/s, cuál es su rapidez en $x = 4{,}0$ m?

30. Una caja sobre rodillos es empujada sin pérdida de energía por fricción por el suelo de un vagón de carga (vea la siguiente figura). El vagón se mueve hacia la derecha a rapidez constante v_0. Si la caja comienza en reposo con respecto al vagón de carga, entonces a partir del teorema de trabajo-energía, $Fd = mv^2/2$, donde d, la distancia a la que se mueve la caja, y v, la rapidez de la caja, se miden ambas con respecto al vagón de carga. (a) Para un observador en reposo junto a las vías, ¿a qué distancia d' se empuja la caja cuando se mueve la distancia d en el vagón? (b) ¿Cuál es la rapidez inicial y final de la caja $v_0{}'$ y v' medida por el observador junto a las vías? (c) Demuestre que $Fd' = m(v')^2/2 - m(v'_0)^2/2$ y, en consecuencia, ese trabajo es igual al cambio de energía cinética en ambos sistemas de referencia.

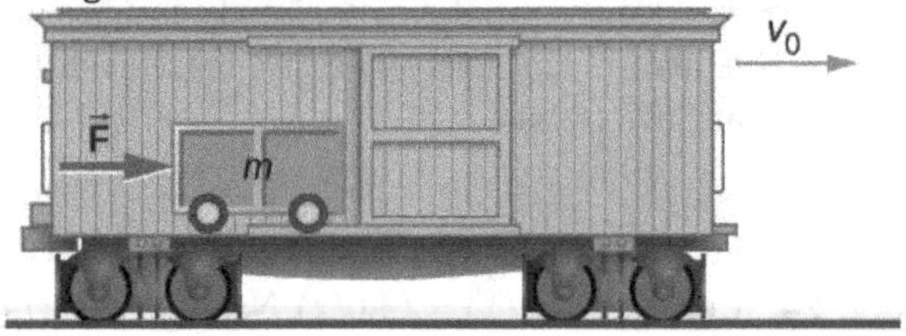

8.3 Conservación de la energía

31. Un niño lanza una pelota de masa 0,25 kg directamente hacia arriba, a una rapidez inicial de 20 m/s Cuando la pelota regresa al niño, su rapidez es 17 m/s ¿Cuánto trabajo realiza la resistencia del aire sobre la pelota durante su vuelo?

32. Un ratón con una masa de 200 g cae 100 m por un pozo de mina vertical y aterriza en el fondo, a una rapidez de 8,0 m/s. Durante su caída, ¿cuánto trabajo realiza la resistencia del aire sobre el ratón?

33. Con base en consideraciones energéticas y suponiendo que la resistencia del aire es despreciable, demuestre que una roca lanzada desde un puente a 20,0 m sobre el agua, a una rapidez inicial de 15,0 m/s golpea el agua a una rapidez de 24,8 m/s, independientemente de la dirección del lanzamiento. (*Pista:* Demuestre que $K_i + U_i = K_f + U_f$)

34. Una pelota de 1,0 kg en el extremo de una cuerda de 2,0 m se balancea en un plano vertical. En su punto más bajo, la pelota se desplaza a una rapidez de 10 m/s. (a) ¿Cuál es su rapidez en la parte superior de su trayectoria? (b) ¿Cuál es la tensión en la cuerda cuando la pelota está en la parte inferior y en la parte superior de su trayectoria?

35. Ignorando los detalles asociados a la fricción, las fuerzas adicionales que ejercen los músculos de brazos y piernas, y otros factores, podemos considerar el salto con pértiga como la conversión de la energía cinética de la carrera de un atleta en energía potencial gravitacional. Si un atleta debe elevar su cuerpo 4,8 m durante un salto, ¿qué rapidez deberá tener al plantar la pértiga?

36. Tarzán se agarra a una liana que cuelga verticalmente de un alto árbol cuando corre a 9,0 m/s. (a) ¿A qué altura puede balancearse hacia arriba? (b) ¿Afecta la longitud de la liana esta altura?

37. Supongamos que la fuerza de un arco sobre una flecha se comporta como la fuerza de un resorte. Al apuntar la flecha, un arquero tira del arco hacia atrás 50 cm y lo mantiene en posición con una fuerza de 150 N. Si la masa de la flecha es 50 g y el "resorte" no tiene masa, ¿cuál es la rapidez de la flecha inmediatamente después de salir del arco?

38. Un hombre de 100 – kg esquía por un terreno llano a una rapidez de 8,0 m/s cuando llega a la pequeña pendiente de 1,8 m, más alta que el nivel del suelo que se muestra en la siguiente figura. (a) Si el esquiador viaja hacia arriba de la colina, ¿cuál es su rapidez cuando llega a la meseta superior? Supongamos que la fricción entre la nieve y los esquís es despreciable. (b) ¿Cuál es su velocidad cuando llega a la parte superior si una fuerza de fricción de 80 – N actúa sobre los esquís?

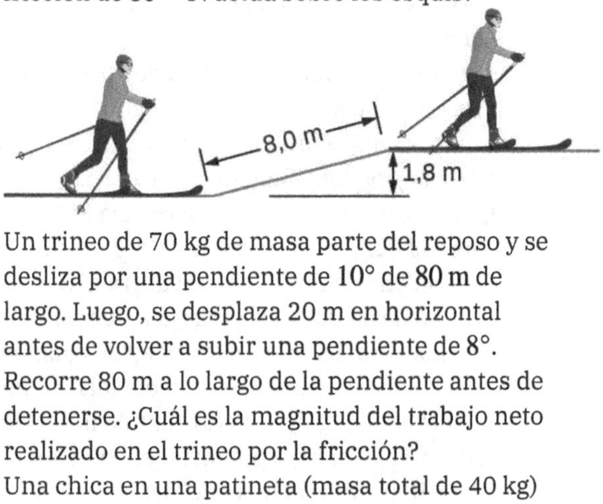

39. Un trineo de 70 kg de masa parte del reposo y se desliza por una pendiente de 10° de 80 m de largo. Luego, se desplaza 20 m en horizontal antes de volver a subir una pendiente de 8°. Recorre 80 m a lo largo de la pendiente antes de detenerse. ¿Cuál es la magnitud del trabajo neto realizado en el trineo por la fricción?

40. Una chica en una patineta (masa total de 40 kg) se mueve a una rapidez de 10 m/s en la parte inferior de una larga rampa. La rampa está inclinada a 20° con respecto a la horizontal. Si

recorre 14,2 m hacia arriba, a lo largo de la rampa, antes de detenerse, ¿cuál es la fuerza neta de fricción sobre ella?

41. Una pelota de béisbol de 0,25 kg de masa es golpeada en el home a una rapidez de 40 m/s. Cuando aterriza en un asiento de la grada del campo izquierdo a una distancia horizontal de 120 m del home, se mueve a 30 m/s. Si la pelota cae a 20 m por encima del lugar donde fue golpeada, ¿cuánto trabajo realiza sobre ella la resistencia del aire?

42. Un pequeño bloque de masa m se desliza sin fricción alrededor del aparato de completar el círculo que se muestra a continuación. (a) Si el bloque parte del reposo en *A*, ¿cuál es su rapidez en *B*? (b) ¿Cuál es la fuerza de la pista sobre el bloque en *B*?

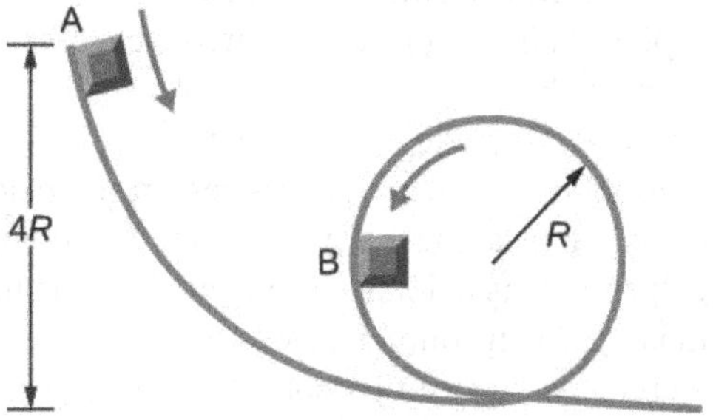

43. El resorte sin masa de una pistola de resorte tiene una constante de fuerza $k = 12$ N/cm. Cuando la pistola apunta verticalmente, un proyectil de 15 g se dispara a una altura de 5,0 m por encima del extremo del resorte expandido. (Vea más abajo). ¿Cuánto se comprimió el resorte inicialmente?

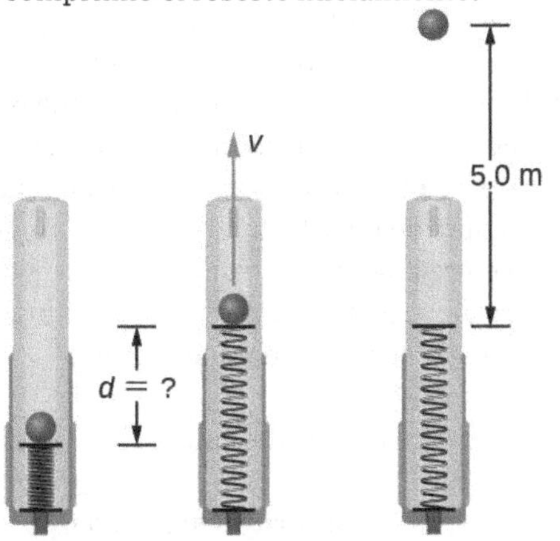

44. Se ata una pequeña pelota a una cuerda y se la pone a girar con una fricción despreciable en un círculo vertical. Si la pelota se desplaza por la parte superior del círculo lo más lentamente posible (de modo que la tensión de la cuerda sea despreciable), ¿cuál es la tensión de la cuerda en la parte inferior del círculo, suponiendo que no se añade energía a la pelota durante la rotación?

8.4 Diagramas de energía potencial y estabilidad

45. Una misteriosa fuerza constante de 10 N actúa horizontalmente sobre todo. Se comprueba que la dirección de la fuerza apunta siempre hacia una pared en una gran sala. Halle la energía potencial de una partícula debida a esta fuerza cuando se encuentra a una distancia x de la pared, suponiendo que la energía potencial en la pared es cero.

46. Una sola fuerza $F(x) = -4{,}0x$ (en newtons) actúa sobre un cuerpo de 1,0 kg. Cuando $x = 3{,}5$ m, la rapidez del cuerpo es de 4,0 m/s. ¿Cuál es su rapidez en $x = 2{,}0$ m?

47. Una partícula de masa 4,0 kg está obligada a moverse a lo largo del eje de la x bajo una sola fuerza $F(x) = -cx^3$, donde $c = 8{,}0\ \text{N/m}^3$. La rapidez de la partícula en *A*, donde $x_A = 1{,}0$ m, es de 6,0 m/s. ¿Cuál es su rapidez en *B*, donde $x_B = -2{,}0$ m?

48. La fuerza sobre una partícula de masa 2,0 kg varía con la posición según $F(x) = -3{,}0x^2$ (x en metros, $F(x)$ en newtons). La velocidad de la partícula en $x = 2{,}0$ m es de 5,0 m/s. Calcule la energía mecánica de la partícula al utilizar (a) el origen como punto de referencia y (b) $x = 4{,}0$ m como punto de referencia. (c) Calcule la velocidad de la partícula en $x = 1{,}0$ m. Haga esta parte del problema para cada punto de referencia.

49. Sobre una partícula de 4,0 kg que se mueve a lo largo del eje de la x actúa la fuerza cuya forma funcional aparece a continuación. La velocidad de la partícula en $x = 0$ es $v = 6{,}0$ m/s. Calcule la rapidez de la partícula en $x =$ (a) 2,0 m, (b) 4,0 m, (c) 10,0 m, (d) ¿La partícula da la vuelta en algún punto y vuelve hacia el origen? (e) Repita la parte (d) si $v = 2{,}0$ m/s en $x = 0$.

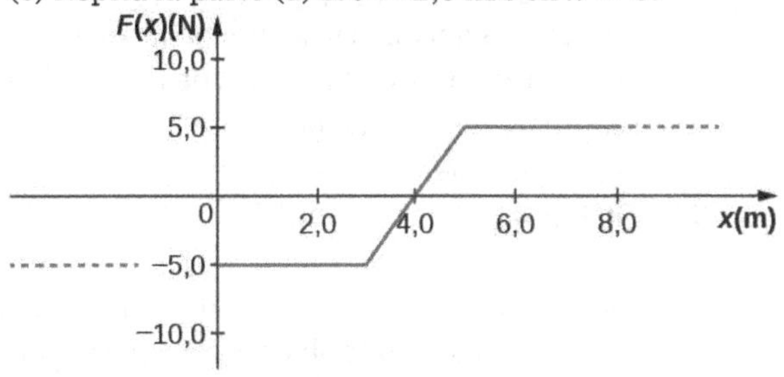

50. Una partícula de masa 0,50 kg se mueve a lo largo del eje de la x con una energía potencial cuya dependencia de x se muestra a continuación. (a) ¿Cuál es la fuerza sobre la partícula en $x = 2{,}0$, 5,0, 8,0, y 12 m? (b) Si la energía mecánica total E de la partícula es -6,0 J, ¿cuáles son las posiciones mínima y máxima de la partícula? (c) ¿Cuáles son estas posiciones si $E = 2{,}0$ J? (d) Si $E = 16$ J, ¿cuál es la rapidez de la partícula en las posiciones indicadas en la parte (a)?

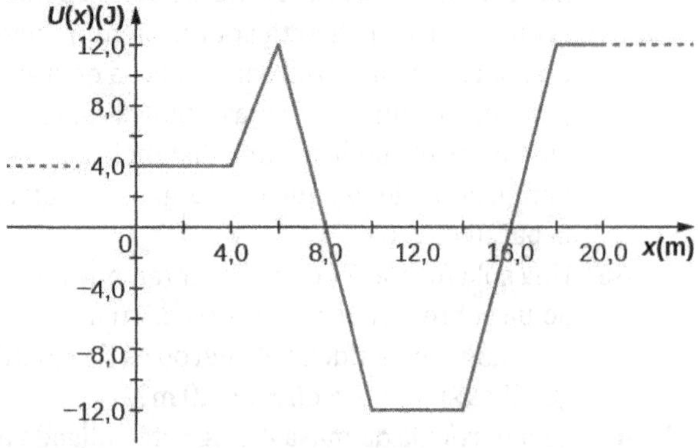

51. (a) Trace un gráfico de la función de energía potencial $U(x) = kx^2/2 + Ae^{-\alpha x^2}$, donde k, A, y α son constantes. (b) ¿Cuál es la fuerza correspondiente a esta energía potencial? (c) Supongamos que una partícula de masa m que se mueve con esta energía potencial tiene una velocidad v_a cuando su posición es $x = a$. Demuestre que la partícula no pasa por el origen, a menos que

$$A \leq \frac{m{v_a}^2 + ka^2}{2\left(1 - e^{-\alpha a^2}\right)}.$$

8.5 Fuentes de energía

52. En la película de dibujos animados *Pocahontas* *(https://openstax.org/l/21pocahontclip)* Pocahontas corre hacia el borde de un acantilado y salta, mostrando el lado divertido de su personalidad. (a) Si corre a 3,0 m/s antes de saltar por el acantilado y llega al agua en el fondo del acantilado a 20,0 m/s, ¿a qué altura está el acantilado? Supongamos que la resistencia del aire es despreciable en este dibujo animado. (b) Si saltara desde el mismo acantilado desde una posición de reposo, ¿qué tan rápido caería justo antes de llegar al agua?

53. En el *reality show* de televisión "Amazing Race" (https://openstax.org/l/21amazraceclip), un concursante dispara sandías de 12 kg con una honda para alcanzar objetivos en el campo. La honda es halada hacia atrás 1,5 m y se considera que la sandía está a nivel del suelo. El punto de lanzamiento está a 0,3 m del suelo y los objetivos están a 10 m de distancia horizontal. Calcule la constante de resorte de la honda.

54. En las películas de *Regreso al Futuro* (https://openstax.org/l/21bactofutclip), un auto DeLorean de 1.230 kg de masa viaja a 88 millas por hora para aventurarse de regreso al futuro. (a) ¿Cuál es la energía cinética del DeLorean? (b) ¿Qué constante de resorte sería necesaria para detener este DeLorean en una distancia de 0,1 m?

55. En la película *Los Juegos del Hambre* (https://openstax.org/l/21HungGamesclip), Katniss Everdeen dispara una flecha de 0,0200 kg desde el nivel del suelo para atravesar una manzana en un escenario. La constante de resorte del arco es de 330 N/m y ella hala la flecha hacia atrás una distancia de 0,55 m. La manzana en el escenario está 5,00 m más alta que el punto de lanzamiento de la flecha. ¿A qué rapidez la flecha (a) sale del arco? (b) golpea la manzana?

56. En un de "Top Fail" (https://openstax.org/l/21topfailvideo), dos mujeres corren con pelotas de ejercicio la una contra la otra y colisionan golpeando las pelotas. Si cada mujer tiene una masa de 50 kg, que incluye la pelota de ejercicios, y una mujer corre hacia la derecha a 2,0 m/s y la otra corre hacia ella a 1,0 m/s, (a) ¿cuánta energía cinética total hay en el sistema? (b) Si la energía se conserva después de la colisión y cada pelota de ejercicios tiene una masa de 2,0 kg, ¿qué tan rápido saldrían volando las pelotas hacia la cámara?

57. En un clip de dibujos animados del Coyote / Correcaminos (https://openstax.org/l/21coyroadcarcl), un resorte se expande rápidamente y envía al coyote contra una roca. Si el resorte se extiende 5 m y envía al coyote de masa 20 kg a una rapidez de 15 m/s, (a) ¿cuál es la constante de resorte de este resorte? (b) Si el coyote fuera enviado verticalmente al aire con la energía que le da el resorte, ¿a qué altura podría llegar si no hubiera fuerzas no conservativas?

58. En una icónica escena del cine, Forrest Gump (https://openstax.org/l/21ForrGumpvid) recorre el país corriendo. Si corre a una rapidez constante de 3 m/s, ¿le costaría más o menos energía correr cuesta arriba o cuesta abajo y por qué?

59. En la película *Monty Python y el Santo Grial* *(https://openstax.org/l/21monpytmovcl)* una vaca es catapultada desde lo alto de la muralla de un castillo hacia la gente abajo. La energía potencial gravitacional se toma como cero a nivel del suelo. La vaca es lanzada desde un resorte con constante de resorte $1{,}1 \times 10^4$ N/m que se expande 0,5 m desde el equilibrio. Si el castillo tiene 9,1 m de altura y la masa de la vaca es de 110 kg, (a) ¿cuál es la energía potencial gravitacional de la vaca en la cima del castillo? (b) ¿cuál es la energía elástica de resorte de la vaca antes de que se suelte la catapulta? (c) ¿cuál es la rapidez de la vaca justo antes de que aterrice en el suelo?

60. Un esquiador de 60,0 kg con una rapidez inicial de 12,0 m/s viaja hacia arriba por una subida de 2,50 m de altura, tal como se muestra. Halle su rapidez final en la cima, dado que el coeficiente de fricción entre sus esquís y la nieve es de 0,80.

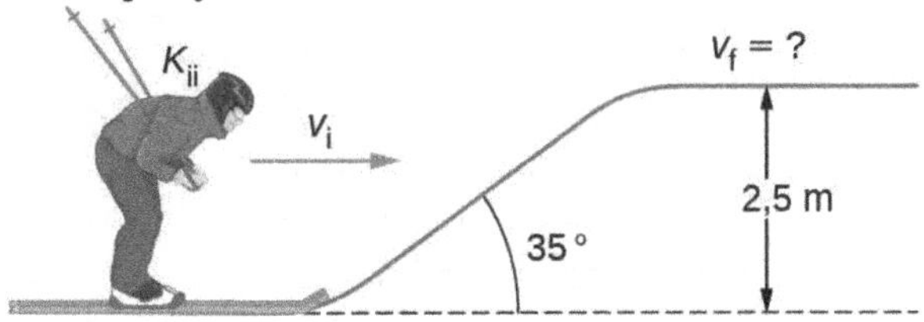

61. (a) ¿A qué altura de una colina puede subir un auto (con los motores desembragados) si el trabajo realizado por la fricción es insignificante y su rapidez inicial es de 110 km/h? (b) Si, en realidad, se observa que un auto de 750 kg con una rapidez inicial de 110 km/h sube por la colina hasta una altura de 22,0 m por encima de su punto de partida, ¿cuánta energía térmica se generó por la fricción? (c) ¿Cuál es la fuerza media de fricción si la colina tiene una pendiente de 2,5° sobre la horizontal?

62. Un tren de metro de $5{,}00 \times 10^5$ -kg se detiene desde una rapidez de 0,500 m/s en 0,400 m gracias a un gran parachoques de resorte situado al final de la vía. ¿Cuál es la constante de resorte *k* del resorte?

63. Un palo saltarín tiene un resorte con una constante de resorte de $2{,}5 \times 10^4$ N/m, que se puede comprimir 12,0 cm. ¿A qué altura máxima del resorte sin comprimir puede saltar un niño sobre el palo utilizando solo la energía del resorte, si el niño y el palo tienen una masa total de 40 kg?

64. Un bloque de 500 g de masa está unido a un resorte de constante de resorte 80 N/m (vea la siguiente figura). El otro extremo del resorte está sujeto a un soporte mientras la masa descansa sobre una superficie áspera con un coeficiente de fricción de 0,20, que está inclinada con un ángulo de 30°. El bloque es empujado a lo largo de la superficie hasta que el resorte se comprime 10 cm y luego es liberado del reposo. (a) ¿Cuánta energía potencial estaba almacenada en el sistema bloque-resorte-soporte cuando el bloque acaba de ser liberado? (b) Determine la rapidez del bloque cuando cruza el punto en el que el resorte no está comprimido ni estirado. (c) Determine la posición del bloque cuando acaba de llegar al reposo en su camino hacia arriba de la pendiente.

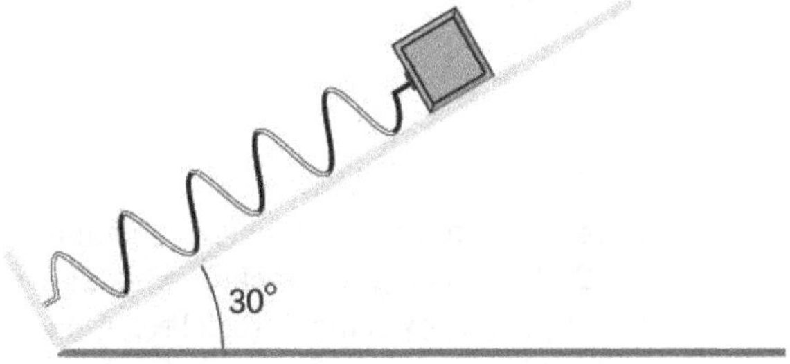

65. Un bloque de 200 g de masa se fija en el extremo de un resorte sin masa a la longitud de equilibrio de la constante de resorte 50 N/m. El otro extremo del resorte se sujeta al techo y la masa se suelta a una altura que se considera el punto donde la energía potencial gravitacional es cero. (a) ¿Cuál es la energía potencial neta del bloque en el instante en que el bloque está en el punto más bajo? (b) ¿Cuál es la energía potencial neta del bloque en el punto medio de su descenso? (c) ¿Cuál es la rapidez del bloque en el punto medio de su descenso?

66. Un cañón de camisetas lanza una camiseta a 5,00 m/s desde una plataforma a 3,00 m de altura desde el nivel del suelo. ¿Qué tan rápido se desplazará la camiseta si es atrapada por alguien cuyas manos están a) a 1,00 m del nivel del suelo? b) a 4,00 m del nivel del suelo? Ignore el arrastre del aire.

67. Un niño (32 kg) salta en un trampolín. El trampolín ejerce sobre el niño una fuerza restauradora de resorte con una constante de 5.000 N/m. En el punto más alto del rebote, el niño está a 1,0 m por encima de la superficie nivelada del trampolín. ¿Cuál es la distancia de compresión del trampolín? Ignore la flexión de las piernas o cualquier transferencia de energía del niño al trampolín mientras salta.

68. A continuación se muestra una caja de masa m_1 que descansa sobre una inclinación sin fricción en un ángulo sobre la horizontal de $\theta = 30°$. Esta caja está conectada por una cuerda relativamente sin masa, sobre una polea sin fricción, y finalmente conectada a una caja en reposo sobre el borde, marcada como m_2. Si m_1 y m_2 están a una altura *h* del suelo y $m_2 >> m_1$: (a) ¿Cuál es la energía potencial gravitacional inicial del sistema? (b) ¿Cuál es la energía cinética final del sistema?

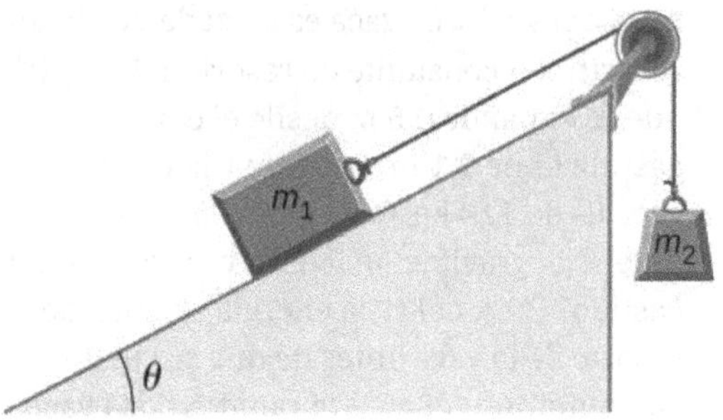

Problemas Adicionales

69. Un resorte sin masa con fuerza constante $k = 200$ N/m cuelga del techo. Se fija un bloque de 2,0 kg en el extremo libre del resorte y se suelta. Si el bloque cae 17 cm antes de volver a subir, ¿cuánto trabajo realiza la fricción durante su descenso?

70. Una partícula de masa 2,0 kg se mueve bajo la influencia de la fuerza $F(x) = \left(-5x^2 + 7x\right)$ N. Supongamos que sobre la partícula actúa también una fuerza de fricción. Si la rapidez de la partícula cuando comienza en $x = -4{,}0$ m es de 0,0 m/s y cuando llega a $x = 4{,}0$ m es de 9,0 m/s, ¿cuánto trabajo realiza sobre ella la fuerza de fricción entre $x = -4{,}0$ m y $x = 4{,}0$ m?

71. El bloque 2 mostrado abajo se desliza a lo largo de una mesa sin fricción mientras el bloque 1 cae. Ambos bloques están unidos por una polea sin fricción. Halle la rapidez de los bloques después de que cada uno se haya movido 2,0 m. Supongamos que empiezan en reposo y que la polea tiene una masa insignificante. Utilice $m_1 = 2{,}0$ kg y $m_2 = 4{,}0$ kg.

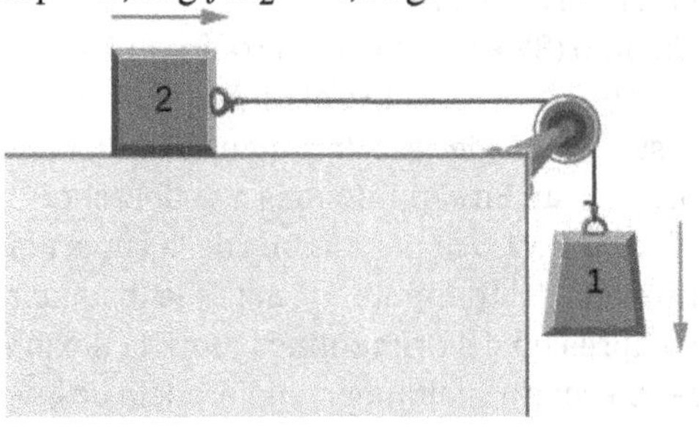

72. Un cuerpo de masa m y tamaño despreciable parte del reposo y se desliza hacia abajo por la superficie sin fricción de una esfera sólida de radio R. (Vea más abajo). Demuestre que el cuerpo sale de la esfera cuando $\theta = \cos^{-1}(2/3)$.

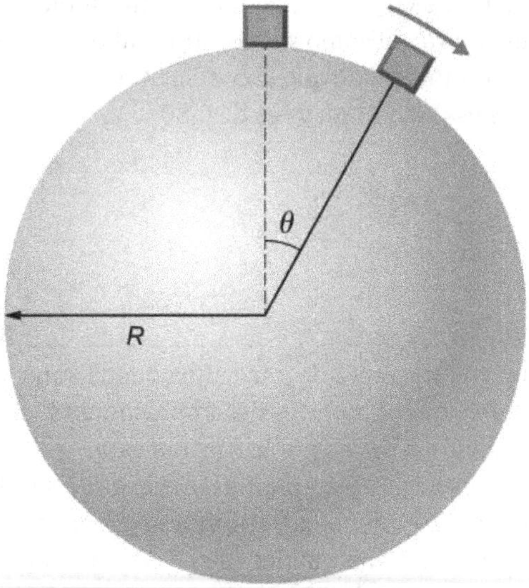

73. Una fuerza misteriosa actúa sobre todas las partículas a lo largo de una línea particular y siempre apunta hacia un punto particular P en la línea. La magnitud de la fuerza sobre una partícula aumenta como el cubo de la distancia a ese punto; es decir $F \propto r^3$, si la distancia de P a la posición de la partícula es r. Supongamos que b es la constante de proporcionalidad, y escriba la magnitud de la fuerza como $F = br^3$. Encuentre la energía potencial de una partícula sometida a esta fuerza cuando la partícula está a una distancia D de P, suponiendo que la energía potencial es cero cuando la partícula está en P.

74. Un objeto de 10 kg de masa se suelta en el punto A, se desliza hasta la parte inferior de una inclinación de 30°, luego colisiona con un resorte horizontal sin masa y lo comprime una distancia máxima de 0,75 m. (Vea más abajo). La constante de resorte es de 500 M/m, la altura de la pendiente es de 2,0 m y la superficie horizontal no tiene fricción. (a) ¿Cuál es la rapidez del objeto en la parte inferior de la pendiente? (b) ¿Cuál es el trabajo de fricción sobre el objeto mientras está en la pendiente? (c) El resorte retrocede y envía el objeto de vuelta hacia la pendiente. ¿Cuál es la rapidez del objeto cuando llega a la base de la pendiente? (d) ¿Qué distancia vertical recorre de vuelta hacia arriba de la pendiente?

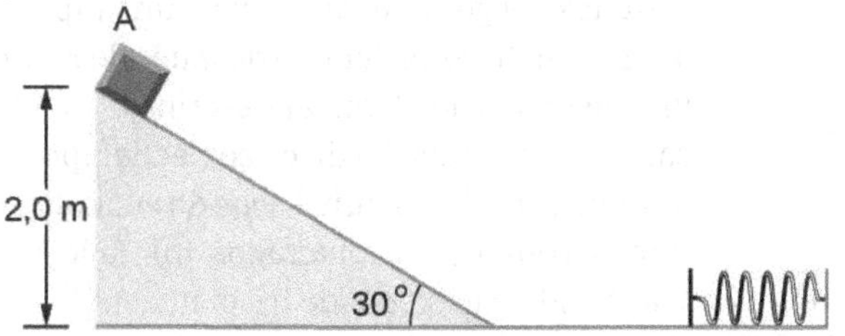

75. A continuación se muestra una pequeña bola de masa m unida a una cuerda de longitud a. Una pequeña clavija se sitúa a una distancia h por debajo del punto donde se apoya la cuerda. Si la bola se suelta cuando la cuerda está horizontal, demuestre que h debe ser mayor que $3a/5$ para que la bola gire completamente alrededor de la clavija.

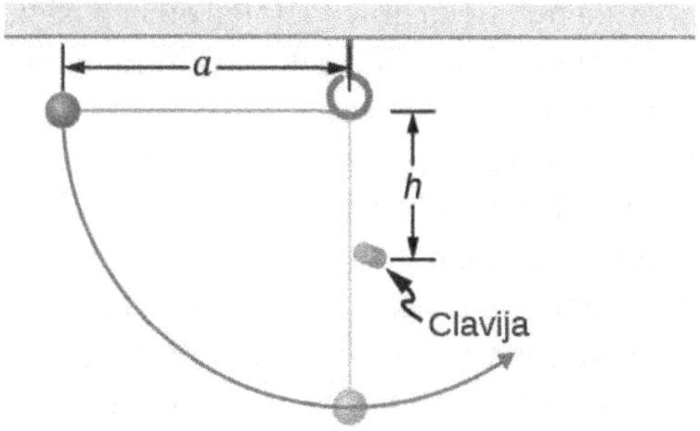

76. Un bloque sale horizontalmente de una superficie inclinada sin fricción tras caer a una altura h. Halle la distancia horizontal D a la que caerá en el suelo, en términos de h, H y g.

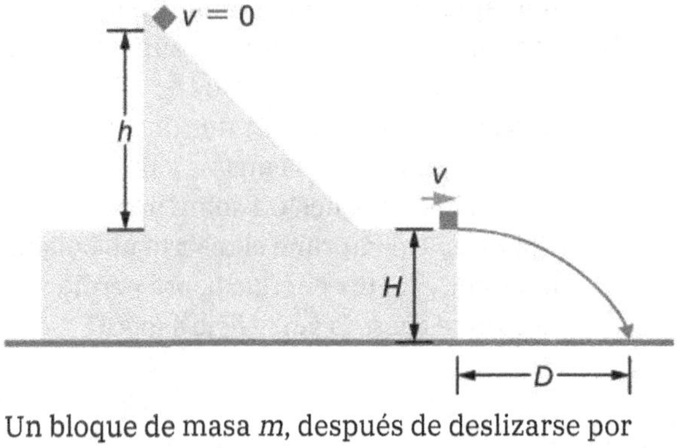

77. Un bloque de masa m, después de deslizarse por una pendiente sin fricción, golpea otro bloque de masa M que está unido a un resorte de constante de resorte k (vea más abajo). Los bloques se pegan al impactar y se desplazan juntos. (a) Encuentre la compresión del resorte en términos de m, M, h, g y k cuando la combinación llega al reposo. Sugerencia: La rapidez de los bloques combinados $m + M$ (v_2) se basa en la rapidez del bloque m justo antes de la colisión con el bloque M (v_1) según la ecuación $v_2 = (m/m) + M\,(v_1)$. Esto se analizará más adelante, en el capítulo sobre Momento lineal y colisiones. (b) La pérdida de energía cinética como resultado de la unión de las dos masas al impactar se almacena en la llamada energía de enlace de las dos masas. Calcule la energía de enlace.

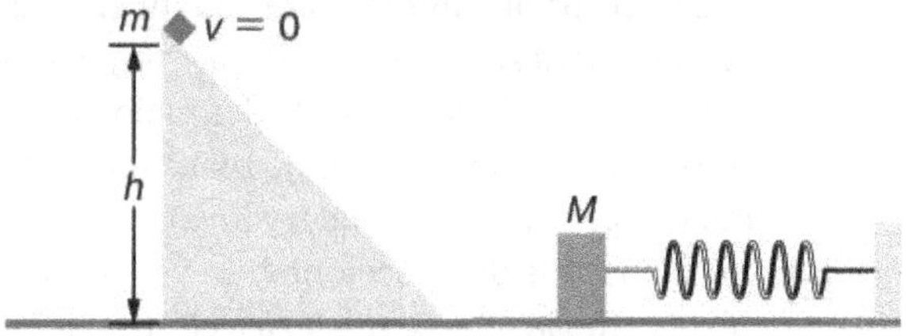

78. Un bloque de 300 g de masa está unido a un resorte de constante de resorte de 100 N/m. El otro extremo del resorte está sujeto a un soporte mientras el bloque descansa sobre una mesa horizontal lisa y se desliza libremente sin ninguna fricción. El bloque se empuja horizontalmente hasta que el resorte se comprime 12 cm, y entonces el bloque se libera del reposo. (a) ¿Cuánta energía potencial estaba almacenada en el sistema de bloque-resorte-soporte cuando el bloque se acaba de liberar? (b) Determine la rapidez del bloque cuando cruza el punto en el que el resorte no está ni comprimido ni estirado. (c) Determine la rapidez del bloque cuando ha recorrido una distancia de 20 cm desde donde fue liberado.

79. Consideremos un bloque de 0,200 kg de masa unido a un resorte de constante de resorte de 100 N/m. El bloque se coloca en una mesa sin fricción, y el otro extremo del resorte se fija a la pared de manera que el resorte quede nivelado con la mesa. A continuación, se empuja el bloque para que el resorte se comprima 10,0 cm. Halle la rapidez del bloque al cruzar (a) el punto cuando el resorte no está estirado, (b) 5,00 cm a la izquierda del punto en (a), y (c) 5,00 cm a la derecha del punto en (a).

80. Un esquiador parte del reposo y se desliza cuesta abajo. ¿Cuál será la rapidez del esquiador si desciende a 20 metros de altura? Ignore la resistencia del aire (que, en realidad, será bastante) y la fricción entre los esquís y la nieve.

81. Repita el problema anterior, pero esta vez suponga que el trabajo realizado por la resistencia del aire no puede ignorarse. Supongamos que el trabajo realizado por la resistencia del aire cuando el esquiador va de A a B por la trayectoria de la colina dada es de -2.000 J. El trabajo realizado por la resistencia del aire es negativo ya que la resistencia del aire actúa en sentido contrario al desplazamiento. Suponiendo que la masa del esquiador es de 50 kg, ¿cuál es la rapidez del esquiador en el punto

B?

82. Dos cuerpos interactúan mediante una fuerza conservativa. Demuestre que la energía mecánica de un sistema aislado formado por dos cuerpos que interactúan con una fuerza conservativa se conserva. (*Pista*: Comience con la tercera ley de Newton y la definición de trabajo para hallar el trabajo realizado en cada cuerpo por la fuerza conservativa).

83. En un parque de atracciones, un vagón rueda en una pista como la que se muestra a continuación. Halle la rapidez del vagón en *A*, *B* y *C*. Observe que el trabajo realizado por la fricción de rodadura es cero, dado que el desplazamiento del punto en el que la fricción de rodadura actúa sobre los neumáticos está momentáneamente en reposo y, por lo tanto, tiene un desplazamiento cero.

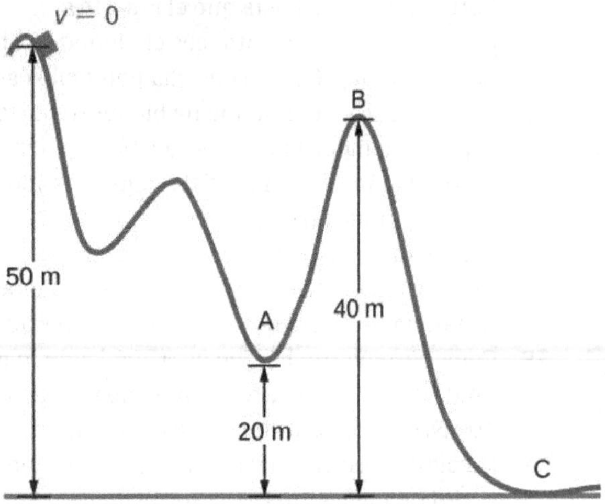

84. Se ata una bola de acero de 200 g a una cuerda "sin masa" de 2,00 m y se cuelga del techo para hacer un péndulo, y luego, se lleva la bola a una posición que forme un ángulo de 30° en dirección vertical y es liberada del reposo. Ignorando los efectos de la resistencia del aire, halle la rapidez de la bola cuando la cuerda (a) está verticalmente hacia abajo, (b) forma un ángulo de 20° con la vertical y (c) forma un ángulo de 10° con la vertical.

85. Se lanza un disco de hockey de 300 g a través de un estanque cubierto de hielo. Antes de golpearlo, el disco de hockey estaba en reposo. Después del golpe, el disco tiene una rapidez de 40 m/s. El disco se detiene después de recorrer una distancia de 30 m. (a) Describa cómo cambia la energía del disco con el tiempo; indique los valores numéricos de cualquier trabajo o energía involucrados. (b) Halle la magnitud de la fuerza de fricción neta.

86. Un proyectil de 2 kg de masa se dispara a una rapidez de 20 m/s en un ángulo de 30° con respecto a la horizontal. (a) Calcule la energía total inicial del proyectil, dado que el punto de referencia de la energía potencial gravitacional es cero en la posición de lanzamiento. (b) Calcule la energía cinética en la posición vertical más alta del proyectil. (c) Calcule la energía potencial gravitacional en la posición vertical más alta. (d) Calcule la altura máxima que alcanza el proyectil. Compare este resultado al resolver el mismo problema utilizando sus conocimientos sobre el movimiento de proyectil.

87. Se dispara un proyectil de artillería contra un objetivo situado a 200 m del suelo. Cuando el proyectil está a 100 m en el aire, tiene una rapidez de 100 m/s. ¿Cuál es su rapidez cuando alcanza su objetivo? Ignore la fricción del aire.

88. ¿Cuánta energía se pierde por una fuerza de arrastre disipativa si una persona de 60 kg cae a una rapidez constante durante 15 metros?

89. Una caja se desliza sobre una superficie sin fricción con una energía total de 50 J. Choca con un resorte y lo comprime una distancia de 25 cm del equilibrio. Si la misma caja con la misma energía inicial se desliza sobre una superficie áspera, solo comprime el resorte una distancia de 15 cm, ¿cuánta energía habrá perdido al deslizarse sobre la superficie áspera?

CAPÍTULO 9
Momento lineal y colisiones

Figura 9.1 Los conceptos de impulso, momento y centro de masa son cruciales para que un jugador de béisbol de las grandes ligas consiga batear. Si juzga mal estas cantidades, podría romper el bate (créditos: modificación de la obra de "Cathy T"/Flickr).

ESQUEMA DEL CAPITULO

INTRODUCCIÓN Los conceptos de trabajo, energía y el teorema de trabajo-energía son valiosos por dos razones principales. En primer lugar, son potentes herramientas computacionales que facilitan el análisis de sistemas físicos complejos más allá de las leyes de Newton (por ejemplo, sistemas con fuerzas no constantes) y, en segundo lugar, la observación de que la energía total de un sistema cerrado se conserva significa que el sistema solo puede evolucionar de forma coherente con la conservación de energía. En otras palabras, un sistema no puede evolucionar al azar, sino que cambia únicamente en formas que conserven la energía.

En este capítulo, desarrollamos y definimos otra cantidad conservada, denominada *momento lineal*, y otra relación (el *teorema del momento-impulso*), que pondrá una restricción adicional sobre cómo evoluciona un sistema en el tiempo. La conservación del momento sirve para entender las colisiones, como la que se muestra en la imagen anterior. Es tan potente, tan importante y tan útil como la conservación de la energía y el teorema de trabajo-energía.

9.1 Momento lineal

OBJETIVOS DE APRENDIZAJE

Al final de esta sección, podrá:

- Explicar físicamente en qué consiste el momento.
- Calcular el momento de un objeto en movimiento.

Nuestro estudio de la energía cinética mostró que la comprensión completa del movimiento de un objeto debe incluir tanto su masa como su velocidad ($K = (1/2)mv^2$). Sin embargo, por muy potente que sea este concepto, no incluye ninguna información sobre la dirección del vector de velocidad del objeto en movimiento. Ahora definiremos una cantidad física que incluye la dirección.

Al igual que la energía cinética, esta cantidad incluye tanto la masa como la velocidad; al igual que la energía cinética, es una forma de caracterizar la "cantidad de movimiento" de un objeto. Se le da el nombre de **momento** (de la palabra latina *movimentum*, que significa "movimiento"), y se representa con el símbolo *p*.

Momento

El momento *p* de un objeto es el producto de su masa por su velocidad:

$$\vec{\mathbf{p}} = m\vec{\mathbf{v}}. \qquad 9.1$$

FIGURA 9.2 Los vectores de velocidad y momento del balón están en la misma dirección. La masa del balón es de unos 0,5 kg, por lo que el vector de momento es aproximadamente la mitad de la longitud del vector de velocidad, ya que el momento es velocidad por masa (créditos: modificación del trabajo de Ben Sutherland).

Como se muestra en la Figura 9.2, el momento es una cantidad vectorial (ya que la velocidad lo es). Este es uno de los aspectos que hace que el momento sea útil y no una duplicación de la energía cinética. Quizá sea más útil para determinar si el movimiento de un objeto es difícil de cambiar (Figura 9.3) o fácil de cambiar (Figura 9.4).

FIGURA 9.3 Este supertanquero transporta una enorme masa de petróleo; en consecuencia, se necesita mucho tiempo para que una fuerza cambie su velocidad (comparativamente pequeña) (créditos: modificación de la obra de "the_tahoe_guy"/Flickr).

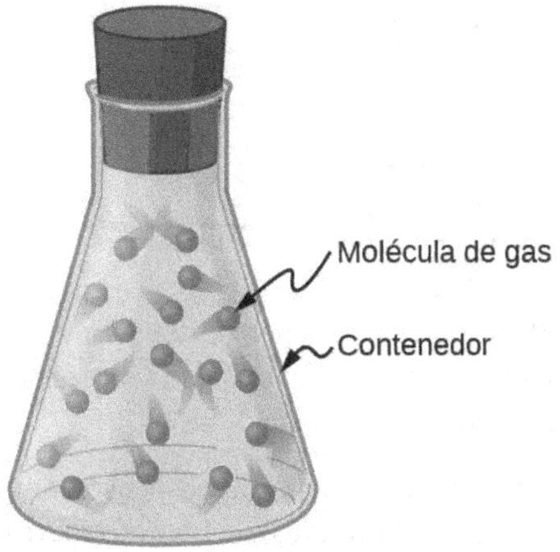

FIGURA 9.4 Las moléculas de gas pueden tener velocidades muy grandes, pero estas velocidades cambian casi instantáneamente cuando colisionan con las paredes del recipiente o entre sí. Esto se debe principalmente a que sus masas son muy pequeñas.

A diferencia de la energía cinética, el momento depende por igual de la masa y la velocidad de un objeto. Por ejemplo, como aprenderá cuando estudie termodinámica, la rapidez media de una molécula de aire a temperatura ambiente es de aproximadamente 500 m/s, con una masa molecular media de 6×10^{-25} kg; por lo tanto, su momento es

$$p_{\text{molécula}} = \left(6 \times 10^{-25}\,\text{kg}\right)\left(500\,\frac{\text{m}}{\text{s}}\right) = 3 \times 10^{-22}\,\frac{\text{kg} \cdot \text{m}}{\text{s}}.$$

A modo de comparación, un automóvil típico puede tener una rapidez de solo 15 m/s, pero una masa de 1.400 kg, lo que le da un momento de

$$p_{\text{auto}} = (1.400\,\text{kg})\left(15\,\frac{\text{m}}{\text{s}}\right) = 21.000\,\frac{\text{kg} \cdot \text{m}}{\text{s}}.$$

Estos momentos son diferentes en 27 órdenes de magnitud, ¡o un factor de mil millones de mil millones de mil millones!

9.2 Impulso y colisiones

OBJETIVOS DE APRENDIZAJE

Al final de esta sección, podrá:

- Explicar físicamente qué es impulso.
- Describir lo que hace un impulso.
- Relacionar los impulsos con las colisiones.
- Aplicar el teorema del momento-impulso para resolver problemas.

Hemos definido el momento como el producto de la masa y la velocidad. Por lo tanto, si la velocidad de un objeto cambia (debido a la aplicación de una fuerza sobre el objeto), entonces necesariamente, su momento también cambia. Esto indica una conexión entre el momento y la fuerza. El propósito de esta sección es explorar y describir esa conexión.

Supongamos que aplica una fuerza a un objeto libre durante cierto tiempo. Evidentemente, cuanto mayor sea la fuerza, mayor será el cambio de momento del objeto. Alternativamente, cuanto más tiempo se aplique esta fuerza, también será mayor el cambio de momento, como se representa en la Figura 9.5. Por lo tanto, la cantidad en la que cambia el movimiento del objeto es proporcional a la magnitud de la fuerza, y también al intervalo de tiempo en el que se aplica la fuerza.

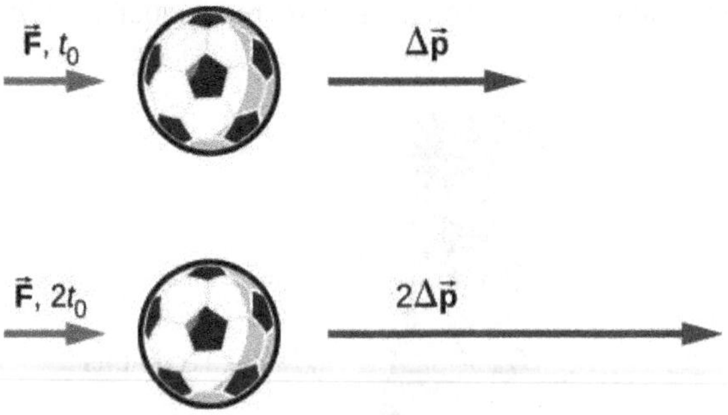

FIGURA 9.5 El cambio de momento de un objeto es proporcional a la duración de la fuerza aplicada. Si se ejerce una fuerza sobre el balón más bajo durante el doble de tiempo que sobre el balón de arriba, entonces el cambio en el momento del balón más bajo es el doble que el del balón de arriba.

Matemáticamente, si una cantidad es proporcional a dos (o más) cosas, entonces es proporcional al producto de esas cosas. El producto de una fuerza por un intervalo de tiempo (sobre el que actúa esa fuerza) se llama **impulso**, y recibe el símbolo $\vec{\mathbf{J}}$.

Impulso

Supongamos que $\vec{\mathbf{F}}(t)$ sea la fuerza aplicada a un objeto en un intervalo de tiempo diferencial dt (Figura 9.6). El impulso resultante sobre el objeto se define como

$$d\vec{\mathbf{J}} \equiv \vec{\mathbf{F}}(t)dt. \tag{9.2}$$

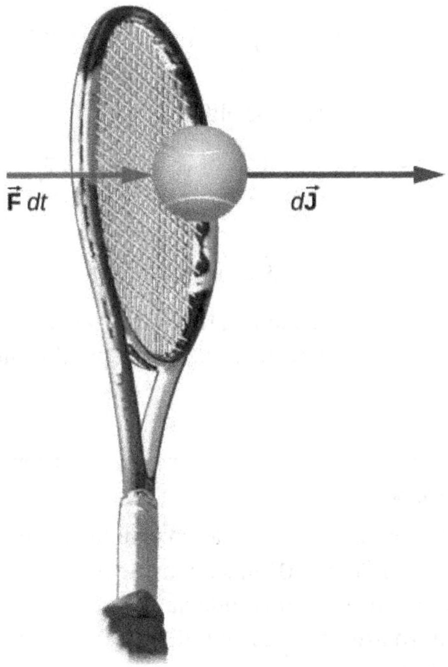

FIGURA 9.6 La fuerza que aplicada la raqueta a una pelota de tenis durante un intervalo de tiempo genera un impulso que actúa sobre la pelota.

El impulso total en el intervalo $t_f - t_i$ es

$$\vec{\mathbf{J}} = \int_{t_i}^{t_f} d\vec{\mathbf{J}} \text{ o } \vec{\mathbf{J}} \equiv \int_{t_i}^{t_f} \vec{\mathbf{F}}(t)dt. \qquad 9.3$$

La Ecuación 9.2 y la Ecuación 9.3 señalan conjuntamente que, cuando una fuerza se aplica durante un intervalo de tiempo infinitesimal dt, provoca un impulso infinitesimal $d\vec{\mathbf{J}}$, y el impulso total dado al objeto se define como la suma (integral) de todos estos impulsos infinitesimales.

Para calcular el impulso mediante la Ecuación 9.3, necesitamos conocer la función de la fuerza $F(t)$, que a menudo no conocemos. Sin embargo, el resultado del cálculo es útil aquí: Recordemos que el valor medio de una función a lo largo de un intervalo se calcula mediante

$$f(x)_{\text{ave}} = \frac{1}{\Delta x}\int_{x_i}^{x_f} f(x)dx$$

donde $\Delta x = x_f - x_i$. Aplicando esto a la función de fuerza dependiente del tiempo, obtenemos

$$\vec{\mathbf{F}}_{\text{ave}} = \frac{1}{\Delta t}\int_{t_i}^{t_f} \vec{\mathbf{F}}(t)dt. \qquad 9.4$$

Por lo tanto, a partir de la Ecuación 9.3,

$$\vec{\mathbf{J}} = \vec{\mathbf{F}}_{\text{ave}}\Delta t. \qquad 9.5$$

La idea es que puede calcular el impulso sobre el objeto, aunque no conozca los detalles de la fuerza en función del tiempo; solo necesita la fuerza media. De hecho, el proceso suele ser inverso: Se determina el impulso (por medición o cálculo) y luego se calcula la fuerza media que ha causado ese impulso.

Para calcular el impulso, se obtiene un resultado útil al escribir la fuerza en la Ecuación 9.3 como $\vec{\mathbf{F}}(t) = m\vec{\mathbf{a}}(t)$:

$$\vec{\mathbf{J}} = \int_{t_i}^{t_f} \vec{\mathbf{F}}(t)dt = m \int_{t_i}^{t_f} \vec{\mathbf{a}}(t)dt = m\left[\vec{\mathbf{v}}(t_f) - \vec{\mathbf{v}}_i\right].$$

Para una fuerza constante $\vec{\mathbf{F}}_{ave} = \vec{\mathbf{F}} = m\vec{\mathbf{a}}$, esto se simplifica a

$$\vec{\mathbf{J}} = m\vec{\mathbf{a}}\Delta t = m\vec{\mathbf{v}}_f - m\vec{\mathbf{v}}_i = m(\vec{\mathbf{v}}_f - \vec{\mathbf{v}}_i).$$

Esto es,

$$\vec{\mathbf{J}} = m\Delta\vec{\mathbf{v}}. \qquad 9.6$$

Observe que la forma integral, la Ecuación 9.3, se aplica también a las fuerzas constantes; en ese caso, dado que la fuerza es independiente del tiempo, sale de la integral, que puede entonces evaluarse trivialmente.

EJEMPLO 9.1

El cráter del meteorito de Arizona

Hace aproximadamente 50.000 años, un meteorito de hierro y níquel de gran tamaño (radio de 25 m) colisionó con la Tierra a una rapidez estimada de $1,28 \times 10^4$ m/s en lo que hoy es el desierto del norte de Arizona, en los Estados Unidos. El impacto produjo un cráter que todavía es visible hoy en día (Figura 9.7); tiene aproximadamente 1.200 m de diámetro (tres cuartos de milla), 170 m de profundidad y un borde que se eleva 45 m por encima de la llanura desértica circundante. Los meteoritos de hierro-níquel suelen tener una densidad de $\rho = 7.970\ \text{kg/m}^3$. Utilice las consideraciones de impulso para estimar la fuerza media y la fuerza máxima que el meteorito aplicó a la Tierra durante el impacto.

FIGURA 9.7 El cráter del meteorito de Arizona en Flagstaff, Arizona (a menudo denominado cráter Barringer en honor a la persona que sugirió por primera vez su origen y cuya familia es propietaria del terreno) (créditos: modificación de la obra de "Shane.torgerson"/Wikimedia Commons).

Estrategia

Es conceptualmente más fácil invertir la pregunta y calcular la fuerza que la Tierra aplicó al meteorito para detenerlo. Por lo tanto, calcularemos la fuerza sobre el meteorito y luego usaremos la tercera ley de Newton para argumentar que la fuerza del meteorito sobre la Tierra fue igual en magnitud y opuesta en dirección.

Utilizando los datos dados sobre el meteorito, y haciendo conjeturas razonables sobre la forma del meteorito y el tiempo de impacto, calculamos primero el impulso utilizando la Ecuación 9.6. A continuación, utilizamos la relación entre la fuerza y el impulso en la Ecuación 9.5 para estimar la fuerza media durante el impacto. Luego, elegimos una función razonable de fuerza para el evento de impacto, calculamos el valor medio de esa función con la Ecuación 9.4 y establecemos la expresión resultante igual a la fuerza media calculada. Esto nos permite resolver la fuerza máxima.

Solución

Defina hacia arriba como la dirección de la $+y$. Para simplificar, supongamos que el meteorito se desplaza verticalmente hacia abajo antes del impacto. En ese caso, su velocidad inicial es $\vec{\mathbf{v}}_i = -v_i\hat{\mathbf{j}}$, y la fuerza que la Tierra ejerce sobre el meteorito apunta hacia arriba, $\vec{\mathbf{F}}(t) = +F(t)\hat{\mathbf{j}}$. La situación en $t = 0$ se muestra a continuación.

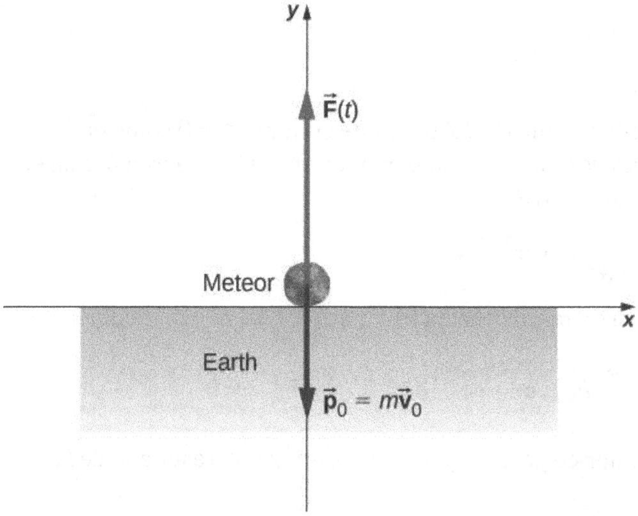

La fuerza media durante el impacto se relaciona con el impulso mediante

$$\vec{\mathbf{F}}_{ave} = \frac{\vec{\mathbf{J}}}{\Delta t}.$$

A partir de la Ecuación 9.6, $\vec{\mathbf{J}} = m\Delta\vec{\mathbf{v}}$, por lo que tenemos

$$\vec{\mathbf{F}}_{ave} = \frac{m\Delta\vec{\mathbf{v}}}{\Delta t}.$$

La masa es igual al producto de la densidad del meteorito por su volumen:

$$m = \rho V.$$

Si suponemos (conjeturamos) que el meteorito era aproximadamente esférico, tenemos

$$V = \frac{4}{3}\pi R^3.$$

Así, obtenemos

$$\vec{\mathbf{F}}_{ave} = \frac{\rho V\Delta\vec{\mathbf{v}}}{\Delta t} = \frac{\rho\left(\frac{4}{3}\pi R^3\right)\left(\vec{\mathbf{v}}_f - \vec{\mathbf{v}}_i\right)}{\Delta t}.$$

El problema establece que la velocidad en el impacto fue $-1{,}28 \times 10^4$ m/s$\hat{\mathbf{j}}$ (la velocidad final es cero); además, suponemos que el impacto primario duró aproximadamente $t_{máx} = 2$ s. Sustituyendo estos valores obtenemos

$$\vec{\mathbf{F}}_{ave} = \frac{\left(7.970 \frac{kg}{m^3}\right)\left[\frac{4}{3}\pi(25\ m)^3\right]\left[0\ \frac{m}{s} - \left(-1{,}28 \times 10^4\ \frac{m}{s}\hat{\mathbf{j}}\right)\right]}{2\ s} \cdot$$
$$= +\left(3{,}33 \times 10^{12}\ N\right)\hat{\mathbf{j}}$$

Es la fuerza media aplicada durante la colisión. Observe que este vector de fuerza apunta en la misma dirección que el cambio del vector velocidad $\Delta\vec{\mathbf{v}}$.

A continuación, calculamos la fuerza máxima. El impulso se relaciona con la función de fuerza mediante

$$\vec{\mathbf{J}} = \int_{t_i}^{t_{máx}} \vec{\mathbf{F}}(t)dt.$$

Tenemos que hacer una elección razonable de la fuerza en función del tiempo. Definimos $t = 0$ como el momento en que el meteorito toca el suelo por primera vez. Entonces suponemos que la fuerza es máxima en el impacto y cae rápidamente a cero. La función que hace esto es

$$F(t) = F_{máx} e^{-t^2/\left(2\tau^2\right)}.$$

(El parámetro τ representa la rapidez con que la fuerza disminuye hasta llegar a cero). La fuerza media es

$$F_{ave} = \frac{1}{\Delta t}\int_0^{t_{máx}} F_{máx} e^{-t^2/\left(2\tau^2\right)} dt$$

donde $\Delta t = t_{máx} - 0$ s. Como ya tenemos un valor numérico para F_{ave}, podemos utilizar el resultado de la integral para obtener $F_{máx}$.

Eligiendo $\tau = \frac{1}{e} t_{máx}$ (esta es una opción común, como se verá en capítulos posteriores), y conjeturando que $t_{máx} = 2$ s, esta integral se evalúa como

$$F_{avg} = 0{,}458\ F_{máx}.$$

Así, la fuerza máxima tiene una magnitud de

$$\begin{aligned} 0{,}458 F_{máx} &= 3{,}33 \times 10^{12}\ N \\ F_{máx} &= 7{,}27 \times 10^{12}\ N \end{aligned}.$$

La función completa de fuerza, incluida la dirección, es

$$\vec{\mathbf{F}}(t) = \left(7{,}27 \times 10^{12}\ N\right) e^{-t^2/\left(8s^2\right)}\hat{\mathbf{j}}.$$

Esta es la fuerza que la Tierra aplicó al meteorito; por la tercera ley de Newton, la fuerza que el meteorito aplicó a la Tierra es

$$\vec{\mathbf{F}}(t) = -\left(7{,}27 \times 10^{12}\ N\right) e^{-t^2/\left(8s^2\right)}\hat{\mathbf{j}}$$

que es la respuesta a la pregunta original.

Importancia

El gráfico de esta función contiene información importante. Grafiquemos (la magnitud de) esta función y la fuerza media juntas (Figura 9.8).

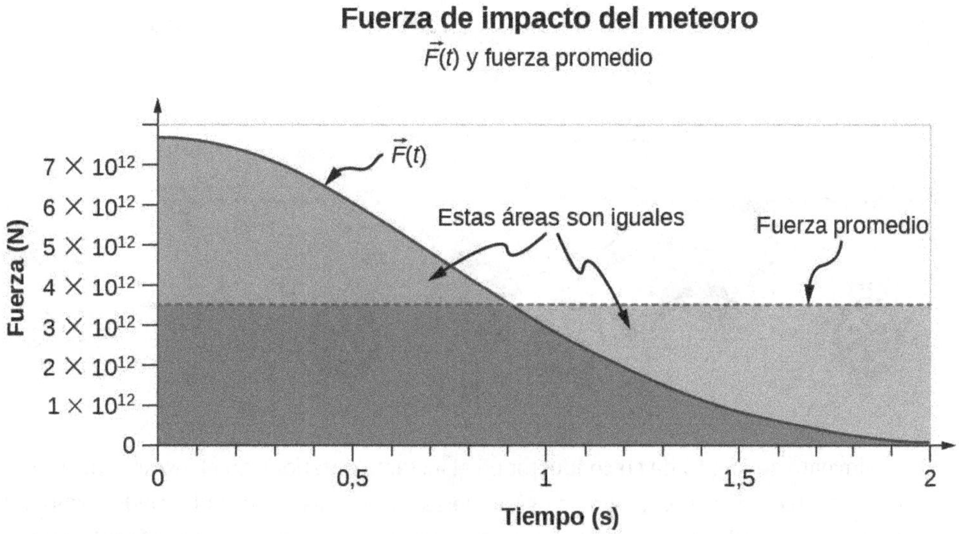

FIGURA 9.8 Gráfico de la fuerza media (en rojo) y de la fuerza como función del tiempo (en azul) del impacto del meteorito. Las áreas bajo las curvas son iguales entre sí, y son numéricamente iguales al impulso aplicado.

Observe que se ha rellenado el área bajo cada gráfico. Para el gráfico de la fuerza (constante) F_{ave}, el área es un rectángulo, correspondiente a $F_{\text{ave}}\Delta t = J$. En cuanto al gráfico de *F*(*t*), recordemos del cálculo que el área bajo el gráfico de una función es numéricamente igual a la integral de esa función, sobre el intervalo especificado; así que aquí, esto es $\int_0^{t_{\text{máx}}} F(t)dt = J$. Así, las áreas son iguales, y ambas representan el impulso que el meteorito aplicó a la Tierra durante el impacto de dos segundos. La fuerza media sobre la Tierra parece una fuerza enorme, y lo es. Sin embargo, la Tierra apenas lo notó. La aceleración que obtuvo la Tierra fue solo

$$\vec{\mathbf{a}} = \frac{-\vec{\mathbf{F}}_{\text{ave}}}{M_{\text{Tierra}}} = \frac{-\left(3{,}33 \times 10^{12}\text{ N}\right)\hat{\mathbf{j}}}{5{,}97 \times 10^{24}\text{ kg}} = -\left(5{,}6 \times 10^{-13}\ \frac{\text{m}}{\text{s}^2}\right)\hat{\mathbf{j}}$$

que es completamente inconmensurable. Eso sí, el impacto creó ondas sísmicas que hoy en día podrían detectar los modernos equipos de vigilancia.

EJEMPLO 9.2

Los beneficios del impulso

Un auto que viaja a 27 m/s colisiona con un edificio. La colisión con el edificio hace que el auto se detenga en aproximadamente 1 segundo. El conductor, que pesa 860 N, está protegido por una combinación de cinturón de seguridad de tensión variable y una bolsa de aire (Figura 9.9). (En efecto, el conductor colisiona con el cinturón de seguridad y la bolsa de aire y *no* con el edificio). La bolsa de aire y el cinturón de seguridad disminuyen su velocidad, de manera que se detiene en aproximadamente 2,5 s.

a. ¿Qué fuerza media experimenta el conductor durante la colisión?
b. Sin el cinturón de seguridad y la bolsa de aire, el tiempo de colisión (con el volante) habría sido de aproximadamente 0,20 s. ¿Qué fuerza experimentaría en este caso?

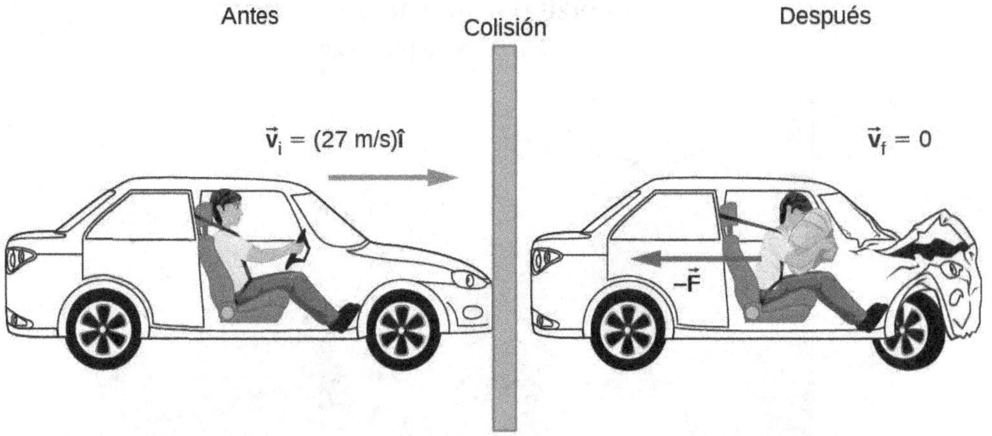

FIGURA 9.9 El movimiento del auto y de su conductor en el instante anterior y en el instante posterior a la colisión con el muro. El conductor sujetado experimenta una gran fuerza hacia atrás por el cinturón de seguridad y la bolsa de aire, lo que hace que su velocidad disminuya hasta cero. (La fuerza hacia delante del respaldo del asiento es mucho menor que la fuerza hacia atrás, por lo que la ignoramos en la solución).

Estrategia

Se nos da el peso del conductor, sus velocidades inicial y final, y el tiempo de la colisión; se nos pide que calculemos una fuerza. El impulso parece la forma correcta de abordar esto; podemos combinar la Ecuación 9.5 y la Ecuación 9.6.

Solución

a. Defina la dirección de la $x+$ como la dirección en la que se desplaza inicialmente el auto. Sabemos que

$$\vec{\mathbf{J}} = \vec{\mathbf{F}}\Delta t$$

y

$$\vec{\mathbf{J}} = m\Delta\vec{\mathbf{v}}.$$

Dado que J es igual a ambas cosas, deben ser iguales entre sí:

$$\vec{\mathbf{F}}\Delta t = m\Delta\vec{\mathbf{v}}.$$

Tenemos que convertir este peso en la masa equivalente, expresada en unidades del SI:

$$\frac{860\ \text{N}}{9{,}8\ \text{m/s}^2} = 87{,}8\ \text{kg}.$$

Recordando que $\Delta\vec{\mathbf{v}} = \vec{\mathbf{v}}_f - \vec{\mathbf{v}}_i$, y observando que la velocidad final es cero, resolvemos la fuerza:

$$\vec{\mathbf{F}} = m\frac{0 - v_i\hat{\mathbf{i}}}{\Delta t} = (87{,}8\ \text{kg})\left(\frac{-(27\ \text{m/s})\,\hat{\mathbf{i}}}{2{,}5\ \text{s}}\right) = -(948\ \text{N})\,\hat{\mathbf{i}}.$$

El signo negativo implica que la fuerza lo frena. Para tener una perspectiva, esto es aproximadamente 1,1 veces su propio peso.

b. El mismo cálculo, solo que el intervalo de tiempo es diferente:

$$\vec{\mathbf{F}} = (87{,}8\ \text{kg})\left(\frac{-(27\ \text{m/s})\,\hat{\mathbf{i}}}{0{,}20\ \text{s}}\right) = -(11.853\ \text{N})\,\hat{\mathbf{i}}$$

que es aproximadamente 14 veces su propio peso. ¡Gran diferencia!

Importancia

Como ve, el valor de la bolsa de aire es la medida en que reduce la fuerza sobre los ocupantes del vehículo. Por tal motivo, se exigen en todos los vehículos de pasajeros en los Estados Unidos desde 1991, y son habituales en toda Europa y Asia desde mediados de la década de los años 90 del siglo XX. El cambio del momento en un choque es el mismo, con o sin bolsa de aire; la fuerza, sin embargo, es muy diferente.

Efecto del impulso

Dado que el impulso es una fuerza que actúa durante cierto tiempo, hace que el movimiento de un objeto cambie. Recuerde la Ecuación 9.6:

$$\vec{\mathbf{J}} = m\Delta\vec{\mathbf{v}}.$$

Dado que $m\vec{\mathbf{v}}$ es el momento de un sistema, $m\Delta\vec{\mathbf{v}}$ es el *cambio* del momento $\Delta\vec{\mathbf{p}}$. Esto nos da la siguiente relación, que recibe el nombre de **teorema del momento-impulso** (o relación).

Teorema del momento-impulso

El impulso aplicado a un sistema cambia el momento del sistema, y ese cambio de momento es exactamente igual al impulso que se aplicó:

$$\vec{\mathbf{J}} = \Delta\vec{\mathbf{p}}. \quad (9.7)$$

El teorema del momento-impulso se representa gráficamente en la Figura 9.10.

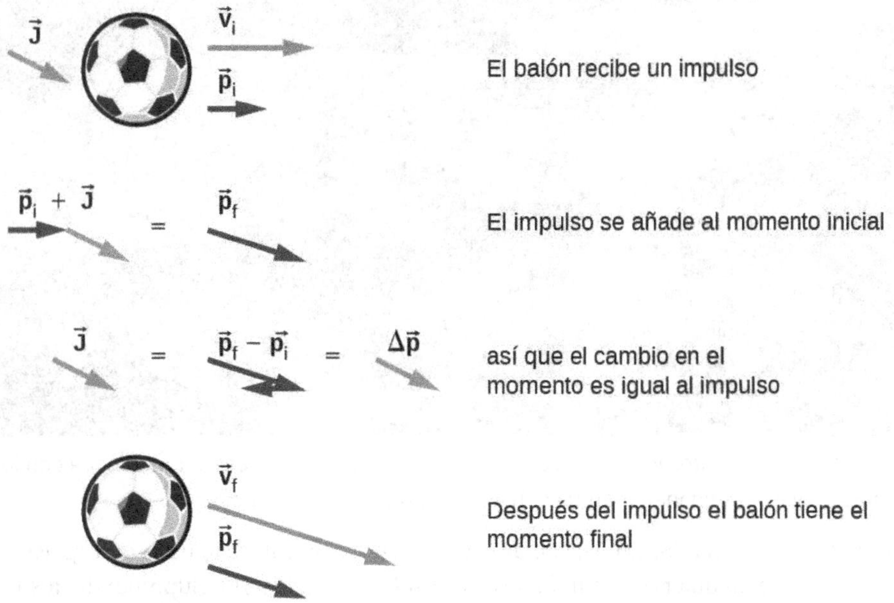

$\vec{J}$
$\vec{v}_i$
$\vec{p}_i$
El balón recibe un impulso
$\vec{p}_i + \vec{J}$
=
$\vec{p}_f$
El impulso se añade al momento inicial
$\vec{J}$
=
$\vec{p}_f - \vec{p}_i$
=
$\Delta\vec{p}$
así que el cambio en el momento es igual al impulso
$\vec{v}_f$
$\vec{p}_f$
Después del impulso el balón tiene el momento final

FIGURA 9.10 Ilustración del teorema del momento-impulso. (a) Un balón con velocidad inicial $\vec{\mathbf{v}}_0$ y momento $\vec{\mathbf{p}}_0$ recibe un impulso $\vec{\mathbf{J}}$. (b) Este impulso se añade vectorialmente al momento inicial. (c) Por lo tanto, el impulso es igual al cambio de momento, $\vec{\mathbf{J}} = \Delta\vec{\mathbf{p}}$. (d) Tras el impulso, el balón se desplaza con su nuevo momento $\vec{\mathbf{p}}_f$.

Hay dos conceptos cruciales en el teorema del momento-impulso:

1. El impulso es una cantidad vectorial; un impulso de, por ejemplo, $-(10\,\text{N}\cdot\text{s})\,\hat{\mathbf{i}}$ es muy diferente a un impulso de $+(10\,\text{N}\cdot\text{s})\,\hat{\mathbf{i}}$; provocan cambios de momento completamente opuestos.
2. Un impulso no provoca momento, sino que provoca un *cambio* en el momento de un objeto. Así, hay que restar el momento final del momento inicial y, dado que el momento es también una cantidad vectorial, hay que tener muy en cuenta los signos de los vectores del momento.

Las preguntas más frecuentes en relación con el impulso son para calcular la fuerza aplicada, o el cambio de velocidad que se produce como resultado de la aplicación de un impulso. El enfoque general es el mismo.

ESTRATEGIA DE RESOLUCIÓN DE PROBLEMAS

Teorema del momento-impulso

1. Exprese el impulso como la fuerza por el intervalo de tiempo correspondiente.
2. Exprese el impulso como el cambio de momento, normalmente $m\Delta v$.
3. Iguale esto y resuelva la cantidad deseada.

EJEMPLO 9.3

Mover la nave *Enterprise*

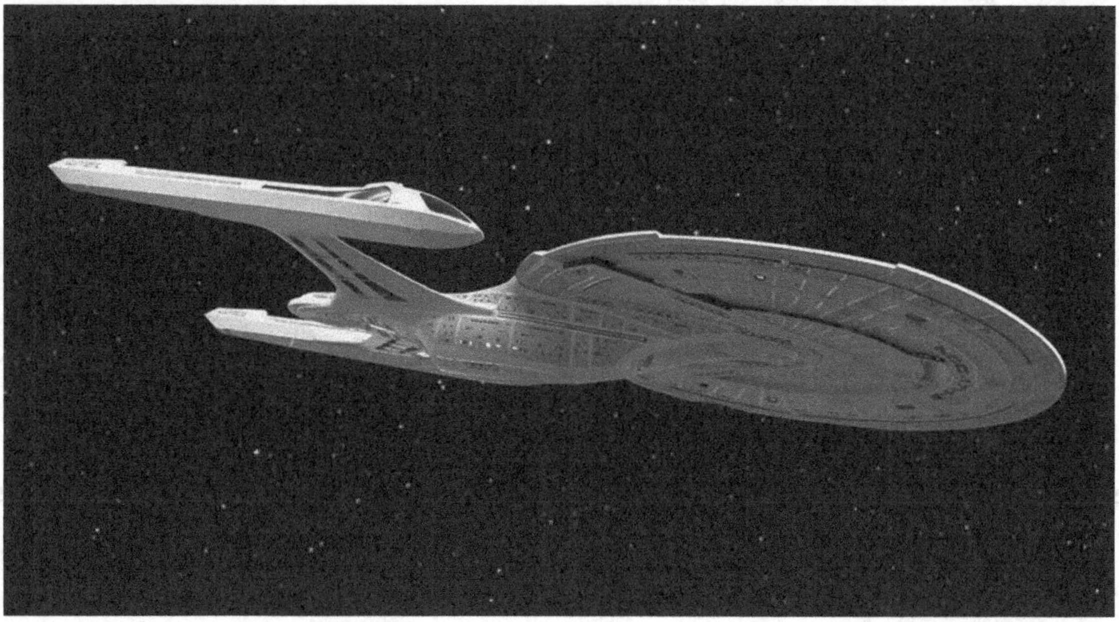

FIGURA 9.11 La nave ficticia *Enterprise* de las aventuras de "Viaje a las estrellas" funcionaba con los llamados "motores de impulso", que combinaban materia con antimateria para generar energía.

Cuando el capitán Picard ordena: "Sácanos; adelante un cuarto de impulso", la nave *Enterprise* (Figura 9.11) arranca desde el reposo hasta una rapidez final de $v_f = 1/4\left(3{,}0 \times 10^8 \text{ m/s}\right)$. Suponiendo que esta maniobra se complete en 60 s, ¿qué fuerza media aplicaron los motores de impulso a la nave?

Estrategia

Se nos pide una fuerza; conocemos las rapideces inicial y final (y, por tanto, el cambio de rapidez), y conocemos el intervalo en el que ha ocurrido todo esto. En concreto, sabemos el tiempo que actuó la fuerza. Esto sugiere utilizar la relación momento-impulso. Sin embargo, para esto, necesitamos la masa de la nave *Enterprise*. Una búsqueda en Internet da una mejor estimación de la masa de la nave *Enterprise* (en la película de 2009) como 2×10^9 kg.

Solución

Dado que este problema implica solo una dirección (es decir, la dirección de la fuerza aplicada por los motores), solo necesitamos la forma escalar del teorema del momento-impulso de la Ecuación 9.7, que es

$$\Delta p = J$$

con

$$\Delta p = m\Delta v$$

y

$$J = F\Delta t.$$

Al igualar estas expresiones obtenemos

$$F\Delta t = m\Delta v.$$

Si se resuelve para la magnitud de la fuerza y se insertan los valores dados, se obtiene

$$F = \frac{m\Delta v}{\Delta t} = \frac{\left(2 \times 10^9 \text{ kg}\right)\left(7{,}5 \times 10^7 \text{ m/s}\right)}{60 \text{ s}} = 2{,}5 \times 10^{15} \text{ N}.$$

Importancia

Esta es una fuerza inimaginablemente enorme. No hace falta decir que una fuerza semejante mataría al instante a todos los que están a bordo, además de destruir todos los equipos. Afortunadamente, la nave *Enterprise* tiene "amortiguadores de inercia". Se deja a la imaginación del lector determinar cómo funcionan.

COMPRUEBE LO APRENDIDO 9.1

La Fuerza Aérea de los EE. UU. utiliza "10*g*" (una aceleración igual a $10 \times 9{,}8 \text{ m/s}^2$) como la aceleración máxima que puede soportar un ser humano (pero solo durante varios segundos) y sobrevivir. ¿Cuánto tiempo debe pasar la nave *Enterprise* acelerando si los seres humanos a bordo deben experimentar una media de 10*g* de aceleración como máximo? (Supongamos que los amortiguadores de inercia están desconectados).

EJEMPLO 9.4

La caída del iPhone

Apple lanzó su iPhone 6 Plus en noviembre de 2014. Según muchos informes, en un principio iba a tener una pantalla de zafiro, pero se cambió en el último momento por una de cristal endurecido. Según se informa, esto se debió a que la pantalla de zafiro se agrietó cuando el teléfono se cayó. ¿Qué fuerza sufrió el iPhone 6 Plus como resultado de la caída?

Estrategia

La fuerza que experimenta el teléfono se debe al impulso que le aplica el suelo al colisionar con este. Nuestra estrategia entonces es utilizar la relación momento-impulso. Calculamos el impulso, estimamos el tiempo de impacto y lo utilizamos para calcular la fuerza.

Tenemos que hacer un par de estimaciones razonables, así como encontrar datos técnicos sobre el propio teléfono. En primer lugar, supongamos que el teléfono se deja caer desde la altura del pecho en una persona de estatura media. En segundo lugar, supongamos que se deja caer desde el reposo, es decir, con una velocidad vertical inicial de cero. Por último, supongamos que el teléfono rebota muy poco y que la altura del rebote es despreciable.

Solución

Defina hacia arriba como la dirección de la $+y$. La altura típica es de aproximadamente $h = 1{,}5 \text{ m}$ y, como se ha señalado, $\vec{\mathbf{v}}_\text{i} = (0 \text{ m/s})\,\hat{\mathbf{i}}$. La fuerza media sobre el teléfono se relaciona con el impulso que el suelo aplica sobre este durante la colisión:

$$\vec{\mathbf{F}}_\text{ave} = \frac{\vec{\mathbf{J}}}{\Delta t}.$$

El impulso $\vec{\mathbf{J}}$ es igual al cambio de momento,

$$\vec{\mathbf{J}} = \Delta\vec{\mathbf{p}}$$

entonces

$$\vec{\mathbf{F}}_{\text{ave}} = \frac{\Delta\vec{\mathbf{p}}}{\Delta t}.$$

Luego, el cambio de momento es

$$\Delta\vec{\mathbf{p}} = m\Delta\vec{\mathbf{v}}.$$

Hay que tener cuidado con las velocidades aquí; se trata del cambio de velocidad debido a la colisión con el suelo. Sin embargo, el teléfono también tiene una velocidad de caída inicial [$\vec{\mathbf{v}}_i = (0\text{ m/s})\,\hat{\mathbf{j}}$], por lo que marcamos nuestras velocidades. Supongamos que:

- $\vec{\mathbf{v}}_i$ = la velocidad inicial con la que se dejó caer el teléfono (cero, en este ejemplo)
- $\vec{\mathbf{v}}_1$ = la velocidad que tuvo el teléfono en el instante justo antes de golpear el suelo
- $\vec{\mathbf{v}}_2$ = la velocidad final del teléfono al chocar contra el suelo

La Figura 9.12 muestra las velocidades en cada uno de estos puntos de la trayectoria del teléfono.

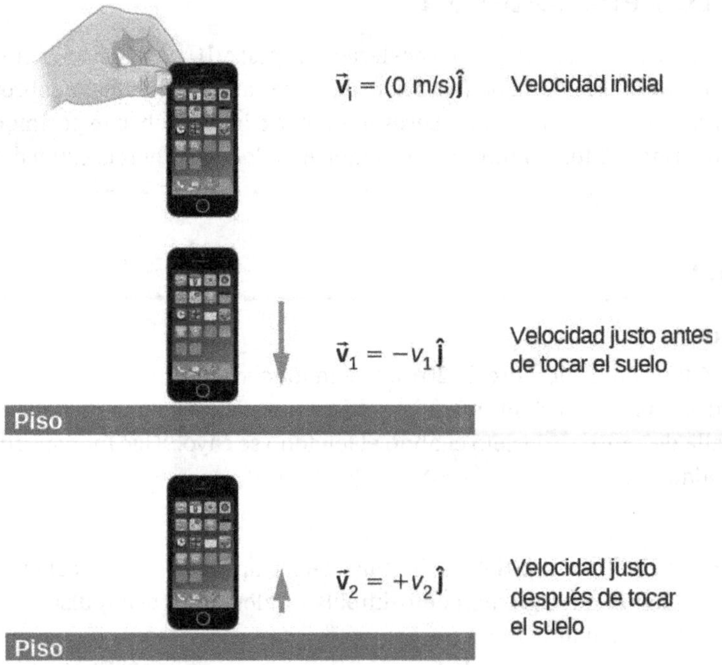

FIGURA 9.12 (a) La velocidad inicial del teléfono es cero, justo después de que la persona lo deja caer. (b) Justo antes de que el teléfono golpee el suelo, su velocidad es $\vec{\mathbf{v}}_1$, que por el momento se desconoce, salvo por su dirección, que es descendente ($-\hat{\mathbf{j}}$). (c) Después de rebotar en el suelo, el teléfono tiene una velocidad $\vec{\mathbf{v}}_2$, que también se desconoce, salvo por su dirección, que es ascendente ($+\hat{\mathbf{j}}$).

Con estas definiciones, el cambio de momento del teléfono durante la colisión contra el suelo es

$$m\Delta\vec{\mathbf{v}} = m\left(\vec{\mathbf{v}}_2 - \vec{\mathbf{v}}_1\right).$$

Dado que suponemos que el teléfono no rebota en absoluto cuando golpea el suelo (o al menos, la altura de rebote es despreciable), entonces $\vec{\mathbf{v}}_2$ es cero, por lo que

$$\begin{aligned} m\Delta\vec{\mathbf{v}} &= m\left[0 - \left(-v_1\hat{\mathbf{j}}\right)\right] \\ m\Delta\vec{\mathbf{v}} &= +mv_1\hat{\mathbf{j}}. \end{aligned}$$

Podemos obtener la velocidad del teléfono justo antes de que toque el suelo mediante el empleo de la cinemática o la conservación de la energía. Utilizaremos aquí la conservación de la energía; debe rehacer esta parte del problema mediante el empleo de la cinemática y demostrar que obtiene la misma respuesta.

En primer lugar, defina el cero de la energía potencial como la posición en el suelo. Entonces, la conservación de la energía nos da:

$$\begin{aligned} E_i &= E_1 \\ K_i + U_i &= K_1 + U_1 \\ \tfrac{1}{2}mv_i^2 + mgh_{\text{caída}} &= \tfrac{1}{2}mv_1^2 + mgh_{\text{suelo}}. \end{aligned}$$

Definiendo la $h_{\text{suelo}} = 0$ y utilizando la $\vec{\mathbf{v}}_i = (0 \text{ m/s})\,\hat{\mathbf{j}}$ nos da

$$\begin{aligned} \tfrac{1}{2}mv_1^2 &= mgh_{\text{caída}} \\ v_1 &= \pm\sqrt{2gh_{\text{caída}}}. \end{aligned}$$

Dado que v_1 es una magnitud vectorial, deberá ser positiva. Así, $m\Delta v = mv_1 = m\sqrt{2gh_{\text{caída}}}$. Insertando este resultado en la expresión de la fuerza se obtiene

$$\begin{aligned} \vec{\mathbf{F}} &= \frac{\Delta\vec{\mathbf{p}}}{\Delta t} \\ &= \frac{m\Delta\vec{\mathbf{v}}}{\Delta t} \\ &= \frac{+mv_1\,\hat{\mathbf{j}}}{\Delta t} \\ &= \frac{m\sqrt{2gh}}{\Delta t}\,\hat{\mathbf{j}}. \end{aligned}$$

Por último, tenemos que estimar el tiempo de colisión. La forma habitual de estimar el tiempo de colisión es calcular cuánto tardaría el objeto en recorrer su propia longitud. El teléfono se mueve a 5,4 m/s justo antes de golpear el suelo, y tiene una longitud de 0,14 m, lo que da un tiempo de colisión estimado de 0,026 s. Insertando los números dados, obtenemos

$$\vec{\mathbf{F}} = \frac{(0{,}172 \text{ kg})\sqrt{2\left(9{,}8 \text{ m/s}^2\right)(1{,}5 \text{ m})}}{0{,}026 \text{ s}}\,\hat{\mathbf{j}} = (36 \text{ N})\,\hat{\mathbf{j}}.$$

Importancia

El propio iPhone pesa apenas $(0{,}172 \text{ kg})(9{,}81 \text{ m/s}^2) = 1{,}68 \text{ N}$; la fuerza que le aplica el suelo es, por lo tanto, más de 20 veces su peso.

COMPRUEBE LO APRENDIDO 9.2

¿Y si hubiéramos asumido que el teléfono *sí* rebotó en el impacto? ¿Habría aumentado la fuerza sobre el iPhone, la habría disminuido o no habría ninguna diferencia?

Momento y fuerza

En el Ejemplo 9.3, obtuvimos una relación importante:

$$\vec{\mathbf{F}}_{\text{ave}} = \frac{\Delta\vec{\mathbf{p}}}{\Delta t}. \tag{9.8}$$

En palabras, la fuerza media aplicada a un objeto es igual al cambio de momento que provoca la fuerza, dividido entre el intervalo en el que se produce este cambio de momento. Esta relación es muy útil en situaciones en las que el tiempo de colisión Δt es pequeño, pero medible; los valores típicos serían 1/10ma de segundo, o incluso una milésima de segundo. Los accidentes de auto, el lanzamiento de un balón de fútbol o las colisiones de partículas subatómicas cumplirían este criterio.

Para un momento que cambia *continuamente*, debido a una fuerza que cambia continuamente, esto se convierte en una poderosa herramienta conceptual. En el límite $\Delta t \to dt$, la Ecuación 9.2 se convierte en

$$\vec{\mathbf{F}} = \frac{d\vec{\mathbf{p}}}{dt}. \tag{9.9}$$

Esto indica que la tasa de cambio del momento del sistema (lo que implica que el momento es una función del tiempo) es exactamente igual a la fuerza neta aplicada (también, en general, una función del tiempo). Se trata, de hecho, de la segunda ley de Newton, escrita en términos de momento y no de aceleración. Esta es la relación que el propio Newton presentó en su *Principia Mathematica* (aunque la denominó "cantidad de movimiento" en lugar de "momento").

Si la masa del sistema permanece constante, la Ecuación 9.3 se reduce a la forma más familiar de la segunda ley de Newton. Podemos ver esto al sustituir la definición de momento:

$$\vec{\mathbf{F}} = \frac{d(m\vec{\mathbf{v}})}{dt} = m\frac{d\vec{\mathbf{v}}}{dt} = m\vec{\mathbf{a}}.$$

La suposición de masa constante nos permitió sacar m de la derivada. Si la masa no es constante, no podemos utilizar esta forma de la segunda ley, sino que debemos partir de la Ecuación 9.3. Así, una de las ventajas de expresar la fuerza en términos de cambio de momento es que permite cambiar la masa del sistema, así como la velocidad. Este es un concepto que exploraremos cuando estudiemos el movimiento de los cohetes.

Segunda ley del movimiento de Newton en términos de momento

La fuerza externa neta sobre un sistema es igual a la tasa de cambio del momento de ese sistema causada por la fuerza:

$$\vec{\mathbf{F}} = \frac{d\vec{\mathbf{p}}}{dt}.$$

Aunque la Ecuación 9.3 permite cambiar la masa, como veremos en Propulsión de cohetes, la relación entre momento y fuerza sigue siendo útil cuando la masa del sistema es constante, como en el siguiente ejemplo.

EJEMPLO 9.5

Calcular la fuerza: el saque de tenis de Venus Williams

Durante el Abierto de Francia de 2007, Venus Williams realizó el saque más rápido registrado en un partido de la máxima categoría femenina, alcanzando una rapidez de 58 m/s (209 km/h). ¿Cuál es la fuerza media ejercida sobre la pelota de tenis de 0,057 kg por la raqueta de Venus Williams? Supongamos que la rapidez de la pelota justo después del impacto es de 58 m/s, como se muestra en la Figura 9.13, que el componente horizontal inicial de la velocidad antes del impacto es despreciable, y que la pelota permaneció en contacto con la raqueta durante 5,0 ms.

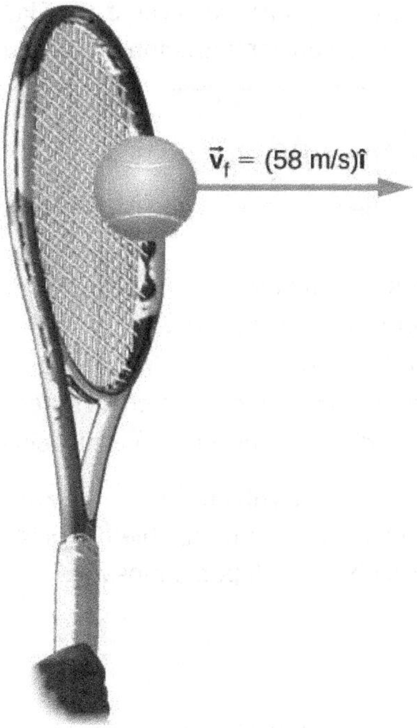

FIGURA 9.13 La velocidad final de la pelota de tenis es $\vec{\mathbf{v}}_f = (58\text{ m/s})\,\hat{\mathbf{i}}$.

Estrategia

Este problema implica solo una dimensión, porque la pelota parte de no tener ningún componente de velocidad horizontal antes del impacto. La segunda ley de Newton expresada en términos de momento se escribe entonces como

$$\vec{\mathbf{F}} = \frac{d\vec{\mathbf{p}}}{dt}.$$

Como se ha señalado anteriormente, cuando la masa es constante, el cambio de momento viene dado por

$$\Delta p = m\Delta v = m\,(v_f - v_i)$$

donde hemos utilizado escalares porque este problema implica solo una dimensión. En este ejemplo, se da la velocidad justo después del impacto y el intervalo de tiempo; así, una vez que Δp se calcula, podemos utilizar$F = \frac{\Delta p}{\Delta t}$ para encontrar la fuerza.

Solución

Para determinar el cambio de momento, inserte los valores de las velocidades inicial y final en la ecuación anterior:

$$\begin{aligned}\Delta p &= m\,(v_f - v_i) \\ &= (0{,}057\text{ kg})\,(58\text{ m/s} - 0\text{ m/s}) \\ &= 3{,}3\ \frac{\text{kg·m}}{\text{s}}.\end{aligned}$$

Ahora se puede determinar la magnitud de la fuerza externa neta al utilizar

$$F = \frac{\Delta p}{\Delta t} = \frac{3{,}3\ \frac{\text{kg·m}}{\text{s}}}{5{,}0 \times 10^{-3}\text{ s}} = 6{,}6 \times 10^2\text{ N}.$$

donde hemos conservado únicamente dos cifras significativas en el último paso.

Importancia

Esta cantidad fue la fuerza media ejercida por la raqueta de Venus Williams sobre la pelota de tenis durante su breve impacto (observe que la pelota también experimentó la fuerza de gravedad de 0,57 N, pero esa fuerza no se debió a la raqueta). Este problema también podría resolverse al hallar primero la aceleración y luego utilizar $F = ma$, pero se requeriría un paso adicional en comparación con la estrategia utilizada en este ejemplo.

9.3 Conservación del momento lineal

OBJETIVOS DE APRENDIZAJE

Al final de esta sección, podrá:

- Explicar el significado de "conservación del momento".
- Identificar correctamente si un sistema es, o no, cerrado.
- Definir un sistema cuyo momento se conserva.
- Expresar matemáticamente la conservación del momento en un sistema dado.
- Calcular una cantidad desconocida mediante la conservación del momento.

Recordemos la tercera ley de Newton: cuando dos objetos de masas m_1 y m_2 interactúan (lo que significa que aplican fuerzas entre sí), la fuerza que el objeto 2 aplica al objeto 1 es igual en magnitud y opuesta en dirección a la fuerza que el objeto 1 aplica sobre el objeto 2. Supongamos que:

- $\vec{\mathbf{F}}_{21}$ = la fuerza sobre m_1 de m_2
- $\vec{\mathbf{F}}_{12}$ = la fuerza sobre m_2 de m_1

Entonces, en símbolos, la tercera ley de Newton establece

$$\begin{aligned} \vec{\mathbf{F}}_{21} &= -\vec{\mathbf{F}}_{12} \\ m_1\vec{\mathbf{a}}_1 &= -m_2\vec{\mathbf{a}}_2. \end{aligned} \tag{9.10}$$

(Recordemos que estas dos fuerzas no se cancelan porque se aplican a objetos diferentes. F_{21} causa que m_1 acelere, y F_{12} causa que m_2 acelere).

Aunque las magnitudes de las fuerzas sobre los objetos son las mismas, las aceleraciones no lo son, simplemente porque las masas (en general) son diferentes. Por lo tanto, los cambios de velocidad de cada objeto son diferentes:

$$\frac{d\vec{\mathbf{v}}_1}{dt} \neq \frac{d\vec{\mathbf{v}}_2}{dt}.$$

Sin embargo, los productos de la masa y el cambio de velocidad *son* iguales (en magnitud):

$$m_1\frac{d\vec{\mathbf{v}}_1}{dt} = -m_2\frac{d\vec{\mathbf{v}}_2}{dt}. \tag{9.11}$$

Es una buena idea, en este punto, que tenga claro el significado físico de las derivadas en la Ecuación 9.3. A causa de la interacción, cada objeto termina cambiando su velocidad, en una cantidad *dv*. Además, la interacción se produce en un intervalo de tiempo *dt*, lo que significa que el cambio de velocidades también se produce en *dt*. Este intervalo es el mismo para cada objeto.

Supongamos, por el momento, que las masas de los objetos no cambian durante la interacción. (Más adelante relajaremos esta restricción). En ese caso, podemos halar las masas dentro de las derivadas:

$$\frac{d}{dt}\left(m_1\vec{\mathbf{v}}_1\right) = -\frac{d}{dt}\left(m_2\vec{\mathbf{v}}_2\right) \tag{9.12}$$

y así

$$\frac{d\vec{\mathbf{p}}_1}{dt} = -\frac{d\vec{\mathbf{p}}_2}{dt}. \tag{9.13}$$

Esto indica que *la tasa a la que cambia el momento es la misma para ambos objetos*. Las masas son diferentes, y los cambios de velocidad son distintos, pero la tasa de cambio del producto de m y $\vec{\mathbf{v}}$ son las mismas.

Físicamente, esto significa que durante la interacción de los dos objetos (m_1 y m_2), ambos objetos tienen su momento cambiado; pero esos cambios son idénticos en magnitud, aunque opuestos en signo. Por ejemplo, el momento del objeto 1 puede aumentar, lo que significa que el momento del objeto 2 disminuye exactamente en la misma cantidad.

A la luz de esto, reescribamos la Ecuación 9.12 de forma más sugerente:

$$\frac{d\vec{\mathbf{p}}_1}{dt} + \frac{d\vec{\mathbf{p}}_2}{dt} = 0. \tag{9.14}$$

Esto indica que, durante la interacción, aunque el momento del objeto 1 cambia, y el momento del objeto 2 también cambia, estos dos cambios se cancelan mutuamente, de modo que el cambio total del momento de los dos objetos juntos es cero.

Como el momento total combinado de los dos objetos juntos nunca cambia, entonces podríamos escribir

$$\frac{d}{dt}\left(\vec{\mathbf{p}}_1 + \vec{\mathbf{p}}_2\right) = 0 \tag{9.15}$$

de lo que se deduce que

$$\vec{\mathbf{p}}_1 + \vec{\mathbf{p}}_2 = \text{constante}. \tag{9.16}$$

Como se muestra en la Figura 9.14, el momento total del sistema antes y después de la colisión sigue siendo el mismo.

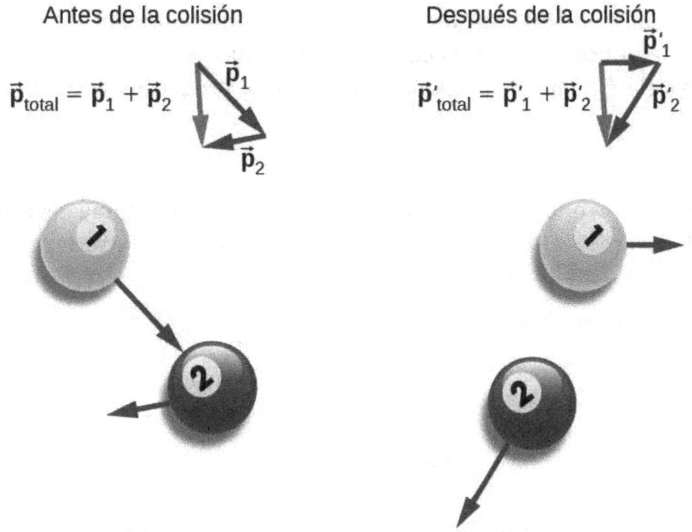

FIGURA 9.14 Antes de la colisión, las dos bolas de billar viajan con momentos $\vec{\mathbf{p}}_1$ y $\vec{\mathbf{p}}_2$. El momento total del sistema es la suma de estos, como se muestra en el vector rojo marcado como $\vec{\mathbf{p}}_{\text{total}}$ a la izquierda. Tras la colisión, las dos bolas de billar se desplazan con momentos diferentes $\vec{\mathbf{p}}'_1$ y $\vec{\mathbf{p}}'_2$. El momento total; sin embargo, no ha cambiado, como muestra la flecha roja del vector $\vec{\mathbf{p}}'_{\text{total}}$ a la derecha.

Generalizando este resultado a N objetos, obtenemos

$$\begin{aligned} \vec{\mathbf{p}}_1 + \vec{\mathbf{p}}_2 + \vec{\mathbf{p}}_3 + \cdots + \vec{\mathbf{p}}_N &= \text{constante} \\ \sum_{j=1}^{N} \vec{\mathbf{p}}_j &= \text{constante}. \end{aligned} \tag{9.17}$$

La Ecuación 9.17 es la definición del momento total (o neto) de un sistema de N objetos que interactúan, junto con la afirmación de que el momento total de un sistema de objetos es constante en el tiempo, o mejor, se conserva.

Leyes de conservación

Si el valor de una cantidad física es constante en el tiempo, decimos que la cantidad se conserva.

Requisitos para la conservación del momento

Sin embargo, hay una complicación. Un sistema deberá cumplir dos requisitos para que su momento se conserve:

1. *La masa del sistema deberá permanecer constante durante la interacción.*
   A medida que los objetos interactúan (aplican fuerzas entre sí), pueden *transferir* masa de uno a otro; pero cualquier masa que gane un objeto se compensa con la pérdida de esa masa de otro. Por lo tanto, la masa total del sistema de objetos no cambia con el paso del tiempo:
   $$\left[\frac{dm}{dt}\right]_{\text{sistema}} = 0.$$
2. *La fuerza externa neta sobre el sistema deberá ser cero.*
   A medida que los objetos colisionan, o explotan, y se desplazan, ejercen fuerzas entre sí. Sin embargo, todas estas fuerzas son internas al sistema y, por lo tanto, cada una está equilibrada por otra fuerza interna de igual magnitud y signo contrario. Como resultado, el cambio en el momento causado por cada fuerza interna se cancela con otro cambio de momento, que es igual en magnitud y opuesto en dirección. Por lo tanto, las fuerzas internas no pueden cambiar el momento total de un sistema porque los cambios suman cero. Sin embargo, si hay alguna fuerza externa que actúa sobre todos los objetos (la gravedad, por ejemplo, o la fricción), entonces esta fuerza cambia el momento del sistema en su conjunto; es decir, la fuerza externa cambia el momento del sistema. Por lo tanto, para que el momento del sistema se conserve, debemos tener
   $$\vec{\mathbf{F}}_{\text{ext}} = \vec{\mathbf{0}}.$$

Se dice que un sistema de objetos que cumple estos dos requisitos es un **sistema cerrado** (también llamado sistema aislado). Así, la forma más compacta de expresarlo es la que se muestra a continuación.

Ley de conservación del momento

El momento total de un sistema cerrado se conserva:

$$\sum_{j=1}^{N} \vec{\mathbf{p}}_{\mathbf{j}} = \text{constante}.$$

Esta afirmación se denomina **ley de conservación del momento.** Junto con la conservación de la energía, es uno de los fundamentos sobre los que se asienta toda la física. Todas nuestras pruebas experimentales apoyan esta afirmación: desde los movimientos de los cúmulos galácticos hasta los quarks que forman el protón y el neutrón, y en todas las escalas intermedias. *En un sistema cerrado, el momento total nunca cambia.*

Observe que absolutamente *pueden* haber fuerzas externas actuando sobre el sistema; sin embargo, para que el momento del sistema permanezca constante, estas fuerzas externas tienen que cancelarse, de modo que la fuerza externa *neta* sea cero. Las bolas de billar en una mesa tienen todas una fuerza de peso que actúa sobre ellas, pero los pesos se equilibran (se cancelan) por las fuerzas normales, por lo que no hay fuerza *neta.*

El significado de "sistema"

Un **sistema** (mecánico) es el conjunto de objetos en cuyo movimiento (cinemática y dinámica) está interesado. Si está analizando el rebote de una pelota en el suelo, probablemente solo le interesa el movimiento de la pelota, y no el de la Tierra; por lo tanto, la pelota es su sistema. Si está analizando un accidente de auto, los dos autos juntos componen su sistema (Figura 9.15).

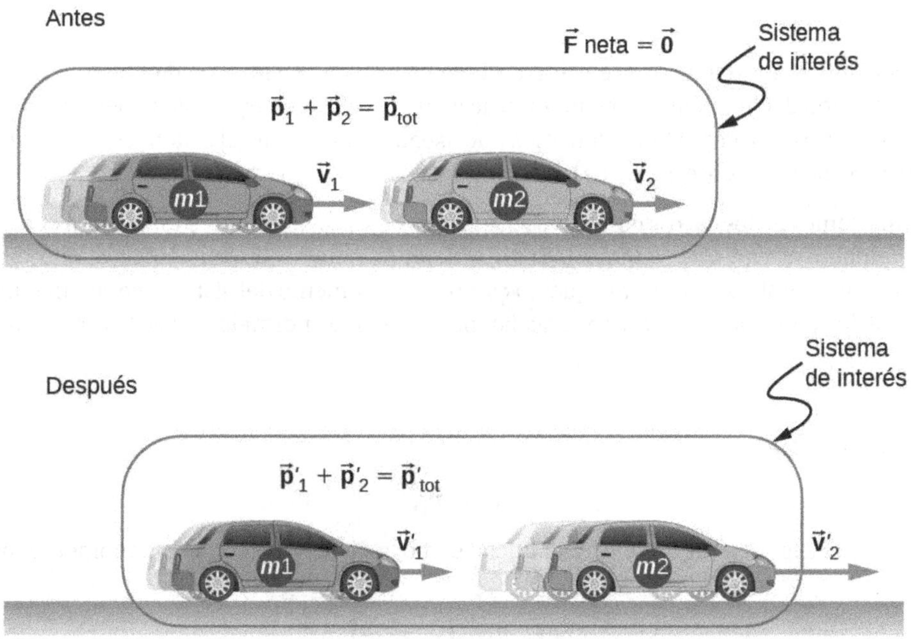

FIGURA 9.15 Los dos autos juntos forman el sistema que se va a analizar. Es importante recordar que el contenido (la masa) del sistema no cambia antes, durante o después de que los objetos del sistema interactúen.

ESTRATEGIA DE RESOLUCIÓN DE PROBLEMAS

Conservación del momento

El uso de la conservación del momento requiere cuatro pasos básicos. El primer paso es crucial:

1. Identifique un sistema cerrado (la masa total es constante, ninguna fuerza externa neta actúa sobre el sistema).
2. Escriba una expresión que represente el momento total del sistema antes del "evento" (explosión o colisión).
3. Escriba una expresión que represente el momento total del sistema después del "evento".
4. Establezca estas dos expresiones iguales entre sí, y resuelva esta ecuación para la cantidad deseada.

EJEMPLO 9.6

Carros que colisionan

Dos carros en un laboratorio de física ruedan sobre una pista plana, con una fricción insignificante. Estos carros tienen pequeños imanes en sus extremos, de modo que cuando colisionan, se pegan (Figura 9.16). El primer carro tiene una masa de 675 gramos y rueda a 0,75 m/s hacia la derecha; el segundo tiene una masa de 500 gramos y rueda a 1,33 m/s, también hacia la derecha. Tras la colisión, ¿cuál es la velocidad de los dos carros unidos?

FIGURA 9.16 Dos carros de laboratorio colisionan y se pegan tras la colisión.

Estrategia

Tenemos una colisión. Nos dan masas y velocidades iniciales; nos piden la velocidad final. Todo esto sugiere utilizar la conservación del momento como método de solución. Sin embargo, solo podemos utilizarla si tenemos un sistema cerrado. Por lo tanto, tenemos que asegurarnos de que el sistema que elegimos no tenga ninguna fuerza externa neta sobre este, y de que la colisión no modifique su masa.

Definir el sistema como los dos carros cumple los requisitos de un sistema cerrado: la masa combinada de los dos carros ciertamente no cambia, y aunque los carros definitivamente ejercen fuerzas el uno sobre el otro, esas fuerzas son internas al sistema, por lo que no cambian el momento del sistema como un todo. En la dirección vertical, los pesos de los carros se cancelan por las fuerzas normales sobre los carros procedentes de la pista.

Solución

La conservación del momento es

$$\vec{\mathbf{p}}_\mathbf{f} = \vec{\mathbf{p}}_\mathbf{i}.$$

Defina la dirección de sus vectores de velocidad inicial como la dirección de la $x+$. El momento inicial es entonces

$$\vec{\mathbf{p}}_\mathbf{i} = m_1 v_1 \hat{\mathbf{i}} + m_2 v_2 \hat{\mathbf{i}}.$$

El momento final de los carros ahora enlazados es

$$\vec{\mathbf{p}}_\mathbf{f} = (m_1 + m_2)\vec{\mathbf{v}}_\mathbf{f}.$$

Igualando:

$$\begin{aligned}(m_1 + m_2)\vec{\mathbf{v}}_\mathbf{f} &= m_1 v_1 \hat{\mathbf{i}} + m_2 v_2 \hat{\mathbf{i}} \\ \vec{\mathbf{v}}_\mathbf{f} &= \left(\frac{m_1 v_1 + m_2 v_2}{m_1 + m_2}\right)\hat{\mathbf{i}}.\end{aligned}$$

Al sustituir los números dados:

$$\begin{aligned}\vec{\mathbf{v}}_\mathbf{f} &= \left[\frac{(0{,}675\ \text{kg})(0{,}75\ \text{m/s}) + (0{,}5\ \text{kg})(1{,}33\ \text{m/s})}{1{,}175\ \text{kg}}\right]\hat{\mathbf{i}} \\ &= (0{,}997\ \text{m/s})\,\hat{\mathbf{i}}.\end{aligned}$$

Importancia

Los principios que se aplican aquí a dos carros de laboratorio se aplican de forma idéntica a todos los objetos de cualquier tipo o tamaño. Incluso para los fotones, los conceptos de momento y conservación del momento siguen siendo de crucial importancia incluso a esa escala. (Como no tienen masa, el momento de un fotón se define de forma muy diferente al momento de los objetos ordinarios. Lo aprenderá cuando estudie física cuántica).

COMPRUEBE LO APRENDIDO 9.3

Supongamos que el segundo carro, más pequeño, se ha movido inicialmente hacia la izquierda. ¿Cuál habría sido el signo de la velocidad final en este caso?

EJEMPLO 9.7

Una superpelota que rebota

Una superpelota de masa 0,25 kg se deja caer desde el reposo desde una altura de $h = 1{,}50$ m sobre el suelo. Rebota sin pérdida de energía y vuelve a su altura inicial (Figura 9.17).

a. ¿Cuál es el cambio de momento de la superpelota durante su rebote en el suelo?

b. ¿Cuál fue el cambio de momento de la Tierra debido a la colisión de la pelota con el suelo?
c. ¿Cuál fue el cambio de velocidad de la Tierra como resultado de esta colisión?

(Este ejemplo demuestra que hay que tener cuidado con la definición del sistema).

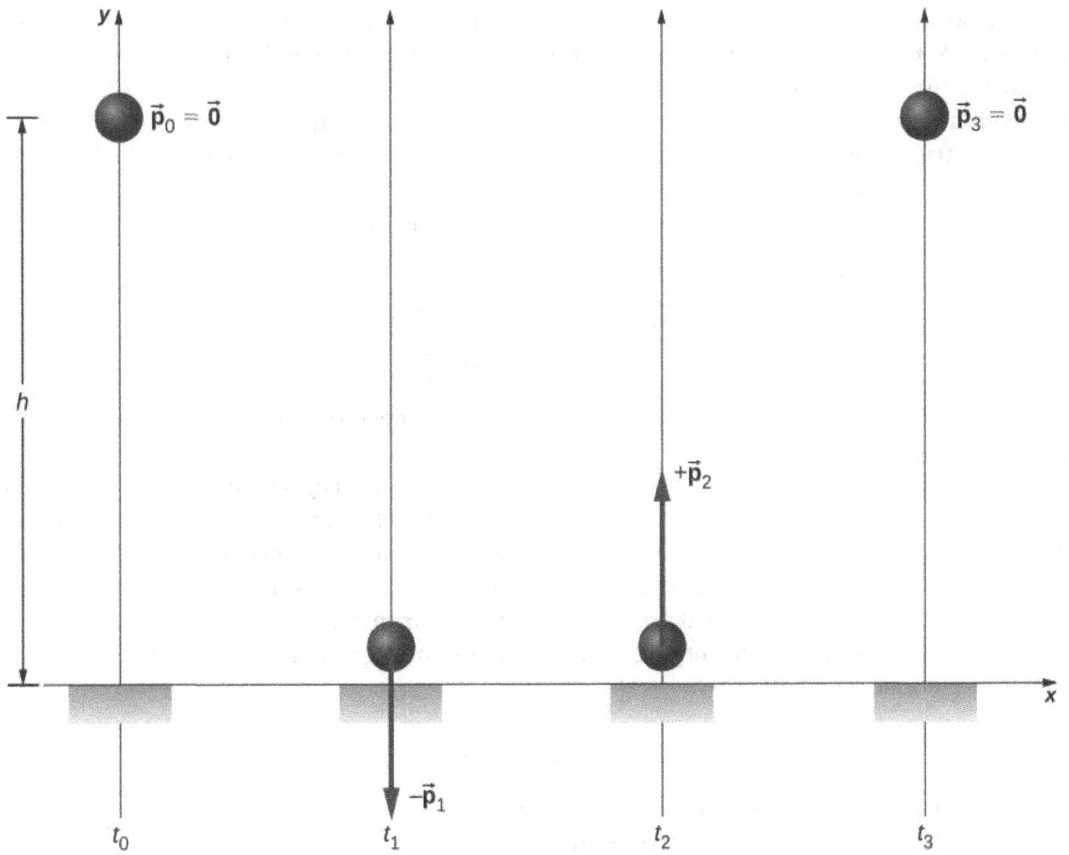

FIGURA 9.17 Se deja caer una superpelota al suelo (t_0), golpea el suelo (t_1), rebota (t_2), y vuelve a su altura inicial (t_3).

Estrategia

Dado que solo se nos pregunta por el cambio de momento de la pelota, definimos nuestro sistema como la pelota. No obstante, está claro que no se trata de un sistema cerrado; la gravedad aplica una fuerza hacia abajo sobre la pelota mientras cae, y la fuerza normal del suelo aplica una fuerza durante el rebote. Por lo tanto, no podemos utilizar la conservación del momento como estrategia. En su lugar, simplemente determinamos el momento de la pelota justo antes de que choque con el suelo y justo después, y calculamos la diferencia. Tenemos la masa de la pelota, así que necesitamos sus velocidades.

Solución

a. Como se trata de un problema unidimensional, utilizamos la forma escalar de las ecuaciones. Supongamos:
   - p_0 = la magnitud del momento de la pelota en el tiempo t_0, en el momento en que se soltó; como se soltó desde el reposo, este es cero.
   - p_1 = la magnitud del momento de la pelota en el tiempo t_1, el instante justo antes de que toque el suelo.
   - p_2 = la magnitud del momento de la pelota en el tiempo t_2, justo después de perder el contacto con el suelo tras el rebote.

El cambio de momento de la pelota es

$$\begin{aligned}\Delta\vec{\mathbf{p}} &= \vec{\mathbf{p}}_2 - \vec{\mathbf{p}}_1 \\ &= p_2\hat{\mathbf{j}} - \left(-p_1\hat{\mathbf{j}}\right) \\ &= (p_2 + p_1)\,\hat{\mathbf{j}}.\end{aligned}$$

Su velocidad justo antes de caer al suelo se determina a partir de la conservación de la energía o de la cinemática. Aquí utilizamos la cinemática; debería volver a resolverlo al utilizar la conservación de la energía y confirmar que obtiene el mismo resultado.

Queremos la velocidad justo antes de que toque el suelo (en el momento t_1). Conocemos su velocidad inicial $v_0 = 0$ (en el tiempo t_0), la altura a la que cae y su aceleración; no conocemos el tiempo de caída. Podríamos calcularlo, pero en su lugar utilizamos

$$\vec{\mathbf{v}}_1 = -\hat{\mathbf{j}}\sqrt{2gy} = -5{,}4\ \text{m/s}\hat{\mathbf{j}}.$$

Así, la pelota tiene un momento de

$$\begin{aligned}\vec{\mathbf{p}}_1 &= -(0{,}25\ \text{kg})\left(-5{,}4\ \text{m/s}\hat{\mathbf{j}}\right) \\ &= -(1{,}4\ \text{kg}\cdot\text{m/s})\,\hat{\mathbf{j}}.\end{aligned}$$

No tenemos una manera fácil de calcular el momento después del rebote. En cambio, razonamos a partir de la simetría de la situación.

Antes del rebote, la pelota comienza con velocidad cero y cae 1,50 m bajo la influencia de la gravedad, hasta alcanzar cierta cantidad de momento justo antes de tocar el suelo. En el viaje de vuelta (después del rebote), comienza con cierta cantidad de momento, sube los mismos 1,50 m que cayó y termina con velocidad cero. Por lo tanto, el movimiento después del rebote era la imagen espejo del movimiento antes del rebote. A partir de esta simetría, debe ser cierto que el momento de la pelota después del rebote debe ser igual y opuesto a su momento antes del rebote. (Este es un argumento sutil, pero crucial; asegúrese de entenderlo antes de continuar).

Por lo tanto,

$$\vec{\mathbf{p}}_2 = -\vec{\mathbf{p}}_1 = +(1{,}4\ \text{kg}\cdot\text{m/s})\,\hat{\mathbf{j}}.$$

Así, el cambio de momento de la pelota durante el rebote es

$$\begin{aligned}\Delta\vec{\mathbf{p}} &= \vec{\mathbf{p}}_2 - \vec{\mathbf{p}}_1 \\ &= (1{,}4\ \text{kg}\cdot\text{m/s})\,\hat{\mathbf{j}} - (-1{,}4\ \text{kg}\cdot\text{m/s})\,\hat{\mathbf{j}} \\ &= +(2{,}8\ \text{kg}\cdot\text{m/s})\,\hat{\mathbf{j}}.\end{aligned}$$

b. ¿Cuál fue el cambio de momento de la Tierra debido a la colisión de la pelota con el suelo?
Su respuesta instintiva puede haber sido "cero; la Tierra es demasiado masiva para que esa pequeña pelota la haya afectado" o, posiblemente, "más que cero, pero totalmente despreciable". Pero no, si redefinimos nuestro sistema para que sea la superpelota + la Tierra, entonces este sistema es cerrado (despreciando la tracción gravitacional del Sol, de la Luna y de los demás planetas del sistema solar), y por ende, el cambio total de momento de este nuevo sistema deberá ser cero. Por consiguiente, el cambio de momento de la Tierra es exactamente de la misma magnitud:

$$\Delta\vec{\mathbf{p}}_{\text{Tierra}} = -2{,}8\ \text{kg}\cdot\text{m/s}\hat{\mathbf{j}}.$$

c. ¿Cuál fue el cambio de velocidad de la Tierra como resultado de esta colisión?
Aquí es donde su instinto quizá sea correcto:

$$\begin{aligned}\Delta\vec{\mathbf{v}}_{\text{Tierra}} &= \frac{\Delta\vec{\mathbf{p}}_{\text{Tierra}}}{M_{\text{Tierra}}} \\ &= -\frac{2{,}8\ \text{kg}\cdot\text{m/s}}{5.97\times10^{24}\ \text{kg}}\hat{\mathbf{j}} \\ &= -\left(4{,}7\times10^{-25}\ \text{m/s}\right)\hat{\mathbf{j}}.\end{aligned}$$

Este cambio de la velocidad de la Tierra *es* totalmente despreciable.

Importancia

Es importante darse cuenta de que la respuesta a la parte (c) no es una velocidad; es un cambio de velocidad, lo que es muy diferente. Sin embargo, para que se haga una idea de lo pequeño que es ese cambio de velocidad, suponga que se mueve a una velocidad de $4{,}7 \times 10^{-25}$ m/s. A esta velocidad, tardaría unos 7 millones de años en recorrer una distancia equivalente al diámetro de un átomo de hidrógeno.

COMPRUEBE LO APRENDIDO 9.4

¿El cambio de momento de la pelota habría sido mayor, menor o igual si hubiera colisionado con el suelo y se hubiera detenido (sin rebotar)?

¿El cambio de momento de la pelota habría sido mayor, menor o igual si hubiera colisionado con el suelo y se hubiera detenido (sin rebotar)?

EJEMPLO 9.8

Hockey sobre hielo 1

Dos discos de hockey de idéntica masa se encuentran en una pista de hockey sobre hielo plana y horizontal. El disco rojo está inmóvil; el disco azul se mueve a 2,5 m/s hacia la izquierda (Figura 9.18). Colisiona con el disco rojo inmóvil. Los discos tienen una masa de 15 g. Tras la colisión, el disco rojo se mueve a 2,5 m/s, hacia la izquierda. ¿Cuál es la velocidad final del disco azul?

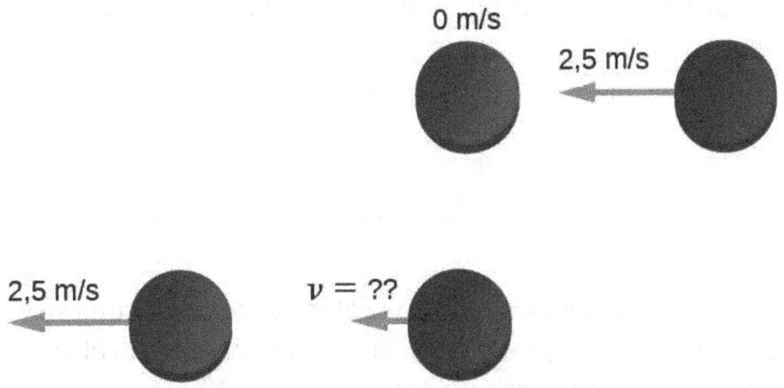

FIGURA 9.18 Dos discos de hockey idénticos colisionando. El diagrama superior muestra los discos en el instante anterior a la colisión, mientras que el diagrama inferior muestra los discos en el instante posterior a la colisión. La fuerza externa neta es cero.

Estrategia

Nos indican que tenemos dos objetos que colisionan, nos proporcionan las masas y las velocidades iniciales, y una velocidad final; nos piden las dos velocidades finales. La conservación del momento parece una buena estrategia. Definamos el sistema como los dos discos; no hay fricción, por lo que tenemos un sistema cerrado.

Antes de ver la solución, ¿cuál cree que será la respuesta?

La velocidad final del disco azul será:

- cero
- 2,5 m/s hacia la izquierda
- 2,5 m/s hacia la derecha
- 1,25 m/s hacia la izquierda
- 1,25 m/s hacia la derecha
- otra cosa

Solución

Defina la dirección de la $x+$ para que apunte hacia la derecha. Entonces, la conservación del momento se lee

$$\vec{\mathbf{p}}_{\mathrm{f}} = \vec{\mathbf{p}}_{\mathrm{i}}$$
$$mv_{\mathrm{r_f}}\hat{\mathbf{i}} + mv_{\mathrm{b_f}}\hat{\mathbf{i}} = mv_{\mathrm{r_i}}\hat{\mathbf{i}} - mv_{\mathrm{b_i}}\hat{\mathbf{i}}.$$

Antes de la colisión, el momento del sistema está única y exclusivamente en el disco azul. Así,

$$mv_{\mathrm{r_f}}\hat{\mathbf{i}} + mv_{\mathrm{b_f}}\hat{\mathbf{i}} = \text{-}mv_{\mathrm{b_i}}\hat{\mathbf{i}}$$
$$v_{\mathrm{r_f}}\hat{\mathbf{i}} + v_{\mathrm{b_f}}\hat{\mathbf{i}} = \text{-}v_{\mathrm{b_i}}\hat{\mathbf{i}}.$$

(Recuerde que las masas de los discos son iguales). Sustituyendo los números:

$$-(2{,}5\ \mathrm{m/s})\hat{\mathbf{i}} + \vec{\mathbf{v}}_{\mathrm{b_f}} = \text{-}(2{,}5\ \mathrm{m/s})\hat{\mathbf{i}}$$
$$\vec{\mathbf{v}}_{\mathrm{b_f}} = 0.$$

Importancia

Evidentemente, los dos discos simplemente intercambiaron su momento. El disco azul transfirió todo su momento al disco rojo. De hecho, esto es lo que ocurre en una colisión semejante, en la que $m_1 = m_2$.

COMPRUEBE LO APRENDIDO 9.5

Incluso si hubiera algo de fricción en el hielo, todavía es posible utilizar la conservación del momento para resolver este problema, aunque tendría que imponer una condición adicional en el problema. ¿Cuál es esa condición adicional?

EJEMPLO 9.9

Aterrizaje de *Philae*

El 12 de noviembre de 2014, la Agencia Espacial Europea aterrizó con éxito una sonda llamada *Philae* en el cometa 67P / Churyumov / Gerasimenko (Figura 9.19). Sin embargo, durante el aterrizaje, la sonda en realidad hizo contacto con el suelo tres veces, porque rebotó dos veces. Calculemos cuánto ha cambiado la velocidad del cometa como resultado del primer rebote.

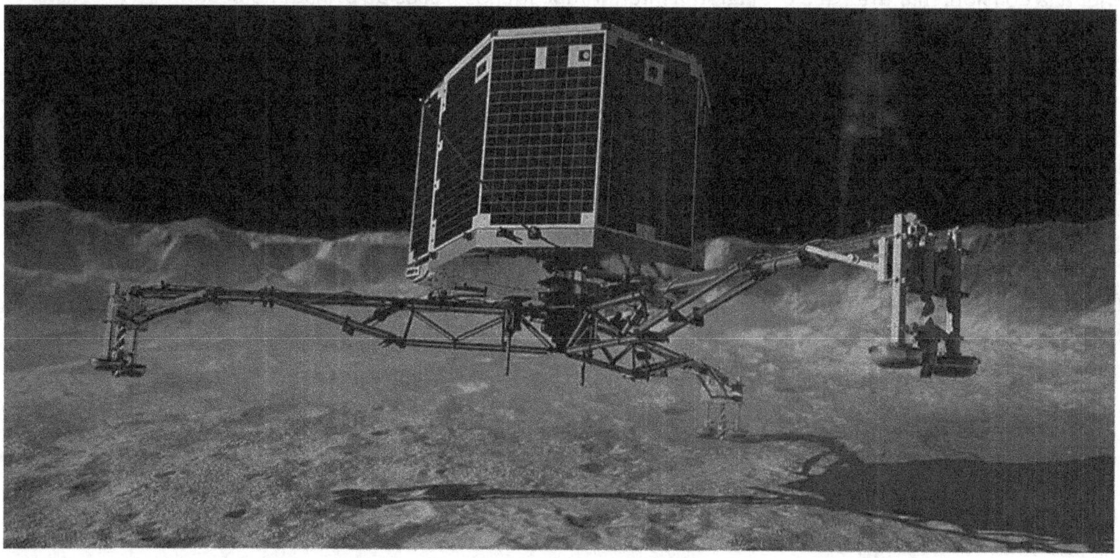

FIGURA 9.19 Representación artística del aterrizaje de *Philae* en un cometa (créditos: modificación del trabajo del "DLR German Aerospace Center"/Flickr).

Definamos hacia arriba como la dirección de la $+y$, perpendicular a la superficie del cometa, y $y = 0$ como la superficie del cometa. Esto es lo que sabemos:

- La masa del cometa 67P: $M_c = 1{,}0 \times 10^{13}$ kg
- La aceleración debida a la gravedad del cometa: $\vec{\mathbf{a}} = -\left(5{,}0 \times 10^{-3}\ \text{m/s}^2\right)\hat{\mathbf{j}}$
- La masa de *Philae*: $M_p = 96\ \text{kg}$
- Rapidez de aterrizaje inicial: $\vec{\mathbf{v}}_1 = -(1{,}0\ \text{m/s})\,\hat{\mathbf{j}}$
- Rapidez inicial hacia arriba debido al primer rebote: $\vec{\mathbf{v}}_2 = (0{,}38\ \text{m/s})\,\hat{\mathbf{j}}$
- Tiempo de impacto del aterrizaje: $\Delta t = 1{,}3\ \text{s}$

Estrategia

Nos preguntan cuánto ha cambiado la rapidez del cometa, pero no sabemos mucho al respecto, más allá de su masa y la aceleración que provoca su gravedad. Sin embargo, *se* nos indica que el módulo de aterrizaje *Philae* colisiona con (aterriza en) el cometa y rebota. Una colisión sugiere el momento como estrategia para resolver este problema.

Si definimos un sistema formado por *Philae* y el cometa 67/P, entonces no hay ninguna fuerza externa neta sobre este sistema, y por ende, el momento de este sistema se conserva. (Ignoraremos la fuerza gravitacional del sol). Así, si calculamos el cambio de momento del módulo de aterrizaje, tenemos automáticamente el cambio de momento del cometa. Además, el cambio de velocidad del cometa guarda relación directa con su cambio de momento como resultado de la "colisión" del módulo de aterrizaje con este.

Solución

Supongamos que $\vec{\mathbf{p}}_1$ sea el momento de *Philae* en el momento justo antes del aterrizaje, y $\vec{\mathbf{p}}_2$ sea su momento justo después del primer rebote. Entonces su momento justo antes de aterrizar fue

$$\vec{\mathbf{p}}_1 = M_p\vec{\mathbf{v}}_1 = (96\ \text{kg})\left(-1{,}0\ \text{m/s}\hat{\mathbf{j}}\right) = -(96\ \text{kg}\cdot\text{m/s})\,\hat{\mathbf{j}}$$

y justo después fue

$$\vec{\mathbf{p}}_2 = M_p\vec{\mathbf{v}}_2 = (96\ \text{kg})\left(+0{,}38\ \text{m/s}\hat{\mathbf{j}}\right) = (36{,}5\ \text{kg}\cdot\text{m/s})\,\hat{\mathbf{j}}.$$

Por consiguiente, el cambio de momento del módulo de aterrizaje durante el primer rebote es

$$\begin{aligned}\Delta\vec{\mathbf{p}} &= \vec{\mathbf{p}}_2 - \vec{\mathbf{p}}_1\\ &= (36{,}5\ \text{kg}\cdot\text{m/s})\,\hat{\mathbf{j}} - \left(-96{,}0\ \text{kg}\cdot\text{m/s}\hat{\mathbf{j}}\right) = (133\ \text{kg}\cdot\text{m/s})\,\hat{\mathbf{j}}\end{aligned}$$

Observe la importancia de incluir el signo negativo del momento inicial.

Ahora para el cometa. Dado que el momento del sistema deberá conservarse, el momento del *cometa* cambió exactamente en el negativo de este:

$$\Delta\vec{\mathbf{p}}_\mathbf{c} = -\Delta\vec{\mathbf{p}} = -(133\ \text{kg}\cdot\text{m/s})\,\hat{\mathbf{j}}.$$

Por consiguiente, su cambio de velocidad es

$$\Delta\vec{\mathbf{v}}_\mathbf{c} = \frac{\Delta\vec{\mathbf{p}}_\mathbf{c}}{M_c} = \frac{-(133\ \text{kg}\cdot\text{m/s})\,\hat{\mathbf{j}}}{1{,}0 \times 10^{13}\ \text{kg}} = -\left(1{,}33 \times 10^{-11}\ \text{m/s}\right)\hat{\mathbf{j}}.$$

Importancia

Se trata de un cambio de velocidad muy pequeño, de una milésima de mil millonésima de metro por segundo. Sin embargo, lo más importante es que *no* es cero.

COMPRUEBE LO APRENDIDO 9.6

Los cambios de momento de *Philae* y del cometa 67/P fueron iguales (en magnitud). ¿Fueron iguales los impulsos experimentados por *Philae* y el cometa? ¿Y las fuerzas? ¿Y los cambios de energías cinéticas?

9.4 Tipos de colisiones

OBJETIVOS DE APRENDIZAJE

Al final de esta sección, podrá:

- Identificar el tipo de colisión.
- Calificar correctamente una colisión como elástica o inelástica.
- Utilizar la energía cinética junto con el momento y el impulso para analizar una colisión.

Aunque el momento se conserva en todas las interacciones, no todas las interacciones (colisiones o explosiones) son iguales. Entre las posibilidades se encuentran:

- Un solo objeto puede estallar en varios objetos (explosiones).
- Varios objetos pueden colisionar y pegarse, para formar un solo objeto (inelástico).
- Varios objetos pueden colisionar y rebotar entre sí, para quedar como varios objetos (elásticos). Si rebotan el uno contra el otro, pueden retroceder a la misma rapidez con la que se acercaban antes de la colisión, o pueden alejarse más lentamente.

Por lo tanto, es útil categorizar los diferentes tipos de interacciones, según el movimiento de los objetos que interactúan antes y después de la interacción.

Explosiones

La primera posibilidad es que un solo objeto se rompa en dos o más pedazos. Un ejemplo de ello es un petardo, o un arco y una flecha, o un cohete que se eleva en el aire hacia el espacio. Estos pueden ser difíciles de analizar si el número de fragmentos después de la colisión es superior a tres o cuatro; sin embargo, el momento total del sistema antes y después de la explosión es idéntico.

Observe que, si el objeto está inicialmente inmóvil, entonces el sistema (que es solo el objeto) no tiene momento ni energía cinética. Después de la explosión, el momento neto de todas las piezas del objeto debe sumar cero (ya que el momento de este sistema cerrado no puede cambiar). Sin embargo, el sistema *tendrá* una gran cantidad de energía cinética después de la explosión, aunque no tenía ninguna antes. Así, vemos que, aunque el momento del sistema se conserva en una explosión, la energía cinética del sistema definitivamente no lo hace: aumenta. Esta interacción, un objeto que se convierte en muchos, con un aumento de la energía cinética del sistema, se denomina **explosión**.

¿De dónde proviene la energía? ¿Sigue siendo válida la conservación de la energía? Sí; alguna forma de energía potencial se convierte en energía cinética. En el caso de la pólvora que arde y empuja una bala, la energía potencial química se convierte en energía cinética de la bala, y del arma que recula. En el caso de un arco y una flecha, es la energía potencial elástica en la cuerda del arco.

Inelástica

La segunda posibilidad es la inversa: que dos o más objetos colisionen entre sí y se peguen, para formar (tras la colisión) un único objeto compuesto. La masa total de este objeto compuesto es la suma de las masas de los objetos originales, y el nuevo objeto único se desplaza a una velocidad dictada por la conservación del momento. Sin embargo, resulta de nuevo que, aunque el momento total del sistema de objetos permanezca constante, la energía cinética no lo hace; esta vez, sin embargo, la energía cinética disminuye. Este tipo de colisión se denomina **inelástica**.

Cualquier colisión en la que los objetos se peguen entre sí dará lugar a la máxima pérdida de energía cinética (es decir, K_f será un mínimo).

Una colisión de este tipo se denomina **perfectamente inelástica**. En el caso extremo, varios objetos colisionan, se pegan y permanecen inmóviles después de la colisión. Dado que los objetos están todos inmóviles después de la colisión, la energía cinética final también es cero; por lo tanto, la pérdida de energía cinética es máxima.

- Si $0 < K_f < K_i$, la colisión es inelástica.
- Si K_f es la energía más baja, o la energía que pierden ambos objetos es la mayor, la colisión es perfectamente inelástica (los objetos se pegan).

- Si $K_f = K_i$, la colisión es elástica.

Elástica

El caso extremo del otro lado es si dos o más objetos se acercan, colisionan y rebotan entre sí, y luego se alejan el uno del otro a la misma rapidez relativa a la que se acercaron. En este caso, la energía cinética total del sistema se conserva. Dicha interacción se denomina **elástica**.

En cualquier interacción de un sistema cerrado de objetos, el momento total del sistema se conserva ($\vec{\mathbf{p}}_f = \vec{\mathbf{p}}_i$) pero la energía cinética puede que no:

- Si $0 < K_f < K_i$, la colisión es inelástica.
- Si $K_f = 0$, la colisión es perfectamente inelástica.
- Si $K_f = K_i$, la colisión es elástica.
- Si $K_f > K_i$, la interacción es una explosión.

La cuestión de todo esto es que, al analizar una colisión o una explosión, se puede utilizar tanto el momento como la energía cinética.

ESTRATEGIA DE RESOLUCIÓN DE PROBLEMAS

Colisiones

Un sistema cerrado siempre conserva el momento; también podría conservar la energía cinética, pero muy a menudo no lo hace. Los problemas de energía-momento confinados a un plano (como el nuestro) suelen tener dos incógnitas. En general, este enfoque funciona bien:

1. Defina un sistema cerrado.
2. Escriba la expresión de la conservación del momento.
3. Si la energía cinética se conserva, escriba la expresión de la conservación de la energía cinética; si no, escriba la expresión del cambio de energía cinética.
4. Ahora tiene dos ecuaciones en dos incógnitas, que resuelve por métodos estándar.

EJEMPLO 9.10

Formación de un deuterón

Un protón (masa $1{,}67 \times 10^{-27}$ kg) colisiona con un neutrón (con esencialmente la misma masa que el protón) para formar una partícula que recibe el nombre de *deuterón*. ¿Cuál es la velocidad del deuterón si se forma a partir de un protón que se mueve con velocidad $7{,}0 \times 10^6$ m/s hacia la izquierda y un neutrón que se mueve a velocidad $4{,}0 \times 10^6$ m/s hacia la derecha?

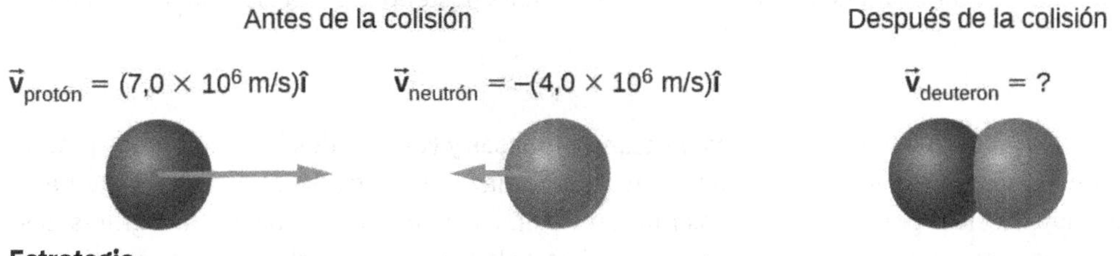

Estrategia

Defina el sistema como las dos partículas. Se trata de una colisión, por lo que primero debemos identificar de qué tipo es. Ya que se nos dice que las dos partículas forman una sola tras la colisión, esto significa que la colisión es perfectamente inelástica. Así, la energía cinética no se conserva, pero el momento sí. Por lo tanto, utilizamos la conservación del momento para determinar la velocidad final del sistema.

Solución

Trate las dos partículas como si tuvieran masas idénticas M. Utilice los subíndices p, n y d para protón, neutrón y deuterón, respectivamente. Este es un problema unidimensional, por lo que tenemos

$$Mv_p - Mv_n = 2Mv_d.$$

Las masas se dividen:

$$\begin{aligned} v_p - v_n &= 2v_d \\ 7{,}0 \times 10^6 \text{ m/s} - 4{,}0 \times 10^6 \text{ m/s} &= 2v_d \\ v_d &= 1{,}5 \times 10^6 \text{ m/s}. \end{aligned}$$

Así, la velocidad es $\vec{\mathbf{v}}_d = \left(1{,}5 \times 10^6 \text{ m/s}\right) \hat{\mathbf{i}}$.

Importancia

Así es como funcionan esencialmente los colisionadores de partículas como el Gran Colisionador de Hadrones: Aceleran las partículas hasta una rapidez muy elevada (grandes momentos), pero en direcciones opuestas. Esto maximiza la creación de las llamadas "partículas hijas".

EJEMPLO 9.11

Hockey sobre hielo 2

(Esta es la variación de un ejemplo anterior).

Dos discos de hockey sobre hielo de diferentes masas se encuentran en una pista de hockey plana y horizontal. El disco rojo tiene una masa de 15 gramos y está inmóvil; el disco azul tiene una masa de 12 gramos y se mueve a 2,5 m/s hacia la izquierda. Colisiona con el disco rojo inmóvil (Figura 9.20). Si la colisión es perfectamente elástica, ¿cuáles son las velocidades finales de los dos discos?

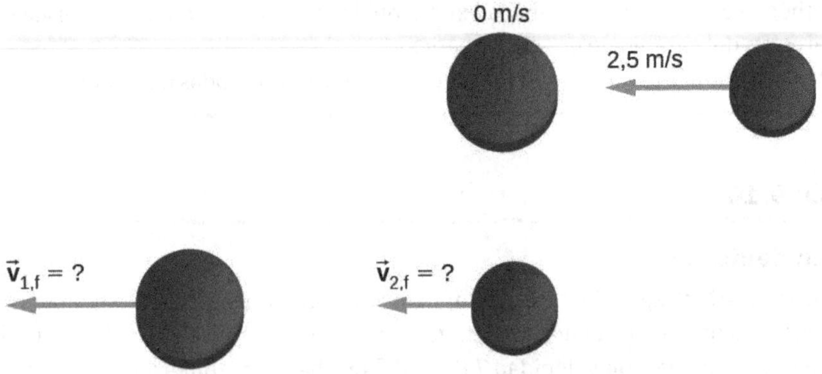

FIGURA 9.20 Dos discos de hockey diferentes colisionando. El diagrama superior muestra los discos en el instante anterior a la colisión, y el diagrama inferior muestra los discos en el instante posterior a la colisión. La fuerza externa neta es cero.

Estrategia

Nos dicen que tenemos dos objetos que colisionan, nos indican sus masas y velocidades iniciales, y nos piden ambas velocidades finales. La conservación del momento parece ser una buena estrategia; defina el sistema como los dos discos. No hay fricción, por lo que tenemos ningún sistema cerrado. Tenemos dos incógnitas (las dos velocidades finales), pero solo una ecuación. El comentario de que la colisión es perfectamente elástica es la pista sugiere que la energía cinética también se conserva en esta colisión. Eso nos da nuestra segunda ecuación.

El momento inicial y la energía cinética inicial del sistema residen enteramente y solo en el segundo disco (el azul); la colisión transfiere parte de este momento y energía al primer disco.

Solución

La conservación del momento, en este caso, se lee

$$\begin{aligned} p_i &= p_f \\ m_2 v_{2,i} &= m_1 v_{1,f} + m_2 v_{2,f}. \end{aligned}$$

La conservación de la energía cinética se lee

$$\begin{aligned} K_i &= K_f \\ \tfrac{1}{2} m_2 v_{2,i}^2 &= \tfrac{1}{2} m_1 v_{1,f}^2 + \tfrac{1}{2} m_2 v_{2,f}^2. \end{aligned}$$

Ahí están nuestras dos ecuaciones en dos incógnitas. El álgebra es tediosa, pero no es terriblemente difícil; sin duda hay que trabajar en ella. La solución es

$$\begin{aligned} v_{1,f} &= \frac{(m_1 - m_2)v_{1,i} + 2m_2 v_{2,i}}{m_1 + m_2} \\ v_{2f} &= \frac{(m_2 - m_1)v_{2,i} + 2m_1 v_{1,i}}{m_1 + m_2}. \end{aligned}$$

Al sustituir los números dados, obtenemos

$$\begin{aligned} v_{1,f} &= 2{,}22\ \tfrac{\text{m}}{\text{s}} \\ v_{2,f} &= -0{,}28\ \tfrac{\text{m}}{\text{s}}. \end{aligned}$$

Importancia

Observe que, después de la colisión, el disco azul se mueve hacia la derecha; su dirección de movimiento se ha invertido. El disco rojo se mueve ahora hacia la izquierda.

COMPRUEBE LO APRENDIDO 9.7

Hay una segunda solución al sistema de ecuaciones resuelto en este ejemplo (porque la ecuación de la energía es cuadrática): $v_{1,f} = -2{,}5$ m/s, $v_{2,f} = 0$. Esta solución es inaceptable desde el punto de vista físico; ¿qué tiene de malo?

EJEMPLO 9.12

Thor contra Iron Man

La película de 2012 *Los Vengadores* tiene una escena en la que Iron Man y Thor luchan. Al principio de la pelea, Thor lanza su martillo a Iron Man; lo golpea y lo lanza ligeramente al aire y contra un pequeño árbol, que se rompe. En el video, Iron Man está parado cuando el martillo lo golpea. La distancia entre Thor y Iron Man es de aproximadamente 10 m, y el martillo tarda aproximadamente 1 s en llegar a Iron Man después de que Thor lo suelta. El árbol está a unos 2 m detrás de Iron Man, que golpea en unos 0,75 s. Además, según el, la trayectoria de Iron Man hacia el árbol es muy cercana a la horizontal. Asumiendo que la masa total de Iron Man es de 200 kg:

a. Calcule la masa del martillo de Thor
b. Calcule cuánta energía cinética se perdió en esta colisión.

Estrategia

Tras la colisión, el martillo de Thor está en contacto con Iron Man todo el tiempo, por lo que se trata de una colisión perfectamente inelástica. Así, con la elección correcta del sistema cerrado, esperamos que el momento se conserve, pero no la energía cinética. Utilizamos los números dados para estimar el momento inicial, la energía cinética inicial y la energía cinética final. Ya que se trata de un problema unidimensional, podemos pasar directamente a la forma escalar de las ecuaciones.

Solución

a. En primer lugar, planteamos la conservación del momento. Para ello, necesitamos un sistema cerrado. La elección aquí es el sistema (martillo + Iron Man), desde el momento de la colisión hasta el momento justo antes de que Iron Man y el martillo golpeen el árbol. Supongamos:
   - M_{H} = masa del martillo
   - M_{I} = masa de Iron Man
   - v_{H} = velocidad del martillo antes de golpear a Iron Man
   - v = velocidad combinada de Iron Man + martillo después de la colisión

   De nuevo, la velocidad inicial de Iron Man era cero. La conservación del momento aquí se lee:

$$M_{\text{H}} v_{\text{H}} = (M_{\text{H}} + M_{\text{I}})\,v.$$

   Se nos pide que calculemos la masa del martillo, por lo que tenemos

$$\begin{aligned} M_{\text{H}} v_{\text{H}} &= M_{\text{H}} v + M_{\text{I}} v \\ M_{\text{H}}(v_{\text{H}} - v) &= M_{\text{I}} v \\ M_{\text{H}} &= \frac{M_{\text{I}} v}{v_{\text{H}} - v} \\ &= \frac{(200\,\text{kg})\left(\frac{2\,\text{m}}{0{,}75\,\text{s}}\right)}{10\,\frac{\text{m}}{\text{s}} - \left(\frac{2\,\text{m}}{0{,}75\,\text{s}}\right)} \\ &= 73\,\text{kg}. \end{aligned}$$

   Teniendo en cuenta las incertidumbres de nuestras estimaciones, esto debería expresarse con una sola cifra significativa; por lo tanto, $M_{\text{H}} = 7 \times 10^1$ kg.

b. La energía cinética inicial del sistema, al igual que el momento inicial, está toda en el martillo:

$$\begin{aligned} K_{\text{i}} &= \tfrac{1}{2} M_{\text{H}} v_{\text{H}}^2 \\ &= \tfrac{1}{2}(70\,\text{kg})\,(10\,\text{m/s})^2 \\ &= 3.500\,\text{J}. \end{aligned}$$

   Después de la colisión,

$$\begin{aligned} K_{\text{f}} &= \tfrac{1}{2}(M_{\text{H}} + M_{\text{I}})\,v^2 \\ &= \tfrac{1}{2}(70\,\text{kg} + 200\,\text{kg})\,(2{,}67\,\text{m/s})^2 \\ &= 960\,\text{J}. \end{aligned}$$

   Así, hubo una pérdida de 3.500 J – 960 J = 2.540 J.

Importancia

Por otras escenas de la película, Thor aparentemente puede controlar la velocidad del martillo con su mente. Es posible, por lo tanto, que mentalmente haga que el martillo mantenga su velocidad inicial de 10 m/s mientras Iron Man es conducido hacia atrás, hacia el árbol. De ser así, esto representaría una fuerza externa en nuestro sistema, por lo que no estaría cerrado. Sin embargo, el control mental de Thor sobre su martillo está fuera del alcance de este libro.

EJEMPLO 9.13

Analizar un accidente de tráfico

En un semáforo, un camión grande (3.000 kg) choca con un auto pequeño (1.200 kg) inmóvil. El camión se detiene instantáneamente; el auto se desliza en línea recta y se detiene tras deslizarse 10 metros. El coeficiente de fricción, medido entre los neumáticos del auto y la carretera, era de 0,62. ¿Qué tan rápido se movía el camión al momento del impacto?

Estrategia

Al principio pareciera que no tenemos suficiente información para resolver este problema. Aunque conocemos la rapidez inicial del auto, no conocemos la rapidez del camión (de hecho, eso es lo que se nos pide que calculemos), por lo que no conocemos el momento inicial del sistema. Del mismo modo, conocemos la rapidez final del camión, pero no la del auto inmediatamente después del impacto. El hecho de que el auto acabara deslizándose hasta una rapidez de cero no ayuda con el momento final, ya que una fuerza de fricción externa lo provocó. Tampoco podemos calcular el impulso, ya que no conocemos el tiempo de colisión, como tampoco el tiempo que el auto se deslizó antes de detenerse. Una estrategia útil es imponer una restricción al análisis.

Supongamos que definimos un sistema formado solo por el camión y el auto. El momento de este sistema no se conserva, debido a la fricción entre el auto y la carretera. Sin embargo, si *pudiéramos* determinar la rapidez del auto en el instante posterior al impacto, antes de que la fricción tuviera algún efecto medible en el auto, entonces podríamos considerar que el momento del sistema se conserva, con esa restricción.

¿Podemos hallar la rapidez final del auto? Sí; invocamos el teorema de trabajo-energía cinética.

Solución

Primero, defina algunas variables. Supongamos que:

- M_c y M_T sean las masas del auto y del camión, respectivamente
- $v_{T,i}$ y$v_{T,f}$ sean las velocidades del camión antes y después de la colisión, respectivamente
- $v_{c,i}$ y$v_{c,f}$ Z sean las velocidades del auto antes y después de la colisión, respectivamente
- K_i y K_f sean las energías cinéticas del auto inmediatamente después de la colisión, y después de que el auto haya dejado de deslizarse (así que $K_f = 0$).
- *d* sea la distancia que el auto se desliza después de la colisión antes de detenerse.

Ya que en realidad queremos la rapidez inicial del camión, y dado que el camión no forma parte del cálculo de trabajo-energía, empecemos con la conservación del momento. Para el sistema auto + camión, la conservación del momento se lee

$$\begin{aligned} p_i &= p_f \\ M_c v_{c,i} + M_T v_{T,i} &= M_c v_{c,f} + M_T v_{T,f}. \end{aligned}$$

Ya que la velocidad inicial del auto era cero, al igual que la velocidad final del camión, esto se simplifica a

$$v_{T,i} = \frac{M_c}{M_T} v_{c,f}.$$

Así que ahora necesitamos la rapidez del auto inmediatamente después del impacto. Recordemos que

$$W = \Delta K$$

donde

$$\begin{aligned} \Delta K &= K_f - K_i \\ &= 0 - \tfrac{1}{2} M_c v_{c,f}^2. \end{aligned}$$

También,

$$W = \vec{\mathbf{F}} \cdot \vec{\mathbf{d}} = Fd\cos\theta.$$

El trabajo se realiza a lo largo de la distancia que el auto se desliza, que hemos llamado *d*. Igualando:

$$Fd\cos\theta = -\frac{1}{2} M_c v_{c,f}^2.$$

La fricción es la fuerza sobre el auto que realiza el trabajo para detener el deslizamiento. Con una carretera nivelada, la fuerza de fricción es

$$F = \mu_k M_c g.$$

Dado que el ángulo entre las direcciones del vector de fuerza de fricción y el desplazamiento d es $180°$, y $\cos(180°) = -1$, tenemos

$$-(\mu_k M_c g)\, d = -\frac{1}{2} M_c v_{c,f}^2$$

(Observe que la masa del auto se divide; evidentemente, la masa del auto no importa).

Si se resuelve la rapidez del auto inmediatamente después de la colisión, se obtiene

$$v_{c,f} = \sqrt{2\mu_k g d}.$$

Al sustituir los números dados:

$$\begin{aligned} v_{c,f} &= \sqrt{2(0{,}62)\left(9{,}81\ \frac{m}{s^2}\right)(10\ m)}. \\ &= 11{,}0\ m/s. \end{aligned}$$

Ahora podemos calcular la rapidez inicial del camión:

$$v_{T,i} = \left(\frac{1.200\ kg}{3.000\ kg}\right)\left(11{,}0\ \frac{m}{s}\right) = 4{,}4\ m/s.$$

Importancia

Este es un ejemplo del tipo de análisis que realizan los investigadores de los grandes accidentes de tráfico. Del análisis y el cálculo precisos del momento y de la energía dependen muchas consecuencias jurídicas y financieras.

COMPRUEBE LO APRENDIDO 9.8

Supongamos que no hubo fricción (la colisión se produjo sobre el hielo); eso haría que μ_k sea cero, y por lo tanto $v_{c,f} = \sqrt{2\mu_k g d} = 0$, lo cual es obviamente erróneo. ¿Cuál es el error en esta conclusión?

Colisiones subatómicas y momento

La conservación del momento es crucial para nuestra comprensión de las partículas atómicas y subatómicas porque gran parte de lo que sabemos sobre estas partículas procede de experimentos de colisión.

A principios del siglo XX, la estructura del átomo suscitó un gran interés y debate. Se sabía que los átomos contienen dos tipos de partículas con carga eléctrica: electrones con carga negativa y protones con carga positiva. (Se sospechaba la existencia de una partícula eléctricamente neutra, pero esto no se confirmaría sino hasta 1932). La pregunta era, ¿cómo estaban dispuestas estas partículas en el átomo? ¿Estaban distribuidas uniformemente por el volumen del átomo (como propuso J.J. Thomson), o dispuestas en las esquinas de polígonos regulares (que era el modelo de Gilbert Lewis), o anillos de carga negativa que rodean el núcleo cargado positivamente, más bien como los anillos planetarios que rodean Saturno (como sugirió Hantaro Nagaoka), o algo más?

El físico neozelandés Ernest Rutherford, junto con el físico alemán Hans Geiger y el físico británico Ernest Marsden, realizaron el crucial experimento en 1909. Bombardearon una fina lámina de oro con un haz de partículas alfa de alta energía (es decir, de alta rapidez) (el núcleo de un átomo de helio). Las partículas alfa colisionaron con los átomos de oro y sus velocidades posteriores se detectaron y analizaron, mediante el empleo de la conservación del momento y la conservación de la energía.

Si las cargas de los átomos de oro estuvieran distribuidas uniformemente (según Thomson), entonces las partículas alfa deberían colisionar con ellas y casi todas serían desviadas a través de muchos ángulos, todos pequeños; el modelo de Nagaoka arrojaría un resultado similar. Si los átomos estuvieran dispuestos como polígonos regulares (Lewis), las partículas alfa se desviarían en un número relativamente pequeño de ángulos.

Lo que *realmente* ocurrió es que casi *ninguna* de las partículas alfa fue desviada. Las que lo fueron, se desviaron en grandes ángulos, algunos cerca de $180°$, esas partículas alfa invirtieron completamente su dirección (Figura 9.21). Ninguno de los modelos atómicos existentes podría explicar esto. Con el tiempo, Rutherford desarrolló un modelo del átomo que se acercaba mucho más a lo que tenemos ahora, de nuevo, utilizando la conservación del momento y la energía como punto de partida.

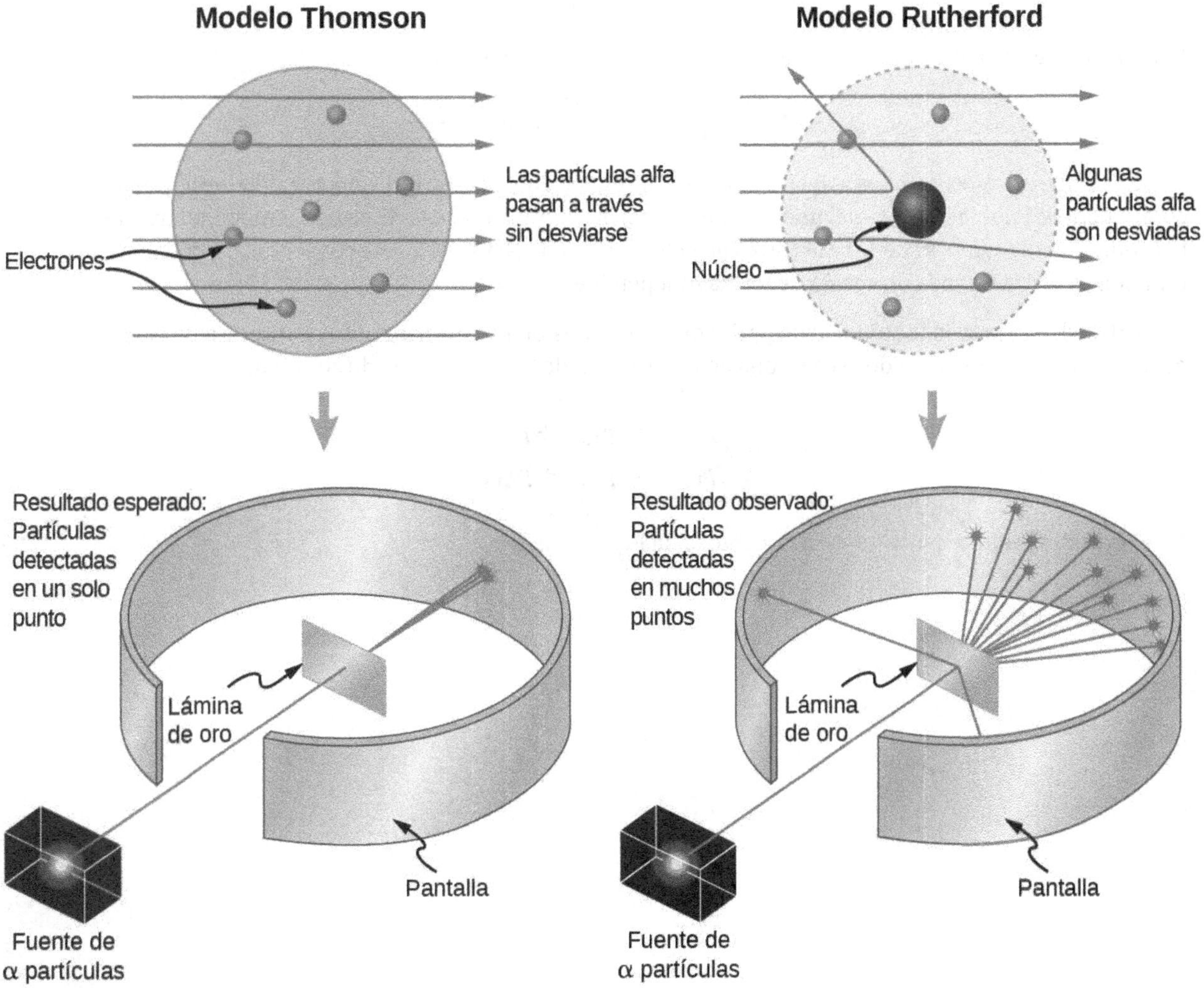

FIGURA 9.21 Los modelos de Thomson y Rutherford del átomo. El modelo de Thomson predijo que casi todas las partículas alfa incidentes se dispersarían y en ángulos pequeños. Rutherford y Geiger descubrieron que casi ninguna de las partículas alfa se dispersaba, aunque las pocas que se desviaban lo hacían con ángulos muy grandes. Los resultados de los experimentos de Rutherford no concuerdan con el modelo de Thomson. Rutherford utilizó la conservación del momento y la energía para desarrollar un nuevo y mejor modelo del átomo: el modelo nuclear.

9.5 Colisiones en varias dimensiones

OBJETIVOS DE APRENDIZAJE

Al final de esta sección, podrá:

- Expresar el momento como un vector bidimensional.
- Escribir las ecuaciones de conservación del momento en forma de componentes.
- Calcular el momento en dos dimensiones, como una cantidad vectorial.

Es mucho más común que las colisiones se produzcan en dos dimensiones; es decir, el ángulo entre los vectores de la velocidad inicial no es ni cero ni $180°$. Veamos qué complicaciones surgen de esto.

La primera idea que necesitamos es que el momento es un vector. Como todos los vectores, puede expresarse como una suma de componentes perpendiculares (normalmente, aunque no siempre, un componente *x* y un componente *y*, y, si es necesario, un componente *z*). Así, cuando escribimos el enunciado de la conservación del momento para un problema, nuestros vectores de momento pueden expresarse, y normalmente se expresarán, en forma de componentes.

La segunda idea que necesitamos proviene del hecho de que el momento está relacionado con la fuerza:

$$\vec{\mathbf{F}} = \frac{d\vec{\mathbf{p}}}{dt}.$$

Expresando tanto la fuerza como el momento en forma de componentes,

$$F_x = \frac{dp_x}{dt}, \quad F_y = \frac{dp_y}{dt}, \quad F_z = \frac{dp_z}{dt}.$$

Recuerde que estas ecuaciones son simplemente la segunda ley de Newton, en forma vectorial y en forma de componentes. Sabemos que la segunda ley de Newton se cumple en cada dirección, independientemente de las demás. Por lo tanto, se deduce (a través de la tercera ley de Newton) que la conservación del momento también es cierta en cada dirección de forma independiente.

Estas dos ideas motivan la solución de problemas bidimensionales. Escribimos la expresión de la conservación del momento dos veces: una en la dirección de la *x* y otra en la dirección de la *y*.

$$\begin{aligned} p_{f,x} &= p_{1,i,x} + p_{2,i,x} \\ p_{f,y} &= p_{1,i,y} + p_{2,i,y} \end{aligned} \qquad 9.18$$

Este procedimiento se muestra gráficamente en la Figura 9.22.

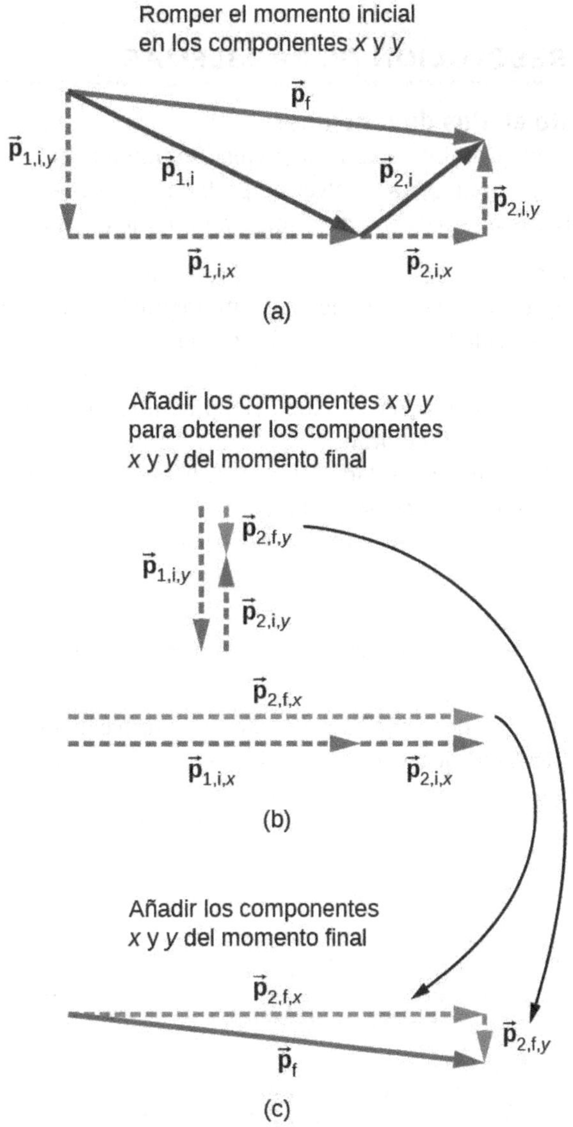
Romper el momento inicial en los componentes x y y
$\vec{p}_f$
$\vec{p}_{1,i,y}$
$\vec{p}_{1,i}$
$\vec{p}_{2,i}$
$\vec{p}_{2,i,y}$
$\vec{p}_{1,i,x}$
$\vec{p}_{2,i,x}$
(a)
Añadir los componentes x y y para obtener los componentes x y y del momento final
$\vec{p}_{2,f,y}$
$\vec{p}_{1,i,y}$
$\vec{p}_{2,i,y}$
$\vec{p}_{2,f,x}$
$\vec{p}_{1,i,x}$
$\vec{p}_{2,i,x}$
(b)
Añadir los componentes x y y del momento final
$\vec{p}_{2,f,x}$
$\vec{p}_{2,f,y}$
$\vec{p}_f$
(c)

FIGURA 9.22 (a) Para los problemas bidimensionales de momento, descomponga los vectores de momento inicial en sus componentes *x* y *y*. (b) Sume los componentes *x* y *y* por separado. De este modo se obtienen los componentes *x* y *y* del momento final, que se muestran como vectores rojos discontinuos. (c) Sumando estos componentes se obtiene el momento final.

Resolvemos cada una de estas dos ecuaciones componentes de forma independiente para obtener los componentes *x* y *y* del vector de velocidad deseado:

$$v_{f,x} = \frac{m_1 v_{1,i,x} + m_2 v_{2,i,x}}{m}$$
$$v_{f,y} = \frac{m_1 v_{1,i,y} + m_2 v_{2,i,y}}{m}.$$

(Aquí, m representa la masa total del sistema). Finalmente, combine estos componentes mediante el teorema de Pitágoras,

$$v_f = |\vec{v}_f| = \sqrt{v_{f,x}^2 + v_{f,y}^2}.$$

ESTRATEGIA DE RESOLUCIÓN DE PROBLEMAS

Conservación del momento en dos dimensiones

El método para resolver un problema bidimensional (o incluso tridimensional) de conservación del momento es generalmente el mismo que el método para resolver un problema unidimensional, excepto que hay que conservar el momento en ambas (o en las tres) dimensiones simultáneamente:

1. Identifique un sistema cerrado.
2. Escriba la ecuación que representa la conservación del momento en la dirección de la *x*, y resuélvala para la cantidad deseada. Si está calculando una cantidad vectorial (velocidad, normalmente), esto le dará el componente *x* del vector.
3. Escriba la ecuación que representa la conservación del momento en la dirección de la *y*, y resuelva. Esto le dará el componente *y* de su cantidad vectorial.
4. Suponiendo que está calculando una cantidad vectorial, utilice el teorema de Pitágoras para calcular su magnitud, utilizando los resultados de los pasos 3 y 4.

EJEMPLO 9.14

Colisión de tráfico

Un auto pequeño de 1.200 kg de masa que viaja hacia el este a 60 km/h colisiona en una intersección con un camión de 3.000 kg de masa que viaja hacia el norte a 40 km/h (Figura 9.23). Los dos vehículos se enganchan. ¿Cuál es la velocidad de los restos combinados del accidente?

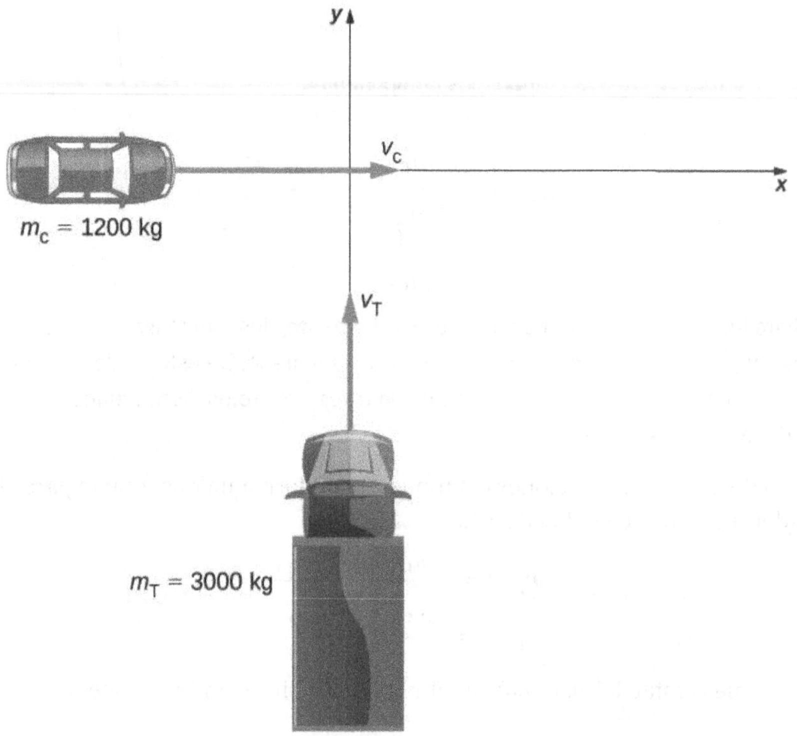

FIGURA 9.23 Un camión grande que circula hacia el norte está a punto de colisionar con un auto pequeño que circula hacia el este. El vector de momento final tiene componentes *x* y *y*.

Estrategia

En primer lugar, necesitamos un sistema cerrado. El sistema natural a elegir es el (auto + camión), pero este sistema no es cerrado; la fricción de la carretera actúa sobre ambos vehículos. Evitamos este problema al restringir la pregunta para calcular la velocidad en el instante justo después de la colisión, de modo que la fricción no haya tenido aún ningún efecto sobre el sistema. Con esta restricción, el momento se conserva para este sistema.

Dado que hay dos direcciones involucradas, hacemos la conservación del momento dos veces: una en la dirección de la *x* y otra en la dirección de la *y*.

Solución

Antes de la colisión el momento total es

$$\vec{\mathbf{p}} = m_c\vec{\mathbf{v}}_c + m_T\vec{\mathbf{v}}_T.$$

Después de la colisión, los restos del accidente tienen momento

$$\vec{\mathbf{p}} = (m_c + m_T)\vec{\mathbf{v}}_w.$$

En vista de que el sistema es cerrado, el momento debe conservarse, por lo que tenemos

$$m_c\vec{\mathbf{v}}_c + m_T\vec{\mathbf{v}}_T = (m_c + m_T)\vec{\mathbf{v}}_w.$$

Hay que tener cuidado; los dos momentos iniciales no son paralelos. Hay que sumar vectorialmente (Figura 9.24).

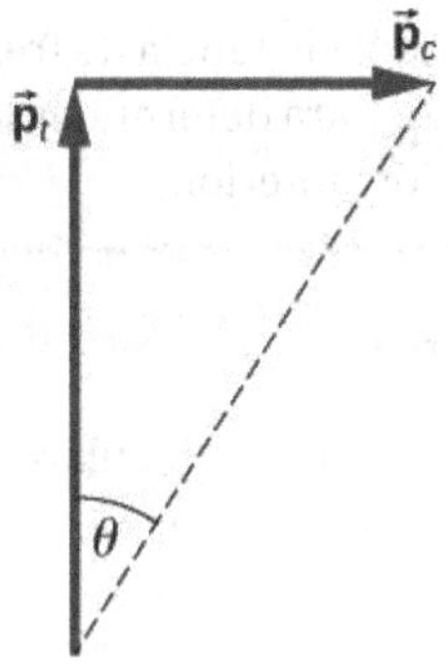

FIGURA 9.24 Suma gráfica de vectores de momento. Observe que, aunque la velocidad del auto es mayor que la del camión, su momento es menor.

Si definimos que la dirección de la *x*+ apunta hacia el este y la dirección de la +*y* apunta hacia el norte, como en la figura, entonces (convenientemente),

$$\begin{aligned}\vec{\mathbf{p}}_c &= p_c\hat{\mathbf{i}} = m_c v_c\hat{\mathbf{i}} \\ \vec{\mathbf{p}}_T &= p_T\hat{\mathbf{j}} = m_T v_T\hat{\mathbf{j}}.\end{aligned}$$

Por lo tanto, en la dirección de la *x*:

$$\begin{aligned}m_c v_c &= (m_c + m_T)\,v_{w,x} \\ v_{w,x} &= \left(\frac{m_c}{m_c+m_T}\right)v_c\end{aligned}$$

y en la dirección de la *y*:

$$\begin{aligned}m_T v_T &= (m_c + m_T)\,v_{w,y} \\ v_{w,y} &= \left(\frac{m_T}{m_c+m_T}\right)v_T.\end{aligned}$$

Aplicando el teorema de Pitágoras se obtiene

$$\begin{aligned}|\vec{\mathbf{v}}_w| &= \sqrt{\left[\left(\frac{m_c}{m_c+m_t}\right)v_c\right]^2 + \left[\left(\frac{m_t}{m_c+m_t}\right)v_t\right]^2} \\ &= \sqrt{\left[\left(\frac{1.200\text{ kg}}{4.200\text{ kg}}\right)\left(16{,}67\ \frac{\text{m}}{\text{s}}\right)\right]^2 + \left[\left(\frac{3.000\text{ kg}}{4.200\text{ kg}}\right)\left(11{,}1\ \frac{\text{m}}{\text{s}}\right)\right]^2} \\ &= \sqrt{\left(4{,}76\ \frac{\text{m}}{\text{s}}\right)^2 + \left(7{,}93\ \frac{\text{m}}{\text{s}}\right)^2} \\ &= 9{,}25\ \frac{\text{m}}{\text{s}} \approx 33{,}3\ \frac{\text{km}}{\text{h}}.\end{aligned}$$

En cuanto a su dirección, al utilizar el ángulo que se muestra en la figura,

$$\theta = \tan^{-1}\left(\frac{v_{\text{w},x}}{v_{\text{w},y}}\right) = \tan^{-1}\left(\frac{7{,}93\text{ m/s}}{4{,}76\text{ m/s}}\right) = 59°.$$

Este ángulo está al este del norte, o 31° en el sentido contrario de las agujas del reloj desde la dirección de la x +.

Importancia

En la práctica, los investigadores de accidentes suelen trabajar en la "dirección opuesta": miden la distancia de las marcas de derrape en la carretera (lo que da la distancia de frenado) y utilizan el teorema de trabajo-energía junto con la conservación del momento para determinar la rapidez y dirección de los autos antes de la colisión. Hemos visto ese análisis en una sección anterior.

COMPRUEBE LO APRENDIDO 9.9

Supongamos que las velocidades iniciales *no* son perpendiculares entre sí. ¿Cómo cambiaría esto tanto el resultado físico como el análisis matemático de la colisión?

EJEMPLO 9.15

Explosión de tanque de buceo

Un tanque de buceo común es un cilindro de aluminio que pesa 31,7 libras vacío (Figura 9.25). Cuando está lleno de aire comprimido, la presión interna está entre 2.500 y 3.000 libras por pulgada cuadrada (pounds per square inch, psi). Supongamos que un tanque de este tipo, que ha estado inmóvil, estalla de repente en tres pedazos. El primer pedazo, que pesa 10 libras, sale disparado horizontalmente a 235 millas por hora; el segundo pedazo (7 libras) sale disparado a 172 millas por hora, también en el plano horizontal, pero a un ángulo de 19° con respecto al primer pedazo. ¿Cuál es la masa y la velocidad inicial del tercer pedazo? (Haga todo el trabajo y exprese su respuesta final en unidades del SI).

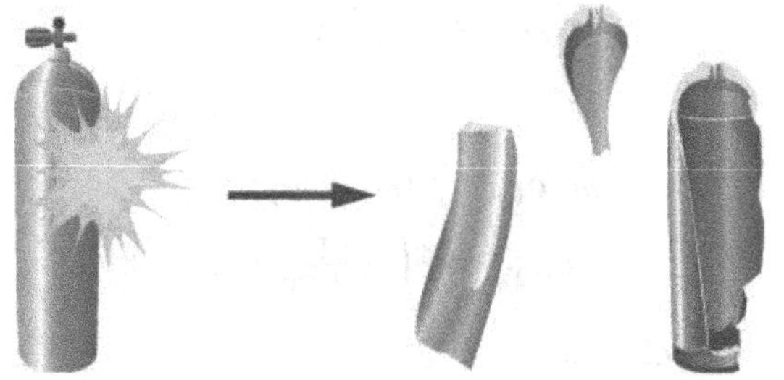

FIGURA 9.25 Un tanque de buceo estalla en tres pedazos.

Estrategia

Para utilizar la conservación del momento, necesitamos un sistema cerrado. Si definimos el sistema como el tanque de buceo, este no es un sistema cerrado, ya que la gravedad es una fuerza externa. Sin embargo, el problema pide solo la velocidad inicial del tercer pedazo, por lo que podemos descartar el efecto de la gravedad y considerar el tanque por sí mismo como un sistema cerrado. Observe que, para este sistema, el vector de momento inicial es cero.

Elegimos un sistema de coordenadas en el que todo el movimiento se produce en el plano *xy*. Luego, escribimos las ecuaciones de conservación del momento en cada dirección, para obtener los componentes *x* y *y* del momento del tercer pedazo, de los que obtenemos su magnitud (mediante el teorema de Pitágoras) y su dirección. Finalmente, al dividir este momento entre la masa del tercer pedazo, obtenemos la velocidad.

Solución

En primer lugar, salgamos de todas las conversiones a unidades del SI:

$$\begin{aligned}
&31{,}7\,\text{lb} \times \frac{1\ \text{kg}}{2{,}2\ \text{lb}} \rightarrow 14{,}4\,\text{kg} \\
&10\,\text{lb} \rightarrow 4{,}5\,\text{kg} \\
&235\ \frac{\text{millas}}{\text{hora}} \times \frac{1\ \text{hora}}{3.600\ \text{s}} \times \frac{1.609\ \text{m}}{\text{milla}} = 105\ \frac{\text{m}}{\text{s}} \\
&7\,\text{lb} \rightarrow 3{,}2\,\text{kg} \\
&172\ \frac{\text{milla}}{\text{hora}} = 77\ \frac{\text{m}}{\text{s}} \\
&m_3 = 14{,}4\,\text{kg} - (4{,}5\,\text{kg} + 3{,}2\,\text{kg}) = 6{,}7\,\text{kg}.
\end{aligned}$$

Ahora aplicamos la conservación del momento en cada dirección.

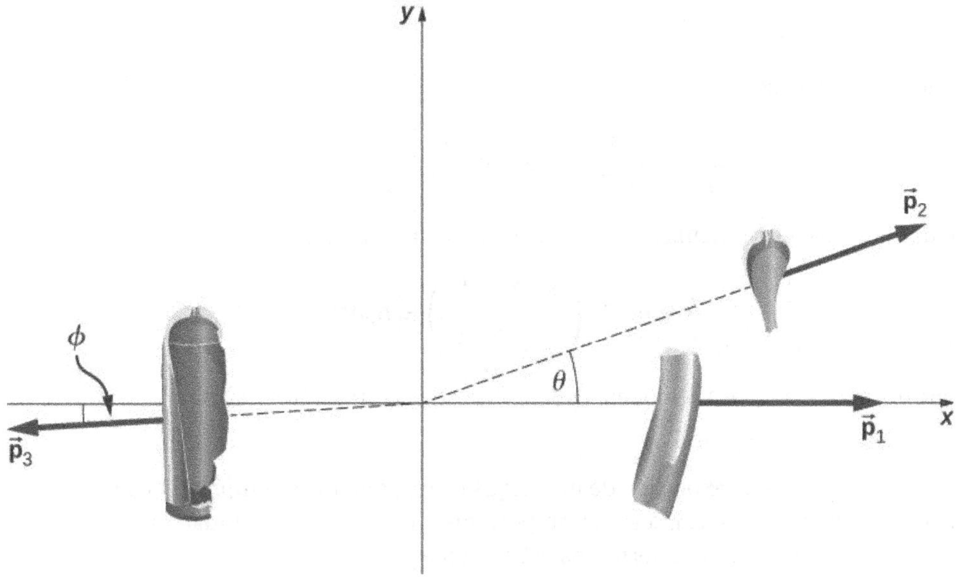

dirección de la *x*:

$$\begin{aligned}
p_{f,x} &= p_{0,x} \\
p_{1,x} + p_{2,x} + p_{3,x} &= 0 \\
m_1 v_{1,x} + m_2 v_{2,x} + p_{3,x} &= 0 \\
p_{3,x} &= -m_1 v_{1,x} - m_2 v_{2,x}
\end{aligned}$$

dirección de la *y*:

$$\begin{aligned} p_{f,y} &= p_{0,y} \\ p_{1,y} + p_{2,y} + p_{3,y} &= 0 \\ m_1 v_{1,y} + m_2 v_{2,y} + p_{3,y} &= 0 \\ p_{3,y} &= -m_1 v_{1,y} - m_2 v_{2,y} \end{aligned}$$

A partir de nuestro sistema elegido de coordenadas, escribimos los componentes x como

$$\begin{aligned} p_{3,x} &= -m_1 v_1 - m_2 v_2 \cos\theta \\ &= -(4{,}5\ \text{kg})\left(105\ \tfrac{\text{m}}{\text{s}}\right) - (3{,}2\ \text{kg})\left(77\ \tfrac{\text{m}}{\text{s}}\right)\cos(19°) \\ &= -705\,\frac{\text{kg·m}}{\text{s}}. \end{aligned}$$

Para la dirección de la y, tenemos

$$\begin{aligned} p_{3y} &= 0 - m_2 v_2 \operatorname{sen}\theta \\ &= -(3{,}2\ \text{kg})\left(77\ \tfrac{\text{m}}{\text{s}}\right)\operatorname{sen}(19°) \\ &= -80{,}2\ \frac{\text{kg·m}}{\text{s}}. \end{aligned}$$

Esto da la magnitud de p_3:

$$\begin{aligned} p_3 &= \sqrt{p_{3,x}^2 + p_{3,y}^2} \\ &= \sqrt{\left(-705\ \frac{\text{kg·m}}{\text{s}}\right)^2 + \left(-80{,}2\ \frac{\text{kg·m}}{\text{s}}\right)} \\ &= 710\ \frac{\text{kg·m}}{\text{s}}. \end{aligned}$$

Por lo tanto, la velocidad del tercer pedazo es

$$v_3 = \frac{p_3}{m_3} = \frac{710\ \frac{\text{kg·m}}{\text{s}}}{6{,}7\ \text{kg}} = 106\ \frac{\text{m}}{\text{s}}.$$

La dirección de su vector de velocidad es la misma que la de su vector de momento:

$$\phi = \tan^{-1}\left(\frac{p_{3,y}}{p_{3,x}}\right) = \tan^{-1}\left(\frac{80{,}2\ \frac{\text{kg·m}}{\text{s}}}{705\ \frac{\text{kg·m}}{\text{s}}}\right) = 6{,}49°.$$

Dado que ϕ está por debajo del eje de la $-x$, el ángulo real es 183,5° desde la dirección de la $x+$.

Importancia

Las enormes velocidades aquí son típicas; la explosión de un tanque de cualquier gas comprimido puede atravesar fácilmente la pared de una casa y causar lesiones importantes o la muerte. Afortunadamente, este tipo de explosiones son extremadamente raras, en términos porcentuales.

COMPRUEBE LO APRENDIDO 9.10

Observe que en el análisis y la solución se ha descartado la masa del aire en el tanque. ¿Cómo cambiaría el método de solución si se incluyera el aire? ¿Qué diferencia cree que habría en la respuesta final?

9.6 Centro de masa

OBJETIVOS DE APRENDIZAJE

Al final de esta sección, podrá:

- Explicar el significado y la utilidad del concepto de centro de masa.
- Calcular el centro de masa de un sistema dado.
- Aplicar el concepto de centro de masa en dos y tres dimensiones.
- Calcular la velocidad y la aceleración del centro de masa.

Hasta ahora hemos eludido un asunto importante: cuando decimos que un objeto se mueve (más correctamente, se acelera) de una manera que obedece a la segunda ley de Newton, hemos pasado por alto el hecho de que todos los objetos están hechos realmente de muchas partículas constituyentes. Un auto tiene un motor, un volante, asientos, pasajeros; un balón de fútbol es cuero y goma con aire adentro; un ladrillo está hecho de átomos. Hay muchos tipos diferentes de partículas y, por lo general, no están distribuidas uniformemente en el objeto. ¿Cómo incluimos estos hechos en nuestros cálculos?

Además, un objeto extendido puede cambiar de forma mientras se mueve, como un globo de agua o un gato que cae (Figura 9.26). Esto implica que las partículas constituyentes aplican fuerzas internas entre sí, además de la fuerza externa que actúa en el objeto como un todo. Queremos ser capaces de manejar esto también.

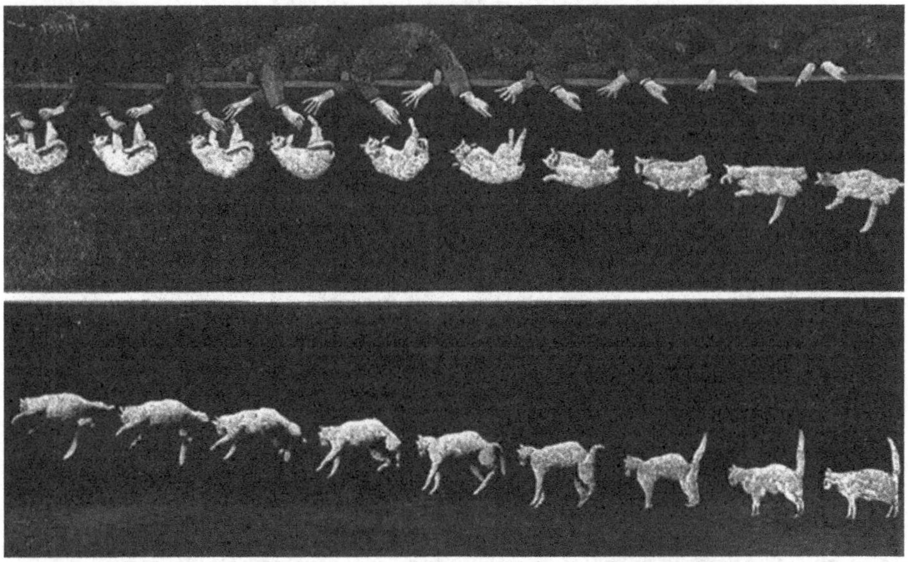

FIGURA 9.26 Mientras el gato cae, su cuerpo realiza complicados movimientos para poder caer de pie, pero un punto del sistema se mueve con la simple aceleración uniforme de la gravedad.

El problema que tenemos ante nosotros, por tanto, es determinar qué parte de un objeto extendido obedece a la segunda ley de Newton cuando se aplica una fuerza externa y determinar cómo el movimiento del objeto en su conjunto se ve afectado por las fuerzas internas y externas.

Está advertido: Para tratar correctamente esta nueva situación, debemos ser rigurosos y completamente generales. No haremos ninguna suposición sobre la naturaleza del objeto, ni de las partículas que lo componen, ni de las fuerzas internas o externas. Por lo tanto, los argumentos serán complejos.

Fuerzas internas y externas

Supongamos que tenemos un objeto extendido de masa M, formado por N partículas que interactúan. Vamos a marcar sus masas como m_j, donde $j = 1, 2, 3, \ldots, N$. Observe que

$$M = \sum_{j=1}^{N} m_j. \tag{9.19}$$

Si aplicamos alguna **fuerza externa** neta $\vec{\mathbf{F}}_{\text{ext}}$ sobre el objeto, cada partícula experimenta alguna "parte" o alguna fracción de esa fuerza externa. Supongamos que:

$$\vec{\mathbf{f}}_j^{\text{ext}} = \text{la fracción de la fuerza externa que determinada partícula } j \text{ experimenta.}$$

Observe que estas fracciones de la fuerza total no son necesariamente iguales; de hecho, prácticamente nunca lo son. (*Pueden* serlo, pero normalmente no lo son). Por lo tanto, en general,

$$\vec{\mathbf{f}}_1^{\text{ext}} \neq \vec{\mathbf{f}}_2^{\text{ext}} \neq \cdots \neq \vec{\mathbf{f}}_N^{\text{ext}}.$$

Luego, suponemos que cada una de las partículas que componen nuestro objeto puede interactuar (aplicar fuerzas sobre) todas las demás partículas del objeto. No trataremos de adivinar qué tipo de fuerzas son. Sin embargo, en vista de que estas fuerzas son el resultado de partículas del objeto que actúan sobre otras partículas del mismo objeto, nos referimos a ellas como **fuerzas internas** $\vec{\mathbf{f}}_j^{\text{int}}$; así:

$\vec{\mathbf{f}}_j^{\text{int}}$ = la fuerza interna neta que determinada partícula j experimenta de todas las demás partículas que componen el objeto.

Ahora, la fuerza *neta*, interna más externa, sobre la partícula j determinada es la suma vectorial de estas:

$$\vec{\mathbf{f}}_j = \vec{\mathbf{f}}_j^{\text{int}} + \vec{\mathbf{f}}_j^{\text{ext}}. \qquad 9.20$$

donde de nuevo, esto es para todas las N partículas; $j = 1, 2, 3, \ldots, N$.

Como resultado de esta fuerza fraccional, el momento de cada partícula cambia:

$$\begin{aligned} \vec{\mathbf{f}}_j &= \frac{d\vec{\mathbf{p}}_j}{dt} \\ \vec{\mathbf{f}}_j^{\text{int}} + \vec{\mathbf{f}}_j^{\text{ext}} &= \frac{d\vec{\mathbf{p}}_j}{dt}. \end{aligned} \qquad 9.21$$

La fuerza neta $\vec{\mathbf{F}}$ sobre el *objeto* es la suma vectorial de estas fuerzas:

$$\begin{aligned} \vec{\mathbf{F}}_{\text{neta}} &= \sum_{j=1}^{N} \left(\vec{\mathbf{f}}_{\mathbf{j}}^{\text{int}} + \vec{\mathbf{f}}_{\mathbf{j}}^{\text{ext}} \right) \\ &= \sum_{j=1}^{N} \vec{\mathbf{f}}_{\mathbf{j}}^{\text{int}} + \sum_{j=1}^{N} \vec{\mathbf{f}}_{\mathbf{j}}^{\text{ext}}. \end{aligned} \qquad 9.22$$

Esta fuerza neta cambia el momento del objeto como un todo, y el cambio neto del momento del objeto deberá ser la suma vectorial todos y cada uno de los cambios del momento de todas las partículas:

$$\vec{\mathbf{F}}_{\text{neta}} = \sum_{j=1}^{N} \frac{d\vec{\mathbf{p}}_j}{dt}. \qquad 9.23$$

Combinando la Ecuación 9.22 y la Ecuación 9.23 da

$$\sum_{j=1}^{N} \vec{\mathbf{f}}_j^{\text{int}} + \sum_{j=1}^{N} \vec{\mathbf{f}}_j^{\text{ext}} = \sum_{j=1}^{N} \frac{d\vec{\mathbf{p}}_j}{dt}. \qquad 9.24$$

Pensemos ahora en estas sumatorias. En primer lugar, considere el término de fuerzas internas; recuerde que cada $\vec{\mathbf{f}}_j^{\text{int}}$ es la fuerza que ejercen las demás partículas del objeto sobre la partícula j determinada. Sin embargo, según la tercera ley de Newton, por cada una de estas fuerzas deberá haber otra que tenga la misma magnitud, pero de signo contrario (que apunte en la dirección opuesta). Estas fuerzas no se cancelan; sin embargo, no es eso lo que estamos haciendo en la sumatoria. Más bien, simplemente estamos *sumando matemáticamente* todos los vectores de fuerza internos. Es decir, en general, las fuerzas internas para cualquier parte individual del objeto no se cancelarán, pero cuando se suman todas las fuerzas internas, estas deben cancelarse por pares. Se deduce, por lo tanto, que la suma de todas las fuerzas internas deberá ser cero:

$$\sum_{j=1}^{N} \vec{\mathbf{f}}_j^{\text{int}} = 0.$$

(Este argumento es sutil, pero crucial; tómese el tiempo suficiente para entenderlo completamente).

En relación con las fuerzas externas, esta suma es simplemente la fuerza externa total que se aplicó a todo el objeto:

$$\sum_{j=1}^{N} \vec{\mathbf{f}}_j^{\text{ext}} = \vec{\mathbf{F}}_{\text{ext}}.$$

Como resultado,

$$\vec{\mathbf{F}}_{\text{ext}} = \sum_{j=1}^{N} \frac{d\vec{\mathbf{p}}_j}{dt}. \qquad 9.25$$

Este es un resultado importante. La Ecuación 9.25 nos dice que el cambio total del momento de todo el objeto (todas las N partículas) se debe solo a las fuerzas externas; las fuerzas internas no cambian el momento del objeto en su conjunto. Por eso no puede levantarse a sí mismo por los aires al pararse en una cesta y halar las asas. Para el sistema de usted + cesta, su fuerza de tracción hacia arriba es una fuerza interna.

Fuerza y momento

Recuerde que nuestro objetivo real es determinar la ecuación de movimiento para todo el objeto (todo el sistema de partículas). Para ello, definamos:

$\vec{\mathbf{p}}_{\text{CM}}$ = el momento total del sistema de N partículas (la razón del subíndice quedará clara en breve)

Entonces tenemos

$$\vec{\mathbf{p}}_{\text{CM}} \equiv \sum_{j=1}^{N} \vec{\mathbf{p}}_j,$$

y, por lo tanto, la Ecuación 9.25 puede escribirse simplemente como

$$\vec{\mathbf{F}} = \frac{d\vec{\mathbf{p}}_{\text{CM}}}{dt}. \qquad 9.26$$

Dado que este cambio de momento lo causa únicamente la fuerza externa neta, hemos suprimido el subíndice "ext".

Esta es la segunda ley de Newton, pero ahora para todo el objeto extendido. Si esto le parece un poco anticlimático, recuerde lo que se esconde en su interior: $\vec{\mathbf{p}}_{\text{CM}}$ es la suma vectorial del momento de (en principio) cientos de miles de miles de millones de partículas ($6{,}02 \times 10^{23}$), todo ello causado por una simple fuerza externa neta, que se puede calcular.

Centro de masa

Nuestra siguiente tarea es determinar qué parte del objeto extendido, si es que hay alguna, obedece a la Ecuación 9.26.

Es tentador dar el siguiente paso; ¿significa algo la siguiente ecuación?

$$\vec{\mathbf{F}} = M\vec{\mathbf{a}} \qquad 9.27$$

Si *significa* algo (¿aceleración de qué, exactamente?), entonces podríamos escribir

$$M\vec{\mathbf{a}} = \frac{d\vec{\mathbf{p}}_{\text{CM}}}{dt}$$

y, por lo tanto,

$$M\vec{\mathbf{a}} = \sum_{j=1}^{N} \frac{d\vec{\mathbf{p}}_j}{dt} = \frac{d}{dt} \sum_{j=1}^{N} \vec{\mathbf{p}}_j.$$

lo que se deduce porque la derivada de una suma es igual a la suma de las derivadas.

Ahora, $\vec{\mathbf{p}}_j$ es el momento de la partícula *j* determinada. Definiendo las posiciones de las partículas constituyentes (en relación con algún sistema de coordenadas) como $\vec{\mathbf{r}}_{\mathbf{j}} = (x_j, y_j, z_j)$, así, tenemos

$$\vec{\mathbf{p}}_j = m_j \vec{\mathbf{v}}_j = m_j \frac{d\vec{\mathbf{r}}_j}{dt}.$$

Sustituyendo de nuevo, obtenemos

$$\begin{aligned} M\vec{\mathbf{a}} &= \frac{d}{dt} \sum_{j=1}^{N} m_j \frac{d\vec{\mathbf{r}}_j}{dt} \\ &= \frac{d^2}{dt^2} \sum_{j=1}^{N} m_j \vec{\mathbf{r}}_j. \end{aligned}$$

Dividiendo ambos lados por *M* (la masa total del objeto extendido) nos da

$$\vec{\mathbf{a}} = \frac{d^2}{dt^2} \left(\frac{1}{M} \sum_{j=1}^{N} m_j \vec{\mathbf{r}}_j \right). \qquad 9.28$$

Así, el punto del objeto que traza la trayectoria dictada por la fuerza aplicada en la Ecuación 9.27 está dentro del paréntesis en la Ecuación 9.28.

Si observamos este cálculo, veremos que (dentro del paréntesis) estamos calculando el producto de la masa de cada partícula por su posición, sumando todas las *N* y dividiendo esta suma entre la masa total de partículas que hemos sumado. Esto recuerda una media; si nos inspiramos en ella, la interpretaremos (vagamente) como la posición media ponderada de la masa del objeto extendido. En realidad, recibe el nombre de **centro de masa** del objeto. Observe que la posición del centro de masa tiene unidades de metros; eso apunta a una definición:

$$\vec{\mathbf{r}}_{\text{CM}} \equiv \frac{1}{M} \sum_{j=1}^{N} m_j \vec{\mathbf{r}}_j. \qquad 9.29$$

Así, el punto que obedece a la Ecuación 9.26 (y por tanto también a la Ecuación 9.27) es el centro de masa del objeto, que se encuentra en el vector de posición $\vec{\mathbf{r}}_{\text{CM}}$.

Quizás le sorprenda saber que no es necesario que haya una masa real en el centro de masa de un objeto. Por ejemplo, una esfera de acero hueca con un vacío en su interior es esféricamente simétrica (lo que significa que su masa se distribuye uniformemente alrededor del centro de la esfera); toda la masa de la esfera está fuera en su superficie, sin masa en su interior. No obstante, se puede demostrar que el centro de masa de la esfera está en su centro geométrico, lo que parece razonable. Así, no hay masa en la posición del centro de masa de la esfera. (Otro ejemplo es una dona). El procedimiento para encontrar el centro de masa se ilustra en la Figura 9.27.

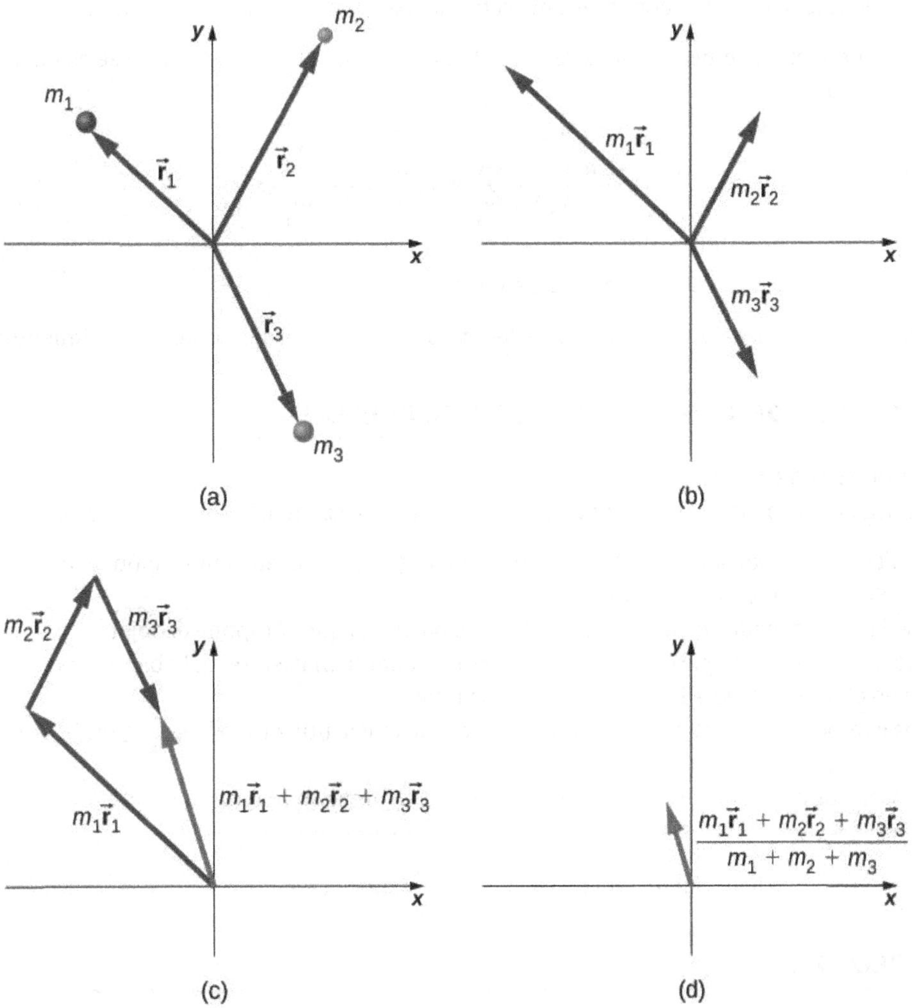

FIGURA 9.27 Hallar el centro de masa de un sistema de tres partículas diferentes. (a) Se crean vectores de posición para cada objeto. (b) Los vectores de posición se multiplican por la masa del objeto correspondiente. (c) Se suman los vectores escalados de la parte (b). (d) El vector final se divide entre la masa total. Este vector apunta al centro de masa del sistema. Observe que, en el centro de masa de este sistema, no hay ninguna masa.

Dado que $\vec{\mathbf{r}}_j = x_j\hat{\mathbf{i}} + y_j\hat{\mathbf{j}} + z_j\hat{\mathbf{k}}$, se deduce que:

$$r_{\text{CM},x} = \frac{1}{M}\sum_{j=1}^{N} m_j x_j \tag{9.30}$$

$$r_{\text{CM},y} = \frac{1}{M}\sum_{j=1}^{N} m_j y_j \tag{9.31}$$

$$r_{\text{CM},z} = \frac{1}{M}\sum_{j=1}^{N} m_j z_j \tag{9.32}$$

y, por lo tanto,

$$\vec{\mathbf{r}}_{\text{CM}} = r_{\text{CM},x}\hat{\mathbf{i}} + r_{\text{CM},y}\hat{\mathbf{j}} + r_{\text{CM},z}\hat{\mathbf{k}}$$
$$r_{\text{CM}} = \left|\vec{\mathbf{r}}_{\text{CM}}\right| = \left(r_{\text{CM},x}^2 + r_{\text{CM},y}^2 + r_{\text{CM},z}^2\right)^{1/2}.$$

Por lo tanto, puede calcular los componentes del vector del centro de masa individualmente.

Por último, para completar la cinemática, la velocidad instantánea del centro de masa se calcula exactamente como se pueda presumir:

$$\vec{\mathbf{v}}_{\mathrm{CM}} = \frac{d}{dt}\left(\frac{1}{M}\sum_{j=1}^{N} m_j \vec{\mathbf{r}}_j\right) = \frac{1}{M}\sum_{j=1}^{N} m_j \vec{\mathbf{v}}_j \qquad 9.33$$

y este, al igual que la posición, tiene componentes *x*, *y* y *z*.

Para calcular el centro de masa en situaciones reales, recomendamos el siguiente procedimiento:

ESTRATEGIA DE RESOLUCIÓN DE PROBLEMAS

Calcular del centro de masa

El centro de masa de un objeto es un vector de posición. Así, para calcularlo, siga estos pasos:

1. Defina su sistema de coordenadas. Normalmente, el origen se sitúa en la ubicación de una de las partículas. Sin embargo, esto no es necesario.
2. Determine las coordenadas de la *x*, la *y*, la *z* de cada partícula que compone el objeto.
3. Determine la masa de cada partícula y súmela para obtener la masa total del objeto. Observe que la masa del objeto en el origen *deberá* incluirse en la masa total.
4. Calcule los componentes *x*, *y*, y *z* del vector de centro de masa, utilizando la Ecuación 9.30, la Ecuación 9.31, y la Ecuación 9.32.
5. Si es necesario, utilice el teorema de Pitágoras para determinar su magnitud.

Aquí hay dos ejemplos que le darán una idea de lo que es el centro de masa.

EJEMPLO 9.16

Centro de masa del sistema Tierra-Luna

Utilizando los datos del anexo del texto, determine a qué distancia está el centro de masa del sistema Tierra-Luna del centro de la Tierra. Compare esta distancia con el radio de la Tierra y comenta el resultado. Ignore los demás objetos del sistema solar.

Estrategia

Obtenemos las masas y la distancia de separación de la Tierra y la Luna, imponemos un sistema de coordenadas y utilizamos la Ecuación 9.29 con solo $N = 2$ objetos. Utilizamos un subíndice "e" para referirnos a la Tierra, y un subíndice "m" para referirnos a la Luna.

Solución

Defina el origen del sistema de coordenadas como el centro de la Tierra. Luego, con solo dos objetos, la Ecuación 9.29 se convierte en

$$R = \frac{m_{\mathrm{e}} r_{\mathrm{e}} + m_{\mathrm{m}} r_{\mathrm{m}}}{m_{\mathrm{e}} + m_{\mathrm{m}}}.$$

A partir del Apéndice D,

$$m_{\mathrm{e}} = 5{,}97 \times 10^{24}\ \mathrm{kg}$$
$$m_{\mathrm{m}} = 7{,}36 \times 10^{22}\ \mathrm{kg}$$
$$r_{\mathrm{m}} = 3{,}82 \times 10^{8}\ \mathrm{m}.$$

Definimos el centro de la Tierra como el origen, por lo que $r_{\mathrm{e}} = 0$ m. Insertando esto en la ecuación de *R* se obtiene

$$R = \frac{\left(5{,}97 \times 10^{24}\ \text{kg}\right)(0\ \text{m})+\left(7{,}36 \times 10^{22}\ \text{kg}\right)\left(3{,}82 \times 10^{8}\ \text{m}\right)}{5{,}97 \times 10^{24}\ \text{kg}+7{,}36 \times 10^{22}\ \text{kg}}$$
$$= 4{,}64 \times 10^{6}\ \text{m}.$$

Importancia

El radio de la Tierra es $6{,}37 \times 10^{6}$ m, por lo que el centro de masa del sistema Tierra-Luna es (6,37 - 4,64) $\times 10^{6}\ \text{m} = 1{,}73 \times 10^{6}\ \text{m} = 1.730$ km (aproximadamente 1080 millas) *por debajo* de la superficie de la Tierra. Se muestra la ubicación del centro de masa (no a escala).

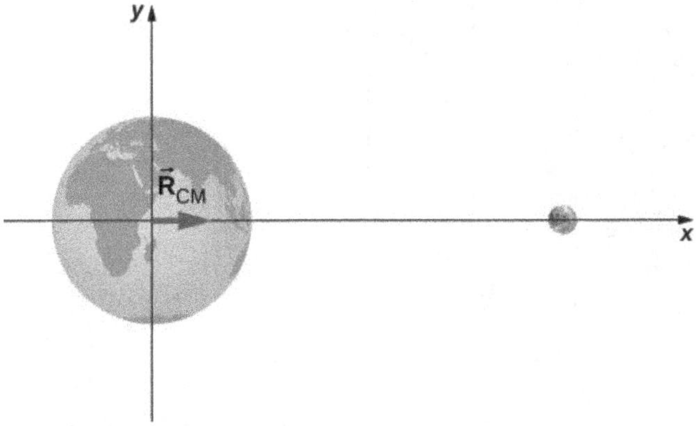

COMPRUEBE LO APRENDIDO 9.11

Supongamos que incluimos el sol en el sistema. ¿Dónde se situaría aproximadamente el centro de masa del sistema Tierra-Luna-Sol? (Siéntase libre de calcularlo realmente).

EJEMPLO 9.17

Centro de masa de un cristal de sal

La Figura 9.28 muestra un solo cristal de cloruro de sodio (sal de mesa común). Los iones sodio y cloruro forman una sola unidad, NaCl. Cuando varias unidades de NaCl se agrupan, forman una red cúbica. El cubo más pequeño posible (llamado *celda unitaria*) está formado por cuatro iones de sodio y cuatro de cloruro, alternados. La longitud de una arista de este cubo (es decir, la longitud de enlace) es $2{,}36 \times 10^{-10}$ m. Halle la ubicación del centro de masa de la celda unitaria. Especifíquelo por sus coordenadas $\left(r_{CM,x}, r_{CM,y}, r_{CM,z}\right)$, o por r_{CM} y dos ángulos.

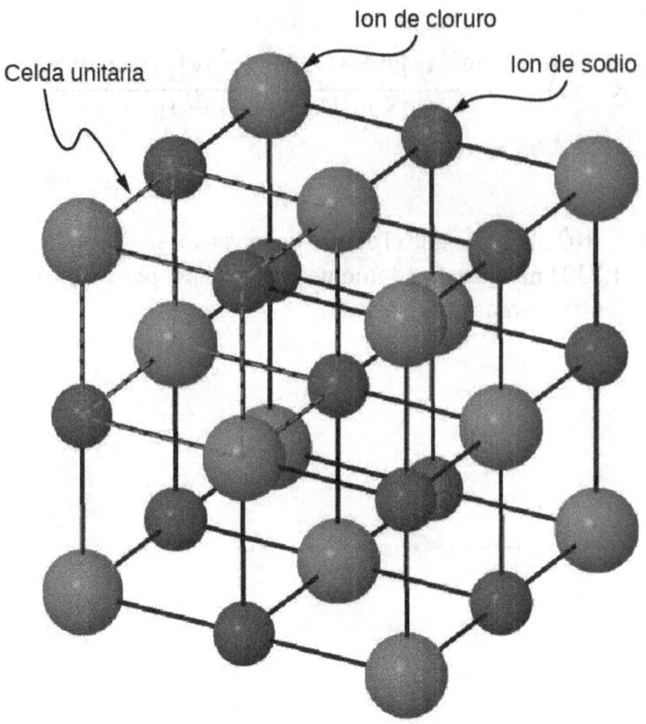

FIGURA 9.28 Dibujo de un cristal de cloruro de sodio (NaCl).

Estrategia

Podemos buscar todas las masas de iones. Si imponemos un sistema de coordenadas a la celda unitaria, esto nos dará las posiciones de los iones. Podemos entonces aplicar la Ecuación 9.30, la Ecuación 9.31 y la Ecuación 9.32 (junto con el teorema de Pitágoras).

Solución

Defina el origen en la ubicación del ion de cloruro en la parte inferior izquierda de la celda unitaria. La Figura 9.29 muestra el sistema de coordenadas.

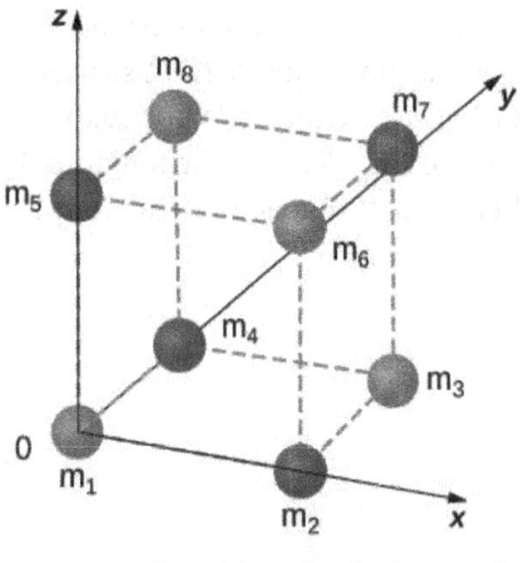

FIGURA 9.29 Una sola celda unitaria de un cristal de NaCl.

Hay ocho iones en este cristal, por lo que $N = 8$:

$$\vec{\mathbf{r}}_{\text{CM}} = \frac{1}{M} \sum_{j=1}^{8} m_j \vec{\mathbf{r}}_j.$$

La masa de cada uno de los iones de cloruro es

$$35{,}453\text{u} \times \frac{1{,}660 \times 10^{-27}\ \text{kg}}{\text{u}} = 5{,}885 \times 10^{-26}\ \text{kg}$$

por lo que tenemos

$$m_1 = m_3 = m_6 = m_8 = 5{,}885 \times 10^{-26}\ \text{kg}.$$

Para los iones de sodio,

$$m_2 = m_4 = m_5 = m_7 = 3{,}816 \times 10^{-26}\ \text{kg}.$$

Por lo tanto, la masa total de la celda unitaria es

$$M = (4)\left(5{,}885 \times 10^{-26}\ \text{kg}\right) + (4)\left(3{,}816 \times 10^{-26}\ \text{kg}\right) = 3{,}880 \times 10^{-25}\ \text{kg}.$$

A partir de la geometría, las ubicaciones son

$$\begin{aligned}
\vec{\mathbf{r}}_1 &= 0 \\
\vec{\mathbf{r}}_2 &= \left(2{,}36 \times 10^{-10}\ \text{m}\right)\hat{\mathbf{i}} \\
\vec{\mathbf{r}}_3 &= r_{3x}\hat{\mathbf{i}} + r_{3y}\hat{\mathbf{j}} = \left(2{,}36 \times 10^{-10}\ \text{m}\right)\hat{\mathbf{i}} + \left(2{,}36 \times 10^{-10}\ \text{m}\right)\hat{\mathbf{j}} \\
\vec{\mathbf{r}}_4 &= \left(2{,}36 \times 10^{-10}\ \text{m}\right)\hat{\mathbf{j}} \\
\vec{\mathbf{r}}_5 &= \left(2{,}36 \times 10^{-10}\ \text{m}\right)\vec{\mathbf{k}} \\
\vec{\mathbf{r}}_6 &= r_{6x}\hat{\mathbf{i}} + r_{6z}\hat{\mathbf{k}} = \left(2{,}36 \times 10^{-10}\ \text{m}\right)\hat{\mathbf{i}} + \left(2{,}36 \times 10^{-10}\ \text{m}\right)\hat{\mathbf{k}} \\
\vec{\mathbf{r}}_7 &= r_{7x}\hat{\mathbf{i}} + r_{7y}\hat{\mathbf{j}} + r_{7z}\hat{\mathbf{k}} = \left(2{,}36 \times 10^{-10}\ \text{m}\right)\hat{\mathbf{i}} + \left(2{,}36 \times 10^{-10}\ \text{m}\right)\hat{\mathbf{j}} + \left(2{,}36 \times 10^{-10}\ \text{m}\right)\hat{\mathbf{k}} \\
\vec{\mathbf{r}}_8 &= r_{8y}\hat{\mathbf{j}} + r_{8z}\hat{\mathbf{k}} = \left(2{,}36 \times 10^{-10}\ \text{m}\right)\hat{\mathbf{j}} + \left(2{,}36 \times 10^{-10}\ \text{m}\right)\hat{\mathbf{k}}.
\end{aligned}$$

Sustituyendo:

$$\begin{aligned}
\left|\vec{\mathbf{r}}_{\text{CM},x}\right| &= \sqrt{r_{\text{CM},x}^2 + r_{\text{CM},y}^2 + r_{\text{CM},z}^2} \\
&= \frac{1}{M}\sum_{j=1}^{8} m_j (r_x)_j \\
&= \frac{1}{M}\left(m_1 r_{1x} + m_2 r_{2x} + m_3 r_{3x} + m_4 r_{4x} + m_5 r_{5x} + m_6 r_{6x} + m_7 r_{7x} + m_8 r_{8x}\right) \\
&= \frac{1}{3{,}8804 \times 10^{-25}\ \text{kg}}\Big[\left(5{,}885 \times 10^{-26}\ \text{kg}\right)(0\ \text{m}) + \left(3{,}816 \times 10^{-26}\ \text{kg}\right)\left(2{,}36 \times 10^{-10}\ \text{m}\right) \\
&\quad + \left(5{,}885 \times 10^{-26}\ \text{kg}\right)\left(2{,}36 \times 10^{-10}\ \text{m}\right) \\
&\quad + \left(3{,}816 \times 10^{-26}\ \text{kg}\right)\left(2{,}36 \times 10^{-10}\ \text{m}\right) + 0 + 0 \\
&\quad + \left(3{,}816 \times 10^{-26}\ \text{kg}\right)\left(2{,}36 \times 10^{-10}\ \text{m}\right) + 0\Big] \\
&= 1{,}18 \times 10^{-10}\ \text{m}.
\end{aligned}$$

Cálculos semejantes dan como resultado $r_{\text{CM},y} = r_{\text{CM},z} = 1{,}18 \times 10^{-10}$ m (se podría argumentar que esto debe ser cierto, por simetría, aunque es una buena idea comprobarlo).

Importancia

Si bien se trata de un buen ejercicio para determinar el centro de masa dado un ion de cloruro en el origen, en realidad el origen podría elegirse en cualquier ubicación. Por lo tanto, no hay ninguna aplicación significativa del centro de masa de una celda unitaria más allá de un ejercicio.

COMPRUEBE LO APRENDIDO 9.12

Suponga que tiene un cristal de sal macroscópico (es decir, un cristal lo suficientemente grande como para ser visible a simple vista). Está formado por un *gran* número de celdas unitarias. ¿Está el centro de masa de este cristal necesariamente en el centro geométrico del mismo?

De estos ejemplos se desprenden dos conceptos cruciales:

1. Como en todos los problemas, deberá definir el sistema de coordenadas y el origen. En relación con los cálculos del centro de masa, a menudo tiene sentido elegir que el origen esté situado en una de las masas del sistema. Esa elección define automáticamente que su distancia en la Ecuación 9.29 sea cero. Sin embargo, deberá incluir la masa del objeto en su origen en su cálculo de *M*, la masa total en la Ecuación 9.19. En el ejemplo del sistema Tierra-Luna, esto significa incluir la masa de la Tierra. Si no lo hubiera hecho, habría acabado con el centro de masa del sistema en el centro de la Luna, lo cual es claramente erróneo.
2. En el segundo ejemplo (el cristal de sal), observe que no hay masa alguna en el lugar del centro de masa. Este es un ejemplo de lo que dijimos anteriormente, que no tiene que haber ninguna masa real en el centro de masa de un objeto.

Centro de masa de objetos continuos

Si el objeto en cuestión tiene su masa distribuida uniformemente en el espacio, y no como una colección de partículas separadas, entonces $m_j \to dm$, y la sumatoria se convierte en una integral:

$$\vec{\mathbf{r}}_{\text{CM}} = \frac{1}{M}\int \vec{\mathbf{r}}dm. \tag{9.34}$$

En este contexto, *r* es una dimensión característica del objeto (el radio de una esfera, la longitud de una varilla larga). Para generar un integrando que pueda calcularse realmente, es necesario expresar el elemento de masa diferencial *dm* como una función de la densidad de masa del objeto continuo, y la dimensión *r*. Un ejemplo lo aclarará.

EJEMPLO 9.18

CM de un aro delgado uniforme

Encuentre el centro de masa de un aro (o anillo) delgado uniforme de masa *M* y radio *r*.

Estrategia

En primer lugar, la simetría del aro sugiere que el centro de masa debería estar en su centro geométrico. Si definimos nuestro sistema de coordenadas de forma que el origen se encuentre en el centro del aro, la integral debería evaluarse a cero.

Sustituimos *dm* por una expresión que implica la densidad del aro y el radio del mismo. Entonces tenemos una expresión que podemos integrar realmente. Como el aro se describe como "delgado", lo tratamos como un objeto unidimensional, ignorando el grosor del aro. Por lo tanto, su densidad se expresa como el número de kilogramos de material por metro. Dicha densidad se denomina **densidad lineal de masa** y recibe el símbolo λ; esta es la letra griega "lambda", que equivale a la letra inglesa "l" (de "lineal").

Dado que el aro se describe como uniforme, esto significa que la densidad lineal de masa λ es constante. Así, para obtener nuestra expresión para el elemento de masa diferencial *dm*, multiplicamos λ por una longitud diferencial del aro, sustituimos e integramos (con límites adecuados para la integral definida).

Solución

En primer lugar, definiremos nuestro sistema de coordenadas y las variables pertinentes (Figura 9.30).

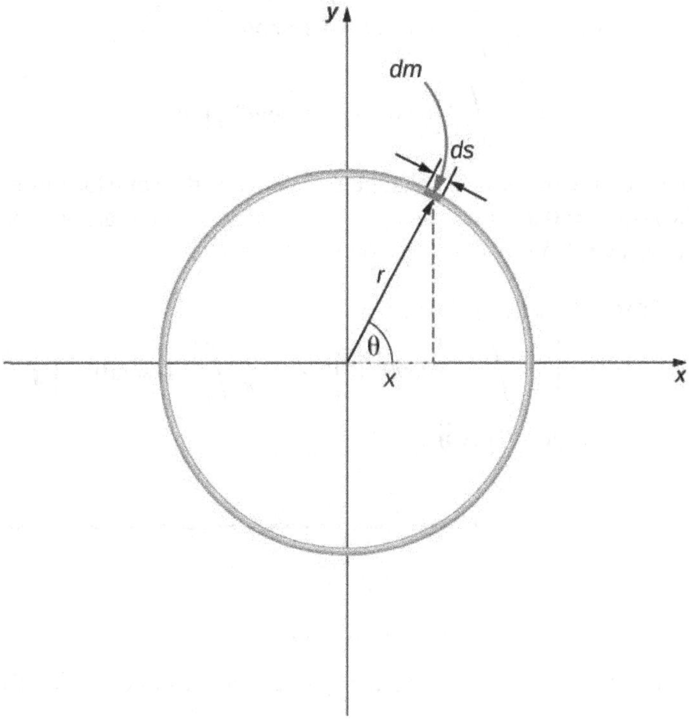

FIGURA 9.30 Hallar el centro de masa de un aro uniforme. Expresamos las coordenadas de un trozo diferencial del aro, y luego integramos alrededor del aro.

El centro de masa se calcula con la Ecuación 9.34:

$$\vec{\mathbf{r}}_{\text{CM}} = \frac{1}{M}\int_a^b \vec{\mathbf{r}} dm.$$

Tenemos que determinar los límites de integración *a* y *b*. Expresando $\vec{\mathbf{r}}$ en forma de componentes obtenemos

$$\vec{\mathbf{r}}_{\text{CM}} = \frac{1}{M}\int_a^b \left[(r\cos\theta)\,\hat{\mathbf{i}} + (r\text{sen}\theta)\,\hat{\mathbf{j}}\right] dm.$$

En el diagrama, resaltamos un trozo del aro que tiene una longitud diferencial *ds*; por tanto, tiene una masa diferencial $dm = \lambda ds$. Sustituyendo:

$$\vec{\mathbf{r}}_{\text{CM}} = \frac{1}{M}\int_a^b \left[(r\cos\theta)\,\hat{\mathbf{i}} + (r\text{sen}\theta)\,\hat{\mathbf{j}}\right] \lambda ds.$$

Sin embargo, la longitud de arco *ds* subtiende un ángulo diferencial $d\theta$, por lo que tenemos

$$ds = rd\theta$$

y, por lo tanto,

$$\vec{\mathbf{r}}_{\text{CM}} = \frac{1}{M}\int_a^b \left[(r\cos\theta)\,\hat{\mathbf{i}} + (r\text{sen}\theta)\,\hat{\mathbf{j}}\right] \lambda r d\theta.$$

Un paso más: Dado que λ es la densidad lineal de masa, se calcula al dividir la masa total entre la longitud del aro:

$$\lambda = \frac{M}{2\pi r}$$

lo que nos da

$$\begin{aligned}\vec{\mathbf{r}}_{CM} &= \frac{1}{M}\int_a^b \left[(r\cos\theta)\hat{\mathbf{i}} + (r\text{sen}\theta)\hat{\mathbf{j}}\right]\left(\frac{M}{2\pi r}\right) rd\theta \\ &= \frac{1}{2\pi}\int_a^b \left[(r\cos\theta)\hat{\mathbf{i}} + (r\text{sen}\theta)\hat{\mathbf{j}}\right] d\theta.\end{aligned}$$

Observe que la variable de integración es ahora el ángulo θ. Esto nos dice que los límites de integración (alrededor del aro circular) son $\theta = 0$ a $\theta = 2\pi$, así que $a = 0$ y $b = 2\pi$. Además, por comodidad, separamos la integral en los componentes x y y de $\vec{\mathbf{r}}_{CM}$. La expresión integral final es

$$\begin{aligned}\vec{\mathbf{r}}_{CM} &= r_{CM,x}\hat{\mathbf{i}} + r_{CM,y}\hat{\mathbf{j}} \\ &= \left[\frac{1}{2\pi}\int_0^{2\pi}(r\cos\theta)\,d\theta\right]\hat{\mathbf{i}} + \left[\frac{1}{2\pi}\int_0^{2\pi}(r\text{sen}\theta)\,d\theta\right]\hat{\mathbf{j}} \\ &= 0\hat{\mathbf{i}} + 0\hat{\mathbf{j}} = \vec{\mathbf{0}}\end{aligned}$$

como se esperaba.

Centro de masa y conservación del momento

¿Cómo se relaciona todo esto con la conservación del momento?

Suponga que tiene N objetos con masas $m_1, m_2, m_3, ...m_N$ y velocidades iniciales $\vec{\mathbf{v}}_1, \vec{\mathbf{v}}_2, \vec{\mathbf{v}}_3, ..., \vec{\mathbf{v}}_N$. El centro de masa de los objetos es

$$\vec{\mathbf{r}}_{CM} = \frac{1}{M}\sum_{j=1}^{N} m_j\vec{\mathbf{r}}_j.$$

Su velocidad es

$$\vec{\mathbf{v}}_{CM} = \frac{d\vec{\mathbf{r}}_{CM}}{dt} = \frac{1}{M}\sum_{j=1}^{N} m_j\frac{d\vec{\mathbf{r}}_j}{dt} \tag{9.35}$$

y, por lo tanto, el momento inicial del centro de masa es

$$\begin{aligned}\left[M\frac{d\vec{\mathbf{r}}_{CM}}{dt}\right]_i &= \sum_{j=1}^{N} m_j\frac{d\vec{\mathbf{r}}_{j,i}}{dt} \\ M\vec{\mathbf{v}}_{CM,i} &= \sum_{j=1}^{N} m_j\vec{\mathbf{v}}_{j,i}.\end{aligned}$$

Después de que estas masas se muevan e interactúen entre sí, el momento del centro de masa es

$$M\vec{\mathbf{v}}_{CM,f} = \sum_{j=1}^{N} m_j\vec{\mathbf{v}}_{j,f}.$$

No obstante, la conservación del momento nos indica que el lado derecho de ambas ecuaciones deberá ser igual, lo que se expresa como

$$M\vec{\mathbf{v}}_{CM,f} = M\vec{\mathbf{v}}_{CM,i}. \tag{9.36}$$

Este resultado implica que la conservación del momento se expresa en términos del centro de masa del sistema. Observe que, cuando un objeto se mueve por el espacio sin ninguna fuerza externa neta que actúe sobre este, una sola partícula del objeto puede acelerar en varias direcciones, con diversas magnitudes, dependiendo de la fuerza interna neta que actúe sobre ese objeto en cualquier momento. (Recuerde que solo desaparece la suma vectorial de todas las fuerzas internas, no la fuerza interna sobre una sola partícula). Así, el momento de dicha partícula no será constante, sino que el momento de todo el objeto extendido lo será, de acuerdo con la Ecuación 9.36.

La Ecuación 9.36 implica otro resultado importante: como M representa la masa de todo el sistema de partículas, es necesariamente constante. (Si no lo es, no tenemos un sistema cerrado, por lo que no podemos esperar que el momento del sistema se conserve). Como resultado, la Ecuación 9.36 implica que, para un sistema cerrado,

$$\vec{v}_{CM,f} = \vec{v}_{CM,i}. \quad 9.37$$

Es decir, *en ausencia de una fuerza externa, la velocidad del centro de masa nunca cambia.*

Podría encoger los hombros y señalar: "Bueno, sí, eso es solo la primera ley de". No obstante, recuerde que la primera ley de Newton analiza la velocidad constante de una partícula, mientras que la Ecuación 9.37 se aplica al centro de masa de una (posiblemente vasta) colección de partículas que interactúan, ¡y que puede que no haya ninguna partícula en absoluto en el centro de masa! Por lo tanto, este es un resultado realmente notable.

EJEMPLO 9.19

Espectáculo de fuegos artificiales

Cuando un cohete de fuegos artificiales explota, miles de fragmentos brillantes vuelan hacia afuera en todas las direcciones, y caen a la Tierra en un elegante y bello espectáculo (Figura 9.31). Describa lo que ocurre, en términos de conservación del momento y del centro de masa.

FIGURA 9.31 Estos fuegos artificiales que estallan son un claro ejemplo de la conservación del momento y del movimiento del centro de masa.

La imagen muestra una simetría radial en torno a los puntos centrales de las explosiones; esto sugiere la idea de centro de masa. También podemos apreciar el movimiento parabólico de las partículas incandescentes, lo que nos hace pensar en el movimiento de proyectil.

Solución

Inicialmente, el cohete pirotécnico se lanza y vuela más o menos recto hacia arriba; tal es la causa de la estela blanca más o menos recta que se eleva en el cielo por debajo de la explosión en la parte superior derecha de la imagen (la explosión amarilla). Esta estela no es parabólica porque el proyectil explosivo, durante su fase de lanzamiento, es en realidad un cohete; el impulso que le aplica la eyección del combustible ardiendo aplica una fuerza sobre el proyectil durante el intervalo de subida. (Este es un fenómeno que estudiaremos en la siguiente sección). El proyectil tiene múltiples fuerzas sobre este; por lo tanto, no está en caída libre antes de la explosión.

En el momento de la explosión, los miles de fragmentos incandescentes vuelan hacia el exterior, siguiendo un patrón radialmente simétrico. La simetría de la explosión es el resultado de que todas las fuerzas internas sumen cero $\left(\sum_j \vec{\mathbf{f}}_j^{\text{int}} = 0\right)$; por cada fuerza interna, hay otra de igual magnitud y de sentido contrario.

Sin embargo, como aprendimos anteriormente, estas fuerzas internas no pueden cambiar el momento del centro de masa del proyectil (ahora explotado). Dado que la fuerza del cohete ha desaparecido, el centro de masa del proyectil es ahora un proyectil (la única fuerza sobre este es la gravedad), por lo que su trayectoria se vuelve parabólica. Las dos explosiones rojas de la izquierda muestran la trayectoria de sus centros de masa en un momento ligeramente más largo después de la explosión en comparación con la explosión amarilla de la parte superior derecha.

De hecho, si se observan detenidamente las tres explosiones, se puede ver que las estelas brillantes no son realmente simétricas radialmente, sino que son algo más densas en un lado que en el otro. En concreto, la explosión amarilla y la explosión central inferior son ligeramente más densas en su lado derecho, y la explosión superior izquierda es más densa en su lado izquierdo. Esto se debe al momento de sus centros de masa; las diferentes densidades de las estelas se deben al momento que tenía cada pieza del proyectil en el momento de su explosión. El fragmento de la explosión de la parte superior izquierda de la imagen tenía un momento que apuntaba hacia arriba y hacia la izquierda; el momento del fragmento del medio apuntaba hacia arriba y ligeramente hacia la derecha, y la explosión del lado derecho apuntaba claramente hacia arriba y hacia la derecha (como lo demuestra la estela blanca de los gases de escape del cohete visible debajo de la explosión amarilla).

Por último, cada fragmento es un proyectil en sí mismo, que traza miles de parábolas brillantes.

Importancia

En el análisis, aseveramos: "...el centro de masa del proyectil es ahora un proyectil (la única fuerza sobre este es la gravedad)...". Esto no es del todo exacto, ya que puede no haber ninguna masa en el centro de masa; en cuyo caso, no podría haber ninguna fuerza actuando sobre ella. En realidad, esto no es más que una abreviatura verbal para describir el hecho de que las fuerzas gravitacionales sobre todas las partículas actúan de manera tal que el centro de masa cambia de posición exactamente como si toda la masa del proyectil estuviera siempre situada en la posición del centro de masa.

COMPRUEBE LO APRENDIDO 9.13

¿Cómo cambiaría el espectáculo de fuegos artificiales en el espacio profundo, lejos de cualquier fuente de gravedad?

A veces se oye a alguien describir una explosión diciendo algo así como: "Los fragmentos del objeto explotado se mueven siempre de forma que el centro de masa sigue moviéndose en su trayectoria original". Esto hace que parezca que el proceso es algo mágico: ¿cómo puede ser que, en *cada* explosión, *siempre* parezca que los fragmentos se mueven de la manera correcta para que el movimiento del centro de masa no cambie? Dicho así, sería difícil creer que ninguna explosión hace algo diferente.

La explicación de esta coincidencia aparentemente sorprendente es: Definimos el centro de masa con precisión, así que esto es exactamente lo que obtendríamos. Recordemos que primero definimos el momento del sistema:

$$\vec{\mathbf{p}}_{\text{CM}} = \sum_{j=1}^{N} \frac{d\vec{\mathbf{p}}_j}{dt}.$$

Entonces concluimos que la fuerza externa neta sobre el sistema (si la hay) cambió este momento:

$$\vec{\mathbf{F}} = \frac{d\vec{\mathbf{p}}_{\text{CM}}}{dt}$$

y luego (y aquí está el punto) definimos una aceleración que obedezca a la segunda ley de Newton. Es decir, exigimos que seamos capaces de escribir

$$\vec{\mathbf{a}} = \frac{\vec{\mathbf{F}}}{M}$$

lo cual requiere que

$$\vec{\mathbf{a}} = \frac{d^2}{dt^2}\left(\frac{1}{M}\sum_{j=1}^{N} m_j \vec{\mathbf{r}}_j\right).$$

donde la cantidad dentro del paréntesis es el centro de masa de nuestro sistema. Por lo tanto, no es sorprendente que el centro de masa obedezca a la segunda ley de Newton; lo definimos para que así fuera.

9.7 Propulsión de cohetes

OBJETIVOS DE APRENDIZAJE

Al final de esta sección, podrá:

- Describir la aplicación de la conservación del momento cuando la masa cambia con el tiempo, así como la velocidad.
- Calcular la rapidez de un cohete en el espacio vacío, en algún momento, dadas las condiciones iniciales.
- Calcular la rapidez de un cohete en el campo gravitacional de la Tierra, en algún momento, dadas las condiciones iniciales.

Ahora tratamos el caso en el que la masa de un objeto cambia. Analizamos el movimiento de un cohete, que cambia su velocidad (y, por ende, su momento) al expulsar los gases del combustible quemado, lo que hace que se acelere en la dirección opuesta a la velocidad del combustible expulsado (vea la Figura 9.32). Específicamente: Un cohete con todo el combustible en el espacio profundo tiene una masa total m_0 (esta masa incluye la masa inicial del combustible). En algún momento, el cohete tiene una velocidad $\vec{\mathbf{v}}$ y masa m; esta masa es una combinación de la masa del cohete vacío y la masa del combustible restante no quemado que contiene. (Nos referimos a m como la "masa instantánea" y $\vec{\mathbf{v}}$ como "velocidad instantánea"). El cohete acelera al quemar el combustible que lleva y expulsar los gases quemados de escape. Si la tasa de combustión del combustible es constante, y la velocidad a la que se expulsa el escape también es constante, ¿cuál es el cambio de velocidad del cohete como resultado de la quema de todo su combustible?

FIGURA 9.32 El transbordador espacial tenía varias piezas reutilizables. Los propulsores de combustible sólido situados a ambos lados se recuperaban y reabastecían de combustible después de cada vuelo, y todo el orbitador volvía a la Tierra para ser utilizado en vuelos posteriores. El gran tanque de combustible líquido se gastó. El transbordador espacial era un complejo conjunto de tecnologías, que empleaba tanto combustible sólido como líquido, y fue pionero en el uso de baldosas de cerámica como escudos térmicos de reentrada. Como resultado, permitía realizar varios lanzamientos en lugar de cohetes de un solo uso (créditos: modificación de un trabajo de la NASA).

Análisis físico

A continuación, se describe lo que ocurre, para que se haga una idea de la física implicada.

- Cuando los motores de los cohetes funcionan, expulsan continuamente gases quemados de combustible, que tienen masa y velocidad, y por ende, cierto momento. Por conservación del momento, el momento del cohete cambia en esta misma cantidad (con el signo contrario). Supondremos que el combustible quemado se expulsa a una tasa constante, lo que significa que la tasa de cambio del momento del cohete también es constante. Con la Ecuación 9.9, esto representa una fuerza constante sobre el cohete.
- Sin embargo, a medida que pasa el tiempo, la masa del cohete (que incluye la masa del combustible restante) disminuye continuamente. Así, aunque la fuerza sobre el cohete es constante, la aceleración resultante no lo es; aumenta continuamente.
- Entonces, el cambio total de la velocidad del cohete dependerá de la cantidad de masa de combustible que se queme, y esa dependencia no es lineal.

El problema hace que cambien la masa y la velocidad del cohete; también cambia la masa total de los gases expulsados. Si definimos nuestro sistema como el cohete + el combustible, entonces se trata de un sistema cerrado (ya que el cohete está en el espacio profundo, no hay fuerzas externas que actúen sobre este sistema); como resultado, el momento se conserva para este sistema. Así, podemos aplicar la conservación del momento para responder la pregunta (Figura 9.33).

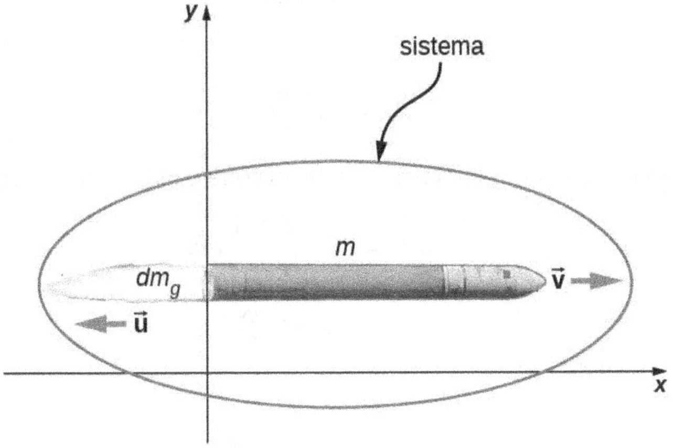

FIGURA 9.33 El cohete acelera hacia la derecha debido a la expulsión de parte de su masa de combustible hacia la izquierda. La conservación del momento nos permite determinar el cambio de velocidad resultante. La masa m es la masa total instantánea del cohete (es decir, la masa del cuerpo del cohete más la masa del combustible en ese momento) (créditos: modificación del trabajo de la NASA / Bill Ingalls).

En el mismo momento en que la masa total instantánea del cohete es m (es decir, m es la masa del cuerpo del cohete más la masa del combustible en ese momento), definimos que la velocidad instantánea del cohete como $\vec{\mathbf{v}} = v\hat{\mathbf{i}}$ (en la dirección de la x +); esta velocidad se mide en relación con un sistema de referencia inercial (la Tierra, por ejemplo). Así, el momento inicial del sistema es

$$\vec{\mathbf{p}}_i = mv\hat{\mathbf{i}}.$$

Los motores del cohete queman combustible a un ritmo constante y expulsan los gases de escape en la dirección de la -x. Durante un intervalo infinitesimal dt, los motores expulsan una masa infinitesimal (positiva) de gas dm_g a la velocidad $\vec{\mathbf{u}} = -u\hat{\mathbf{i}}$; observe que, aunque la velocidad del cohete $v\hat{\mathbf{i}}$ se mide con respecto a la Tierra, la velocidad de los gases de escape se mide con respecto al cohete (en movimiento). Por lo tanto, medido con respecto a la Tierra, el gas de escape tiene una velocidad $(v - u)\hat{\mathbf{i}}$.

A consecuencia de la expulsión del gas combustible, la masa del cohete disminuye en dm_g, y su velocidad aumenta en $dv\hat{\mathbf{i}}$. Por lo tanto, si se incluye tanto el cambio para el cohete como el cambio para el gas de escape, el momento final del sistema es

$$\begin{aligned}\vec{\mathbf{p}}_f &= \vec{\mathbf{p}}_{\text{cohete}} + \vec{\mathbf{p}}_{\text{gas}} \\ &= \left(m - dm_g\right)(v + dv)\hat{\mathbf{i}} + dm_g(v - u)\hat{\mathbf{i}}\end{aligned}$$

Como todos los vectores están en la dirección de la x, dejamos de lado la notación vectorial. Aplicando la conservación del momento, obtenemos

$$\begin{aligned}p_i &= p_f \\ mv &= \left(m - dm_g\right)(v + dv) + dm_g(v - u) \\ mv &= mv + mdv - dm_g v - dm_g dv + dm_g v - dm_g u \\ mdv &= dm_g dv + dm_g u.\end{aligned}$$

Ahora, dm_g y dv son muy pequeños cada uno; por lo tanto, su producto $dm_g dv$ es muy, muy pequeño, mucho menor que los otros dos términos de esta expresión. Por lo tanto, ignoramos este término y obtenemos:

$$mdv = dm_g u.$$

Nuestro siguiente paso es recordar que, dado que dm_g representa un aumento en la masa de los gases expulsados, también deberá representar una disminución en la masa del cohete:

$$dm_g = -dm.$$

Sustituyendo esto, tenemos

$$mdv = -dmu$$

o

$$dv = -u\frac{dm}{m}.$$

Integrando desde la masa inicial m_0 hasta la masa final m del cohete obtenemos el resultado que buscamos:

$$\int_{v_i}^{v} dv = -u\int_{m_0}^{m} \frac{1}{m}dm$$
$$v - v_i = u\ln\left(\frac{m_0}{m}\right)$$

y así, nuestra respuesta final es

$$\Delta v = u\ln\left(\frac{m_0}{m}\right). \quad 9.38$$

Este resultado se denomina **ecuación del cohete**. Fue derivado originalmente por el físico soviético Konstantin Tsiolkovsky en 1897. Nos da el cambio de velocidad que obtiene el cohete al quemar una masa de combustible que disminuye la masa total del cohete de m_0 hasta m. Como se esperaba, la relación entre Δv y el cambio de masa del cohete es no lineal.

ESTRATEGIA DE RESOLUCIÓN DE PROBLEMAS

Propulsión de cohetes

En los problemas de cohetes, las preguntas más comunes son calcular el cambio de velocidad debido a la quema de alguna cantidad de combustible durante algún tiempo o determinar la aceleración que resulta de la quema de combustible.

1. Para determinar el cambio de velocidad, utilice la ecuación del cohete en la Ecuación 9.38.
2. Para determinar la aceleración, calcule la fuerza mediante el teorema del momento-impulso; utilice la ecuación del cohete para determinar el cambio de velocidad.

EJEMPLO 9.20

Empuje en una nave espacial

Una nave espacial se mueve en el espacio sin gravedad en una trayectoria recta cuando su piloto decide acelerar hacia adelante. Enciende los propulsores, y el combustible quemado es expulsado a una tasa constante de $2{,}0 \times 10^2$ kg/s, a una rapidez (relativa al cohete) de $2{,}5 \times 10^2$ m/s. La masa inicial de la nave y su combustible no quemado es $2{,}0 \times 10^4$ kg, y los propulsores están encendidos durante 30 s.

a. ¿Cuál es el empuje (la fuerza aplicada al cohete por el combustible expulsado) sobre la nave espacial?
b. ¿Cuál es la aceleración de la nave en función del tiempo?
c. ¿Cuáles son las aceleraciones de la nave en $t = 0$, 15, 30 y 35 s?

Estrategia

a. La fuerza sobre la nave es igual a la tasa de cambio del momento del combustible.
b. Conociendo la fuerza de la parte (a), podemos utilizar la segunda ley de Newton para calcular la aceleración consiguiente. La clave aquí es que, aunque la fuerza aplicada a la nave es constante (el combustible se expulsa a una tasa constante), la masa de la nave no lo es; por lo tanto, la aceleración causada por la fuerza no será constante. Por lo tanto, esperamos obtener una función $a(t)$.
c. Utilizaremos la función que obtenemos en la parte (b), y solo sustituiremos los números dados. Importante: Esperamos que la aceleración sea mayor a medida que pasa el tiempo, ya que la masa que se

acelera disminuye continuamente (el combustible se expulsa del cohete).

Solución

a. El momento del gas combustible expulsado es

$$p = m_g v.$$

La velocidad de eyección $v = 2{,}5 \times 10^2$ m/s es constante, y por ende, la fuerza es

$$F = \frac{dp}{dt} = v\frac{dm_g}{dt} = -v\frac{dm}{dt}.$$

Ahora, $\frac{dm_g}{dt}$ es la tasa de cambio de la masa del combustible; el problema dice que es $2{,}0 \times 10^2$ kg/s. Sustituyendo, obtenemos

$$\begin{aligned} F &= v\frac{dm_g}{dt} \\ &= \left(2{,}5 \times 10^2 \ \tfrac{\text{m}}{\text{s}}\right)\left(2{,}0 \times 10^2 \ \tfrac{\text{kg}}{\text{s}}\right) \\ &= 5 \times 10^4 \text{ N}. \end{aligned}$$

b. Anteriormente, definimos m como la masa combinada del cohete vacío más la cantidad de combustible no quemado que contenía: $m = m_R + m_g$. De la segunda ley de Newton,

$$a = \frac{F}{m} = \frac{F}{m_R + m_g}.$$

La fuerza es constante y la masa vacía del cohete m_R es constante, pero la masa de combustible m_g está disminuyendo a una tasa uniforme; en concreto:

$$m_g = m_g(t) = m_{g_0} - \left(\frac{dm_g}{dt}\right)t.$$

Esto nos da

$$a(t) = \frac{F}{m_{g_i} - \left(\frac{dm_g}{dt}\right)t} = \frac{F}{M - \left(\frac{dm_g}{dt}\right)t}.$$

Observe que, como era de esperar, la aceleración es una función del tiempo. Sustituyendo los números dados:

$$a(t) = \frac{5 \times 10^4 \text{ N}}{2{,}0 \times 10^4 \text{ kg} - \left(2{,}0 \times 10^2 \ \frac{\text{kg}}{\text{s}}\right)t}.$$

c. En $t = 0$ s:

$$a(0 \text{ s}) = \frac{5 \times 10^4 \text{ N}}{2{,}0 \times 10^4 \text{ kg} - \left(2{,}0 \times 10^2 \ \frac{\text{kg}}{\text{s}}\right)(0 \text{ s})} = 2{,}5\frac{\text{m}}{\text{s}^2}.$$

En $t = 15$ s, $a(15 \text{ s}) = 2{,}9 \text{ m/s}^2$.
En $t = 30$ s, $a(30 \text{ s}) = 3{,}6 \text{ m/s}^2$.
La aceleración va en aumento, como esperábamos.

Importancia

Observe que la aceleración no es constante, por lo que las magnitudes dinámicas deberán calcularse mediante integrales o (más fácilmente) mediante la conservación de la energía total.

COMPRUEBE LO APRENDIDO 9.14

¿Cuál es la diferencia física (o la relación) entre $\frac{dm}{dt}$ y $\frac{dm_g}{dt}$ en este ejemplo?

Cohete en un campo gravitacional

Analicemos ahora el cambio de velocidad del cohete durante la fase de lanzamiento, desde la superficie de la Tierra. Para mantener las matemáticas manejables, restringiremos nuestra atención a las distancias para las cuales la aceleración causada por la gravedad puede tratarse como una g constante.

El análisis es similar, salvo que ahora hay una fuerza externa de $\vec{\mathbf{F}} = -mg\hat{\mathbf{j}}$ actuando en nuestro sistema. Esta fuerza aplica un impulso $d\vec{\mathbf{J}} = \vec{\mathbf{F}}dt = -mgdt\hat{\mathbf{j}}$, que es igual al cambio de momento. Esto nos da

$$\begin{aligned} d\vec{\mathbf{p}} &= d\vec{\mathbf{J}} \\ \vec{\mathbf{p}}_\mathrm{f} - \vec{\mathbf{p}}_\mathrm{i} &= -mgdt\hat{\mathbf{j}} \\ \left[\left(m - dm_g\right)(v + dv) + dm_g(v - u) - mv\right]\hat{\mathbf{j}} &= -mgdt\hat{\mathbf{j}} \end{aligned}$$

y así

$$mdv - dm_g u = -mgdt$$

donde hemos vuelto a ignorar el término $dm_g dv$ y eliminado la notación vectorial. A continuación, sustituimos dm_g con $-dm$:

$$\begin{aligned} mdv + dmu &= -mgdt \\ mdv &= -dmu - mgdt. \end{aligned}$$

Dividiendo entre m obtenemos

$$dv = -u\frac{dm}{m} - gdt$$

e integrando, tenemos

$$\Delta v = u \ln\left(\frac{m_0}{m}\right) - g\Delta t. \quad 9.39$$

Como es lógico, la velocidad del cohete se ve afectada por la aceleración (constante) de la gravedad.

Recuerde que Δt es el tiempo de combustión del combustible. Ahora bien, en ausencia de gravedad, la Ecuación 9.38 implica que es indiferente el tiempo que se tarda en quemar toda la masa de combustible; el cambio de velocidad no depende de Δt. Sin embargo, en presencia de la gravedad, importa mucho. El término $-g\Delta t$ en la Ecuación 9.39 nos indica que, cuanto *mayor* sea el tiempo de combustión, *menor* será el cambio de velocidad del cohete. Esta es la razón por la que el lanzamiento de un cohete es tan espectacular en el primer momento del despegue: Es esencial quemar el combustible lo más rápido posible, para obtener la mayor cantidad de Δv como sea posible.

Revisión Del Capítulo

Términos Clave

centro de masa posición media ponderada de la masa

densidad lineal de masa λ, expresada como el número de kilogramos de material por metro

ecuación del cohete derivada por el físico soviético Konstantin Tsiolkovsky en 1897, nos da el cambio de velocidad que el cohete obtiene al quemar una masa de combustible que disminuye la masa total del cohete de m_i hasta m

elástica colisión que conserva la energía cinética

explosión un solo objeto se rompe en varios objetos; la energía cinética no se conserva en las explosiones

fuerza externa fuerza aplicada a un objeto extendido que cambia el momento del objeto extendido en su conjunto

fuerza interna fuerza que ejercen entre sí las partículas simples que componen un objeto extendido. Las fuerzas internas pueden ser de atracción o de repulsión

impulso efecto de aplicar una fuerza sobre un sistema durante un intervalo de tiempo, que suele ser pequeño, pero no tiene por qué serlo

inelástica colisión que no conserva la energía cinética

ley de conservación del momento el momento total de un sistema cerrado no puede cambiar

momento medida de la cantidad de movimiento que tiene un objeto; toma en cuenta tanto la velocidad del objeto como su masa; concretamente, es el producto de la masa por la velocidad; es una cantidad vectorial

perfectamente inelástica colisión tras la cual todos los objetos están inmóviles, la energía cinética final es cero, y la pérdida de energía cinética es máxima

sistema objeto o colección de objetos cuyo movimiento se está investigando actualmente; sin embargo, su sistema se define al comienzo del problema, por lo que usted deberá mantener esa definición para todo el problema

sistema cerrado sistema para el que la masa es constante y la fuerza externa neta sobre el sistema es cero

teorema del momento-impulso el cambio de momento de un sistema es igual al impulso que se aplica al sistema

Ecuaciones Clave

Definición de momento	$\vec{\mathbf{p}} = m\vec{\mathbf{v}}$
Impulso	$\vec{J} \equiv \int_{t_i}^{t_f} \vec{F}(t)dt$ o $\vec{\mathbf{J}} = \vec{\mathbf{F}}_{ave}\Delta t$
Teorema del momento-impulso	$\vec{\mathbf{J}} = \Delta\vec{\mathbf{p}}$
Fuerza media a partir del momento	$\vec{\mathbf{F}} = \frac{\Delta\vec{\mathbf{p}}}{\Delta t}$
Fuerza instantánea a partir del momento (segunda ley de Newton)	$\vec{\mathbf{F}}(t) = \frac{d\vec{\mathbf{p}}}{dt}$
Conservación del momento	$\frac{d\vec{\mathbf{p}}_1}{dt} + \frac{d\vec{\mathbf{p}}_2}{dt} = 0$ o $\vec{\mathbf{p}}_1 + \vec{\mathbf{p}}_2 = \text{constante}$
Conservación generalizada del momento	$\sum_{j=1}^{N} \vec{\mathbf{p}}_j = \text{constante}$
Conservación del momento en dos dimensiones	$p_{f,x} = p_{1,i,x} + p_{2,i,x}$ $p_{f,y} = p_{1,i,y} + p_{2,i,y}$

Fuerzas externas	$\vec{\mathbf{F}}_{ext} = \sum_{j=1}^{N} \frac{d\vec{\mathbf{p}}_j}{dt}$
Segunda ley de Newton para un objeto extendido	$\vec{\mathbf{F}} = \frac{d\vec{\mathbf{p}}_{CM}}{dt}$
Aceleración del centro de masa	$\vec{\mathbf{a}}_{CM} = \frac{d^2}{dt^2}\left(\frac{1}{M}\sum_{j=1}^{N} m_j\vec{\mathbf{r}}_j\right) = \frac{1}{M}\sum_{j=1}^{N} m_j\vec{\mathbf{a}}_j$
Posición del centro de masa para un sistema de partículas	$\vec{\mathbf{r}}_{CM} \equiv \frac{1}{M}\sum_{j=1}^{N} m_j\vec{\mathbf{r}}_j$
Velocidad del centro de masa	$\vec{\mathbf{v}}_{CM} = \frac{d}{dt}\left(\frac{1}{M}\sum_{j=1}^{N} m_j\vec{\mathbf{r}}_j\right) = \frac{1}{M}\sum_{j=1}^{N} m_j\vec{\mathbf{v}}_j$
Posición del centro de masa de un objeto continuo	$\vec{\mathbf{r}}_{CM} \equiv \frac{1}{M}\int \vec{\mathbf{r}}\, dm$
Ecuación del cohete	$\Delta v = u \ln\left(\frac{m_i}{m}\right)$

Resumen

9.1 Momento lineal

- El movimiento de un objeto depende tanto de su masa como de su velocidad. El momento es un concepto que describe esto. Es un concepto útil y poderoso, tanto desde el punto de vista computacional como teórico. La unidad del SI para el momento es el kg· m/s.

9.2 Impulso y colisiones

- Cuando se aplica una fuerza sobre un objeto durante cierto tiempo, el objeto experimenta un impulso.
- Este impulso es igual al cambio de momento del objeto.
- La segunda ley de Newton en términos de momento establece que la fuerza neta aplicada a un sistema es igual a la tasa de cambio del momento que la fuerza provoca.

9.3 Conservación del momento lineal

- La ley de conservación del momento establece que el momento de un sistema cerrado es constante en el tiempo (se conserva).
- El sistema cerrado (o aislado) se define como aquel en el que la masa permanece constante y la fuerza externa neta es cero.
- El momento total del sistema se conserva *solo* cuando el sistema está cerrado.

9.4 Tipos de colisiones

- La colisión elástica es aquella que conserva la energía cinética.
- La colisión inelástica no conserva la energía cinética.
- El momento se conserva, independientemente de que la energía cinética se conserve o no.
- El análisis de los cambios de energía cinética y la conservación del momento permiten calcular las velocidades finales en términos de velocidades y masas iniciales en colisiones unidimensionales de dos cuerpos.

9.5 Colisiones en varias dimensiones

- El enfoque de las colisiones bidimensionales consiste en elegir un sistema de coordenadas conveniente y dividir el movimiento en componentes a lo largo de ejes perpendiculares.
- El momento se conserva en ambas direcciones de forma simultánea e independiente.
- El teorema de Pitágoras da la magnitud del vector de momento mediante el empleo de los componentes *x* y *y*, calculados con la conservación del momento en cada dirección.

9.6 Centro de masa

- Un objeto extendido (formado por muchos objetos) tiene un vector de posición definido, que recibe el nombre de centro de masa.
- El centro de masa puede considerarse, de forma imprecisa, como la ubicación media de la masa total del objeto.
- El centro de masa de un objeto traza la trayectoria dictada por la segunda ley de Newton, debido a la fuerza externa neta.
- Las fuerzas internas de un objeto extendido no pueden alterar el momento del objeto extendido en su conjunto.

9.7 Propulsión de cohetes

- Un cohete es un ejemplo de conservación del momento en el que la masa del sistema no es constante, ya que el cohete expulsa combustible para proporcionar empuje.
- La ecuación del cohete nos da el cambio de velocidad que obtiene el cohete al quemar una masa de combustible y que disminuye la masa total del cohete.

Preguntas Conceptuales

9.1 Momento lineal

1. Un objeto que tiene una masa pequeña y un objeto que tiene una masa grande tienen el mismo momento. ¿Qué objeto tiene la mayor energía cinética?

2. Un objeto con una masa pequeña y otro objeto con una masa grande tienen la misma energía cinética. ¿Qué masa tiene el mayor momento?

9.2 Impulso y colisiones

3. ¿Es posible que una fuerza pequeña produzca un impulso mayor sobre un objeto dado que una fuerza grande? Explique.

4. ¿Por qué es mucho más peligrosa una caída de 10 metros sobre hormigón que una caída de 10 metros sobre agua?

5. ¿Qué fuerza externa es responsable de cambiar el momento de un auto que circula por una carretera horizontal?

6. Un trozo de masilla y una pelota de tenis con la misma masa se lanzan contra una pared a la misma velocidad. ¿Qué objeto experimenta una mayor fuerza de la pared o las fuerzas son iguales? Explique.

9.3 Conservación del momento lineal

7. ¿En qué circunstancias se conserva el momento?

8. ¿Puede conservarse el momento de un sistema si hay fuerzas externas que actúan sobre este? Si es así, ¿en qué condiciones? Si no, ¿por qué no?

9. Explique en términos de momento y de las leyes de Newton cómo la resistencia del aire en un auto se debe en parte a que empuja el aire en su dirección de movimiento.

10. ¿Pueden los objetos de un sistema tener momento mientras el momento del sistema es cero? Razone su respuesta.

11. Un velocista acelera desde los bloques de salida. ¿Puede considerarlo un sistema cerrado? Explique.

12. Un cohete en el espacio profundo (gravedad cero) acelera al expulsar gas caliente de sus propulsores. ¿El cohete constituye un sistema cerrado? Explique.

9.4 Tipos de colisiones

13. Dos objetos de igual masa se mueven con velocidades iguales y opuestas cuando colisionan. ¿Puede perderse toda la energía cinética en la colisión?

14. Describa un sistema en el que el momento se conserva, pero la energía mecánica no. Ahora, lo contrario: Describa un sistema en el que la energía cinética se conserva, pero el momento no.

9.5 Colisiones en varias dimensiones

15. El momento de un sistema puede conservarse en una dirección y no conservarse en otra. ¿Cuál es el ángulo entre las direcciones? Dé un ejemplo.

9.6 Centro de masa

16. Supongamos que un proyectil de fuegos artificiales estalla y se rompe en tres grandes trozos para los que la resistencia del aire es despreciable. ¿Cómo afecta la explosión al movimiento del centro de masa? ¿Cómo se vería afectado si las piezas experimentaran una resistencia del aire significativamente mayor que el proyectil intacto?

9.7 Propulsión de cohetes

17. Es posible que la velocidad de un cohete sea mayor que la velocidad de escape de los gases que expulsa. En ese caso, la velocidad y el momento del gas están en la misma dirección que la del cohete. ¿Cómo puede el cohete seguir obteniendo empuje al expulsar los gases?

Problemas

9.1 Momento lineal

18. Un elefante y un cazador tienen un enfrentamiento.

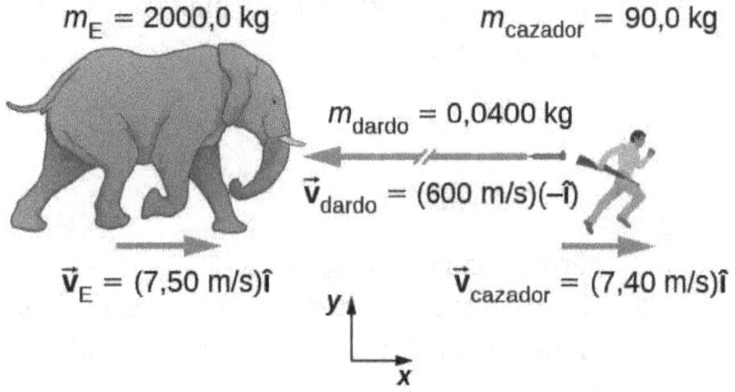

a. Calcule el momento del elefante de 2.000,0 kg que embiste al cazador a una velocidad de 7,50 m/s.
b. Calcule la relación entre el momento del elefante y el momento de un dardo tranquilizante de 0,0400 kg disparado a una velocidad de 600 m/s.
c. ¿Cuál es el momento del cazador de 90,0 kg que corre a 7,40 m/s después de perder al elefante?

19. Una patinadora de 40 kg de masa lleva una caja de 5 kg de masa. La patinadora tiene una velocidad de 5 m/s con respecto al suelo y se desliza sin ningún tipo de fricción sobre una superficie lisa.
a. Halle el momento de la caja con respecto al suelo.
b. Halle el momento de la caja con respecto al suelo después de que ella pone la caja en la superficie sin fricción de patinaje.

20. Un auto de 2.000 kg de masa circula a una velocidad constante de 10 m/s hacia el este. ¿Cuál es el momento del auto?

21. La masa de la Tierra es $5{,}97 \times 10^{24}$ kg y su radio orbital es un promedio de $1{,}50 \times 10^{11}$ m. Calcule la magnitud de su momento lineal en el lugar del diagrama.

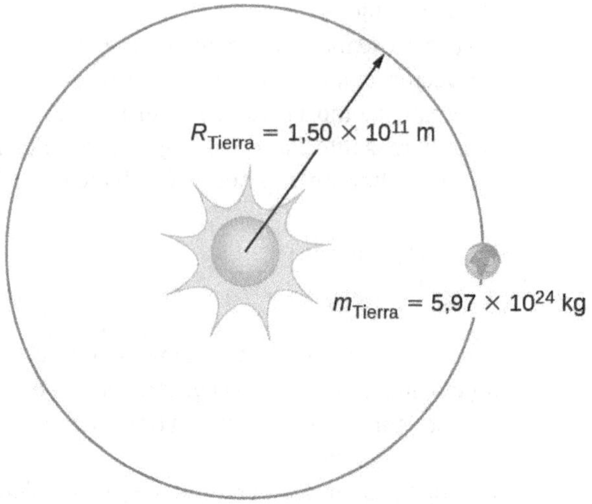

22. Si una tormenta deja caer 1 cm de lluvia sobre un área de 10 km^2 en el periodo de 1 hora, ¿cuál es el momento de la lluvia que cae en un segundo? Supongamos que la velocidad límite de una gota de lluvia es de 10 m/s.

23. ¿Cuál es el momento medio de una avalancha que desplaza una capa de nieve de 40 cm de espesor en un área de 100 m por 500 m sobre una distancia de 1 km por una colina en 5,5 s? Suponga una densidad de 350 kg/m^3 para la nieve.

24. ¿Cuál es el momento medio de un velocista de 70,0 kg que corre la carrera de 100 m en 9,65 s?

9.2 Impulso y colisiones

25. Una persona de 75,0 kg va en un auto que circula a 20,0 m/s cuando el auto choca con un pilar de un puente (vea la siguiente figura).

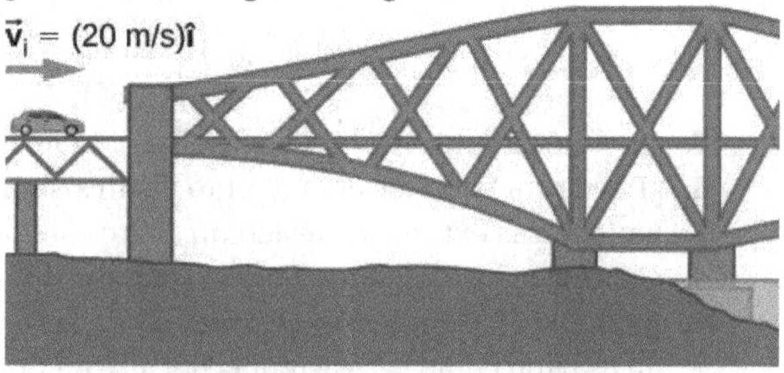

a. Calcule la fuerza media sobre la persona si la detiene un tablero acolchado que comprime una media de 1,00 cm.
b. Calcule la fuerza media sobre la persona si la

detiene una bolsa de aire que comprime una media de 15,0 cm.

26. Uno de los peligros de los viajes espaciales son los escombros de las misiones anteriores. Hay varios miles de objetos en órbita alrededor de la Tierra que son lo suficientemente grandes como para ser detectados por el radar, pero hay un número mucho mayor de objetos muy pequeños, como copos de pintura. Calcule la fuerza ejercida por un trozo de pintura de 0,100 mg que golpea la ventana de una nave espacial a una rapidez relativa de $4{,}00 \times 10^3$ m/s, dado que la colisión dura $6{,}00 \times 10^{-8}$ s.

27. Un crucero con una masa de $1{,}00 \times 10^7$ kg choca contra un muelle a una velocidad de 0,750 m/s. Se detiene tras recorrer 6,00 m, lo que daña el barco, el muelle y las finanzas del capitán del remolcador. Calcule la fuerza media ejercida sobre el muelle; utilice el concepto de impulso. (*Pista*: Primero, calcule el tiempo que tardó el barco en entrar en reposo, suponiendo una fuerza constante).

28. Calcule la rapidez final de un jugador de rugby de 110 kg que corre inicialmente a 8,00 m/s, pero que colisiona frontalmente con un poste acolchado de la portería y experimenta una fuerza hacia atrás de $1{,}76 \times 10^4$ N por $5{,}50 \times 10^{-2}$ s.

29. El agua de una manguera de incendios apunta horizontalmente a una pared, a una tasa de 50,0 kg/s y una rapidez de 42,0 m/s. Calcule la fuerza ejercida sobre la pared, suponiendo que el momento horizontal del agua se reduce a cero.

30. Un martillo de 0,450 kg se mueve horizontalmente a 7,00 m/s cuando golpea un clavo y se detiene tras clavar el clavo 1,00 cm en una tabla. Supongamos una aceleración constante del par martillo-clavo.

a. Calcule la duración del impacto.

b. ¿Cuál fue la fuerza media que se ejerce sobre el clavo?

31. ¿Cuál es el momento (como función del tiempo) de una partícula de 5,0 kg que se mueve con una velocidad $\vec{v}(t) = \left(2{,}0\hat{\mathbf{i}} + 4{,}0t\hat{\mathbf{j}}\right)$ m/s? ¿Cuál es la fuerza neta que actúa sobre esta partícula?

32. En la siguiente figura se representa el componente *x* de una fuerza ejercida por un hierro 7 sobre una pelota de golf de 46 g en función del tiempo:

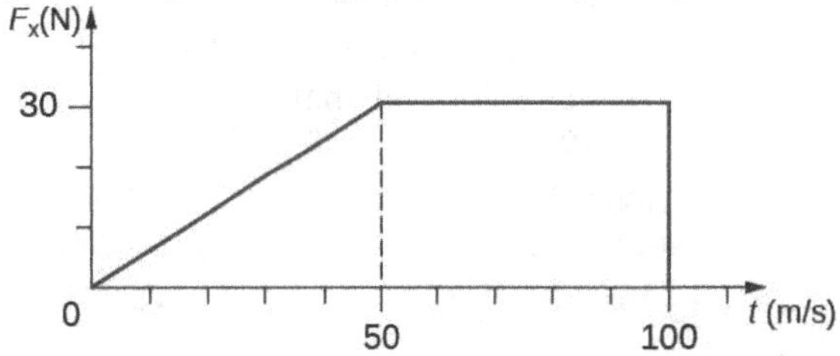

a. Halle el componente *x* del impulso durante los intervalos

i. [0, 50 ms], y

ii. [50 ms, 100 ms]

b. Halle el cambio en el componente *x* del momento durante los intervalos

iii. [0, 50 ms], y

iv. [50 ms, 100 ms]

33. Un disco de hockey de 150 g de masa se desliza hacia el este sobre una mesa sin fricción a una velocidad de 10 m/s. De repente, se aplica al disco una fuerza constante de magnitud 5 N y dirección hacia el norte durante 1,5 s. Halle los componentes norte y este del momento al final del intervalo de 1,5 s.

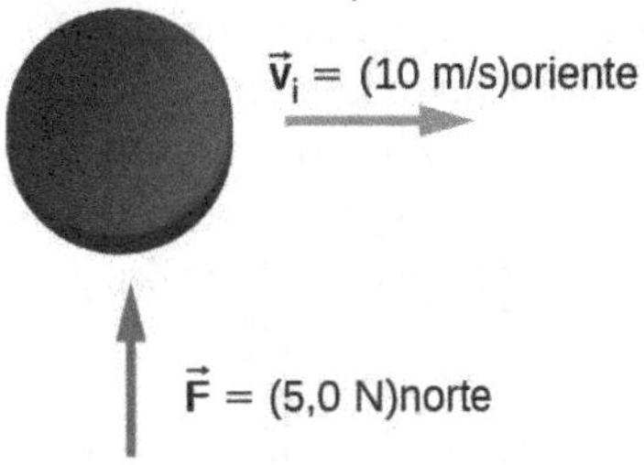

34. Una pelota de 250 g de masa se lanza a una velocidad inicial de 25 m/s, en un ángulo de 30° con respecto a la dirección horizontal. Ignore la resistencia del aire. ¿Cuál es el momento de la pelota después de 0,2 s? (Para realizar este problema, halle primero los componentes del momento, y luego construya la magnitud y dirección del vector de momento a partir de los componentes).

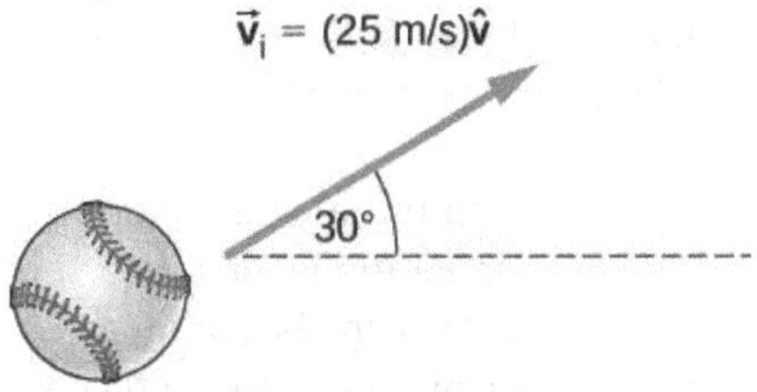

9.3 Conservación del momento lineal

35. Los vagones se acoplan al tropezar entre sí. Supongamos que dos vagones cargados se acercan, el primero tiene una masa de $1{,}50 \times 10^5$ kg y una velocidad de (0,30 m/s)$\hat{\mathbf{i}}$, y el segundo con una masa de $1,10 \times 10^5$ kg y una velocidad de -(0,12 m/s)$\hat{\mathbf{i}}$. ¿Cuál es su velocidad final?

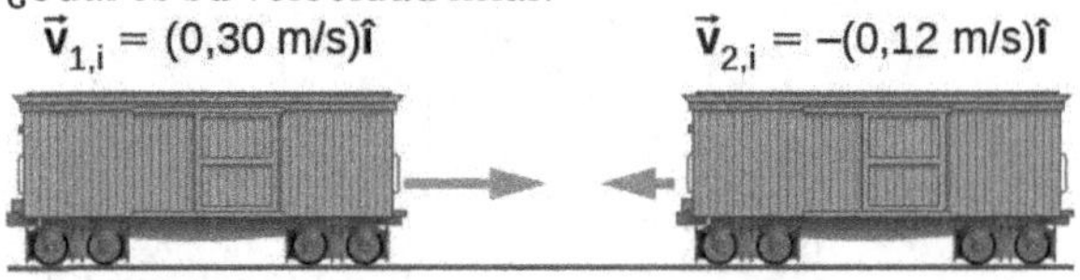

36. Dos discos idénticos chocan elásticamente en una mesa de hockey de aire. El disco 1 estaba originalmente en reposo; el disco 2 tiene una rapidez de entrada de 6,00 m/s y se dispersa en un ángulo de 30° con respecto a su dirección de entrada. ¿Cuál es la velocidad (magnitud y dirección) del disco 1 tras la colisión?

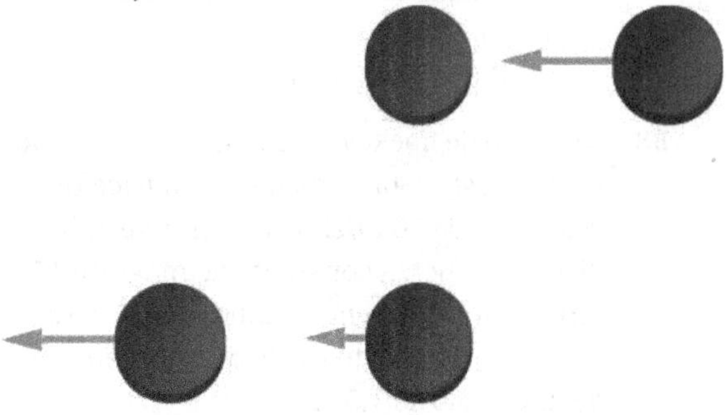

37. La siguiente figura muestra una bala de 200 g de masa que se desplaza horizontalmente hacia el este con una rapidez de 400 m/s, y que golpea un bloque de masa 1,5 kg que está inicialmente en reposo sobre una mesa sin fricción.

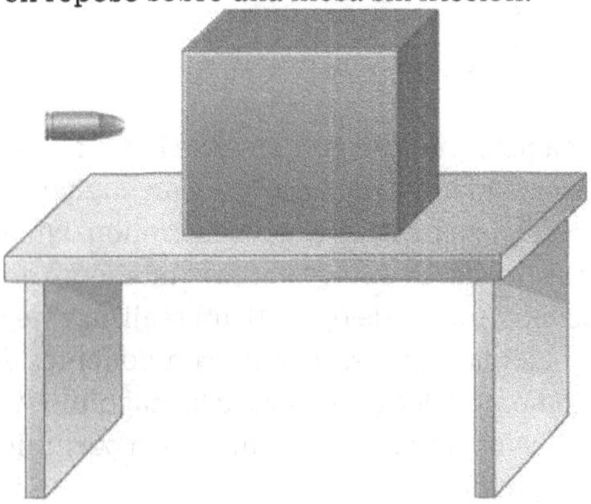

Tras golpear el bloque, la bala se incrusta y el bloque y la bala se mueven juntos como una unidad.

a. ¿Cuál es la magnitud y la dirección de la velocidad de la combinación bloque / bala inmediatamente después del impacto?
b. ¿Cuál es la magnitud y la dirección del impulso del bloque sobre la bala?
c. ¿Cuál es la magnitud y la dirección del impulso de la bala sobre el bloque?
d. Si la bala tardó 3 m/s para cambiar la rapidez de 400 m/s a la rapidez final tras el impacto, ¿cuál es la fuerza media entre el bloque y la bala durante este tiempo?

38. Un niño de 20 kg se desplaza a 3,3 m/s por un terreno llano en un vagón de 4,0 kg. El niño deja caer una pelota de 1,0 kg por la parte trasera del vagón. ¿Cuál es la rapidez final del niño y del vagón?

39. Un pez globo de 4,5 kg se expande hasta el 40 % de su masa al tomar agua. Cuando el pez globo se ve amenazado, suelta el agua hacia la amenaza para avanzar rápidamente. ¿Cuál es la relación de la rapidez del pez globo hacia delante con la rapidez del agua expulsada hacia atrás?

40. Explique por qué un cañón retrocede cuando dispara un proyectil.

41. Dos patinadores artísticos se mueven en la misma dirección; la patinadora que va adelante se desplaza a 5,5 m/s y el que la sigue, a 6,2 m/s. Cuando el patinador que va detrás alcanza a la patinadora que va adelante, la levanta sin aplicar ninguna fuerza horizontal sobre sus patines. Si el patinador que va detrás es un 50 % más pesado que la patinadora que va adelante, cuyo peso es de 50 kg, ¿cuál es su rapidez después de que él la levanta?

42. Un vagón de carga de 2.000 kg viaja a 4,4 m/s por debajo de una terminal de cereales, que vierte el grano directamente en el vagón. Si la rapidez del vagón cargado no debe ser inferior a 3,0 m/s, ¿cuál es la masa máxima de grano que puede cargar?

9.4 Tipos de colisiones

43. Una bola de boliche de 5,50 kg, que se mueve a 9,00 m/s, colisiona con un pin de 0,850 kg, que se dispersa en un ángulo de 15,8° respecto a la dirección inicial de la bola de bolos y con una rapidez de 15,0 m/s.

a. Calcule la velocidad final (magnitud y dirección) de la bola de bolos.
b. ¿Es elástica la colisión?

44. Ernest Rutherford (primer neozelandés galardonado con el Premio Nobel de Química) demostró, mediante la dispersión de núcleos de helio-4 desde núcleos de oro-197, que los núcleos eran muy pequeños y densos. La energía del núcleo de helio entrante era $8,00 \times 10^{-13}$ J, y las masas de los núcleos de helio y oro eran $6,68 \times 10^{-27}$ kg y $3,29 \times 10^{-25}$ kg, respectivamente (observe que su cociente de masas es de 4 a 197).

a. Si un núcleo de helio se dispersa en un ángulo de

120° durante una colisión elástica con un núcleo de oro, calcule la rapidez final del núcleo de helio y la velocidad final (magnitud y dirección) del núcleo de oro.

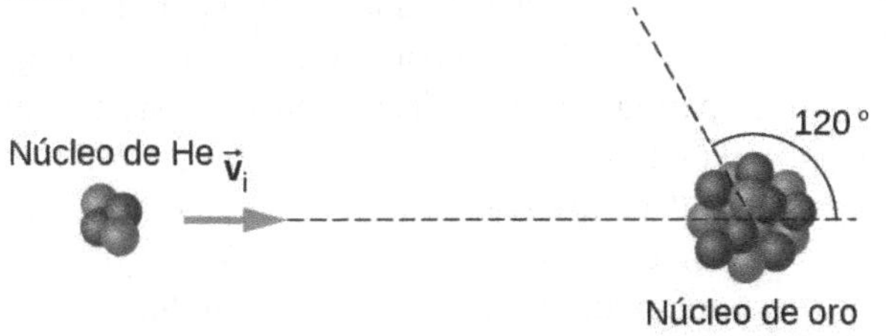

b. ¿Cuál es la energía cinética final del núcleo de helio?

45. Un jugador de hockey sobre hielo de 90,0 kg golpea un disco de 0,150 kg, lo que da al disco una velocidad de 45,0 m/s. Si ambos están inicialmente en reposo y si el hielo no tiene fricción, ¿qué distancia retrocede el jugador en el tiempo que tarda el disco en llegar a la portería situada a 15,0 m?

46. Un petardo de 100 g se lanza verticalmente al aire y estalla en dos pedazos en el pico de su trayectoria. Si un pedazo de 72 g se proyecta horizontalmente hacia la izquierda a 20 m/s, ¿cuál es la rapidez y la dirección del otro pedazo?

47. En una colisión elástica, un auto de choque de 400 kg choca directamente por detrás con un segundo auto de choque idéntico que se desplaza en la misma dirección. La rapidez inicial del auto de choques de adelante es de 5,60 m/s y la del auto que lo sigue es de 6,00 m/ s. Suponiendo que la masa de los conductores es mucho, mucho menor que la de los autos de choque, ¿cuál es su rapidez final?

48. Repita el problema anterior si la masa del auto de choque de adelante es un 30,0 % mayor que la del auto de choque que lo sigue.

49. Una partícula alfa (^4He) sufre una colisión elástica con un núcleo inmóvil de uranio(^{235}U). ¿Qué porcentaje de la energía cinética de la partícula alfa se transfiere al núcleo de uranio? Suponga que la colisión es unidimensional.

50. Está de pie en una superficie helada muy resbaladiza y lanza un balón de fútbol de 1 kg en horizontal a una rapidez de 6,7 m/s. ¿Cuál es su velocidad cuando suelta el balón? Suponga que su masa es de 65 kg.

51. Una niña de 35 kg baja una colina en un trineo relativamente sin masa y luego se desplaza por la sección plana de la parte inferior, donde una segunda niña de 35 kg salta sobre el trineo cuando éste pasa a su lado. Si la rapidez del trineo es de 3,5 m/s antes de que la segunda niña se suba, ¿cuál es su rapidez después de que ella se sube?

52. Un niño baja en trineo por una colina y llega a un lago cubierto de hielo sin fricción a 10,0 m/s. En el centro del lago hay una roca de 1.000 kg. Cuando el trineo choca con la roca, es impulsado hacia atrás desde la roca. La colisión es una colisión elástica. Si la masa del niño es de 40,0 kg y la del trineo es de 2,50 kg, ¿cuál es la rapidez del trineo y de la roca tras la colisión?

9.5 Colisiones en varias dimensiones

53. Un halcón de 0,90 kg se sumerge a 28,0 m/s en un ángulo de caída de 35°. Atrapa una paloma de 0,325 kg por detrás en pleno vuelo. ¿Cuál es su velocidad combinada después del impacto si la velocidad inicial de la paloma era de 7,00 m/s dirigida horizontalmente? Observe que $\hat{v}_{1,i}$ es un vector unitario que apunta en la dirección en la que el halcón vuela inicialmente.

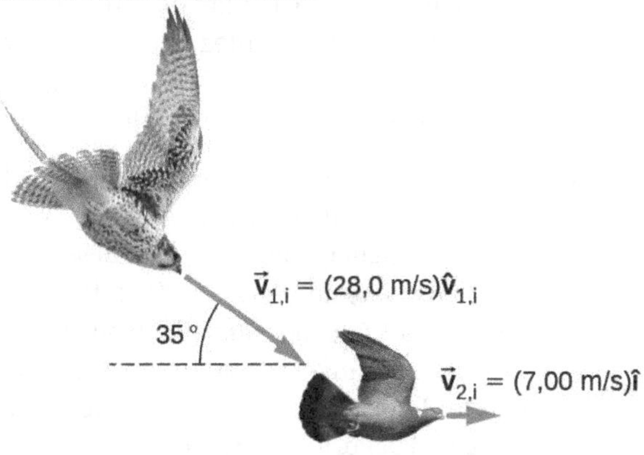

FIGURA 9.34 (créditos: "halcón", modificación del trabajo de "Servicio de Pesca y Vida Silvestre de los EE. UU. [U.S. Fish and Wildlife Service, USFWS] región Mountain-Prairie"/Flickr; "paloma", modificación del trabajo de Jacob Spinks).

54. Una bola de billar, marcada como 1, que se mueve horizontalmente, golpea a otra bola de billar, marcada como 2, que está en reposo. Antes del impacto, la bola 1 se movía a una rapidez de 3,00 m/s, y después del impacto se mueve a 0,50 m/s a 50° de la dirección original. Si las dos bolas tienen masas iguales de 300 g, ¿cuál es la velocidad de la bola 2 después del impacto?

55. Un proyectil de masa 2,0 kg se dispara al aire con un ángulo de 40,0° al horizonte a una rapidez de 50,0 m/s. En el punto más alto de su vuelo, el proyectil se rompe en tres partes de masa 1,0 kg, 0,7 kg y 0,3 kg. La parte de 1,0 kg cae en línea recta después de la ruptura con una rapidez inicial de 10,0 m/s, el pedazo de 0,7 kg se mueve en la dirección original hacia adelante, y el pedazo de 0,3 kg va en línea recta hacia arriba.

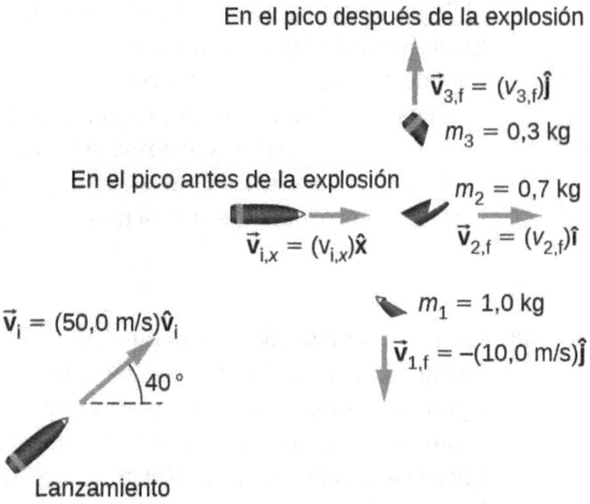

a. Calcule la rapidez de los pedazos de 0,3 kg y 0,7 kg inmediatamente después de la ruptura.
b. ¿A qué altura del punto de ruptura llega el pedazo de 0,3 kg antes de entrar en reposo?
c. ¿Dónde aterriza el pedazo de 0,7 kg en relación con el lugar desde donde salió disparado?

56. Dos asteroides colisionan y se pegan. El primer asteroide tiene una masa de 15×10^3 kg y se desplaza inicialmente a 770 m/s. El segundo asteroide tiene una masa de 20×10^3 kg y se desplaza a 1.020 m/s. Sus velocidades iniciales formaban un ángulo de 20° entre sí. ¿Cuál es la rapidez final y la dirección con respecto a la velocidad del primer asteroide?

57. Un cohete de 200 kg en el espacio profundo se mueve a una velocidad de $(121 \text{ m/s})\hat{i} + (38,0 \text{ m/s})\hat{j}$. De repente, estalla en tres pedazos; el primero (78 kg) se desplaza a $-(321 \text{ m/s})\hat{i} + (228 \text{ m/s})\hat{j}$ y el segundo (56 kg) se desplaza a $(16,0 \text{ m/s})\hat{i} - (88,0 \text{ m/s})\hat{j}$. Calcule la velocidad del tercer pedazo.

58. Un protón que viaja a $3,0 \times 10^6$ m/s se dispersa elásticamente desde una partícula alfa inicialmente estacionaria y se desvía en un ángulo de 85° con respecto a su velocidad inicial. Dado que la partícula alfa tiene cuatro veces la masa del protón, ¿qué porcentaje de su energía cinética inicial conserva el protón tras la colisión?

59. Tres ciervos de 70 kg están de pie sobre una roca plana de 200 kg que está en un estanque cubierto de hielo. Se produce un disparo y los ciervos se dispersan; el ciervo A corre a $(15 \text{ m/s})\hat{i} + (5,0 \text{ m/s})\hat{j}$, el ciervo B corre a $(-12 \text{ m/s})\hat{i} + (8,0 \text{ m/s})\hat{j}$, y el ciervo C corre a $(1,2 \text{ m/s})\hat{i} - (18,0 \text{ m/s})\hat{j}$. ¿Cuál es la velocidad de la roca sobre la que estaban parados?

60. Una familia está patinando. El padre (75 kg) patina a 8,2 m/s y colisiona y se pega a la madre (50 kg), que se movía inicialmente a 3,3 m/s y a 45° respecto a la velocidad del padre. La pareja choca entonces con su hija (30 kg), que estaba inmóvil, y los tres se deslizan juntos. ¿Cuál es su velocidad final?

61. Un átomo de oxígeno (masa 16 u) que se mueve a 733 m/s a 15,0° con respecto a la dirección $\hat{i}$ colisiona y se pega a una molécula de oxígeno (masa 32 u) que se mueve a 528 m/s a 128° con respecto a la dirección $\hat{i}$. Los dos se pegan para formar el ozono. ¿Cuál es la velocidad final de la molécula de ozono?

62. Dos autos de la misma masa se acercan a una intersección perpendicular de cuatro vías con mucho hielo. El auto A viaja hacia el norte a 30 m/s y el auto B viaja hacia el este. Colisionan y se pegan, para llegar a 28° al norte del este. ¿Cuál era la velocidad inicial del auto B?

9.6 Centro de masa

63. Se colocan tres masas puntuales en los ángulos de un triángulo como se muestra en la siguiente figura.

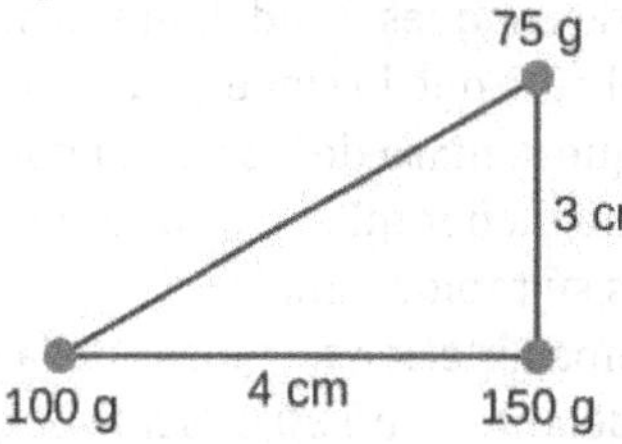

Encuentre el centro de masa del sistema de tres masas.

64. Dos partículas de masas m_1 y m_2 separadas por una distancia horizontal D se sueltan desde la misma altura h al mismo tiempo. Halle la posición vertical del centro de masa de estas dos partículas en un momento anterior a que las dos partículas choquen contra el suelo. Supongamos que no hay resistencia del aire.

65. Dos partículas de masas m_1 y m_2 separadas por una distancia horizontal D se sueltan desde la misma altura h en distintos tiempos. La partícula 1 comienza en $t = 0$, y la partícula 2 se suelta en $t = T$. Halle la posición vertical del centro de masa en un momento anterior al impacto de la primera partícula contra el suelo. Supongamos que no hay resistencia del aire.

66. Dos partículas de masas m_1 y m_2 se mueven uniformemente en diferentes círculos de radios R_1 y R_2 en torno al origen en el plano *x, y*. Las coordenadas de la *x* y la *y* del centro de masa y de la partícula 1 se dan como sigue (donde la longitud está en metros y *t* en segundos):
$x_1(t) = 4\cos(2t), y_1(t) = 4\text{sen}(2t)$

y:
$x_{CM}(t) = 3\cos(2t), y_{CM}(t) = 3\text{sen}(2t)$.

a. Calcule el radio del círculo en el que se mueve la partícula 1.
b. Halle las coordenadas de la *x* y la *y* de la partícula 2 y el radio del círculo en el que se desplaza esta partícula.

67. Dos partículas de masas m_1 y m_2 se mueven uniformemente en diferentes círculos de radios R_1 yR_2 alrededor del origen en el plano *x, y*. Se dan las coordenadas de las dos partículas en metros como sigue ($z = 0$ para ambas). Aquí *t* está en segundos:

$$x_1(t) = 4\cos(2t)$$
$$y_1(t) = 4\,\text{sen}(2t)$$
$$x_2(t) = 2\cos\left(3t - \frac{\pi}{2}\right)$$
$$y_2(t) = 2\,\text{sen}\left(3t - \frac{\pi}{2}\right)$$

a. Calcule el radio de los círculos de movimiento de ambas partículas.
b. Halle las coordenadas de la *x* y la *y*del centro de masa.
c. Decida si el centro de masa se mueve en un círculo al trazar su trayectoria.

68. Calcule el centro de masa de una varilla de un metro de largo, hecha de 50 cm de hierro (densidad 8 $\frac{g}{cm^3}$) y 50 cm de aluminio (densidad 2,7 $\frac{g}{cm^3}$).

69. Calcule el centro de masa de una varilla de longitud *L* cuya densidad de masa cambia de un extremo a otro de forma cuadrática. Es decir, si la varilla está dispuesta a lo largo del eje de la *x* con un extremo en el origen y el otro en $x = L$, la densidad viene dada por
$\rho(x) = \rho_0 + (\rho_1 - \rho_0)\left(\frac{x}{L}\right)^2$, donde ρ_0 y ρ_1 son valores constantes.

70. Calcule el centro de masa de un bloque rectangular de longitud *a* y anchura *b* que tiene una densidad no uniforme tal que cuando el rectángulo se coloca en el plano *x,y* con una esquina en el origen y el bloque puesto en el primer cuadrante con las dos aristas a lo largo de los ejes de la *xy* la *y*, la densidad viene dada por$\rho(x, y) = \rho_0 x$, donde ρ_0 es una constante.

71. Calcule el centro de masa de un material rectangular de longitud *a* y anchura *b* formado por un material de densidad no uniforme. La densidad es tal que cuando el rectángulo se sitúa en el plano *xy*, la densidad viene dada por $\rho(x, y) = \rho_0 xy$.

72. Un cubo de lado *a* se recorta de otro cubo de lado *b* como se muestra en la figura siguiente.

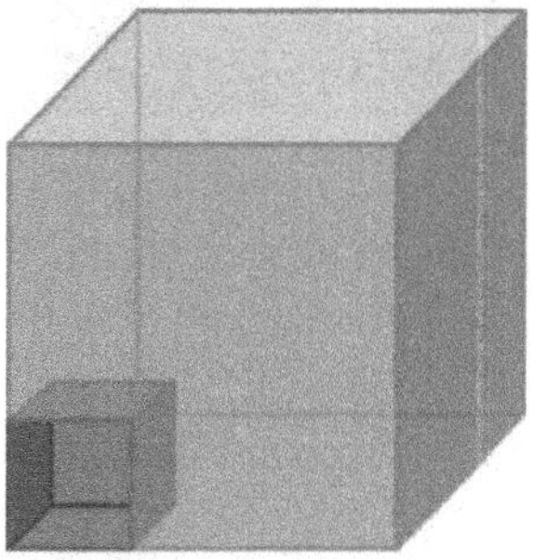

Halle la ubicación del centro de masa de la estructura. (*Pista:* Piense en la parte que falta como una masa negativa superpuesta a una masa positiva).

73. Calcule el centro de masa de un cono de densidad uniforme que tiene un radio *R* en la base, altura *h* y masa *M*. Suponga que el origen está en el centro de la base del cono y tenga la +*z* pasando por el vértice del cono.

74. Calcule el centro de masa de un alambre delgado de masa *m* y longitud *L* doblado en forma semicircular. Suponga que el origen está en el centro del semicírculo y haga que el alambre se arquee desde el eje de la *x* +, cruce el eje de la +*y* y termine en el eje de la -*x*.

75. Calcule el centro de masa de una placa semicircular delgada uniforme de radio *R*. Suponga que el origen está en el centro del semicírculo, el arco de la placa va del eje de la *x* + al eje de la -x, y el eje de la *z* es perpendicular a la placa.

76. Calcule el centro de masa de una esfera de masa *M* y radio *R* y de un cilindro de masa *m*, radio *r* y altura *h* dispuestos como se muestra a continuación.

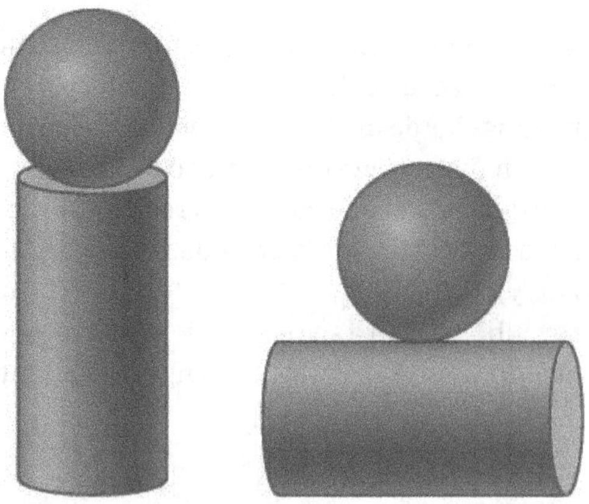

Exprese sus respuestas en un sistema de coordenadas que tenga el origen en el centro del cilindro.

9.7 Propulsión de cohetes

77. (a) Un calamar de 5,00 kg inicialmente en reposo expulsa 0,250 kg de fluido con una velocidad de 10,0 m/s. ¿Cuál es la velocidad de retroceso del calamar si la eyección se realiza en 0,100 s y existe una fuerza de fricción de 5,00 *N* que se opone al movimiento del calamar?
(b) ¿Cuánta energía se pierde por el trabajo realizado contra la fricción?

78. Un cohete despega de la Tierra y alcanza una rapidez de 100 m/s en 10,0 s. Si la rapidez de escape es de 1.500 m/s y la masa de combustible quemada es de 100 kg, ¿cuál era la masa inicial del cohete?

79. Repita el problema anterior, pero para un cohete que despega de una estación espacial, donde no hay más gravedad que la despreciable, debido a la estación espacial.

80. ¿Cuánto combustible se necesitaría para que un cohete de 1.000 kg (esta es su masa sin combustible) despegara de la Tierra y alcanzara 1.000 m/s en 30 s? La velocidad de escape es de 1.000 m/s.

81. ¿Qué velocidad de escape es necesaria para acelerar un cohete en el espacio profundo de 800 m/s a 1.000 m/s en 5,0 s si la masa total del cohete es de 1.200 kg y solo le quedan 50 kg de combustible?

82. **Resultados poco razonables** Se ha informado de que los calamares saltan desde el océano y recorren 30,0 m (medidos horizontalmente) antes de volver a entrar en el agua.
(a) Calcule la velocidad inicial del calamar si sale del agua con un ángulo de 20,0º, suponiendo que la sustentación del aire es insignificante y la resistencia del aire también.
(b) El calamar se propulsa chorreando agua. ¿Qué fracción de su masa tendría que expulsar para alcanzar la velocidad encontrada en la parte anterior? El agua se expulsa a 12,0 m/s; se ignoran la fuerza gravitacional y la fricción.
(c) ¿Qué es lo que no es razonable en los resultados?
(d) ¿Qué premisa no es razonable, o qué premisas son incongruentes?

Problemas Adicionales

83. Dos canoeros de 70 kg reman en una sola canoa de 50 kg. Su remo mueve la canoa a 1,2 m/s con respecto al agua, y el río en el que están fluye a 4 m/s con respecto a la tierra. ¿Cuál es su momento con respecto a la tierra?

84. ¿Qué tiene una magnitud mayor de momento: un elefante de 3.000 kg que se mueve a 40 km/h o un guepardo de 60 kg que se mueve a 112 km/h?

85. Una conductora aplica los frenos y reduce la velocidad de su auto en un 20 % sin cambiar la dirección en la que se mueve el auto. ¿En cuánto cambia el momento del auto?

86. Su amigo afirma que el momento es la masa multiplicada por la velocidad, por lo que las cosas con más masa tienen más momento. ¿Está de acuerdo? Explique.

87. Es más probable que se rompa un vaso en un suelo de cemento que si se deja caer desde la misma altura en césped. Explíquelo en términos de impulso.

88. Su auto deportivo de 1.500 kg acelera de 0 a 30 m/s en 10 s. ¿Qué fuerza media se ejerce sobre este durante esta aceleración?

89. Una pelota de masa m se deja caer. ¿Cuál es la fórmula del impulso ejercido sobre la pelota desde el instante en que se deja caer hasta un tiempo arbitrario τ más tarde? Ignore la resistencia del aire.

90. Repita el problema anterior, pero incluya una fuerza de arrastre debida al aire de $f_{\text{arrastre}} = -b\vec{v}$.

91. Un huevo de 5,0 g cae desde un mostrador de 90 cm de altura al suelo y se rompe. ¿Qué impulso ejerce el suelo sobre el huevo?

92. Un auto choca contra un gran árbol que no se mueve. El auto pasa de 30 m/s a 0 en 1,3 m. (a) ¿Qué impulso aplica el cinturón de seguridad al conductor, suponiendo que sigue el mismo movimiento que el auto? (b) ¿Cuál es la fuerza media aplicada sobre el conductor por el cinturón de seguridad?

93. Dos jugadores de hockey se acercan de frente; cada uno se desplaza a la misma rapidez v_i. Chocan y se enredan, caen y se alejan a una rapidez $v_i/5$. ¿Cuál es la relación de sus masas?

94. Va en su bicicleta de 10 kg a 15 m/s y un insecto de 5,0 g choca y salpica en su casco. El insecto volaba inicialmente a 2,0 m/s en la misma dirección que usted. Si su masa es de 60 kg, (a) ¿cuál es el momento inicial suyo más el de su bicicleta? (b) ¿cuál es el momento inicial del insecto? (c) ¿cuál es su cambio de velocidad debido a la colisión con el insecto? (d) ¿cuál habría sido el cambio de velocidad si el insecto viajara en sentido contrario?

95. Una carga de grava se vierte directamente en un vagón de carga de 30.000 kg que circula a 2,2 m/s en un tramo recto de ferrocarril. Si la rapidez del vagón tras recibir la grava es de 1,5 m/s, ¿qué masa de grava ha recibido?

96. Dos carros en una pista recta chocan de frente. El primer carro se desplaza a 3,6 m/s en la dirección de la *x* positiva y el segundo se mueve a 2,4 m/s en la dirección opuesta. Tras la colisión, el segundo carro sigue moviéndose en su dirección inicial a 0,24 m/s. Si la masa del segundo carro es 5,0 veces la del primero, ¿cuál es la velocidad final del primer carro?

97. Un astronauta de 100 kg se encuentra separado de su nave espacial por 10 m y se aleja de ella a 0,1 m/s. Para volver a la nave espacial, lanza una bolsa de herramientas de 10 kg lejos de la nave a 5,0 m/s. ¿Cuánto tiempo tardará en volver a la nave espacial?

98. Derive las ecuaciones que dan la rapidez final de dos objetos que colisionan elásticamente, donde la masa de los objetos es m_1 y m_2 y la rapidez inicial es $v_{1,i}$ y $v_{2,i} = 0$ (es decir, el segundo objeto está inmóvil inicialmente).

99. Repita el problema anterior en el caso en que la rapidez inicial del segundo objeto sea distinta a cero.

100. Un niño baja en trineo por una colina y choca a 5,6 m/s con un trineo inmóvil, idéntico al suyo. El niño es lanzado hacia delante a la misma rapidez; atrás deja los dos trineos que se traban juntos y se deslizan hacia delante más lentamente. ¿Cuál es la rapidez de los dos trineos después de esta colisión?

101. Para el problema anterior, calcule la rapidez final de cada trineo para el caso de una colisión elástica.

102. Un jugador de fútbol de 90 kg salta verticalmente en el aire para atrapar un balón de fútbol de 0,50 kg que se lanza esencialmente en horizontal hacia él a 17 m/s. ¿Cuál es su velocidad horizontal después de atrapar el balón?

103. Tres paracaidistas caen en picada hacia la tierra. Al principio se agarran el uno al otro, pero luego se separan. Dos paracaidistas de 70 y 80 kg de masa adquieren velocidades horizontales de 1,2 m/s al norte y 1,4 m/s al sureste, respectivamente. ¿Cuál es la velocidad horizontal del tercer paracaidista, cuya masa es de 55 kg?

104. Dos bolas de billar están en reposo y se tocan en una mesa de billar. La bola blanca se desplaza a 3,8 m/s a lo largo de la línea de simetría entre estas bolas y las golpea simultáneamente. Si la colisión es elástica, ¿cuál es la velocidad de las tres bolas después de la colisión?

105. Una bola de billar que viaja a $(2{,}2\ \text{m/s})\,\hat{\mathbf{i}} - (0{,}4\ \text{m/s})\,\hat{\mathbf{j}}$ choca contra una pared que está alineada en la dirección $\hat{\mathbf{j}}$. Suponiendo que la colisión es elástica, ¿cuál es la velocidad final de la bola?

106. Dos bolas de billar idénticas colisionan. La primera viaja inicialmente a $(2{,}2\ \text{m/s})\,\hat{\mathbf{i}} - (0{,}4\ \text{m/s})\,\hat{\mathbf{j}}$ y la segunda a $-(1{,}4\ \text{m/s})\,\hat{\mathbf{i}} + (2{,}4\ \text{m/s})\,\hat{\mathbf{j}}$. Supongamos que colisionan cuando el centro de la bola 1 está en el origen y el centro de la bola 2 está en el punto $(2R, 0)$ donde R es el radio de las bolas. ¿Cuál es la velocidad final de cada bola?

107. Repita el problema anterior si las bolas chocan cuando el centro de la bola 1 está en el origen y el centro de la bola 2 está en el punto $(0, 2R)$.

108. Repita el problema anterior si las bolas chocan cuando el centro de la bola 1 está en el origen y el centro de la bola 2 está en el punto $\left(\sqrt{3}R/2, R/2\right)$

109. ¿Dónde está el centro de masa de un alambre semicircular de radio R que está centrado en el origen, comienza y termina en el eje de la *x*, y se encuentra en el plano *x*,*y*?

110. ¿Dónde está el centro de masa de una rebanada de pizza cortada en ocho trozos iguales? Supongamos que el origen está en el vértice de la rebanada y midamos los ángulos con respecto a un borde de la rebanada. El radio de la pizza es R.

111. Si el 1 % de la masa de la Tierra se transfiriera a la Luna, ¿a qué distancia se desplazaría el centro de masa del sistema Tierra-Luna-población? La masa de la Tierra es $5{,}97 \times 10^{24}\,\text{kg}$ y la de la Luna es $7{,}34 \times 10^{22}\,\text{kg}$. El radio de la órbita de la Luna es de aproximadamente $3{,}84 \times 10^{5}\,\text{m}$.

112. Su amigo se pregunta cómo un cohete sigue subiendo al cielo una vez que está lo suficientemente alto sobre la superficie de la Tierra como para que sus gases expulsados ya no empujen sobre la superficie. ¿Cómo responde usted?

113. Para aumentar la aceleración de un cohete, ¿hay que lanzar piedras por la ventanilla delantera del cohete o por la trasera?

Problemas De Desafío

114. Una persona de 65 kg salta desde la ventana del primer piso de un edificio en llamas y aterriza casi verticalmente en el suelo, a una velocidad horizontal de 3 m/s y vertical de -9 m/s. Al impactar con el suelo, es llevado al reposo en poco tiempo. La fuerza que experimentan sus pies depende de si mantiene las rodillas rígidas o las dobla. Encuentre la fuerza en sus pies en cada caso.

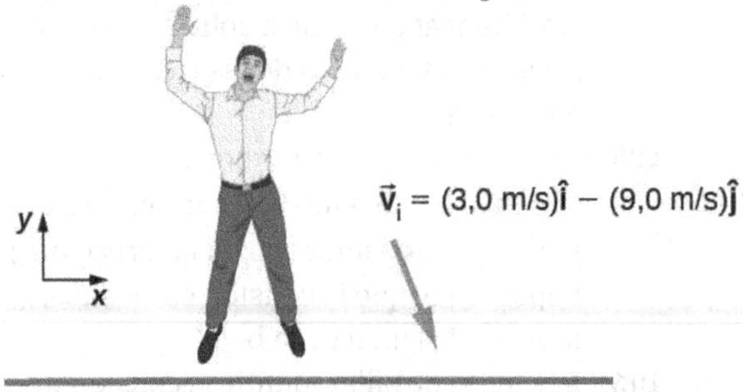

a. Primero halle el impulso en la persona por el impacto en el suelo. Calcule tanto su magnitud como su dirección.
b. Halle la fuerza media sobre los pies si la persona mantiene la pierna rígida y recta y su centro de masa desciende únicamente 1 cm verticalmente y 1 cm horizontalmente durante el impacto.
c. Halle la fuerza media sobre los pies si la persona dobla las piernas durante el impacto de forma que su centro de masa descienda 50 cm en vertical y 5 cm en horizontal durante el impacto.
d. Compare los resultados de las partes (b) y (c), y saque conclusiones sobre cuál forma es mejor.

Tendrá que calcular el tiempo que dura el impacto con suposiciones razonables sobre la desaceleración. Aunque la fuerza no es constante durante el impacto, es aceptable trabajar con una fuerza media constante para este problema.

115. Dos proyectiles de masa m_1 y m_2 se disparan a la misma rapidez, pero en direcciones opuestas desde dos lugares de lanzamiento separados por una distancia D. Ambos alcanzan el mismo punto en su punto más alto y golpean allí. Como resultado del impacto, se pegan y se mueven como un solo cuerpo después. Halle el lugar en el que aterrizarán.

116. Dos objetos idénticos (como las bolas de billar) tienen una colisión unidimensional en la que uno está inicialmente inmóvil. Después de la colisión, el objeto que se mueve queda inmóvil y el otro se mueve con la misma rapidez que tenía el otro originalmente. Demuestre que, tanto el momento como la energía cinética se conservan.

117. Una rampa de masa M reposa en una superficie horizontal. Se coloca un pequeño carro de masa m en la parte superior de la rampa y se suelta.

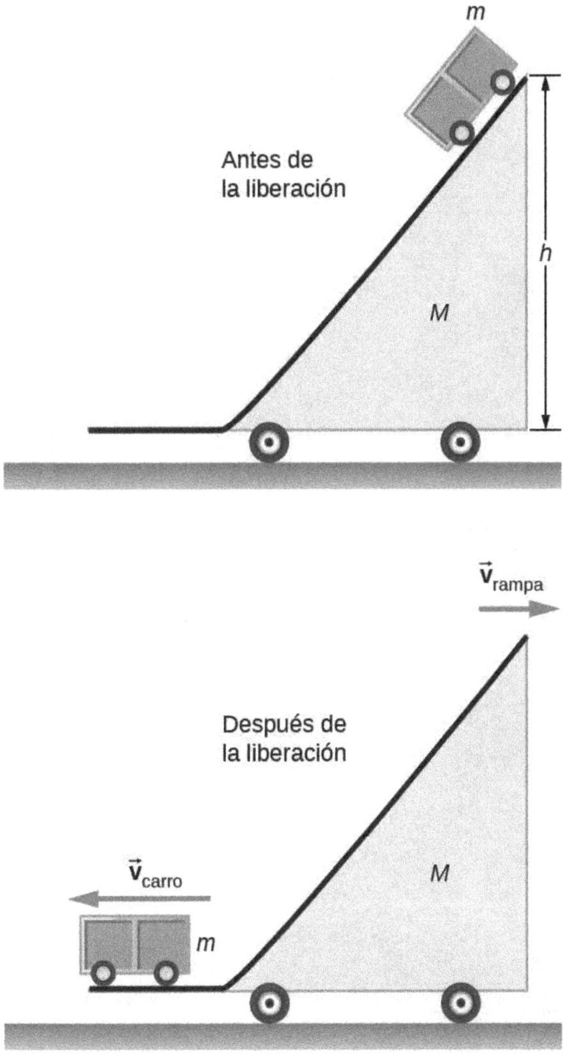

¿Cuál es la velocidad de la rampa y del carro con respecto al suelo en el instante en que el carro sale de la rampa?

118. Halle el centro de masa de la estructura dada en la figura siguiente. Supongamos un grosor uniforme de 20 cm, y una densidad uniforme de 1 g/cm^3.

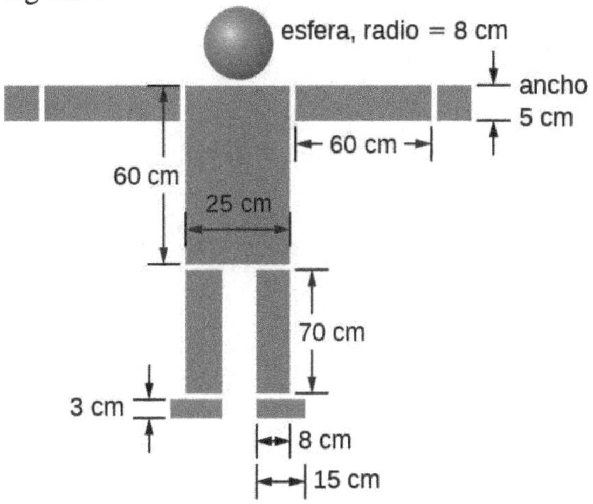

CAPÍTULO 10

Rotación de un eje fijo

Figura 10.1 Parque eólico de Brazos, en el oeste de Texas. En 2012, los parques eólicos de los EE. UU. generaban 60 gigavatios de potencia, capacidad suficiente para abastecer de energía a 15 millones de hogares durante un año (créditos: modificación del trabajo del Departamento de Energía de los EE. UU.).

ESQUEMA DEL CAPITULO

INTRODUCCIÓN En los capítulos anteriores, hemos descrito el movimiento (cinemática) y cómo cambiar el movimiento (dinámica). Igualmente, hemos definido conceptos importantes como la energía para objetos que se consideran masas puntuales. Las masas puntuales, por definición, no tienen forma y, por ende, solo pueden experimentar un movimiento traslacional. Sin embargo, sabemos por la vida cotidiana que el movimiento rotacional también es muy importante y que muchos objetos que se mueven tienen tanto traslación como rotación. Los aerogeneradores de la imagen de apertura de nuestro capítulo son un excelente ejemplo de cómo el movimiento rotacional influye en nuestra vida cotidiana, ya que el mercado de las fuentes de energía limpia sigue creciendo.

En este capítulo comenzamos a tratar el movimiento rotacional, empezando por la rotación en un eje fijo. La rotación de eje fijo describe la rotación alrededor de un eje fijo de un cuerpo rígido; es decir, un objeto que no se deforma al moverse. Mostraremos cómo aplicar todas las ideas que hemos desarrollado hasta ahora sobre el movimiento de traslación a un objeto que gira alrededor de un eje fijo. En el próximo capítulo, ampliaremos estas ideas a movimientos rotacionales más complejos, incluso objetos que rotan y se trasladan, y objetos que carecen de un eje de rotación fijo.

10.1 Variables rotacionales

OBJETIVOS DE APRENDIZAJE

Al final de esta sección, podrá:

- Describir el significado físico de las variables rotacionales aplicadas a la rotación de eje fijo.
- Explicar cómo se relaciona la velocidad angular con la rapidez tangencial.
- Calcular la velocidad angular instantánea, dada la función de posición angular.
- Hallar la velocidad angular y la aceleración angular en un sistema en rotación.
- Calcular la aceleración angular media cuando la velocidad angular cambia.
- Calcular la aceleración angular instantánea, dada la función de velocidad angular.

Hasta ahora en este texto, hemos estudiado principalmente el movimiento de traslación, incluso las variables que lo describen: desplazamiento, velocidad y aceleración. Ahora ampliamos nuestra descripción del movimiento a la rotación, específicamente, el movimiento de rotación alrededor de un eje fijo. Veremos que el movimiento de rotación se describe mediante un conjunto de variables relacionadas, parecidas a las que utilizamos en el movimiento de traslación.

Velocidad angular

El movimiento circular uniforme (ya comentado en Movimiento en dos y tres dimensiones) es un movimiento en círculo a rapidez constante. Aunque este es el caso más simple de movimiento rotacional, es muy útil para muchas situaciones, y lo utilizamos aquí para introducir las variables rotacionales.

En la Figura 10.2, mostramos una partícula que se mueve en círculo. El sistema de coordenadas es fijo y sirve como marco de referencia para definir la posición de la partícula. Su vector de posición desde el origen del círculo hasta la partícula barre el ángulo θ, que aumenta en sentido contrario de las agujas del reloj a medida que la partícula se desplaza por su trayectoria circular. El ángulo θ se denomina la **posición angular** de la partícula. A medida que la partícula se mueve en su trayectoria circular, también traza un arco de longitud s.

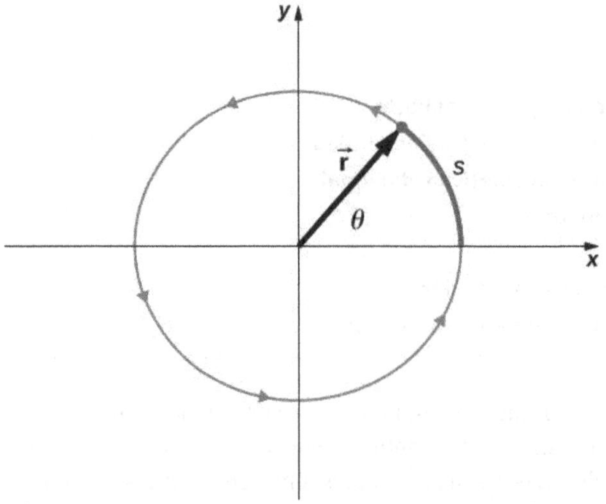

FIGURA 10.2 Una partícula sigue una trayectoria circular. Al moverse en sentido contrario a las agujas del reloj, barre un ángulo positivo θ con respecto al eje de la x y traza un arco de longitud s.

El ángulo se relaciona con el radio del círculo y la longitud del arco mediante

$$\theta = \frac{s}{r}. \qquad 10.1$$

El ángulo θ, la posición angular de la partícula a lo largo de su trayectoria, tiene unidades de radianes (rad).

Hay 2π radianes en $360°$. Observe que la medida del radián es un cociente de medidas de longitud, y por tanto es una cantidad adimensional. A medida que la partícula se mueve a lo largo de su trayectoria circular, su posición angular cambia y sufre desplazamientos angulares $\Delta\theta$.

Podemos asignar vectores a las cantidades en la Ecuación 10.1. El ángulo $\vec{\boldsymbol{\theta}}$ es un vector fuera de la página en la Figura 10.2. El vector de posición angular $\vec{\mathbf{r}}$ y la longitud del arco $\vec{\mathbf{s}}$ ambos se encuentran en el plano de la página. Estos tres vectores están relacionados entre sí por

$$\vec{\mathbf{s}} = \vec{\boldsymbol{\theta}} \times \vec{\mathbf{r}}. \tag{10.2}$$

Es decir, la longitud del arco es el producto cruz del vector de ángulo y el vector de posición, como se muestra en la Figura 10.3.

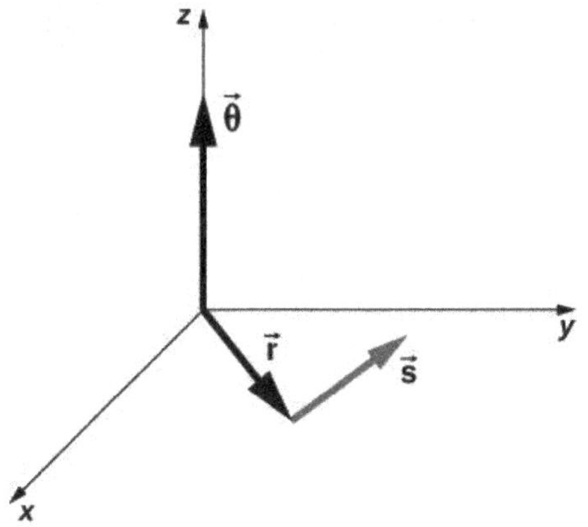

FIGURA 10.3 El vector de ángulo apunta a lo largo del eje de la *z* y el vector de posición y el vector de longitud de arco se encuentran en el plano *xy*. Vemos que $\vec{\mathbf{s}} = \vec{\boldsymbol{\theta}} \times \vec{\mathbf{r}}$. Los tres vectores son perpendiculares entre sí.

La magnitud de la **velocidad angular**, denotada por ω, es la tasa de cambio en el tiempo del ángulo θ mientras la partícula se desplaza en su trayectoria circular. La **velocidad angular instantánea** se define como el límite en el que $\Delta t \to 0$ en la velocidad angular media $\bar{\omega} = \frac{\Delta\theta}{\Delta t}$:

$$\omega = \lim_{\Delta t \to 0} \frac{\Delta\theta}{\Delta t} = \frac{d\theta}{dt}, \tag{10.3}$$

donde θ es el ángulo de rotación (Figura 10.2). Las unidades de la velocidad angular son radianes por segundo (rad/s). La velocidad angular también recibe el nombre de tasa de rotación en radianes por segundo. En muchas situaciones, se nos da la tasa de rotación en revoluciones/s o ciclos/s. Para hallar la velocidad angular, debemos multiplicar las revoluciones/s por 2π, dado que hay 2π radianes en una revolución completa. Dado que la dirección de un ángulo positivo en un círculo es contraria a las agujas del reloj, tomamos las rotaciones en sentido contrario a las agujas del reloj como positivas y las rotaciones en el sentido de las agujas del reloj como negativas.

Vemos cómo la velocidad angular está relacionada con la rapidez tangencial de la partícula al diferenciar la Ecuación 10.1 con respecto al tiempo. Reescribimos la Ecuación 10.1 como

$$s = r\theta.$$

Al tomar la derivada con respecto al tiempo y observar que el radio *r* es una constante, tenemos

$$\frac{ds}{dt} = \frac{d}{dt}(r\theta) = \theta\frac{dr}{dt} + r\frac{d\theta}{dt} = r\frac{d\theta}{dt}$$

donde $\theta\frac{dr}{dt} = 0$. Aquí $\frac{ds}{dt}$ es solo la rapidez tangencial v_t de la partícula en la Figura 10.2. Así, al utilizar la Ecuación 10.3, llegamos a

$$v_t = r\omega. \tag{10.4}$$

Es decir, la rapidez tangencial de la partícula es su velocidad angular por el radio del círculo. En la Ecuación 10.4, vemos que la rapidez tangencial de la partícula aumenta con su distancia al eje de rotación para una velocidad angular constante. Este efecto se muestra en la Figura 10.4. Dos partículas se colocan a diferentes radios en un disco en rotación a una velocidad angular constante. Al rotar el disco, la rapidez tangencial aumenta linealmente con el radio desde el eje de rotación. En la Figura 10.4, vemos que $v_1 = r_1\omega_1$ y $v_2 = r_2\omega_2$. Sin embargo, el disco tiene una velocidad angular constante, por lo que $\omega_1 = \omega_2$. Esto implica que $\frac{v_1}{r_1} = \frac{v_2}{r_2}$ o $v_2 = \left(\frac{r_2}{r_1}\right)v_1$. Así, dado que $r_2 > r_1$, $v_2 > v_1$.

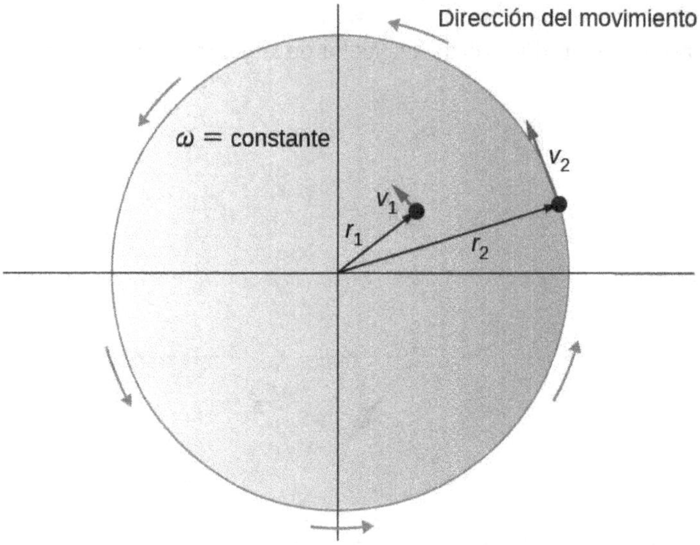

FIGURA 10.4 Dos partículas en un disco en rotación tienen distinta rapidez tangencial, dependiendo de su distancia al eje de rotación.

Hasta ahora, hemos hablado de la magnitud de la velocidad angular $\omega = d\theta/dt$, que es una cantidad escalar: el cambio de posición angular con respecto al tiempo. El vector $\vec{\omega}$ es el vector asociado a la velocidad angular y apunta a lo largo del eje de rotación. Esto es útil porque, cuando un cuerpo rígido está en rotación, queremos saber tanto el eje de rotación como la dirección en la que el cuerpo está en rotación alrededor del eje, en el sentido de las agujas del reloj o en sentido contrario. La velocidad angular $\vec{\omega}$ nos brinda esta información. La velocidad angular $\vec{\omega}$ tiene una dirección determinada por la llamada regla de la mano derecha. La regla de la mano derecha es tal que si los dedos de su mano derecha se enrollan en sentido contrario al de las agujas del reloj desde el eje de la *x* (la dirección en la que θ aumenta) hacia el eje de la *y*, su pulgar apunta en la dirección del eje de la *z* positiva (Figura 10.5). La velocidad angular $\vec{\omega}$ que apunta a lo largo del eje de la *z* positiva corresponde, por tanto, a una rotación en sentido contrario a las agujas del reloj, mientras que la velocidad angular $\vec{\omega}$ que apunta al eje de la *z* negativa corresponde a una rotación en el sentido de las agujas del reloj.

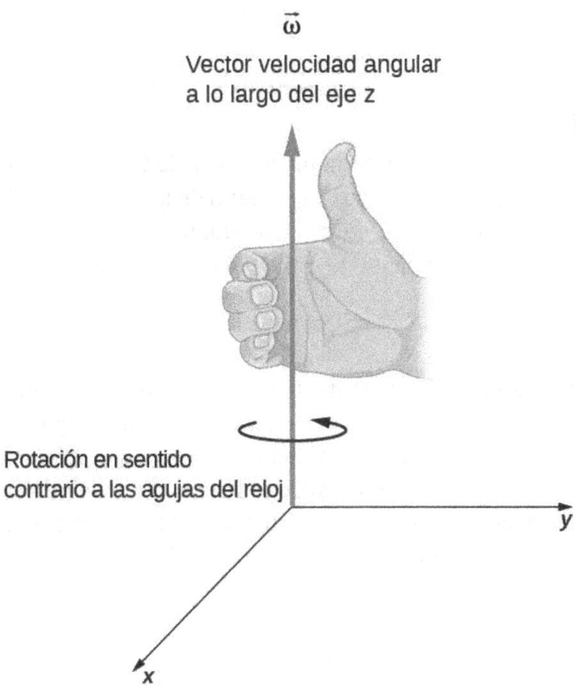

FIGURA 10.5 Para la rotación en sentido contrario a las agujas del reloj en el sistema indicado de coordenadas, la velocidad angular apunta en la dirección de la *z* positiva por la regla de la mano derecha.

De forma similar a la Ecuación 10.2, se puede establecer una relación de producto cruz con el vector de la velocidad tangencial, como se indica en la Ecuación 10.4. Por lo tanto, tenemos

$$\vec{\mathbf{v}} = \vec{\boldsymbol{\omega}} \times \vec{\mathbf{r}}. \tag{10.5}$$

Es decir, la velocidad tangencial es el producto cruz de la velocidad angular y el vector de posición, como se muestra en la Figura 10.6. De la parte (a) de esta figura, vemos que, con la velocidad angular en la dirección de la *z* positiva, la rotación en el plano *xy* es en sentido contrario a las agujas del reloj. En la parte (b), la velocidad angular está en la dirección de la *z* negativa, lo que da una rotación en el sentido de las agujas del reloj en el plano *xy*.

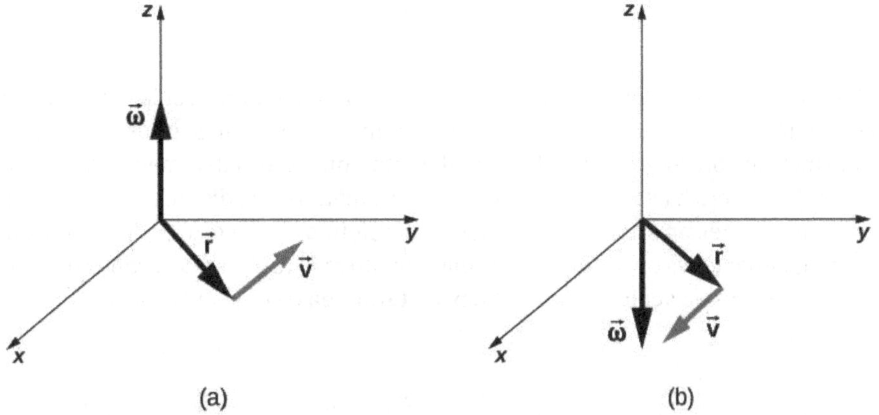

FIGURA 10.6 Los vectores mostrados son la velocidad angular, la posición y la velocidad tangencial. (a) La velocidad angular apunta en la dirección de la *z* positiva, lo que produce una rotación en sentido contrario a las agujas del reloj en el plano *xy*. (b) La velocidad angular apunta en la dirección de la *z* negativa, lo que genera una rotación en el sentido de las agujas del reloj.

EJEMPLO 10.1

Rotación de un volante de inercia

Un volante de inercia rota de forma que barre un ángulo a la tasa de $\theta = \omega t = (45{,}0\ \text{rad/s})t$ radianes. El volante rota en sentido contrario a las agujas del reloj, visto en el plano de la página. (a) ¿Cuál es la velocidad angular del volante de inercia? (b) ¿En qué sentido es la velocidad angular? (c) ¿Cuántos radianes rota el volante de inercia en 30 s? (d) ¿Cuál es la rapidez tangencial de un punto del volante de inercia a 10 cm del eje de rotación?

Estrategia

La forma funcional de la posición angular del volante de inercia se da en el problema como $\theta(t) = \omega t$, por lo que, al tomar la derivada con respecto al tiempo, hallaremos la velocidad angular. Utilizamos la regla de la mano derecha para calcular la velocidad angular. Para hallar el desplazamiento angular del volante de inercia durante 30 s, buscamos el desplazamiento angular $\Delta\theta$, donde el cambio de posición angular está entre 0 y 30 s. Para hallar la rapidez tangencial de un punto a una distancia del eje de rotación, multiplicamos su distancia por la velocidad angular del volante de inercia.

Solución

a. $\omega = \frac{d\theta}{dt} = 45\ \text{rad/s}$. Vemos que la velocidad angular es una constante.
b. Por la regla de la mano derecha, doblamos los dedos en el sentido de la rotación, que es en sentido contrario a las agujas del reloj en el plano de la página, y el pulgar apunta en la dirección de la velocidad angular, que está fuera de la página.
c. $\Delta\theta = \theta(30\ \text{s}) - \theta(0\ \text{s}) = 45{,}0(30{,}0\ \text{s}) - 45{,}0(0\ \text{s}) = 1350{,}0\ \text{rad}$.
d. $v_\text{t} = r\omega = (0{,}1\ \text{m})(45{,}0\ \text{rad/s}) = 4{,}5\ \text{m/s}$.

Importancia

En 30 s, el volante de inercia ha rotado un buen número de revoluciones, unas 215 si dividimos el desplazamiento angular entre 2π. Un volante de inercia enorme puede servir para almacenar energía de este modo, si las pérdidas por fricción son mínimas. En investigaciones recientes se ha considerado la posibilidad de utilizar rodamientos superconductores sobre los que se apoya el volante de inercia, con una pérdida de energía cero debido a la fricción.

Aceleración angular

Acabamos de hablar de la velocidad angular en relación con un movimiento circular uniforme. Sin embargo, no todos los movimientos son uniformes. Imagínese a un patinador sobre hielo girando con los brazos extendidos: cuando mete los brazos, su velocidad angular aumenta. Alternativamente, piense que el disco duro de una computadora desacelera hasta el punto de detenerse a medida que disminuye la velocidad angular. Exploraremos estas situaciones más adelante, aunque ya percibimos la necesidad de definir una **aceleración angular** para describir situaciones en las que ω cambia. Cuanto más rápido sea el cambio en ω, mayor será la aceleración angular. Definimos la **aceleración angular instantánea** α como la derivada de la velocidad angular con respecto al tiempo:

$$\alpha = \lim_{\Delta t \to 0} \frac{\Delta\omega}{\Delta t} = \frac{d\omega}{dt} = \frac{d^2\theta}{dt^2}, \qquad 10.6$$

donde hemos tomado el límite de la aceleración angular media, $\overline{\alpha} = \frac{\Delta\omega}{\Delta t}$ como $\Delta t \to 0$.

Las unidades de la aceleración angular son (rad/s)/s, o rad/s^2.

De la misma manera que definimos el vector asociado a la velocidad angular $\vec{\boldsymbol{\omega}}$, podemos definir $\vec{\boldsymbol{\alpha}}$, el vector asociado a la aceleración angular (Figura 10.7). Si la velocidad angular es a lo largo del eje de la z positiva, como en la Figura 10.5, y $\frac{d\omega}{dt}$ es positiva, entonces la aceleración angular $\vec{\boldsymbol{\alpha}}$ es positiva y apunta a lo largo del eje de la $+z$-. Del mismo modo, si la velocidad angular $\vec{\boldsymbol{\omega}}$ está a lo largo del eje de la z positiva y $\frac{d\omega}{dt}$ es negativa, entonces la aceleración angular es negativa y apunta a lo largo del eje de la $+z$−.

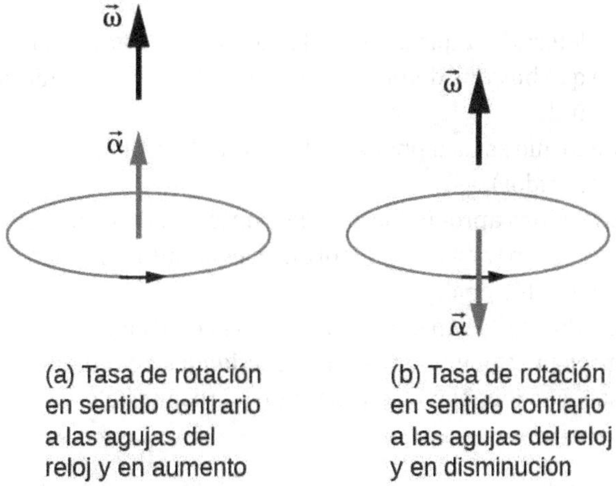

FIGURA 10.7 La rotación es en sentido contrario a las agujas del reloj tanto en (a) como en (b) con la velocidad angular en la misma dirección. (a) La aceleración angular está en la misma dirección que la velocidad angular, lo que aumenta la tasa de rotación. (b) La aceleración angular está en la dirección opuesta a la velocidad angular, lo que disminuye la tasa de rotación.

Podemos expresar el vector de aceleración tangencial como un producto cruz de la aceleración angular y el vector de posición. Esta expresión se halla al tomar la derivada de tiempo de $\vec{\mathbf{v}} = \vec{\boldsymbol{\omega}} \times \vec{\mathbf{r}}$ y se deja como ejercicio:

$$\vec{\mathbf{a}} = \vec{\boldsymbol{\alpha}} \times \vec{\mathbf{r}}. \qquad 10.7$$

La relación vectorial para la aceleración angular y la aceleración tangencial se muestra en la Figura 10.8.

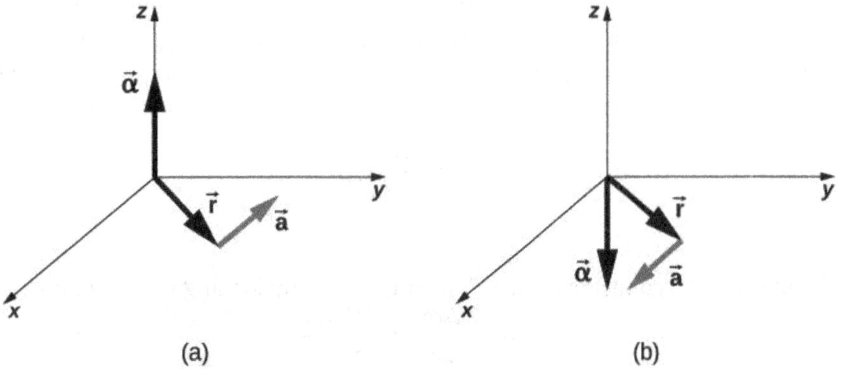

FIGURA 10.8 (a) La aceleración angular es en la dirección de la z positiva y produce una aceleración tangencial en sentido contrario a las agujas del reloj. (b) La aceleración angular es en la dirección de la z negativa y produce una aceleración tangencial en el sentido de las agujas del reloj.

Podemos relacionar la aceleración tangencial de un punto de un cuerpo en rotación a una distancia del eje de rotación de la misma manera que relacionamos la rapidez tangencial con la velocidad angular. Si diferenciamos la Ecuación 10.4 con respecto al tiempo, observando que el radio r es constante, obtenemos

$$a_{\mathrm{t}} = r\alpha. \qquad 10.8$$

Así, la aceleración tangencial a_t es el radio por la aceleración angular. La Ecuación 10.4 y la Ecuación 10.8 son importantes para el análisis del movimiento rodadura (vea Momento angular).

Apliquemos estas ideas al análisis de algunos escenarios sencillos de rotación de eje fijo. Antes de hacerlo, presentamos una estrategia de resolución de problemas que puede aplicarse a la cinemática rotacional: la descripción del movimiento rotacional.

ESTRATEGIA DE RESOLUCIÓN DE PROBLEMAS

Cinemática rotacional

1. Examine la situación para determinar que se trata de cinemática rotacional (movimiento rotacional).
2. Identifique exactamente lo que hay que determinar en el problema (identifique las incógnitas). Un esquema de la situación es útil.
3. Haga una lista completa de lo que se da o puede deducirse del problema tal y como está planteado (identifique los aspectos conocidos).
4. Resuelva la ecuación o ecuaciones apropiadas para la cantidad a determinar (la incógnita). Puede ser útil pensar en términos de un análogo traslacional, porque a estas alturas ya está familiarizado con las ecuaciones del movimiento traslacional.
5. Sustituya los valores conocidos junto con sus unidades en la ecuación correspondiente y obtenga soluciones numéricas completas con unidades. Utilice unidades de radianes para los ángulos.
6. Compruebe si su respuesta es razonable: ¿Tiene sentido su respuesta?

Apliquemos ahora esta estrategia de resolución de problemas a algunos ejemplos concretos.

EJEMPLO 10.2

Una rueda de bicicleta que gira

Una mecánica de bicicletas monta una bicicleta en el soporte de reparación y hace girar la rueda trasera desde el reposo hasta una velocidad angular final de 250 rpm en 5,00 s. (a) Calcule la aceleración angular media en rad/s^2. (b) Si ahora pisa el freno, lo que provoca una aceleración angular de -87,3 rad/s^2, ¿cuánto tiempo tarda la rueda en detenerse?

Estrategia

La aceleración angular media puede hallarse directamente a partir de su definición $\bar{\alpha} = \frac{\Delta\omega}{\Delta t}$ porque la velocidad angular final y el tiempo están dados. Vemos que $\Delta\omega = \omega_{\text{final}} - \omega_{\text{inicial}} = 250\,\text{rev/min}$ y Δt es 5,00 s. Para la parte (b), conocemos la aceleración angular y la velocidad angular inicial. Podemos hallar el tiempo de parada al utilizar la definición de aceleración angular media y resolver para Δt, lo que arroja

$$\Delta t = \frac{\Delta\omega}{\alpha}.$$

Solución

a. Al introducir la información conocida en la definición de aceleración angular, obtenemos

$$\bar{\alpha} = \frac{\Delta\omega}{\Delta t} = \frac{250\,\text{rpm}}{5{,}00\,\text{s}}.$$

Dado que $\Delta\omega$ está en revoluciones por minuto (rpm) y queremos las unidades estándar de rad/s^2 para la aceleración angular, necesitamos convertir de rpm a rad/s:

$$\Delta\omega = 250\frac{\text{rev}}{\text{min}} \cdot \frac{2\pi\,\text{rad}}{\text{rev}} \cdot \frac{1\,\text{min}}{60\,\text{s}} = 26{,}2\frac{\text{rad}}{\text{s}}.$$

Al introducir esta cantidad en la expresión para α, obtenemos

$$\alpha = \frac{\Delta\omega}{\Delta t} = \frac{26{,}2\,\text{rad/s}}{5{,}00\,\text{s}} = 5{,}24\,\text{rad/s}^2.$$

b. Aquí la velocidad angular disminuye de 26,2 rad/s (250 rpm) a cero, por lo que $\Delta\omega$ es -26,2 rad/s, y α es de -87,3 rad/s^2. Así,

$$\Delta t = \frac{-26{,}2\,\text{rad/s}}{-87{,}3\,\text{rad/s}^2} = 0{,}300\,\text{s}.$$

Importancia

Observe que la aceleración angular a medida que la mecánica hace girar la rueda es pequeña y positiva; se necesitan 5 s para producir una velocidad angular apreciable. Cuando pisa el freno, la aceleración angular es grande y negativa. La velocidad angular pasa rápidamente a cero.

COMPRUEBE LO APRENDIDO 10.1

Las aspas del ventilador de un motor de reacción turbofán (mostradas a continuación) aceleran desde el reposo hasta una tasa de rotación de 40,0 rev/s en 20 s. El aumento de la velocidad angular del ventilador es constante en el tiempo. (El motor turbofán GE90-110B1 montado en un Boeing 777, como se muestra, es actualmente el mayor motor turbofán del mundo, capaz de alcanzar un empuje de 330 a 510 kN).

(a) ¿Cuál es la aceleración angular media?

(b) ¿Cuál es la aceleración angular instantánea en cualquier momento durante los primeros 20 s?

FIGURA 10.9 (créditos: "Bubinator"/ Wikimedia Commons).

EJEMPLO 10.3

Aerogenerador

Un aerogenerador (Figura 10.10) en un parque eólico se apaga para su mantenimiento. Tarda 30 s en pasar de su velocidad angular de funcionamiento a una parada completa, en la que la función de velocidad angular es $\omega(t) = [(ts^{-1} - 30{,}0)^2/100{,}0]\text{rad/s}$. Si el aerogenerador rota en sentido contrario a las agujas del reloj, de cara a la página, (a) ¿cuáles son las direcciones de los vectores de velocidad y aceleración angular? (b) ¿Cuál es la aceleración angular media? (c) ¿Cuál es la aceleración angular instantánea en $t = 0{,}0, 15{,}0, 30{,}0$ s?

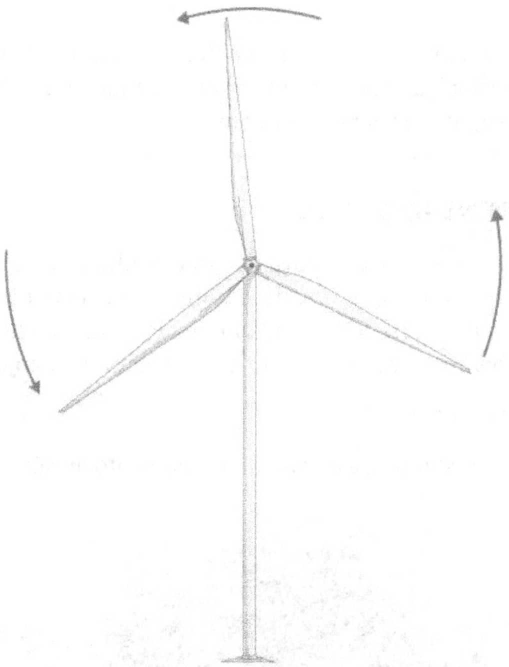

FIGURA 10.10 Aerogenerador que rota en sentido contrario a las agujas del reloj, visto de frente.

Estrategia

a. Se nos da el sentido rotacional del aerogenerador, que está en sentido contrario a las agujas del reloj en el plano de la página. Utilizando la regla de la mano derecha (Figura 10.5), podemos establecer las direcciones de los vectores de velocidad y aceleración angular.
b. Calculamos las velocidades angulares inicial y final para obtener la aceleración angular media. Establecemos el signo de la aceleración angular a partir de los resultados de (a).
c. Tenemos la forma funcional de la velocidad angular, así que podemos hallar la forma funcional de la función de aceleración angular al tomar su derivada con respecto al tiempo.

Solución

a. Dado que el aerogenerador rota en sentido contrario a las agujas del reloj, la velocidad angular $\vec{\omega}$ apunta hacia afuera de la página. Sin embargo, dado que la velocidad angular disminuye, la aceleración angular $\vec{\alpha}$ apunta hacia la página, en el sentido contrario a la velocidad angular.
b. La velocidad angular inicial de la turbina, suponiendo que $t = 0$, es $\omega = 9{,}0\ \text{rad/s}$. La velocidad angular final es cero, por lo que la aceleración angular media es

$$\bar{\alpha} = \frac{\Delta\omega}{\Delta t} = \frac{\omega - \omega_0}{t - t_0} = \frac{0 - 9{,}0\ \text{rad/s}}{30{,}0 - 0\ \text{s}} = -0{,}3\ \text{rad/s}^2.$$

c. Al tomar la derivada de la velocidad angular con respecto al tiempo se obtiene $\alpha = \frac{d\omega}{dt} = (t - 30{,}0)\,/50{,}0\ \text{rad/s}^2$

$$\alpha(0{,}0\ \text{s}) = -0{,}6\ \text{rad/s}^2,\ \alpha(15{,}0\ \text{s}) = -0{,}3\ \text{rad/s}^2,\ \text{y}\ \alpha(30{,}0\ \text{s}) = 0\ \text{rad/s}.$$

Importancia

A partir de los cálculos de (a) y (b) comprobamos que la aceleración angular α y la aceleración angular media $\bar{\alpha}$ son negativas. El aerogenerador tiene una aceleración angular en sentido contrario a su velocidad angular.

Ahora tenemos un vocabulario básico para hablar sobre la cinemática rotacional de eje fijo y las relaciones entre las variables rotacionales. En la siguiente sección se analizan más definiciones y conexiones.

10.2 Rotación con aceleración angular constante

OBJETIVOS DE APRENDIZAJE

Al final de esta sección, podrá:

- Derivar las ecuaciones cinemáticas para el movimiento rotacional con aceleración angular constante.
- Seleccionar de las ecuaciones cinemáticas para el movimiento rotacional con aceleración angular constante las ecuaciones apropiadas para resolver las incógnitas en el análisis de sistemas sometidos a rotación de eje fijo.
- Utilizar las soluciones halladas con las ecuaciones cinemáticas para verificar el análisis gráfico de la rotación de eje fijo con aceleración angular constante.

En la sección anterior, hemos definido las variables rotacionales de desplazamiento angular, velocidad angular y aceleración angular. En esta sección, trabajamos con estas definiciones para derivar relaciones entre estas variables y utilizar estas relaciones para analizar el movimiento rotacional en un cuerpo rígido en torno a un eje fijo bajo una aceleración angular constante. Este análisis constituye la base de la cinemática rotacional. Si la aceleración angular es constante, las ecuaciones de la cinemática rotacional se simplifican, de forma similar a las ecuaciones de la cinemática lineal que se analizan en Movimiento a lo largo de una línea recta y Movimiento en dos y tres dimensiones. Podemos entonces utilizar este conjunto simplificado de ecuaciones para describir muchas aplicaciones en física e ingeniería, donde la aceleración angular del sistema es constante. La cinemática rotacional es también un prerrequisito para el estudio de la dinámica rotacional más adelante en este capítulo.

Cinemática del movimiento rotacional

Con nuestra intuición podemos empezar a ver cómo las cantidades rotacionales θ, ω, α, y t están relacionadas entre sí. Por ejemplo, hemos visto en la sección anterior que, si un volante de inercia tiene una aceleración angular en la misma dirección que su vector de velocidad angular, su velocidad angular aumenta con el tiempo, al igual que desplazamiento angular. Por el contrario, si la aceleración angular es opuesta al vector de velocidad angular, su velocidad angular disminuye con el tiempo. Podemos describir estas situaciones físicas y muchas otras con un conjunto coherente de ecuaciones cinemáticas rotacionales bajo una aceleración angular constante. El método para investigar el movimiento rotacional de esta manera se llama **cinemática del movimiento rotacional**.

Para empezar, observamos que, si el sistema rota bajo una aceleración constante, entonces la velocidad angular media sigue una relación simple porque la velocidad angular aumenta linealmente con el tiempo. La velocidad angular media es justo la mitad de la suma de los valores inicial y final:

$$\bar{\omega} = \frac{\omega_0 + \omega_f}{2}. \quad 10.9$$

A partir de la definición de la velocidad angular media, hallaremos una ecuación que relacione la posición angular, la velocidad angular media y el tiempo:

$$\bar{\omega} = \frac{\Delta\theta}{\Delta t}.$$

Resolviendo para θ, tenemos

$$\theta_f = \theta_0 + \bar{\omega}t, \quad 10.10$$

donde hemos supuesto que $t_0 = 0$. Esta ecuación puede ser muy útil si conocemos la velocidad angular media del sistema. Entonces podríamos encontrar el desplazamiento angular en un tiempo determinado. A continuación, hallamos una ecuación que relaciona ω, α, y t. Para determinar esta ecuación, partimos de la definición de aceleración angular:

$$\alpha = \frac{d\omega}{dt}.$$

Reorganizamos esto para obtener $\alpha dt = d\omega$ y luego integramos ambos lados de esta ecuación desde los valores iniciales hasta los finales, es decir, desde t_0 a t y ω_0 a ω_f. En el movimiento rotacional uniforme, la aceleración angular es constante, por lo que puede extraerse de la integral, para dar lugar a dos integrales definidas:

$$\alpha \int_{t_0}^{t} dt' = \int_{\omega_0}^{\omega_f} d\omega.$$

Estableciendo $t_0 = 0$, tenemos

$$\alpha t = \omega_f - \omega_0.$$

Reorganizamos esto para obtener

$$\omega_f = \omega_0 + \alpha t, \quad \textbf{10.11}$$

donde ω_0 es la velocidad angular inicial. La Ecuación 10.11 es la contraparte rotacional de la ecuación cinemática lineal $v_f = v_0 + at$. Con la Ecuación 10.11, hallaremos la velocidad angular de un objeto en cualquier tiempo t dada la velocidad angular inicial y la aceleración angular.

Hagamos ahora un tratamiento similar a partir de la ecuación $\omega = \frac{d\theta}{dt}$. La reordenamos para obtener $\omega dt = d\theta$ e integramos de nuevo ambos lados de los valores iniciales a los finales; se observa que la aceleración angular es constante y no depende del tiempo. Sin embargo, esta vez, la velocidad angular no es constante (en general), por lo que sustituimos en lo que derivamos anteriormente:

$$\int_{t_0}^{t_f} (\omega_0 + \alpha t')dt' = \int_{\theta_0}^{\theta_f} d\theta;$$

$$\int_{t_0}^{t} \omega_0 dt + \int_{t_0}^{t} \alpha t dt = \int_{\theta_0}^{\theta_f} d\theta = \left[\omega_0 t' + \alpha\left(\frac{(t')^2}{2}\right)\right]_{t_0}^{t} = \omega_0 t + \alpha\left(\frac{t^2}{2}\right) = \theta_f - \theta_0,$$

donde hemos supuesto que $t_0 = 0$. Ahora reordenamos para obtener

$$\theta_f = \theta_0 + \omega_0 t + \frac{1}{2}\alpha t^2. \quad \textbf{10.12}$$

La Ecuación 10.12 es la contraparte rotacional de la ecuación de la cinemática lineal que se encuentra en Movimiento a lo largo de una línea recta para la posición como función del tiempo. Esta ecuación nos da la posición angular de un cuerpo rígido en rotación en cualquier tiempo t dadas las condiciones iniciales (posición angular inicial y velocidad angular inicial) y la aceleración angular.

Hallaremos una ecuación que sea independiente del tiempo al resolver para t en la Ecuación 10.11 y sustituir en la Ecuación 10.12. La Ecuación 10.12 se convierte en

$$\begin{aligned}
\theta_f &= \theta_0 + \omega_0\left(\frac{\omega_f - \omega_0}{\alpha}\right) + \frac{1}{2}\alpha\left(\frac{\omega_f - \omega_0}{\alpha}\right)^2 \\
&= \theta_0 + \frac{\omega_0\omega_f}{\alpha} - \frac{\omega_0^2}{\alpha} + \frac{1}{2}\frac{\omega_f^2}{\alpha} - \frac{\omega_0\omega_f}{\alpha} + \frac{1}{2}\frac{\omega_0^2}{\alpha} \\
&= \theta_0 + \frac{1}{2}\frac{\omega_f^2}{\alpha} - \frac{1}{2}\frac{\omega_0^2}{\alpha}, \\
\theta_f - \theta_0 &= \frac{\omega_f^2 - \omega_0^2}{2\alpha}
\end{aligned}$$

o

$$\omega_f^2 = \omega_0^2 + 2\alpha(\Delta\theta). \quad \textbf{10.13}$$

La Ecuación 10.10 a la Ecuación 10.13 describen la rotación en el eje fijo para una aceleración constante y se resumen en la Tabla 10.1.

Desplazamiento angular a partir de la velocidad angular media	$\theta_f = \theta_0 + \bar{\omega}t$
Velocidad angular a partir de la aceleración angular	$\omega_f = \omega_0 + \alpha t$
Desplazamiento angular a partir de la velocidad angular y la aceleración angular	$\theta_f = \theta_0 + \omega_0 t + \frac{1}{2}\alpha t^2$
Velocidad angular a partir del desplazamiento angular y la aceleración angular	$\omega_f^2 = \omega_0{}^2 + 2\alpha(\Delta\theta)$

TABLA 10.1 Ecuaciones cinemáticas

Aplicar las ecuaciones del movimiento rotacional

Ahora aplicaremos las relaciones cinemáticas clave para el movimiento rotacional a algunos ejemplos sencillos para tener una idea de cómo se pueden aplicar las ecuaciones a situaciones cotidianas.

EJEMPLO 10.4

Calcular la aceleración de un carrete de pesca

Un pescador de alta mar engancha un gran pez que se aleja nadando del barco, tirando del sedal de su carrete de pesca. Todo el sistema está inicialmente en reposo, y el sedal se desenrolla del carrete en un radio de 4,50 cm desde su eje de rotación. El carrete recibe una aceleración angular de $110\ \text{rad/s}^2$ durante 2,00 s (Figura 10.11).

(a) ¿Cuál es la velocidad angular final del carrete después de 2 s?

(b) ¿Cuántas revoluciones da el carrete?

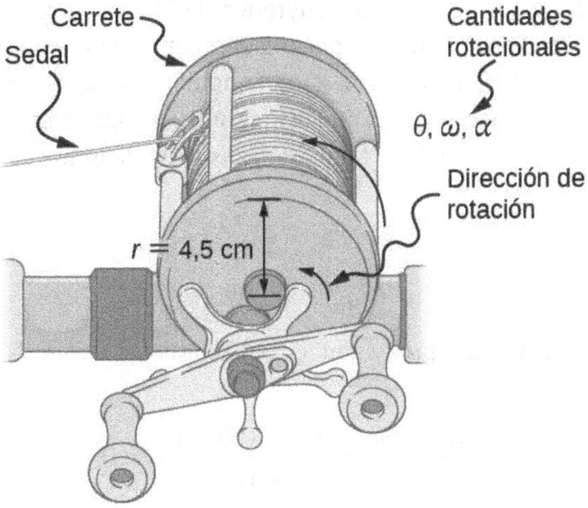

FIGURA 10.11 El sedal que sale de un carrete en rotación se mueve linealmente.

Estrategia

Identifique los aspectos conocidos y compárelos con las ecuaciones cinemáticas para la aceleración constante. Busque la ecuación adecuada que pueda resolverse para la incógnita; utilice los aspectos conocidos en la descripción del problema.

Solución

a. Se nos da α y t y queremos determinar ω. La ecuación más sencilla de utilizar es $\omega_f = \omega_0 + \alpha t$, dado que se conocen todos los términos, además de la variable desconocida que buscamos. Se nos da que $\omega_0 = 0$

(parte del reposo), por lo que

$$\omega_f = 0 + (110\,\text{rad/s}^2)(2{,}00\,\text{s}) = 220\,\text{rad/s}.$$

b. Se nos pide que calculemos el número de revoluciones. Dado que 1 rev = 2π rad, hallaremos el número de revoluciones al calcular θ en radianes. Se nos da α y t, y sabemos que ω_0 es cero, por lo que podemos obtener θ utilizando

$$\begin{aligned}\theta_f &= \theta_i + \omega_i t + \tfrac{1}{2}\alpha t^2 \\ &= 0 + 0 + (0{,}500)\left(110\,\text{rad/s}^2\right)(2{,}00\,\text{s})^2 = 220\,\text{rad}.\end{aligned}$$

Al convertir los radianes en revoluciones obtenemos

$$\text{Número de rev} = (220\,\text{rad})\frac{1\,\text{rev}}{2\pi\,\text{rad}} = 35{,}0\,\text{rev}.$$

Importancia

Este ejemplo ilustra que las relaciones entre las magnitudes rotacionales son muy análogas a las de las magnitudes lineales. Las respuestas a las preguntas son realistas. Tras desenrollarlo durante dos segundos, se comprueba que el carrete gira a 220 rad/s, es decir, a 2.100 rpm. (No es de extrañar que los carretes a veces emitan sonidos agudos).

En el ejemplo anterior, hemos considerado un carrete de pesca con una aceleración angular positiva. Consideremos ahora lo que ocurre con una aceleración angular negativa.

EJEMPLO 10.5

Calcular la duración cuando el carrete de pesca desacelera y se detiene

Ahora el pescador aplica un freno al carrete en rotación, hasta lograr una aceleración angular de $-300\,\text{rad/s}^2$. ¿Cuánto tiempo tarda el carrete en detenerse?

Estrategia

Se nos pide que calculemos el tiempo t que tarda en detenerse el carrete. Las condiciones iniciales y finales son diferentes a las del problema anterior, que implicaba el mismo carrete de pesca. Ahora vemos que la velocidad angular inicial es $\omega_0 = 220\,\text{rad/s}$ y la velocidad angular final ω es cero. La aceleración angular viene dada por $\alpha = -300\,\text{rad/s}^2$. Al examinar las ecuaciones disponibles, vemos que todas las cantidades menos t son conocidas en $\omega_f = \omega_0 + \alpha t$, lo que facilita el empleo de esta ecuación.

Solución

La ecuación establece

$$\omega_f = \omega_0 + \alpha t.$$

Resolvemos la ecuación algebraicamente para t y luego sustituimos los valores conocidos como es habitual, para producir

$$t = \frac{\omega_f - \omega_0}{\alpha} = \frac{0 - 220{,}0\,\text{rad/s}}{-300{,}0\,\text{rad/s}^2} = 0{,}733\,\text{s}.$$

Importancia

Hay que tener cuidado con los signos que indican las direcciones de las distintas cantidades. También observe que el tiempo para detener el carrete es muy breve porque la aceleración es bastante grande. Las líneas de pesca a veces se rompen debido a las aceleraciones que se producen, y los pescadores suelen dejar que el pez nade durante un tiempo antes de aplicar los frenos en el carrete. Un pez cansado es más lento y requiere una menor aceleración.

COMPRUEBE LO APRENDIDO 10.2

Una centrifugadora utilizada en la extracción de ADN gira a una velocidad máxima de 7.000 rpm, para generar una "fuerza g" sobre la muestra que es 6.000 veces la fuerza de la gravedad. Si la centrifugadora tarda 10 segundos en llegar al reposo desde la máxima tasa de giro: (a) ¿Cuál es la aceleración angular de la centrifugadora? (b) ¿Cuál es el desplazamiento angular de la centrifugadora durante este tiempo?

EJEMPLO 10.6

Aceleración angular de una hélice

La Figura 10.12 muestra un gráfico de la velocidad angular de una hélice de un avión como función del tiempo. Su velocidad angular comienza en 30 rad/s y desciende linealmente hasta 0 rad/s en el transcurso de 5 segundos. (a) Calcule la aceleración angular del objeto y verifique el resultado utilizando las ecuaciones cinemáticas. (b) Calcule el ángulo por el que la hélice está en rotación durante esos 5 segundos y verifique su resultado por medio de las ecuaciones cinemáticas.

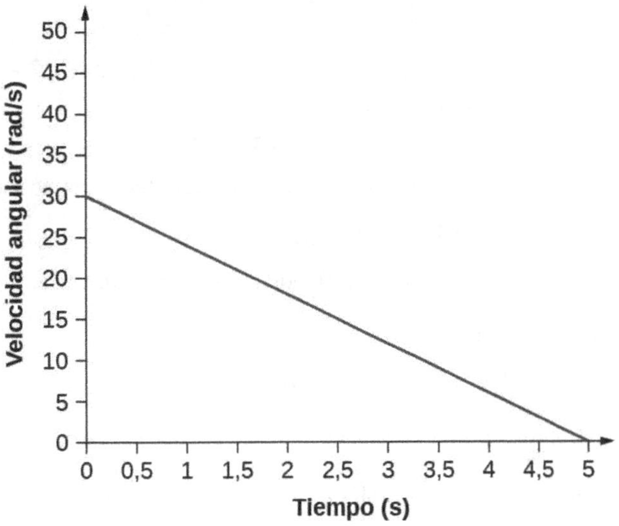

FIGURA 10.12 Gráfico de la velocidad angular de una hélice en función del tiempo.

Estrategia

a. Dado que la velocidad angular varía linealmente con el tiempo, sabemos que la aceleración angular es constante y no depende de la variable tiempo. La aceleración angular es la pendiente del gráfico de la velocidad angular en función del tiempo, $\alpha = \frac{d\omega}{dt}$. Para calcular la pendiente, leemos directamente de la Figura 10.12, y vemos que $\omega_0 = 30\ \text{rad/s}$ en $t = 0\ \text{s}$ y $\omega_f = 0\ \text{rad/s}$ en $t = 5\ \text{s}$. A continuación, podemos verificar el resultado utilizando $\omega = \omega_0 + \alpha t$.

b. Utilizamos la ecuación $\omega = \frac{d\theta}{dt}$; ya que la derivada tiempo del ángulo es la velocidad angular, hallaremos el desplazamiento angular al integrar la velocidad angular, lo que a partir de la figura significa tomar el área bajo el gráfico de la velocidad angular. En otras palabras:

$$\int_{\theta_0}^{\theta_f} d\theta = \theta_f - \theta_0 = \int_{t_0}^{t_f} \omega(t)dt.$$

A continuación, utilizamos las ecuaciones cinemáticas en la aceleración constante para verificar el resultado.

Solución

a. Al calcular la pendiente, obtenemos

$$\alpha = \frac{\omega - \omega_0}{t - t_0} = \frac{(0 - 30{,}0)\,\text{rad/s}}{(5{,}0 - 0)\,\text{s}} = -6{,}0\,\text{rad/s}^2.$$

Vemos que esto es exactamente la Ecuación 10.11 con un pequeño reordenamiento de los términos.

b. Hallaremos el área bajo la curva al calcular el área del triángulo rectángulo, como se muestra en la Figura 10.13.

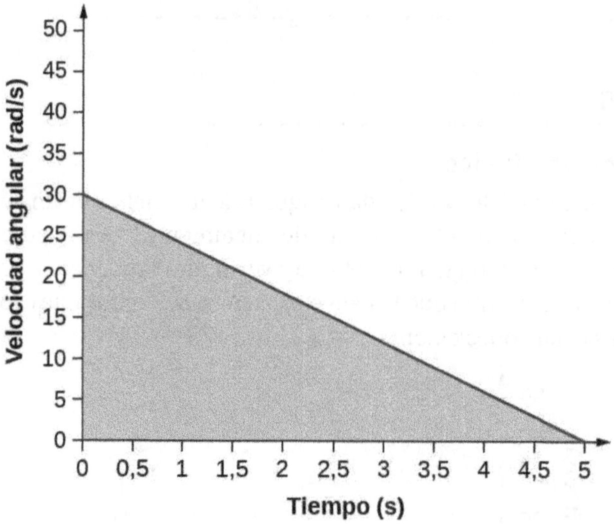

FIGURA 10.13 El área bajo la curva es el área del triángulo rectángulo.

$$\Delta\theta = \text{área (triángulo)};$$
$$\Delta\theta = \frac{1}{2}(30\,\text{rad/s})(5\,\text{s}) = 75\,\text{rad}.$$

Verificamos la solución mediante la Ecuación 10.12:

$$\theta_\text{f} = \theta_0 + \omega_0 t + \frac{1}{2}\alpha t^2.$$

Estableciendo $\theta_0 = 0$, tenemos

$$\theta_0 = (30{,}0\,\text{rad/s})(5{,}0\,\text{s}) + \frac{1}{2}(-6{,}0\,\text{rad/s}^2)(5{,}0\,\text{rad/s})^2 = 150{,}0 - 75{,}0 = 75{,}0\,\text{rad}.$$

Esto verifica la solución derivada de calcular el área bajo la curva.

Importancia

Vemos en la parte (b) que hay enfoques alternativos para analizar la rotación del eje fijo con aceleración constante. Comenzamos con un enfoque gráfico y verificamos la solución por medio de las ecuaciones cinemáticas rotacionales. Dado que $\alpha = \frac{d\omega}{dt}$, podríamos realizar el mismo análisis gráfico sobre una curva de aceleración angular en función del tiempo. El área bajo la curva α**en función del**t nos da el cambio de velocidad angular. Ya que la aceleración angular es constante en esta sección, se trata de un ejercicio sencillo.

10.3 Relacionar cantidades angulares y traslacionales

OBJETIVOS DE APRENDIZAJE

Al final de esta sección, podrá:

- Dada la ecuación cinemática lineal, escribir la ecuación cinemática rotacional correspondiente.
- Calcular las distancias lineales, las velocidades y las aceleraciones de los puntos de un sistema en rotación dadas las velocidades y aceleraciones angulares.

En esta sección, relacionamos cada una de las variables rotacionales con las variables traslacionales definidas en Movimiento a lo largo de una línea recta y Movimiento en dos y tres dimensiones. Esto completará nuestra capacidad para describir las rotaciones de los cuerpos rígidos.

Variables angulares frente a variables lineales

En Variables rotacionales, introducimos las variables angulares. Si comparamos las definiciones rotacionales con las definiciones de las variables cinemáticas lineales de Movimiento a lo largo de una línea recta y Movimiento en dos y tres dimensiones, encontramos que hay un mapeo de las variables lineales a las rotacionales. La posición lineal, la velocidad y la aceleración tienen sus contrapartes rotacionales, como podemos ver cuando las escribimos una al lado de la otra:

	Lineal	**Rotacional**
Posición	x	θ
Velocidad	$v = \frac{dx}{dt}$	$\omega = \frac{d\theta}{dt}$
Aceleración	$a = \frac{dv}{dt}$	$\alpha = \frac{d\omega}{dt}$

Comparemos las variables lineales y rotacionales individualmente. La variable lineal de posición tiene unidades físicas de metros, mientras que la variable de posición angular tiene unidades adimensionales de radianes, como puede observarse en la definición de $\theta = \frac{s}{r}$, que es la relación de dos longitudes. La velocidad lineal tiene unidades de m/s, y su contraparte, la velocidad angular, tiene unidades de rad/s. En Variables rotacionales, vimos en el caso del movimiento circular que la rapidez lineal tangencial de una partícula a un radio r del eje de rotación está relacionada con la velocidad angular por la relación $v_t = r\omega$. Esto también podría aplicarse a los puntos de un cuerpo rígido que rota en torno a un eje fijo. En este caso, solo consideramos el movimiento circular. En el movimiento circular, tanto uniforme como no uniforme, existe una aceleración centrípeta (Movimiento en dos y tres dimensiones). El vector de aceleración centrípeta apunta hacia el interior de la partícula que ejecuta el movimiento circular hacia el eje de rotación. La derivación de la magnitud de la aceleración centrípeta se da en Movimiento en dos y tres dimensiones. A partir de esa derivación, la magnitud de la aceleración centrípeta resultó ser

$$a_c = \frac{v_t^2}{r}, \qquad 10.14$$

donde r es el radio del círculo.

Así, en el movimiento circular uniforme, cuando la velocidad angular es constante y la aceleración angular es cero, tenemos una aceleración lineal, es decir, una aceleración centrípeta, ya que la rapidez tangencial en la Ecuación 10.14 es una constante. Si existe un movimiento circular no uniforme, el sistema en rotación tiene una aceleración angular, y tenemos tanto una aceleración centrípeta lineal que está cambiando (porque v_t está cambiando) así como una aceleración tangencial lineal. Estas relaciones se indican en la Figura 10.14, donde presentamos las aceleraciones centrípeta y tangencial para el movimiento circular uniforme y no uniforme.

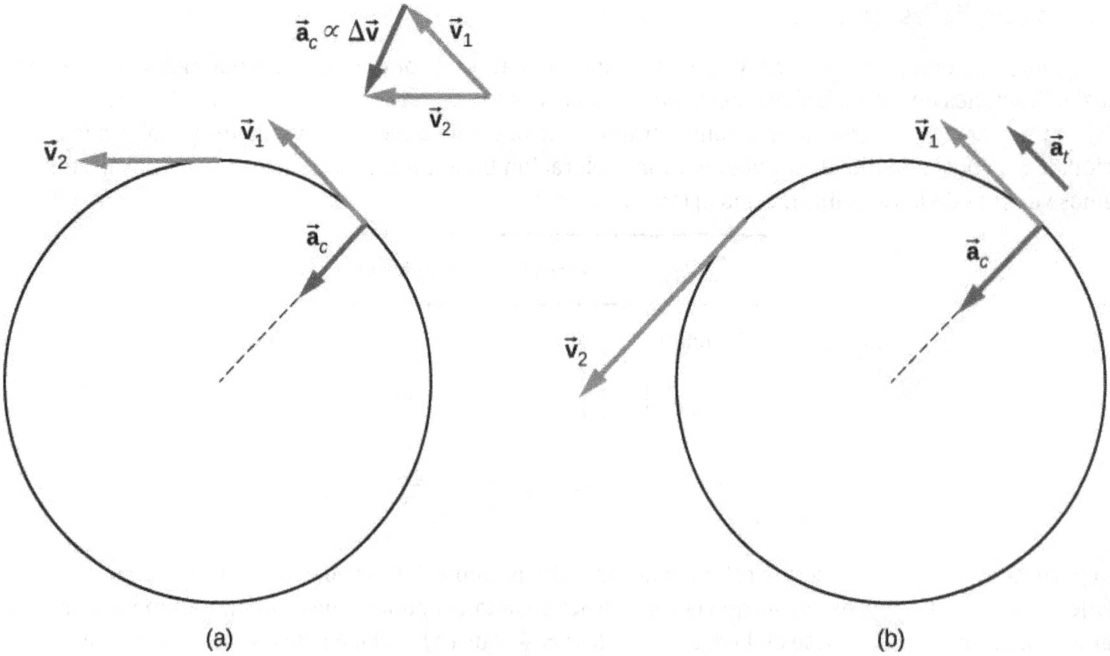

FIGURA 10.14 (a) Movimiento circular uniforme: la aceleración centrípeta a_c tiene su vector hacia el interior del eje de rotación. No hay aceleración tangencial. (b) Movimiento circular no uniforme: la aceleración angular produce una aceleración centrípeta hacia el interior que va cambiando de magnitud, más una aceleración tangencial a_t.

La aceleración centrípeta se debe al cambio en la dirección de la velocidad tangencial, mientras que la aceleración tangencial se debe a cualquier cambio en la magnitud de la velocidad tangencial. Los vectores de aceleración tangencial y centrípeta $\vec{\mathbf{a}}_t$ y $\vec{\mathbf{a}}_c$ son siempre perpendiculares entre sí, como se aprecia en la Figura 10.14. Para completar esta descripción, podemos asignar un vector de **aceleración lineal total** a un punto de un cuerpo rígido en rotación o a una partícula que ejecuta un movimiento circular a un radio r desde un eje fijo. El vector de aceleración lineal total $\vec{\mathbf{a}}$ es la suma vectorial de las aceleraciones centrípeta y tangencial,

$$\vec{\mathbf{a}} = \vec{\mathbf{a}}_c + \vec{\mathbf{a}}_t. \qquad 10.15$$

El vector de aceleración lineal total en el caso del movimiento circular no uniforme apunta a un ángulo entre los vectores de aceleración centrípeta y tangencial, como se muestra en la Figura 10.15. Dado que $\vec{\mathbf{a}}_c \perp \vec{\mathbf{a}}_t$, la magnitud de la aceleración lineal total es

$$|\vec{\mathbf{a}}| = \sqrt{a_c^2 + a_t^2}.$$

Observe que, si la aceleración angular es cero, la aceleración lineal total es igual a la aceleración centrípeta.

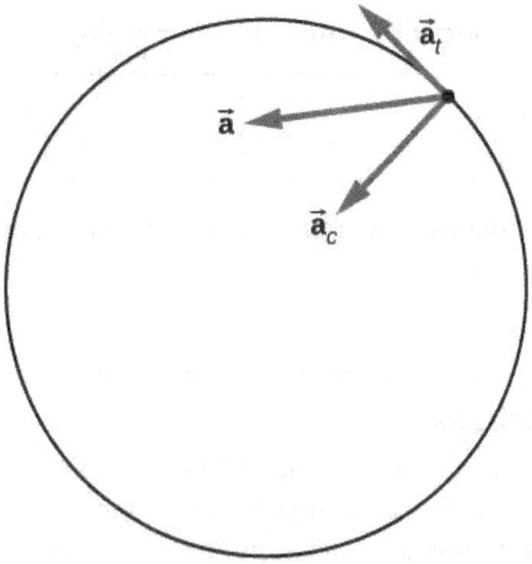

FIGURA 10.15 Una partícula ejecuta un movimiento circular y tiene una aceleración angular. La aceleración lineal total de la partícula es la suma vectorial de los vectores de aceleración centrípeta y de aceleración tangencial. El vector de aceleración lineal total forma un ángulo entre la aceleración centrípeta y la tangencial.

Relaciones entre el movimiento rotacional y traslacional

Podemos observar dos relaciones entre el movimiento rotacional y el traslacional.

1. En general, las ecuaciones cinemáticas lineales tienen sus contrapartes rotacionales. La Tabla 10.2 enumera las cuatro ecuaciones cinemáticas lineales y su contraparte rotacional. Los dos conjuntos de ecuaciones se parecen entre sí, pero describen dos situaciones físicas diferentes, es decir, la rotación y la traslación.

Rotacional	Traslacional
$\theta_f = \theta_0 + \bar{\omega}t$	$x = x_0 + \bar{v}t$
$\omega_f = \omega_0 + \alpha t$	$v_f = v_0 + at$
$\theta_f = \theta_0 + \omega_0 t + \frac{1}{2}\alpha t^2$	$x_f = x_0 + v_0 t + \frac{1}{2}at^2$
$\omega_f^2 = \omega_0^2 + 2\alpha(\Delta\theta)$	$v_f^2 = v_0^2 + 2a(\Delta x)$

TABLA 10.2 Ecuaciones cinemáticas rotacionales y traslacionales

2. La segunda correspondencia tiene que ver con la relación de las variables lineales y rotacionales en el caso especial del movimiento circular. Esto se muestra en la Tabla 10.3, donde en la tercera columna, hemos enumerado la ecuación de conexión que relaciona la variable lineal con la variable rotacional. Las variables rotacionales de velocidad angular y aceleración tienen subíndices que indican su definición en el movimiento circular.

Rotacional	Traslacional	Relación (r = radio)
θ	s	$\theta = \frac{s}{r}$
ω	v_t	$\omega = \frac{v_t}{r}$
α	a_t	$\alpha = \frac{a_t}{r}$

Rotacional	Traslacional	Relación (r = radio)
	a_c	$a_c = \frac{v_t^2}{r}$

TABLA 10.3 Cantidades rotacionales y traslacionales: movimiento circular

EJEMPLO 10.7

Aceleración lineal de una centrífuga

Una centrífuga tiene un radio de 20 cm y acelera desde una tasa de rotación máxima de 10.000 rpm hasta el reposo en 30 segundos bajo una aceleración angular constante. Rota en el sentido contrario de las agujas del reloj. ¿Cuál es la magnitud de la aceleración total de un punto en la punta de la centrífuga en $t = 29{,}0$s? ¿Cuál es la dirección del vector de aceleración total?

Estrategia

Con la información dada, podemos calcular la aceleración angular, lo que nos permitirá calcular la aceleración tangencial. Hallaremos la aceleración centrípeta en $t = 0$ al calcular la rapidez tangencial en este momento. Con las magnitudes de las aceleraciones, podemos calcular la aceleración lineal total. A partir de la descripción de la rotación en el problema, podemos hacer un esquema de la dirección del vector de aceleración total.

Solución

La aceleración angular es

$$\alpha = \frac{\omega - \omega_0}{t} = \frac{0 - (1{,}0 \times 10^4)2\pi/60{,}0\ \text{s(rad/s)}}{30{,}0\ \text{s}} = -34{,}9\ \text{rad/s}^2.$$

Por lo tanto, la aceleración tangencial es

$$a_t = r\alpha = 0{,}2\ \text{m}(-34{,}9\ \text{rad/s}^2) = -7{,}0\ \text{m/s}^2.$$

La velocidad angular en $t = 29{,}0$ s es

$$\begin{aligned}\omega &= \omega_0 + \alpha t = 1{,}0 \times 10^4 \left(\frac{2\pi}{60{,}0\ \text{s}}\right) + \left(-34{,}9\ \text{rad/s}^2\right)(29{,}0\ \text{s}) \\ &= 1047{,}2\ \text{rad/s} - 1012{,}71 = 35{,}1\ \text{rad/s}.\end{aligned}$$

Así, la rapidez tangencial en $t = 29{,}0$ s es

$$v_t = r\omega = 0{,}2\ \text{m}(35{,}1\ \text{rad/s}) = 7{,}0\ \text{m/s}.$$

Ahora podemos calcular la aceleración centrípeta en $t = 29{,}0$ s:

$$a_c = \frac{v^2}{r} = \frac{(7{,}0\ \text{m/s})^2}{0{,}2\ \text{m}} = 245{,}0\ \text{m/s}^2.$$

Ya que los dos vectores de aceleración son perpendiculares entre sí, la magnitud de la aceleración lineal total es

$$|\vec{\mathbf{a}}| = \sqrt{a_c^2 + a_t^2} = \sqrt{(245{,}0)^2 + (-7{,}0)^2} = 245{,}1\ \text{m/s}^2.$$

Dado que la centrífuga tiene una aceleración angular negativa, desacelera. El vector de aceleración total es el que se muestra en la Figura 10.16. El ángulo con respecto al vector de aceleración centrípeta es

$$\theta = \tan^{-1}\frac{-7{,}0}{245{,}0} = -1{,}6°.$$

El signo negativo significa que el vector de aceleración total está inclinado en el sentido de las agujas del reloj.

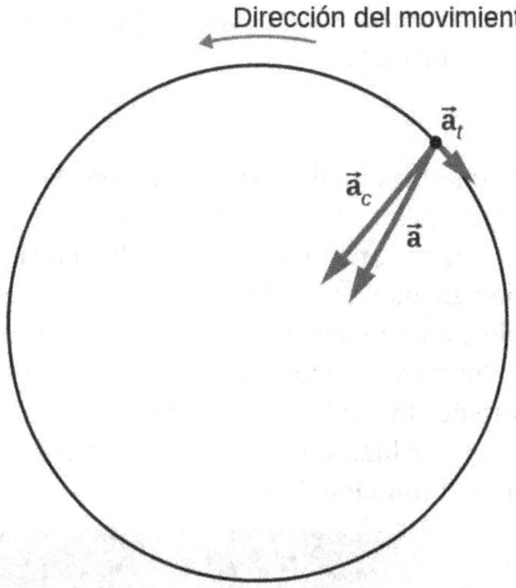

FIGURA 10.16 Los vectores de aceleración centrípeta, tangencial y total. La centrífuga desacelera, por lo que la aceleración tangencial es en el sentido de las agujas del reloj, opuesto al sentido de la rotación (en el sentido contrario de las agujas del reloj).

Importancia

En la Figura 10.16, vemos que el vector de aceleración tangencial es opuesto a la dirección de rotación. La magnitud de la aceleración tangencial es mucho menor que la aceleración centrípeta, por lo que el vector de aceleración lineal total formará un ángulo muy pequeño con respecto al vector de aceleración centrípeta.

COMPRUEBE LO APRENDIDO 10.3

Un niño salta en un carrusel de 5 m de radio que está en reposo. Comienza a acelerar a una tasa constante hasta alcanzar una velocidad angular de 5 rad/s en 20 segundos. ¿Cuál es la distancia recorrida por el niño?

INTERACTIVO

Dé un vistazo a esta simulación de PhET (https://openstax.org/l/21rotatingdisk) para cambiar los parámetros de un disco en rotación (el ángulo inicial, la velocidad angular y la aceleración angular), y colocar insectos a diferentes distancias radiales del eje. Luego, la simulación le permite explorar la relación entre el movimiento circular y la posición *xy*, la velocidad y la aceleración de los insectos mediante vectores o gráficos.

10.4 Momento de inercia y energía cinética rotacional

OBJETIVOS DE APRENDIZAJE

Al final de esta sección, podrá:

- Describir las diferencias entre la energía cinética rotacional y traslacional.
- Definir el concepto físico de momento de inercia en términos de la distribución de la masa desde el eje rotacional.
- Explicar cómo el momento de inercia de los cuerpos rígidos afecta su energía cinética rotacional.
- Utilizar la conservación de la energía mecánica para analizar sistemas que sufren tanto rotación como traslación.
- Calcular la velocidad angular de un sistema en rotación cuando hay pérdidas de energía debido a fuerzas no conservativas.

Hasta ahora en este capítulo, hemos estado trabajando con la cinemática rotacional: la descripción del movimiento de un cuerpo rígido en rotación con un eje fijo de rotación. En esta sección, definimos dos nuevas magnitudes que sirven para analizar las propiedades de los objetos en rotación: el momento de inercia y la energía cinética rotacional. Con estas propiedades definidas, tendremos dos herramientas importantes que necesitamos para analizar la dinámica rotacional.

Energía cinética rotacional

Cualquier objeto en movimiento tiene energía cinética. Sabemos cómo calcular esto para un cuerpo que experimenta un movimiento traslacional, pero ¿qué pasa con un cuerpo rígido que experimenta una rotación? Esto puede parecer complicado porque cada punto del cuerpo rígido tiene una velocidad diferente. Sin embargo, podemos utilizar la velocidad angular, que es la misma para todo el cuerpo rígido, a objeto de expresar la energía cinética de un objeto en rotación. La Figura 10.17 muestra un ejemplo de un cuerpo en rotación muy energético: una piedra eléctrica de amolar, impulsada por un motor. Saltan chispas y se generan ruidos y vibraciones mientras la piedra de amolar hace su trabajo. Este sistema tiene una energía considerable, parte de ella en forma de calor, luz, sonido y vibración. Sin embargo, la mayor parte de esta energía está en forma de **energía cinética rotacional.**

FIGURA 10.17 La energía cinética rotacional de la piedra de amolar se convierte en calor, luz, sonido y vibración (créditos: Zachary David Bell, Marina de los EE. UU.).

La energía en el movimiento rotacional no es ninguna nueva forma de energía, sino que es la energía asociada al movimiento rotacional, igual que la energía cinética en el movimiento traslacional. Sin embargo, ya que la energía cinética viene dada por $K = \frac{1}{2}mv^2$, y la velocidad es una cantidad que es diferente para cada punto de un cuerpo que rota en torno a un eje, tiene sentido encontrar una manera de escribir la energía cinética en términos de la variable ω, que es la misma para todos los puntos de un cuerpo rígido en rotación. Para una sola partícula que rota en torno a un eje fijo, esto es sencillo de calcular. Podemos relacionar la velocidad angular con la magnitud de la velocidad de traslación mediante la relación $v_t = \omega r$, donde r es la distancia de la partícula al eje de rotación y v_t es su rapidez tangencial. Al sustituir en la ecuación de la energía cinética, hallamos

$$K = \frac{1}{2}mv_t^2 = \frac{1}{2}m(\omega r)^2 = \frac{1}{2}(mr^2)\omega^2.$$

En el caso de un cuerpo rígido en rotación, podemos dividir cualquier cuerpo en un gran número de masas más pequeñas, cada una con una masa m_j y una distancia al eje de rotación r_j, de manera que la masa total del cuerpo es igual a la suma de todas y cada una de las masas $M = \sum_j m_j$. Cada masa menor tiene una rapidez tangencial v_j, donde por el momento hemos suprimido el subíndice *t*. La energía cinética total del cuerpo rígido en rotación es

$$K = \sum_j \frac{1}{2} m_j v_j^2 = \sum_j \frac{1}{2} m_j (r_j \omega_j)^2$$

y dado que $\omega_j = \omega$ para todas las masas,

$$K = \frac{1}{2} \left(\sum_j m_j r_j^2 \right) \omega^2. \quad 10.16$$

Las unidades de la Ecuación 10.16 son julios (J). La ecuación en esta forma es completa, aunque poco manejable; tenemos que encontrar una manera de generalizarla.

Momento de inercia

Si comparamos la Ecuación 10.16 con la forma en que escribimos la energía cinética en Trabajo y energía cinética, $\left(\frac{1}{2} m v^2\right)$, esto sugiere que tenemos una nueva variable rotacional que añadir a la lista de nuestras relaciones entre variables rotacionales y traslacionales. La cantidad $\sum_j m_j r_j^2$ es la contraparte de la masa en la ecuación de la energía cinética rotacional. Este es un término nuevo e importante para el movimiento rotacional. Esta cantidad recibe el nombre de **momento de inercia** I, con unidades de $\text{kg} \cdot \text{m}^2$:

$$I = \sum_j m_j r_j^2. \quad 10.17$$

Por ahora, dejamos la expresión en forma de suma, representando el momento de inercia de un sistema de partículas puntuales que rotan en torno a un eje fijo. Observamos que el momento de inercia de una partícula puntual en torno a un eje fijo es simplemente mr^2, siendo r la distancia de la partícula puntual al eje de rotación. En la siguiente sección, exploramos la forma integral de esta ecuación, que puede utilizarse para calcular el momento de inercia de algunos cuerpos rígidos de forma regular.

El momento de inercia es la medida cuantitativa de la inercia rotacional, al igual que en el movimiento traslacional, y la masa es la medida cuantitativa de la inercia lineal, es decir, cuanto más masivo sea un objeto, más inercia tiene y mayor será su resistencia al cambio de velocidad lineal. Del mismo modo, cuanto mayor sea el momento de inercia de un cuerpo rígido o de un sistema de partículas, mayor será su resistencia al cambio de velocidad angular en torno a un eje fijo de rotación. Es interesante ver cómo varía el momento de inercia con r, la distancia al eje de rotación de las partículas de masa en la Ecuación 10.17. Los cuerpos rígidos y los sistemas de partículas con más masa concentrados a mayor distancia del eje de rotación tienen mayores momentos de inercia que los cuerpos y sistemas de la misma masa, pero concentrados cerca del eje de rotación. De esta manera, podemos ver que un cilindro hueco tiene más inercia rotacional que un cilindro sólido de la misma masa cuando rota en torno a un eje que pasa por el centro. Sustituyendo la Ecuación 10.17 en la Ecuación 10.16, la expresión para la energía cinética de un cuerpo rígido en rotación se convierte en

$$K = \frac{1}{2} I \omega^2. \quad 10.18$$

De esta ecuación se desprende que la energía cinética de un cuerpo rígido en rotación es directamente proporcional al momento de inercia y al cuadrado de la velocidad angular. Esto se aprovecha en los dispositivos de almacenamiento de energía de los volantes de inercia, que están diseñados para almacenar grandes cantidades de energía cinética rotacional. Muchos fabricantes de automóviles están probando ahora dispositivos de almacenamiento de energía en volantes de inercia en sus automóviles, como el volante de inercia, o sistema de recuperación de energía cinética, que se muestra en la Figura 10.18.

FIGURA 10.18 Volante de inercia del sistema de recuperación de energía cinética (Kinetic Energy Recovery System, KERS) utilizado en los autos (créditos: "cmonville"/Flickr).

Las magnitudes rotacional y traslacional para la energía cinética y la inercia se resumen en la Tabla 10.4. La columna de relación no se incluye porque no existe ninguna constante por la que podamos multiplicar la cantidad rotacional para obtener la cantidad traslacional, como se puede hacer con las variables en la Tabla 10.3.

Rotacional	Traslacional
$I = \sum_j m_j r_j^2$	m
$K = \frac{1}{2} I\omega^2$	$K = \frac{1}{2} mv^2$

TABLA 10.4 Energías cinéticas rotacionales y traslacionales e inercia

EJEMPLO 10.8

Momento de inercia de un sistema de partículas

Seis pequeñas arandelas están separadas por 10 cm en una varilla de masa insignificante y 0,5 m de longitud. La masa de cada arandela es de 20 g. La varilla rota en torno a un eje situado a 25 cm, como se muestra en la Figura 10.19. (a) ¿Cuál es el momento de inercia del sistema? (b) Si se quitan las dos arandelas más cercanas al eje, ¿cuál es el momento de inercia de las cuatro arandelas restantes? (c) Si el sistema con seis arandelas gira a 5 rev/s, ¿cuál es su energía cinética rotacional?

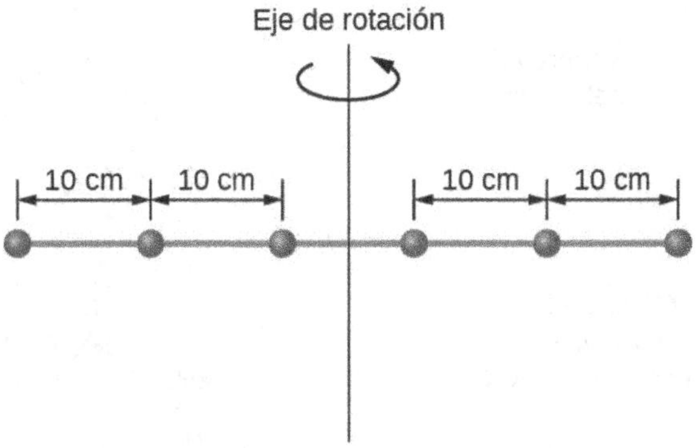

FIGURA 10.19 Seis arandelas están separadas por 10 cm en una varilla de masa despreciable y rotan en torno a un eje vertical.

Estrategia

a. Utilizamos la definición de momento de inercia para un sistema de partículas y realizamos la suma para evaluar esta cantidad. Las masas son todas iguales, así que podemos poner esa cantidad delante del símbolo de la suma.
b. Hacemos un cálculo similar.
c. Insertamos el resultado de (a) en la expresión de la energía cinética rotacional.

Solución

a. $I = \sum_j m_j r_j^2 = (0{,}02\,\text{kg})(2 \times (0{,}25\,\text{m})^2 + 2 \times (0{,}15\,\text{m})^2 + 2 \times (0{,}05\,\text{m})^2) = 0{,}0035\,\text{kg} \cdot \text{m}^2.$
b. $I = \sum_j m_j r_j^2 = (0{,}02\,\text{kg})(2 \times (0{,}25\,\text{m})^2 + 2 \times (0{,}15\,\text{m})^2) = 0{,}0034\,\text{kg} \cdot \text{m}^2.$
c. $K = \frac{1}{2} I\omega^2 = \frac{1}{2}(0{,}0035\,\text{kg} \cdot \text{m}^2)(5{,}0 \times 2\pi\,\text{rad/s})^2 = 1{,}73\,\text{J}.$

Importancia

Podemos ver los aportes individuales al momento de inercia. Las masas cercanas al eje de rotación tienen un aporte muy pequeño. Cuando las quitamos, tuvo un efecto muy pequeño en el momento de inercia.

En la siguiente sección, generalizamos la ecuación de suma para partículas puntuales y desarrollamos un método para calcular los momentos de inercia de los cuerpos rígidos. Por ahora, sin embargo, la Figura 10.20 ofrece valores de inercia rotacional para formas de objetos comunes alrededor de ejes específicos.

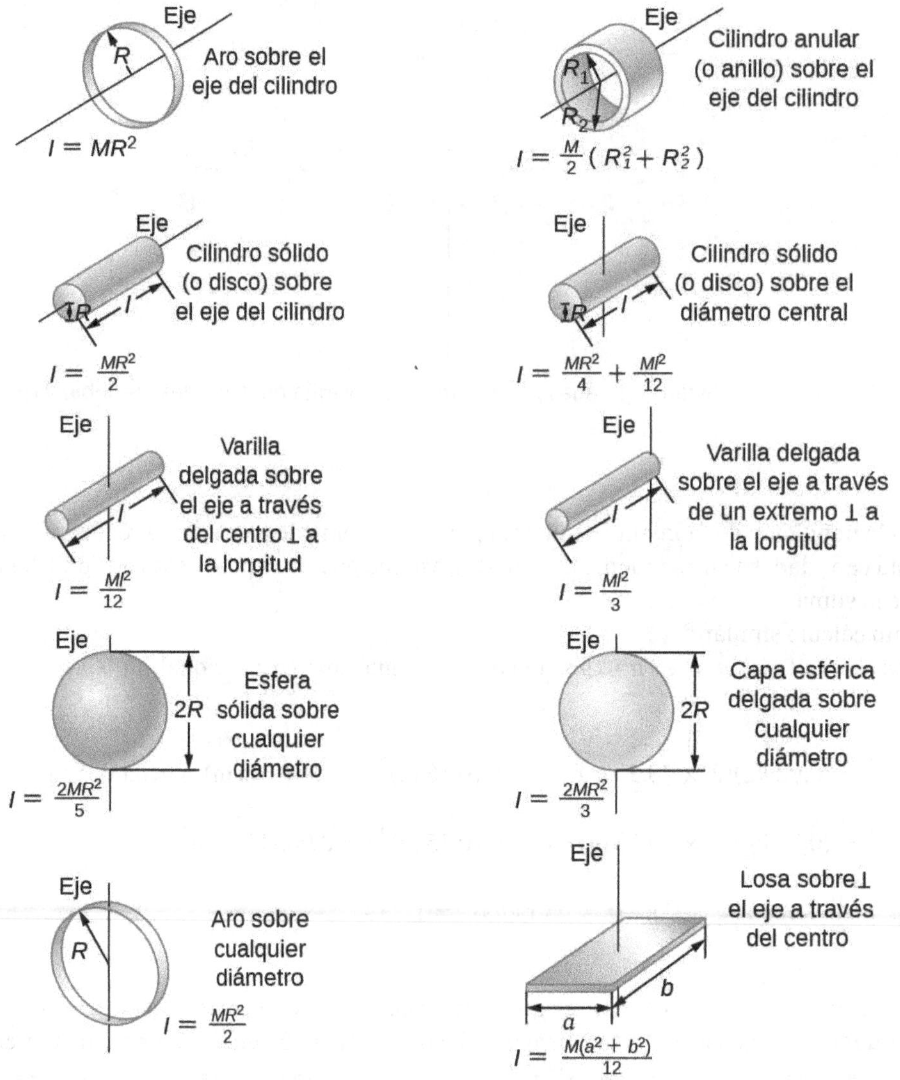

FIGURA 10.20 Valores de inercia rotacional para formas comunes de objetos.

Aplicación de la energía cinética rotacional

Apliquemos ahora las ideas de la energía cinética rotacional y la tabla de momentos de inercia para tener una idea de la energía asociada a algunos objetos en rotación. Los siguientes ejemplos también le harán sentirse cómodo utilizando estas ecuaciones. En primer lugar, veamos una estrategia general de resolución de problemas de energía rotacional.

ESTRATEGIA DE RESOLUCIÓN DE PROBLEMAS

Energía rotacional

1. Determine que la energía o el trabajo está implicado en la rotación.
2. Determine el sistema de interés. Un esquema suele ayudar.
3. Analice la situación para determinar los tipos de trabajo y energía implicados.
4. Si no hay pérdidas de energía debido a la fricción y otras fuerzas no conservativas, la energía mecánica se conserva, es decir, $K_{\text{i}} + U_{\text{i}} = K_{\text{f}} + U_{\text{f}}$.
5. Si hay fuerzas no conservativas, la energía mecánica no se conserva y otras formas de energía, como el calor y la luz, pueden entrar o salir del sistema. Determine cuáles son y calcúlelas según sea necesario.
6. Elimine los términos siempre que sea posible para simplificar el álgebra.
7. Evalúe la solución numérica para ver si tiene sentido en la situación física presentada en el enunciado del

problema.

EJEMPLO 10.9

Calcular la energía de los helicópteros

Un pequeño helicóptero de rescate típico tiene cuatro aspas: cada una mide 4,00 m de largo y tiene una masa de 50,0 kg (Figura 10.21). Las aspas pueden tomarse como varillas delgadas que rotan en torno a un extremo de un eje perpendicular a su longitud. El helicóptero tiene una masa total cargada de 1.000 kg. (a) Calcule la energía cinética rotacional en las aspas cuando giran a 300 rpm. (b) Calcule la energía cinética traslacional del helicóptero cuando vuela a 20,0 m/s, y compárela con la energía rotacional en las aspas.

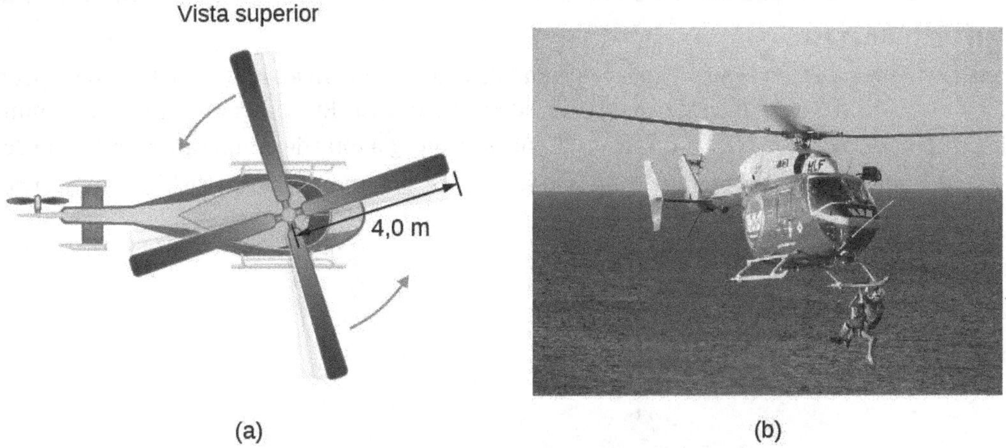

FIGURA 10.21 (a) Esquema de un helicóptero de cuatro aspas. (b) Una operación de rescate en el agua con un helicóptero del Servicio de Helicópteros de Rescate de Auckland Westpac (créditos b: modificación del trabajo de "111 Emergency"/Flickr).

Estrategia

Las energías cinéticas rotacional y traslacional pueden calcularse a partir de sus definiciones. El enunciado del problema arroja todas las constantes necesarias para evaluar las expresiones de las energías cinéticas rotacional y traslacional.

Solución

a. La energía cinética rotacional es

$$K = \frac{1}{2}I\omega^2.$$

Debemos convertir la velocidad angular a radianes por segundo y calcular el momento de inercia antes de poder encontrar K. La velocidad angular ω es

$$\omega = \frac{300\,\text{rev}}{1{,}00\,\text{min}}\,\frac{2\pi\,\text{rad}}{1\,\text{rev}}\,\frac{1{,}00\,\text{min}}{60{,}0\,\text{s}} = 31{,}4\,\frac{\text{rad}}{\text{s}}.$$

El momento de inercia de un aspa es el de una varilla delgada que rota en torno a su extremo, que figura en la Figura 10.20. El I total es cuatro veces este momento de inercia porque hay cuatro aspas. Así,

$$I = 4\frac{Ml^2}{3} = 4 \times \frac{(50{,}0\,\text{kg})(4{,}00\,\text{m})^2}{3} = 1067{,}0\,\text{kg}\cdot\text{m}^2.$$

Al introducir ω y I en la expresión de la energía cinética rotacional da

$$K = 0{,}5(1.067\,\text{kg}\cdot\text{m}^2)(31{,}4\,\text{rad/s})^2 = 5{,}26 \times 10^5\,\text{J}.$$

b. Al introducir los valores dados en la ecuación de la energía cinética traslacional, obtenemos

$$K = \frac{1}{2}mv^2 = (0{,}5)(1.000{,}0\,\text{kg})(20{,}0\,\text{m/s})^2 = 2{,}00 \times 10^5\,\text{J}.$$

Para comparar la energía cinética, tomamos el cociente entre la energía cinética traslacional y la energía cinética rotacional. Este cociente es

$$\frac{2{,}00 \times 10^5 \text{ J}}{5{,}26 \times 10^5 \text{ J}} = 0{,}380.$$

Importancia

El cociente entre la energía traslacional y la energía cinética rotacional es solo de 0,380. Este cociente nos indica que la mayor parte de la energía cinética del helicóptero está en sus aspas giratorias.

EJEMPLO 10.10

Energía en un búmeran

Una persona lanza un bumerán al aire, a una velocidad de 30,0 m/s en un ángulo de 40,0° con respecto a la horizontal (Figura 10.22). Tiene una masa de 1,0 kg y gira a 10,0 rev/s. El momento de inercia del bumerán viene dado por $I = \frac{1}{12}mL^2$ donde $L = 0{,}7$ m. (a) ¿Cuál es la energía total del bumerán cuando sale de la mano? (b) ¿A qué altura llega el bumerán desde la elevación de la mano, descartando la resistencia del aire?

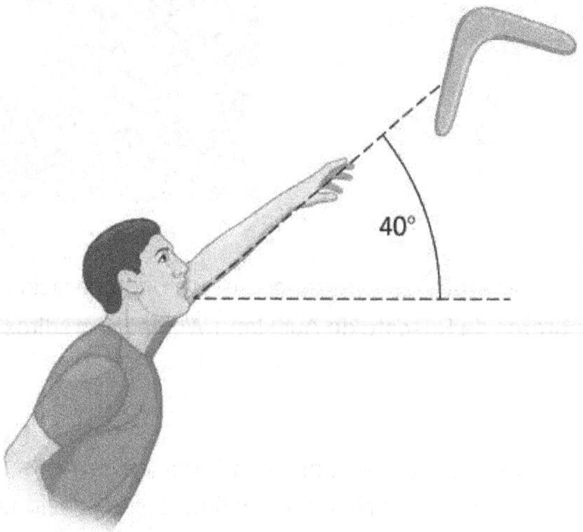

FIGURA 10.22 Un bumerán se lanza al aire en un ángulo inicial de 40°.

Estrategia

Utilizamos las definiciones de energía cinética rotacional y lineal para hallar la energía total del sistema. El problema señala que hay que descartar la resistencia del aire, por lo que no hay que preocuparse por la pérdida de energía. En la parte (b), utilizamos la conservación de la energía mecánica para hallar la altura máxima del bumerán.

Solución

a. Momento de inercia: $I = \frac{1}{12}mL^2 = \frac{1}{12}(1{,}0 \text{ kg})(0{,}7\text{m})^2 = 0{,}041 \text{ kg} \cdot \text{m}^2$.
Velocidad angular: $\omega = (10{,}0 \text{ rev/s})(2\pi) = 62{,}83 \text{ rad/s}$.
Por lo tanto, la energía cinética rotacional es

$$K_\text{R} = \frac{1}{2}(0{,}041 \text{ kg} \cdot \text{m}^2)(62{,}83 \text{ rad/s})^2 = 80{,}93 \text{ J}.$$

La energía cinética traslacional es

$$K_\text{T} = \frac{1}{2}mv^2 = \frac{1}{2}(1{,}0 \text{ kg})(30{,}0 \text{ m/s})^2 = 450{,}0 \text{ J}.$$

Por lo tanto, la energía total del bumerán es

$$K_\text{Total} = K_\text{R} + K_\text{T} = 80{,}93 + 450{,}0 = 530{,}93 \text{ J}.$$

b. Utilizamos la conservación de la energía mecánica. Dado que el bumerán se lanza en ángulo, necesitamos escribir la energía total del sistema en términos de su energía cinética lineal al utilizar la velocidad en las direcciones de la *x* y la *y*. La energía total cuando el bumerán sale de la mano es

$$E_{\text{Antes}} = \frac{1}{2}mv_x^2 + \frac{1}{2}mv_y^2 + \frac{1}{2}I\omega^2.$$

La energía total a la altura máxima es

$$E_{\text{Final}} = \frac{1}{2}mv_x^2 + \frac{1}{2}I\omega^2 + mgh.$$

Por conservación de la energía mecánica, $E_{\text{Antes}} = E_{\text{Final}}$ por lo que tenemos, después de cancelar términos similares,

$$\frac{1}{2}mv_y^2 = mgh.$$

Dado que $v_y = 30{,}0\ \text{m/s}(\text{sen}\ 40°) = 19{,}28\ \text{m/s}$, hallamos

$$h = \frac{(19{,}28\ \text{m/s})^2}{2(9{,}8\ \text{m/s}^2)} = 18{,}97\ \text{m}.$$

Importancia

En la parte (b), la solución demuestra cómo la conservación de energía es un método alternativo para resolver un problema que normalmente se resolvería utilizando la cinemática. En ausencia de resistencia del aire, la energía cinética rotacional no era un factor en la solución para la altura máxima.

COMPRUEBE LO APRENDIDO 10.4

La hélice de un submarino nuclear tiene un momento de inercia de $800{,}0\ \text{kg} \cdot \text{m}^2$. Si la hélice sumergida tiene una tasa de rotación de 4,0 rev/s cuando se corta el motor, ¿cuál es la tasa de rotación de la hélice después de 5,0 s cuando la resistencia del agua ha quitado 50.000 J al sistema?

10.5 Calcular momentos de inercia

OBJETIVOS DE APRENDIZAJE

Al final de esta sección, podrá:

- Calcular el momento de inercia de cuerpos rígidos y uniformes.
- Aplicar el teorema de los ejes paralelos para hallar el momento de inercia sobre cualquier eje paralelo a uno ya conocido.
- Calcular el momento de inercia de los objetos compuestos.

En la sección anterior definimos el momento de inercia, pero no indicamos cómo calcularlo. En esta sección, mostramos cómo calcular el momento de inercia para varios tipos de objetos estándar, así como cómo utilizar los momentos de inercia conocidos para hallar el momento de inercia en un eje desplazado o en un objeto compuesto. Esta sección es bastante útil para ver cómo aplicar una ecuación general a objetos complejos (una habilidad que es fundamental en los cursos de física e ingeniería más avanzados).

Momento de inercia

Definimos el momento de inercia *I* de un objeto como $I = \sum_i m_i r_i^2$ para todas las masas puntuales que componen el objeto. Como *r* es la distancia al eje de rotación de cada pieza de masa que compone el objeto, el momento de inercia de cualquier objeto depende del eje elegido. Para ver esto, tomemos un ejemplo sencillo de dos masas en el extremo de una varilla sin masa (masa despreciable) (Figura 10.23) y calculemos el momento de inercia en torno a dos ejes diferentes. En este caso, la suma sobre las masas es sencilla porque las dos masas del extremo de la barra se pueden tomar como masas puntuales y, por tanto, la suma solo tiene dos términos.

En el caso con el eje en el centro de la barra, cada una de las dos masas m está a una distancia R del eje, dando un momento de inercia de

$$I_1 = mR^2 + mR^2 = 2mR^2.$$

En el caso de que el eje esté en el extremo de la barra, pasando por una de las masas, el momento de inercia es

$$I_2 = m(0)^2 + m(2R)^2 = 4mR^2.$$

De este resultado, podemos concluir que es dos veces más difícil hacer rotar la barra en torno al extremo que en torno a su centro.

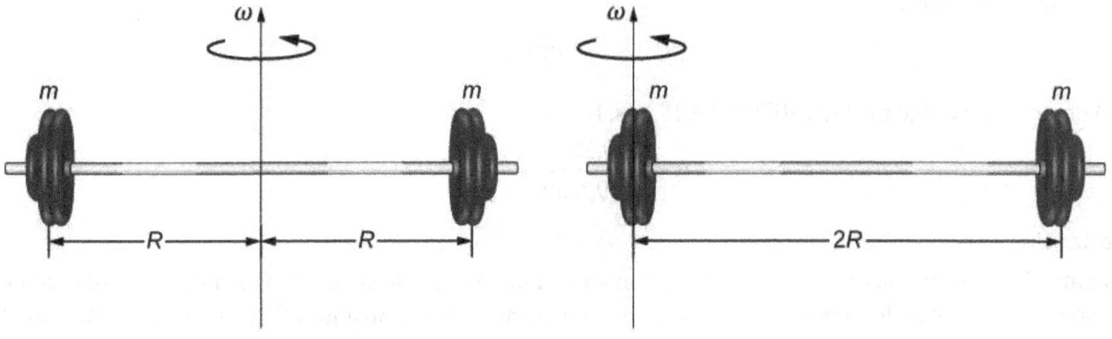

FIGURA 10.23 (a) Una barra con un eje de rotación por su centro; (b) una barra con un eje de rotación por un extremo.

En este ejemplo, teníamos dos masas puntuales y la suma era sencilla de calcular. Sin embargo, para tratar con objetos que no son puntuales, tenemos que pensar cuidadosamente en cada uno de los términos de la ecuación. La ecuación nos pide que sumemos cada "pieza de masa" a una determinada distancia del eje de rotación. Pero, ¿qué significa exactamente cada "pieza de masa"? Recordemos que, en nuestra derivación de esta ecuación, cada pieza de masa tenía la misma magnitud de velocidad, lo que significa que toda la pieza debía tener una única distancia r al eje de rotación. Sin embargo, esto no es posible, a menos que tomemos una pieza infinitesimalmente pequeña de masa dm, como se muestra en la Figura 10.24.

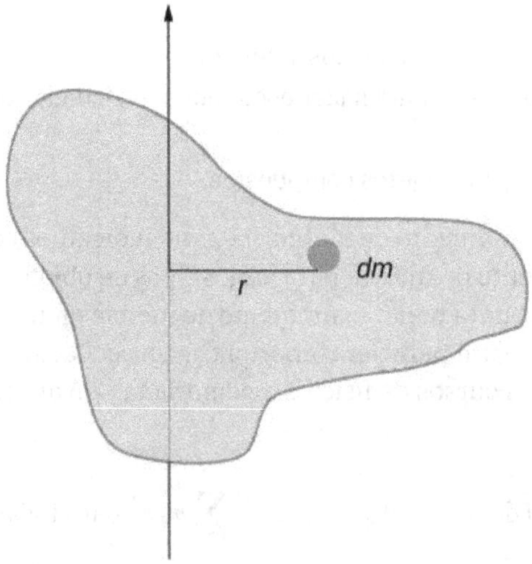

FIGURA 10.24 Utilizar una pieza infinitesimalmente pequeña de masa para calcular la contribución al momento de inercia total.

La necesidad de utilizar una pieza infinitesimalmente pequeña de masa dm sugiere que podemos escribir el momento de inercia al evaluar una integral sobre masas infinitesimales en lugar de hacer otra suma en masas finitas:

$$I = \sum_i m_i r_i^2 \text{ se convierte en } I = \int r^2 dm. \quad (10.19)$$

De hecho, esta es la forma que necesitamos para generalizar la ecuación para formas complejas. Lo mejor es trabajar en detalle con ejemplos específicos para tener una idea de cómo calcular el momento de inercia en formas específicas. En esto se centra la mayor parte del resto de esta sección.

Una varilla delgada y uniforme con un eje por el centro

Considere una varilla delgada uniforme (densidad y forma) de masa *M* y longitud *L* como se muestra en la Figura 10.25. Queremos una varilla delgada para poder suponer que el área de la sección transversal de la varilla es pequeña y que la varilla se puede considerar como una cadena de masas a lo largo de una línea recta unidimensional. En este ejemplo, el eje de rotación es perpendicular a la varilla y pasa por el punto medio para simplificar. Nuestra tarea consiste en calcular el momento de inercia en torno a este eje. Orientamos los ejes de manera que el eje de la *z* sea el eje de rotación y el eje de la *x* pase por la longitud de la varilla, como se muestra en la figura. Esta es una opción conveniente porque entonces podemos integrar a lo largo del eje de la *x*.

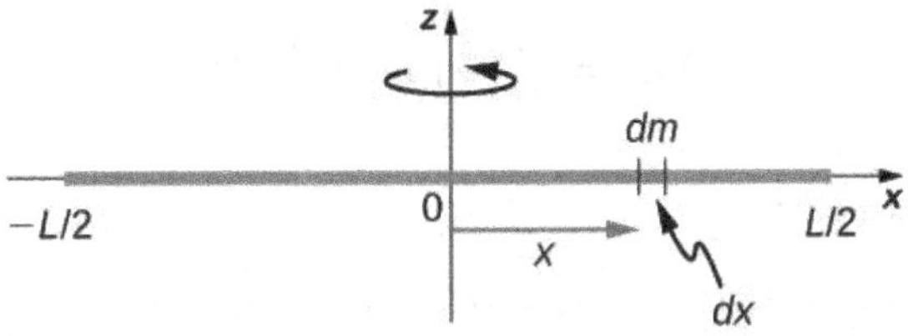

FIGURA 10.25 Cálculo del momento de inercia *I* para una varilla delgada uniforme en torno a un eje que pasa por el centro de la varilla.

Definimos *dm* como un pequeño elemento de masa que compone la varilla. La integral del momento de inercia es una integral sobre la distribución de masas. Sin embargo, sabemos cómo integrar sobre el espacio, no sobre la masa. Por lo tanto, tenemos que encontrar una forma de relacionar la masa con las variables espaciales. Para ello, utilizamos la **densidad lineal de masa** λ del objeto, que es la masa por unidad de longitud. Dado que la densidad de masa de este objeto es uniforme, podemos escribir

$$\lambda = \frac{m}{l} \text{ o } m = \lambda l.$$

Si tomamos la diferencial de cada lado de esta ecuación, hallamos

$$dm = d(\lambda l) = \lambda(dl)$$

dado que λ es constante. Hemos elegido orientar la varilla a lo largo del eje de la *x* por comodidad, y es aquí donde esta elección resulta muy útil. Observe que una pieza de la varilla *dl* se encuentra completamente a lo largo del eje de la *x* y tiene una longitud *dx*; de hecho, $dl = dx$ en esta situación. Por lo tanto, podemos escribir $dm = \lambda(dx)$, lo que nos da una variable de integración que sabemos cómo tratar. La distancia de cada pieza de masa *dm* al eje viene dada por la variable *x*, como se muestra en la figura. Al unir todo esto, obtenemos

$$I = \int r^2 dm = \int x^2 dm = \int x^2 \lambda dx.$$

El último paso es tener cuidado con nuestros límites de integración. La varilla se extiende desde $x = -L/2$ a $x = L/2$, ya que el eje está en el centro de la varilla en $x = 0$. Esto nos da

$$\begin{aligned} I &= \int_{-L/2}^{L/2} x^2 \lambda dx = \lambda \frac{x^3}{3}\Big|_{-L/2}^{L/2} = \lambda\left(\tfrac{1}{3}\right)\left[\left(\tfrac{L}{2}\right)^3 - \left(\tfrac{-L}{2}\right)^3\right] \\ &= \lambda\left(\tfrac{1}{3}\right)\tfrac{L^3}{8}(2) = \tfrac{M}{L}\left(\tfrac{1}{3}\right)\tfrac{L^3}{8}(2) = \tfrac{1}{12}ML^2. \end{aligned}$$

A continuación, calculamos el momento de inercia para la misma varilla delgada uniforme, pero con otra elección de eje para poder comparar los resultados. Es de esperar que el momento de inercia sea menor en torno a un eje que pasa por el centro de masa que en el eje de los extremos, tal y como ocurría en el ejemplo de la barra al principio de esta sección. Esto ocurre porque la masa se distribuye más lejos del eje de rotación.

Una varilla delgada y uniforme con un eje en el extremo

Consideremos ahora la misma varilla delgada y uniforme de masa M y longitud L, pero esta vez trasladamos el eje de rotación al extremo de la varilla. Queremos hallar el momento de inercia en torno a este nuevo eje (Figura 10.26). La cantidad dm se define de nuevo como un pequeño elemento de masa que compone la varilla. Al igual que antes, obtenemos

$$I = \int r^2 dm = \int x^2 dm = \int x^2 \lambda dx.$$

Sin embargo, esta vez tenemos otros límites de integración. La varilla se extiende desde $x = 0$ a $x = L$, ya que el eje está en el extremo de la varilla en $x = 0$. Por lo tanto, hallamos

$$\begin{aligned} I &= \int_0^L x^2 \lambda dx = \lambda \frac{x^3}{3}\Big|_0^L = \lambda\left(\tfrac{1}{3}\right)[(L)^3 - (0)^3] \\ &= \lambda\left(\tfrac{1}{3}\right)L^3 = \tfrac{M}{L}\left(\tfrac{1}{3}\right)L^3 = \tfrac{1}{3}ML^2. \end{aligned}$$

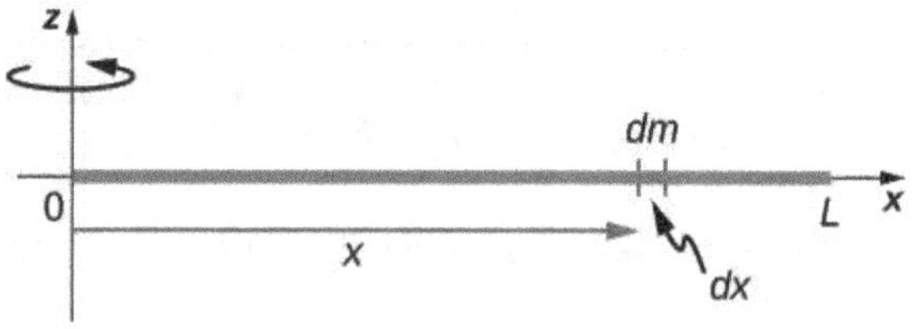

FIGURA 10.26 Cálculo del momento de inercia I para una varilla delgada y uniforme en torno a un eje que pasa por el extremo de la varilla.

Observe que la inercia rotacional de la varilla en torno a su extremo es mayor que la inercia rotacional en torno a su centro (en consonancia con el ejemplo de la barra) por un factor de cuatro.

El teorema del eje paralelo

La similitud entre el proceso de hallar el momento de inercia de una varilla en torno a un eje que pasa por su centro y en torno a un eje que pasa por su extremo es sorprendente, y sugiere que podría haber un método más sencillo para determinar el momento de inercia de una varilla en torno a cualquier eje paralelo al eje que pasa por el centro de masa. Dicho eje se denomina **eje paralelo**. Existe un teorema para esto, llamado **teorema del eje paralelo**, que enunciamos aquí, pero no derivamos en este texto.

Teorema del eje paralelo

Supongamos que m sea la masa de un objeto y d sea la distancia desde un eje que pasa por el centro de masa del objeto hasta un nuevo eje. Entonces tenemos

$$I_{\text{eje paralelo}} = I_{\text{centro de masa}} + md^2. \qquad 10.20$$

Apliquemos esto a los ejemplos de varillas resueltos anteriormente:

$$I_{\text{extremo}} = I_{\text{centro de masa}} + md^2 = \frac{1}{12}mL^2 + m\left(\frac{L}{2}\right)^2 = \left(\frac{1}{12} + \frac{1}{4}\right)mL^2 = \frac{1}{3}mL^2.$$

Este resultado concuerda con nuestro cálculo más extenso de arriba. Esta es una ecuación útil que aplicamos en algunos de los ejemplos y problemas.

COMPRUEBE LO APRENDIDO 10.5

¿Cuál es el momento de inercia de un cilindro de radio R y masa m en torno a un eje que pasa por un punto de la superficie, como se muestra a continuación?

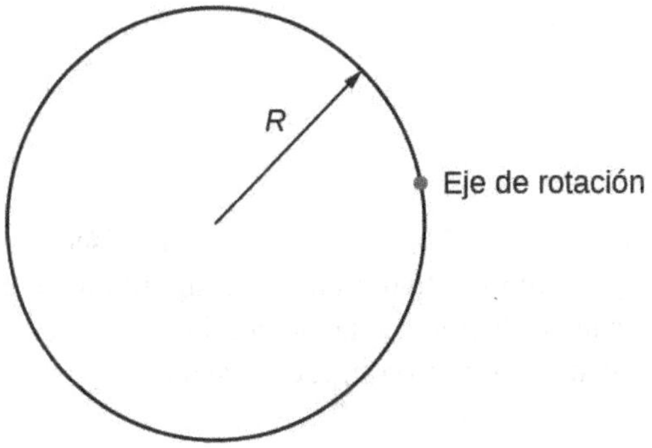

Un disco delgado y uniforme en torno a un eje que pasa por el centro

Integrar para hallar el momento de inercia de un objeto bidimensional es un poco más complicado, pero una forma se hace comúnmente en este nivel de estudio: un disco delgado y uniforme en torno a un eje que pasa por su centro (Figura 10.27).

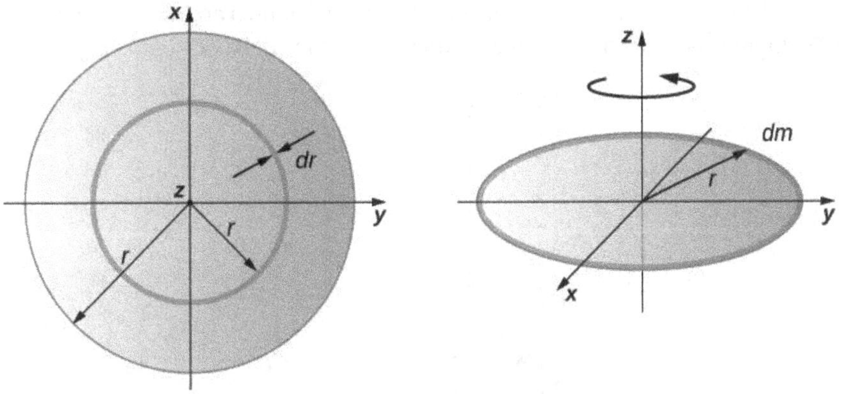

FIGURA 10.27 Calcular el momento de inercia de un disco delgado en torno a un eje que pasa por su centro.

Dado que el disco es delgado, podemos tomar la masa como distribuida enteramente en el plano xy. Comenzamos de nuevo con la relación para la **densidad de masa superficial**, que es la masa por unidad de área de superficie. Al ser uniforme, la densidad de masa superficial σ es constante:

$$\sigma = \frac{m}{A} \quad \text{o} \quad \sigma A = m, \text{ entonces } dm = \sigma(dA).$$

Ahora utilizamos una simplificación para el área. Se puede pensar que el área está formada por una serie de anillos delgados, donde cada anillo es un incremento de masa dm de radio r equidistante del eje, como se muestra en la parte (b) de la figura. El área infinitesimal de cada anillo dA viene dada, por lo tanto, por la longitud de cada anillo $(2\pi r)$ por la anchura infinitesimal de cada anillo dr:

$$A = \pi r^2, dA = d(\pi r^2) = \pi dr^2 = 2\pi r dr.$$

El área completa del disco se compone entonces de la suma de todos los anillos delgados con un rango de radios de 0 a R. Este rango de radios se convierte entonces en nuestros límites de integración para dr, es decir, integramos desde $r = 0$ a $r = R$. Si juntamos todo esto, tenemos

$$I = \int_0^R r^2\sigma(2\pi r)dr = 2\pi\sigma\int_0^R r^3 dr = 2\pi\sigma\frac{r^4}{4}\Big|_0^R = 2\pi\sigma\left(\frac{R^4}{4} - 0\right)$$
$$= 2\pi\frac{m}{A}\left(\frac{R^4}{4}\right) = 2\pi\frac{m}{\pi R^2}\left(\frac{R^4}{4}\right) = \frac{1}{2}mR^2.$$

Observe que esto coincide con el valor dado en la Figura 10.20.

Cálculo del momento de inercia de los objetos compuestos

Consideremos ahora un objeto compuesto como el que aparece en la Figura 10.28, que representa un disco delgado en el extremo de una varilla delgada. Esto no se puede integrar fácilmente para hallar el momento de inercia porque no es un objeto uniforme. Sin embargo, si volvemos a la definición inicial del momento de inercia como una suma, podemos razonar que el momento de inercia de un objeto compuesto se halla a partir de la suma de cada parte del objeto:

$$I_{\text{total}} = \sum_i I_i. \tag{10.21}$$

Es importante señalar que los momentos de inercia de los objetos en la Ecuación 10.21 están *en torno a un eje común*. En el caso de este objeto, se trataría de una varilla de longitud L que rota en torno a su extremo, y un disco delgado de radio R que rota en torno a un eje desplazado del centro en una distancia $L + R$, donde R es el radio del disco. Definamos la masa de la varilla como m_r y la masa del disco como m_d.

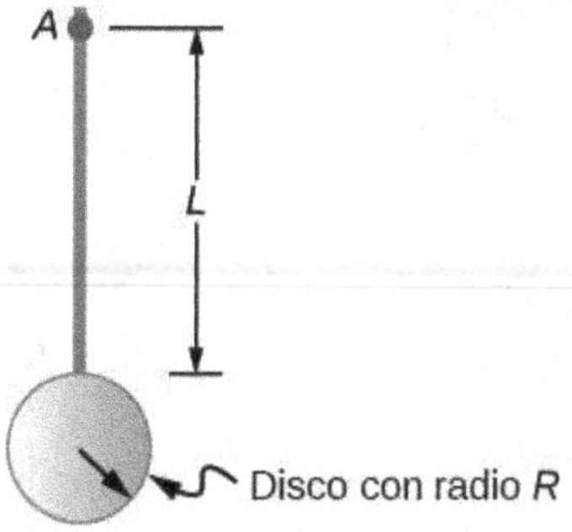

FIGURA 10.28 Objeto compuesto que consiste de un disco en el extremo de una varilla. El eje de rotación está situado en *A*.

El momento de inercia de la varilla es simplemente $\frac{1}{3}m_r L^2$, pero tenemos que utilizar el teorema del eje paralelo para hallar el momento de inercia del disco en torno al eje mostrado. El momento de inercia del disco en torno a su centro es $\frac{1}{2}m_d R^2$ y aplicamos el teorema del eje paralelo $I_{\text{eje paralelo}} = I_{\text{centro de masa}} + md^2$ para hallar

$$I_{\text{eje paralelo}} = \frac{1}{2}m_d R^2 + m_d(L+R)^2.$$

Si sumamos el momento de inercia de la varilla más el momento de inercia del disco con el eje de rotación desplazado, hallamos que el momento de inercia del objeto compuesto es

$$I_{\text{total}} = \frac{1}{3}m_r L^2 + \frac{1}{2}m_d R^2 + m_d(L+R)^2.$$

Aplicar los cálculos del momento de inercia para resolver problemas

Examinemos ahora algunas aplicaciones prácticas del cálculo del momento de inercia.

EJEMPLO 10.11

Persona en un carrusel

Un niño de 25 kg se encuentra a una distancia $r = 1{,}0$ m del eje de un carrusel en rotación (Figura 10.29). El carrusel puede tomarse como un disco sólido uniforme, con una masa de 500 kg y un radio de 2,0 m. Halle el momento de inercia de este sistema.

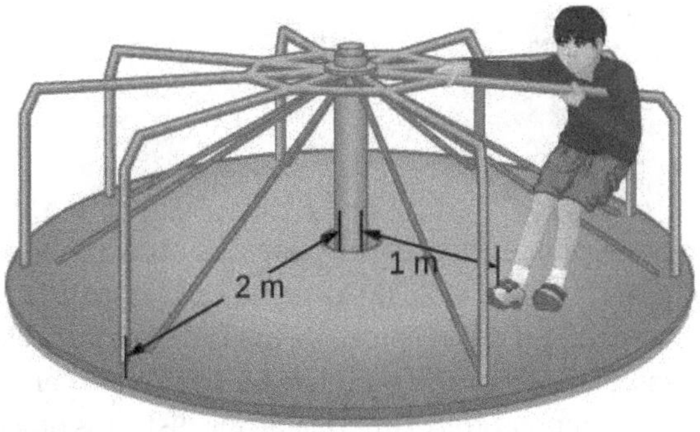

FIGURA 10.29 Calcular el momento de inercia de un niño en un carrusel.

Estrategia

Este problema implica el cálculo de un momento de inercia. Nos dan la masa y la distancia al eje de rotación del niño, así como la masa y el radio del carrusel. Dado que la masa y el tamaño del niño son mucho más pequeños que el carrusel, podemos calcular aproximadamente al niño como una masa puntual. La notación que utilizamos es $m_c = 25\,\text{kg}, r_c = 1{,}0\,\text{m}, m_m = 500\,\text{kg}, r_m = 2{,}0\,\text{m}$.

Nuestro objetivo es hallar $I_{\text{total}} = \sum_i I_i$.

Solución

Para el niño (child, c), $I_c = m_c r^2$, y para el carrusel (merry-go-round, m), $I_m = \frac{1}{2} m_m r^2$. Por lo tanto,

$$I_{\text{total}} = 25(1)^2 + \frac{1}{2}(500)(2)^2 = 25 + 1.000 = 1.025\,\text{kg} \cdot \text{m}^2.$$

Importancia

El valor debería aproximarse al momento de inercia del carrusel por sí mismo porque tiene mucha más masa distribuida fuera del eje que el niño.

EJEMPLO 10.12

Varilla y esfera sólida

Halle el momento de inercia de la combinación de varilla y esfera sólida en torno a los dos ejes, como se muestra a continuación. La varilla tiene una longitud de 0,5 m y una masa de 2,0 kg. El radio de la esfera es de 20,0 cm y tiene una masa de 1,0 kg.

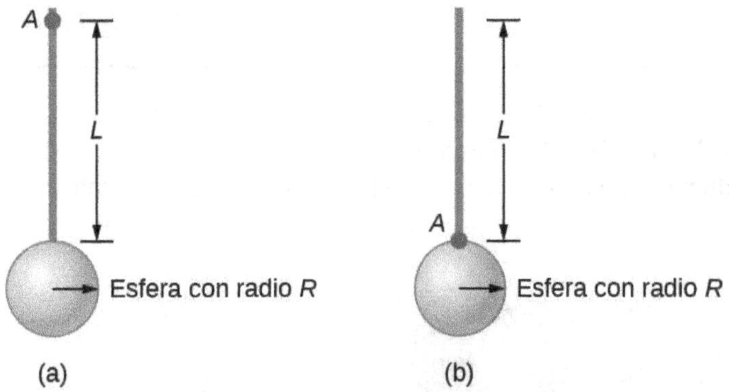

Estrategia

Dado que en ambos casos tenemos un objeto compuesto, podemos utilizar el teorema del eje paralelo para hallar el momento de inercia en torno a cada eje. En (a), el centro de masa de la esfera está situado a una distancia $L + R$ desde el eje de rotación. En (b), el centro de masa de la esfera está situado a una distancia R del eje de rotación. En ambos casos, el momento de inercia de la varilla está en torno a un eje situado en un extremo. Consulte en la Tabla 10.4 los momentos de inercia de los distintos objetos.

a. $I_{\text{total}} = \sum_i I_i = I_{\text{Varilla}} + I_{\text{Esfera}};$

$I_{\text{Esfera}} = I_{\text{centro de masa}} + m_{\text{Esfera}}(L + R)^2 = \frac{2}{5}m_{\text{Esfera}}R^2 + m_{\text{Esfera}}(L + R)^2;$

$I_{\text{total}} = I_{\text{Varilla}} + I_{\text{Esfera}} = \frac{1}{3}m_{\text{Varilla}}L^2 + \frac{2}{5}m_{\text{Esfera}}R^2 + m_{\text{Esfera}}(L + R)^2;$

$I_{\text{total}} = \frac{1}{3}(2{,}0\,\text{kg})(0{,}5\,\text{m})^2 + \frac{2}{5}(1{,}0\,\text{kg})(0{,}2\,\text{m})^2 + (1{,}0\,\text{kg})(0{,}5\,\text{m} + 0{,}2\,\text{m})^2;$

$I_{\text{total}} = (0{,}167 + 0{,}016 + 0{,}490)\,\text{kg} \cdot \text{m}^2 = 0{,}673\,\text{kg} \cdot \text{m}^2.$

b. $I_{\text{Esfera}} = \frac{2}{5}m_{\text{Esfera}}R^2 + m_{\text{Esfera}}R^2;$

$I_{\text{total}} = I_{\text{Varilla}} + I_{\text{Esfera}} = \frac{1}{3}m_{\text{Varilla}}L^2 + \frac{2}{5}m_{\text{Esfera}}R^2 + m_{\text{Esfera}}R^2;$

$I_{\text{total}} = \frac{1}{3}(2{,}0\,\text{kg})(0{,}5\,\text{m})^2 + \frac{2}{5}(1{,}0\,\text{kg})(0{,}2\,\text{m})^2 + (1{,}0\,\text{kg})(0{,}2\,\text{m})^2;$

$I_{\text{total}} = (0{,}167 + 0{,}016 + 0{,}04)\,\text{kg} \cdot \text{m}^2 = 0{,}223\,\text{kg} \cdot \text{m}^2.$

Importancia

El uso del teorema del eje paralelo facilita el cálculo del momento de inercia de los objetos compuestos. Vemos que el momento de inercia es mayor en (a) que en (b). Esto se debe a que el eje de rotación está más cerca del centro de masa del sistema en (b). La analogía simple es la de una varilla. El momento de inercia en torno a un extremo es $\frac{1}{3}mL^2$, pero el momento de inercia a través del centro de masa a lo largo de su longitud es $\frac{1}{12}mL^2$.

EJEMPLO 10.13

Velocidad angular de un péndulo

Un péndulo en forma de varilla (Figura 10.30) se suelta del reposo con un ángulo de 30°. Tiene una longitud de 30 cm y una masa de 300 g. ¿Cuál es su velocidad angular en su punto más bajo?

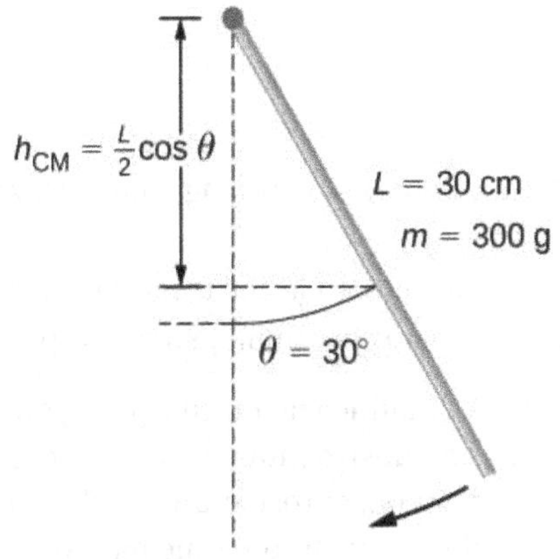

FIGURA 10.30 Un péndulo en forma de varilla se suelta del reposo con un ángulo de 30°.

Estrategia

Utilice la conservación de la energía para resolver el problema. En el punto de liberación, el péndulo tiene energía potencial gravitacional, que se determina a partir de la altura del centro de masa sobre su punto más bajo en la oscilación. En la parte inferior de la oscilación, toda la energía potencial gravitacional se convierte en energía cinética rotacional.

Solución

El cambio en la energía potencial es igual al cambio en la energía cinética rotacional, $\Delta U + \Delta K = 0$.

En la parte superior de la oscilación: $U = mgh_{\text{cm}} = mg\frac{L}{2}(\cos\theta)$. En la parte inferior de la oscilación, $U = mg\frac{L}{2}$.

En la parte superior de la oscilación, la energía cinética rotacional es $K = 0$. En la parte inferior de la oscilación, $K = \frac{1}{2}I\omega^2$. Por lo tanto:

$$\Delta U + \Delta K = 0 \Rightarrow (mg\frac{L}{2}(1 - \cos\theta) - 0) + (0 - \frac{1}{2}I\omega^2) = 0$$

o

$$\frac{1}{2}I\omega^2 = mg\frac{L}{2}(1 - \cos\theta).$$

Resolviendo para ω, tenemos

$$\omega = \sqrt{mg\frac{L}{I}(1 - \cos\theta)} = \sqrt{mg\frac{L}{1/3mL^2}(1 - \cos\theta)} = \sqrt{g\frac{3}{L}(1 - \cos\theta)}.$$

Insertando los valores numéricos, tenemos

$$\omega = \sqrt{9{,}8\ \text{m/s}^2\frac{3}{0{,}3\ \text{m}}(1 - \cos 30)} = 3{,}6\ \text{rad/s}.$$

Importancia

Observe que la velocidad angular del péndulo no depende de su masa.

10.6 Torque

OBJETIVOS DE APRENDIZAJE

Al final de esta sección, podrá:

- Describir cómo la magnitud de un torque depende de la magnitud del brazo de palanca y del ángulo que forma el vector de fuerza con el brazo de palanca.
- Determinar el signo (positivo o negativo) de un torque con la regla de la mano derecha.
- Calcular cada uno de los torques en torno a un eje común y sumarlos para hallar el torque neto.

Una magnitud importante para describir la dinámica de un cuerpo rígido en rotación es el torque. Vemos la aplicación del torque de muchas maneras en nuestro mundo. Todos tenemos una intuición sobre el torque, como cuando utilizamos una llave grande para desenroscar un tornillo difícil. El torque actúa de forma invisible, como cuando pisamos el acelerador en un auto, lo que hace que el motor ponga torque adicional en el tren de transmisión. También, cada vez que movemos nuestro cuerpo desde una posición de pie, aplicamos un torque a nuestras extremidades. En esta sección, definimos el torque y argumentamos la ecuación para calcular el torque para un cuerpo rígido con rotación de eje fijo.

Definir el torque

Hasta ahora hemos definido muchas variables que son equivalentes rotacionales a sus contrapartes traslacionales. Consideremos cuál debe ser la contrapartida de la fuerza. Dado que las fuerzas cambian el movimiento de traslación de los objetos, la contraparte rotacional deberá relacionarse con el cambio del movimiento de rotación de un objeto alrededor de un eje. Llamamos **torque** a esta contrapartida rotacional.

En la vida cotidiana, rotamos objetos alrededor de un eje todo el tiempo, así que intuitivamente ya sabemos mucho sobre el torque. Piense, por ejemplo, en cómo rotamos una puerta para abrirla. En primer lugar, sabemos que una puerta se abre con lentitud si empujamos demasiado cerca de sus bisagras; es más eficaz hacer rotar una puerta abierta si empujamos lejos de las bisagras. En segundo lugar, sabemos que debemos empujar perpendicularmente al plano de la puerta; si empujamos paralelamente al plano de la puerta, no podremos hacerla rotar. En tercer lugar, cuanto mayor sea la fuerza, más eficaz será para abrir la puerta; cuanto más fuerte sea el empujón, la puerta se abrirá más rápidamente. El primer punto implica que, cuanto más lejos se aplique la fuerza del eje de rotación, mayor será la aceleración angular; el segundo implica que la eficacia depende del ángulo en el que se aplica la fuerza; el tercero implica que la magnitud de la fuerza también debe formar parte de la ecuación. Observe que, para la rotación en un plano, el torque tiene dos direcciones posibles. El torque es en el sentido de las agujas del reloj o en el sentido contrario de las agujas del reloj con respecto al punto de apoyo elegido. La Figura 10.31 muestra rotaciones en sentido contrario de las agujas del reloj.

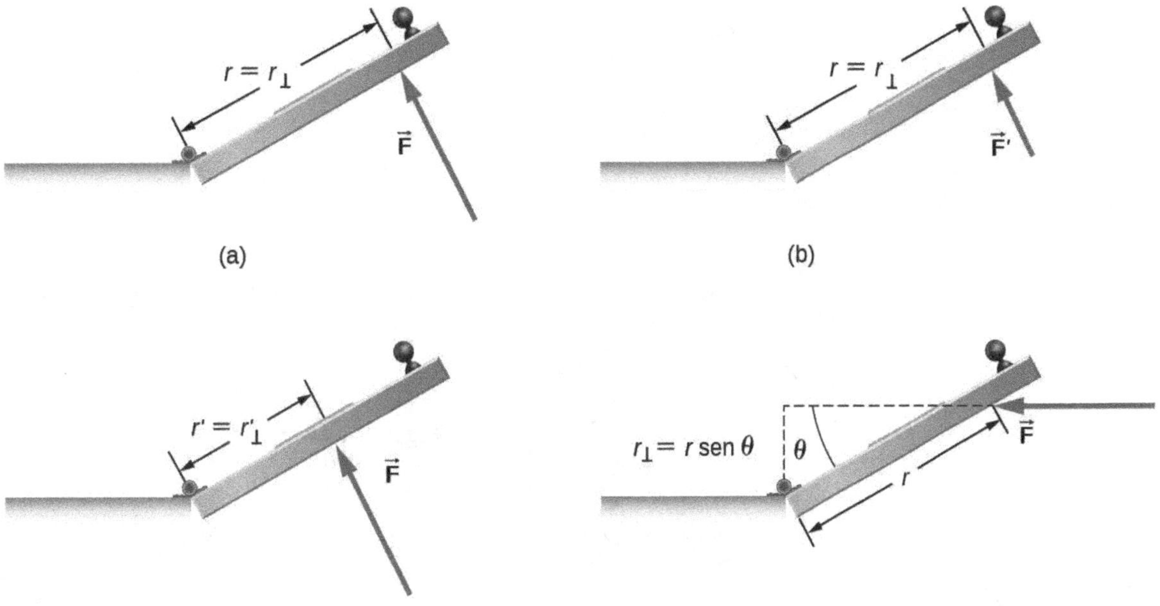

FIGURA 10.31 El torque es la eficacia de giro o torsión de una fuerza, ilustrada aquí para la rotación de una puerta sobre sus bisagras (vista desde arriba). El torque tiene tanto magnitud como dirección. (a) Un torque en el sentido contrario de las agujas del reloj es producido por una fuerza $\vec{\mathbf{F}}$ actuando a una distancia r de las bisagras (el punto de apoyo). (b) Se produce un torque menor en el sentido contrario de las agujas del reloj cuando una fuerza menor $\vec{\mathbf{F}}'$ actúa a la misma distancia r de las bisagras. (c) La misma fuerza que en (a) produce un torque menor en el sentido contrario de las agujas del reloj cuando se aplica a una distancia menor de las bisagras. (d) Se produce un torque menor en el sentido contrario de las agujas del reloj si la fuerza de la misma magnitud que (a) actúa a la misma distancia que (a), pero con un ángulo θ que es menor a $90°$.

Consideremos ahora cómo definir los torques en el caso general de las tres dimensiones.

Torque

Cuando una fuerza $\vec{\mathbf{F}}$ se aplica a un punto P cuya posición es $\vec{\mathbf{r}}$ respecto a O (Figura 10.32), el torque $\vec{\boldsymbol{\tau}}$ alrededor de O es

$$\vec{\boldsymbol{\tau}} = \vec{\mathbf{r}} \times \vec{\mathbf{F}}. \quad 10.22$$

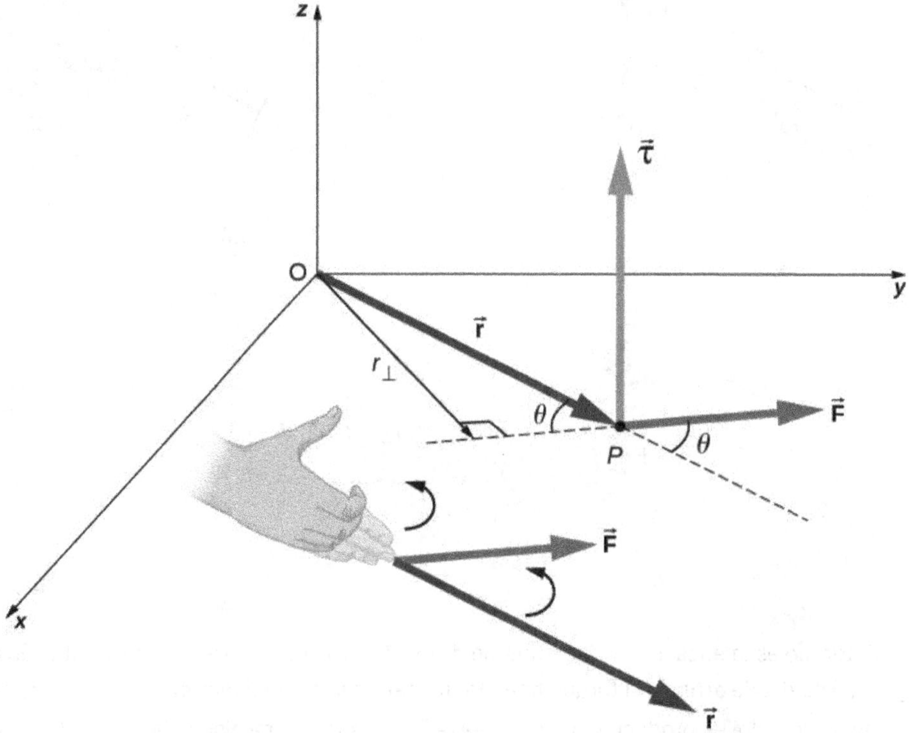

FIGURA 10.32 El torque es perpendicular al plano definido por $\vec{\mathbf{r}}$ y $\vec{\mathbf{F}}$ y su dirección está determinada por la regla de la mano derecha.

A partir de la definición del producto cruz, el torque $\vec{\tau}$ es perpendicular al plano que contiene a $\vec{\mathbf{r}}$ y $\vec{\mathbf{F}}$ y tiene una magnitud

$$|\vec{\tau}| = \left|\vec{\mathbf{r}} \times \vec{\mathbf{F}}\right| = rF\text{sen}\,\theta,$$

donde θ es el ángulo entre los vectores $\vec{\mathbf{r}}$ y $\vec{\mathbf{F}}$. La unidad SI de torque es newtons por metros, que se escribe como $\mathbf{N} \cdot \text{m}$. La cantidad $r_\perp = r\text{sen}\,\theta$ es la distancia perpendicular de O a la línea determinada por el vector $\vec{\mathbf{F}}$ y se denomina **brazo de palanca**. Observe que, cuanto mayor sea el brazo de palanca, mayor será la magnitud del torque. En términos del brazo de palanca, la magnitud del torque es

$$|\vec{\tau}| = r_\perp F. \tag{10.23}$$

El producto cruz $\vec{\mathbf{r}} \times \vec{\mathbf{F}}$ también nos indica el signo del torque. En la Figura 10.32, el producto cruz $\vec{\mathbf{r}} \times \vec{\mathbf{F}}$ es a lo largo del eje de la z positiva, que, por convención, es un torque positivo. Si $\vec{\mathbf{r}} \times \vec{\mathbf{F}}$ es a lo largo del eje de la z negativa; esto produce un torque negativo.

Si consideramos un disco que rota libremente en torno a un eje que pasa por el centro, como se muestra en la Figura 10.33, podemos ver cómo el ángulo entre el radio $\vec{\mathbf{r}}$ y la fuerza $\vec{\mathbf{F}}$ afecta a la magnitud del torque. Si el ángulo es cero, el torque es cero; si el ángulo es 90°, el torque es máximo. El torque en la Figura 10.33 es positivo porque la dirección del torque por la regla de la mano derecha está fuera de la página a lo largo del eje de la z positiva. El disco rota en el sentido contrario de las agujas del reloj debido al torque, en la misma dirección que la aceleración angular positiva.

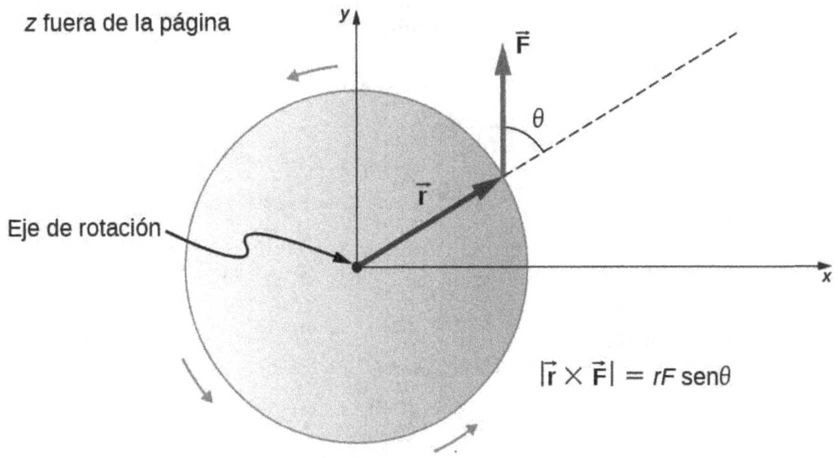

FIGURA 10.33 Un disco rotar libremente en torno a su eje por el centro. La magnitud del torque en el disco es $rF\text{sen}\,\theta$. Cuando $\theta = 0°$, el torque es cero y el disco no rota. Cuando $\theta = 90°$, el torque es máximo y el disco rota con la máxima aceleración angular.

Se puede calcular cualquier número de torques en torno a un eje determinado. Cada uno de los torques se suman para producir un torque neto en torno al eje. Cuando se asigna el signo apropiado (positivo o negativo) a la magnitud de cada uno de los torques en torno a un eje determinado, el torque neto al eje es la suma de todos y cada uno de los torques:

$$\vec{\tau}_{\text{neto}} = \sum_i |\vec{\tau}_i|. \tag{10.24}$$

Calcular el torque neto para cuerpos rígidos en un eje fijo

En los siguientes ejemplos, calculamos el torque tanto de forma abstracta y aplicado a un cuerpo rígido.

En primer lugar, introducimos una estrategia de resolución de problemas.

ESTRATEGIA DE RESOLUCIÓN DE PROBLEMAS

Hallar el torque neto

1. Elija un sistema de coordenadas con el punto de apoyo o eje de rotación como origen del sistema seleccionado de coordenadas.
2. Determine el ángulo entre el brazo de palanca $\vec{\mathbf{r}}$ y el vector de fuerza.
3. Tome el producto cruz de $\vec{\mathbf{r}}$ y $\vec{\mathbf{F}}$ para determinar si el torque es positivo o negativo en torno al punto de apoyo o eje.
4. Evalúe la magnitud del torque por medio de $r_\perp F$.
5. Asigne el signo apropiado, positivo o negativo, a la magnitud.
6. Sume los torques para hallar el torque neto.

EJEMPLO 10.14

Calcular el torque

En la Figura 10.34 se muestran cuatro fuerzas en lugares y orientaciones particulares con respecto a un sistema de coordenadas *xy* determinado. Halle el torque debido a cada fuerza en torno al origen, y luego utilice sus resultados para hallar el torque neto en torno al origen.

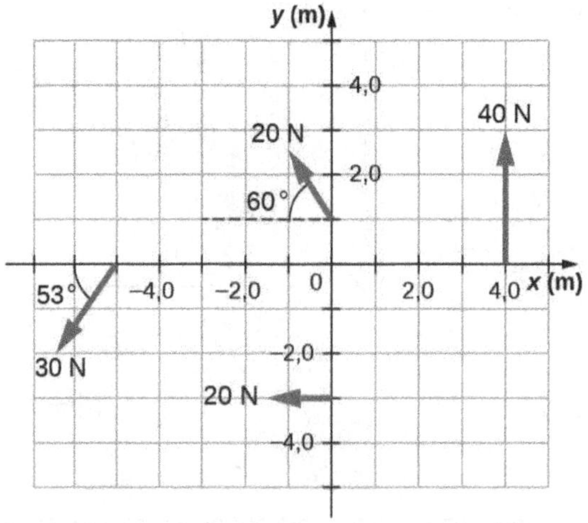

FIGURA 10.34 Cuatro fuerzas que producen torques.

Estrategia

Este problema requiere el cálculo del torque. Todas las cantidades conocidas, fuerzas con direcciones y brazos de palanca, se indican en la figura. El objetivo es hallar cada torque y el torque neto al sumar todos y cada uno de los torques. Tenga cuidado de asignar el signo correcto a cada torque mediante el producto cruz de $\vec{\mathbf{r}}$ y el vector de fuerza $\vec{\mathbf{F}}$.

Solución

Utilice $|\vec{\tau}| = r_\perp F = rF\text{sen}\,\theta$ para hallar la magnitud y $\vec{\tau} = \vec{\mathbf{r}} \times \vec{\mathbf{F}}$ para determinar el signo del torque.

El torque para la fuerza de 40 N en el primer cuadrante viene dado por $(4)(40)\text{sen}\,90° = 160\,\text{N} \cdot \text{m}$.

El producto cruz de $\vec{\mathbf{r}}$ y $\vec{\mathbf{F}}$ está fuera de la página, es positivo.

El torque para la fuerza de 20 N en el tercer cuadrante viene dado por-$(3)(20)\text{sen}\,90° = -60\,\text{N} \cdot \text{m}$.

El producto cruz de $\vec{\mathbf{r}}$ y $\vec{\mathbf{F}}$ está dentro de la página, por lo que es negativo.

El torque para la fuerza 30 N en el tercer cuadrante viene dado por $(5)(30)\text{sen}\,53° = 120\,\text{N} \cdot \text{m}$.

El producto cruz de $\vec{\mathbf{r}}$ y $\vec{\mathbf{F}}$ está fuera de la página, es positivo.

El torque para la fuerza de 20 N en el segundo cuadrante viene dado por $(1)(20)\text{sen}\,30° = 10\,\text{N} \cdot \text{m}$.

El producto cruz de $\vec{\mathbf{r}}$ y $\vec{\mathbf{F}}$ está fuera de la página.

Por lo tanto, el torque neto es $\tau_{\text{neto}} = \sum_i |\boldsymbol{\tau}_i| = 160 - 60 + 120 + 10 = 230\,\text{N} \cdot \text{m}$.

Importancia

Observe que cada fuerza que actúa en el sentido contrario de las agujas del reloj tiene un torque positivo, mientras que cada fuerza que actúa en el sentido de las agujas del reloj tiene un torque negativo. El torque es mayor cuando la distancia, la fuerza o los componentes perpendiculares son mayores.

EJEMPLO 10.15

Calcular el torque en un cuerpo rígido

La Figura 10.35 muestra varias fuerzas que actúan en diferentes lugares y ángulos sobre un volante de inercia. Tenemos $|\vec{\mathbf{F}}_1| = 20\,\text{N}$, $|\vec{\mathbf{F}}_2| = 30\,\text{N}$, $|\vec{\mathbf{F}}_3| = 30\,\text{N}$, y $r = 0{,}5\,\text{m}$. Calcule el torque neto en el volante de inercia en torno a un eje que pasa por el centro.

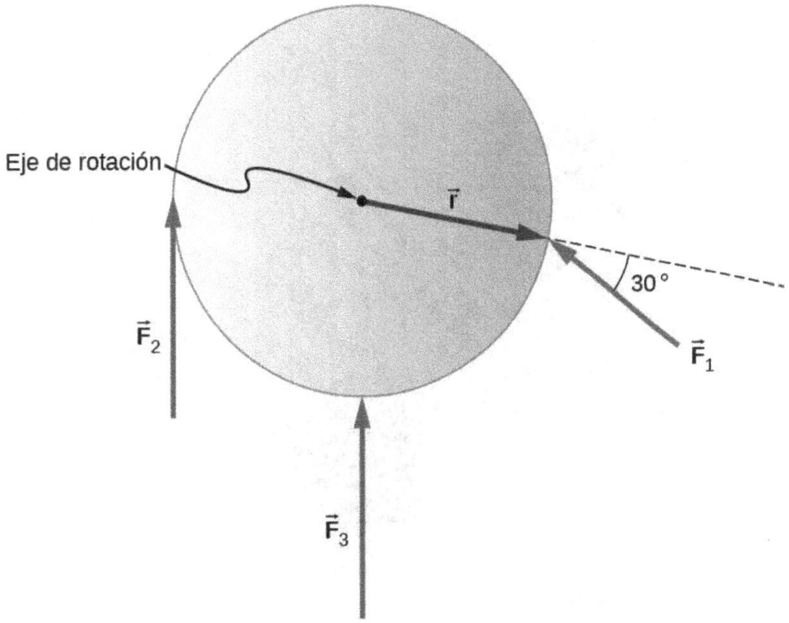

FIGURA 10.35 Tres fuerzas que actúan sobre un volante de inercia.

Estrategia

Calculamos cada torque individualmente, mediante el producto cruz, y determinamos el signo del torque. Luego sumamos los torques para dar con el torque neto.

Solución

Comenzamos con $\vec{\mathbf{F}}_1$. Si nos fijamos en la Figura 10.35, vemos que $\vec{\mathbf{F}}_1$ forma un ángulo de $90° + 60°$ con el radio del vector $\vec{\mathbf{r}}$. Tomando el producto cruz, vemos que está fuera de la página y por lo tanto es positivo. También vemos esto al calcular su magnitud:

$$|\vec{\boldsymbol{\tau}}_1| = rF_1 \text{sen } 150° = 0{,}5 \text{ m}(20 \text{ N})(0{,}5) = 5{,}0 \text{ N} \cdot \text{m}.$$

A continuación, examinamos $\vec{\mathbf{F}}_2$. El ángulo entre $\vec{\mathbf{F}}_2$ y $\vec{\mathbf{r}}$ es 90° y el producto cruz está en la página, por lo que el torque es negativo. Su valor es

$$|\vec{\boldsymbol{\tau}}_2| = -rF_2 \text{sen } 90° = -0{,}5 \text{ m}(30 \text{ N}) = -15{,}0 \text{ N} \cdot \text{m}.$$

Cuando evaluamos el torque debido a $\vec{\mathbf{F}}_3$, vemos que el ángulo que forma con $\vec{\mathbf{r}}$ es cero, por lo que $\vec{\mathbf{r}} \times \vec{\mathbf{F}}_3 = 0$. Por lo tanto, $\vec{\mathbf{F}}_3$ no produce ningún torque en el volante de inercia.

Evaluamos la suma de los torques:

$$\tau_{\text{neto}} = \sum_i |\tau_i| = 5 - 15 = -10 \text{ N} \cdot \text{m}.$$

Importancia

El eje de rotación está en el centro de masa del volante de inercia. Dado que el volante de inercia está en un eje fijo, no se traslada libremente. Si estuviera en una superficie sin fricción y no estuviera fijo, $\vec{\mathbf{F}}_3$ provocaría la traslación del volante de inercia, así como $\vec{\mathbf{F}}_1$. Su movimiento sería una combinación de traslación y rotación.

COMPRUEBE LO APRENDIDO 10.6

Un gran barco oceánico encalla cerca de la costa, como ocurrió con el *Costa Concordia*, y queda en un ángulo como el que se muestra a continuación. La tripulación de salvamento deberá aplicar un torque para enderezar el barco con el fin de hacerlo flotar para su transporte. Una fuerza de $5{,}0 \times 10^5$ N actuando en el punto A deberá aplicarse para enderezar el barco. ¿Cuál es el torque sobre el punto de contacto del barco con el suelo

(Figura 10.36)?

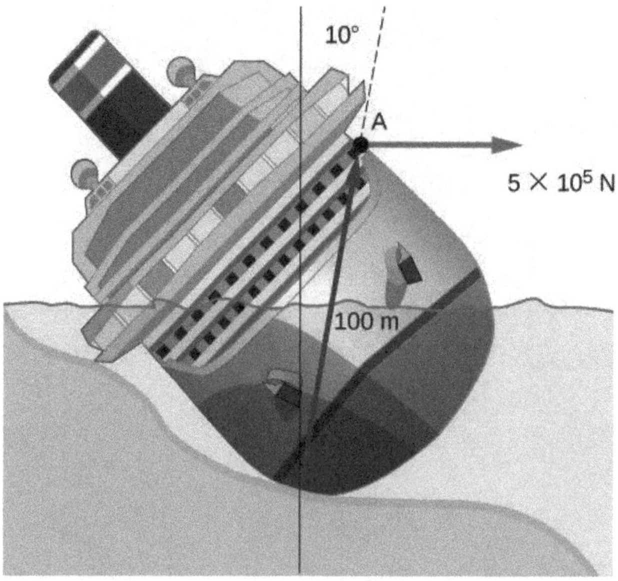

FIGURA 10.36 Un barco encalla y se inclina, por lo que es necesario aplicar un torque para devolverlo a la posición vertical.

10.7 Segunda ley de Newton para la rotación

OBJETIVOS DE APRENDIZAJE

Al final de esta sección, podrá:

- Calcular los torques en los sistemas que rotan en torno a un eje fijo para hallar la aceleración angular.
- Explicar cómo los cambios en el momento de inercia de un sistema en rotación inciden en la aceleración angular con un torque fijo aplicado.

En esta sección reunimos todos los elementos aprendidos hasta ahora en este capítulo para analizar la dinámica de los cuerpos rígidos en rotación. Hemos analizado el movimiento con la cinemática y la energía cinética rotacional, pero aún no hemos conectado estas ideas con la fuerza o el torque. En esta sección introducimos el equivalente rotacional a la segunda ley del movimiento de Newton y lo aplicamos a cuerpos rígidos con rotación de eje fijo.

Segunda ley de Newton para la rotación

Hasta ahora hemos hallado muchas contrapartes a los términos traslacionales utilizados a lo largo de este texto; la más reciente, el torque, es el análogo rotacional de la fuerza. Esto plantea la pregunta: ¿Existe una ecuación análoga a la segunda ley de Newton, $\Sigma\vec{\mathbf{F}} = m\vec{\mathbf{a}}$, que implique al torque y al movimiento rotacional? Para investigarlo, comenzamos con la segunda ley de Newton para una sola partícula que rota alrededor de un eje y ejecuta un movimiento circular. Ejerzamos una fuerza $\vec{\mathbf{F}}$ sobre una masa puntual m que se encuentra a una distancia r de un punto de apoyo (Figura 10.37). La partícula está obligada a moverse en una trayectoria circular de radio fijo y la fuerza es tangente al círculo. Aplicamos la segunda ley de Newton para determinar la magnitud de la aceleración $a = F/m$ en dirección a $\vec{\mathbf{F}}$. Recordemos que la magnitud de la aceleración tangencial es proporcional a la magnitud de la aceleración angular por $a = r\alpha$. Sustituyendo esta expresión en la segunda ley de Newton, obtenemos

$$F = mr\alpha.$$

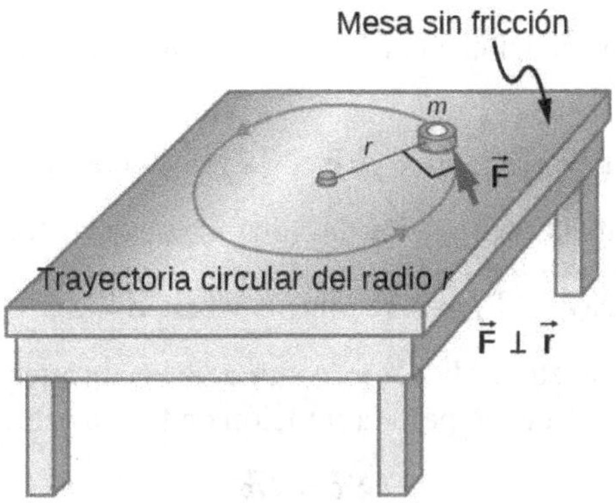

FIGURA 10.37 Un objeto se apoya en una mesa horizontal sin fricción y está unido a un punto de apoyo por una cuerda que suministra fuerza centrípeta. Una fuerza $\vec{\mathbf{F}}$ se aplica al objeto perpendicularmente al radio *r*, lo que provoca su aceleración en torno al punto de apoyo. La fuerza es perpendicular a *r*.

Multiplique ambos lados de esta ecuación por *r*,

$$rF = mr^2\alpha.$$

Observe que el lado izquierdo de esta ecuación es el torque en torno al eje de rotación, donde *r* es el brazo de palanca y *F* es la fuerza, perpendicular a *r*. Recuerde que el momento de inercia de una partícula puntual es$I = mr^2$. Por lo tanto, el torque aplicado perpendicularmente a la masa puntual en la Figura 10.37 es

$$\tau = I\alpha.$$

El torque sobre la partícula es igual al momento de inercia sobre el eje de rotación por la aceleración angular. Podemos generalizar esta ecuación a un cuerpo rígido que rota en torno a un eje fijo.

Segunda ley de Newton para la rotación

Si, sobre un cuerpo rígido actúa más de un torque en torno a un eje fijo, la suma de los torques es igual al momento de inercia por la aceleración angular:

$$\sum_i \tau_i = I\alpha. \qquad 10.25$$

El término $I\alpha$ es una cantidad escalar y puede ser positiva o negativa (en el sentido contrario de las agujas del reloj o en el sentido de las agujas del reloj), dependiendo del signo del torque neto. Recuerde la convención de que la aceleración angular en el sentido contrario de las agujas del reloj es positiva. Así, si un cuerpo rígido rota en el sentido de las agujas del reloj y experimenta un torque positivo (en el sentido contrario de las agujas del reloj), la aceleración angular será positiva.

La Ecuación 10.25 es **la segunda ley de Newton para la rotación** y establece cómo relacionar el torque, el momento de inercia y la cinemática rotacional. Esto se denomina ecuación de la **dinámica rotacional**. Con esta ecuación, podemos resolver toda una clase de problemas relacionados con la fuerza y la rotación. Es lógico que la relación de la fuerza necesaria para hacer rotar un cuerpo incluya el momento de inercia, ya que es la cantidad que nos indica lo fácil o difícil que es cambiar el movimiento de rotación de un objeto.

Derivar la segunda ley de Newton para la rotación en forma vectorial

Como antes, cuando calculamos la aceleración angular, también podemos hallar el vector de torque. La segunda ley $\Sigma\vec{\mathbf{F}} = m\vec{\mathbf{a}}$ nos indica la relación entre la fuerza neta y la forma de modificar el movimiento de traslación de un objeto. Tenemos un equivalente vectorial rotacional de esta ecuación, que se hallará al utilizar la Ecuación 10.7 y la Figura 10.8. La Ecuación 10.7 relaciona la aceleración angular con los vectores de posición y de aceleración tangencial:

$$\vec{\mathbf{a}} = \vec{\boldsymbol{\alpha}} \times \vec{\mathbf{r}}.$$

Formamos el producto cruz de esta ecuación con $\vec{\mathbf{r}}$ y utilizamos una identidad de producto cruz (tenga en cuenta que $\vec{\mathbf{r}} \cdot \vec{\boldsymbol{\alpha}} = 0$):

$$\vec{\mathbf{r}} \times \vec{\mathbf{a}} = \vec{\mathbf{r}} \times (\vec{\boldsymbol{\alpha}} \times \vec{\mathbf{r}}) = \vec{\boldsymbol{\alpha}}(\vec{\mathbf{r}} \cdot \vec{\mathbf{r}}) - \vec{\mathbf{r}}(\vec{\mathbf{r}} \cdot \vec{\boldsymbol{\alpha}}) = \vec{\boldsymbol{\alpha}}(\vec{\mathbf{r}} \cdot \vec{\mathbf{r}}) = \vec{\boldsymbol{\alpha}} r^2.$$

Ahora formamos el producto cruz de la segunda ley de Newton con el vector de posición $\vec{\mathbf{r}}$,

$$\Sigma(\vec{\mathbf{r}} \times \vec{\mathbf{F}}) = \vec{\mathbf{r}} \times (m\vec{\mathbf{a}}) = m\vec{\mathbf{r}} \times \vec{\mathbf{a}} = mr^2\vec{\boldsymbol{\alpha}}.$$

Al identificar el primer término de la izquierda como la suma de los torques, y mr^2 como el momento de inercia, llegamos a la segunda ley de Newton para la rotación en forma vectorial:

$$\Sigma\vec{\boldsymbol{\tau}} = I\vec{\boldsymbol{\alpha}}. \qquad 10.26$$

Esta ecuación es exactamente la Ecuación 10.25, pero con el torque y la aceleración angular como vectores. Un punto importante es que el vector de torque está en la misma dirección que la aceleración angular.

Aplicar la ecuación de la dinámica rotacional

Antes de aplicar la ecuación de la dinámica rotacional a algunas situaciones cotidianas, repasemos una estrategia general de resolución de problemas para utilizarla con esta categoría de problemas.

ESTRATEGIA DE RESOLUCIÓN DE PROBLEMAS

Dinámica rotacional

1. Examine la situación para determinar que el torque y la masa están involucrados en la rotación. Dibuje un esquema minucioso de la situación.
2. Determine el sistema de interés.
3. Dibuje un diagrama de cuerpo libre. Es decir, dibuje y marque todas las fuerzas externas que actúan sobre el sistema de interés.
4. Identifique el punto de apoyo. Si el objeto está en equilibrio, debe estarlo para todos los puntos de apoyo posibles: elija el que más simplifique su trabajo.
5. Aplique $\sum_i \tau_i = I\alpha$, el equivalente rotacional de la segunda ley de Newton, para resolver el problema. Hay que tener cuidado de utilizar el momento de inercia correcto y tener en cuenta el torque alrededor del punto de rotación.
6. Como siempre, compruebe la solución para ver si es razonable.

EJEMPLO 10.16

Calcular el efecto de la distribución de masas en un carrusel

Piense en el padre que empuja un carrusel del parque infantil en la Figura 10.38. Ejerce una fuerza de 250 N en el borde del carrusel de 50,0 kg, que tiene un radio de 1,50 m. Calcule la aceleración angular producida (a) cuando no hay nadie en el carrusel y (b) cuando un niño de 18,0 kg se sienta a 1,25 m del centro. Considere que el propio carrusel es un disco uniforme con una fricción despreciable.

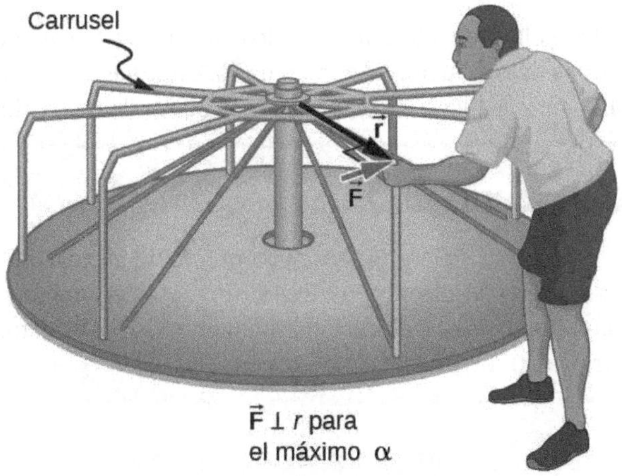

FIGURA 10.38 Un padre empuja un carrusel de un parque infantil por su borde y perpendicularmente a su radio para conseguir el máximo torque.

Estrategia

El torque neto viene dado directamente por la expresión $\sum_i \tau_i = I\alpha$, para resolver en α, primero debemos calcular el torque neto τ (que es el mismo en ambos casos) y el momento de inercia I (que es mayor en el segundo caso).

Solución

a. El momento de inercia de un disco sólido en torno a este eje se da en la Figura 10.20 como

$$\frac{1}{2}MR^2.$$

Tenemos $M = 50{,}0\text{ kg}$ y $R = 1{,}50\text{ m}$, así que

$$I = (0{,}500)(50{,}0\text{ kg})(1{,}50\text{ m})^2 = 56{,}25\text{ kg-m}^2.$$

Para hallar el torque neto, observamos que la fuerza aplicada es perpendicular al radio y la fricción es despreciable, por lo que

$$\tau = rF\text{sen}\,\theta = (1{,}50\text{ m})(250{,}0\text{ N}) = 375{,}0\text{ N-m}.$$

Ahora, después de sustituir los valores conocidos, hallamos que la aceleración angular es

$$\alpha = \frac{\tau}{I} = \frac{375{,}0\text{ N-m}}{56{,}25\text{ kg-m}^2} = 6{,}67\frac{\text{rad}}{\text{s}^2}.$$

b. Esperamos que la aceleración angular del sistema sea menor en esta parte porque el momento de inercia es mayor cuando el niño está en el carrusel. Para hallar el momento de inercia total I, primero hallamos el momento de inercia del niño (child, c) I_c al calcular aproximadamente al niño como una masa puntual a una distancia de 1,25 m del eje. Luego

$$I_c = mR^2 = (18{,}0\text{ kg})(1{,}25\text{ m})^2 = 28{,}13\text{ kg-m}^2.$$

El momento de inercia total es la suma de los momentos de inercia del carrusel y del niño (en torno al mismo eje):

$$I = 28{,}13\text{ kg-m}^2 + 56{,}25\text{ kg-m}^2 = 84{,}38\text{ kg-m}^2.$$

Sustituyendo los valores conocidos en la ecuación para α se obtiene

$$\alpha = \frac{\tau}{I} = \frac{375{,}0\text{ N-m}}{84{,}38\text{ kg-m}^2} = 40{,}44\frac{\text{rad}}{\text{s}^2}.$$

Importancia

La aceleración angular es menor cuando el niño está en el carrusel que cuando el carrusel está vacío, como era de esperar. Las aceleraciones angulares halladas son bastante grandes, en parte debido a que la fricción se consideró despreciable. Si, por ejemplo, el padre siguiera empujando perpendicularmente durante 2,00 s, daría al carrusel una velocidad angular de 13,3 rad/s cuando está vacío, pero apenas 8,89 rad/s cuando el niño está montado en este. En términos de revoluciones por segundo, estas velocidades angulares son 2,12 rev/s y 1,41 rev/s, respectivamente. El padre acabaría corriendo a unos 50 km/h en el primer caso.

COMPRUEBE LO APRENDIDO 10.7

Las aspas del ventilador de un motor a reacción tienen un momento de inercia $30{,}0\ \text{kg-m}^2$. En 10 s, rota en el sentido contrario de las agujas del reloj desde el reposo hasta una tasa de rotación de 20 rev/s. (a) ¿Qué torque deberá aplicarse a las aspas para lograr esta aceleración angular? (b) ¿Cuál es el torque necesario para llevar las aspas del ventilador que giran a 20 rev/s hasta el reposo en 20 s?

10.8 Trabajo y potencia en el movimiento rotacional

OBJETIVOS DE APRENDIZAJE

Al final de esta sección, podrá:

- Utilizar el teorema de trabajo-energía para analizar la rotación y calcular el trabajo realizado en un sistema cuando se rota alrededor de un eje fijo para un desplazamiento angular finito.
- Resolver la velocidad angular de un cuerpo rígido en rotación con el teorema de trabajo-energía.
- Hallar la potencia entregada a un cuerpo rígido en rotación dado el torque aplicado y la velocidad angular.
- Resumir las variables y ecuaciones rotacionales y relacionarlas con sus homólogas traslacionales.

Hasta ahora en el capítulo, hemos abordado ampliamente la cinemática y la dinámica para cuerpos rígidos en rotación alrededor de un eje fijo. En esta última sección, definimos el trabajo y la potencia en el contexto de la rotación alrededor de un eje fijo, lo que tiene aplicaciones tanto en la física como en la ingeniería. El análisis del trabajo y la potencia hace que nuestro tratamiento del movimiento rotacional sea casi completo, con la excepción del movimiento rodadura y el momento angular, que se analizan en Momento angular. Comenzamos esta sección con un tratamiento del teorema de trabajo-energía para la rotación.

Trabajo para el movimiento rotacional

Ahora, que hemos determinado cómo calcular la energía cinética para cuerpos rígidos en rotación, podemos proceder a analizar el trabajo realizado en un cuerpo rígido que rota alrededor de un eje fijo. La Figura 10.39 muestra un cuerpo rígido que ha rotado a través de un ángulo $d\theta$ de A a B bajo la influencia de una fuerza $\vec{\mathbf{F}}$. La fuerza externa $\vec{\mathbf{F}}$ se aplica al punto P, cuya posición es $\vec{\mathbf{r}}$, y el cuerpo rígido se ve obligado a rotar alrededor de un eje fijo que es perpendicular a la página y pasa por O. El eje de rotación es fijo, por lo que el vector $\vec{\mathbf{r}}$ se mueve en un círculo de radio r, y el vector $d\vec{\mathbf{s}}$ es perpendicular a $\vec{\mathbf{r}}$.

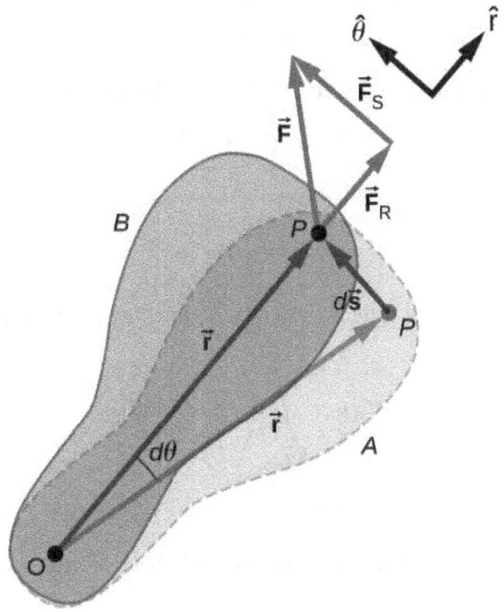

FIGURA 10.39 Un cuerpo rígido rota a través de un ángulo $d\theta$ de A a B por la acción de una fuerza externa $\vec{\mathbf{F}}$ aplicada al punto P.

A partir de la Ecuación 10.2, tenemos

$$\vec{\mathbf{s}} = \vec{\boldsymbol{\theta}} \times \vec{\mathbf{r}}.$$

Así,

$$d\vec{\mathbf{s}} = d(\vec{\boldsymbol{\theta}} \times \vec{\mathbf{r}}) = d\vec{\boldsymbol{\theta}} \times \vec{\mathbf{r}} + d\vec{\mathbf{r}} \times \vec{\boldsymbol{\theta}} = d\vec{\boldsymbol{\theta}} \times \vec{\mathbf{r}}.$$

Observe que $d\vec{\mathbf{r}}$ es cero porque $\vec{\mathbf{r}}$ está fijado en el cuerpo rígido desde el origen O hasta el punto P. Al utilizar la definición de trabajo, obtenemos

$$W = \int \sum \vec{\mathbf{F}} \cdot d\vec{\mathbf{s}} = \int \sum \vec{\mathbf{F}} \cdot (d\vec{\boldsymbol{\theta}} \times \vec{\mathbf{r}}) = \int d\vec{\boldsymbol{\theta}} \cdot (\vec{\mathbf{r}} \times \sum \vec{\mathbf{F}})$$

donde utilizamos la identidad $\vec{\mathbf{a}} \cdot (\vec{\mathbf{b}} \times \vec{\mathbf{c}}) = \vec{\mathbf{b}} \cdot (\vec{\mathbf{c}} \times \vec{\mathbf{a}})$. Al observar que $(\vec{\mathbf{r}} \times \sum \vec{F}) = \sum \vec{\boldsymbol{\tau}}$, llegamos a la expresión del **trabajo rotacional** realizado en un cuerpo rígido:

$$W = \int \sum \vec{\boldsymbol{\tau}} \cdot d\vec{\boldsymbol{\theta}}. \qquad 10.27$$

El trabajo total realizado en un cuerpo rígido es la suma de los torques integrados en el ángulo a través del cual rota el cuerpo. El trabajo incremental es

$$dW = \left(\sum_i \tau_i\right) d\theta \qquad 10.28$$

donde hemos tomado el producto punto en la Ecuación 10.27, y dejamos solo los torques a lo largo del eje de rotación. En un cuerpo rígido, todas las partículas rotan a través del mismo ángulo; así, el trabajo de cada fuerza externa es igual al torque por el ángulo incremental común $d\theta$. La cantidad $\left(\sum_i \tau_i\right)$ es el torque neto sobre el cuerpo debido a las fuerzas externas.

Del mismo modo, hallamos la energía cinética de un cuerpo rígido que rota alrededor de un eje fijo al sumar la energía cinética de cada partícula que compone el cuerpo rígido. Dado que el teorema de trabajo-energía $W_i = \Delta K_i$ es válido para cada partícula, es válido para la suma de las partículas y el cuerpo entero.

Teorema de trabajo-energía para la rotación

El teorema de trabajo-energía para un cuerpo rígido que rota alrededor de un eje fijo es

$$W_{AB} = K_B - K_A \qquad 10.29$$

donde

$$K = \frac{1}{2} I\omega^2$$

y el trabajo rotacional realizado por una fuerza neta que hace rotar a un cuerpo del punto A al punto B es

$$W_{AB} = \int_{\theta_A}^{\theta_B} \left(\sum_i \tau_i \right) d\theta. \qquad 10.30$$

Damos una estrategia para utilizar esta ecuación al analizar el movimiento rotacional.

ESTRATEGIA DE RESOLUCIÓN DE PROBLEMAS

Teorema de trabajo-energía para el movimiento rotacional

1. Identifique las fuerzas sobre el cuerpo y dibuje un diagrama de cuerpo libre. Calcule el torque para cada fuerza.
2. Calcule el trabajo realizado durante la rotación del cuerpo por cada torque.
3. Aplique el teorema de trabajo-energía al igualar el trabajo neto realizado sobre el cuerpo con el cambio de energía cinética rotacional.

Veamos dos ejemplos y utilicemos el teorema de trabajo-energía para analizar el movimiento rotacional.

EJEMPLO 10.17

Trabajo y energía rotacional

Un torque de 12,0 N · m se aplica a un volante de inercia que rota alrededor de un eje fijo y tiene un momento de inercia de 30,0 kg · m^2. Si el volante de inercia está inicialmente en reposo, ¿cuál es su velocidad angular después de girar ocho revoluciones?

Estrategia

Aplicamos el teorema de trabajo-energía. Por la descripción del problema sabemos cuál es el torque y el desplazamiento angular del volante de inercia. Entonces podemos resolver la velocidad angular final.

Solución

El volante de inercia gira ocho revoluciones, lo que 16π radianes. El trabajo realizado por el torque, que es constante y, por tanto, puede salir de la integral en la Ecuación 10.30, es

$$W_{AB} = \tau(\theta_B - \theta_A).$$

Aplicamos el teorema de trabajo-energía:

$$W_{AB} = \tau(\theta_B - \theta_A) = \frac{1}{2} I\omega_B^2 - \frac{1}{2} I\omega_A^2.$$

Con $\tau = 12{,}0\,\text{N} \cdot \text{m}, \theta_B - \theta_A = 16{,}0\pi\,\text{rad},\ I = 30{,}0\,\text{kg} \cdot \text{m}^2,\ \text{y}\, \omega_A = 0$, tenemos

$$12{,}0\,\text{N-m}(16{,}0\pi\,\text{rad}) = \frac{1}{2}(30{,}0\,\text{kg} \cdot \text{m}^2)(\omega_B^2) - 0.$$

Por lo tanto,

$$\omega_B = 6{,}3 \text{ rad/s}.$$

Es la velocidad angular del volante de inercia después de ocho revoluciones.

Importancia

El teorema de trabajo-energía es una forma eficaz de analizar el movimiento rotacional, al conectar el torque con la energía cinética rotacional.

EJEMPLO 10.18

Trabajo rotacional: Una polea

Una cuerda enrollada alrededor de la polea en la Figura 10.40 se hala con una fuerza constante hacia abajo $\vec{\mathbf{F}}$ de 50 N de magnitud. El radio R y el momento de inercia I de la polea son 0,10 m y $2{,}5 \times 10^{-3}$kg-m^2, respectivamente. Si la cuerda no resbala, ¿cuál es la velocidad angular de la polea después de desenrollar 1,0 m de cuerda? Supongamos que la polea parte del reposo.

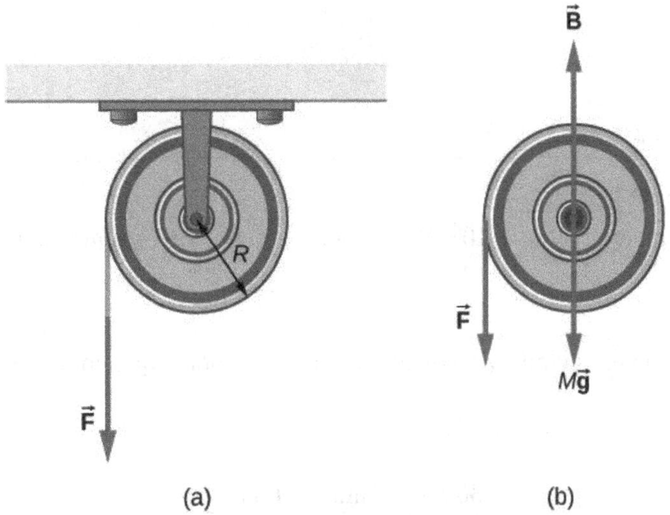

FIGURA 10.40 (a) Una cuerda se enrolla alrededor de una polea de radio R. (b) El diagrama de cuerpo libre.

Estrategia

Al observar el diagrama de cuerpo libre, vemos que ni $\vec{\mathbf{B}}$, la fuerza en los rodamientos de la polea, ni $M\vec{\mathbf{g}}$, el peso de la polea, ejerce un torque alrededor del eje rotacional, y por lo tanto no realiza ningún trabajo sobre la polea. Al rotar la polea a través de un ángulo θ, $\vec{\mathbf{F}}$ actúa a través de una distancia d tal que $d = R\theta$.

Solución

Dado que el torque debido a $\vec{\mathbf{F}}$ tiene una magnitud $\tau = RF$, tenemos

$$W = \tau\theta = (FR)\theta = Fd.$$

Si la fuerza sobre la cuerda actúa a través de una distancia de 1,0 m, tenemos, a partir del teorema de trabajo-energía

$$\begin{aligned} W_{AB} &= K_B - K_A \\ Fd &= \tfrac{1}{2}I\omega^2 - 0 \\ (50{,}0 \text{ N})(1{,}0 \text{ m}) &= \tfrac{1}{2}(2{,}5 \times 10^{-3}\text{kg-m}^2)\omega^2. \end{aligned}$$

Resolviendo para ω, obtenemos

$$\omega = 200{,}0 \text{ rad/s}.$$

Potencia para el movimiento rotacional

La potencia siempre sale a relucir en los debates sobre las aplicaciones en ingeniería y física. La potencia para el movimiento rotacional es tan importante como la potencia en el movimiento lineal y puede derivarse de forma similar a la del movimiento lineal cuando la fuerza es una constante. La potencia lineal cuando la fuerza es una constante es $P = \vec{\mathbf{F}} \cdot \vec{\mathbf{v}}$. Si el torque neto es constante en el desplazamiento angular, la Ecuación 10.25 se simplifica y el torque neto se puede sacar de la integral. En el siguiente análisis, asumimos que el torque neto es constante. Podemos aplicar al movimiento rotacional la definición de potencia derivada de Potencia. A partir de Trabajo y la energía cinética, la potencia instantánea (o simplemente la potencia) se define como la tasa de realización del trabajo,

$$P = \frac{dW}{dt}.$$

Si tenemos un torque neto constante, la Ecuación 10.25 se convierte en $W = \tau\theta$ y la potencia es

$$P = \frac{dW}{dt} = \frac{d}{dt}(\tau\theta) = \tau\frac{d\theta}{dt}$$

o

$$P = \tau\omega. \qquad 10.31$$

EJEMPLO 10.19

Torque en una hélice de barco

Un motor de barco que funciona a $9{,}0 \times 10^4$ W funciona a 300 rev/min. ¿Cuál es el torque en el eje de la hélice?

Estrategia

Se nos da la tasa de rotación en rev/min y el consumo de energía, por lo que podemos calcular fácilmente el torque.

Solución

$$300{,}0 \text{ rev/min} = 31{,}4 \text{ rad/s};$$

$$\tau = \frac{P}{\omega} = \frac{9{,}0 \times 10^4 \text{N} \cdot \text{m/s}}{31{,}4 \text{ rad/s}} = 2864{,}8 \text{ N} \cdot \text{m}.$$

Importancia

Cabe destacar que el radián es una unidad adimensional porque su definición es el cociente de dos longitudes. Por lo tanto, no aparece en la solución.

COMPRUEBE LO APRENDIDO 10.8

Un torque constante de $500 \text{ kN} \cdot \text{m}$ se aplica a un aerogenerador para mantenerlo rotando a 6 rad/s. ¿Cuál es la potencia necesaria para que se mantenga rotando el aerogenerador?

Resumen de relaciones rotacionales y traslacionales

Las cantidades rotacionales y sus análogas lineales se resumen en tres tablas. La Tabla 10.5 resume las variables rotacionales para el movimiento circular alrededor de un eje fijo con sus análogas lineales y la ecuación de conexión, excepto para la aceleración centrípeta, que se mantiene por sí misma. La Tabla 10.6 resume las ecuaciones cinemáticas rotacionales y traslacionales. La Tabla 10.7 resume las ecuaciones dinámicas rotacionales junto con sus análogas lineales.

Rotacional	Traslacional	Relación
θ	x	$\theta = \frac{s}{r}$
ω	v_t	$\omega = \frac{v_t}{r}$
α	a_t	$\alpha = \frac{a_t}{r}$
	a_c	$a_c = \frac{v_t^2}{r}$

TABLA 10.5 Variables rotacionales y traslacionales: resumen

Rotacional	Traslacional
$\theta_f = \theta_0 + \bar{\omega}t$	$x = x_0 + \bar{v}t$
$\omega_f = \omega_0 + \alpha t$	$v_f = v_0 + at$
$\theta_f = \theta_0 + \omega_0 t + \frac{1}{2}\alpha t^2$	$x_f = x_0 + v_0 t + \frac{1}{2}at^2$
$\omega_f^2 = \omega^2{}_0 + 2\alpha(\Delta\theta)$	$v_f^2 = v^2{}_0 + 2a(\Delta x)$

TABLA 10.6 Ecuaciones cinemáticas rotacionales y traslacionales: resumen

Rotacional	Traslacional
$I = \sum_i m_i r_i^2$	m
$K = \frac{1}{2}I\omega^2$	$K = \frac{1}{2}mv^2$
$\sum_i \tau_i = I\alpha$	$\sum_i \vec{\mathbf{F}}_i = m\vec{\mathbf{a}}$
$W_{AB} = \int_{\theta_A}^{\theta_B} \left(\sum_i \tau_i\right) d\theta$	$W = \int \vec{\mathbf{F}} \cdot d\vec{\mathbf{s}}$
$P = \tau\omega$	$P = \vec{\mathbf{F}} \cdot \vec{\mathbf{v}}$

TABLA 10.7 Ecuaciones rotacionales y traslacionales: dinámica

Revisión Del Capítulo

Términos Clave

aceleración angular tasa de tiempo del cambio de la velocidad angular
aceleración angular instantánea derivada de la velocidad angular con respecto al tiempo
aceleración lineal total suma vectorial del vector de aceleración centrípeta y del vector de aceleración tangencial
brazo de palanca distancia perpendicular desde la línea en la que se encuentra el vector de fuerza a un eje determinado
cinemática del movimiento rotacional describe las relaciones entre el ángulo de rotación, la velocidad angular, la aceleración angular y el tiempo
densidad de masa superficial masa por unidad de área σ de un objeto bidimensional
densidad lineal de masa la masa por unidad de longitud λ de un objeto unidimensional
dinámica rotacional análisis del movimiento rotacional en el que se utiliza el torque neto y el momento de inercia para hallar la aceleración angular
eje paralelo eje de rotación paralelo a un eje en torno al cual se conoce el momento de inercia de un objeto
energía cinética rotacional energía cinética debida a la rotación de un objeto; forma parte de su energía cinética total
momento de inercia masa rotacional de los cuerpos rígidos que se relaciona con lo fácil o difícil que será cambiar la velocidad angular del cuerpo rígido en rotación
posición angular ángulo que ha rotado un cuerpo en un sistema fijo de coordenadas
segunda ley de Newton para la rotación la suma de los torques en un sistema rotacional es igual a su momento de inercia por su aceleración angular
teorema del eje paralelo si se conoce el momento de inercia para un eje determinado, se puede hallar para cualquier eje paralelo a este
torque producto cruz de una fuerza y un brazo de palanca hacia un eje determinado
trabajo rotacional trabajo realizado sobre un cuerpo rígido debido a la suma de los torques integrados sobre el ángulo a través del cual rota el cuerpo
velocidad angular tasa de tiempo del cambio de la posición angular
velocidad angular instantánea derivada de la posición angular con respecto al tiempo

Ecuaciones Clave

Posición angular	$\theta = \frac{s}{r}$
Velocidad angular	$\omega = \lim_{\Delta t \to 0} \frac{\Delta\theta}{\Delta t} = \frac{d\theta}{dt}$
Rapidez tangencial	$v_t = r\omega$
Aceleración angular	$\alpha = \lim_{\Delta t \to 0} \frac{\Delta\omega}{\Delta t} = \frac{d\omega}{dt} = \frac{d^2\theta}{dt^2}$
Aceleración tangencial	$a_t = r\alpha$
Velocidad angular media	$\bar{\omega} = \frac{\omega_0 + \omega_f}{2}$
Desplazamiento angular	$\theta_f = \theta_0 + \bar{\omega} t$
Velocidad angular a partir de una aceleración angular constante	$\omega_f = \omega_0 + \alpha t$
Velocidad angular a partir del desplazamiento y la aceleración angular constante	$\theta_f = \theta_0 + \omega_0 t + \frac{1}{2}\alpha t^2$

Cambio en la velocidad angular	$\omega_f^2 = \omega_0^2 + 2\alpha(\Delta\theta)$
Aceleración total	$\vec{\mathbf{a}} = \vec{\mathbf{a}}_c + \vec{\mathbf{a}}_t$
Energía cinética rotacional	$K = \frac{1}{2}\left(\sum_j m_j r_j^2\right)\omega^2$
Momento de inercia	$I = \sum_j m_j r_j^2$
Energía cinética rotacional en términos del momento de inercia de un cuerpo rígido	$K = \frac{1}{2}I\omega^2$
Momento de inercia de un objeto continuo	$I = \int r^2 dm$
Teorema del eje paralelo	$I_{\text{eje paralelo}} = I_{\text{centro de masa}} + md^2$
Momento de inercia de un objeto compuesto	$I_{\text{total}} = \sum_i I_i$
Vector de torque	$\vec{\boldsymbol{\tau}} = \vec{\mathbf{r}} \times \vec{\mathbf{F}}$
Magnitud del torque	$\lvert\vec{\boldsymbol{\tau}}\rvert = r_\perp F$
Torque total	$\vec{\tau}_{\text{neto}} = \sum_i \lvert\vec{\tau}_i\rvert$
Segunda ley de Newton para la rotación	$\sum_i \tau_i = I\alpha$
Trabajo incremental realizado por un torque	$dW = \left(\sum_i \tau_i\right) d\theta$
Teorema de trabajo-energía	$W_{AB} = K_B - K_A$
Trabajo rotacional realizado por la fuerza neta	$W_{AB} = \int_{\theta_A}^{\theta_B} \left(\sum_i \tau_i\right) d\theta$
Potencia rotacional	$P = \tau\omega$

Resumen

10.1 Variables rotacionales

- La posición angular θ de un cuerpo en rotación es el ángulo que ha rotado el cuerpo en un sistema de coordenadas fijo, que sirve como marco de referencia.
- La velocidad angular de un cuerpo en rotación alrededor de un eje fijo se define como ω(rad/s), la tasa rotacional del cuerpo en radianes por

segundo. La velocidad angular instantánea de un cuerpo en rotación $\omega = \lim_{\Delta t \to 0} \frac{\Delta \omega}{\Delta t} = \frac{d\theta}{dt}$ es la derivada con respecto al tiempo de la posición angular θ, calculada al tomar el límite $\Delta t \to 0$ en la velocidad angular media $\bar{\omega} = \frac{\Delta \theta}{\Delta t}$. La velocidad angular relaciona v_t con la rapidez tangencial de un punto del cuerpo en rotación mediante la relación $v_t = r\omega$, donde r es el radio al punto y v_t es la rapidez tangencial en el punto dado.

- La velocidad angular $\vec{\boldsymbol{\omega}}$ se calcula al utilizar la regla de la mano derecha. Si los dedos se doblan en el sentido de rotación alrededor de un eje fijo, el pulgar apunta en la dirección de $\vec{\boldsymbol{\omega}}$ (vea la Figura 10.5).
- Si la velocidad angular del sistema no es constante, entonces el sistema tiene una aceleración angular. La aceleración angular media en un intervalo de tiempo determinado es la variación de la velocidad angular en ese intervalo, $\bar{\alpha} = \frac{\Delta \omega}{\Delta t}$. La aceleración angular instantánea es la derivada de tiempo de la velocidad angular, $\alpha = \lim_{\Delta t \to 0} \frac{\Delta \omega}{\Delta t} = \frac{d\omega}{dt}$. La aceleración angular $\vec{\boldsymbol{\alpha}}$ se calcula al localizar la velocidad angular. Si la tasa de rotación de un cuerpo en rotación disminuye, la aceleración angular es en sentido contrario a $\vec{\boldsymbol{\omega}}$. Si la tasa de rotación se incrementa, la aceleración angular es en la misma dirección que $\vec{\boldsymbol{\omega}}$.
- La aceleración tangencial de un punto a un radio del eje de rotación es la aceleración angular por el radio al punto.

10.2 Rotación con aceleración angular constante

- La cinemática del movimiento rotacional describe las relaciones entre el ángulo de rotación (posición angular), la velocidad angular, la aceleración angular y el tiempo.
- En una aceleración angular constante, la velocidad angular varía linealmente. Por lo tanto, la velocidad angular media es la 1/2 de la velocidad angular inicial más la final en un tiempo determinado:
$$\bar{\omega} = \frac{\omega_0 + \omega_f}{2}.$$
- Utilizamos un análisis gráfico para hallar soluciones a la rotación de eje fijo con aceleración angular constante. A partir de la relación $\omega = \frac{d\theta}{dt}$, hallamos que el área bajo la curva de velocidad angular en función del tiempo da el desplazamiento angular, $\theta_f - \theta_0 = \Delta\theta = \int_{t_0}^{t} \omega(t)dt$. Los resultados del análisis gráfico se verificaron mediante las ecuaciones cinemáticas para una aceleración angular constante. Del mismo modo, dado que $\alpha = \frac{d\omega}{dt}$, el área bajo un gráfico de aceleración angular en función del tiempo da el cambio en la velocidad angular $\omega_f - \omega_0 = \Delta\omega = \int_{t_0}^{t} \alpha(t)dt$.

10.3 Relacionar cantidades angulares y traslacionales

- Las ecuaciones cinemáticas lineales tienen sus contrapartes rotacionales de tal manera que existe un mapeo de $x \to \theta, \quad v \to \omega, \quad a \to \alpha$.
- Un sistema que experimenta un movimiento circular uniforme tiene una velocidad angular constante, pero los puntos situados a una distancia r del eje de rotación tienen una aceleración centrípeta lineal.
- Un sistema que experimenta un movimiento circular no uniforme tiene una aceleración angular y, por lo tanto, tiene una aceleración lineal centrípeta y una aceleración lineal tangencial en un punto a una distancia r del eje de rotación.
- La aceleración lineal total es la suma vectorial del vector de aceleración centrípeta y del vector de aceleración tangencial. Ya que los vectores de aceleración centrípeta y tangencial son perpendiculares entre sí para el movimiento circular, la magnitud de la aceleración lineal total es $|\vec{\mathbf{a}}| = \sqrt{a_c^2 + a_t^2}$.

10.4 Momento de inercia y energía cinética rotacional

- La energía cinética rotacional es la energía cinética de rotación de un cuerpo rígido o sistema de partículas en rotación, y viene dada por $K = \frac{1}{2}I\omega^2$, donde I es el momento de inercia, o "masa rotacional" del cuerpo rígido o sistema de partículas.
- El momento de inercia para un sistema de partículas puntuales que rotan en torno a un eje fijo es $I = \sum_j m_j r_j^2$, donde m_j es la masa de la partícula puntual y r_j es la distancia de la partícula puntual al eje de rotación. Debido al término r^2, el momento de inercia aumenta

como el cuadrado de la distancia al eje fijo de rotación. El momento de inercia es la contraparte rotacional de la masa en movimiento lineal.

- En los sistemas que están en rotación y traslación, la conservación de la energía mecánica puede utilizarse si no hay fuerzas no conservativas en funcionamiento. La energía mecánica total se conserva entonces y es la suma de las energías cinéticas rotacional y traslacional, y la energía potencial gravitacional.

10.5 Calcular momentos de inercia

- Los momentos de inercia se hallan al sumar o integrar cada "pieza de masa" que compone un objeto, multiplicado por el cuadrado de la distancia de cada "pieza de masa" al eje. En forma integral el momento de inercia es $I = \int r^2 dm$.
- El momento de inercia es mayor cuando la masa de un objeto está más alejada del eje de rotación.
- Es posible hallar el momento de inercia de un objeto en torno a un nuevo eje de rotación una vez que se conoce para un eje paralelo. Esto se denomina el teorema del eje paralelo dado por $I_{\text{eje paralelo}} = I_{\text{centro de masa}} + md^2$, donde d es la distancia del eje inicial al eje paralelo.
- El momento de inercia de un objeto compuesto es simplemente la suma de los momentos de inercia de cada uno de los objetos que lo componen.

10.6 Torque

- La magnitud de un torque en torno a un eje fijo se calcula al hallar el brazo de palanca hasta el punto donde se aplica la fuerza y utilizar la relación $|\vec{\boldsymbol{\tau}}| = r_\perp F$, donde $r_\perp$ es la distancia perpendicular del eje a la línea sobre la que se encuentra el vector de fuerza.
- El signo del torque se halla con la regla de la mano derecha. Si la página es el plano que contiene $\vec{\mathbf{r}}$ y $\vec{\mathbf{F}}$, entonces $\vec{\mathbf{r}} \times \vec{\mathbf{F}}$ está fuera de la página para los torques positivos y dentro de la página para los torques negativos.
- El torque neto se halla al sumar cada uno de los torques en torno a un eje determinado.

10.7 Segunda ley de Newton para la rotación

- La segunda ley de Newton para la rotación, $\sum_i \tau_i = I\alpha$, establece que la suma de los torques en un sistema que rota en torno a un eje fijo es igual al producto del momento de inercia y la aceleración angular. Es el análogo rotacional de la segunda ley de Newton del movimiento lineal.
- En la forma vectorial de la segunda ley de Newton para la rotación, el vector de torque $\vec{\boldsymbol{\tau}}$ está en la misma dirección que la aceleración angular $\vec{\boldsymbol{\alpha}}$. Si la aceleración angular de un sistema en rotación es positiva, el torque en el sistema también es positivo, y si la aceleración angular es negativa, el torque es negativo.

10.8 Trabajo y potencia en el movimiento rotacional

- El trabajo incremental dW en la rotación de un cuerpo rígido alrededor de un eje fijo es la suma de los torques alrededor del eje a por el ángulo incremental $d\theta$.
- El trabajo total realizado para la rotación de un cuerpo rígido a través de un ángulo θ alrededor de un eje fijo es la suma de los torques integrados sobre el desplazamiento angular. Si el torque es una constante como función de θ, entonces $W_{AB} = \tau(\theta_B - \theta_A)$.
- El teorema de trabajo-energía relaciona el trabajo rotacional realizado con el cambio en la energía cinética rotacional: $W_{AB} = K_B - K_A$ donde $K = \frac{1}{2}I\omega^2$.
- La potencia suministrada a un sistema que rota alrededor de un eje fijo es el torque por la velocidad angular, $P = \tau\omega$.

Preguntas Conceptuales

10.1 Variables rotacionales

1. Hay un reloj montado en la pared. Al mirarlo, ¿cuál es la dirección del vector de velocidad angular del segundero?

2. ¿Cuál es el valor de la aceleración angular del segundero del reloj de pared?

3. Un bate de béisbol se balancea. ¿Tienen todos los puntos del bate la misma velocidad angular? ¿La misma rapidez tangencial?

4. Las aspas de una batidora en una encimera rotan en el sentido de las agujas del reloj, vistas desde arriba. Si la batidora se pone a una velocidad mayor, ¿en qué sentido se produce la aceleración angular de las aspas?

10.2 Rotación con aceleración angular constante

5. Si un cuerpo rígido tiene una aceleración angular constante, ¿cuál es la forma funcional de la velocidad angular en términos de la variable tiempo?

6. Si un cuerpo rígido tiene una aceleración angular constante, ¿cuál es la forma funcional de la posición angular?

7. Si la aceleración angular de un cuerpo rígido es cero, ¿cuál es la forma funcional de la velocidad angular?

8. Una cuerda de sujeción sin masa con una masa atada a ambos extremos rota en torno a un eje fijo por el centro. ¿Puede la aceleración total de la combinación cuerda de sujeción/masa ser cero si la velocidad angular es constante?

10.3 Relacionar cantidades angulares y traslacionales

9. Explique por qué la aceleración centrípeta cambia la dirección de la velocidad en el movimiento circular, pero no su magnitud.

10. En el movimiento circular, la aceleración tangencial puede cambiar la magnitud de la velocidad, pero no su dirección. Razone su respuesta.

11. Supongamos que un trozo de comida está en el borde de un plato en rotación de un horno microondas. ¿Experimenta una aceleración tangencial distinta de cero, una aceleración centrípeta o ambas cuando: (a) el plato empieza a girar más rápido? (b) ¿el plato gira a velocidad angular constante? (c) ¿el plato se detiene?

10.4 Momento de inercia y energía cinética rotacional

12. ¿Qué pasaría si otro planeta del mismo tamaño que la Tierra se pusiera en órbita alrededor del Sol junto con la Tierra? ¿El momento de inercia del sistema aumentaría, disminuiría o se mantendría igual?

13. Una esfera sólida rota en torno a un eje que pasa por su centro a una tasa de rotación constante. Otra esfera hueca de la misma masa y radio rota en torno a su eje por el centro, a la misma tasa de rotación. ¿Qué esfera tiene mayor energía cinética rotacional?

10.5 Calcular momentos de inercia

14. Si un niño camina hacia el centro de un carrusel, ¿aumenta o disminuye el momento de inercia?

15. Un lanzador de disco rota con un disco en la mano antes de soltarlo. (a) ¿Cómo cambia su momento de inercia después de soltar el disco? (b) ¿Cuál sería la aproximación adecuada para calcular el momento de inercia del lanzador de disco y del disco?

16. ¿El aumento del número de aspas de una hélice aumenta o disminuye su momento de inercia, y por qué?

17. El momento de inercia de una varilla larga que gira alrededor de un eje por un extremo perpendicular a su longitud es $mL^2/3$. ¿Por qué este momento de inercia es mayor que si se hace girar una masa puntual m en el lugar del centro de masa de la varilla (en $L/2$) (que sería $mL^2/4$)?

18. ¿Por qué el momento de inercia de un aro que tiene una masa M y un radio R es mayor que el momento de inercia de un disco que tiene la misma masa y radio?

10.6 Torque

19. ¿Cuáles son los tres factores que inciden en el torque creado por una fuerza en relación con un punto de apoyo específico?

20. Dé un ejemplo en el que una pequeña fuerza ejerza un gran torque. Dé otro ejemplo en el que una fuerza grande ejerza un torque pequeño.

21. Al reducir la masa de una bicicleta de carreras, el mayor beneficio se obtiene al reducir la masa de los neumáticos y las llantas. ¿Por qué esto permite a un corredor alcanzar mayor aceleración que la que conseguiría una reducción idéntica de la masa del cuadro de la bicicleta?

22. ¿Puede una sola fuerza producir un torque cero?

23. ¿Puede un conjunto de fuerzas tener un torque neto que sea cero y una fuerza neta que no sea cero?

24. ¿Puede un conjunto de fuerzas tener una fuerza neta que sea cero y un torque neto que no sea cero?

25. En la expresión $\vec{\mathbf{r}} \times \vec{\mathbf{F}}$ ¿puede $|\vec{\mathbf{r}}|$ ser alguna vez menor que el brazo de palanca? ¿Puede ser igual al brazo de palanca?

10.7 Segunda ley de Newton para la rotación

26. Si quisiera detener una rueca con una fuerza constante, ¿en qué parte de la rueca aplicaría la fuerza para producir la máxima aceleración negativa?

27. Una varilla gira en torno a un extremo. Dos fuerzas $\vec{\mathbf{F}}$y $-\vec{\mathbf{F}}$ se aplican a ella. ¿En qué circunstancias no rotará la varilla?

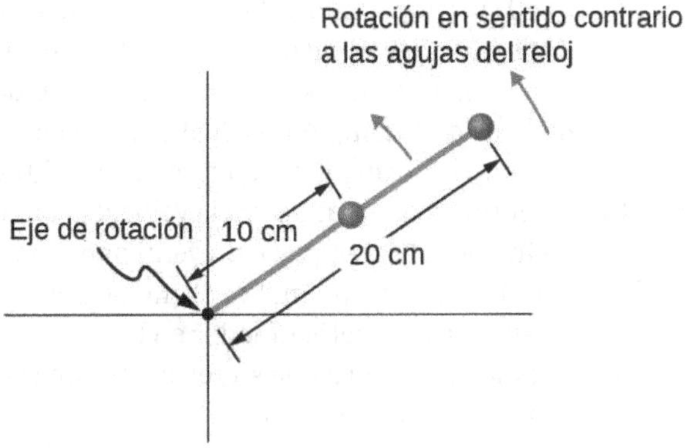

Problemas

10.1 Variables rotacionales

28. Calcule la velocidad angular de la Tierra.
29. Una estrella del atletismo corre una carrera de 400 metros en una pista circular de 400 metros en 45 s. ¿Cuál es su velocidad angular suponiendo una rapidez constante?
30. Una rueda rota a una tasa constante de $2{,}0 \times 10^3$ **rev/min** . (a) ¿Cuál es su velocidad angular en radianes por segundo? (b) ¿Con qué ángulo gira en 10 s? Exprese la solución en radianes y grados.
31. Una partícula se desplaza 3,0 m a lo largo de un círculo de radio 1,5 m. (a) ¿Con qué ángulo rota? (b) Si la partícula realiza este recorrido en 1,0 s a rapidez constante, ¿cuál es su velocidad angular? (c) ¿Cuál es su aceleración?
32. Un disco compacto rota a 500 rev/min. Si el diámetro del disco es de 120 mm, (a) ¿cuál es la rapidez tangencial de un punto situado en el borde del disco? (b) ¿en un punto situado a medio camino al centro del disco?
33. **Resultados poco razonables.** La hélice de un avión gira a 10 rev/s cuando el piloto apaga el motor. La hélice reduce su velocidad angular a una constante de $2{,}0\,\text{rad/s}^2$ durante un periodo de 40 s. ¿Cuál es la tasa de rotación de la hélice en 40 s? ¿Es una situación razonable?
34. Un giroscopio desacelera desde una tasa inicial de 32,0 rad/s a una tasa de $0{,}700\,\text{rad/s}^2$. ¿Cuánto tiempo tarda en llegar al reposo?
35. En el despegue, las hélices de un UAV (aeronave no tripulada) aumentan su velocidad angular durante 3,0 s desde el reposo a una tasa de $\omega = (25{,}0t)\,\text{rad/s}$ donde t se mide en segundos. (a) ¿Cuál es la velocidad angular instantánea de las hélices en $t = 2{,}0$ s? (b) ¿Cuál es la aceleración angular?
36. La posición angular de una varilla varía a $20{,}0t^2$ radianes desde el tiempo $t = 0$. La varilla tiene dos cuentas, como se muestra en la siguiente figura: una a 10 cm del eje de rotación y la otra a 20 cm del eje de rotación. (a) ¿Cuál es la velocidad angular instantánea de la varilla en $t = 5$ s? (b) ¿Cuál es la aceleración angular de la varilla? (c) ¿Cuál es la rapidez tangencial de las cuentas en $t = 5$ s? d) ¿Cuál es la aceleración tangencial de las cuentas en $t = 5$ s? (e) ¿Cuál es la aceleración centrípeta de las cuentas en $t = 5$ s?

10.2 Rotación con aceleración angular constante

37. Una rueda tiene una aceleración angular constante de $5{,}0\,\text{rad/s}^2$. Partiendo del reposo, gira 300 rad. (a) ¿Cuál es su velocidad angular final? (b) ¿Cuánto tiempo transcurre mientras gira los 300 radianes?
38. Durante un intervalo de tiempo de 6,0 s, un volante de inercia con una aceleración angular constante gira 500 radianes que adquieren una velocidad angular de 100 rad/s. (a) ¿Cuál es la velocidad angular al comienzo de los 6,0 s? (b) ¿Cuál es la aceleración angular del volante de inercia?
39. La velocidad angular de un cuerpo rígido en rotación aumenta de 500 a 1.500 rev/min en 120 s. (a) ¿Cuál es la aceleración angular del cuerpo? (b) ¿Con qué ángulo gira en estos 120 s?
40. Un volante de inercia pasa de 600 a 400 rev/min mientras rota a 40 revoluciones. (a) ¿Cuál es la aceleración angular del volante de inercia? (b) ¿Cuánto tiempo transcurre durante las 40 revoluciones?
41. Una rueda de 1,0 m de radio rota a una aceleración angular de $4{,}0\,\text{rad/s}^2$. (a) Si la velocidad angular inicial de la rueda es de 2,0 rad/s, ¿cuál es su velocidad angular después de 10 s? (b) ¿Con qué ángulo rota en el intervalo de 10 s? (c) ¿Cuáles son la velocidad tangencial y la aceleración de un punto del borde de la rueda al final del intervalo de 10 s?
42. Una rueda vertical de 50 cm de diámetro parte del reposo y rota a una aceleración angular constante de $5{,}0\,\text{rad/s}^2$ en torno a un eje fijo que pasa por su centro en el sentido contrario de las agujas del reloj. (a) ¿Dónde está el punto que se encuentra inicialmente en la parte inferior de la

rueda en $t = 10$ s? (b) ¿Cuál es la aceleración lineal del punto en este instante?

43. Un disco circular de radio de 10 cm tiene una aceleración angular constante de $1{,}0\ rad/s^2$; en $t = 0$ su velocidad angular es de 2,0 rad/s. (a) Determine la velocidad angular del disco en $t = 5{,}0$ s. (b) ¿Cuál es el ángulo que ha rotado durante este tiempo? (c) ¿Cuál es la aceleración tangencial de un punto del disco en $t = 5{,}0$ s?

44. A continuación se muestra la velocidad angular en función del tiempo de un ventilador en un aerodeslizador. (a) ¿Cuál es el ángulo por el que rotan las aspas del ventilador en los primeros 8 segundos? (b) Verifique su resultado con las ecuaciones cinemáticas.

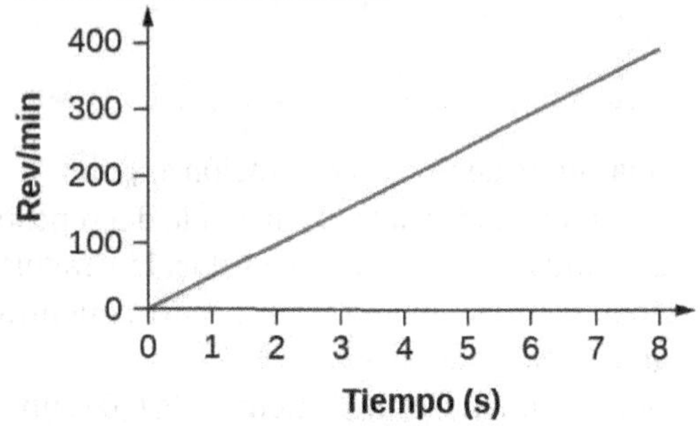

45. Una varilla de 20 cm de longitud tiene dos cuentas sujetas en sus extremos. La varilla con cuentas comienza a rotar desde el reposo. Si las cuentas deben tener una rapidez tangencial de 20 m/s en 7 s, ¿cuál es la aceleración angular de la varilla para conseguirlo?

10.3 Relacionar cantidades angulares y traslacionales

46. En su punto álgido, un tornado tiene 60,0 m de diámetro y vientos de 500 km/h. ¿Cuál es su velocidad angular en revoluciones por segundo?

47. Un hombre se encuentra en un carrusel que gira a 2,5 rad/s. Si el coeficiente de fricción estática entre los zapatos del hombre y el carrusel es $\mu_S = 0{,}5$, ¿a qué distancia del eje de rotación puede permanecer sin deslizarse?

48. Una ultracentrífuga acelera desde el reposo hasta las 100.000 rpm en 2,00 min. (a) ¿Cuál es la aceleración angular media en rad/s^2? (b) ¿Cuál es la aceleración tangencial de un punto situado a 9,50 cm del eje de rotación? (c) ¿Cuál es la aceleración centrípeta en m/s^2 y múltiplos de g de este punto a las máximas rpm? d) ¿Cuál es la distancia total recorrida durante la aceleración por un punto situado a 9,5 cm del eje de rotación de la ultracentrifugadora?

49. Un aerogenerador rota en el sentido contrario de las agujas del reloj a 0,5 rev/s y se detiene en 10 s. Sus álabes tienen una longitud de 20 m. (a) ¿Cuál es la aceleración angular del aerogenerador? (b) ¿Cuál es la aceleración centrípeta de la punta de los álabes en $t = 0$ s? c) ¿Cuál es la magnitud y la dirección de la aceleración lineal total de la punta de los álabes en $t = 0$ s?

50. ¿Cuál es (a) la velocidad angular y (b) la velocidad lineal de un punto de la superficie terrestre en la latitud 30° N. Supongamos que el radio de la Tierra es de 6.309 km. (c) ¿A qué latitud su velocidad lineal sería de 10 m/s?

51. Un niño con una masa de 40 kg está sentado en el borde de un carrusel a una distancia de 3,0 m de su eje de rotación. El carrusel acelera desde el reposo hasta 0,4 rev/s en 10 s. Si el coeficiente de fricción estática entre el niño y la superficie del carrusel es de 0,6, ¿se cae el niño antes de 5 s?

52. Una rueda de bicicleta con un radio de 0,3 m rota desde el reposo hasta las 3 rev/s en 5 s. ¿Cuál es la magnitud y la dirección del vector de aceleración total en el borde de la rueda a 1,0 s?

53. La velocidad angular de un volante de inercia de radio 1,0 m varía según $\omega(t) = 2{,}0t$. Grafique $a_c(t)$ y $a_t(t)$ de $t = 0$ a 3,0 s para $r = 1{,}0$ m. Analice estos resultados para explicar cuándo $a_c \gg a_t$ y cuándo $a_c \ll a_t$ para un punto del volante de inercia en un radio de 1,0 m.

10.4 Momento de inercia y energía cinética rotacional

54. En la siguiente figura se muestra un sistema de partículas puntuales. Cada partícula tiene una masa de 0,3 kg y todas se encuentran en el mismo plano. (a) ¿Cuál es el momento de inercia del sistema alrededor del eje dado? (b) Si el sistema gira a 5 rev/s, ¿cuál es su energía cinética rotacional?

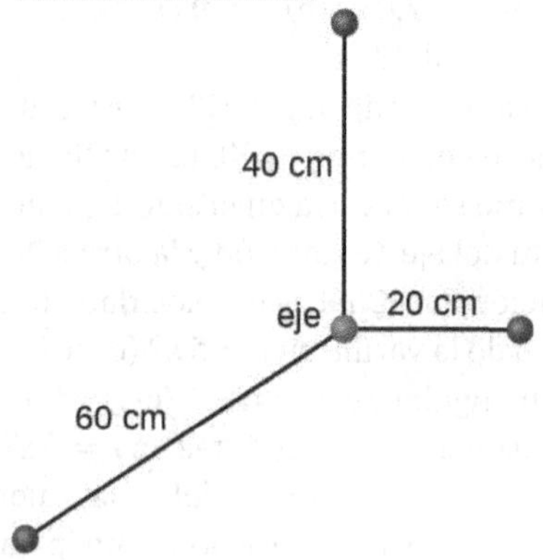

55. (a) Calcule la energía cinética rotacional de la

Tierra sobre su eje. (b) ¿Cuál es la energía cinética rotacional de la Tierra en su órbita alrededor del Sol?

56. Calcule la energía cinética rotacional de una rueda de motocicleta de 12 kg si su velocidad angular es de 120 rad/s y su radio interior es de 0,280 m y el exterior de 0,330 m.

57. Un lanzador de béisbol lanza la pelota con un movimiento en el que hay rotación del antebrazo sobre la articulación del codo, así como otros movimientos. Si la velocidad lineal de la pelota respecto a la articulación del codo es de 20,0 m/s a una distancia de 0,480 m de la articulación y el momento de inercia del antebrazo es $0{,}500\ \text{kg-m}^2$, ¿cuál es la energía cinética rotacional del antebrazo?

58. Una clavadista da una voltereta durante una inmersión plegando las extremidades. Si su energía cinética rotacional es de 100 J y su momento de inercia al plegarse es $9{,}0\ \text{kg} \cdot \text{m}^2$, ¿cuál es su velocidad de rotación durante la voltereta?

59. Un avión aterriza a 300 metros de altura cuando la hélice se desprende. El avión vuela a 40,0 m/s en horizontal. La hélice tiene un índice de rotación de 20 rev/s, un momento de inercia de $70{,}0\ \text{kg-m}^2$, y una masa de 200 kg. Descarte la resistencia del aire. (a) ¿Con qué velocidad de traslación golpea la hélice el suelo? (b) ¿Cuál es la tasa de rotación de la hélice al momento del impacto?

60. Si la resistencia del aire está presente en el problema anterior y reduce la energía cinética rotacional de la hélice en el momento del impacto en un 30 %, ¿cuál es la tasa de rotación de la hélice en el momento del impacto?

61. Una estrella de neutrones de masa 2×10^{30} kg y un radio de 10 km rota en un periodo de 0,02 segundos. ¿Cuál es su energía cinética rotacional?

62. Una lijadora eléctrica formada por un disco giratorio de 0,7 kg de masa y radio 10 cm rota a 15 rev/s. Cuando se aplica a una pared de madera rugosa, la tasa de rotación disminuye en un 20 %. (a) ¿Cuál es la energía cinética de rotación final del disco giratorio? (b) ¿Cuánto ha disminuido su energía cinética rotacional?

63. Un sistema consiste de un disco de 2,0 kg de masa y radio 50 cm sobre el que está montado un cilindro anular de 1,0 kg de masa con radio interior de 20 cm y exterior de 30 cm (vea abajo). El sistema gira alrededor de un eje que pasa por el centro del disco y del cilindro anular a 10 rev/s. (a) ¿Cuál es el momento de inercia del sistema? (b) ¿Cuál es su energía cinética rotacional?

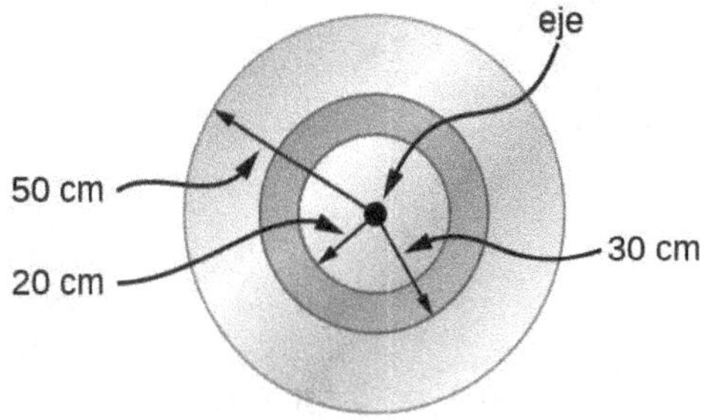

10.5 Calcular momentos de inercia

64. Al lanzar un balón de fútbol, un pateador rota su pierna en torno a la articulación de la cadera. El momento de inercia de la pierna es $3{,}75\ \text{kg-m}^2$ y su energía cinética rotacional es de 175 J. (a) ¿Cuál es la velocidad angular de la pierna? (b) ¿Cuál es la velocidad de la punta del zapato del jugador si está a 1,05 m de la articulación de la cadera?

65. Utilizando el teorema del eje paralelo, ¿cuál es el momento de inercia de la varilla de masa m en torno al eje que se muestra a continuación?

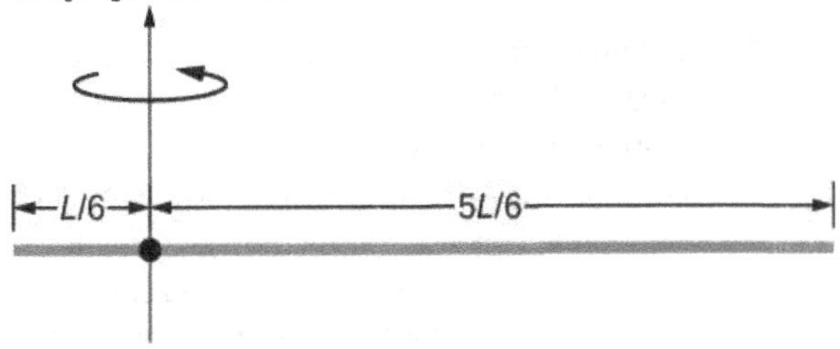

66. Halle el momento de inercia de la varilla en el problema anterior por integración directa.

67. Una varilla uniforme de masa 1,0 kg y longitud 2,0 m rota libremente en torno a un extremo (vea la figura siguiente). Si la varilla se suelta del reposo en un ángulo de $60°$ con respecto a la horizontal, ¿cuál es la rapidez de la punta de la varilla al pasar por la posición horizontal?

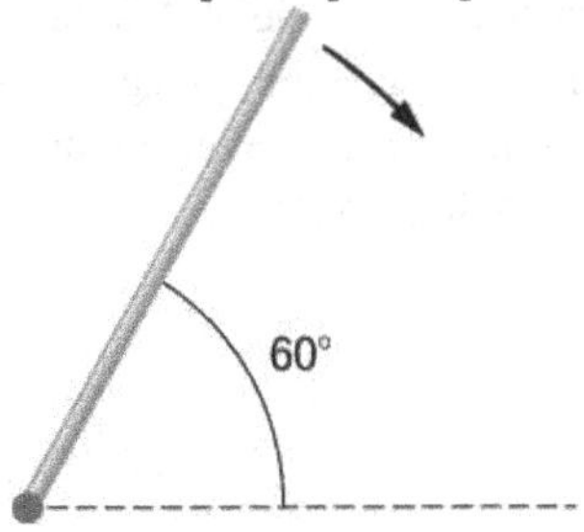

68. Un péndulo consiste en una varilla de masa 2 kg y longitud 1 m con una esfera maciza en un extremo con masa 0,3 kg y radio 20 cm (vea la siguiente figura). Si el péndulo se suelta del reposo con un ángulo de $30°$, ¿cuál es la velocidad angular en el punto más bajo?

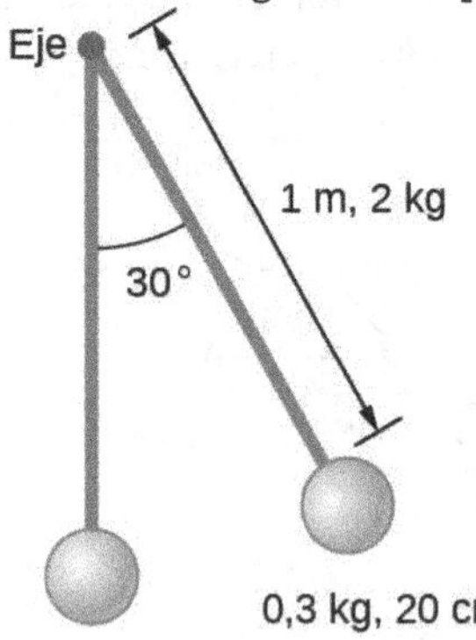

69. Una esfera sólida de 10 cm de radio se deja rotar libremente en torno a un eje. La esfera recibe un golpe fuerte de forma que su centro de masa parte de la posición indicada en la siguiente figura con una rapidez de 15 cm/s. ¿Cuál es el ángulo máximo que forma el diámetro con la vertical?

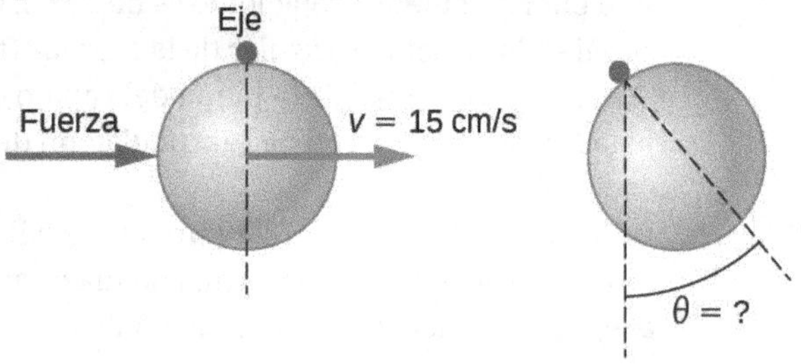

70. Calcule el momento de inercia por integración directa de una varilla delgada de masa M y longitud L en torno a un eje que pasa por la varilla en $L/3$, como se muestra a continuación. Compruebe su respuesta con el teorema del eje paralelo.

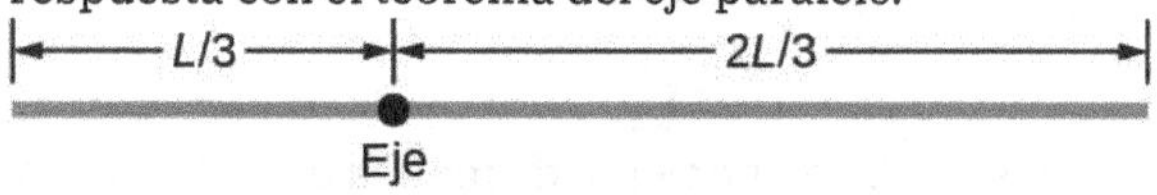

10.6 Torque

71. Dos volantes de inercia de masa despreciable y radios diferentes se unen y rotan en torno a un eje común (vea más abajo). El volante de inercia más pequeño, de 30 cm de radio, tiene una cuerda que ejerce una fuerza de tracción de 50 N sobre este. ¿Qué fuerza de tracción hay que aplicar a la cuerda que une el volante de inercia mayor de radio 50 cm para que la combinación no rote?

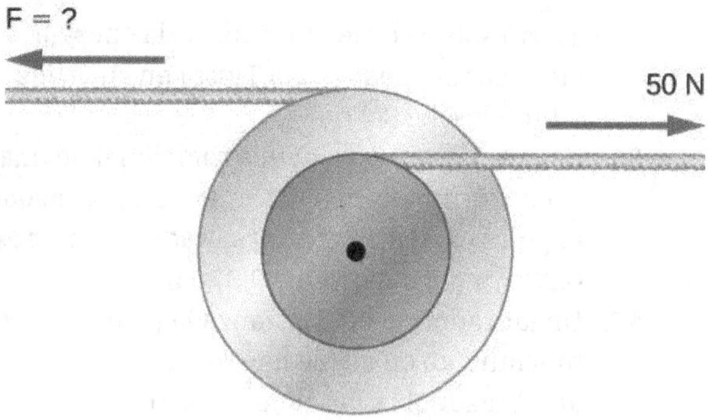

72. Los pernos de cabeza de cilindro de un auto deben apretarse con un torque de 62,0 N·m. Si un mecánico utiliza una llave de 20 cm de longitud, ¿qué fuerza perpendicular deberá ejercer sobre el extremo de la llave para apretar correctamente un perno?

73. a) Al abrir una puerta, la empuja perpendicularmente con una fuerza de 55,0 N a una distancia de 0,850 m de las bisagras. ¿Qué torque ejerce con respecto a las bisagras? b) ¿Importa que empuje a la misma altura que las bisagras? Solo hay un par de bisagras.

74. Al apretar un perno, se empuja perpendicularmente una llave con una fuerza de 165 N a una distancia de 0,140 m del centro del perno. ¿Cuánto torque ejerce en newton-metros (en relación con el centro del perno)?

75. ¿Qué masa colgante deberá colocarse en la cuerda para que la polea no rote? (Vea la siguiente figura). La masa en el plano sin fricción es de 5,0 kg. El radio interior de la polea es de 20 cm y el exterior de 30 cm.

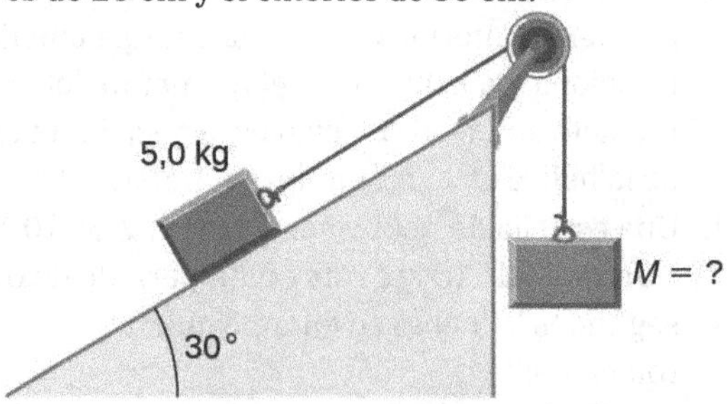

76. Un péndulo simple consiste en una cuerda sin masa de 50 cm de longitud, atada a un apoyo, y una pequeña masa de 1,0 kg, unida al otro extremo. ¿Cuál es el torque en torno al apoyo cuando el péndulo forma un ángulo de 40° con respecto a la vertical?

77. Calcule el torque en torno al eje de la z que está fuera de la página en el origen en la siguiente figura, dado que

$F_1 = 3\,\text{N},\ F_2 = 2\,\text{N},\ F_3 = 3\,\text{N},\ F_4 = 1{,}8\,\text{N}.$

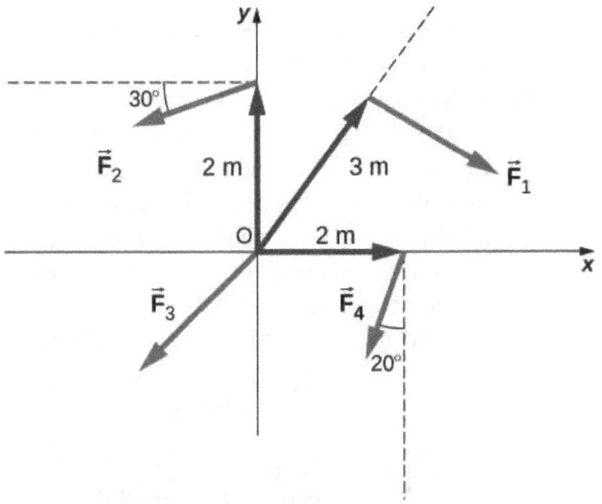

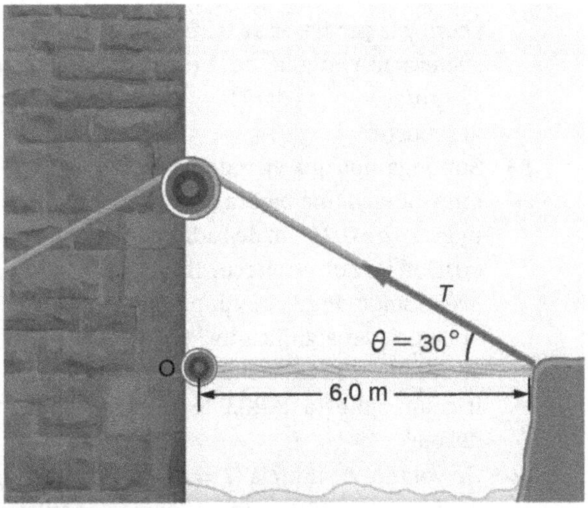

78. Un balancín tiene una longitud de 10,0 m y una masa uniforme de 10,0 kg, y reposa en un ángulo de 30° con respecto al suelo (vea la siguiente figura). El apoyo está situado a 6,0 m. ¿Qué magnitud de fuerza hay que aplicar perpendicularmente al balancín en el extremo elevado para que apenas empiece a rotar?

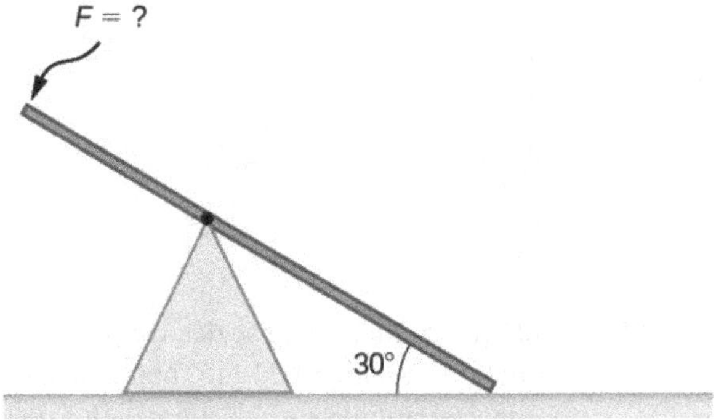

79. Un péndulo consiste en una varilla de 1 kg de masa y 1m de longitud, conectada a un apoyo con una esfera sólida unida en el otro extremo, con masa de 0,5 kg y radio de 30 cm. ¿Cuál es el torque en torno al apoyo cuando el péndulo forma un ángulo de 30° con respecto a la vertical?

80. Un torque de $5{,}00 \times 10^3 \mathrm{N \cdot m}$ es necesario para levantar un puente levadizo (vea la siguiente figura). ¿Cuál es la tensión necesaria para producir este torque? ¿Sería más fácil levantar el puente levadizo si el ángulo θ fuera más grande o más pequeño?

81. Una viga horizontal de 3 m de longitud y 2,0 kg de masa tiene una masa de 1,0 kg y 0,2 m de anchura apoyada en el extremo de la viga (vea la figura siguiente). ¿Cuál es el torque del sistema sobre el soporte en la pared?

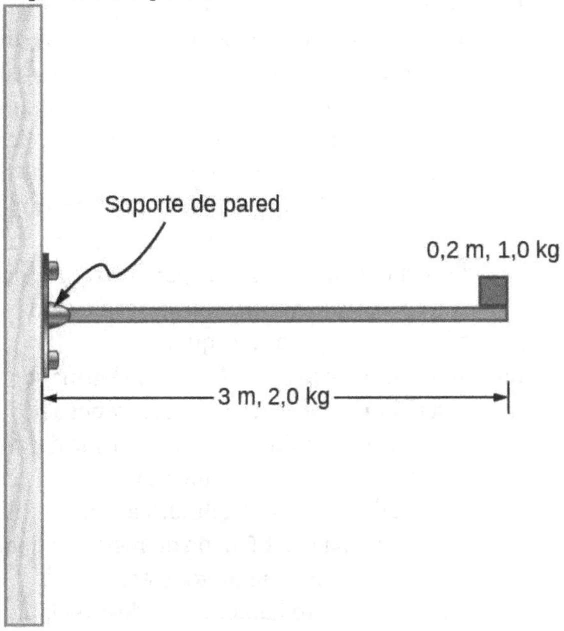

82. ¿Qué fuerza debe aplicarse al extremo de una varilla a lo largo del eje de la x de 2,0 m de longitud para producir un torque en la varilla en torno al origen de $8{,}0\hat{\mathbf{k}}\ \mathrm{N \cdot m}$?

83. Cuál es el torque en torno al origen de la fuerza $(5{,}0\hat{\mathbf{i}} - 2{,}0\hat{\mathbf{j}} + 1{,}0\hat{\mathbf{k}})$ N si se aplica en el punto cuya posición es: $\vec{\mathbf{r}} = \left(-2{,}0\hat{\mathbf{i}} + 4{,}0\hat{\mathbf{j}}\right)$ m?

10.7 Segunda ley de Newton para la rotación

84. Tiene una piedra de amolar (un disco) que pesa 90,0 kg, tiene un radio de 0,340 m y gira a 90,0 rpm, y presiona un hacha de acero contra ella con una fuerza radial de 20,0 N. (a) Suponiendo que el coeficiente cinético de fricción entre el acero y la piedra es de 0,20, calcule la aceleración angular de la piedra de amolar. (b) ¿Cuántas vueltas dará la piedra antes de llegar al reposo?

85. Supongamos que ejerce una fuerza de 180 N tangencial a una piedra de amolar (un disco macizo) de 0,280 m de radio y 75,0 kg de peso. (a)¿Qué torque se ejerce? (b) ¿Cuál es la aceleración angular suponiendo que la fricción opuesta es insignificante? (c) ¿Cuál es la aceleración angular si hay una fuerza de fricción opuesta de 20,0 N ejercida a 1,50 cm del eje?

86. Un volante de inercia ($I = 50\,\text{kg-m}^2$) partiendo del reposo adquiere una velocidad angular de 200,0 rad/s mientras está sometido a un torque constante de un motor durante 5 s. (a) ¿Cuál es la aceleración angular del volante de inercia? (b) ¿Cuál es la magnitud del torque?

87. Se aplica un torque constante a un cuerpo rígido cuyo momento de inercia es $4{,}0\,\text{kg-m}^2$ alrededor del eje de rotación. Si la rueda parte del reposo y alcanza una velocidad angular de 20,0 rad/s en 10,0 s, ¿cuál es el torque aplicado?

88. Se aplica un torque de 50,0 N-m a una rueda de esmeril ($I = 20{,}0\,\text{kg-m}^2$) durante 20 s. (a) Si parte del reposo, ¿cuál es la velocidad angular de la rueda de esmeril después de retirar el torque? (b) ¿En qué ángulo se desplaza la rueda mientras se aplica el torque?

89. Un volante de inercia ($I = 100{,}0\,\text{kg-m}^2$) que rota a 500,0 rev/min se pone en reposo por fricción en 2,0 min. ¿Cuál es el torque de fricción en el volante de inercia?

90. Una rueda de esmeril, cilíndrica y uniforme, de 50,0 kg de masa y 1,0 m de diámetro se pone en marcha mediante un motor eléctrico. La fricción en los rodamientos es despreciable. (a) ¿Qué torque debe aplicarse a la rueda para que pase del reposo a 120 rev/min en 20 revoluciones? (b) Una herramienta cuyo coeficiente de fricción cinética con la rueda es de 0,60 se presiona perpendicularmente contra la rueda con una fuerza de 40,0 N. ¿Qué torque debe suministrar el motor para mantener la rueda girando a una velocidad angular constante?

91. Supongamos que la Tierra no rotaba cuando se formó. Sin embargo, tras la aplicación de un torque uniforme después de 6 días, giraba a 1 revolución/día. (a) ¿Cuál fue la aceleración angular durante los 6 días? (b) ¿Qué torque se aplicó a la Tierra durante este periodo? (c) ¿Qué fuerza tangente a la Tierra en su ecuador produciría este torque?

92. Una polea de momento de inercia de $2{,}0\,\text{kg-m}^2$ se monta en una pared como se muestra en la siguiente figura. Las cuerdas ligeras se enrollan alrededor de las dos circunferencias de la polea y se fijan las pesas. ¿Cuáles son (a) la aceleración angular de la polea y (b) la aceleración lineal de las pesas? Supongamos los siguientes datos:
$r_1 = 50\,\text{cm}, \;\; r_2 = 20\,\text{cm}, \;\; m_1 = 1{,}0\,\text{kg}, \;\; m_2 = 2{,}0\,\text{kg}.$

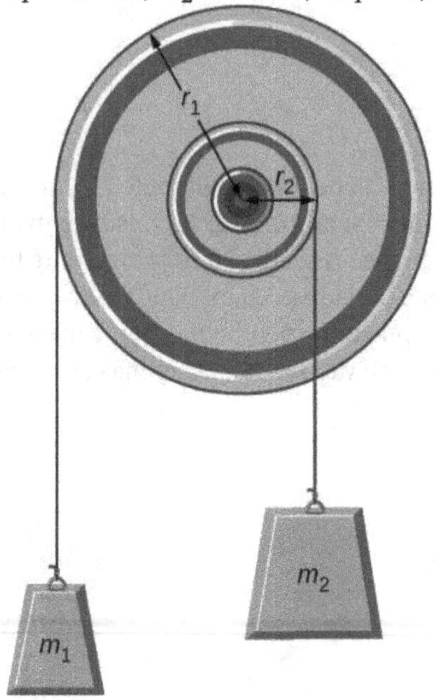

93. Un bloque de masa 3 kg se desliza por un plano inclinado en un ángulo de 45° con una cuerda de sujeción sin masa unida a una polea de 1 kg de masa y 0,5 m de radio en la parte superior de la pendiente (vea la figura siguiente). La polea puede se puede tomar como un disco. El coeficiente de fricción cinética en el plano es de 0,4. ¿Cuál es la aceleración del bloque?

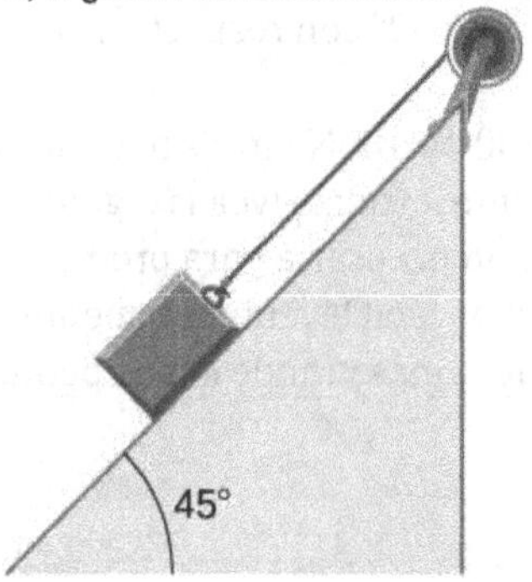

94. El carro que se muestra a continuación se desplaza por el tablero de la mesa a medida que el bloque cae. ¿Cuál es la aceleración del carro? Descarte la fricción y suponga los siguientes
datos:$m_1 = 2{,}0\,\text{kg}, m_2 = 4{,}0\,\text{kg}, I = 0{,}4\,\text{kg-m}^2, r = 20\,\text{cm}$

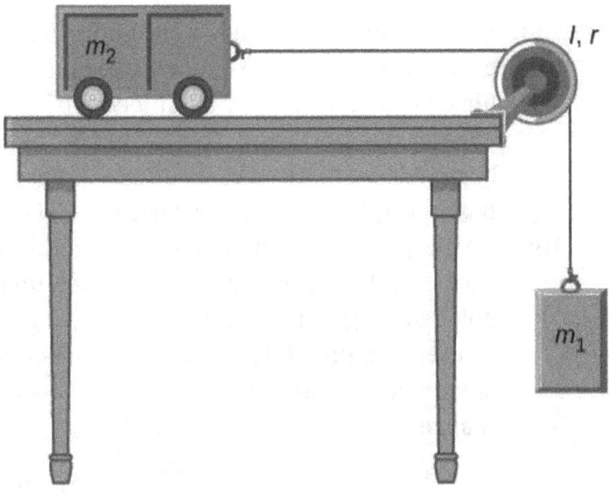

95. Una varilla uniforme de masa y longitud se sujeta verticalmente con dos cuerdas de masa despreciable, como se muestra a continuación. (a) Inmediatamente después de cortar la cuerda, ¿cuál es la aceleración lineal del extremo libre de la varilla? (b) ¿De la parte central de la varilla?

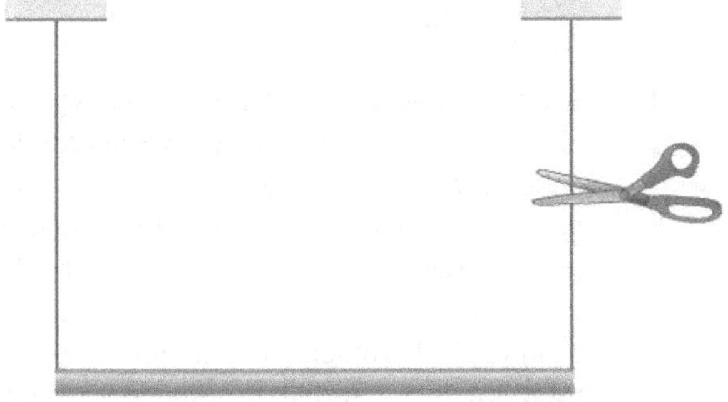

96. Un palo delgado de masa 0,2 kg y longitud $L = 0{,}5$ m está unido al borde de un disco metálico de masa $M = 2{,}0$ kg y radio $R = 0{,}3$ m. El palo es rota libremente en torno a un eje horizontal por su otro extremo (vea la siguiente figura). (a) Si la combinación se suelta con el palo horizontal, ¿cuál es la rapidez del centro del disco cuando el palo está en vertical? (b) ¿Cuál es la aceleración del centro del disco en el instante en que se suelta el palo? (c) ¿En el instante en que el palo pasa por la vertical?

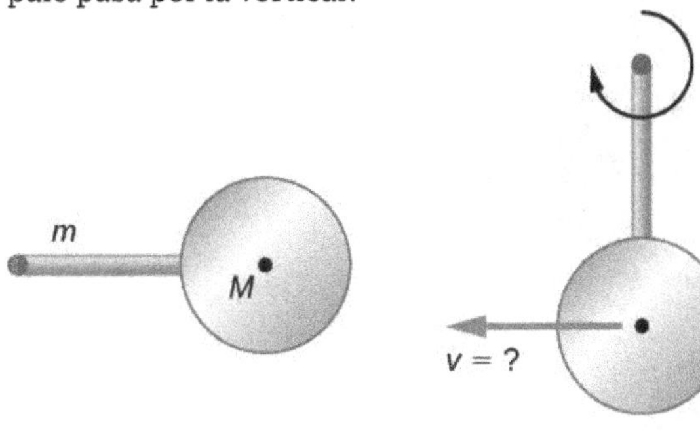

10.8 Trabajo y potencia en el movimiento rotacional

97. Un aerogenerador rota a 20 rev/min. Si su generación de potencia es de 2,0 MW, ¿cuál es el torque que produce el viento en el aerogenerador?

98. Un cilindro de arcilla de 20 cm de radio en un torno de alfarero gira a una tasa constante de 10 rev/s. El alfarero aplica una fuerza de 10 N a la arcilla con sus manos, donde el coeficiente de fricción es de 0,1 entre sus manos y la arcilla. ¿Cuál es la potencia que el alfarero tiene que entregar al torno para que siga girando a esta tasa constante?

99. Una piedra de amolar, cilíndrica y uniforme tiene una masa de 10 kg y un radio de 12 cm. (a) ¿Cuál es la energía cinética rotacional de la piedra de amolar cuando rota a $1{,}5 \times 10^3$ rev/min? b) Después de apagar el motor de la piedra de amolar, se presiona una cuchilla contra el borde exterior de la piedra de amolar con una fuerza perpendicular de 5,0 N. El coeficiente de fricción cinética entre la piedra de amolar y la cuchilla es de 0,80. Utilice el teorema de trabajo-energía para determinar cuántas vueltas da la piedra de amolar antes de pararse.

100. Un disco uniforme de 500 kg de masa y 0,25 m de radio está montado sobre rodamientos sin fricción para que pueda rotar libremente alrededor de un eje vertical que pasa por su centro (vea la siguiente figura). Se enrolla una cuerda alrededor del borde del disco y se hala de ella con una fuerza de 10 N. (a) ¿Qué trabajo realiza la fuerza en el instante en que el disco hace tres revoluciones, partiendo del reposo? (b) Determine el torque debido a la fuerza y, a continuación, calcule el trabajo realizado por este torque en el instante en que el disco hace tres revoluciones. (c) ¿Cuál es la velocidad angular en ese instante? (d) ¿Cuál es la generación de potencia de la fuerza en ese instante?

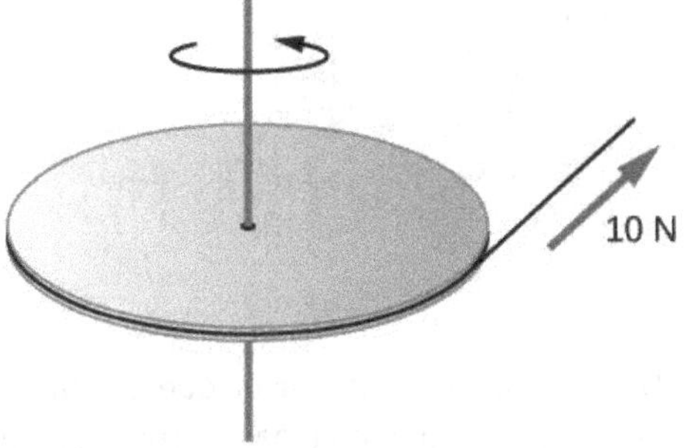

101. Una hélice es acelerada desde el reposo hasta

una velocidad angular de 1000 rev/min durante un periodo de 6,0 segundos por un torque constante de $2,0 \times 10^3 \text{N} \cdot \text{m}$. (a) ¿Cuál es el momento de inercia de la hélice? (b) ¿Qué potencia se proporciona a la hélice 3,0 s después de que empiece su rotación?

102. Una esfera de 1,0 kg de masa y 0,5 m de radio está unida al extremo de una varilla sin masa de 3,0 m de longitud. La varilla rota en torno a un eje que se encuentra en el extremo opuesto de la esfera (vea abajo). El sistema rota horizontalmente alrededor del eje a una velocidad constante de 400 rev/min. Después de rotar a esta rapidez angular en el vacío, se introduce la resistencia del aire y proporciona una fuerza de 0,15 N en la esfera opuesta a la dirección del movimiento. ¿Cuál es la potencia que proporciona la resistencia del aire al sistema 100,0 s después de introducir la resistencia del aire?

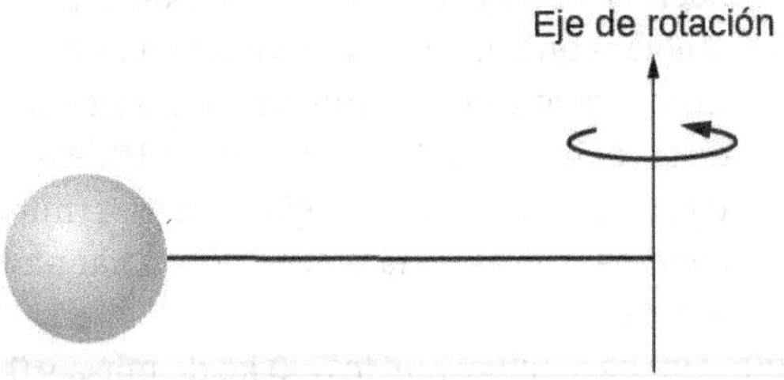

103. Una varilla uniforme de longitud L y masa M se sostiene verticalmente con un extremo apoyado en el suelo, como se muestra a continuación. Cuando la varilla se suelta, rota alrededor de su extremo inferior hasta que toca el suelo. Suponiendo que el extremo inferior de la varilla no resbale, ¿cuál es la velocidad lineal del extremo superior cuando golpea el suelo?

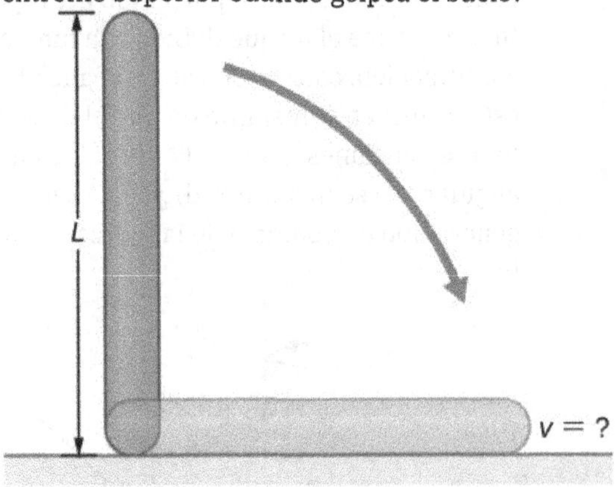

104. Un atleta en un gimnasio aplica una fuerza constante de 50 N a los pedales de una bicicleta a una tasa de movimiento de los pedales de 60 rev/min. La longitud de los brazos de los pedales es de 30 cm. ¿Cuál es la potencia que aplica el atleta a la bicicleta?

105. Un bloque de 2 kg en un plano inclinado sin fricción a 40° tiene una cuerda atada a una polea de 1 kg de masa y 20 cm de radio (vea la siguiente figura). (a) ¿Cuál es la aceleración del bloque por el plano? (b) ¿Cuál es el trabajo que realiza la cuerda sobre la polea?

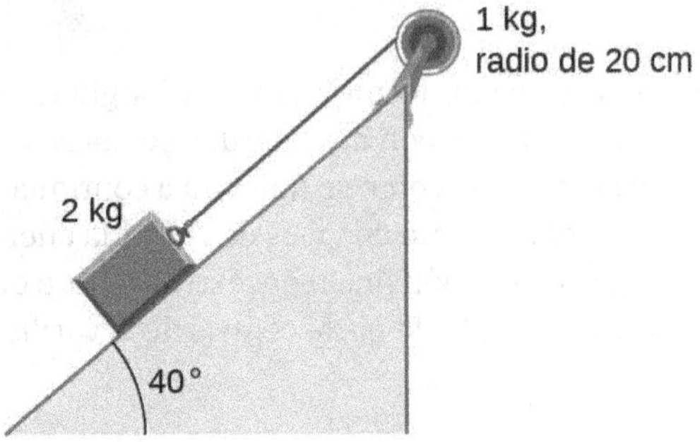

106. Pequeños cuerpos de masa m_1 y m_2 se fijan en los extremos opuestos de una varilla rígida y delgada, de longitud L y masa M. La varilla está montada de manera que rote libremente en un plano horizontal en torno a un eje vertical (vea más abajo). A qué distancia d de m_1 debería estar el eje de rotación de tal manera que se requiera una cantidad mínima de trabajo para hacer rotar la varilla a una velocidad angular ω?

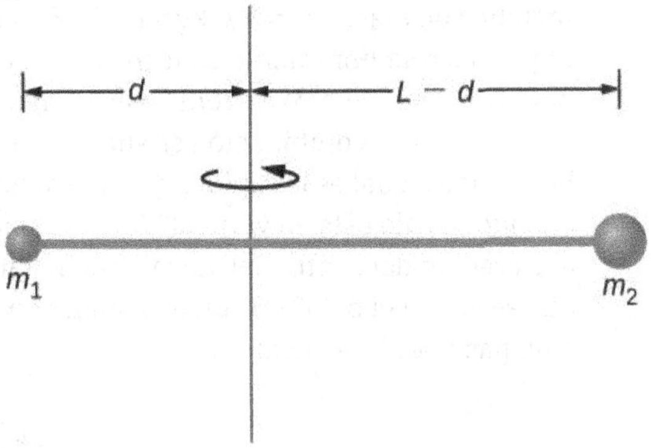

Problemas Adicionales

107. Un ciclista circula de forma que las ruedas de la bicicleta tienen una tasa de rotación de 3,0 rev/s. Si el ciclista frena de forma que la tasa de rotación de las ruedas disminuye a una tasa de $0,3 \text{ rev/s}^2$, ¿cuánto tiempo tarda el ciclista en detenerse por completo?

108. Calcule la velocidad angular del movimiento orbital de la Tierra alrededor del Sol.

109. Un tocadiscos que rota a 33 1/3 rev/min desacelera y se detiene en 1,0 min. (a) ¿Cuál es la aceleración angular del tocadiscos suponiendo que es constante? (b) ¿Cuántas revoluciones da el tocadiscos mientras se detiene?

110. Con la ayuda de una cuerda, un giroscopio acelera desde el reposo hasta 32 rad/s en 0,40 s, a una aceleración angular constante. (a) ¿Cuál es su aceleración angular en $\mathrm{rad/s^2}$? (b) ¿Cuántas revoluciones pasa en el proceso?

111. Supongamos que un poco de polvo cae en un CD. Si la velocidad de giro del CD es de 500 rpm, y el polvo está a 4,3 cm del centro, ¿cuál es la distancia total recorrida por el polvo en 3 minutos? (Ignore las aceleraciones debidas a lograr que el CD esté en rotación).

112. Un sistema de partículas puntuales rota alrededor de un eje fijo a 4 rev/s. Las partículas están fijas unas respecto a otras. Las masas y distancias al eje de las partículas puntuales son $m_1 = 0{,}1\ \mathrm{kg}, r_1 = 0{,}2\ \mathrm{m}$, $m_2 = 0{,}05\ \mathrm{kg}, r_2 = 0{,}4\ \mathrm{m}$, $m_3 = 0{,}5\ \mathrm{kg}, r_3 = 0{,}01\ \mathrm{m}$. (a) ¿Cuál es el momento de inercia del sistema? (b) ¿Cuál es la energía cinética rotacional del sistema?

113. Calcule el momento de inercia de un patinador dada la siguiente información. (a) El patinador de 60,0 kg se calcula aproximadamente como un cilindro con un radio de 0,110 m. (b) El patinador con los brazos extendidos calcula aproximadamente como un cilindro que pesa 52,5 kg, tiene un radio de 0,110 m y tiene dos brazos de 0,900 m de longitud que pesan 3,75 kg cada uno y se extienden en línea recta desde el cilindro como varillas que rotan sobre sus extremos.

114. Un palo de 1,0 m de longitud y 6,0 kg de masa rota libremente en torno a un eje horizontal que pasa por el centro. En sus dos extremos se fijan pequeños cuerpos de masas 4,0 y 2,0 kg (vea la siguiente figura). El palo se libera de la posición horizontal. ¿Cuál es la velocidad angular del palo cuando oscila por la vertical?

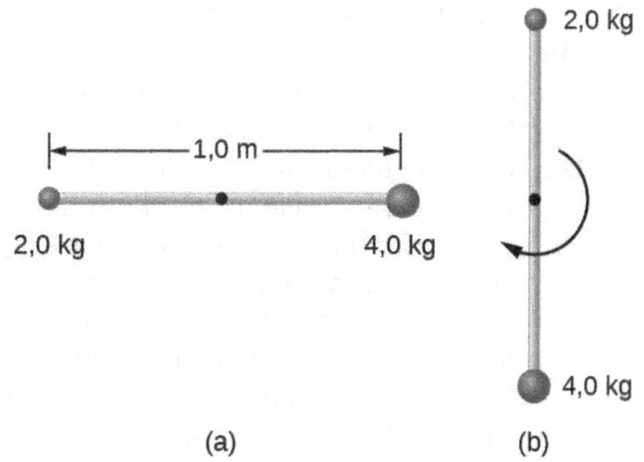

115. Un péndulo consiste de una varilla de 2 m de longitud y 3 kg de masa, con una esfera sólida de 1 kg de masa y 0,3 m de radio unida a un extremo. El eje de rotación es el que se muestra a continuación. ¿Cuál es la velocidad angular del péndulo en su punto más bajo, si se suelta del reposo en un ángulo de 30°?

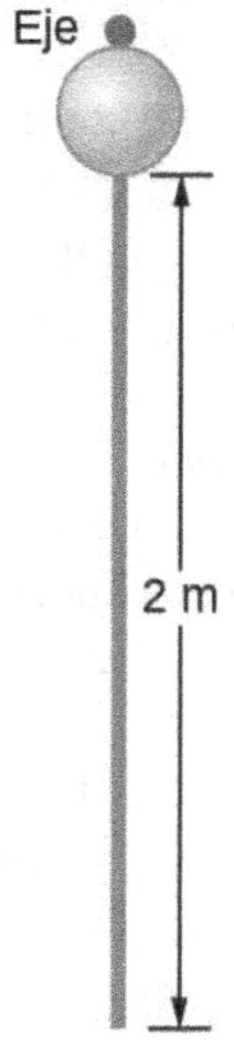

116. Calcule el torque de la fuerza de 40 N alrededor del eje que pasa por *O* y es perpendicular al plano de la página, como se muestra a continuación.

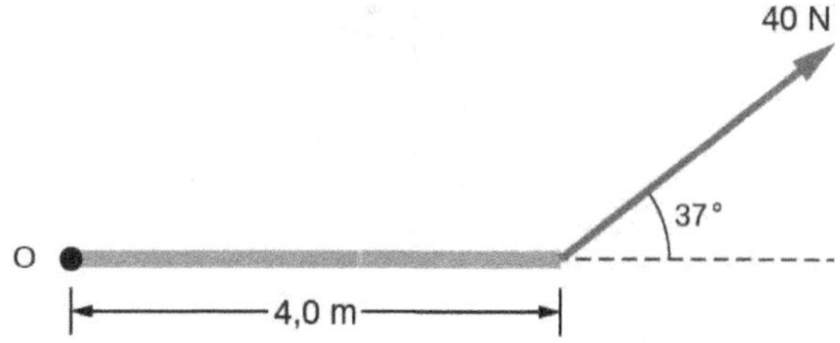

117. Dos niños empujan en lados opuestos de una puerta durante el juego. Ambos empujan horizontal y perpendicularmente a la puerta. Un niño empuja con una fuerza de 17,5 N a una distancia de 0,600 m de las bisagras, y el segundo niño empuja a una distancia de 0,450 m. ¿Qué fuerza debe ejercer el segundo niño para evitar que la puerta se mueva?

Supongamos que la fricción es despreciable.

118. La fuerza de $20\hat{\mathbf{j}}\,\text{N}$ se aplica en $\vec{\mathbf{r}} = (4{,}0\hat{\mathbf{i}} - 2{,}0\hat{\mathbf{j}})\,\text{m}$. ¿Cuál es el torque de esta fuerza alrededor del origen?

119. Un motor de automóvil puede producir 200 N·m de torque. Calcule la aceleración angular producida si el 95,0 % de este torque se aplica al eje de transmisión, al eje y a las ruedas traseras de un auto, dada la siguiente información. El auto está suspendido para que las ruedas giren libremente. Cada rueda actúa como un disco de 15,0 kg que tiene un radio de 0,180 m. Las paredes de cada neumático actúan como un anillo anular de 2,00 kg que tiene un radio interior de 0,180 m y un radio exterior de 0,320 m. La banda de rodadura de cada neumático actúa como un aro de 10,0 kg de radio 0,330 m. El eje de 14,0 kg actúa como una varilla que tiene un radio de 2,00 cm. El eje de transmisión de 30,0 kg actúa como una varilla que tiene un radio de 3,20 cm.

120. Una piedra de amolar con una masa de 50 kg y un radio de 0,8 m mantiene una tasa de rotación constante de 4,0 rev/s mediante un motor mientras se presiona una cuchilla contra el borde, con una fuerza de 5,0 N. El coeficiente de fricción cinética entre la piedra de amolar y la cuchilla es de 0,8. ¿Cuál es la potencia que proporciona el motor para mantener la piedra de amolar a una tasa de rotación constante?

Problemas De Desafío

121. La aceleración angular de un cuerpo rígido en rotación viene dada por $\alpha = (2{,}0 - 3{,}0t)\,\text{rad/s}^2$. Si el cuerpo comienza a rotar desde el reposo en $t = 0$, (a) ¿cuál es la velocidad angular? (b) ¿la posición angular? (c) ¿con qué ángulo rota en 10 s? (d) ¿dónde se encuentra el vector perpendicular al eje de rotación que indica $0°$ en $t = 0$ para $t = 10$ s?

122. El día en la Tierra ha aumentado en 0,002 s en el último siglo. Si este aumento en el periodo de la Tierra es constante, ¿cuánto tiempo tardará la Tierra en llegar al reposo?

123. Un disco de masa m, radio R y área A tiene una densidad de masa superficial $\sigma = \frac{mr}{AR}$ (vea la siguiente figura). ¿Cuál es el momento de inercia del disco alrededor de un eje que pasa por el centro?

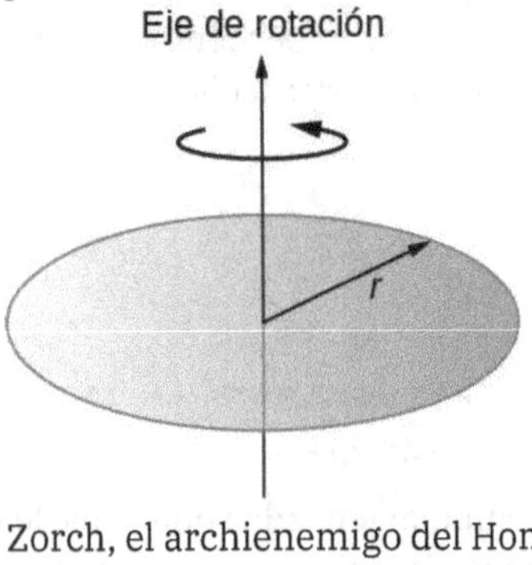

124. Zorch, el archienemigo del Hombre Rotación, decide ralentizar la rotación de la Tierra a una vez cada 28,0 h ejerciendo una fuerza opuesta y paralela en el ecuador. El Hombre Rotación no se preocupa inmediatamente, porque sabe que Zorch solo puede ejercer una fuerza de $40{,}00 \times 10^7\,\text{N}$ (un poco mayor que el empuje de un cohete Saturno V). ¿Cuánto tiempo debe empujar Zorch con esta fuerza para lograr su objetivo? (Este periodo da al Hombre Rotación tiempo para dedicarse a otros villanos).

125. Se enrolla una cuerda alrededor del borde de un cilindro macizo de radio 0,25 m, y se ejerce una fuerza constante de 40 N en la cuerda indicada, como se muestra en la siguiente figura. El cilindro está montado sobre rodamientos sin fricción y su momento de inercia es $6{,}0\,\text{kg}\cdot\text{m}^2$. (a) Utilice el teorema de trabajo-energía para calcular la velocidad angular del cilindro después de que se hayan retirado 5,0 m de cuerda. (b) Si la fuerza de 40 N se sustituye por un peso de 40 N, ¿cuál es la velocidad angular del cilindro después de que se hayan desenrollado 5,0 m de cuerda?

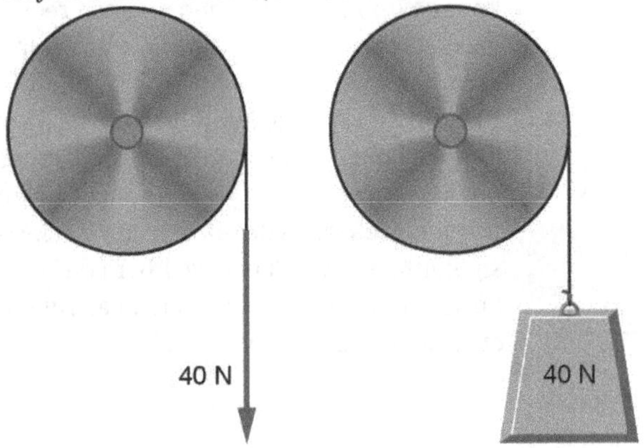

CLAVE DE RESPUESTAS Para Capítulos 1–10

Capítulo 1

Compruebe Lo Aprendido

1.1 $4,79 \times 10^2$ megagramos (Mg) o 479 Mg
1.2 3×10^8 m/s
1.3 10^8 km^2
1.4 Los números eran demasiado pequeños, por un factor de 4,45.
1.5 $4\pi r^3/3$
1.6 sí
1.7 3×10^4 m o 30 km. Probablemente sea una subestimación porque la densidad de la atmósfera disminuye con la altitud. (De hecho, 30 km ni siquiera nos sacan de la estratosfera).
1.8 No, el nuevo cronómetro del entrenador no servirá. La incertidumbre del cronómetro es demasiado grande para diferenciar los tiempos de las carreras de forma eficaz.

Preguntas Conceptuales

1. La física es la ciencia que se ocupa de describir las interacciones de la energía, la materia, el espacio y el tiempo para descubrir los mecanismos fundamentales que subyacen a todo fenómeno.
3. No, ninguna de estas dos teorías es más válida que la otra. La experimentación es la que decide en última instancia. Si la evidencia experimental no sugiere ninguna teoría por encima de la otra, entonces ambas son igualmente válidas. Un físico determinado podría preferir una teoría sobre otra con el argumento de que una parece más sencilla, más natural o más bella que la otra, pero no reconocería rápidamente que no puede decir que la otra teoría sea inválida. Más bien, sería honesto sobre el hecho de que se necesitan más pruebas experimentales para determinar qué teoría describe mejor la naturaleza.
5. Probablemente no. Como dice el refrán: "Las afirmaciones extraordinarias requieren pruebas extraordinarias".
7. Las conversiones entre unidades solo requieren factores de 10, lo que simplifica los cálculos. Además, las mismas unidades básicas pueden aumentarse o reducirse con prefijos métricos a tamaños adecuados para el problema en cuestión.
9. a. Las unidades base se definen por un proceso particular de medición de una cantidad base, mientras que las unidades derivadas se definen como combinaciones algebraicas de unidades base. b. Se elige una cantidad base por convención y por consideraciones prácticas. Las cantidades derivadas se expresan como combinaciones algebraicas de las cantidades base. c. Una unidad base es un estándar para expresar la medida de una cantidad base dentro de un determinado sistema de unidades. Así, una medida de una cantidad base puede expresarse en términos de una unidad base en cualquier sistema de unidades que utilice las mismas cantidades base. Por ejemplo, la longitud es una cantidad base tanto en el SI como en el sistema inglés, pero el metro es una unidad base solamente en el sistema SI.
11. a. La incertidumbre es una medida cuantitativa de la precisión. b. La discrepancia es una medida cuantitativa de la exactitud.
13. Compruebe que tenga sentido y evalúe su significado.

Problemas

15. a. 10^3; b. 10^5; c. 10^2; d. 10^{15}; e. 10^2; f. 10^{57}
17. 10^2 generaciones
19. 10^{11} átomos
21. 10^3 impulsos nerviosos/s
23. 10^{26} operaciones en coma flotante por vida humana
25. a. 957 kilosegundos (ks); b. 4,5 cs o 45 ms; c. 550 nanosegundos (ns); d. 31,6 megasegundos (Ms)

27. a. 75,9 megámetros (Mm); b. 7,4 mm; c. 88 picómetros (pm); d. 16,3 Tm
29. a. 3,8 cg o 38 mg; b. 230 exagramos (Eg); c. 24 ng; d. 8 Eg e. 4,2 g
31. a. 27,8 m/s; b. 62 mi/h
33. a. 3,6 km/h; b. 2,2 mi/h
35. $1,05 \times 10^5$ pies^2
37. 8,847 km
39. a. $1,3 \times 10^{-9}$m; b. 40 km/My
41. 10^6Mg/μL
43. 62,4 lbm/pies^3
45. 0,017 rad
47. 1 nanosegundo de luz
49. $3,6 \times 10^{-4}$m^3
51. a. Sí, ambos términos tienen la dimensión L^2T^{-2} b. No. c. Sí, ambos términos tienen la dimensión LT^{-1} d. Sí, ambos términos tienen la dimensión LT^{-2}
53. a. $[v] = LT^{-1}$; b. $[a] = LT^{-2}$; c. $\left[\int vdt\right] = L$; d. $\left[\int adt\right] = LT^{-1}$; e. $\left[\frac{da}{dt}\right] = LT^{-3}$
55. a. L; b. L; c. $L^0 = 1$ (es decir, es adimensional)
57. 10^{28} átomos
59. 10^{51} moléculas
61. 10^{16} sistemas solares
63. a. Volumen = 10^{27} m^3, el diámetro es de 10^9 m.; b. 10^{11} m
65. a. Una estimación razonable podría ser una operación por segundo para un total de 10^9 en toda la vida; b. unos $(10^9)(10^{-17}$ s$) = 10^{-8}$ s, o unos 10 nanosegundos (ns)
67. 2 kg
69. 4 %
71. 67 mL
73. a. El número 99 tiene 2 cifras significativas; el 100. tiene 3 cifras significativas. b. 1,00 %; c. porcentajes de incertidumbre
75. a. 2 %; b. 1 mm Hg
77. 7,557 cm^2
79. a. 37,2 lb; como el número de bolsas es un valor exacto, no se considera en las cifras significativas; b. 1,4 N; como el valor 55 kg solo tiene dos cifras significativas, el valor final también debe contener dos cifras significativas

Problemas Adicionales

81. a. $[s_0] = L$ y las unidades son metros (m); b. $[v_0] = LT^{-1}$ y las unidades son metros por segundo (m/s); c. $[a_0] = LT^{-2}$ y las unidades son metros por segundo al cuadrado (m/s^2); d. $[j_0] = LT^{-3}$ y las unidades son metros por segundo al cubo (m/s^3); e. $[S_0] = LT^{-4}$ y las unidades son m/s^4; f. $[c] = LT^{-5}$ y las unidades son m/s^5.
83. a. 0,059 %; b. 0,01 %; c. 4,681 m/s; d. 0,07 %, 0,003 m/s
85. a. 0,02 %; b. 1×10^4 lbm
87. a. 143,6 cm^3; b. 0,1 cm^3 o 0,084

Problemas De Desafío

89. Como cada término de la serie de potencias implica el argumento elevado a una potencia diferente, la única manera de que cada término de la serie de potencias tenga la misma dimensión es que el argumento sea adimensional. Para ver esto explícitamente, supongamos que $[x] = L^aM^bT^c$. Entonces, $[x^n] = [x]^n = L^{an}M^{bn}T^{cn}$. Si queremos que $[x] = [x^n]$, entonces an = a, bn = b, y cn = c para todo n. La única manera de que esto ocurra es si a = b = c = 0.

Capítulo 2

Compruebe Lo Aprendido

2.1 a. no son iguales porque son ortogonales; b. no son iguales porque tienen magnitudes diferentes; c. no son iguales porque tienen magnitudes y direcciones diferentes; d. no son iguales porque son antiparalelos; e. son iguales.

2.2 16 m; $\vec{\mathbf{D}} = -16\,\text{m}\hat{\mathbf{u}}$

2.3 $G = 28{,}2$ cm, $\theta_G = 291°$

2.4 $\vec{\mathbf{D}} = (-5{,}0\hat{\mathbf{i}} - 3{,}0\hat{\mathbf{j}})\text{cm}$; la mosca se desplazó 5,0 cm hacia la izquierda y 3,0 cm hacia abajo desde su lugar de aterrizaje.

2.5 5,83 cm, 211°

2.6 $\vec{\mathbf{D}} = (-20\,\text{m})\hat{\mathbf{i}}$

2.7 35,2 m/s = 126,4 km/h

2.8 $\vec{\mathbf{G}} = (10{,}25\hat{\mathbf{i}} - 26{,}22\hat{\mathbf{j}})\text{cm}$

2.9 $D = 55{,}7$ N; dirección 65,7° al norte del este

2.10 $\hat{\mathbf{v}} = 0{,}8\hat{\mathbf{i}} + 0{,}6\hat{\mathbf{j}}$, 36,87° al norte del este

2.11 $\vec{\mathbf{A}} \cdot \vec{\mathbf{B}} = -57{,}3$, $\vec{\mathbf{F}} \cdot \vec{\mathbf{C}} = 27{,}8$

2.13 131,9°

2.14 $W_1 = 1{,}5\,\text{J}$, $W_2 = 0{,}3\,\text{J}$

2.15 $\vec{\mathbf{A}} \times \vec{\mathbf{B}} = -40{,}1\hat{\mathbf{k}}$ o, de forma equivalente, $\left|\vec{\mathbf{A}} \times \vec{\mathbf{B}}\right| = 40{,}1$, y la dirección es hacia la página

$\vec{\mathbf{C}} \times \vec{\mathbf{F}} = +157{,}6\hat{\mathbf{k}}$ o, de forma equivalente, $\left|\vec{\mathbf{C}} \times \vec{\mathbf{F}}\right| = 157{,}6$, y la dirección es hacia fuera de la página.

2.16 a. $-2\hat{\mathbf{k}}$, b. 2, c. 153,4°, d. 135°

Preguntas Conceptuales

1. escalar

3. las respuestas pueden variar

5. paralelo, suma de magnitudes, antiparalelo, cero

7. no, sí

9. cero, sí

11. no

13. iguales, iguales, las mismas

15. un vector unitario del eje de la x

17. Son iguales.

19. sí

21. a. $C = \vec{\mathbf{A}} \cdot \vec{\mathbf{B}}$, b. $\vec{\mathbf{C}} = \vec{\mathbf{A}} \times \vec{\mathbf{B}}$ o $\vec{\mathbf{C}} = \vec{\mathbf{A}} - \vec{\mathbf{B}}$, c. $\vec{\mathbf{C}} = \vec{\mathbf{A}} \times \vec{\mathbf{B}}$, d. $\vec{\mathbf{C}} = A\vec{\mathbf{B}}$, e. $\vec{\mathbf{C}} + 2\vec{\mathbf{A}} = \vec{\mathbf{B}}$, f. $\vec{\mathbf{C}} = \vec{\mathbf{A}} \times \vec{\mathbf{B}}$, g. el lado izquierdo es un escalar y el derecho un vector, h. $\vec{\mathbf{C}} = 2\vec{\mathbf{A}} \times \vec{\mathbf{B}}$, i. $\vec{\mathbf{C}} = \vec{\mathbf{A}}/B$, j. $\vec{\mathbf{C}} = \vec{\mathbf{A}}/B$

23. Son ortogonales.

Problemas

25. $\vec{\mathbf{h}} = -49\,\text{m}\hat{\mathbf{u}}$, 49 m

27. 30,8 m, 35,7° al oeste del norte

29. 134 km, 80°

31. 7,34 km, 63,5° al sur del este

33. 3,8 km al este, 3,2 km al norte, 7,0 km

35. 14,3 km, 65°

37. a. $\vec{\mathbf{A}} = +8{,}66\hat{\mathbf{i}} + 5{,}00\hat{\mathbf{j}}$, b. $\vec{\mathbf{B}} = +3{,}01\hat{\mathbf{i}} + 3{,}99\hat{\mathbf{j}}$, c. $\vec{\mathbf{C}} = +6{,}00\hat{\mathbf{i}} - 10{,}39\hat{\mathbf{j}}$, d. $\vec{\mathbf{D}} = -15{,}97\hat{\mathbf{i}} + 12{,}04\hat{\mathbf{j}}$, f. $\vec{\mathbf{F}} = -17{,}32\hat{\mathbf{i}} - 10{,}00\hat{\mathbf{j}}$

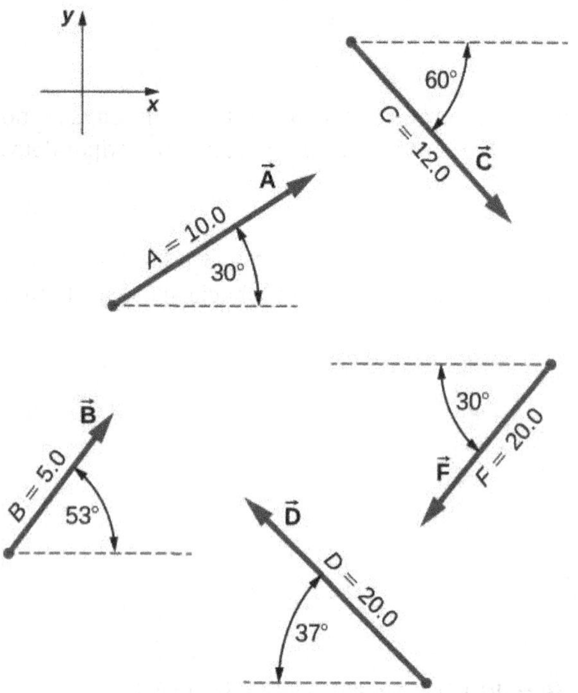

39. a. 1,94 km, 7,24 km; b. prueba

41. 3,8 km al este, 3,2 km al norte, 2,0 km, $\vec{\mathbf{D}} = (3{,}8\hat{\mathbf{i}} + 3{,}2\hat{\mathbf{j}})$km

43. $P_1(2{,}165\text{ m}, 1{,}250\text{ m})$, $P_2(-1{,}900\text{ m}, 3{,}290\text{ m})$, 5,27 m

45. 8,60 m, $A(2\sqrt{5}\text{ m}, 0{,}647\pi)$, $B(3\sqrt{2}\text{ m}, 0{,}75\pi)$

47. a. $\vec{\mathbf{A}} + \vec{\mathbf{B}} = -4\hat{\mathbf{i}} - 6\hat{\mathbf{j}}$, $|\vec{\mathbf{A}} + \vec{\mathbf{B}}| = 7{,}211$, $\theta = 236°$; b. $\vec{\mathbf{A}} - \vec{\mathbf{B}} = -2\hat{\mathbf{i}} + 2\hat{\mathbf{j}}$, $|\vec{\mathbf{A}} - \vec{\mathbf{B}}| = 2\sqrt{2}$, $\theta = 135°$

49. a. $\vec{\mathbf{C}} = (5{,}0\hat{\mathbf{i}} - 1{,}0\hat{\mathbf{j}} - 3{,}0\hat{\mathbf{k}})$m, $C = 5{,}92$ m;
b. $\vec{\mathbf{D}} = (4{,}0\hat{\mathbf{i}} - 11{,}0\hat{\mathbf{j}} + 15{,}0\hat{\mathbf{k}})$m, $D = 19{,}03$ m

51. $\vec{\mathbf{D}} = (3{,}3\hat{\mathbf{i}} - 6{,}6\hat{\mathbf{j}})$km, $\hat{\mathbf{i}}$ es al este, a 7,34 km, −63,5°

53. a. $\vec{\mathbf{R}} = -1{,}35\hat{\mathbf{i}} - 22{,}04\hat{\mathbf{j}}$, b. $\vec{\mathbf{R}} = -17{,}98\hat{\mathbf{i}} + 0{,}89\hat{\mathbf{j}}$

55. $\vec{\mathbf{D}} = (200\hat{\mathbf{i}} + 300\hat{\mathbf{j}})$yardas, D = 360,5 yardas, 56,3° al norte del este; las respuestas numéricas seguirían siendo las mismas, aunque la unidad física sería el metro. El significado físico y las distancias serían más o menos las mismas porque 1 yarda (yd) es comparable a 1 m.

57. $\vec{\mathbf{R}} = -3\hat{\mathbf{i}} - 16\hat{\mathbf{j}}$

59. $\vec{\mathbf{E}} = E\hat{\mathbf{E}}$, $E_x = +178{,}9\text{V/m}$, $E_y = -357{,}8\text{V/m}$, $E_z = 0{,}0\text{V/m}$, $\theta_E = -\tan^{-1}(2)$

61. a. $-34{,}290\vec{\mathbf{R}}_B = (-12{,}278\hat{\mathbf{i}} + 7{,}089\hat{\mathbf{j}} + 2{,}500\hat{\mathbf{k}})$km, $\vec{\mathbf{R}}_D = (-34{,}290\hat{\mathbf{i}} + 3{,}000\hat{\mathbf{k}})$km; b.
$|\vec{\mathbf{R}}_B - \vec{\mathbf{R}}_D| = 23{,}131$ km

63. a. 0, b. 0, c. 0,866, d. 17,32

65. $\theta_i = 64{,}12°$, $\theta_j = 150{,}79°$, $\theta_k = 77{,}39°$

67. a. $-120\hat{\mathbf{k}}$, b. $0\hat{\mathbf{k}}$, c. $-94\hat{\mathbf{k}}$, d. $-240\hat{\mathbf{k}}$, e. $4{,}0\hat{\mathbf{k}}$, f. $-3{,}0\hat{\mathbf{k}}$, g. $15\hat{\mathbf{k}}$, h. 0

69. a. 0, b. 0, c. $+-20.000\hat{\mathbf{k}}$

Problemas Adicionales

71. a. 18,4 km y 26,2 km, b. 31,5 km y 5,56 km

73. a. $(r, \pi - \varphi)$, b. $(2r, \varphi + 2\pi)$, (c) $(3r, -\varphi)$

75. $d_{PM} = 6{,}2\text{ nmi} = 11{,}4\text{ km}$, $d_{NP} = 7{,}2\text{ nmi} = 13{,}3\text{ km}$

77. prueba

79. a. 10,00 m, b. 5π m, c. 0

81. 22,2 km/h, 35,8° al sur del oeste

83. 270 m, 4,2° al norte del oeste

85. $\vec{\mathbf{B}} = -4{,}0\hat{\mathbf{i}} + 3{,}0\hat{\mathbf{j}}$ o $\vec{\mathbf{B}} = 4{,}0\hat{\mathbf{i}} - 3{,}0\hat{\mathbf{j}}$
87. prueba

Problemas De Desafío

89. $G_H = 19\,N/\sqrt{17} \approx 4{,}6\,N$
91. prueba

Capítulo 3

Compruebe Lo Aprendido

3.1 (a) El desplazamiento del ciclista es $\Delta x = x_f - x_0 = -1$ **km**. (El desplazamiento es negativo porque tomamos el este como positivo y el oeste como negativo). (b) La distancia recorrida es de 3 km + 2 km = 5 km. (c) La magnitud del desplazamiento es de 1 km.

3.2 (a) Tomando la derivada de $x(t)$ se obtiene $v(t) = -6t$ m/s. (b) No, porque el tiempo nunca puede ser negativo. (c) La velocidad es $v(1{,}0\text{ s}) = -6$ m/s y la rapidez es $|v(1{,}0\text{ s})| = \mathbf{6\,m/s}$.

3.3 Al incorporar los valores conocidos, tenemos

$$\bar{a} = \frac{\Delta v}{\Delta t} = \frac{2{,}0 \times 10^7 \text{ m/s}-0}{10^{-4}\text{ s}-0} = 2{,}0 \times 10^{11}\,\text{m/s}^2.$$

3.4 Si tomamos el este como positivo, entonces el avión tiene una aceleración negativa porque está acelerando hacia el oeste. También desacelera; su aceleración es en sentido contrario a su velocidad.

3.5 Para responder esto, elija una ecuación que nos permita resolver el tiempo t, dados solo a, v_0, y v:

$v = v_0 + at.$

Reordene para resolver t:

$$t = \frac{v-v_0}{a} = \frac{400\text{ m/s}-0\text{ m/s}}{20\text{ m/s}^2} = 20\text{ s}.$$

3.6 $a = \frac{2}{3}\text{ m/s}^2.$

3.7 Tarda 2,47 s en llegar al agua. La distancia recorrida aumenta más rápidamente.

3.8
a. La función de velocidad es la integral de la función de aceleración más una constante de integración. Según la Ecuación 3.18,

$$v(t) = \int a(t)dt + C_1 = \int (5 - 10t)dt + C_1 = 5t - 5t^2 + C_1.$$

Dado que $v(0) = 0$, tenemos que $C_1 = 0$; por lo tanto,

$v(t) = 5t - 5t^2.$

b. Según la Ecuación 3.19,

$$x(t) = \int v(t)dt + C_2 = \int (5t - 5t^2)dt + C_2 = \frac{5}{2}t^2 - \frac{5}{3}t^3 + C_2.$$

Dado que $x(0) = 0$, tenemos $C_2 = 0$, y

$x(t) = \frac{5}{2}t^2 - \frac{5}{3}t^3.$

c. La velocidad puede escribirse como $v(t) = 5t(1 - t)$, que es igual a cero en $t = 0$, y $t = 1$ s.

Preguntas Conceptuales

1. Conduce su auto hasta la ciudad y vuelve a pasar por su casa para ir a la de un amigo.
3. Si las bacterias se mueven de un lado a otro, los desplazamientos se anulan entre sí y el desplazamiento final es pequeño.
5. La distancia recorrida
7. La rapidez media es la distancia total recorrida, dividida entre el tiempo transcurrido. Si va a dar un paseo a pie, entre salir y volver a su casa, su rapidez media es un número positivo. Dado que la velocidad media = desplazamiento/tiempo transcurrido, su velocidad media es cero.
9. Rapidez media. Son iguales si el auto no invierte la dirección.
11. No, en una dimensión la rapidez constante requiere una aceleración cero.
13. Se lanza una pelota al aire y su velocidad es cero en el vértice del lanzamiento, pero la aceleración no es cero.

15. Más, menos
17. Si la aceleración, el tiempo y el desplazamiento son los valores conocidos, y las velocidades inicial y final son las incógnitas, entonces hay que resolver simultáneamente dos ecuaciones cinemáticas. Además, si la velocidad final, el tiempo y el desplazamiento son valores conocidos, hay que resolver dos ecuaciones cinemáticas para la velocidad y la aceleración iniciales.
19. a. en la parte superior de su trayectoria; b. sí, en la parte superior de su trayectoria; c. sí
21. Tierra $v = v_0 - gt = -gt$; Luna $v' = \frac{g}{6}t'$ $v = v' \quad - gt = -\frac{g}{6}t'$ $t' = 6t$; Tierra $y = -\frac{1}{2}gt^2$ Luna $y' = -\frac{1}{2}\frac{g}{6}(6t)^2 = -\frac{1}{2}g6t^2 = -6\left(\frac{1}{2}gt^2\right) = -6y$

Problemas

25. a. $\vec{\mathbf{x}}_1 = (-2{,}0\text{ m})\hat{\mathbf{i}}, \vec{\mathbf{x}}_2 = (5{,}0\text{ m})\hat{\mathbf{i}}$; b. 7,0 m al este
27. a. $t = 2{,}0$ s; b. $x(6{,}0) - x(3{,}0) = -8{,}0 - (-2{,}0) = -6{,}0$ m
29. a. 150,0 s, $\bar{v} = 156{,}7$ m/s; b. El 163 % de la velocidad del sonido a nivel del mar o aproximadamente Mach 2.
31.

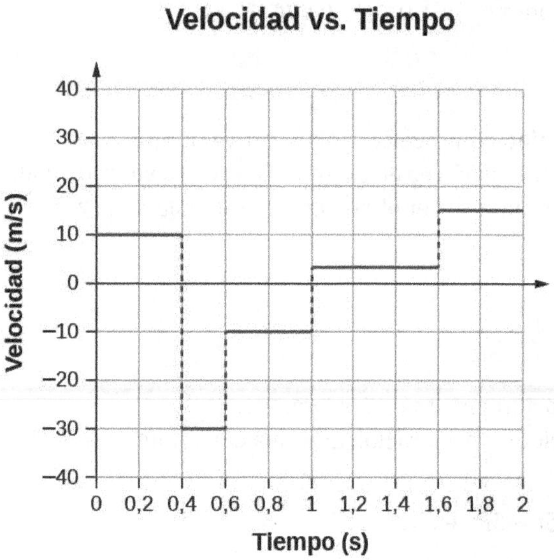

33.

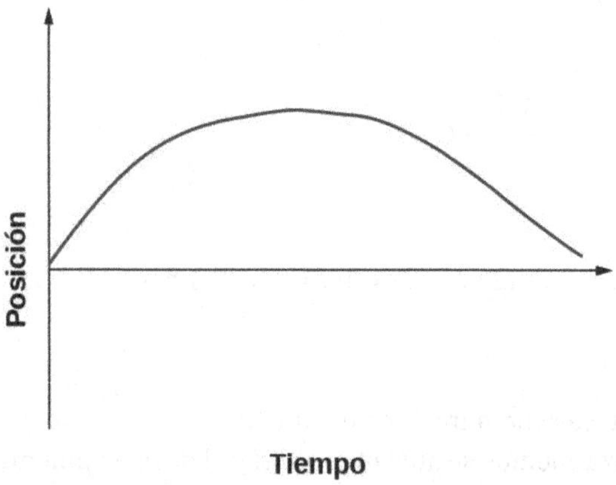

35. a. $v(t) = (10 - 4t)$m/s; $v(2\text{ s}) = 2$ m/s, $v(3\text{ s}) = -2$ m/s; b. $|v(2\text{ s})| = 2$ m/s, $|v(3\text{ s})| = 2$ m/s; (c) $\bar{v} = 0$ m/s
37. $a = 4{,}29\text{m/s}^2$

39.

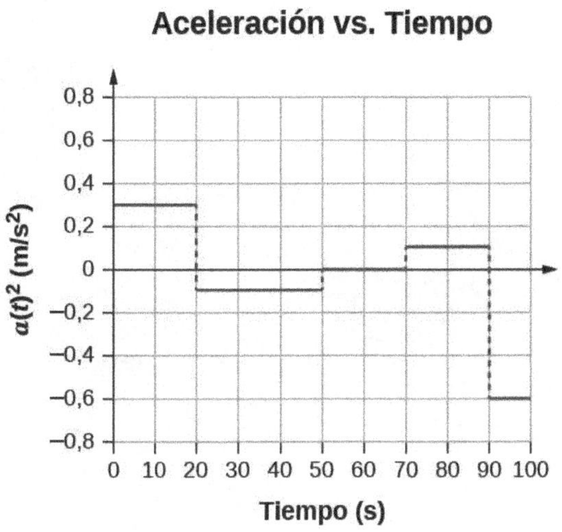

41. $a = 11{,}1g$

43. 150 m

45. a. 525 m;
b. $v = 180$ m/s

47. a.

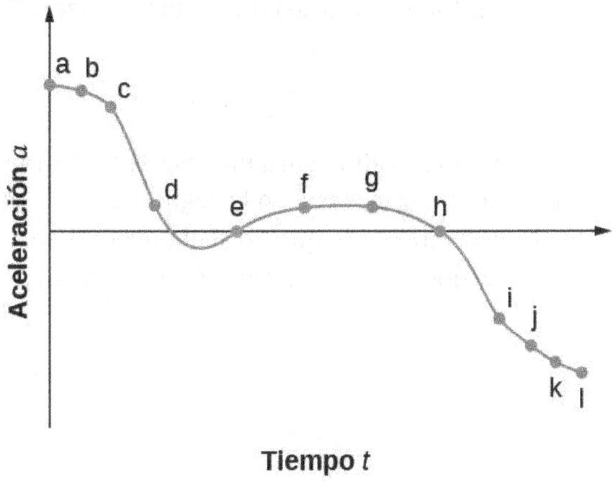

b. La aceleración tiene el mayor valor positivo en t_a
c. La aceleración es cero en t_e y t_h
d. La aceleración es negativa en t_i, t_j, t_k, t_l

49. a. $a = -1{,}3\ \text{m/s}^2$;
b. $v_0 = 18$ m/s;
c. $t = 13{,}8$ s

51. $v = 502{,}20$ m/s

53. a.

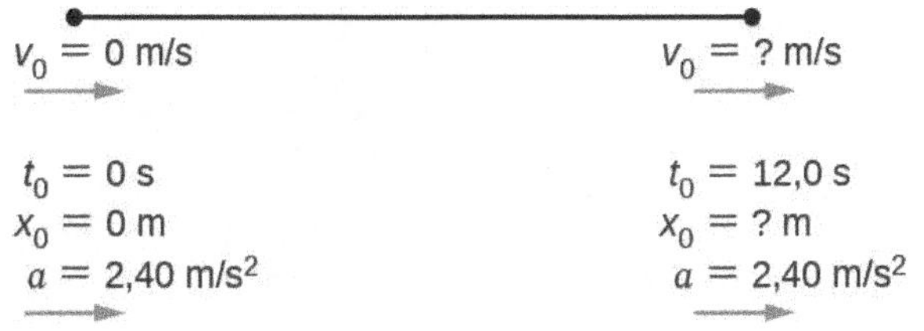

b. Valores conocidos: $a = 2{,}40\ \text{m/s}^2$, $t = 12{,}0$ s, $v_0 = 0$ m/s y $x_0 = 0$ m;
c. $x = x_0 + v_0 t + \frac{1}{2}at^2 = \frac{1}{2}at^2 = 2{,}40\ \text{m/s}^2 (12{,}0\ \text{s})^2 = 172{,}80$ m, la respuesta parece razonable para aproximadamente 172,8 m; d. $v = 28{,}8$ m/s

55. a.

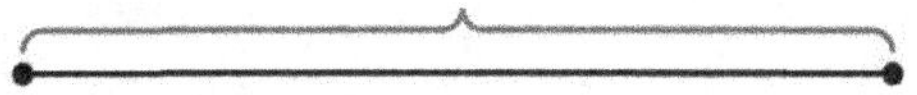

$t_0 = 0$ s | $t_0 = ?$
$x_0 = 0$ m | $x_0 = 1{,}80$ cm
$v_0 = 0$ m/s | $v_0 = 30{,}0$ cm/s
$a = ?$ | $a = ?$

b. Valores conocidos: $v = 30{,}0$ cm/s, $x = 1{,}80$ cm;
c. $a = 250\ \text{cm/s}^2$, $t = 0{,}12$ s;
d. sí

57. a. $6{,}87\ \text{m/s}^2$; b $x = 52{,}26$ m

59. a. $a = 8.450\ \text{m/s}^2$;
b. $t = 0{,}0077$ s

61. a. $a = 9{,}18\ g$;
b. $t = 6{,}67 \times 10^{-3}$ s;

c.
$$a = -40{,}0\ \text{m/s}^2$$
$$a = 4{,}08\ g$$

63. Valores conocidos: $x = 3$ m, $v = 0$ m/s, $v_0 = 54$ m/s. Queremos encontrar *a*, así que podemos usar esta ecuación $a = -486\ \text{m/s}^2$.

65. a. $a = 32{,}58\ \text{m/s}^2$;
b. $v = 161{,}85$ m/s;
c. $v > v_{\text{máx}}$, porque la suposición de una aceleración constante no es válida para un dragster. Un dragster cambia de marcha y tendría una mayor aceleración en la primera marcha que en la segunda, que en la tercera, y así sucesivamente. La aceleración sería mayor al principio, por lo que no aceleraría a $32{,}6\ \text{m/s}^2$ durante los últimos metros, pero sustancialmente menos, y la velocidad final sería inferior a 162 m/s.

67. a. ;
$$y = -8{,}23\ \text{m}$$
$$v_1 = -18{,}9\ \text{m/s}$$

b. ;
$$y = -18{,}9\ \text{m}$$
$$v_2 = -23{,}8\ \text{m/s}$$

c. ;
$$y = -32{,}0\ \text{m}$$
$$v_3 = -28{,}7\ \text{m/s}$$

d. ;
$$y = -47{,}6\ \text{m}$$
$$v_4 = -33{,}6\ \text{m/s}$$

e.
$$y = -65{,}6\ \text{m}$$
$$v_5 = -38{,}5\ \text{m/s}$$

69. a. Valores conocidos: $a = -9{,}8\ \text{m/s}^2$ $v_0 = -1{,}4$ m/s $t = 1{,}8$ s $y_0 = 0$ m;
b. $y = y_0 + v_0 t - \frac{1}{2}gt^2$ $y = v_0 t - \frac{1}{2}gt = -1{,}4\ \text{m/s}(1{,}8\ \text{seg}) - \frac{1}{2}(9{,}8)(1{,}8\ \text{s})^2 = -18{,}4$ m y el origen está en los socorristas, que están a 18,4 m sobre el agua.

71. a. $v^2 = v_0^2 - 2g(y - y_0)$ $y_0 = 0$ $v = 0$ $y = \frac{v_0^2}{2g} = \frac{(4{,}0\text{ m/s})^2}{2(9{,}80)} = 0{,}82\text{ m}$; b. al vértice $v = 0{,}41$ s por 2 al trampolín = 0,82 s del trampolín al agua

$y = y_0 + v_0 t - \frac{1}{2}gt^2$ $y = -1{,}80\text{ m}$ $y_0 = 0$ $v_0 = 4{,}0\text{ m/s}$$-1{,}8 = 4{,}0t - 4{,}9t^2$ $4{,}9t^2 - 4{,}0t - 1{,}80 = 0$, la solución de la ecuación cuadrática da 1,13 s; c.

$v^2 = v_0^2 - 2g(y - y_0)$ $y_0 = 0$ $v_0 = 4{,}0\text{ m/s}$ $y = -1{,}80\text{ m}$

$v = 7{,}16\text{ m/s}$

73. Tiempo hasta el vértice: $t = 1{,}12$ s por 2 es igual a 2,24 s a una altura de 2,20 m. A 1,80 m de altura hay

que añadir 0,40 m $y = y_0 + v_0 t - \frac{1}{2}gt^2$ $y = -0{,}40\text{ m}$ $y_0 = 0$ $v_0 = -11{,}0\text{ m/s}$.

$$y = y_0 + v_0 t - \frac{1}{2}gt^2 \quad y = -0{,}40\text{ m} \quad y_0 = 0 \quad v_0 = -11{,}0\text{ m/s}$$

$$-0{,}40 = -11{,}0t - 4{,}9t^2 \quad \text{o} \quad 4{,}9t^2 + 11{,}0t - 0{,}40 = 0$$

Tome la raíz positiva, por lo que el tiempo para recorrer los 0,4 m adicionales es de 0,04 s. El tiempo total es $2{,}24\text{ s} + 0{,}04\text{ s} = 2{,}28\text{ s}$.

75. a. $v^2 = v_0^2 - 2g(y - y_0)$ $y_0 = 0$ $v = 0$ $y = 2{,}50\text{ m}$; b. $t = 0{,}72$ s por 2 da 1,44 s en el aire

$v_0^2 = 2gy \Rightarrow v_0 = \sqrt{2(9{,}80)(2{,}50)} = 7{,}0\text{ m/s}$

77. a. $v = 70{,}0\text{ m/s}$; b. tiempo que se escucha después de que la roca comienza a caer: 0,75 s, tiempo para llegar al suelo: 6,09 s

79. a. $A = \text{m/s}^2$ $B = \text{m/s}^{5/2}$;

b. $v(t) = \int a(t)dt + C_1 = \int \left(A - Bt^{1/2}\right) dt + C_1 = At - \frac{2}{3}Bt^{3/2} + C_1$;

$v(0) = 0 = C_1$ así que $v(t_0) = At_0 - \frac{2}{3}Bt_0^{3/2}$

c. $x(t) = \int v(t)dt + C_2 = \int \left(At - \frac{2}{3}Bt^{3/2}\right) dt + C_2 = \frac{1}{2}At^2 - \frac{4}{15}Bt^{5/2} + C_2$

$x(0) = 0 = C_2$ así que $x(t_0) = \frac{1}{2}At_0^2 - \frac{4}{15}Bt_0^{5/2}$

81. a. $a(t) = 3{,}2\text{m/s}^2$ $t \le 5{,}0\text{ s}$;

$a(t) = 1{,}5\text{m/s}^2$ $5{,}0\text{ s} \le t \le 11{,}0\text{ s}$

$a(t) = 0\text{m/s}^2$ $t > 11{,}0\text{ s}$

$$x(t) = \int v(t)dt + C_2 = \int 3{,}2t dt + C_2 = 1{,}6t^2 + C_2$$

$t \leq 5{,}0\,\text{s}$

$x(0) = 0 \Rightarrow C_2 = 0$ por lo tanto, $x(2{,}0\,\text{s}) = 6{,}4\,\text{m}$

$$x(t) = \int v(t)dt + C_2 = \int [16{,}0 - 1{,}5\,(t - 5{,}0)]\,dt + C_2 = 16t - 1{,}5\left(\frac{t^2}{2} - 5{,}0t\right) + C_2$$

$5{,}0 \leq t \leq 11{,}0\,\text{s}$

b. $x(5\,\text{s}) = 1{,}6(5{,}0)^2 = 40\,\text{m} = 16(5{,}0\,\text{s}) - 1{,}5\left(\frac{5^2}{2} - 5{,}0\,(5{,}0)\right) + C_2$

$40 = 98{,}75 + C_2 \Rightarrow C_2 = -58{,}75$

$x(7{,}0\,\text{s}) = 16(7{,}0) - 1{,}5\left(\frac{7^2}{2} - 5{,}0\,(7)\right) - 58{,}75 = 69\,\text{m}$

$$x(t) = \int 7{,}0dt + C_2 = 7t + C_2$$

$t \geq 11{,}0\,\text{s}$

$x(11{,}0\,\text{s}) = 16(11) - 1{,}5\left(\frac{11^2}{2} - 5{,}0\,(11)\right) - 58{,}75 = 109 = 7(11{,}0\,\text{s}) + C_2 \Rightarrow C_2 = 32\,\text{m}$

$x(t) = 7t + 32\,\text{m}$

$x \geq 11{,}0\,\text{s} \Rightarrow x(12{,}0\,\text{s}) = 7(12) + 32 = 116\,\text{m}$

Problemas Adicionales

83. Tome el oeste como la dirección positiva.
Primer avión: $\bar{v} = 600\,\text{km/h}$
Segundo avión: $\bar{v} = 667{,}0\,\text{km/h}$

85. $a = \frac{v - v_0}{t - t_0}$, $t = 0$, $a = \frac{-3{,}4\,\text{cm/s} - v_0}{4\,\text{s}} = 1{,}2\,\text{cm/s}^2 \Rightarrow v_0 = -8{,}2\,\text{cm/s}\; v = v_0 + at = -8{,}2 + 1{,}2\,t$;
$v = -7{,}0\,\text{cm/s}\quad v = -1{,}0\,\text{cm/s}$

87. $a = -3\,\text{m/s}^2$

89. a.
$v = 8{,}7 \times 10^5\,\text{m/s}$;
b. $t = 7{,}8 \times 10^{-8}\,\text{s}$

91. $1\,\text{km} = v_0(80{,}0\,\text{s}) + \frac{1}{2}a(80{,}0)^2$; $2\,\text{km} = v_0(200{,}0) + \frac{1}{2}a(200{,}0)^2$ resuelva simultáneamente para obtener $a = -\frac{0{,}1}{2400{,}0}\text{km/s}^2$ y $v_0 = 0{,}014167\,\text{km/s}$, que es $51{,}0\,\text{km/h}$. La velocidad al final del viaje es $v = 21{,}0\,\text{km/h}$.

93. $a = -0{,}9\,\text{m/s}^2$

95. Ecuación para el auto que va a gran velocidad: este auto tiene una velocidad constante, que es la velocidad media, y no está acelerando, por lo que utilizamos la ecuación del desplazamiento con $x_0 = 0{:}\,x = x_0 + \bar{v}t = \bar{v}t$; ecuación para el auto de policía: este auto está acelerando, así que utilizamos la ecuación del desplazamiento con $x_0 = 0$ y $v_0 = 0$, ya que el auto de policía arranca desde el reposo: $x = x_0 + v_0t + \frac{1}{2}at^2 = \frac{1}{2}at^2$; ahora tenemos una ecuación de movimiento para cada auto con un parámetro común, que puede eliminarse para encontrar la solución. En este caso, resolvemos t. Paso 1, eliminar x: $x = \bar{v}t = \frac{1}{2}at^2$; paso 2, resolver t: $t = \frac{2\bar{v}}{a}$. El auto que va a gran velocidad tiene una velocidad constante de 40 m/s, que es su velocidad media. La aceleración del auto de policía es de 4 m/s^2. Al evaluar t, el tiempo que tarda el auto de policía en alcanzar al auto que va a gran velocidad, tenemos.
$t = \frac{2\bar{v}}{a} = \frac{2(40)}{4} = 20\,\text{s}$.

97. Con esta aceleración se detiene por completo en $t = \frac{-v_0}{a} = \frac{8}{0{,}5} = 16\,\text{s}$, pero la distancia recorrida es $x = 8\,\text{m/s}(16\,\text{s}) - \frac{1}{2}(0{,}5)(16\,\text{s})^2 = 64\,\text{m}$, que es menor que la distancia que le separa de la meta, por lo que nunca termina la carrera.

99. $x_1 = \frac{3}{2}v_0 t$

$x_2 = \frac{5}{3}x_1$

101. $v_0 = 7{,}9$ m/s velocidad en la parte inferior de la ventana.

$v = 7{,}9$ m/s

$v_0 = 14{,}1$ m/s

103. a. $v = 5{,}42$ m/s;

b. $v = 4{,}64$ m/s;

c. $a = 2874{,}28$ m/s^2;

d. $(x - x_0) = 5{,}11 \times 10^{-3}$ m

105. Considere que los jugadores caen desde el reposo a la altura de 1,0 m y 0,3 m.

0,9 s

0,5 s

107. a. $t = 6{,}37$ s tomando la raíz positiva;

b $v = 59{,}5$ m/s

109. a. $y = 4{,}9$ m;

b. $v = 38{,}3$ m/s;

c. $-33{,}3$ m

111. $h = \frac{1}{2}gt^2$, h = altura total y tiempo de caída al suelo

$\frac{2}{3}h = \frac{1}{2}g(t-1)^2$ en t - 1 segundos baja 2/3h

$\frac{2}{3}\left(\frac{1}{2}gt^2\right) = \frac{1}{2}g(t-1)^2$ o $\frac{t^2}{3} = \frac{1}{2}(t-1)^2$

$0 = t^2 - 6t + 3\; t = \frac{6 \pm \sqrt{6^2 - 4 \cdot 3}}{2} = 3 \pm \frac{\sqrt{24}}{2}$

t = 5,45 s y h = 145,5 m. La otra raíz es inferior a 1 s. Para comprobar t = 4,45 s $h = \frac{1}{2}gt^2 = 97{,}0$ m $= \frac{2}{3}(145{,}5)$

Problemas De Desafío

113. a. $v(t) = 10t - 12t^2$m/s, $a(t) = 10 - 24t$ m/s^2;

b. $v(2\text{ s}) = -28$ m/s, $a(2\text{ s}) = -38$m/s^2; c. La pendiente de la función de posición es cero o la velocidad es cero. Hay dos soluciones posibles: t = 0, que da x = 0, o t = 10,0/12,0 = 0,83 s, que da x = 1,16 m. La segunda respuesta es la opción correcta; d. 0,83 s (e) 1,16 m

115. 96 km/h = 26,67 m/s, $a = \frac{26{,}67\text{ m/s}}{4{,}0\text{ s}} = 6{,}67\text{m/s}^2$, 295,38 km/h = 82,05 m/s, $t = 12{,}3$ s tiempo para acelerar a la velocidad máxima

$x = 504{,}55$ m distancia recorrida durante la aceleración

7.495,44 m a una rapidez constante

$\frac{7.495{,}44\text{ m}}{82{,}05\text{ m/s}} = 91{,}35$ s por lo que el tiempo total es $91{,}35\text{ s} + 12{,}3\text{ s} = 103{,}65$ s.

Capítulo 4

Compruebe Lo Aprendido

4.1 (a) Tomando la derivada con respecto al tiempo de la función de posición, tenemos $\vec{\mathbf{v}}(t) = 9{,}0t^2\hat{\mathbf{i}}y\vec{\mathbf{v}}(3{,}0\text{s}) = 81{,}0\hat{\mathbf{i}}$m/s. (b) Como la función de velocidad no es lineal, sospechamos que la velocidad media no es igual a la velocidad instantánea. Lo revisamos y encontramos

$\vec{\mathbf{v}}_{\text{avg}} = \frac{\vec{\mathbf{r}}(t_2)-\vec{\mathbf{r}}(t_1)}{t_2-t_1} = \frac{\vec{\mathbf{r}}(4{,}0\text{ s})-\vec{\mathbf{r}}(2{,}0\text{ s})}{4{,}0\text{ s}-2{,}0\text{ s}} = \frac{(188\hat{\mathbf{i}}-20\hat{\mathbf{i}})\text{ m}}{2{,}0\text{ s}} = 84\hat{\mathbf{i}}\text{m/s},$

que es diferente de $\vec{\mathbf{v}}(3{,}0\text{s}) = 81{,}0\hat{\mathbf{i}}$m/s.

4.2 El vector de aceleración es constante y no cambia con el tiempo. Si *a, b* y *c* no son cero, entonces la función de velocidad debe ser lineal en el tiempo. Tenemos

$\vec{\mathbf{v}}(t) = \int \vec{\mathbf{a}}dt = \int (a\hat{\mathbf{i}} + b\hat{\mathbf{j}} + c\hat{\mathbf{k}})dt = (a\hat{\mathbf{i}} + b\hat{\mathbf{j}} + c\hat{\mathbf{k}})t$ m/s, ya que al tomar la derivada de la función de velocidad se obtiene $\vec{\mathbf{a}}(t)$. Si alguno de los componentes de la aceleración es cero, entonces ese componente de la velocidad sería una constante.

4.3 (a) Elija la parte superior del acantilado donde se lanza la roca como el origen del sistema de coordenadas. Aunque es arbitrario, solemos elegir el tiempo $t = 0$ para que corresponda al origen. (b) La ecuación que describe el movimiento horizontal es $x = x_0 + v_x t$. Con $x_0 = 0$, esta ecuación se convierte en $x = v_x t$. (c) La Ecuación 4.16 a la Ecuación 4.18 y la Ecuación 4.19 describen el movimiento vertical, pero dado que $y_0 = 0$ y $v_{0y} = 0$, estas ecuaciones se simplifican en gran medida para convertirse en $y = \frac{1}{2}(v_{0y} + v_y)t = \frac{1}{2}v_y t,\ v_y = -gt,\ y = -\frac{1}{2}gt^2,$ y $v_y^2 = -2gy$. (d) Utilizamos las ecuaciones cinemáticas para encontrar los componentes de la x y de la y de la velocidad en el punto de impacto. Utilizando $v_y^2 = -2gy$ y observando que el punto de impacto es -100,0 m, encontramos que el componente y de la velocidad en el impacto es $v_y = 44{,}3$ m/s. Se nos da el componente x, $v_x = 15{,}0$ m/s, por lo que podemos calcular la velocidad total en el momento del impacto: $v = 46{,}8$ m/s y $\theta = 71{,}3°$ por debajo de la horizontal.

4.4 El tiro de golf a 30°.

4.5 134,0 cm/s

4.6 Al marcar los subíndices de la ecuación vectorial, tenemos B = barco, R = río y E = Tierra. La ecuación vectorial se convierte en $\vec{\mathbf{v}}_{BE} = \vec{\mathbf{v}}_{BR} + \vec{\mathbf{v}}_{RE}$. Tenemos una geometría de triángulo rectángulo que se muestra en la figura 04_05_BoatRiv_img. Al resolver $\vec{\mathbf{v}}_{BE}$, tenemos

$$v_{BE} = \sqrt{v_{BR}^2 + v_{RE}^2} = \sqrt{4{,}5^2 + 3{,}0^2}$$

$$v_{BE} = 5{,}4 \text{ m/s},\quad \theta = \tan^{-1}\left(\frac{3{,}0}{4{,}5}\right) = 33{,}7°.$$

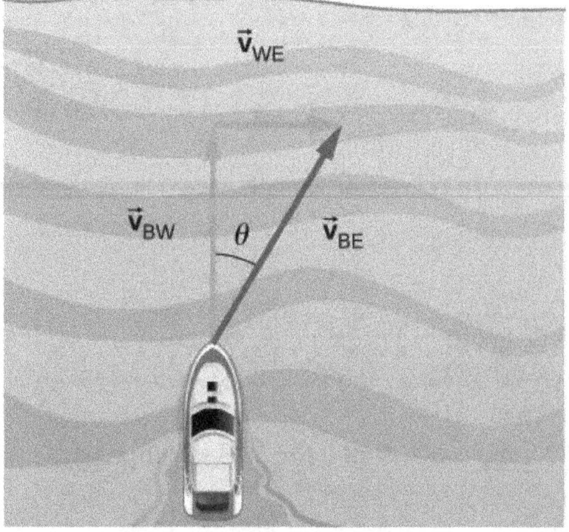

Preguntas Conceptuales

1. línea recta
3. La pendiente debe ser cero porque el vector velocidad es tangente al gráfico de la función posición.
5. No, los movimientos en direcciones perpendiculares son independientes.
7. a. no; b. mínima en el vértice de la trayectoria y máxima en el lanzamiento y el impacto; c. no, la velocidad es un vector; d. sí, donde cae
9. Ambas caen al suelo al mismo tiempo.
11. sí
13. Si va a pasar el balón a otro jugador, tiene que mantener la vista en el marco de referencia en el que se encuentran los demás jugadores del equipo.

15.

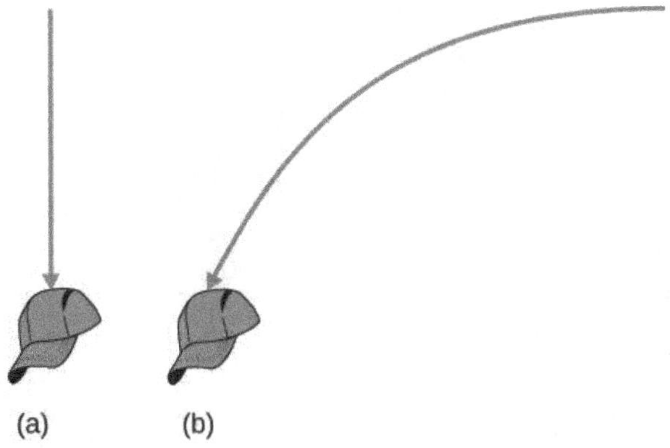

Problemas

17. $\vec{\mathbf{r}} = 1{,}0\hat{\mathbf{i}} - 4{,}0\hat{\mathbf{j}} + 6{,}0\hat{\mathbf{k}}$
19. $\Delta\vec{\mathbf{r}}_{\text{Total}} = 472{,}0\,\text{m}\hat{\mathbf{i}} + 80{,}3\,\text{m}\hat{\mathbf{j}}$
21. Suma de los desplazamientos $= -6{,}4\,\text{km}\hat{\mathbf{i}} + 9{,}4\,\text{km}\hat{\mathbf{j}}$
23. a. $\vec{\mathbf{v}}(t) = 8{,}0t\hat{\mathbf{i}} + 6{,}0t^2\hat{\mathbf{k}}$, $\vec{\mathbf{v}}(0) = 0$, $\vec{\mathbf{v}}(1{,}0) = 8{,}0\hat{\mathbf{i}} + 6{,}0\hat{\mathbf{k}}\text{m/s}$,
b. $\vec{\mathbf{v}}_{\text{avg}} = 4{,}0\ \ \hat{\mathbf{i}} + 2{,}0\hat{\mathbf{k}}\ \text{m/s}$
25. $\Delta\vec{\mathbf{r}}_1 = 20{,}00\,\text{m}\hat{\mathbf{j}}, \Delta\vec{\mathbf{r}}_2 = (2{,}000 \times 10^4\text{m})\,(\cos 30°\hat{\mathbf{i}} + \text{sen}\ 30°\hat{\mathbf{j}})$
$\Delta\vec{\mathbf{r}} = 1{,}700 \times 10^4\text{m}\hat{\mathbf{i}} + 1{,}002 \times 10^4\text{m}\hat{\mathbf{j}}$
27. a. $\vec{\mathbf{v}}(t) = (4{,}0t\hat{\mathbf{i}} + 3{,}0t\hat{\mathbf{j}})\text{m/s}, \vec{\mathbf{r}}(t) = (2{,}0t^2\hat{\mathbf{i}} + \frac{3}{2}t^2\hat{\mathbf{j}})\ \text{m}$,
b. $x(t) = 2{,}0t^2\text{m},\ y(t) = \frac{3}{2}t^2\text{m},\ t^2 = \frac{x}{2} \Rightarrow y = \frac{3}{4}x$

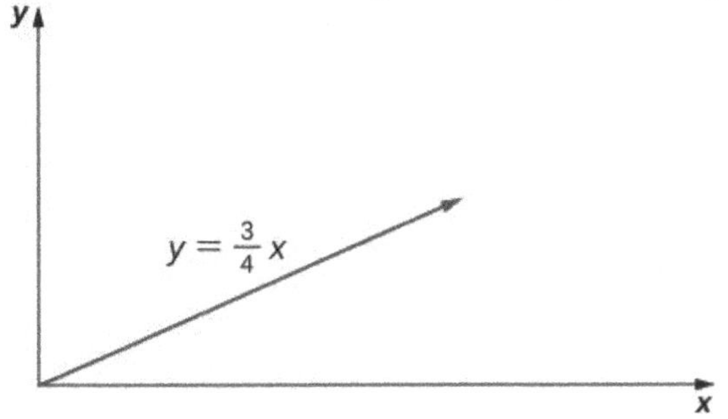

29. a. $\vec{\mathbf{v}}(t) = (6{,}0t\hat{\mathbf{i}} - 21{,}0t^2\hat{\mathbf{j}} + 10{,}0t^{-3}\hat{\mathbf{k}})\text{m/s}$,
b. $\vec{\mathbf{a}}(t) = (6{,}0\hat{\mathbf{i}} - 42{,}0t\hat{\mathbf{j}} - 30t^{-4}\hat{\mathbf{k}})\text{m/s}^2$,
c. $\vec{\mathbf{v}}(2{,}0s) = (12{,}0\hat{\mathbf{i}} - 84{,}0\hat{\mathbf{j}} + 1{,}25\hat{\mathbf{k}})\text{m/s}$,
d. $\vec{\mathbf{v}}(1{,}0\ \text{s}) = 6{,}0\hat{\mathbf{i}} - 21{,}0\hat{\mathbf{j}} + 10{,}0\hat{\mathbf{k}}\text{m/s},\ |\vec{\mathbf{v}}(1{,}0\ \text{s})| = 24{,}0\ \text{m/s}$
$\vec{\mathbf{v}}(3{,}0\ \text{s}) = 18{,}0\hat{\mathbf{i}} - 189{,}0\hat{\mathbf{j}} + 0{,}37\hat{\mathbf{k}}\text{m/s}, |\vec{\mathbf{v}}(3{,}0\ \text{s})| = 190\ \text{m/s}$,
e. $\vec{\mathbf{r}}(t) = (3{,}0t^2\hat{\mathbf{i}} - 7{,}0t^3\hat{\mathbf{j}} - 5{,}0t^{-2}\hat{\mathbf{k}})\text{m}$

$\vec{\mathbf{v}}_{\text{avg}} = 9{,}0\hat{\mathbf{i}} - 49{,}0\hat{\mathbf{j}} + 3{,}75\hat{\mathbf{k}}\text{m/s}$
31. a. $\vec{\mathbf{v}}(t) = \text{-sen}(1{,}0t)\hat{\mathbf{i}} + \cos(1{,}0t)\hat{\mathbf{j}} + \hat{\mathbf{k}}$, b. $\vec{\mathbf{a}}(t) = \text{-cos}(1{,}0t)\hat{\mathbf{i}} - \text{sen}(1{,}0t)\hat{\mathbf{j}}$
33. a. $t = 0{,}55$ s, b. $x = 110$ m
35. a. $t = 0{,}24$s, $d = 0{,}28$ m, b. Apuntan alto.

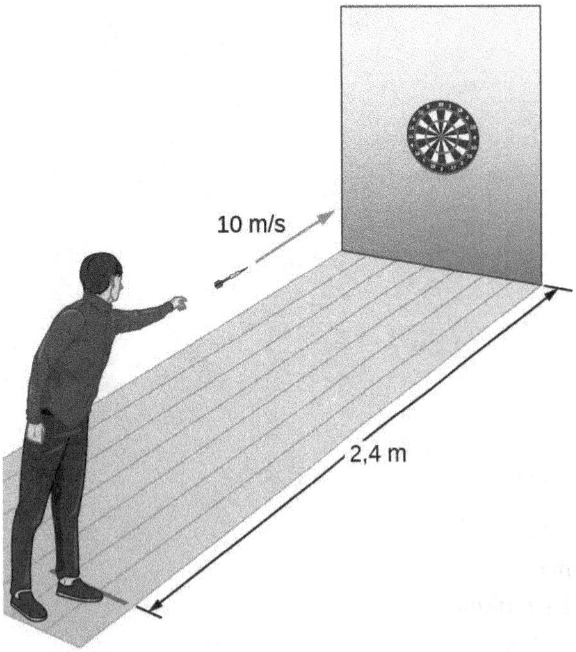

37. a., $t = 12{,}8$ s, $x = 5.619$ m b. $v_y = 125{,}0$ m/s, $v_x = 439{,}0$ m/s, $|\vec{v}| = 456{,}0$ m/s

39. a. $v_y = v_{0y} - gt$, $t = 10$s, $v_y = 0$, $v_{0y} = 98{,}0$ m/s, $v_0 = 196{,}0$ m/s,
b. $h = 490{,}0$ m,
c. $v_{0x} = 169{,}7$ m/s, $x = 3394{,}0$ m,

d. $x = 169{,}7$ m/s $(15{,}0$ s$) = 2.550$ m
$y = (98{,}0$ m/s $)(15{,}0$ s$) - 4{,}9(15{,}0$s$)^2 = 368$ m
$\overset{\mathbf{r}}{\mathbf{s}} = 2.550\text{ m}\hat{\mathbf{i}} + 368\text{ m}\hat{\mathbf{j}}$

41. $-100\text{ m} = (-2{,}0\text{ m/s})t - (4{,}9\text{ m/s}^2)t^2$, $t = 4{,}3$ s, $x = 86{,}0$ m

43. $R_{Moon} = 48$ m

45. a. $v_{0y} = 24$ m/s$v_y^2 = v_{0y}^2 - 2gy \Rightarrow h = 29{,}3$ m,
b. $t = 2{,}4$ s $v_{0x} = 18$ m/s $x = 43{,}2$ m,
c. $y = -100$ m $y_0 = 0$ $y - y_0 = v_{0y}t - \frac{1}{2}gt^2$ $-100 = 24t - 4{,}9t^2 \Rightarrow t = 7{,}58$ s,
d. $x = 136{,}44$ m,
e. $t = 2{,}0$ s $y = 28{,}4$ m $x = 36$ m
$t = 4{,}0$ s $y = 17{,}6$ m $x = 72$ m
$t = 6{,}0$ s $y = -32{,}4$ m $x = 108$ m

47. $v_{0y} = 12{,}9$ m/s $y - y_0 = v_{0y}t - \frac{1}{2}gt^2$ $-20{,}0 = 12{,}9t - 4{,}9t^2$
$t = 3{,}7$ s $v_{0x} = 15{,}3$ m/s $\Rightarrow x = 56{,}7$ m
Por lo tanto el tiro de la golfista cae a 13,3 m del *green*.

49. a. $R = 60{,}8$ m,
b. $R = 137{,}8$ m

51. a. $v_y^2 = v_{0y}^2 - 2gy \Rightarrow y = 2{,}9$ m/s
$y = 3{,}3$ m/s
$y = \frac{v_{0y}^2}{2g} = \frac{(v_0 \operatorname{sen}\theta)^2}{2g} \Rightarrow \operatorname{sen}\theta = 0{,}91 \Rightarrow \theta = 65{,}5°$

53. $R = 18{,}5$ m

55. $y = (\tan\theta_0)x - \left[\frac{g}{2(v_0\cos\theta_0)^2}\right]x^2 \Rightarrow v_0 = 16{,}4$ m/s

57. $R = \frac{v_0^2 \text{sen } 2\theta_0}{g} \Rightarrow \theta_0 = 15{,}9°$

59. El receptor tarda 1,1 s en recorrer los últimos 10 m de su recorrido.

$T_{\text{tof}} = \frac{2(v_0 \text{sen}\,\theta)}{g} \Rightarrow \text{sen}\,\theta = 0{,}27 \Rightarrow \theta = 15{,}6°$

61. $a_C = 40 \text{ m/s}^2$

63. $a_C = \frac{v^2}{r} \Rightarrow v^2 = r\ a_C = 78{,}4,\ \ v = 8{,}85 \text{ m/s}$

$T = 5{,}68$ s, que es 0,176 rev/s = 10,6 rev/min

65. Venus se encuentra a 108,2 millones de km del Sol y tiene un periodo orbital de 0,6152 años (year, y).

$r = 1{,}082 \times 10^{11}$ m $T = 1{,}94 \times 10^7$ s

$v = 3{,}5 \times 10^4$ m/s, $a_C = 1{,}135 \times 10^{-2}$ m/s^2

67. 360 rev/min = 6 rev/s

$v = 3{,}8$ m/s $a_C = 144.$ m/s^2

69. a. $O'(t) = (4{,}0\hat{\mathbf{i}} + 3{,}0\hat{\mathbf{j}} + 5{,}0\hat{\mathbf{k}})t$ m,

b. $\vec{\mathbf{r}}_{PS} = \vec{\mathbf{r}}_{PS'} + \vec{\mathbf{r}}_{S'S}$, $\vec{\mathbf{r}}(t) = \vec{\mathbf{r}}'(t) + (4{,}0\hat{\mathbf{i}} + 3{,}0\hat{\mathbf{j}} + 5{,}0\hat{\mathbf{k}})t$ m,

c. $\vec{\mathbf{v}}(t) = \vec{\mathbf{v}}'(t) + (4{,}0\hat{\mathbf{i}} + 3{,}0\hat{\mathbf{j}} + 5{,}0\hat{\mathbf{k}})$ m/s, d. Las aceleraciones son las mismas.

71. $\vec{\mathbf{v}}_{PC} = (2{,}0\hat{\mathbf{i}} + 5{,}0\hat{\mathbf{j}} + 4{,}0\hat{\mathbf{k}})$m/s

73. a. A = aire, S = gaviota, G = suelo

$\vec{\mathbf{v}}_{SA} = 9{,}0$ m/s velocidad de la gaviota con respecto al aire en calma

$\vec{\mathbf{v}}_{AG} = ?$ $\vec{\mathbf{v}}_{SG} = 5$ m/s $\vec{\mathbf{v}}_{SG} = \vec{\mathbf{v}}_{SA} + \vec{\mathbf{v}}_{AG} \Rightarrow \vec{\mathbf{v}}_{AG} = \vec{\mathbf{v}}_{SG} - \vec{\mathbf{v}}_{SA}$

$\vec{\mathbf{v}}_{AG} = -4{,}0$ m/s

b. $\vec{\mathbf{v}}_{SG} = \vec{\mathbf{v}}_{SA} + \vec{\mathbf{v}}_{AG} \Rightarrow \vec{\mathbf{v}}_{SG} = -13{,}0$ m/s

$\frac{-6000 \text{ m}}{-13{,}0 \text{ m/s}} = 7$ min 42 s

75. Tome la dirección positiva como la misma dirección en la que fluye el río, es decir, el este. S = orilla/tierra, W = agua y B = bote.

a $\vec{\mathbf{v}}_{BS} = 11$ km/h

$t = 8{,}2$ min

b. $\vec{\mathbf{v}}_{BS} = -5$ km/h

$t = 18$ min

c. $\vec{\mathbf{v}}_{BS} = \vec{\mathbf{v}}_{BW} + \vec{\mathbf{v}}_{WS}$ $\theta = 22°$ al oeste del norte

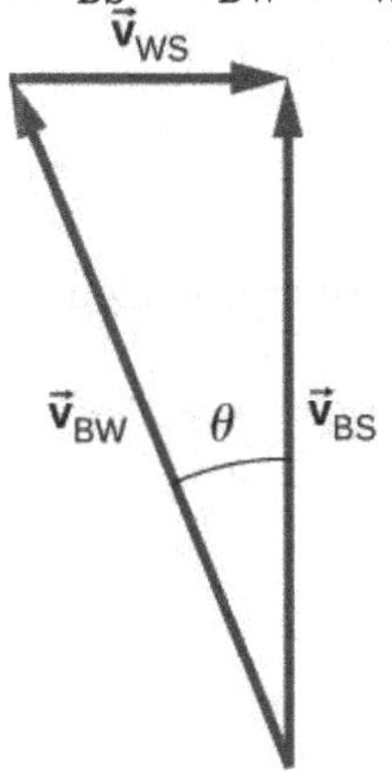

d. $|\vec{\mathbf{v}}_{BS}| = 7{,}4$ km/h $t = 6{,}5$ min

e. $\vec{\mathbf{v}}_{BS} = 8{,}54$ km/h, pero solo se utiliza el componente de la velocidad en línea recta para obtener el tiempo

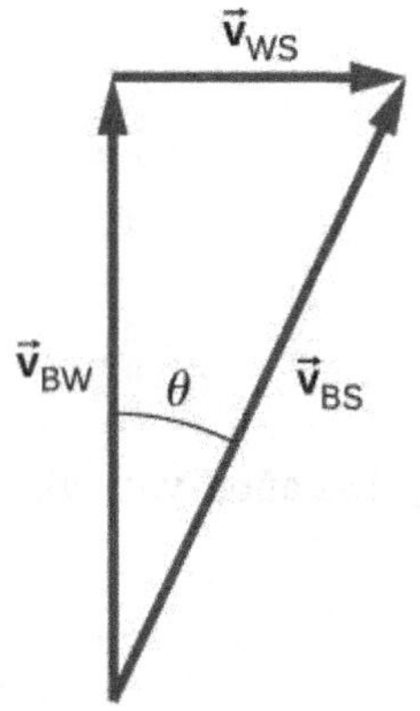

$t = 6{,}0$ min
Aguas abajo = 0,3 km

77. $\vec{\mathbf{v}}_{AG} = \vec{\mathbf{v}}_{AC} + \vec{\mathbf{v}}_{CG}$
$|\vec{\mathbf{v}}_{AC}| = 25$ km/h $|\vec{\mathbf{v}}_{CG}| = 15$ km/h $|\vec{\mathbf{v}}_{AG}| = 29{,}15$ km/h $\vec{\mathbf{v}}_{AG} = \vec{\mathbf{v}}_{AC} + \vec{\mathbf{v}}_{CG}$
El ángulo entre $\vec{\mathbf{v}}_{AC}$ y $\vec{\mathbf{v}}_{AG}$ es 31°, por lo que la dirección del viento es 14° al norte del este.

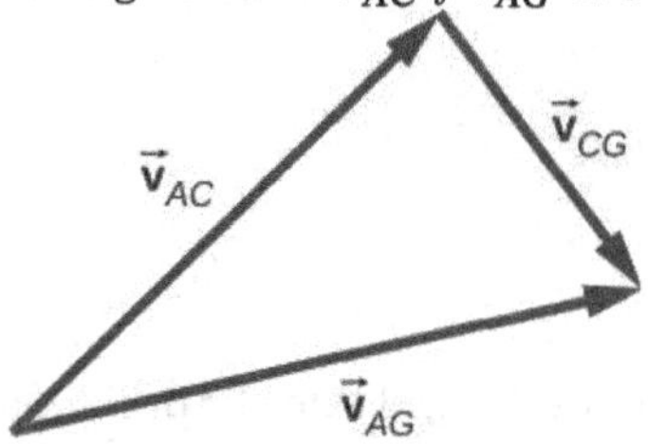

Problemas Adicionales

79. $a_C = 39{,}6 \text{ m/s}^2$

81. 90,0 km/h = 25,0 m/s, 9,0 km/h = 2,5 m/s, 60,0 km/h = 16,7 m/s
$a_T = -2{,}5 \text{ m/s}^2$, $a_C = 1{,}86 \text{ m/s}^2$, $a = 3{,}1 \text{ m/s}^2$

83. El radio del círculo de revolución en la latitud λ es $R_E \cos \lambda$. La velocidad del cuerpo es $\frac{2\pi r}{T}$. $a_C = \frac{4\pi^2 R_E \cos \lambda}{T^2}$ para $\lambda = 40°$, $a_C = 0{,}26\%\ g$

85. $a_T = 3{,}00 \text{ m/s}^2$
$v(5 \text{ s}) = 15{,}00$ m/s $a_C = 150{,}00 \text{ m/s}^2$ $\theta = 88{,}8°$ con respecto a la tangente al círculo de revolución dirigida hacia el interior. $|\vec{\mathbf{a}}| = 150{,}03 \text{ m/s}^2$

87. $\vec{\mathbf{a}}(t) = -A\omega^2 \cos \omega t \hat{\mathbf{i}} - A\omega^2 \operatorname{sen} \omega t \hat{\mathbf{j}}$
$a_C = 5{,}0 \text{ m}\omega^2$ $\omega = 0{,}89$ rad/s
$\vec{\mathbf{v}}(t) = -2{,}24 \text{ m/s}\, \hat{\mathbf{i}} - 3{,}87 \text{ m/s}\, \hat{\mathbf{j}}$

89. $\vec{\mathbf{r}}_1 = 1{,}5\hat{\mathbf{j}} + 4{,}0\hat{\mathbf{k}}$ $\vec{\mathbf{r}}_2 = \Delta\vec{\mathbf{r}} + \vec{\mathbf{r}}_1 = 2{,}5\hat{\mathbf{i}} + 4{,}7\hat{\mathbf{j}} + 2{,}8\hat{\mathbf{k}}$

91. $v_x(t) = 265{,}0$ m/s
$v_y(t) = 20{,}0$ m/s
$\vec{\mathbf{v}}(5{,}0 \text{ s}) = (265{,}0\hat{\mathbf{i}} + 20{,}0\hat{\mathbf{j}})$m/s

93. $R = 1{,}07$ m

95. $v_0 = 20{,}1$ m/s

97. $v = 3072{,}5$ m/s
$a_C = 0{,}223 \text{ m/s}^2$

Problemas De Desafío

99. a. $-400{,}0 \text{ m} = v_{0y}t - 4{,}9t^2$ $359{,}0 \text{ m} = v_{0x}t$ $t = \frac{359{,}0}{v_{0x}}$ $-400{,}0 = 359{,}0\frac{v_{0y}}{v_{0x}} - 4{,}9(\frac{359{,}0}{v_{0x}})^2$

$$-400{,}0 = 359{,}0 \tan 40 - \frac{631516{,}9}{v_{0x}^2} \Rightarrow v_{0x}^2 = 900{,}6 \quad v_{0x} = 30{,}0 \text{ m/s} \quad v_{0y} = v_{0x} \tan 40 = 25{,}2 \text{ m/s}$$

$v = 39{,}2$ m/s, b. $t = 12{,}0$ s

101. a. $\vec{\mathbf{r}}_{TC} = (-32 + 80t)\hat{\mathbf{i}} + 50t\hat{\mathbf{j}}, \ |\vec{\mathbf{r}}_{TC}|^2 = (-32 + 80t)^2 + (50t)^2$

$2r\frac{dr}{dt} = 2(-32 + 80t)(80) + 5.000t \ \ \frac{dr}{dt} = \frac{160(-32+80t)+5.000t}{2r} = 0$

$17800t = 5.184 \Rightarrow t = 0{,}29$ hr,

b. $|\vec{\mathbf{r}}_{TC}| = 17$ km

Capítulo 5

Compruebe Lo Aprendido

5.1 14 N, 56° que se miden desde el eje de la x positiva

5.2 a. Su peso actúa hacia abajo, y la fuerza de resistencia del aire con el paracaídas actúa hacia arriba. b. ninguna; las fuerzas son de igual magnitud.

5.3 $0{,}1 \text{ m/s}^2$

5.4 40 m/s^2

5.5 a. $159{,}0\hat{\mathbf{i}} + 770{,}0\hat{\mathbf{j}}$ N; b. $0{,}1590\hat{\mathbf{i}} + 0{,}7700\hat{\mathbf{j}}$ N

5.6 $a = 2{,}78 \text{ m/s}^2$

5.7 a. $3{,}0 \text{ m/s}^2$; b. 18 N

5.8 a. $1{,}7 \text{ m/s}^2$; b. $1{,}3 \text{ m/s}^2$

5.9 $6{,}0 \times 10^2$ N

5.10

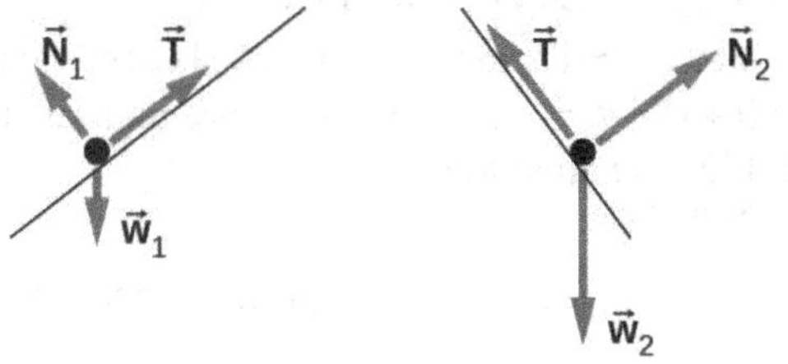

;

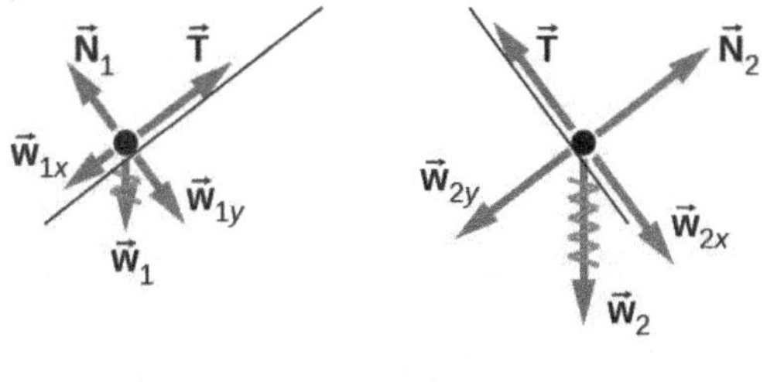

Preguntas Conceptuales

1. Las fuerzas son direccionales y tienen magnitud.
3. La velocidad de la magdalena antes de la acción de frenado era la misma que la del auto. Por lo tanto, las magdalenas eran cuerpos en movimiento sin restricciones, y cuando el auto se detuvo de repente, las magdalenas siguieron avanzando según la primera ley de Newton.
5. No. Si la fuerza fuera cero en este punto, entonces no habría nada que cambiara la velocidad cero momentánea del objeto. Dado que no observamos el objeto colgando inmóvil en el aire, la fuerza no podría ser cero.
7. La astronauta es realmente ingrávida en el lugar descrito, porque no hay ningún cuerpo grande (planeta o estrella) cerca que ejerza una fuerza gravitatoria. Su masa es de 70 kg independientemente del lugar donde se encuentre.
9. La fuerza que ejerce (una fuerza de contacto de igual magnitud que su peso) es pequeña. La Tierra es extremadamente masiva en comparación. Así, la aceleración de la Tierra sería increíblemente pequeña. Para ver esto, utilice la segunda ley de Newton para calcular la aceleración que causaría si su peso es de

600,0 N y la masa de la Tierra es $6{,}00 \times 10^{24}$ kg.

11. a. acción: la Tierra ejerce una fuerza gravitatoria sobre la Luna, reacción: la Luna ejerce una fuerza gravitatoria sobre la Tierra; b. acción: el pie aplica fuerza al balón, reacción: el balón aplica fuerza al pie; c. acción: el cohete empuja sobre el gas, reacción: el gas empuja de vuelta al cohete; d. acción: los neumáticos del auto empujan hacia atrás sobre la carretera, reacción: la carretera empuja hacia delante sobre los neumáticos; e. acción: el saltador empuja hacia abajo sobre el suelo, reacción: el suelo empuja hacia arriba sobre el saltador; f. acción: la pistola empuja hacia delante sobre la bala, reacción: la bala empuja hacia atrás sobre la pistola.

13. a. El rifle (el casquillo apoyado en el rifle) ejerce una fuerza para expulsar la bala; la reacción a esta fuerza es la fuerza que la bala ejerce sobre el rifle (casquillo) en sentido contrario. b. En un rifle sin retroceso, el casquillo no está asegurado en el rifle; por lo tanto, a medida que la bala se empuja para avanzar, el casquillo se empuja para ser expulsado desde el extremo opuesto del cañón. c. No es seguro estar detrás de un rifle sin retroceso.

15. a. Sí, la fuerza puede actuar hacia la izquierda; la partícula experimentaría una desaceleración y perdería rapidez. B. Sí, la fuerza puede estar actuando hacia abajo porque su peso actúa hacia abajo incluso cuando se mueve hacia la derecha.

17. dos fuerzas de distinto tipo: el peso que actúa hacia abajo y la fuerza normal que actúa hacia arriba

Problemas

19. a. $\vec{\mathbf{F}}_{\text{neta}} = 5{,}0\hat{\mathbf{i}} + 10{,}0\hat{\mathbf{j}}$ N; b. la magnitud es $F_{\text{neta}} = 11$ N, y la dirección es $\theta = 63°$

21. a. $\vec{\mathbf{F}}_{\text{neta}} = 660{,}0\hat{\mathbf{i}} + 150{,}0\hat{\mathbf{j}}$ N; b. $F_{\text{neta}} = 676{,}6$ N a $\theta = 12{,}8°$ de la cuerda de David

23. a. $\vec{\mathbf{F}}_{\text{neta}} = 95{,}0\hat{\mathbf{i}} + 283\hat{\mathbf{j}}$N; b. 299 N a 71° al norte del este; c $\vec{\mathbf{F}}_{\text{DS}} = -\left(95{,}0\hat{\mathbf{i}} + 283\hat{\mathbf{j}}\right)$ N

25. Corriendo desde el reposo, la velocista alcanza una velocidad de $v = 12{,}96$ m/s, al final de la aceleración. Encontramos el tiempo de aceleración con $x = 20{,}00\text{ m} = 0 + 0{,}5a{t_1}^2$, o $t_1 = 3{,}086$ s. Para mantener la velocidad, $x_2 = vt_2$, o $t_2 = x_2/v = 80{,}00\text{ m}/12{,}96\text{ m/s} = 6{,}173$ s. Tiempo total = 9,259 s.

27. a. $m = 56{,}0$ kg; b. $a_{\text{medida}} = a_{\text{astro}} + a_{\text{nave}}$, donde $a_{\text{nave}} = \frac{m_{\text{astro}} a_{\text{astro}}}{m_{\text{nave}}}$; c. Si otra fuente (distinta de la nave espacial) pudiera ejercer la fuerza en la astronauta, entonces la nave espacial no experimentaría un retroceso.

29. $F_{\text{neta}} = 4{,}12 \times 10^5$ N

31. $a = 253\text{ m/s}^2$

33. $F_{\text{neta}} = F - f = ma \Rightarrow F = 1{,}26 \times 10^3$ N

35.
$$v^2 = v_0^2 + 2ax \Rightarrow a = -7{,}80\text{ m/s}^2$$
$$F_{\text{neta}} = -7{,}80 \times 10^3\text{ N}$$

37. a. $\vec{\mathbf{F}}_{\text{neta}} = m\vec{\mathbf{a}} \Rightarrow \vec{\mathbf{a}} = 9{,}0\hat{\mathbf{i}}\text{ m/s}^2$; b. La aceleración tiene una magnitud $9{,}0\text{ m/s}^2$, así que $x = 110$ m.

39. $1{,}6\hat{\mathbf{i}} - 0{,}8\hat{\mathbf{j}}\text{ m/s}^2$

41. a.
$$\begin{aligned} w_{\text{Luna}} &= mg_{\text{Luna}} \\ m &= 150\text{ kg} \\ w_{\text{Tierra}} &= 1{,}5 \times 10^3\text{ N} \end{aligned}$$
; b. La masa no cambia, por lo que la masa del astronauta con su traje tanto en la Tierra como en la Luna es 150 kg.

43. a.
$$\begin{aligned} F_{\text{h}} &= 3{,}68 \times 10^3\text{ N y} \\ w &= 7{,}35 \times 10^2\text{ N} \\ \frac{F_{\text{h}}}{w} &= 5{,}00\text{ veces mayor que el peso} \end{aligned}$$
;

b.
$$\begin{aligned} F_{\text{neta}} &= 3.750\text{ N} \\ \theta &= 11{,}3°\text{ desde la horizontal} \end{aligned}$$

45.
$$\begin{aligned} w &= 19{,}6\text{ N} \\ F_{\text{neta}} &= 5{,}40\text{ N} \\ F_{\text{neta}} &= ma \Rightarrow a = 2{,}70\text{ m/s}^2 \end{aligned}$$

47. 98 N

49. 497 N

51. a. $F_{neta} = 2{,}64 \times 10^7$ N; b. La fuerza ejercida sobre el barco también es $2{,}64 \times 10^7$ N porque es opuesta a la dirección de movimiento del casquillo.

53. Como el peso del libro de historia es la fuerza que ejerce la Tierra sobre el libro de historia, lo representamos como $\vec{\mathbf{F}}_{EH} = -14\hat{\mathbf{j}}$ N. Por lo demás, el libro de historia interactúa solamente con el libro de física. Dado que la aceleración del libro de historia es cero, la fuerza neta sobre este es cero por la segunda ley de Newton: $\vec{\mathbf{F}}_{PH} + \vec{\mathbf{F}}_{EH} = \vec{\mathbf{0}}$, donde $\vec{\mathbf{F}}_{PH}$ es la fuerza que ejerce el libro de física sobre el libro de historia. Por lo tanto, $\vec{\mathbf{F}}_{PH} = -\vec{\mathbf{F}}_{EH} = -\left(-14\hat{\mathbf{j}}\right)$ N $= 14\hat{\mathbf{j}}$ N. Encontramos que el libro de física ejerce una fuerza ascendente de magnitud 14 N sobre el libro de historia. Tres fuerzas se ejercen sobre el libro de física: $\vec{\mathbf{F}}_{EP}$ debido a la Tierra, $\vec{\mathbf{F}}_{HP}$ debido al libro de historia, y $\vec{\mathbf{F}}_{DP}$ debido al escritorio. Dado que el libro de física pesa 18 N, $\vec{\mathbf{F}}_{EP} = -18\hat{\mathbf{j}}$ N. Por la tercera ley de Newton, $\vec{\mathbf{F}}_{HP} = -\vec{\mathbf{F}}_{PH}$, así que $\vec{\mathbf{F}}_{HP} = -14\hat{\mathbf{j}}$ N. La segunda ley de Newton aplicada al libro de física da $\sum \vec{\mathbf{F}} = \vec{\mathbf{0}}$, o $\vec{\mathbf{F}}_{DP} + \vec{\mathbf{F}}_{EP} + \vec{\mathbf{F}}_{HP} = \vec{\mathbf{0}}$, así que $\vec{\mathbf{F}}_{DP} = -\left(-18\hat{\mathbf{j}}\right) - \left(-14\hat{\mathbf{j}}\right) = 32\hat{\mathbf{j}}$ N. El escritorio ejerce una fuerza ascendente de 32 N sobre el libro de física. Para llegar a esta solución, aplicamos la segunda ley de Newton dos veces y la tercera ley de Newton una vez.

55. a. El diagrama de cuerpo libre de la polea 4:

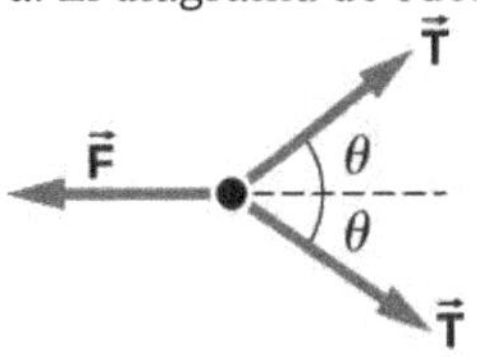

b. $T = mg, \quad F = 2T\cos\theta = 2mg\cos\theta$

57. a. $1{,}95\ \text{m/s}^2$

b. 1.960 N

59. a. $T = 1{,}96 \times 10^{-4}$ N;

b. $T' = 4{,}71 \times 10^{-4}$ N

$\frac{T'}{T} = 2{,}40$ por la tensión en el hilo vertical

61.

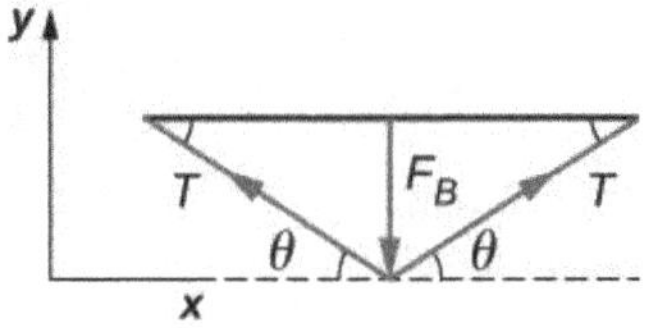

$F_{y\,neta} = F_{\perp} - 2T\ \text{sen}\,\theta = 0$

$F_{\perp} = 2T\text{sen}\,\theta$

$T = \frac{F_{\perp}}{2\ \text{sen}\,\theta}$

63. a. vea el Ejemplo 5.13; b. 1,5 N; c. 15 N

65. a. 5,6 kg; b. 55 N; c $T_2 = 60$ N;

d.

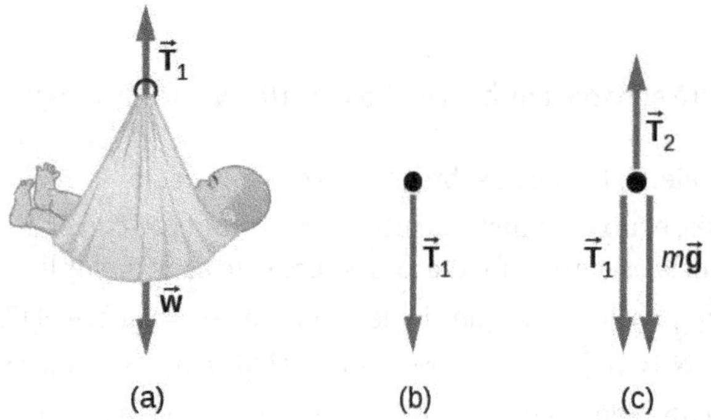

67. a. 4,9 m/s^2, 17 N; b. 9,8 N

69.

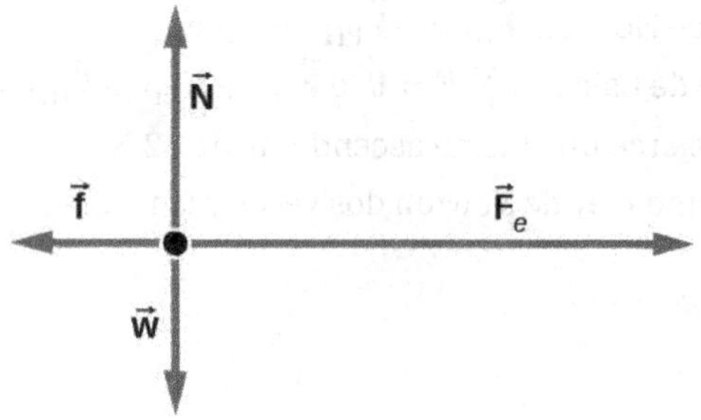

71.

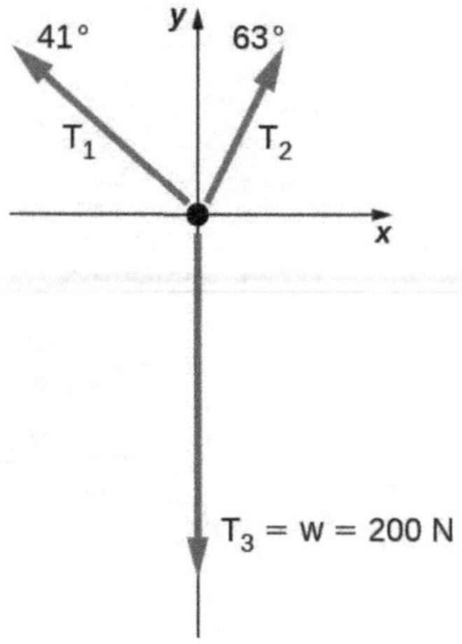

Problemas Adicionales

73. 5,90 kg

75.

77. a. $F_{\text{neta}} = \frac{m(v^2 - v_0{}^2)}{2x}$; b. 2590 N

79. $\vec{\mathbf{F}}_{\text{neta}} = \vec{\mathbf{F}}_1 + \vec{\mathbf{F}}_2 + \vec{\mathbf{F}}_3 = (6{,}02\hat{\mathbf{i}} + 14{,}0\hat{\mathbf{j}})\text{N}$

$\vec{\mathbf{F}}_{\text{neta}} = m\vec{\mathbf{a}} \Rightarrow \vec{\mathbf{a}} = \frac{\vec{\mathbf{F}}_{\text{neta}}}{m} = \frac{6{,}02\hat{\mathbf{i}}+14{,}0\hat{\mathbf{j}}\text{N}}{10{,}0\text{kg}} = (0{,}602\hat{\mathbf{i}} + 1{,}40\hat{\mathbf{j}})\text{m/s}^2$

81. $\vec{\mathbf{F}}_{\text{neta}} = \vec{\mathbf{F}}_A + \vec{\mathbf{F}}_B$

$\vec{\mathbf{F}}_{\text{neta}} = A\hat{\mathbf{i}} + \left(-1{,}41A\hat{\mathbf{i}} - 1{,}41A\hat{\mathbf{j}}\right)$

$\vec{\mathbf{F}}_{\text{neta}} = A\left(-0{,}41\hat{\mathbf{i}} - 1{,}41\hat{\mathbf{j}}\right)$

$\theta = 254°$

(Sumamos 180°, porque el ángulo está en el cuadrante IV).

83. $F = 2mk^2x^2$; En primer lugar, tome la derivada de la función de velocidad para obtener $a = 2kxv = 2kx\left(kx^2\right) = 2k^2x^3$. Luego aplique la segunda ley de Newton $F = ma = 2mk^2x^2$.

85. a. Para la caja A, $N_A = mg$ y $N_B = mg\cos\theta$; b. $N_A > N_B$ dado que para $\theta < 90°$, $\cos\theta < 1$; c. $N_A > N_B$ cuando $\theta = 10°$

87. a. 8,66 N; b. 0,433 m

89. 0,40 o 40 %

91. 16 N

Problemas De Desafío

93. a.

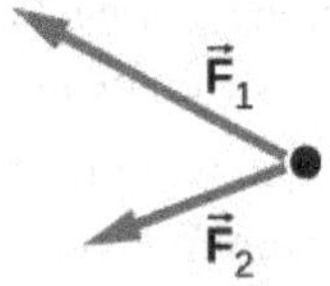

; b. No; $\vec{\mathbf{F}}_R$ no se muestra, porque sustituiría a $\vec{\mathbf{F}}_1$ y $\vec{\mathbf{F}}_2$ (si queremos mostrarla, podríamos dibujarla y luego colocar líneas onduladas en $\vec{\mathbf{F}}_1$ y $\vec{\mathbf{F}}_2$ para demostrar que ya no se tienen en cuenta).

95. a. 14,1 m/s; b. 601 N

97. $\frac{F}{m}t^2$

99. 936 N

101. $\vec{\mathbf{a}} = -248\hat{\mathbf{i}} - 433\hat{\mathbf{j}}\text{m/s}^2$

103. $0{,}548\ \text{m/s}^2$

105. a. $T_1 = \frac{2mg}{\operatorname{sen}\theta}$, $T_2 = \frac{mg}{\operatorname{sen}\left(\arctan\left(\frac{1}{2}\tan\theta\right)\right)}$, $T_3 = \frac{2mg}{\tan\theta}$; b. $\phi = \arctan\left(\frac{1}{2}\tan\theta\right)$; c. 2,56°; (d)

$x = d\left(2\cos\theta + 2\cos\left(\arctan\left(\frac{1}{2}\tan\theta\right)\right) + 1\right)$

107. a. $\vec{\mathbf{a}} = \left(\frac{5{,}00}{m}\hat{\mathbf{i}} + \frac{3{,}00}{m}\hat{\mathbf{j}}\right)\ \text{m/s}^2$; b. 1,38 kg; c. 21,2 m/s; d. $\vec{\mathbf{v}} = \left(18{,}1\hat{\mathbf{i}} + 10{,}9\hat{\mathbf{j}}\right)\ \text{m/s}^2$

109. a. $0{,}900\hat{\mathbf{i}} + 0{,}600\hat{\mathbf{j}}$ N; b. 1,08 N

Capítulo 6

Compruebe Lo Aprendido

6.1 $F_s = 645\ \text{N}$

6.2 $a = 3{,}68\ \text{m/s}^2$, $T = 18{,}4\ \text{N}$

6.3 $T = \frac{2m_1m_2}{m_1+m_2}g$ (Esto se encuentra al sustituir la ecuación de la aceleración en la Figura 6.7(a), en la ecuación de la tensión en la Figura 6.7(b)

6.4 1,49 s

6.5 49,4 grados
6.6 128 m; no
6.7 a. 4,9 N; b. 0,98 m/s^2
6.8 -0,23 m/s^2; el signo negativo indica que la surfista sobre nieve desacelera.
6.9 0,40
6.10 34 m/s
6.11 0,27 kg/m

Preguntas Conceptuales

1. La báscula está en caída libre junto con los astronautas, por lo que la lectura de la báscula sería 0. No hay diferencia en la ingravidez aparente; en el avión y en órbita, se produce la caída libre.
3. Si no se suelta el pedal de freno, las ruedas del auto se bloquearán para no rodar; ahora interviene la fricción por deslizamiento y el cambio brusco (debido a la mayor fuerza de fricción estática) provoca la sacudida.
5. 5,00 N
7. La fuerza centrípeta se define como cualquier fuerza neta que provoca un movimiento circular uniforme. La fuerza centrípeta no es un nuevo tipo de fuerza. La etiqueta "centrípeta" se refiere a *cualquier* fuerza que mantiene algo girando en un círculo. Esa fuerza puede ser la tensión, la gravedad, la fricción, la atracción eléctrica, la fuerza normal o cualquier otra fuerza. Cualquier combinación de ellas podría ser la fuente de la fuerza centrípeta; por ejemplo, la fuerza centrípeta en la parte superior de la trayectoria de un balón atado a un poste (*tether ball*) que se balancea a través de un círculo vertical es el resultado tanto de la tensión como de la gravedad.
9. El conductor que corta la curva (en la Trayectoria 2) tiene una curva más gradual, con un radio mayor. Esa será la mejor línea de carrera. Si el conductor va demasiado rápido en una curva por una línea de carrera, seguirá deslizándose fuera de la pista; la clave es mantenerse en el valor máximo de fricción estática. Por lo tanto, el conductor quiere la máxima rapidez posible y la máxima fricción. Considere la ecuación de la fuerza centrípeta: $F_c = m\frac{v^2}{r}$ donde *v* es la rapidez y *r* es el radio de curvatura. Por lo tanto, al disminuir la curvatura ($1/r$) de la trayectoria que sigue el auto, reducimos la cantidad de fuerza que los neumáticos tienen que ejercer sobre la carretera, lo que significa que ahora podemos aumentar la rapidez, *v*. Desde el punto de vista del conductor en la Trayectoria 1, podemos razonar de la siguiente manera: cuanto más pronunciado sea el giro, menor será el radio de giro; cuanto menor sea el radio de giro, mayor será la fuerza centrípeta necesaria. Si no se ejerce esta fuerza centrípeta, el resultado es un derrape.
11. El tambor de la secadora ejerce una fuerza centrípeta sobre la ropa (incluidas las gotas de agua) para mantenerla en movimiento en una trayectoria circular. Cuando una gota de agua llegue a uno de los agujeros del tambor, se moverá en una trayectoria tangente al círculo.
13. Si no hay fricción, entonces no hay fuerza centrípeta. Esto significa que la fiambrera se moverá a lo largo de una trayectoria tangente al círculo, y por lo tanto sigue la trayectoria *B*. El rastro de polvo será recto. Esto es el resultado de la primera ley del movimiento de Newton.
15. Debe haber una fuerza centrípeta para mantener el movimiento circular; esto lo proporciona el clavo en el centro. La tercera ley de Newton explica el fenómeno. La fuerza de acción es la fuerza de la cuerda sobre la masa; la fuerza de reacción es la fuerza de la masa sobre la cuerda. Esta fuerza de reacción hace que la cuerda se estire.
17. Como la fricción radial con los neumáticos suministra la fuerza centrípeta, y la fricción es casi 0 cuando el auto se encuentra con el hielo, el auto obedecerá la primera ley de Newton y se saldrá de la carretera en una trayectoria en línea recta, tangente a la curva. Un error común es que el auto seguirá una trayectoria curva fuera de la carretera.
19. Anna tiene razón. El satélite cae libremente hacia la Tierra debido a la gravedad, aunque la gravedad es más débil a la altura del satélite, y *g* no es 9,80 m/s^2. La caída libre no depende del valor de *g*; es decir, se podría experimentar la caída libre en Marte si se saltara desde el monte Olimpo (el volcán más alto del sistema solar).
21. Entre los pros de usar trajes de cuerpo entero se encuentran: (1) el traje de cuerpo entero reduce la fuerza de arrastre sobre el nadador y el deportista puede moverse con más facilidad; (2) la estrechez del traje de

cuerpo entero reduce el área del deportista, y aunque sea una cantidad pequeña, puede marcar la diferencia en el tiempo de rendimiento. Los contras de usar trajes de cuerpo entero son: (1) la estrechez de los trajes puede provocar calambres y problemas respiratorios. (2) Se retendrá el calor y, por ende, el atleta podría sobrecalentarse durante mucho tiempo de uso.

23. El aceite es menos denso que el agua, por lo que sube a la superficie cuando cae una lluvia ligera y se acumula en la carretera. Esto crea una situación peligrosa en la que la fricción disminuye considerablemente, por lo que el auto puede perder el control. En caso de lluvia intensa, el aceite se dispersa y no afecta tanto al movimiento de los autos.

Problemas

25. a. 170 N; b. 170 N

27. $\vec{\mathbf{F}}_3 = (-7\hat{\mathbf{i}} + 2\hat{\mathbf{j}} + 4\hat{\mathbf{k}})\,\mathrm{N}$

29. 376 N que apunten hacia arriba (a lo largo de la línea discontinua en la figura); la fuerza se utiliza para levantar el talón del pie.

31. -68,5 N

33. a. $7{,}70\ \mathrm{m/s^2}$; b. 4,33 s

35. a. 46,4 m/s; b $2{,}40 \times 10^3\ \mathrm{m/s^2}$; c. $5{,}99 \times 10^3$ N; razón de 245

37. a. $1{,}87 \times 10^4$ N; b. $1{,}67 \times 10^4$ N; c. $1{,}56 \times 10^4$ N; d. 19,4 m, 0 m/s

39. a. 10 kg; b. 140 N; c. 98 N; d. 0

41. a. $3{,}35\ \mathrm{m/s^2}$; b. 4,2 s

43. a. $2{,}0\ \mathrm{m/s^2}$; b. 7,8 N; c. 2,0 m/s

45. a. $4{,}43\ \mathrm{m/s^2}$ (la masa 1 acelera por la rampa mientras la masa 2 cae con la misma aceleración); b. 21,5 N

47. a. 10,0 N; b. 97,0 N

49. a. $4{,}9\ \mathrm{m/s^2}$; b. El armario no se deslizará. c. El armario se deslizará.

51. a. 32,3 N, 35,2°; b. 0; c. $0{,}301\ \mathrm{m/s^2}$ en dirección a $\vec{\mathbf{F}}_{\mathrm{tot}}$

53.
$$\begin{aligned} \text{neta } F_y &= 0 \Rightarrow N = mg\cos\theta \\ \text{neta } F_x &= ma \\ a &= g(\operatorname{sen}\theta - \mu_{\mathrm{k}}\cos\theta) \end{aligned}$$

55. a. $0{,}737\ \mathrm{m/s^2}$; b. 5,71°

57. a. $10{,}8\ \mathrm{m/s^2}$; b. $7{,}85\ \mathrm{m/s^2}$; c. $2{,}00\ \mathrm{m/s^2}$

59. a. $9{,}09\ \mathrm{m/s^2}$; b. $6{,}16\ \mathrm{m/s^2}$; c. $0{,}294\ \mathrm{m/s^2}$

61. a. 272 N, 512 N; b. 0,268

63. a. 46,5 N; b. $0{,}629\ \mathrm{m/s^2}$

65. a. 483 N; b. 17,4 N; c. 2,24, 0,0807

67. 4,14°

69. a. 24,6 m; b $36{,}6\ \mathrm{m/s^2}$; c. 3,73 por g

71. a. 16,2 m/s; b. 0,234

73. a. 179 N; b. 290 N; c. 8,3 m/s

75. 20,7 m/s

77. 21 m/s

79. 115 m/s o 414 km/h

81. $v_{\mathrm{T}} = 11{,}8\ \mathrm{m/s}; v_2 = 9{,}9\ \mathrm{m/s}$

83. $\left(\frac{110}{65}\right)^2 = 2{,}86$ veces

85. La ley de Stokes es $F_{\mathrm{s}} = 6\pi r\eta v$. Al resolver la viscosidad, $\eta = \frac{F_{\mathrm{s}}}{6\pi r v}$. Considerando solo las unidades, esto se convierte en $[\eta] = \frac{\mathrm{kg}}{\mathrm{m\cdot s}}$.

87. $0{,}76\ \mathrm{kg/m\cdot s}$

89. a. 0,049 kg/s; b. 0,57 m

Problemas Adicionales

91. a. 1.860 N, 2,53; b. El valor (1.860 N) es más fuerza de la que se espera experimentar en un elevador. La fuerza de 1.860 N es de 418 libras, comparada con la fuerza en un elevador típico de 904 N (que son unas 203 libras); esto se calcula para una velocidad de 0 a 10 millas por hora, que son unos 4,5 m/s, en 2,00 s). c. La aceleración $a = 1{,}53 \times g$ es mucho más alta que cualquier elevador estándar. ¡La rapidez final es demasiado grande (30,0 m/s es MUY rápido)! El tiempo de 2,00 s no es poco razonable para un elevador.

93. 199 N
95. 15 N
97. 12 N
99. $a_x = 0{,}40\,\text{m/s}^2$ y $T = 11{,}2 \times 10^3$ N
101. $m(6pt + 2q)$
103. $\vec{\mathbf{v}}(t) = \left(\frac{pt}{m} + \frac{nt^2}{2m}\right)\hat{\mathbf{i}} + \left(\frac{qt^2}{2m}\right)\hat{\mathbf{j}}$ y $\vec{\mathbf{r}}(t) = \left(\frac{pt^2}{2m} + \frac{nt^3}{6m}\right)\hat{\mathbf{i}} + \left(\frac{qt^3}{6m}\right)\hat{\mathbf{j}}$
105. 9,2 m/s
107. 1,3 s
109. $3{,}5\,\text{m/s}^2$
111. a. 0,75; b. 1.200 N; c $1{,}2\,\text{m/s}^2$ y 1080 N; d. $-1{,}2\,\text{m/s}^2$; e. 120 N
113. 0,789
115. a. 0,186 N; b. 0,774 N; c. 0,48 N
117. 13 m/s
119. 0,21
121. a. 28.300 N; b. 2540 m
123. 25 N
125. $a = \frac{F}{4} - \mu_k g$
127. 11 m

Problemas De Desafío

129. $v = \sqrt{v_0{}^2 - 2gr_0\left(1 - \frac{r_0}{r}\right)}$
131. 78,7 m
133. a. 98 m/s; b. 490 m; c. 107 m/s; d. 9,6 s
135. a. $v = 20{,}0(1 - e^{-0{,}01t})$; b. $v_{\text{límite}} = 20\,\text{m/s}$

Capítulo 7

Compruebe Lo Aprendido

7.1 No, solo su magnitud puede ser constante; su dirección debe cambiar, para ser siempre opuesta al desplazamiento relativo a lo largo de la superficie.
7.2 No, solo es aproximadamente constante cerca de la superficie de la Tierra.
7.3 $W = 35\,\text{J}$
7.4 a. La fuerza del resorte es de sentido contrario a una compresión (como lo es para una extensión), por lo que el trabajo que realiza es negativo. b. El trabajo realizado depende del cuadrado del desplazamiento, que es el mismo para $x = \pm 6\,\text{cm}$, por lo que la magnitud es de 0,54 J.
7.5 a. el auto; b. el camión
7.6 contra
7.7 $\sqrt{3}\,\text{m/s}$
7.8 980 W

Preguntas Conceptuales

1. Cuando se empuja la pared, esto "se siente" como trabajo; sin embargo, no hay desplazamiento, por lo que no hay trabajo físico. Se consume energía, pero no se transfiere.
3. Si sigue empujando una pared sin atravesarla, sigue ejerciendo una fuerza sin desplazamiento, por lo que no se realiza ningún trabajo.

5. El desplazamiento total de la pelota es cero, por lo que no se realiza ningún trabajo.
7. Ambas requieren el mismo trabajo gravitatorio, pero las escaleras permiten a Tarzán realizar este trabajo durante un tiempo más prolongado y, por ende, ejercer gradualmente su energía, en lugar de hacerlo de forma drástica subiendo a una liana.
9. La primera partícula tiene una energía cinética de $4(\frac{1}{2}mv^2)$ mientras que la segunda partícula tiene una energía cinética de $2(\frac{1}{2}mv^2)$, por lo que la primera partícula tiene el doble de energía cinética que la segunda.
11. El cortacésped ganaría energía si $-90° < \theta < 90°$. Perdería energía si $90° < \theta < 270°$. El cortacésped también puede perder energía debido a la fricción con la hierba mientras se empuja; sin embargo, no nos preocupa esa pérdida de energía para este problema.
13. La segunda canica tiene el doble de energía cinética que la primera porque la energía cinética es directamente proporcional a la masa, como el trabajo realizado por la gravedad.
15. A menos que el ambiente sea casi sin fricción, está haciendo algún trabajo positivo en el entorno para cancelar el trabajo de fricción contra usted, lo que resulta en un trabajo total cero, que produce una velocidad constante.
17. Los aparatos se clasifican en función de la energía consumida en un intervalo de tiempo relativamente pequeño. No importa el tiempo que el aparato esté encendido, sino la tasa de cambio de energía por unidad de tiempo.
19. La chispa se produce en un lapso relativamente corto, por lo que proporciona una cantidad muy baja de energía a su cuerpo.
21. Si la fuerza es antiparalela o apunta en dirección opuesta a la velocidad, la potencia gastada puede ser negativa.

Problemas

23. 3,00 J
25. a. 593 kJ; b. -589 kJ; c. 0 J
27. 3,14 kJ
29. a. -700 J; b. 0 J; c. 700 J; d. 38,6 N; e. 0 J
31. 100 J
33. a. 2,45 J; b. - 2,45 J; c. 0 J
35. a. 2,22 kJ; b. -2,22 kJ; c. 0 J
37. 18,6 kJ
39. a. 2,32 kN; b. 22,0 kJ
41. 835 N
43. 257 J
45. a. 1,47 m/s; b. las respuestas pueden variar
47. a. 772 kJ; b. 4,0 kJ; c. $1{,}8 \times 10^{-16}$ J
49. a. 2,6 kJ; b. 640 J
51. 2,72 kN
53. 102 N
55. 2,8 m/s
57. $W(\text{bala}) = 20 \times W(\text{caja})$
59. 12,8 kN
61. 0,25
63. a. 24 m/s, -4,8 m/s^2; b. 29,4 m
65. 310 m/s
67. a. 40; b. 8 millones
69. $149
71. a. 208 W; b. 141 s
73. a. 3,20 s; b. 4,04 s
75. a. 224 s; b. 24,8 MW; c. 49,7 kN
77. a. 1,57 kW; b. 6,28 kW

79. 6,83μW
81. a. 8,51 J; b. 8,51 W
83. 1,7 kW

Problemas Adicionales

85. 15 N · m
87. 39 N · m
89. a. 208 N · m; b. 240 N · m
91. a. -0,9 N · m; b. −0,83 N · m
93. a. 10. J; b. 10. J; c. 380 N/m
95. 160 J/s
97. a. 10 N; b. 20 W

Problemas De Desafío

99. Si la caja sube: a. 3,46 kJ; b. -1,89 kJ; c. -1,57 kJ; d. 0; Si la caja baja: a. -0,39 kJ; b. -1,18 kJ; c. 1,57 kJ; d. 0
101. 8,0 J
103. 35,7 J
105. 24,3 J
107. a. 40 hp; b. 39,8 MJ, independientemente de la rapidez; c. 80 hp, 79,6 MJ a 30 m/s; d. Si la resistencia del aire es proporcional a la rapidez, el auto obtiene alrededor de 22 mpg a 34 mph y la mitad de eso al doble de rapidez, más cerca de la experiencia de conducción real.

Capítulo 8

Compruebe Lo Aprendido

8.1 (4,63 J) − (−2,38 J) = 7,00 J
8.2 35,3 kJ, 143 kJ, 0
8.3 22,8 cm. Utilizando 0,02 m para el desplazamiento inicial del resorte (vea más arriba), calculamos que el desplazamiento final del resorte es de 0,028 m; por lo tanto, la longitud del resorte es la longitud sin estirar más el desplazamiento, es decir, 22,8 cm.
8.4 Aumenta porque ha tenido que ejercer una fuerza hacia abajo, haciendo un trabajo positivo, para empujar la masa hacia abajo, y eso es igual al cambio en la energía potencial total.
8.5 2,83 N
8.6 $F = 4{,}8$ N, dirigida hacia el origen
8.7 0,033 m
8.8 b. A cualquier altura, la energía potencial gravitacional es la misma subiendo o bajando, pero la energía cinética es menor bajando que subiendo, ya que la resistencia del aire es disipativa y realiza un trabajo negativo. Por lo tanto, a cualquier altura, la velocidad de bajada es menor que la de subida, por lo que debe tardar más tiempo en bajar que en subir.
8.9 constante $U(x) = -1$ J
8.10 a. sí, movimiento limitado a $-1{,}055\text{ m} \le x \le 1{,}055\text{ m}$; b. mismos puntos de equilibrio y tipos que en el ejemplo
8.11 $x(t) = \pm\sqrt{(2E/k)}\,\text{sen}\left[\left(\sqrt{k/m}\right)t\right]$ y $v_0 = \pm\sqrt{(2E/m)}$

Preguntas Conceptuales

1. La energía potencial de un sistema puede ser negativa porque su valor es relativo a un punto definido.
3. Si el punto de referencia del suelo es una energía potencial gravitacional cero, la jabalina aumenta primero su energía potencial gravitacional, seguida de una disminución de su energía potencial gravitacional a medida que se lanza hasta que toca el suelo. El cambio global en la energía potencial gravitacional de la jabalina es cero, a menos que el centro de masa de la jabalina esté más bajo que desde donde se lanza inicialmente, y por lo tanto tendría un poco menos de energía potencial gravitacional.

5. la altura vertical desde el suelo hasta el objeto
7. Una fuerza que quita energía al sistema y que no se puede recuperar si invertimos la acción.
9. El cambio de energía cinética es el trabajo neto. Ya que las fuerzas conservativas son independientes de la trayectoria, cuando se vuelve al mismo punto las energías cinética y potencial son exactamente las mismas que al principio. Durante el viaje la energía total se conserva. Sin embargo, tanto la energía potencial como la cinética cambian.
11. El auto experimenta un cambio en la energía potencial gravitacional a medida que va cuesta abajo porque la distancia vertical disminuye. El trabajo realizado por la fricción sustraerá parte de este cambio de energía potencial gravitacional. El resto de la energía se traduce en un aumento de la energía cinética, lo que hace que el auto vaya más rápido. Por último, el auto frena y pierde su energía cinética por el trabajo realizado al frenar hasta detenerse.
13. Afirma que la energía total del sistema E se conserva mientras no haya fuerzas no conservativas que actúen sobre el objeto.
15. Aplica energía al sistema a través de sus piernas al comprimir y expandir.
17. Cuatro veces la altura original duplicaría la velocidad de impacto.

Problemas

19. 40.000
21. a. −200 J; b. −200 J; c. −100 J; d. −300 J
23. a. 0,068 J; b. −0,068 J; c. 0,068 J; d. 0,068 J; e. −0,068 J; f. 46 cm
25. −120 J
27. a. $\left(\frac{2a}{b}\right)^{1/6}$; b. 0; c. $\sim x^6$
29. 14 m/s
31. 14 J
33. prueba
35. 9,7 m/s
37. 39 m/s
39. 1.900 J
41. -39 J
43. 3,5 cm
45. $10x$ con el eje de la x apuntando hacia fuera de la pared y el origen en la pared
47. 4,6 m/s
49. a. 5,6 m/s; b. 5,2 m/s; c. 6,4 m/s; d. no; e. sí
51. a.

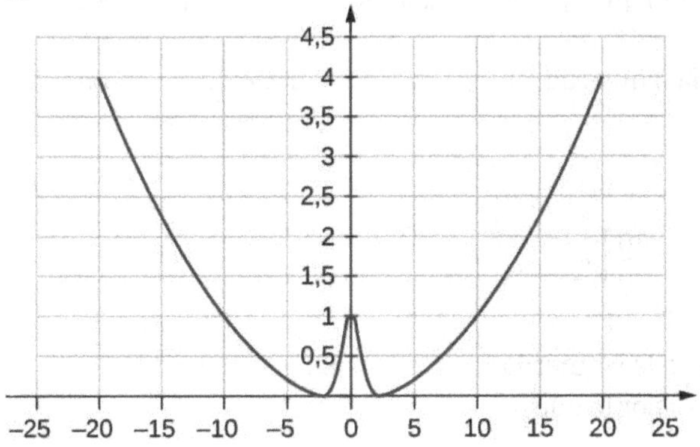

donde $k = 0{,}02$, $A = 1$, $\alpha = 1$; b. $F = kx - \alpha x A e^{-\alpha x^2}$; c. La energía potencial en $x = 0$ deberá ser menor que la energía cinética más la potencial en $x = a$ o $A \leq \frac{1}{2}mv^2 + \frac{1}{2}ka^2 + Ae^{-\alpha a^2}$. Resolviendo esto para A coincide con los resultados en el problema.
53. 8.700 N/m
55. a. 70,6 m/s; b. 69,9 m/s

57. a. 180 N/m; b. 11 m
59. a. 9,8 × 10^3 J; b. 1,4 × 10^3 J; c. 14 m/s
61. a. 47,6 m; b. 1,88 × 10^5 J; c. 373 N
63. 33,9 cm
65. a. Cero, ya que la energía total del sistema es cero y la energía cinética en el punto más bajo es cero; b. -0,038 J; c. 0,62 m/s
67. 42 cm

Problemas Adicionales

69. -0,44 J
71. 3,6 m/s
73. $bD^4/4$
75. prueba
77. a. $\sqrt{\frac{2m^2gh}{k(m+M)}}$; b. $\frac{mMgh}{m+M}$
79. a. 2,24 m/s; b. 1,94 m/s; c. 1,94 m/s
81. 18 m/s
83. $v_A = 24$ m/s; $v_B = 14$ m/s; $v_C = 31$ m/s
85. a. La pérdida de energía es 240 N · m; b. $F = 8$ N
87. 89,7 m/s
89. 32 J

Capítulo 9

Compruebe Lo Aprendido

9.1 Para alcanzar una rapidez final de $v_f = \frac{1}{4}\left(3{,}0 \times 10^8 \text{ m/s}\right)$ a una aceleración de $10g$, el tiempo requerido es

$$10g = \frac{v_f}{\Delta t}$$

$$\Delta t = \frac{v_f}{10g} \frac{\frac{1}{4}\left(3{,}0 \times 10^8 \text{ m/s}\right)}{10g} = 7{,}7 \times 10^5 \text{ s} = 8{,}9 \text{ d}$$

9.2 Si el teléfono rebota hacia arriba aproximadamente a la misma rapidez inicial que su rapidez de impacto, el cambio de momento del teléfono será $\Delta\vec{\mathbf{p}} = m\Delta\vec{\mathbf{v}} - \left(-m\Delta\vec{\mathbf{v}}\right) = 2m\Delta\vec{\mathbf{v}}$. Esto supone el doble de cambio de momento que cuando el teléfono no rebota, por lo que el teorema del momento-impulso nos indica que hay que aplicar más fuerza al teléfono.

9.3 Si el carro más pequeño rodara a 1,33 m/s hacia la izquierda, entonces la conservación del momento da

$$\begin{aligned}(m_1 + m_2)\vec{\mathbf{v}}_\mathbf{f} &= m_1 v_1 \hat{\mathbf{i}} - m_2 v_2 \hat{\mathbf{i}} \\ \vec{\mathbf{v}}_\mathbf{f} &= \left(\frac{m_1 v_1 - m_2 v_2}{m_1 + m_2}\right)\hat{\mathbf{i}} \\ &= \left[\frac{(0{,}675 \text{ kg})(0{,}75 \text{ m/s}) - (0{,}500 \text{ kg})(1{,}33 \text{ m/s})}{1{,}175 \text{ kg}}\right]\hat{\mathbf{i}} \\ &= -(0{,}135 \text{ m/s})\,\hat{\mathbf{i}}\end{aligned}$$

Por lo tanto, la velocidad final es de 0,135 m/s hacia la izquierda.

9.4 Si la pelota no rebota, su momento final $\vec{\mathbf{p}}_2$ es cero, por lo que

$$\begin{aligned}\Delta\vec{\mathbf{p}} &= \vec{\mathbf{p}}_2 - \vec{\mathbf{p}}_1 \\ &= (0)\,\hat{\mathbf{j}} - (-1{,}4 \text{ kg} \cdot \text{m/s})\,\hat{\mathbf{j}} \\ &= +(1{,}4 \text{ kg} \cdot \text{m/s})\,\hat{\mathbf{j}}\end{aligned}$$

9.5 Consideremos la teoría del momento impulso, que es $\vec{J} = \Delta\vec{p}$. Si $\vec{J} = 0$, tenemos la situación descrita en el ejemplo. Si una fuerza actúa sobre el sistema, entonces $\vec{J} = \vec{F}_{\text{ave}}\Delta t$. Así, en lugar de $\vec{\mathbf{p}}_f = \vec{\mathbf{p}}_i$, tenemos

$$\vec{F}_{\text{ave}}\Delta t = \Delta\vec{p} = \vec{p}_f - \vec{p}_i$$

donde $\vec{\mathbf{F}}_{\text{ave}}$ es la fuerza debida a la fricción.

9.6 El impulso es el cambio de momento multiplicado por el tiempo necesario para que se produzca el cambio. Por conservación del momento, los cambios de momento de la sonda y el momento son de la misma magnitud, pero en direcciones opuestas, y el tiempo de interacción para cada uno es también el mismo. Por consiguiente, el impulso que recibe cada uno es de la misma magnitud, pero en direcciones opuestas. Ya que actúan en direcciones opuestas, los impulsos no son los mismos. En cuanto al impulso, la fuerza sobre cada cuerpo actúa en direcciones opuestas, por lo que las fuerzas sobre cada uno no son iguales. Sin embargo, el cambio en la energía cinética difiere para cada uno, porque la colisión no es elástica.

9.7 Esta solución representa el caso en el que no se produce ninguna interacción: el primer disco no alcanza al segundo y continúa con una velocidad de 2,5 m/s hacia la izquierda. Este caso no ofrece ninguna perspectiva física significativa.

9.8 Si la fricción que actúa sobre el auto es cero, entonces seguirá deslizándose indefinidamente ($d \to \infty$), por lo que no podemos utilizar el teorema de trabajo-energía cinética como se hace en el ejemplo. Así, no pudimos resolver el problema a partir de la información proporcionada.

9.9 Si las velocidades iniciales no estuvieran en ángulo recto, habría que expresar una o ambas velocidades en forma de componentes. El análisis matemático del problema sería algo más complicado, pero el resultado físico no cambiaría.

9.10 El volumen de un tanque de buceo es de unos 11 L. Suponiendo que el aire es un gas ideal, el número de moléculas de gas en el tanque es

$$\begin{aligned} PV &= NRT \\ N &= \frac{PV}{RT} = \frac{(2.500\ \text{psi})\left(0{,}011\ \text{m}^3\right)}{(8{,}31\ \text{J/mol·K})(300\ \text{K})}\left(\frac{6894{,}8\ \text{Pa}}{1\ \text{psi}}\right) \\ &= 7{,}59 \times 10^1\ \text{mol} \end{aligned}$$

La masa molecular media del aire es de 29 g/mol, por lo que la masa de aire contenida en el tanque es de unos 2,2 kg. Esto es unas 10 veces menos que la masa del tanque, por lo que es seguro descartarlo. Además, la fuerza inicial de la presión del aire es aproximadamente proporcional a la superficie de cada pedazo, que a su vez es proporcional a la masa de cada pedazo (suponiendo un grosor uniforme). Así, la aceleración inicial de cada pedazo cambiaría muy poco si consideramos explícitamente el aire.

9.11 El radio medio de la órbita de la Tierra alrededor del Sol es $1{,}496 \times 10^9$ m. Tomando el Sol como origen, y al observar que la masa del Sol es aproximadamente la misma que las masas del Sol, la Tierra y la Luna combinadas, el centro de masa del sistema Tierra + Luna y el Sol es

$$\begin{aligned} R_{\text{CM}} &= \frac{m_{\text{Sol}} R_{\text{Sol}} + m_{\text{em}} R_{\text{em}}}{m_{\text{Sol}}} \\ &= \frac{\left(1{,}989 \times 10^{30}\ \text{kg}\right)(0) + \left(5{,}97 \times 10^{24}\ \text{kg} + 7{,}36 \times 10^{22}\ \text{kg}\right)\left(1{,}496 \times 10^9\ \text{m}\right)}{1{,}989 \times 10^{30}\ \text{kg}} \\ &= 4{,}6\ \text{km} \end{aligned}$$

Así, el centro de masa del sistema Sol, Tierra, Luna está a 4,6 km del centro del Sol.

9.12 A escala macroscópica, el tamaño de una celda unitaria es despreciable y se puede considerar que la masa del cristal se distribuye homogéneamente por todo el cristal. Así,

$$\vec{\mathbf{r}}_{\text{CM}} = \frac{1}{M}\sum_{j=1}^{N} m_j \vec{r}_j = \frac{1}{M}\sum_{j=1}^{N} m\vec{r}_j = \frac{m}{M}\sum_{j=1}^{N} \vec{r}_j = \frac{Nm}{M}\,\frac{\sum_{j=1}^{N} \vec{r}_j}{N}$$

donde sumamos sobre el número N de celdas unitarias en el cristal y m es la masa de una celda unitaria. Como $Nm = M$, podemos escribir

$$\vec{\mathbf{r}}_{\text{CM}} = \frac{m}{M}\sum_{j=1}^{N} \vec{r}_j = \frac{Nm}{M}\,\frac{\sum_{j=1}^{N} \vec{r}_j}{N} = \frac{1}{N}\sum_{j=1}^{N} \vec{r}_j.$$

Esta es la definición del centro geométrico del cristal, por lo que el centro de masa está en el mismo punto que el centro geométrico.

9.13 Las explosiones serían esencialmente esféricamente simétricas, porque la gravedad no actuaría para distorsionar las trayectorias de los proyectiles en expansión.

9.14 La notación m_g representa la masa del combustible y m la masa del cohete más la masa inicial del combustible. Observe que m_g cambia con el tiempo, por lo que la escribimos como $m_g\,(t)$. Utilizando m_R como la masa del cohete sin combustible, la masa total del cohete más el combustible es $m = m_R + m_g\,(t)$. La diferenciación con respecto al tiempo da como resultado
$\frac{dm}{dt} = \frac{dm_R}{dt} + \frac{dm_g(t)}{dt} = \frac{dm_g(t)}{dt}$
donde utilizamos $\frac{dm_R}{dt} = 0$ porque la masa del cohete no cambia. Así, la tasa de cambio de la masa del cohete es la misma que la del combustible.

Preguntas Conceptuales

1. Dado que $K = p^2/2m$, entonces, si el momento es fijo, el objeto con menor masa tiene más energía cinética.

3. Sí; el impulso es la fuerza aplicada multiplicada por el tiempo durante el cual se aplica ($J = F\Delta t$), por lo que, si una fuerza pequeña actúa durante mucho tiempo, puede dar lugar a un impulso mayor que una fuerza grande que actúe durante poco tiempo.

5. Mediante la fricción, la carretera ejerce una fuerza horizontal sobre los neumáticos, lo que modifica el momento del auto.

7. El momento se conserva cuando la masa del sistema de interés permanece constante durante la interacción en cuestión y cuando ninguna fuerza externa *neta* actúa sobre el sistema durante la interacción.

9. Para acelerar las moléculas de aire en la dirección del movimiento del auto, este deberá ejercer una fuerza sobre estas moléculas por la segunda ley de Newton $\vec{F} = d\vec{p}/dt$. Según la tercera ley de Newton, las moléculas de aire ejercen una fuerza de igual magnitud, aunque en sentido contrario sobre el auto. Esta fuerza actúa en la dirección opuesta al movimiento del auto y constituye la fuerza debida a la resistencia del aire.

11. No, no es un sistema cerrado porque una fuerza externa neta diferente de cero actúa sobre este en forma de bloques de partida que empujan sus pies.

13. Sí, toda la energía cinética puede perderse si las dos masas entran en reposo debido a la colisión (es decir, se pegan).

15. El ángulo entre las direcciones debe ser de 90°. Cualquier sistema que tenga una fuerza externa neta de cero en una dirección y una fuerza externa neta diferente de cero en una dirección perpendicular satisfará estas condiciones.

17. Sí, la rapidez del cohete puede superar la de los gases que expulsa. El empuje del cohete no depende de las velocidades relativas de los gases y del cohete, simplemente depende de la conservación del momento.

Problemas

19. a. magnitud: $25\ \text{kg} \cdot \text{m/s}$; b. igual que a.

21. $1{,}78 \times 10^{29}\ \text{kg} \cdot \text{m/s}$

23. $1{,}3 \times 10^{9}\ \text{kg} \cdot \text{m/s}$

25. a. $1{,}50 \times 10^{6}$ N; b. $1{,}00 \times 10^{5}$ N

27. $4{,}69 \times 10^{5}$ N

29. $2{,}10 \times 10^{3}$ N

31. $\vec{\mathbf{p}}(t) = \left(10\hat{\mathbf{i}} + 20t\hat{\mathbf{j}}\right) \text{kg} \cdot \text{m/s}; \vec{\mathbf{F}} = (20\ \text{N})\,\hat{\mathbf{j}}$

33. Supongamos que el eje de la x positiva está en la dirección del momento original. Entonces $p_x = 1{,}5\ \text{kg} \cdot \text{m/s}$ y $p_y = 7{,}5\ \text{kg} \cdot \text{m/s}$

35. $(0{,}122\ \text{m/s})\hat{\mathbf{i}}$

37. a. 47 m/s en la dirección de la bala al bloque; b.70,6 N · s, hacia la bala; c. 70,6 N · s, hacia el bloque; d. la magnitud es $2{,}35 \times 10^{4}$ N

39. 2:5

41. 5,9 m/s

43. a. 6,80 m/s, 5,33°; b. sí (calcule la relación entre las energías cinéticas inicial y final)

45. 2,5 cm
47. la rapidez del auto de choque de adelante es de 6,00 m/s y la del auto de choque que lo sigue es de 5,60 m/s
49. 6,6 %
51. 1,8 m/s
53. 22,1 m/s a 32,2° por debajo de la horizontal
55. a. 33 m/s y 110 m/s; b. 57 m; c. 480 m
57. $(732\ \text{m/s})\,\hat{\mathbf{i}} + (-79{,}6\ \text{m/s})\,\hat{\mathbf{j}}$
59. $-(0{,}21\ \text{m/s})\,\hat{\mathbf{i}} + (0{,}25\ \text{m/s})\,\hat{\mathbf{j}}$
61. 341 m/s a 86,8° con respecto al eje $\hat{\mathbf{i}}$.
63. Con el origen definido en la posición de la masa de 150 g, $x_{CM} = -1{,}23\text{cm}$ y $y_{CM} = 0{,}69\text{cm}$
65. $y_{CM} = \begin{cases} \frac{h}{2} - \frac{1}{4}gt^2, & t < T \\ h - \frac{1}{2}gt^2 - \frac{1}{4}gT^2 + \frac{1}{2}gtT, & t \geq T \end{cases}$
67. a. $R_1 = 4\ \text{m}$, $R_2 = 2\ \text{m}$; b. $X_{CM} = \frac{m_1x_1+m_2x_2}{m_1+m_2}$, $Y_{CM} = \frac{m_1y_1+m_2y_2}{m_1+m_2}$; c. sí, con $R = \frac{1}{m_1+m_2}\sqrt{16m_1^2 + 4m_2^2}$
69. $x_{cm} = \frac{3}{4}\,L\left(\frac{\rho_1+\rho_0}{\rho_1+2\rho_0}\right)$
71. $\left(\frac{2a}{3}, \frac{2b}{3}\right)$
73. $(x_{CM}, y_{CM}, z_{CM}) = (0.0, h/4)$
75. $(x_{CM}, y_{CM}, z_{CM}) = (0, 4R/(3\pi), 0)$
77. (a) 0,413 m/s, (b) aproximadamente 0,2 J
79. 1.551 kg
81. 4,9 km/s

Problemas Adicionales

84. El elefante tiene un mayor momento.
86. Las respuestas pueden variar. La primera cláusula es verdadera, pero la segunda cláusula no es verdadera en general porque la velocidad de un objeto con una masa pequeña puede ser lo suficientemente grande como para que el momento del objeto sea mayor que el de un objeto de mayor masa con una velocidad menor.
88. $4{,}5 \times 10^3\ \text{N}$
90. $\vec{\mathbf{J}} = \int_0^{\tau} \left[m\vec{g} - m\vec{g}\left(1 - e^{-bt/m}\right)\right] dt = \frac{m^2}{b}\vec{g}\left(e^{-b\tau/m} - 1\right)$
92. a. $-\left(2{,}1 \times 10^3\ \text{kg}\cdot\text{m/s}\right)\hat{\mathbf{i}}$, b. $-\left(24 \times 10^3\ \text{N}\right)\hat{\mathbf{i}}$
94. a. $\left(1{,}1 \times 10^3\ \text{kg}\cdot\text{m/s}\right)\hat{\mathbf{i}}$, b. $(0{,}010\ \text{kg}\cdot\text{m/s})\,\hat{\mathbf{i}}$, c. $-(0{,}00093\ \text{m/s})\,\hat{\mathbf{i}}$, d. $-(0{,}0012\ \text{m/s})\,\hat{\mathbf{i}}$
96. $-(7{,}2\ \text{m/s})\,\hat{\mathbf{i}}$
98. $v_{1,\text{f}} = v_{1,\text{i}}\frac{m_1-m_2}{m_1+m_2}$, $v_{2,\text{f}} = v_{1,\text{i}}\frac{2m_1}{m_1+m_2}$
100. 2,8 m/s
102. 0,094 m/s
104. la velocidad final de la bola blanca es $-(0{,}76\ \text{m/s})\,\hat{\mathbf{i}}$, la velocidad final de las otras dos bolas es de 2,6 m/s a ±30° con respecto a la velocidad inicial de la bola blanca
106. bola 1: $-(1{,}4\ \text{m/s})\,\hat{\mathbf{i}} - (0{,}4\ \text{m/s})\,\hat{\mathbf{j}}$, bola 2: $(2{,}2\ \text{m/s})\,\hat{\mathbf{i}} + (2{,}4\ \text{m/s})\,\hat{\mathbf{j}}$
108. bola 1: $(1{,}4\ \text{m/s})\,\hat{\mathbf{i}} - (1{,}7\ \text{m/s})\,\hat{\mathbf{j}}$, bola 2: $-(2{,}8\ \text{m/s})\,\hat{\mathbf{i}} + (0{,}012\ \text{m/s})\,\hat{\mathbf{j}}$
110. $(r, \theta) = (2R/3, \pi/8)$
112. Las respuestas pueden variar. Los gases que empujan sobre la superficie de la Tierra no impulsan el cohete, sino la conservación del momento. El momento del gas que se expulsa por la parte trasera del cohete deberá compensarse con un aumento del momento hacia delante del cohete.

Problemas De Desafío

114. a. $617\ \text{N}\cdot\text{s}$, 108°; b. $F_x = 2{,}91 \times 10^4\ \text{N}$, $F_y = 2{,}6 \times 10^5\ \text{N}$; c. $F_x = 5.850\ \text{N}$, $F_y = 5.265\ \text{N}$

116. La conservación del momento exige $m_1 v_{1,i} + m_2 v_{2,i} = m_1 v_{1,f} + m_2 v_{2,f}$. Se nos da que $m_1 = m_2$, $v_{1,i} = v_{2,f}$, y $v_{2,i} = v_{1,f} = 0$. Al combinar estas ecuaciones con la ecuación dada por la conservación del momento se obtiene $v_{1,i} = v_{1,i}$, lo cual es cierto, por lo que se cumple la conservación del momento. La conservación de la energía exige $\frac{1}{2}m_1 v_{1,i}^2 + \frac{1}{2}m_2 v_{2,i}^2 = \frac{1}{2}m_1 v_{1,f}^2 + \frac{1}{2}m_2 v_{2,f}^2$. De nuevo, al combinar esta ecuación con las condiciones dadas anteriormente, se obtiene $v_{1,i} = v_{1,i}$, por lo que se cumple la conservación de la energía.

118. Supongamos que el origen está en la línea central y en el suelo, entonces $(x_{CM}, y_{CM}) = (0.86 \text{ cm})$

Capítulo 10

Compruebe Lo Aprendido

10.1 a. $40{,}0 \text{ rev/s} = 2\pi(40{,}0) \text{ rad/s}, \bar{\alpha} = \frac{\Delta\omega}{\Delta t} = \frac{2\pi(40{,}0)-0 \text{ rad/s}}{20{,}0 \text{ s}} = 2\pi(2{,}0) = 4{,}0\pi \text{ rad/s}^2$; b. Dado que la velocidad angular aumenta linealmente, tiene que haber aceleración constante a lo largo del tiempo indicado. Por lo tanto, la aceleración angular instantánea en cualquier momento es la solución de $4{,}0\pi \text{ rad/s}^2$.

10.2 a. Utilizando la Ecuación 10.11, tenemos $7.000 \text{ rpm} = \frac{7000{,}0(2\pi \text{ rad})}{60{,}0 \text{ s}} = 733{,}0 \text{ rad/s}$,
$\alpha = \frac{\omega-\omega_0}{t} = \frac{733{,}0 \text{ rad/s}}{10{,}0 \text{ s}} = 73{,}3 \text{ rad/s}^2$;
b. Utilizando la Ecuación 10.13, tenemos
$\omega^2 = \omega_0^2 + 2\alpha\Delta\theta \Rightarrow \Delta\theta = \frac{\omega^2-\omega_0^2}{2\alpha} = \frac{0-(733{,}0 \text{ rad/s})^2}{2(73{,}3 \text{ rad/s}^2)} = 3665{,}2 \text{ rad}$

10.3 La aceleración angular es $\alpha = \frac{(5{,}0-0)\text{rad/s}}{20{,}0 \text{ s}} = 0{,}25 \text{ rad/s}^2$. Por lo tanto, el ángulo total que atraviesa el niño es
$\Delta\theta = \frac{\omega^2-\omega_0^2}{2\alpha} = \frac{(5{,}0)^2-0}{2(0{,}25)} = 50 \text{ rad}$.
Así, calculamos
$s = r\theta = 5{,}0 \text{ m}(50{,}0 \text{ rad}) = 250{,}0 \text{ m}$.

10.4 La energía cinética rotacional inicial de la hélice es
$K_0 = \frac{1}{2}I\omega^2 = \frac{1}{2}(800{,}0 \text{ kg-m}^2)(4{,}0 \times 2\pi \text{ rad/s})^2 = 2{,}53 \times 10^5 \text{ J}$.
A los 5,0 s la nueva energía cinética rotacional de la hélice es
$K_f = 2{,}03 \times 10^5 \text{ J}$.
y la nueva velocidad angular es
$\omega = \sqrt{\frac{2(2{,}03 \times 10^5 \text{ J})}{800{,}0 \text{ kg-m}^2}} = 22{,}53 \text{ rad/s}$
que es de 3,58 rev/s.

10.5 $I_{\text{eje paralelo}} = I_{\text{centro de masa}} + md^2 = mR^2 + mR^2 = 2mR^2$

10.6 El ángulo entre el brazo de palanca y el vector de fuerza es 80°; por lo tanto,
$r_\perp = 100\text{m}(\text{sen}80°) = 98{,}5 \text{ m}$.
El producto cruz $\vec{\tau} = \vec{r} \times \vec{F}$ da un torque negativo o en el sentido de las agujas del reloj.
El torque es entonces $\tau = -r_\perp F = -98{,}5 \text{ m}(5{,}0 \times 10^5\text{N}) = -4{,}9 \times 10^7 \text{N} \cdot \text{m}$.

10.7 a. La aceleración angular es $\alpha = \frac{20{,}0(2\pi)\text{rad/s}-0}{10{,}0 \text{ s}} = 12{,}56 \text{ rad/s}^2$. Al resolver el torque, tenemos
$\sum_i \tau_i = I\alpha = (30{,}0 \text{ kg} \cdot \text{m}^2)(12{,}56 \text{ rad/s}^2) = 376{,}80 \text{ N} \cdot \text{m}$; b. La aceleración angular es
$\alpha = \frac{0-20{,}0(2\pi)\text{rad/s}}{20{,}0 \text{ s}} = -6{,}28 \text{ rad/s}^2$. Al resolver el torque, tenemos
$\sum_i \tau_i = I\alpha = (30{,}0 \text{ kg-m}^2)(-6{,}28 \text{ rad/s}^2) = -188{,}50 \text{ N} \cdot \text{m}$

10.8 3 MW

Preguntas Conceptuales

1. El segundero rota en el sentido de las agujas del reloj, por lo que, según la regla de la mano derecha, el

vector de velocidad angular es hacia la pared.
3. Tienen la misma velocidad angular. Los puntos más alejados del bate tienen mayor rapidez tangencial.
5. línea recta, lineal en la variable tiempo
7. constante
9. El vector de aceleración centrípeta es perpendicular al vector de velocidad.
11. a. ambas; b. aceleración centrípeta distinta de cero; c. ambas
13. La esfera hueca, dado que la masa se distribuye más lejos del eje de rotación.
15. a. Disminuye. b. Los brazos podrían calcularse aproximadamente como varillas y el disco como un disco. El torso está cerca del eje de rotación, por lo que no contribuye mucho al momento de inercia.
17. Porque el momento de inercia varía como el cuadrado de la distancia al eje de rotación. La masa de la varilla situada a distancias superiores a $L/2$ aportaría la mayor contribución para que su momento de inercia fuera mayor que la masa puntual en $L/2$.
19. magnitud de la fuerza, longitud del brazo de palanca y ángulo del brazo de palanca y del vector de fuerza
21. El momento de inercia de las ruedas se reduce, por lo que se necesita un torque menor para acelerarlas.
23. sí
25. $|\vec{\mathbf{r}}|$ puede ser igual al brazo de palanca, pero nunca menor.
27. Si las fuerzas están a lo largo del eje de rotación, o si tienen el mismo brazo de palanca y se aplican en un punto de la varilla.

Problemas

29. $\omega = \frac{2\pi \text{ rad}}{45{,}0 \text{ s}} = 0{,}14 \text{ rad/s}$
31. a. $\theta = \frac{s}{r} = \frac{3{,}0 \text{ m}}{1{,}5 \text{ m}} = 2{,}0 \text{ rad}$; b. $\omega = \frac{2{,}0 \text{ rad}}{1{,}0 \text{ s}} = 2{,}0 \text{ rad/s}$; c. $\frac{v^2}{r} = \frac{(3{,}0 \text{ m/s})^2}{1{,}5 \text{ m}} = 6{,}0 \text{ m/s}^2$.
33. La hélice solo necesita $\Delta t = \frac{\Delta\omega}{\alpha} = \frac{0 \text{ rad/s} - 10{,}0(2\pi) \text{ rad/s}}{-2{,}0 \text{ rad/s}^2} = 31{,}4 \text{ s}$ para llegar al reposo, cuando la hélice está a 0 rad/s, comenzaría a rotar en sentido contrario. Esto sería imposible debido a la magnitud de las fuerzas que intervienen para que la hélice se detenga y comience la rotación en sentido contrario.
35. a. $\omega = 25{,}0(2{,}0 \text{ s}) = 50{,}0 \text{ rad/s}$; b. $\alpha = \frac{d\omega}{dt} = 25{,}0 \text{ rad/s}^2$
37. a. $\omega = 54{,}8 \text{ rad/s}$;
b. $t = 11{,}0 \text{ s}$
39. a. $0{,}87 \text{ rad/s}^2$;
b. $\theta = 12.600 \text{ rad}$
41. a. $\omega = 42{,}0 \text{ rad/s}$;

b. $\theta = 220 \text{ rad}$; c. $v_t = 42 \text{ m/s}$
$a_t = 4{,}0 \text{ m/s}^2$
43. a. $\omega = 7{,}0 \text{ rad/s}$;
b. $\theta = 22{,}5 \text{ rad}$; c. $a_t = 0{,}1 \text{ m/s}$
45. $\alpha = 28{,}6 \text{ rad/s}^2$.
47. $r = 0{,}78 \text{ m}$
49. a. $\alpha = -0{,}314 \text{ rad/s}^2$,
b. $a_c = 197{,}4 \text{ m/s}^2$; c. $a = \sqrt{a_c^2 + a_t^2} = \sqrt{197{,}4^2 + (-6{,}28)^2} = 197{,}5 \text{ m/s}^2$
$\theta = \tan^{-1}\frac{-6{,}28}{197{,}4} = -1{,}8°$ en el sentido de las agujas del reloj a partir del vector de aceleración centrípeta.
51. $ma = 40{,}0 \text{ kg}(5{,}1 \text{ m/s}^2) = 204{,}0 \text{ N}$
La fuerza de fricción máxima es $\mu_S N = 0{,}6(40{,}0 \text{ kg})(9{,}8 \text{ m/s}^2) = 235{,}2 \text{ N}$ por lo que el niño no se cae todavía.

$$v_t = r\omega = 1{,}0(2{,}0t)\ \text{m/s}$$

53. $a_c = \frac{v_t^2}{r} = \frac{(2{,}0t)^2}{1{,}0\ \text{m}} = 4{,}0t^2\ \text{m/s}^2$

$a_t(t) = r\alpha(t) = r\frac{d\omega}{dt} = 1{,}0\ \text{m}(2{,}0) = 2{,}0\ \text{m/s}^2.$

Graficando ambas aceleraciones se obtiene

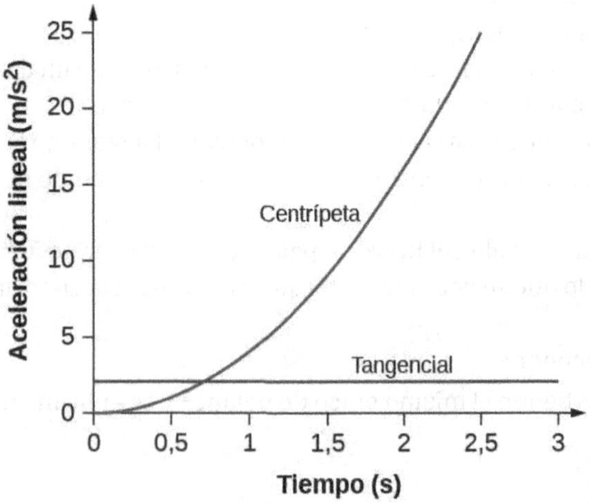

La aceleración tangencial es constante, mientras que la aceleración centrípeta depende del tiempo, y aumenta con el tiempo hasta valores mucho mayores que la aceleración tangencial después de $t = 1$s. Para tiempos inferiores a 0,7 s y próximos a cero, la aceleración centrípeta es mucho menor que la tangencial.

55. a. $K = 2{,}56 \times 10^{29}$ J;
b. $K = 2{,}68 \times 10^{33}$ J

57. $K = 434{,}0$ J

59. a. $v_f = 86{,}5$ m/s;
b. La tasa de rotación de la hélice se mantiene en 20 rev/s.

61. $K = 3{,}95 \times 10^{42}$ J

63. a. $I = 0{,}315\ \text{kg} \cdot \text{m}^2$;
b. $K = 621{,}8$ J

65. $I = \frac{7}{36}mL^2$

67. $v = 7{,}14$ m/s.

69. $\theta = 10{,}2°$

71. $F = 30$ N

73. a. $0{,}85\ \text{m}\,(55{,}0\ \text{N}) = 46.75\ \text{N} \cdot \text{m}$; b. No importa a qué altura se empuje.

75. $m_2 = \frac{4{,}9\ \text{N·m}}{9{,}8(0{,}3\ \text{m})} = 1{,}67$ kg

77. $\tau_{net} = -9{,}0\ \text{N} \cdot \text{m} + 3{,}46\ \text{N} \cdot \text{m} + 0 - 3{,}38\ \text{N} \cdot \text{m} = -8{,}92\ \text{N} \cdot \text{m}$

79. $\tau = 5{,}66\ \text{N} \cdot \text{m}$

81. $\sum \tau = 57{,}82\ \text{N} \cdot \text{m}$

83. $\vec{\mathbf{r}} \times \vec{\mathbf{F}} = 4{,}0\hat{\mathbf{i}} + 2{,}0\hat{\mathbf{j}} - 16{,}0\hat{\mathbf{k}}\text{N} \cdot \text{m}$

85. a. $\tau = (0{,}280\ \text{m})(180{,}0\ \text{N}) = 50{,}4\ \text{N} \cdot \text{m}$; b. $\alpha = 17{,}14\ \text{rad/s}^2$;
c. $\alpha = 17{,}04\ \text{rad/s}^2$

87. $\tau = 8{,}0\ \text{N} \cdot \text{m}$

89. $\tau = -43{,}6\ \text{N} \cdot \text{m}$

91. a. $\alpha = 1{,}4 \times 10^{-10}\ \text{rad/s}^2$;
b. $\tau = 1{,}36 \times 10^{28}$N-m; c. $F = 2{,}1 \times 10^{21}$ N

93. $a = 3{,}6\ \text{m/s}^2$

95. a. $a = r\alpha = 14{,}7\ \text{m/s}^2$; b. $a = \frac{L}{2}\alpha = \frac{3}{4}g$

97. $\tau = \frac{P}{\omega} = \frac{2{,}0 \times 10^6\text{W}}{2{,}1\ \text{rad/s}} = 9{,}5 \times 10^5\text{N} \cdot \text{m}$

99. a. $K = 888{,}50$ J;

b. $\Delta\theta = 294{,}6 \text{ rev}$

101. a. $I = 114{,}6 \text{ kg} \cdot \text{m}^2$;
b. $P = 104.700 \text{ W}$

103. $v = L\omega = \sqrt{3Lg}$

105. a. $a = 5{,}0 \text{ m/s}^2$; b. $W = 1{,}25 \text{ N} \cdot \text{m}$

Problemas Adicionales

107. $\Delta t = 10{,}0 \text{ s}$

109. a. $0{,}06 \text{ rad/s}^2$; b. $\theta = 105{,}0 \text{ rad}$

111. $s = 405{,}26 \text{ m}$

113. a. $I = 0{,}363 \text{ kg} \cdot \text{m}^2$;
b. $I = 2{,}34 \text{ kg} \cdot \text{m}^2$

115. $\omega = \sqrt{\frac{6{,}68 \text{ J}}{4{,}4 \text{ kgm}^2}} = 1{,}23 \text{ rad/s}$

117. $F = 23{,}3 \text{ N}$

119. $\alpha = \frac{190{,}0 \text{ N-m}}{2{,}94 \text{ kg-m}^2} = 64{,}4 \text{ rad/s}^2$

Problemas De Desafío

121. a. $\omega = 2{,}0t - 1{,}5t^2$; b. $\theta = t^2 - 0{,}5t^3$; c. $\theta = -400{,}0 \text{ rad}$; d. el vector está en $-0{,}66(360°) = -237{,}6°$

123. $I = \frac{2}{5}mR^2$

125. a. $\omega = 8{,}2 \text{ rad/s}$; b. $\omega = 8{,}0 \text{ rad/s}$

ÍNDICE